식품영양실험핸드북

—식 품 편—

한국식품영양과학회 편

도서출판 효 일

편 찬 위 원 회

집 필 위 원

강명희 (한남대학교) 강영주 (제주대학교) 강우원 (상주대학교) 강일준 (한림대학교)
강진훈 (고신대학교) 고경수 (제주지방개발공사) 고정삼 (제주대학교) 구재근 (군산대학교)
권영길 (경북대학교) 권인숙 (안동대학교) 권중호 (경북대학교) 김 훈 (창원대학교)
김건희 (덕성여자대학교) 김경수 (조선대학교) 김광수 (영남대학교) 김광엽 (충북대학교)
김대중 (충북대학교) 김대진 (동아대학교) 김동술 (대구식품의약품안전청) 김미라 (경북대학교)
김병삼 (울산대학교) 김석중 (한국식품개발연구원) 김선민 (동신대학교) 김성곤 (단국대학교)
김성완 (강원대학교) 김세권 (부경대학교) 김수민 (경산대학교) 김수현 (제주대학교)
김순경 (순천향대학교) 김순동 (대구가톨릭대학교) 김승희 (식품의약품안전청) 김영미 (한국농업과학기술원)
김영찬 (한국보건산업진흥원) 김용두 (순천대학교) 김을상 (단국대학교) 김인숙 (원광대학교)
김재철 (인제대학교) 김정균 (경상대학교) 김정상 (경북대학교) 김정인 (인제대학교)
김정환 (경상대학교) 김정희 (서울여자대학교) 김종대 (강원대학교) 김주남 (대구이공대학)
김주일 (식품의약품안전청) 김진수 (경상대학교) 김태산 (한국농업과학기술원) 김해리 (서울대학교)
김현구 (한국식품개발연구원) 김현숙 (숙명여자대학교) 김형락 (부경대학교) 김혜경 (한서대학교)
김혜영 (용인대학교) 김희숙 (경성대학교) 김희연 (식품의약품안전청) 남기선 (녹십자백신)
남택정 (부경대학교) 노희경 (조선대학교) 류은순 (고신대학교) 류홍수 (부경대학교)
문광덕 (경북대학교) 문은표 (아주대학교) 박건영 (부산대학교) 박모라 (상주대학교)
박복희 (목포대학교) 박승우 (경북보건환경연구원) 박양균 (목포대학교) 박영희 (동신대학교)
박은령 (조선대학교) 박정륭 (영남대학교) 박종철 (순천대학교) 박찬성 (경산대학교)
박태선 (연세대학교) 박혜순 (중앙병원) 박희동 (경북대학교) 박희열 (국립수산물검사소)
배만종 (경산대학교) 변명우 (한국원자력연구소) 변부형 (경산대학교) 서권일 (순천대학교)
서재수 (고신대학교) 서정숙 (영남대학교) 서정희 (한국소비자보호원) 성낙주 (경상대학교)
성미경 (숙명여자대학교) 성삼경 (영남대학교) 성창근 (충남대학교) 손동화 (한국식품개발연구원)
손미령 (경북대학교) 송영선 (인제대학교) 송영옥 (부산대학교) 송요숙 (우석대학교)
신동화 (전북대학교) 신승렬 (경산대학교) 신태선 (여수대학교) 신현길 (한동대학교)
심기환 (경상대학교) 안봉전 (경산대학교) 안창범 (여수대학교) 안홍석 (성신여자대학교)
양재승 (한국원자력연구소) 양지영 (부경대학교) 오광수 (경상대학교) 오덕환 (강원대학교)
오만진 (충남대학교) 오승호 (전남대학교) 왕수경 (대전대학교) 유리나 (울산대학교)
유영재 (창원대학교) 윤광섭 (대구가톨릭대학교) 윤군애 (동의대학교) 윤혜현 (충남대학교)
은종방 (전남대학교) 이경애 (순천향대학교) 이경호 (경북보건환경연구원) 이근우 (군산대학교)
이기동 (경북과학대학) 이명렬 (조선대학교) 이명숙 (성신여자대학교) 이미순 (덕성여자대학교)
이부용 (한국식품개발연구원) 이상영 (강원대학교) 이상일 (계명문화대학) 이성태 (순천대학교)
이수정 (부천대학) 이순재 (대구가톨릭대학교) 이승철 (경남대학교) 이연경 (경북대학교)
이인구 (경북대학교) 이인선 (계명대학교) 이정숙 (고신대학교) 이현덕 (고려대학교)
이혜성 (경북대학교) 이희덕 (한국식품연구소) 임치원 (국립수산진흥원) 임현숙 (전남대학교)
임화재 (동의대학교) 전순실 (순천대학교) 전향숙 (한국식품개발연구원) 정덕화 (경상대학교)
정미숙 (덕성여자대학교) 정보영 (경상대학교) 정숙현 (동서대학교) 정신교 (경북대학교)
정영진 (충남대학교) 정용진 (계명대학교) 정중교 (경북보건환경연구원) 정차권 (한림대학교)
정형욱 (경북대학교) 조덕봉 (광주보건대학) 조득문 (동부산대학) 조래광 (경북대학교)
조성기 (한국원자력연구소) 조성희 (대구가톨릭대학교) 조순영 (강릉대학교) 조양희 (한국보건산업진흥원)
조여원 (경희대학교) 조영수 (동아대학교) 조영제 (부경대학교) 조윤옥 (덕성여자대학교)
진구복 (전남대학교) 차연수 (전북대학교) 차용준 (창원대학교) 최 면 (강원대학교)
최 청 (영남대학교) 최경호 (대구가톨릭대학교) 최명숙 (경북대학교) 최미자 (계명대학교)
최상원 (대구가톨릭대학교) 최성희 (한국보건산업진흥원) 최영선 (대구대학교) 최영준 (경상대학교)
최옥자 (순천대학교) 최용순 (강원대학교) 최용희 (경북대학교) 최원균 (동영과학)
최재수 (부경대학교) 최종욱 (경북대학교) 최진상 (진주산업대학교) 최현주 (인제대학교)
최홍식 (부산대학교) 하영래 (경상대학교) 하진환 (제주대학교) 한대석 (한국식품개발연구원)
한복기 (국립보건원) 한영실 (숙명여자대학교) 한지숙 (부산대학교) 함승시 (강원대학교)
함영태 (중앙대학교) 허종화 (경상대학교) 현화진 (중부대학교) 홍진태 (식품의약품안전청)
홍진환 (식품의약품안전청) 황금택 (전북대학교) 황재관 (연세대학교)

(가나다 순)

발 간 사

식품과학의 학문적 본질은 영양과학의 학문영역과 밀접한 관계가 있다고 하겠습니다. 그것은 식품이 생명의 아버지라 한다면 영양은 생명의 어머니 역할을 한다는 절대적인 진리가 이를 뒷받침해 주고 있기 때문입니다. 식품과학의 영역은 생명의 유지에 필요한 식품을 생산하고 가공하며 분석한 다음 먹거리의 소재로 공급하는 것이요, 영양과학은 그러한 소재가 생체 내에서 신진대사에 어떤 영향을 미치는가를 추적하며, 건강에 대한 효과를 평가한 다음 식품의 영양적 가치를 종합적으로 판단하는 학문영역으로 식품과학과 영양과학은 원천적인 뿌리를 같이 한다라고 말할 수 있겠습니다.

이와 같은 사실은 최근 식품의 3대 기능연구분야에서도 알 수 있듯이 1차 기능에서는 생체 에너지 대사조절로서의 식품, 또는 생체 리듬과 식품의 영양기능 발현, 단백질 소화에 의하여 발현되는 영양기능 등 생명유지에 관련되는 고도의 실험테크닉을 필요로 하며, 2차 기능에서는 식품의 향미성분에 의한 감각응답의 정량적 측정, 식품의 시각과 미각의 특성인지에 대한 뇌의 메커니즘, 후각과 미각의 상호관련, 섭식조절에 관여하는 식품인자 추적 등 실험기술의 다양성을 필요로 합니다. 3차 기능인 생체 조절기능은 생체의 방어, 리듬조절, 노화억제, 질환방지, 질병회복, 기타 항알러지성, 항암성 그리고 식품성분 중의 잠재적 생리활성 물질탐색 등 실험방법에 대한 종합적인 기술을 필요로 하기 때문에 이와 같은 분야의 실제적인 학문연구가 바로 식품·영양과학의 실험과정이라 하겠습니다.

학문이란 이론과 실제가 병행됨으로써 본질을 파악할 수 있기 때문에 대학 교육과정에서나 교수들의 연구수행에서 실험과정이라는 것이 얼마나 중요하다라는 것은 재론할 필요가 없다고 하겠습니다. 자연과학에서 실험의 중요성이란 바로 실사구시(實事求是)의 학문적 바탕이 실험결과에 근거를 두고있기 때문입니다. 그러나 지금까지 식품분석 실험서 등 각종 서적이 시중에 범람하고 있지만 식품과 영양과학의 전 분야를 연계시켜 실용성을 강조한 전문서적은 아직 출판되지 않은 상태입니다.

한국식품영양과학회에서는 2001년 본회 창립 30주년 기념사업의 일환으로 식품영양실험핸드북을 편찬하게 되었습니다. 따라서 이 책은 식품과 영양 과학분야에서 연구·교육하시는 교수는 물론이요, 대학원생, 정부연구기관 및 기업체 부설연구소의 전문가들에게 필요한 지식을 보급하는 한편 분석방법이나 임상실험실무에 요긴하게 활용되도록 최신 내용을 담아 편찬하였으므로 편이성 높은 지침서가 될 것으로 판단됩니다.

본 핸드북은 약 250명의 집필자들이 각 전문분야를 집필하여 식품편과 영양편으로 나누어 편집하였으므로 일부 오류가 있을 것으로 예상됩니다. 독자께서는 미진한 부분을 서슴없이 지적해 주시면 재판시 이를 수정·보완하여 보다 나은 실험서로 다듬어 나갈 것을 약속 드립니다.

아무쪼록 본 핸드북이 발간되기까지 집필에 참여하신 모든 집필위원, 편찬위원 여러분, 그리고 출판을 담당하신 모든 분들의 노고에 깊은 감사를 드리면서 발간사에 대신합니다.

2000년 10월

한국식품영양과학회 2000년도 회 장 이 상 영
2001년도 회 장 김 을 상
30주년 기념사업추진위원회 조직위원장 조 수 열

서 문

우리 학회 창립 30주년을 기념하고 식품영양과학 분야의 획기적인 발전을 도모하고자 기획·추진해왔던 「식품영양실험핸드북」을 이제 발간하게 되었습니다. 우리 회원 등 약 250명이 참여하여 만든 총 1,600여 쪽의 방대한 이 발간사업은 우리 학회는 물론 관련 학계, 연구기관, 산업계에서 그 동안 가져왔던 숙원사업의 하나였던 것입니다.

이 발간사업은 그 내용의 방대함, 참여 집필자의 수, 발간기간, 내용의 선정, 집필, 조정과 보완, 그리고 편집과 교정 등에서 짐작했던 것처럼 큰 어려움이 있었습니다. 그러나 많은 분들의 적극적인 참여와 협조, 그리고 충분한 이해가 있었기에 모든 어려움을 극복하고 이제 출판하게 된 것입니다. 특히 이 핸드북은 전문 집필위원(195명), 편찬위원 겸 책임집필위원(33명), 감수위원 및 자문위원(20명), 그리고 이 일에 시종 적극적으로 관여한 편찬위원회 간사, 부위원장 등 많은 분들의 노력으로 이루어진 결실이라 생각됩니다.

이미 여러 차례 강조하였습니다만, 본 핸드북의 편찬은 여러분들의 의견을 참조하여 다음과 같은 큰 테두리 안에서 진행되었습니다.

▶ 금년도 임원진의 발의로 편찬위원회를 구성하고 동 위원회에서 회원의 의견을 종합하여 핸드북 발간에 따른 세부방침을 정했으며, 이를 평의원회 및 이사회의 동의를 얻은 바 있습니다.

▶ 핸드북은 가능한 우리 분야의 모든 영역을 포함시키되 최근에 주목되고 있는 여러 내용도 깊게 다루도록 하였습니다. 그리고 단행본의 성격을 지니되, 분량을 고려하여 식품과학 분야와 영양과학 분야로 나누어 각각 별책으로 발간하기로 하였습니다.

▶ 편찬위원회에서 분야별로 총 28장으로 나누어 책임집필자를 위촉하였으며 책임집필자와 함께 해당 전문집필자를 의뢰·선정하였습니다. 그리고 전문집필자 선정과정에서 모든 분들의 적극적인 참여를 위해 수차에 걸친 공문으로 전문집필자의 자발적인 참여를 유도하였습니다.

▶ 집필 및 출판단계에서의 세부분야별 사항은 책임집필위원 주관 하에 해당 분야의 점검과 책임을 갖도록 하였습니다.

▶ 집필자는 관련 실험방법 가운데 학생강의용(학부포함) 및 연구용을 함께 다루도록 하되, 관련내용 모두를 다룰 수는 없으므로 현실적으로 가장 많이 이용할 수 있는 방법들을 선정하여 서술하였습니다.

▶ 수고해 주신 집필위원들의 명단 등은 여러 가지 상황을 고려하여 핸드북의 앞쪽에 수록하였습니다. 그리고 집필위원의 명단은 학회 사무실에 비치하여 필요시 집필내용에 관한 문의와 토론을 가능하게 하고, 또 관련정보를 서로 교환하고 중개할 수 있도록 하였습니다.

▶ 여러 가지 부족한 점이 있으리라 생각되며, 앞으로 핸드북에 관한 여러분의 의견을 널리 수렴하여 이를 수정 · 보완할 예정입니다.

▶ 회원이나 학계의 요청이 있고 적당한 때가 되면 핸드북 내용 중 일부를 학부용 실험서로 재편집 발간할 수도 있을 것입니다. 이에 대하여 학회와는 물론, 출판사와도 충분한 협의가 이루어진 후에 추진되어야 할 것입니다.

▶ 본 핸드북의 발행 및 집필에 관여한 어떠한 분에게도 본 서적과 관련된 혜택이 부여되지 않으며, 모든 재정적 수입 등은 학회의 수익으로 돌리도록 약정되어 있음도 재삼 말씀드리는 바입니다.

아무쪼록 학계 여러분과 회원님들, 감수 및 자문위원 여러분, 그리고 집필자 여러분과 편찬위원회 여러분들의 지원과 격려에 깊은 감사의 말씀을 드립니다. 아울러 핸드북의 발간에 적극적으로 나서 주신 도서출판 효일의 사장님과 여러분들께도 감사를 드립니다.

우리의 숙원사업인 실험핸드북의 발간을 진심으로 다시 한 번 축하드립니다.

2000년 10월

한국식품영양과학회「식품영양실험핸드북」 편찬위원회

위 원 장 최 홍 식

차 례

〈 식품편 〉

〈영양편〉

식품분석개론

제 1 절 식품분석의 기초

1. 시약의 조제 및 농도

1) 단 위

(1) 부피단위

부피단위란 ℓ, mℓ 및 μℓ 등이 있다. cc와 mℓ는 동일하게 사용되나 정확히는 1ℓ=1,000 : 27cc이므로 1ℓ=1,000 mℓ므로 mℓ단위를 쓰는 것이 좋다. 1mℓ는 4℃, 1atm 하에서 순수한 물 1kg이 차지하는 부피이다.

(2) 무게단위

무게단위는 kg, g, mg 및 μg 등이 있다. Vitamin의 경우는 국제단위(intcnational unit, IU)로 나타낸다.

ppm : 묽은 용액의 농도단위로서 parts per million의 약자이다. 즉, 100만분의 1을 1ppm이라 하고 μg/g, μg/mℓ, mg/ℓ, g/t으로도 표시한다.

2) 용액의 농도

농도(concentration)란 용액의 조성, 즉 진하고 묽은 정도로 나타내는 말이며, 용매 또는 용액의 일정량에 대한 용질의 양으로 나타낸다. 용매의 농도를 나타내는 데에는 여러 가지 방법이 있으나 일반적으로 쓰이는 농도표시법은 다음과 같다.

(1) 백분율농도

① 무게백분율농도(percentage by weight concentration, %w/w)

용액 100g 속에 녹아있는 용질의 g수로서 나타내는 방법이며 %, g%, %w/w, Pw/w, g/100g 등으로 표시한다. 예를 들면 5% NaOH 용액이란 용액 100 g에 NaOH 5 g을 포함하는 용액을 말한다.

② 무게대부피백분율농도(percentage in volume concentration, %w/v)

용액 100mℓ 속에 녹은 용질의 g수로 나타내는 방법이며 %w/v, Pw/w g/100mℓ 등으로 표시한다. 예를 들면, 10% w/v NaCl 용액은 용액 100mℓ에 NaCl 10g이 녹아 있는 용액이다. 그러나 이때에는 온도에 따라 용액의 부피가 변함으로 반드시 온도를 표시하여야 한다.

③ 부피백분율농도(percentage by volume concentration, %v/v)

액체상태의 시약으로 용액을 만들 때 많이 이용되는 부피백분율농도는 용액 100mℓ에 함유하는 용질의 mℓ를 말하며 %v/v, Pv/v, mℓ/100mℓ로 표시한다. 부피로 나타내는 또 하나의 경우는 부피비농도(volume ratio concetration)는 농도가 진한 시약과 용매의 부피비로서 표시하는 농도가 있다. 즉 1 : 3 HCl 수용액은 진한 HCl의 부피에 대해 3배의 물을 섞은 용액이다.

(2) 몰랄농도(molality, m)

용매 1000g 속에 녹아 있는 용질의 mole수로 나타낸 것이며 m으로 표시한다. 즉 3m KOH 용액이란 순수한 물 1000g 속에 KOH 3mole(58.11×3g)이 용해되어 있는 용액이다.

(3) 몰농도(molarity, M)

몰(mole)이란 g분자량을 말하는데, 즉 분자량 만큼의 g수이다. 몰농도는 용액 1 ℓ 속에 녹아 있는 용질의 몰수로 나타내는 것이고 M으로 표시한다. 1M 황산용액은 용액 1ℓ속에 황산 1mole(98.08g)이 녹아 있는 용액이다.

3) 용액의 묽힘

어떤 농도의 용액을 묽히고자 할 때 첨가해 주어야 할 물의 양을 계산하는 방법은 각 농도의 정의를 잘 알고 있으면 쉽게 계산할 수 있다. 여기서는 식품분석에 필요한 용도의 묽힘을 설명한다.

(1) 규정농도의 묽힘

진한 용액의 부피를 V_1, 그 규정농도를 N_1, 또 제조하고자 하는 용액의 규정농도와 부피를 각각 N_2와 V_2라 할 때 다음과 같은 관계식이 성립하면 이식을 이용하며 쉽게 계산할 수가 있다.

$$N_1V_1 = N_2V_2$$

예제 5N HCl용액을 사용하여 0.1N HCl 250mℓ를 만드는 방법을 설명하라.

풀이) $5 \times V = 0.1 \times 250$

$\therefore V = 5\text{m}\ell$

즉, 5N HCl 5mℓ를 물로 희석하여 전체량이 250mℓ로 하면 된다.

(2) 백분율농도의 묽힘

서로 농도가 다른 두 용액을 섞어서 그 중간 농도의 용액을 만드는데 필요한 혼합물을 계산하는 방법을 설명한다.

지금 a%의 용액 Ag과 b%용액 Bg을 혼합하여 c%용액을 만들 때에 용질의 전체량은 일정하므로 다음 관계식이 성립된다.

$$Aa + Bb = (A + B)C$$

$$\therefore A : B = (c - b) : (a - c).$$

단 $a > c > b$

이때 용액의 농도로 a, b를 같은 단위를 쓰면 무게나 부피(정확하게는 밀도를 곱한 값을 써야 함)를 어느 것이라도 좋으나 섞을 때 부피의 변화가 일어나면 무게단위를 사용하여야 한다.

a% 용액으로 b% 용액 cmℓ를 만들려고 할 때 용질의 양이 같으므로,

$$a \times a\% \text{ 용액의 양} = b \times c$$

가 성립된다. 그러므로

$$a\% \text{ 용액의 양(mℓ)} = \frac{b \times c}{a}$$

$$\text{물의 양(mℓ)} = c - \frac{b \times c}{a}$$

이다.

백분률농도의 묽힘시 보다 쉬운 방법은 아래와 같이 농도가 큰 쪽 농도(a)를 왼쪽 위, 낮은 편의 농도(b)를 왼쪽 아래에 쓰고, 가운데에 구하고자 하는 농도(c)를 쓴다. 그리고 서로 대각선으로 빼면 a%용액(c−b) 무게와 b%용액(a−c) 무게를 서로 혼합하여 c% 용액을 만들 수가 있다. 물 또는 다른 용매로 묽힐 때에는 b를 0으로 두고 계산하면 된다.

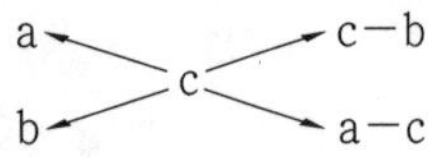

a ← c → c−b
b ← c → a−c

예제 40% NaOH 용액과 10% NaOH 용액을 섞어서 20% NaOH 용액 300mℓ를 만들고자 한다. 이때 40% NaOH과 10% NaOH 용액의 양은?

풀이) 40 ← 20 → 20 - 10 = 10
10 ← 20 → 40 - 20 = 20

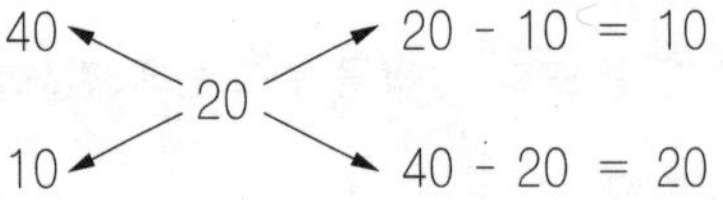

위 식에서 40% NaOH 용액과 20% NaOH 용액을 1 : 2비율로 섞으면 20% NaOH 용액이 된다. 그러므로 20% NaOH 용액 300mℓ를 만들자면 40% NaOH 용액 100mℓ와 NaOH 용액 200mℓ를 혼합하면 된다.

2. 기초적인 실험조작

1) 가열과 건조

(1) 가열

반응속도나 용해도는 온도의 상승과 함께 일반적으로 현저히 증가한다. 따라서 가열은 실온에서 반응하기 어려운 것일지라도 반응을 쉽게 하거나 고체시약 등의 용해를 촉진시키는데 필요하다.

유리 용기를 가열할 때는 서서히, 고르게 가열하여 유리의 장을 균일하게 하지 않으면 파손된다. Flask, beaker 등은 먼저 표면에 묻어 있는 수분을 없애고, 석쇠(asbestos wire netting)에 올려놓아 서서히 가열한다. 시험관(test tube)을 가열하려면 시험관을 계속 서서히 흔들면서 가열한다.

특히 시료가 적을 때는 화력을 약하게 하여 튐(돌비 ; bumping)이나 시험관의 파손을 방지하도록 해야 한다. 그리고 시료의 성질이나 실험 목적에 따라 일정한 온도를 유지하면서 가열하지 않으면 안될 때도 있다. 이런 경우에 저온일 때에는 탕욕(water bath), 고온일 때는 유욕(oil bath), flask heater 등을 이용한다.

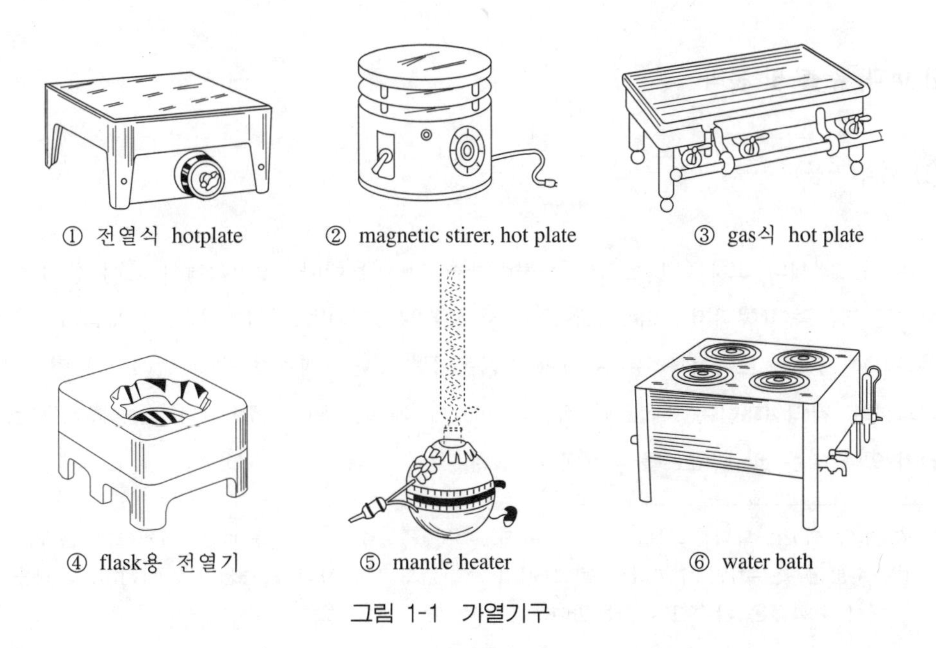

그림 1-1 가열기구

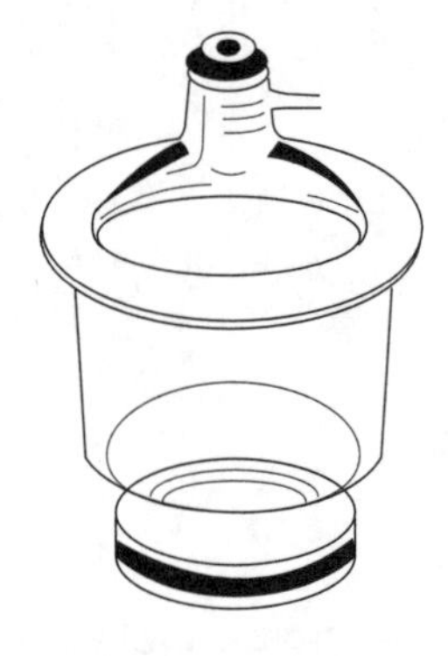

그림 1-2 Desiccator

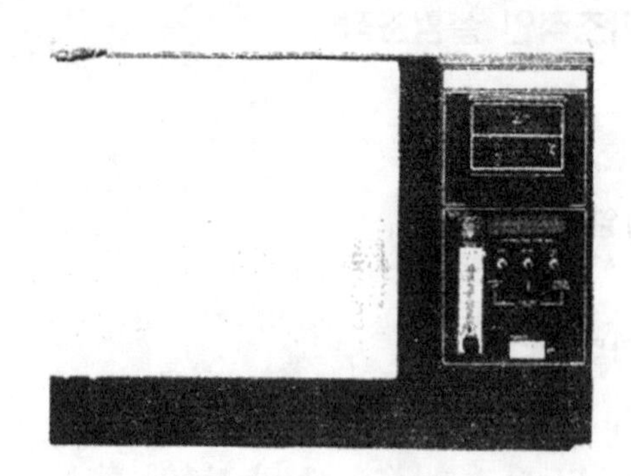

그림 1-3 전기항온건조기

(2) 건조

실온에서 고체분말을 건조하려면 건조제를 넣어 둔 desiccator(그림 1-2)를 이용한다. 이것을 vacuum pump로 흡인하여 감압하면 더 빨리 건조할 수 있다. 건조제로서는 탈수 염화칼슘, 진한 황산, 실리카겔[1](silicagel) 등을 사용한다.

수분의 함유량이 많은 고체를 가열로써 건조할 경우에는 일반적으로 전기항온건조기를 사용한다. 이 건조기에는 온도가 60~150℃의 온도로 자동 조절되도록 되어 있다. 그리고 건조 속도를 빠르게 하기 위해서 항온건조기를 개량한 통풍건조기나 진공건조기도 이용되고 있다.

2) 여과, 추출 및 분리

(1) 여과(거름)

여과는 액체와 고체와의 혼합물을 분리하는 데 이용한다. 실험실에서 흔히 쓰이는 여과 방법은 거름종이(여과지 ; filter paper)를 사용한 보통여과법(상압여과법)과 흡입여과법(감압여과법)이 있다. 보통여과법은 원형의 거름종이를 그림 1-4처럼 접어 깔대기에 밀착시켜서 여과한다. 감압여과법은 Buchner's funnel(nutsche)에 원형의 걸름종이가 약품에 작용받을 우려가 있을 때는 glass filter를 이용한다.

---

1) $CoCl_2$(청색)로 착색한 것을 가하여 두면, 수분을 흡수하지 않을 때는 청색으로 흡습성이 있다. 수분을 흡수하면 수화물로 됨에 따라 보라색으로 변하여 흡습성이 없어진다. 이때는 건조기에서 수화물은 탈수시켜 사용한다.

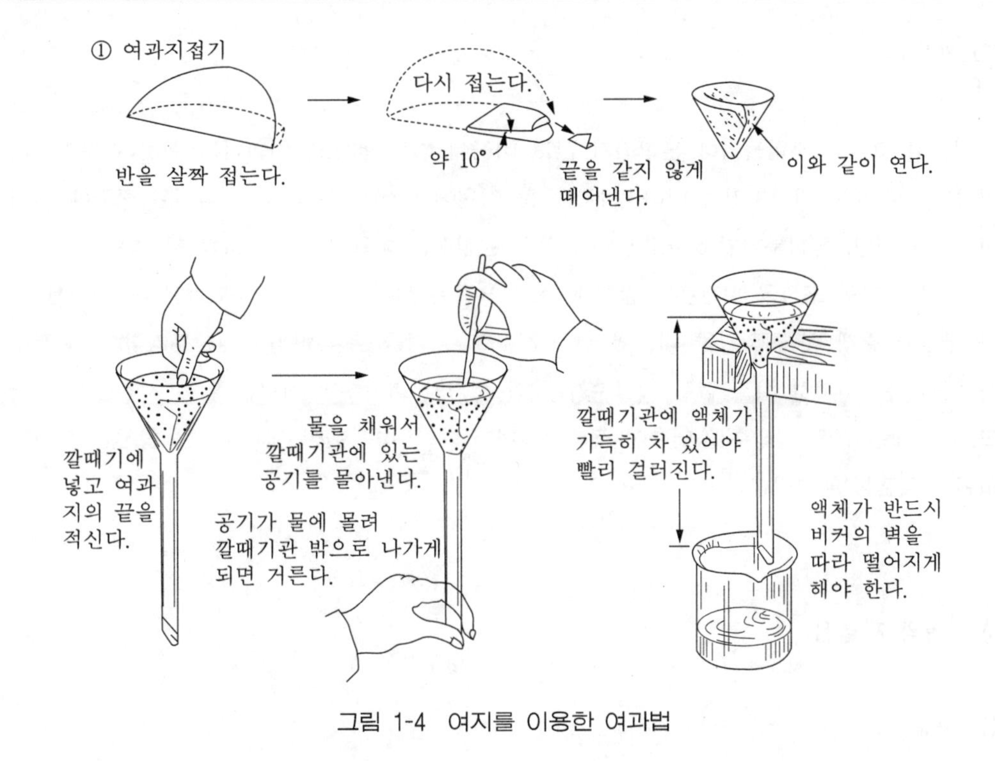

그림 1-4 여지를 이용한 여과법

(2) 추출 및 분리

고체 또는 액체에 섞여 있는 물질을 용매를 써서 융해해내는 방법을 추출이라 하는데, 혼합물의 상태가 액체인가 고체인가에 따라 그 조작에 차이가 있다. 일반적으로 액체의 경우가 많고 추출용기구로서는 분액깔때기(separating funnel)를 이용하고, 고체의 경우에는 soxhlet's extractor를 사용한다.

추출제는 목적물질을 잘 융해시키는 성질이어야 하고, 혼합용액이란 잘 섞이지 않는 것이 좋지만 약간은 섞이는 것이 보통이다. 일반적으로 수용액으로부터의 추출로서, 추출제로는 chloroform, CS_2, ether, benzene, amyl alcohol 등을 사용하고 있다.

분액깔때기의 사용에 있어서는 상부 및 하부의 연결부분이 완전한 것을 사용하여 다음과 같이 조작한다. 마개를 열고 용액을 1/2～1/3 정도 담아 용매를 가하여 전액량이 3/4정도 되게 하고, 마개를 막고 잘 흔든 다음 정치하면 두 층로 분리된다. 마개를 연 다음 cock로부터 하층의 액만을 흘려내면 목적한 용액을 얻을 수 있다.

(3) 원심분리

액체와 고체의 혼합물이나 혼합되지 않고 비중이 다른 용액을 여과법에 의하여 분리하기 어려운 경우에는 원심분리를 한다. 방치해 둔 경우에 있어서 용액 중의 침전은 중력에 의하여 침강하지만, 원심분리기(centrifuge)에 의한 원심력을 이용하면 급속히 침강한다.

원심분리기의 조작은 회전추에 달아맨 무게가 같은 짝수 수량의 금속제 원통에 시료를 담아 중량을 같게 한 침전관을 대칭의 위치에 두고 평형을 유지하면서 원심분리한다. 회전수는 처음에는 서서히 하고 점차 회전수를 올려 소정의 회전수에 이르면 일정 시간을 계속하고, 다음에는 점차 회전수를 낮추어 정지하기까지 기다린다. 원심분리 후에는 침전관을 기울이면서 침전물을 분리한다.

3) 증류와 재결정

(1) 증류

액체를 기화시켜 이것을 냉각하여 다시 액체로서 모은 조작이 증류로서 액체의 정제에 이용한다. 증류장치에는 여러 가지 방법이 있으나 일반적으로 그림 1-1과 같은 장치를 사용한다.

증류용 falsk에는 증류하려는 액체를 1/2쯤 넣고 동시에 여러 개의 사기(초벌구이) 조각을 담는다(튐의 방지 목적). 온도계의 위치나 냉각기로 통하는 물의 흐르는 방향 등에 주의해야 한다. 증류하려는 물질이 끓으려고 할 때 온도계의 표시 온도가 목적물질의 비등점보다 크게 차이가 있을 경우에는 목적 이외의 물질이 상당히 섞여 있음을 알 수 있다. 탕욕(water bath)은 비등점 80℃까지의 액체를 증류하는 데 사용한다. 증류온도가 높을 경우에는 유욕조(oil bath)을 사용하지만, oil로 인하여 유리기구가 더렵혀질 염려가 있을 때는 flask heater를 사용한다. 증류온도가 높아서 증류로 인한 물질의 변질 우려가 있을 경우에는 장치 내부의 압력을 낮추고, 저온에서 증류하는 감압증류법을 이용한다.

(2) 재결정

재결정법은 가열·용해·여과(거름)·냉각 등의 조작을 꾸민 것으로 고체시약 등의 정제에 이용한다. 일반적으로 용매인 물을 가열하면서 고체시약을 가능한 한 많이 용해하여 이

것을 냉각하기 전에 여과하여 물에 불용인 불순물을 제거한다. 이때 용액은 거의 포화용액이 되어 있으므로 여과 도중에 결정이 석출되어 얻은 양이 적어질 우려가 있다. 이 때에는 보온깔때기를 사용하면 편리하다. 여과액은 찬물로 냉각하거나 냉장고 속에 넣어 결정은 석출시켜서 결정으로 분리한다. 이 조작을 몇 번이고 되풀이함으로써 결정질고체를 정제할 수 있다.

3. 용량분석

용량분석(volumetric analysis)은 시료로부터 목적하는 성분을 적당한 용매로 추출하거나 회화시켜서 일정량의 시료용액을 조제하고 농도를 알고 있는 표준용액으로 적정하여 적정에 소용되는 표준용액의 양과 당량의 관계를 이용하여 목적하는 성분의 함량을 산출하는 방법이다. 이 분석법은 적정을 기초로 하고, 짧은 시간에 많은 시료를 처리할 수 있는 장점이 있어서 식품분석에서 널리 이용되고 있다.

용량분석은 분석에 이용하는 화학반응의 종류에 따라 중화적정, 산화환원적정, chelate적정, 침전적정, 요오드적정 등으로 구분한다.

1) 시료의 조제와 적정

시료를 분쇄, 추출, 용해, 희석 등의 방법에 의해서 목적하는 성분이 녹은 시료용액을 제조한 후 일정량을 pipet으로 삼각 flask나 beaker에 채취한다. 이렇게 조제된 시료용액에 적정표준용액을 burett에 넣고 천천히 적정하여 정확한 적정치로 한다. 적정시 종말점을 찾기 어려운 경우는 적당한 지시약을 사용하고, 지시약은 적정시 반응에 대하여 악영향을 미치지 않고 적당한 변색범위를 가진 것은 사용한다.

함량산출은 적정에 사용한 표준용액의 규정농도와 적정치 및 목적하는 성분의 화학당량으로부터 목적하는 성분의 시료용액에 대한 함유량을 산출한다. 적정에 사용되는 표준용액은 용량분석에 정확성을 결정하는 인자로서 정확히 조제해야 하며, 표준용액을 보정하는 표정물질은 수산, 탄산나트륨, 수산암모늄 등과 같은 안정한 특급시약을 선택하여 만들어진 적정용액의 factor를 측정하여 시약병에 규정농도와 factor를 표시한다. 예로서 0.1N HCl 용액을 정확한 0.1N 수산나트륨의 표정용액으로 적정한 결과, 염산의 농도가 0.1001N이라면 이 염산은 0.1N, factor 1.001의 염산이라 하며 0.1N HCl(F=1.001)로 표시한다.

2) 중화적정법

산과 알칼리가 중화반응하여 염과 물을 생성하며 이때 용액의 수소이온의 농도(pH)가 급격한 변화를 일으키기 때문에 적당한 지시약으로 반응의 종말점을 알기 쉬우므로 산과 알칼리 정량에 용이하다. 중화적정은 표준용액을 산으로 하여 알칼리를 정량하는 산적정과 알칼리로서 산을 정량하는 알칼리 적정이 있다.

중화반응은 산과 알칼리가 반응하여 염과 물이 생성한다. 즉 산을 HA, 알칼리 MOH로 표시하면 중화반응은 다음과 같다.

$$HA + MOH \rightarrow MA + H_2O$$

여기서 생성물의 중화도는 반드시 중성을 나타내는 것은 아니다. 이는 사용한 산·염기의 강도에 따라 생성된 염(MA)이 가수분해가 일어나기 때문이다. 중화반응은 산과 염기의 강도에 따라 4종류가 있다.

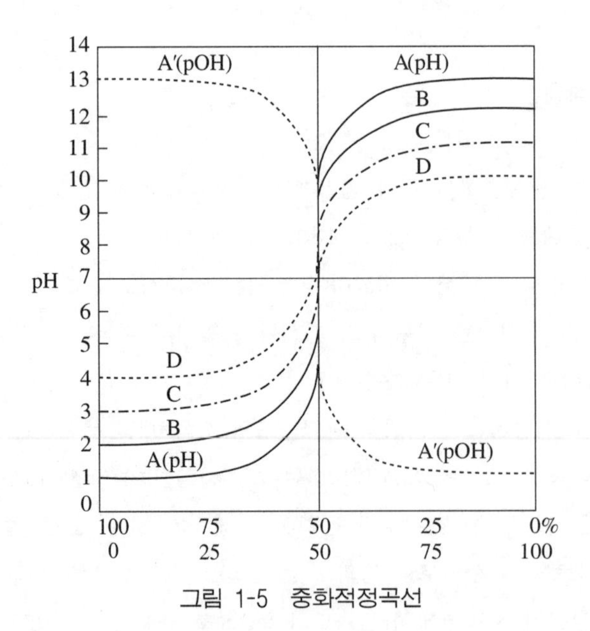

그림 1-5 중화적정곡선

표 1-1 지시약 선택의 표준

중화반응		지시약	
산 알칼리의 강도	예	필요한 변색범위	예
강산과 강알칼리	HCl과 NaOH	4～10	M.R.,M.O.
강산과 약알칼리	HCl과 NH_4OH	4～ 7	M.R.,M.O.
약산과 강알칼리	CH_3COOH과 NaOH	7～11	P.P.
약산과 약알칼리*	CH_3COOH과 NH_4OH	7	N.R.,B.T.B.

*약산과 약알칼리 중화반응은 중화적정에 사용하지 않음

① 강산과 강염기와의 중화반응

$$HCl + NaOH \rightarrow NaCl + H_2O$$

강산과 강염기가 중화해서 생긴 염(NaCl)은 가수분해하지 않기 때문에 중성이다. 이때 적정곡선은 A～C를 잇는 곡선이며, 지시약은 methyl red이나 methyl orange를 사용한다.

② 강산과 약염기와의 중화반응

$$HCl + NH_4OH \rightarrow NH_4Cl + H_2O$$

이 반응에서 생성된 NH_4Cl은 H^+, Cl^- 및 NH_4OH로 가수분해되어 용액은 약산성을 띤다. 적정곡선은 A～D를 잇는 곡선이며, 지시약은 methyl red이나 methyl orange를 사용하는 것이 좋다.

③ 약산과 강염기와의 중화반응

$$CH_3COOH + NaOH \rightarrow CH_3COONa + H_2O$$

CH_3COONa도 역시 가수분해되어 CH_3COOH^-, Na^+ 및 OH^-를 생성하여 용액은 OH^-의 영향으로 알칼리성을 띤다. 적정곡선은 B～C를 잇는 곡선이며, 알맞은 지시약은 phenolphthalein이다.

④ 약산과 강염기와의 중화반응

$$CH_3COOH + NH_4OH \rightarrow CH_3COONH_4 + H_2O$$

이 반응에서 생성된 CH_3COONH_4는 해리도가 극히 낮기 때문에 반응용액의 액성은 중성이며 적정곡선은 B~D이다. 이 반응에서 지시약은 neutral red와 brom thymol blue를 사용하지만 보통 중화적정에 이용되지 않는다.

(1) 표준용액의 조제

일반적으로 산적정은 HCl, H_2SO_4을 알칼리 적정에는 NaOH, KOH를 적정용 표준용액으로 사용된다. 이들 역가(factor)측정하는 표정물질은 Na_2CO_3, $C_2H_2O_4 \cdot 2H_2O$가 널리 사용된다.

① 0.1N 염산용액의 조제

시판되는 염산(비중 1.18, 약 37% 약 12N)으로 0.1N 염산용액을 만드는데 필요한 염산의 양은 다음 식에 의해서 구한다.

$$\text{필요한 염산의 양} = \frac{\text{g당량} \times N \times 100}{d \times \text{순도}}$$

N : 조제하는 규정농도

d : 비중

즉 염산 0.1g당량에 해당하는 8.3~8.4㎖를 1ℓ들이 meas flask에 취하여 증류수를 가하여 전량을 1ℓ로 한다. 조제한 0.1N 염산용액을 알칼리 표정용액이나 factor를 이미 알고 있는 알칼리표준용액으로 적정하여 factor를 구한다. 만약 농도가 현저한 차이가 있을 경우에는 물이나 염산을 가하여 농도를 조정한다.

② 0.1N 황산용액의 조제

시판하는 황산(비중 1.84, 98% 약 36N)으로 0.1N 황산용액을 만들려면 황산 0.1g당량에 해당하는 황산의 부피는 2.8~3.0㎖를 1ℓ들이 meas flask에 취한 후 증류수를 가하여 전량을 1ℓ한다. 0.1N 황산의 factor 측정은 염산과 동일하게 행하고, 필요에 따라 농도를 조정한다.

③ 0.1N 수산화나트륨용액의 조제

NaOH 약 4g을 소량의 물에 녹인 다음 물을 가하여 전량을 1ℓ한다. 특히 수산화나트륨용액에 탄산나트륨을 없애기 위해서는 먼저 NaOH 포화용액을 만들고 밀봉하여 2~3일간 방치한 후 상등액 약 6㎖를 취하여 전량을 1ℓ로 한다. 역가측정은 phenolphthalein 지시약을 가하여 0.1N 수산 표정용액으로 적정하여 구한다. 조제된 수산화나트륨용액은 대기중에 매우 불안정함으로 밀봉하여 보관하고 특히 탄산가스를 차단하여야 하며, 사용할 때마다 역가를 측정하는 것이 좋다.

(2) 표정용액의 조제

표정물질은 순도가 높고 안정하며 당량이 큰 반면 흡습성이 없는 것으로 대기중에 정확히 칭량할 수 있는 물질이어야 한다. 일정량의 표정물질을 일정부피에 용해시켜 농도를 알고 기준으로 이용되는 용액을 표정용액(standard solution)이라 한다.

산표정물질은 $KHCO_3$, $(NH_4)_2C_2O_4$, Na_2CO_3, $Na_2C_2O_4$ 등이며, $(COOH)_{22}H_2O$, C_6H_5COOH, $KH(IO_3)_2$, $CH_2(COOH)_2$ 등을 알칼리 표정물질로 사용된다.

① 0.1N 수산용액의 조제

수산($(COOH)_2H_2O$)은 대기의 습도에 따라 결정수가 변함으로 시판 특급시약을 $Ca(NO_3)_2$이나 $Mg(NO_3)_2 \cdot 6H_2O$의 포화용액[2)]을 담은 desiccator 속에서 10일 이상 방치한 후에 결정수 2개인 것을 사용한다. 수산의 분자량은 126.0658g이므로 0.1g당량인 6.3033g을 정확히 칭량하여 전량을 1ℓ로 한다. 그러나 정확히 칭량하기 어려움으로 6.3033g에 가까운 양을 칭량하여 그 값에 6.3033으로 나눈 값을 factor로 사용한다.

② 0.1N 탄산나트륨용액의 조제

순수한 탄산나트륨(Na_2CO_3)[3)]의 분자량이 105.990이므로 0.1g당량인 5.2995g을 정확히 칭량한 것을 물에 용해하여 전량을 1ℓ로 한다. 만약 칭량이 곤란한 경우는 수산과 동일하게 행하여 factor를 구하여 사용한다. 이와 같이 얻은 순수한 탄산나트륨을 증발접시에 취하여 약 300℃에서 30~40분간 가열·건조한 후 dessiccator에 방냉하여 사용한다.

(3) 역가(factor)측정

적정에 쓰이는 표준용액의 강도를 역가(factor) 또는 농도부정계수라고 한다. 역가를 측정하기 위해 역가와 농도를 알고 있는 표준용액을 사용하고자 하는 산·알칼리용액으로 적정하여 적정평균치에 의하여 다음 식으로 구한다.

---

2) $Ca(NO_3)_2$, $Mg(NO_3)_2 \cdot 6H_2O$, $Ca(NO_3)_2 \cdot 4H_2O$의 포화용액을 넣은 desiccator내의 상대습도는 15~20℃에서 50~60%이다.

3) 순수한 탄산나트륨(Na_2CO_3)의 제조는 시판하는 탄산나트륨의 포화용액을 만들고 냉각후 탄산 gas를 통하면 탄산수소나트륨 침전한다.이를 여과하여 여액을 만들고 재결정하여 사용한다.

$$NVF = N'V'F'$$

$$F = \frac{N'V'F'}{NV}$$

N : 표준용액의 규정농도　　　N′ : 표정용액의 규정농도

V : 표준용액의 적정치(㎖)　　　V′ : 표정용액을 취한 양(㎖)

F′ : 표정용액의 factor

예제 0.1N $(COOH_2)_2H_2O$(factor=1.001.) 20㎖을 취해 0.1N NaOH로 적정하였을 때 평균 적정치는 20.20㎖이었다. NaOH의 factor는?

$$F = \frac{0.1 \times 1.0010 \times 20}{0.1 \times 20.20}$$

$$= 0.9910$$

(4) 지시약의 선택

중화학적정법에 사용하는 지시약은 약유기산이거나 유기염기이며 산형의 색깔과 짝염기의 색깔이 다르고 특유한 변색범위가 있다. 그러므로 적정에 사용하는 지시약의 종류에 따라 중화도 및 화학당량이 상당한 영향을 미치므로 잘 생각하여 최적의 지시약을 선택하여야 한다. 지시약의 변색범위와 조제법은 표 1-2와 같다.

(5) 적 정

적정(titration)하기 알맞은 조건으로 용액을 조절한 시료용액 일정량을 whole pipet을 삼각 flask에 옮긴 후 적당한 지시약을 가하고 burett에 표준용액을 넣고 한방울씩 가하여 반응이 끝나는 점까지 소비되는 표준용액의 부피를 측정함으로써 시료속에 반응성분의 양을 측정하는 법을 직접적정(direct titration)이라 한다. 이와 같이 시료용액의 농도를 결정하는 실제의 실험조작을 적정이라 하며 직접적정과 역적정이 있다.

역적정(back titration)은 시료의 양에 비하여 과량의 표준용액을 가하여 반응하지 못하고 남은 소량의 표준용액을 다른 표준용액으로 적정하여 측정하는 성분의 농도와 함량을 구하는 방법이다. 중화적정에서 가장 중요한 사항은 지시약의 선택과 산·알칼리의 역가(factor)를 정확히 구하는 것이다.

표 1-2 주요 지시약의 종류

지시약	산성색	pH 변색범위	알칼리성색	지시약농도(%)	용 매
Tymol blue	적	1.2~2.8	황	0.1	20% alcohol
Bromphenol blue	황	3.0~4.6	자	0.1	20% alcohol
Methyl orange	적	3.1~4.5	황등	0.1	증류수
Congo red	청자	3.0~5.0	적	0.1	50% alcohol
Bromcresol green	황	3.8~5.4	청	0.1	20% alcohol
Methyl red	적	4.2~6.3	황	0.2	60% alcohol
Bromcresol purple	황	5.2~6.8	자	0.1	20% alcohol
Litmus	적	5.0~8.0	청	0.2	증류수
Bromthymol blue	황	6.0~7.6	청	0.1	20% alcohol
Phenol red	황	6.6~8.2	적	0.1	20% alcohol
Cresol red	황	7.0~8.8	적	0.1	20% alcohol
Thymol blue	황	7.0~9.6	청	0.1	20% alcohol
Phenolphthalein	무	8.2~10.0	적	0.1	60% alcohol
Arizarin yellow	황	10.1~12.0	등	0.1	증류수
Arizarin blue S	녹	11.0~13.0	청	0.05	20% alcohol

3) 산화환원적정법

산화환원적정법은 산화환원반응을 이용하는 용량분석으로서 환원제를 표준용액으로 산화성물질을 적정하거나 산화제의 표준용액으로 환원성물질을 적정하는 방법이다. 또한 산화환원반응중에서 유리되는 요오드(I_2)를 치오황산나트륨($Na_2S_2O_3$)표준용액으로 적정하는 방법을 요오드적정법이라고도 한다. 요오드적정법은 환원당정량이나 유지의 요오드가, 과산화물가측정에 이용된다. 산화환원반응은 다음과 같은 구비조건을 갖추어야 한다.

- 산화 또는 환원반응이 신속하고 평행반응이 정량적이어야 한다.
- 첨가한 과량의 산화제나 환원제를 간단하게 제거할 수 있어야 한다. 제거방법은 용액내에서의 선택적인 반응, 상의 물리적 분리, 묽혀 식히는 수단 등이다.
- 산화 또는 환원고정이 충분히 선택적이어서 시료중의 다른 성분이 방해가지 않아야 하며, 때로는 반응속도의 차이를 이용할 수도 있다.

산화환원적정에 사용되는 산화제는 과황산염, $KMnO_4$, KIO_4, $HClO_4$, $K_2Cr_2O_7$ 등이고 환원제는 $SnCl_2$, $CrCl_2$, H_3PO_4, H_2S, SO_2 등이다. 산화환원적정에 쓰이는 지시약은 짙은 색을 가지고 가역성이며 색의 변화가 민감하여야 하며 용해도가 크고 안정해야만 한다.

① 0.1N 과망간산칼륨 표준용액의 조제 및 표정

- 0.1N 수산나트륨 용액의 조제 : 순수한 수산나트륨 0.7g을 칭량해서 물을 가하여 녹인 후, 전량을 1ℓ로 한다.
- 0.1N 과망간산칼륨 용액의 조제 : 과망간산칼륨을 약 3.5g 칭량해서 물을 가하여 녹인 후, 전량을 1ℓ로 한다. 이것을 갈색 병에 넣어 하룻밤 방치해서 이 상징액을 사용한다.
- 0.1N 과망간산칼륨의 역가측정 : 0.1N 수산나트륨 용액 25mℓ를 whole pipet으로 300mℓ들이 flask에 취해서 묽은 황산 용액(1 : 4) 20mℓ와 물 100mℓ를 가해서 희석하고, 70~80℃에서 가열한 후 뜨거울 때 과망간산칼륨 용액으로써 미홍색이 될 때까지 적정한다.

4) 킬레이트 적정법

EDTA(ethylenediamine disodium tetraacetate)는 다가금속이온과 반응하여 금속착화합물, 즉 chelate화합물을 만든다.

$$\begin{matrix} NaOOC\text{-}CH_2 \\ HOOC\text{-}CH_2 \end{matrix} > N\text{-}CH_2\text{-}CH_2=N < \begin{matrix} CH_2\text{-}COOH \\ CH_2\text{-}COONa \end{matrix}$$

그러므로 시료용액에 완충용액과 가리움제[4] 등을 가하여 EDTA・2Na표준용액으로 적정하여 시료중의 특정한 금속이온과 킬레이트착물을 형성시켜서 적정에 소요된 EDTA의 양으로부터 금속이온의 양을 구하는 방법이다. 이 방법은 EDTA, NTA, CyDTA 등과 킬레이트 시약을 이용한 착염 적정법이며, 정밀하고 간편하게 Ca, Mg 등과 같은 무기질 정량과 물의 경도 측정에 이용된다. 적정방법에 따라 직접적정법, 역적정법, 치환적정법 등으로 구분한다.

① EDTA 표준액 제조와 표정

- 0.01M EDTA 표준용액 제조 : EDTA $Na_2(2H_2O)$ 3.72g을 증류수에 용해하여 전량을 1ℓ로 한다. 조제한 표준 용액은 유리병에 보존하면 1개월은 역가가 변화하지 않는다.

---

4) 가리움제란 시료중의 어떤성분을 정량할 때 방해하는 이온을 물리적으로 분리하지 안혹 그대로 반응계에서 제거할 목적으로 넣은 시약을 말한다. 적당한 가리움제를 씀으로서 특정이온만을 특이적 또는 선택적으로 정량할 수 있다.

■ $CaCO_3$ 표정용액제조 : 특급시약 $CaCO_3$를 110℃에서 항량이 될 때 까지 건조시킨 다음 약 1g을 정확히 칭량하여 가능한 소량의 HCl 요액에 용해시켜서 아온하여 완전히 녹인다. 방랭하여 전량이 1 ℓ로 한다.

■ 표정 : $CaCO_3$ 표정용액을 정확히 20~25㎖를 삼각플라스크에 취하고 물을 가하여 50~60㎖로 한 후에 NH_3-NH_4Cl 완충용액(pH 10) 1㎖, Erio T(Eriochrome black T) 지시약 2~3방울을 가하고 EDTA 용액으로 적정하여 적색이 청색이 되는 점을 종말적으로 한다. EDTA 역가는 EDTA 표준용액 1㎖에 해당하는 Ca의 량으로 표시한다.

5) 침전적정법

침전적정법은 침전생성반응을 이용하여 목적하는 성분을 정량하는 용량분석법으로서 식품분석에서는 질산은용액을 표준용액으로 하여 식품중의 식염정량법에 이용되고 있다. 종말점을 결정하는 법은 Gay-Lussac법과 지시약, 즉 $KrCrO_4$ 갈색침전, 흡착지시약 등을 이용하는 방법이 있다.

중량분석(gravimetric analysis)은 시료를 분쇄 및 마쇄한 다음 적당한 용매를 가하여 목적하는 성분을 추출한다. 이 추출액을 성분의 변화가 없이 휘발, 침전 등의 방법에 따라 성분을 얻고 적당한 조건에서 건조시켜 화학천칭으로 중량을 특정하여 그 성분의 함량을 구하는 방법이다.

이 방법은 목적하는 성분을 분리하는 방법에 따라 침전법, 휘발법, 침출법, 전해법으로 분류하며, 식품중의 염화나트륨 정량에 이용된다.

■ 침전법 : 침전제를 가하여 목적하는 성분을 침전시키는 방법
■ 휘발법 : 목적하는 성분이나 목적이외의 성분의 휘발성을 이용하여 분리하는 방법
■ 침출법 : 목적하는 성분을 용매로 추출해 내거나 목적하는 이외의 성분을 추출시켜 분리시키는 방법
■ 전해법 : 목적하는 성분을 전기분해하여 금속이온과 비금속이온을 분리시키는 방법

① 0.1N 질산은용액의 조제 및 표정

이 용액은 1 ℓ 중에 질산은(m.w. 169.89) 16.989g을 함유하고 있다. 질산은은 순품을 얻기 어려우므로 시판품을 약 17.5g을 칭취하여 조제한 다음 염화나트륨으로 표정하여 사용한다.

- 0.1N 염화나트륨의 조제 : 순수한 염화나트륨 분말을 110℃에서 약 2시간 건조시킨 후 5.845g을 정칭하여 물에 용해시켜서 1ℓ로 한다.
- 크롬산칼륨 용액 조제 : 지시약으로 사용하는 크롬산칼륨 용액은 크롬산칼륨 10g에 물을 가하여 100㎖로 한다. 보통 적정액 100㎖에 대하여 크롬산칼륨용액 1㎖를 가한다. 이 때 적정액 중의 지시약의 농도는 5×10^{-3}mol이다.
- 표정 : 0.1N 염화나트륨 용액 25㎖를 정확하게 취하고, 물 50㎖ 및 크롬산칼륨 용액 1㎖를 가하여 흔들면서 0.1N 질산은용액을 천천히 적가한다. 적갈색이 나타나면 잘 흔들어서 탈색하는 것을 기다려 한 방울씩 가하여 흔든다. 종말점은 15초간 흔들어도 탈색하지 않으며, 엷은 갈색이 나타나는 점으로 한다. 이 때에는 약 0.2% 정도의 오차가 따르는데, 이 오차를 보정하기 위하여 다음과 같은 공시험을 한다. 적정종말점에서와 같은 용적의 물에 같은 용적의 크롬산칼륨 용액 및 탄산칼슘 분말 소량을 가하여 질산은용액으로 적정하고 앞에 적은 종말점과 같은 색을 나타낼 때까지의 ㎖수를 측정하여 그 ㎖수를 빼주면 된다.

6) 요오드적정법

요오드 적정은 요오드를 산화제로 하는 적정으로서 이 점에서 볼 때 산화환원적정의 일종이다. 즉, 요오드와 치오 황산나트륨($Na_2S_2O_3$)은 다음 화학반응식에 따라 반응한다.

$$I_2 + 2Na_2S_2O_3 \rightarrow 2NaI + Na_2S_4O_6$$

따라서 시료를 미리 요오드화칼륨(KI)과 작용시켜서 요오드를 유리시킨 다음 티오황산나트륨으로 적정한다. 이 반응의 종말점은 전분 반응을 이용하면 정확히 알 수 있다.

요오드 적정은 식품중의 요오드 분석과 환원당 정량법인 Somogyi 법에 이용된다.

① 0.02N 치오 황산나트륨 용액의 조제와 역가측정

- 0.02N 치오 황산나트륨 용액 : 티오황산나트륨 용액 5g을 칭취하여 물을 가하고 전량을 1ℓ로 한다.
- 0.02N 요오드산칼륨 용액 : 특급 요오드산칼륨(KIO_3) 0.7133g을 청칭해서 물을 가하여 녹인 다음 전량을 1ℓ로 한다.
- 0.02N 치오 황산나트륨 용액의 역가측정 : 300㎖들이 마개있는 삼각 flask에 5% 요오드화칼륨 용액 5㎖를 취하고, 여기에 10% 염산 5㎖를 가해서 혼합한다. 잠시 후 0.02N 요오드산

칼륨 25㎖를 pipet으로 정확히 가한다. 이 때 요오드가 유리됨으로 마개를 닫고 조용히 혼화시켜서 방치한다. 물 100㎖를 가하여 희석하고 0.02N 치오 황산나트륨 용액으로서 요오드의 색이 담황색으로 될 때까지 적정한다. 이어 1% 전분 용액을 가해서 청색이 소실될 때까지 적정한다.

4. 중량분석

1) 중량분석의 기본조작

(1) 시료의 조제와 칭량

시료조제는 분쇄 및 마쇄에 의하여 적당한 정도로 잘게 한 것을 칭량병에 넣어 칭량한다. 이 방법에서 적당한 양은 0.5~1.0g 정도이다. 여기에서 주의할 것은 시료의 건조상태이고 어떤 상태에서 칭량하였는가를 실험방법과 결과에서 반드시 명시해 주어야 한다.

(2) 시료의 성분 추출

물, 유기용매, 산 등의 적당한 용매를 시료에 가하여 목적하는 성분을 추출하여 액상으로 추출한다. 이 추출액은 적당한 방법에 의해 건조시켜 칭량하여 그 함량을 구한다.

2) 침전법

(1) 침전의 생성

침전법에 있어서 침전을 정량적으로 생성시키는 것이 중요하다. 이 때문에 용액의 pH, 침전제의 첨가량, 용액의 온도와 침전의 용해도 등에 주의를 해야 한다.

용액의 pH가 적당하지 않으면 침전을 정량적으로 생성시킬 수가 없다. 그러므로 목적하는 성분의 성질에 맞는 pH를 유지해야 한다. 당량보다 많은 침전제를 가하는 것은 시약의 낭비와 오차의 증대를 초래함으로 적당한 양의 침전제를 사용해야 한다. 침전의 입자는 성숙, 성장시켜서 큰 입자로 하고 침전의 용해도를 적게 하여 불순물의 흡착을 적게 하는 동시에 여과, 세척조작을 쉽게 하기 위해서 침전제 첨가후 가열하여 용액의 온도를 높이는 것이 보통이다.

(2) 여과 및 세척

침전을 용액으로부터 분리하는 가장 일반적인 방법이 여과법으로서 경사법, 감압여과법 등이 있으며 여과가 어려울 경우에는 원심분리하는 것도 좋은 방법이다. 다음에 용액에서 완전히 침전을 분리시킬 목적으로 세정을 행하는데 이 경우는 소량의 세정액으로 많은 횟수를 행하는 것이 효율적이다.

(3) 침전물의 건조와 가열 · 회화

침전물을 세척이 끝난 다음 건조시키든가 고온으로 가열 · 회화시켜 조성이 일정한 칭량형으로 만들어야 한다.

(4) 칭량

이상과 같이 처리한 것을 직시천칭이나 화학천칭으로 그 중량을 칭량하여 목적하는 성분의 함량을 구한다. 건조, 방냉, 칭량을 반복하여 항량이 될 때까지 반복하여야 한다.

5. 분광분석법

분광분석법(colorimetric analyysis)은 시료액에 발색시약을 가하여 목적하는 성분을 발색(유색물질은 그대로 씀)시켜 일정한 파장의 빛에 노출시켜 그 흡광도를 측정하고 물질의 농도와 흡광도의 비례관계를 이용하여 성분의 함량을 측정하는 분석법이다.

이러한 분광분석법의 특징은 유기 및 무기물질에 대한 넓은 응용, 높은 정확성과 감도, 응용성, 용이성, 선택성이 넓은 장점이 있으며 특히 미량 성분분석이 매우 용이하다. 그러므로 식품분석학, 영양학, 생화학, 환경, 의학, 약학, 농학 등 여러 분야에 널리 이용되고 있다.

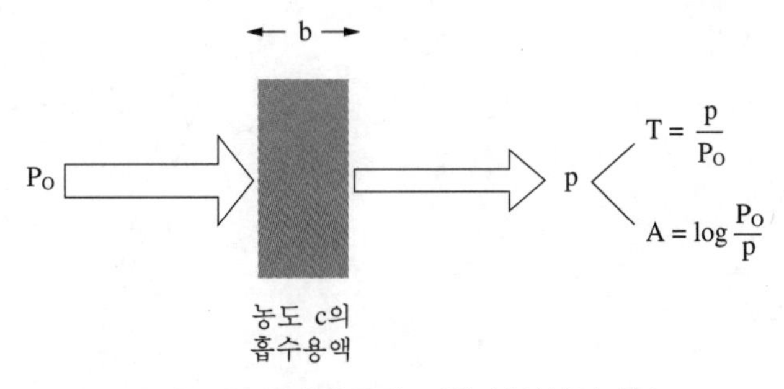

그림 1-6 흡수용액에 의한 복사선의 흡수

1) 분광분석법의 원리

빛은 착색된 용액층을 통과할 때 일부분이 파장의 빛은 흡수되고 나머지는 투과하게 된다. 즉, 그림 1-6과 같이 용액층의 두께가 b cm이고, 성분의 농도가 c인 용액층을 통과하였을 때 광자와 흡수입자의 상호작용에 의해서 빛의 세기는 P_o에서 P로 감소한다.

용액의 투광도(T)는 용액을 투과한 입사광의 분율이다.

$$\text{즉, } T = \frac{P}{P_o} \quad \cdots\cdots ①$$

용액의 흡광도(A)는 다음 식과 같이 정의한다.

$$A = \log\frac{1}{T} = \frac{1}{P} \quad \cdots\cdots ②$$

Beer-Lambert의 법칙에 따라 흡광도는 빛이 용액을 통과하는 두께와 성분의 농도에 정비례한다.

$$A = abc \quad \cdots\cdots ③$$

여기서 a는 흡광계수라는 비례상수로서 b와 c에 적용하는 단위에 따라 달라진다. 농도는 mole/ℓ로 그리고 시료용기의 두께를 cm로 나타내는 경우 흡광계수는 몰흡광계수(ε, Lcm-1mol-1)으로 나타내어 다음 식이 성립된다.

$$A = \varepsilon bc$$

그러므로 액층의 두께가 일정하면 흡광도와 농도는 비례한다.

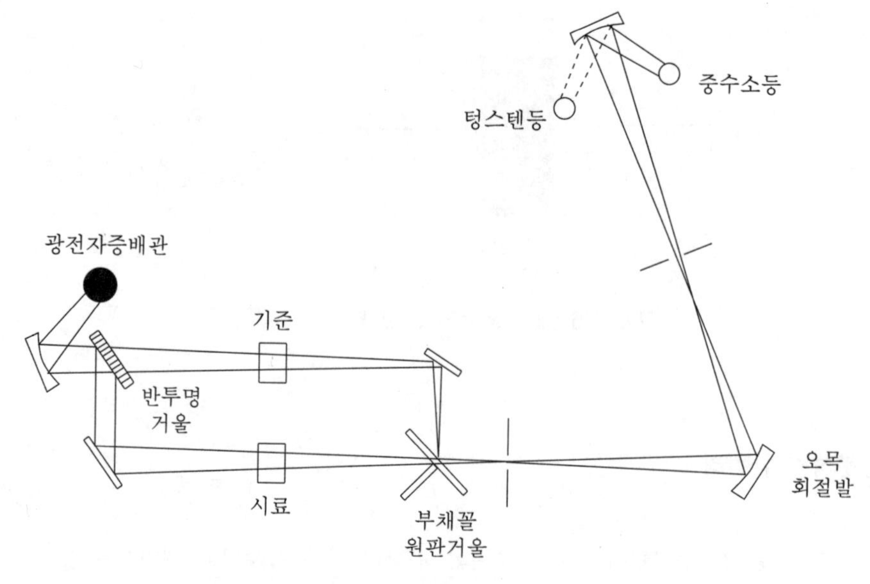

그림 1-7 광도계의 부분장치

2) 기기장치

분광광도계는 어떤 액층을 통과한 빛의 투과도나 흡광도를 광학적 전기적으로 분석하는 기기로서 비교적 간단하고 값싼 기기이다.

광도계(분광기기)는 그림 1-7과 같은 부분장치로 구성되어 있다.

- 안정한 복사에너지원(광원) : 중수소등, 텅크스텐 필라멘트 등
- 제한된 파장영역을 제공하는 장치(단색화장치) : 회절발, prism, filter
- 시료를 담는 투명한 용기(cell) : 용융 석영 cell
- 복사에너지를 유용한 신호(전기)로 변화시키는 복사선 검출기 또는 변환기(검출기) : 광전증배관, 광전관, 광전압전지, 반도체 검출기
- 신호처리기와 독해장치 : d'Arsonval meter, 디지털계기, 음극선관

3) 흡광도 측정에 의한 정량분석 및 응용

발색단을 함유한 유기물질(유색물질)의 분석은 그대로 분석법에 적용하고, 발색단을 함유

하고 있지 않은 유기 및 무기물질(무색물질)은 적당한 화학반응에 의해 유색물질로 전환시기거나 환원산화반응, 착화물형성반응 등을 이용하여 다른 화학종물질을 산화 및 환원, 착화합물을 생성하여 이를 다른 화학종에 작용시켜 유색물질을 형성하게 하여 정량할 수 있다.

앞에서 설명한 바와 같이 분광분석법은 넓은 응용, 높은 정확성과 감도, 쉽고 편리한 사용법 등으로 많은 영역에서 사용되고 있다. 분광분석법에 의한 정량은 흡광도가 분석하는 물질의 농도와 비례한다는 Lambert-Beer의 법칙에 근거를 두고 있다.

일반적으로 분광분석법에 의한 정량법은 분석실험 조건이 결정된 다음 일련의 표준용액을 만들어 검량곡선을 만들고, 이 검량곡선에 의해 목적물질의 함량을 산출한다. 표준용액은 실제 시료와 총괄성분이 거의 같아야 하고 분석물질의 농도범위를 모두 포괄할 수 있어야 한다. Beer 법칙에 따른다고 가정하고 몰흡광계수를 측정하는데 한 개의 표준용액만을 사용하거나 문헌에 있는 몰흡광계수를 그대로 사용하여 분석하는 일은 절대로 있어서는 안 된다.

또 다른 하나의 방법은 분석하고자 하는 시료에 표준물질을 첨가하여 분석하는 방법이다. 즉, 시료에 일정량의 표준물질을 첨가한 다음 다른 시료의 분석방법과 동일하게 조작하여 흡광도를 측정하고 표준물질을 첨가한 흡광도와 시료의 흡광도의 차를 구하여 표준물질 첨가량에 대한 흡광도를 시료의 흡광도를 비교하여 성분의 함량을 산출하는 방법이다.

4) 측정시 주의사항

분광광도계는 일반적으로 농도단위당 흡광도 변화가 가장 큰 흡광봉우리에 해당하는 파장에 흡광도를 측정한다. 즉, 분석물질의 최대흡수파장에서 최대의 감도를 얻게 되고, 또한 Beer 법칙에 가장 적용된다.

시료용액의 용매성질, 용액의 pH, 온도, 전해질의 농도, 방해물질의 존재는 흡수스펙트럼에 많은 영향을 주기 때문에 분석할 때 이들에 대한 영향을 미리 조사할 필요가 있다. 따라서 조절하기 어려운 조건의 작은 변화로 인하여 흡광도가 크게 영향을 받는 일이 없는 조건을 선택하여야 한다.

측정용 용기(cell)의 긁힘, 부식, 닳음, 오염 등은 흡광도에 많은 영향을 주기 때문에 취급에 각별히 조심하여야 하며 정기적으로 검정하여야 한다. 이상적인 용기의 취급방법은 측정하기 전에 용기 표면을 순도가 높은 메탄올에 적신 렌즈종이로 깨끗이 닦고 보푸라기나 지문이 생기지 않도록 주의하여야 한다. 용기는 순도가 높은 메탄올용액에 보관하고 긁힘, 부식, 닳음, 오염되지 않도록 하여야 한다.

6. 크로마토그래피

1906년에 소련의 식물학자인 Mikhail Tswett는 탄산칼슘(Ca_2CO_3)을 채운 유리관(glass column)에 식물성 색소를 petroleum ether와 함께 용출시켜서 chloriphyll a, chloriphyll b 및 xanthophyll을 분리하는데 성공하였다. 분리된 화학종이 색을 가진 띠로 나타났다고 해서 그리스어인 chrom과 graphas라는 말에서 크로마토그래피(chromatography)가 생겼다.

크로마토그래피는 혼합물질로부터 방해물을 제거하고 목적하는 성분을 순수분리 및 확인하는 수단으로써 근년에 과학자들에 의해서 복잡한 혼합물을 순수분리하기 위해서 여러 가지 크로마토그래피와 분리방법들이 개발되어 많은 연구에 이용되고 있다.

크로마토그래피는 원리상으로 흡착(absorption) 크로마토그래피와 분배(partition) 크로마토그래피로 구분하고, 이용하는 도구에 따라 종이 크로마토그래피, 박층 크로마토그래피, 관 크로마토그래피 등이 있다. 또한 사용하는 이동상의 종류에 따라 가스 크로마토그래파, 액체 크로마토그래피, 초임계 유체 크로마토그래피 등이 있고, 이들 크로마토그래피를 개량한 것은 HPLC, GC-MS, LC-MS, GC-IR 등이 있다.

1) 원리와 종류

크로마토그래피는 고정상(station phase)과 이동상(mobile phase)을 이용하는데 혼합물의 성분들은 이동상의 흐름에 따라 고정상을 통해 이동되고 분리는 시료성분들 사이의 이동속도의 차이에 의해서 가능하게 된다. 그러므로 크로마토그래피법에서 분리되는 성분은 이동상에 녹아야 하고 고정상과 반응하여 녹아들거나 흡착되든지 또는 화학적으로 반응할 수 있어야 한다.

흡착 크로마토그래피는 분리하려는 성분을 흡착하도록 흡착제를 관에 채우거나 glass판에 엷게 바르고 시료는 용해하나 흡착제에 대한 성분의 흡착력과 용매에 대한 용해도의 차이에 의해 혼합물의 성분을 분리, 확인할 수 있다.

분배 크로마토그래피는 서로 혼합되지 않는 두 액상(고정상과 이동상) 중에서 어느 한쪽을 고정하고 다른 한쪽의 액상으로 전개시키면 시료중의 성분은 두 액상 사이에서 연속적인 추출과 용해가 반복되거나 성분의 분배계수에 따라 이동율에 차이에 의해 분리된다.

TLC, C.C 및 GC 등의 크로마토그래피법은 고정상의 종류에 따라 분배 또는 흡착원리를

표 1-3 크로마토그래피법의 종류

이 동	이동상의 종류	고정상의 종류	고정상의 종류
기체-액체	기체	액체	관에 들어 있는 다공질 고체에 흡착시키거나 또는 모세관내벽에 흡착시킨다.
기체-고체	기체	고체	관에 충진하여 고정시킨다.
분배	액체	액체	관에 충진된 다공질 고체의 표면에 흡착시킨다.
흡착	액체	고체	관에 충진시킨다.
종이	액체	액체	두터운 종이의 다공질 구멍 내부에 함유시킨다.
얇은 막	액체	액체 또는 고체	유리판 위에 가는 가루를 고정시킨다. 때로는 십자표면에 액체를 흡착시킨다.
겔	액체	액체	고체중합체 내부에 함유시킨다.
이온교환	액체	고체	관에 충진한 가는 이온교환수지 입자

이용한다. 크로마토그래피의 종류에 따른 이동상과 고정상의 종류는 표 1-3과 같다.

2) 종이 크로마토그래피

종이 크로마토그래피(paper chromatography)는 다공성이 있고 고순도로 정제한 종이를 이용하여 종이가 함유한 물을 고정상으로 하여 적당한 전개용매(이동상)를 전개하여 성분을 분리 확인하다. 이 방법은 전개방법에 따라 상승법(asending)과 하강법(desending)이 있으며 한쪽 방향만 전개하는 일차원법(one dimentional method)과 두 방향으로 전개하는 이차원법(two dimentional method)이 있다.

종이 크로마토그래피의 장치는 그림 1-8과 같고, 크로마토그래피용 여지는 다공성과 두께의 재현성이 있고 여지 Wattman No. 50, 51, 52 등이 사용되고, 전개용매는 n-butanol, acetic acid, ethnol, ammonia water, 증류수, 석탄산 등을 적당한 비율로 혼합하여 사용한다.

(1) 전개와 정성

여지의 하단에서 약 5㎝ 떨어진 곳에 시료 0.02㎖(20~30μg) 정도를 모세관으로 spot한 다음 10분 정도 건조시킨다. 전개용매를 전개조에 넣고 포화시킨 후 여지를 전개용매에 담구어 전개를 시작한다. 이때 온도는 10~20℃가 적당하며 가능한 온도의 변화가 없어야 한

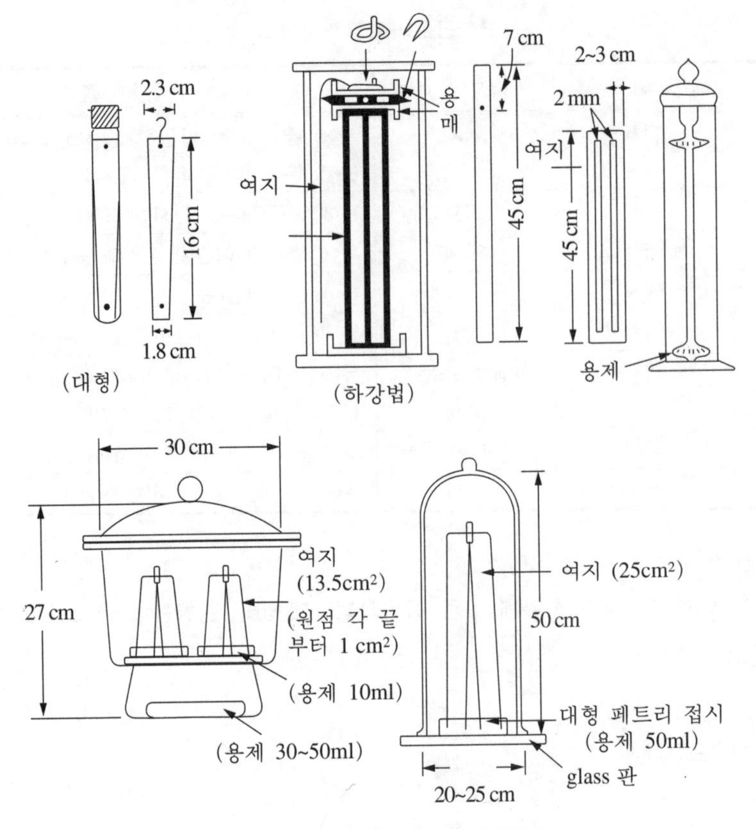

그림 1-8 종이 크로마토그래피

다. 전개가 끝난 여지는 충분히 건조시킨다. 이차원법의 경우는 일차전개한 여지를 하룻밤 충분히 건조한 다음 일차전개시와 직각방향으로 전개한다.

성분의 정성은 유색물질은 육안으로 식별할 수 있으나 무색물질은 자외선을 쪼이거나 적당한 발색시약을 분사하여 정색시켜 각 spot를 확인하고 각각의 이동률(rate flow, R_f치)을 산출하여 표준물질의 R_f치와 비교하여 동정한다.

$$R_f = \frac{\text{성분의 이동거리(㎝)}}{\text{용매의 이동거리(㎝)}}$$

R_f치는 실험조건에 따라 변함으로 시료전개시 표준물질과 병행하여 전개하거나 표준물질을 첨가하여 전개하여야 한다.

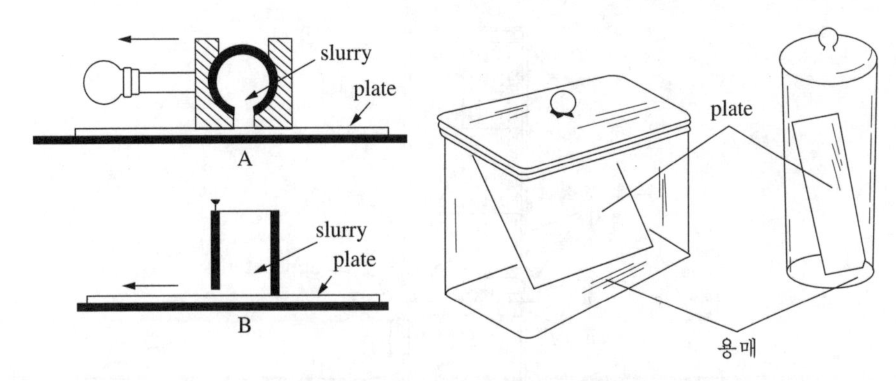

그림 1-9 박층 크로마토그래피의 장치

3) 박층 크로마토그래피

Alumina, silica gel, kieselguhr(규조토) 등의 흡착제를 유리판위에 얇게 입히고 건조 활성화시킨 다음 시료를 spot하여 전개하는 방법을 박층 크로마토그래피(TLC)라 한다. 이 방법은 조작이 간단하고 전개시간이 짧으며 분리능이 높고 흡착제를 선택적으로 사용할 수 있는 것이 장점이다.

TLC는 무기물은 물론 유기물에도 광범위하게 이용된다. 특히 식품분석에서는 지질, 방향성 성분, amino acid, 색소, steroid, alkaroid 등의 분리에 이용되고 있다.

(1) Plate 제조

박층 크로마토그래피용 흡착제(silica gel)[5] 30g에 증류수 50~60mℓ를 beaker에서 기포가 생기지 않도록 잘 혼합한 slurry를 applicator에 넣고 일정한 속도로 균일한 두께가 되게 얇게 입힌다. 대기에서 수분간 응고시킨 다음 105℃ 건조기에서 30분간 활성화시켜서 건조제를 넣은 저장상자에 보존한다. 사용할 때에는 다시 활성화시켜 사용한다.

5) 흡착제는 분리능이 우수하고 흡착력이 안정되어 있으며 크기가 균일하고 조작중에 파손되지 않는 기계적 강도를 가진 것을 사용한다. 일반적으로 silicagel을 많이 사용하며 색소, alkaroid, steroid 등 분리에는 alumina, 친수성물의 분배 chromatography는 규사토가 많이 쓰인다.

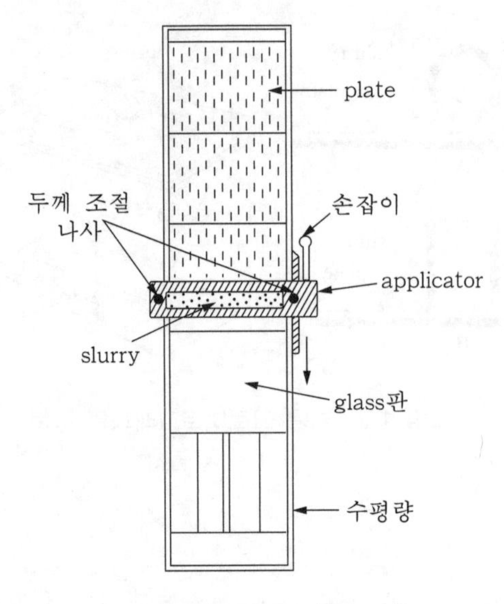

그림 1-10 Plate 만드는 법

(2) 전개용매

분리한 물질이 지용성인 경우는 유기용매 또는 그 혼합용매에 의한 흡착 크로마토그래피를 행하는 경우가 많고, 극성이 큰 화합물은 전개용매의 극성을 높이는 것보다 용기중에 방치하여 활성을 저하시킨 plate를 사용한다. 수용성 화합물은 함수 전개용매에 의한 분배 크로마토그래피를 행하며 대응하는 종이 크로마토그래피의 전개용매를 사용하면 좋다. 박층 크로마토그래피의 전개용매는 분리하고자 하는 물질에 대한 많은 문헌을 참고하여 실험자가 경험적으로 선택하여 사용하여야 한다.

(3) 전개 및 정성

전개조에 역층이 0.5㎝가 되도록 전개용매를 붓고 포화를 위하여 용매를 적신 여지를 기벽에 붙여둔다. 적당한 농도의 시료액을 모세관을 이용하여 직경이 2～3㎜가 되도록 spot한 plate를 전개조에 넣고 실온에서 전개한다. 일차원 전개법을 행한다. 전개후 plate는 풍건한 다음 발색제를 분무하여 발색시켜 분리된 각 spot를 확인한다. 발색제는 종이 크로마토그래피에서 사용하는 것을 사용해도 좋다.

정성은 종이 크로마토그래피와 동일하게 표준물질을 한 plate상에서 시료와 병행하여 전개하고 각 성부의 R_f치와 비교하여 동정한다. 여기서 문헌에 있는 성분의 R_f는 참고가 될 뿐이고 정성에 이용되어서는 안되며 반드시 실험을 통해서 얻어야 한다. 왜냐하면 전개용매의 종류와 실험조건에 따라 R_f치가 변하기 때문이다. 정량은 확인된 spot을 끌어 모아서 적당한 방법으로 측정하거나 비색분석법을 이용하여 발색정도를 측정하여 실시한다.

4) 칼럼 크로마토그래피

칼럼 크로마토그래피는 충진제를 넣은 용기로서 관(column)을 사용하는 크로마토그래피의 총칭이며 혼합물시료가 충진제가 채워진 관내를 이동할 때 각 성분들의 이동속도의 차이에 의하여 분리되는 방법이다. 이 방법은 관내에 주입된 성분을 동일한 용매 혹은 다시 용출력이 큰 용매 또는 적당한 혼합용매로 전개를 계속함으로 흡착력이나 분배계수에 따라 성분이 분리된다. 충진제의 종류에 따라 겔 크로마토그래피, 이온교환 크로마토그래피, 친화 크로마

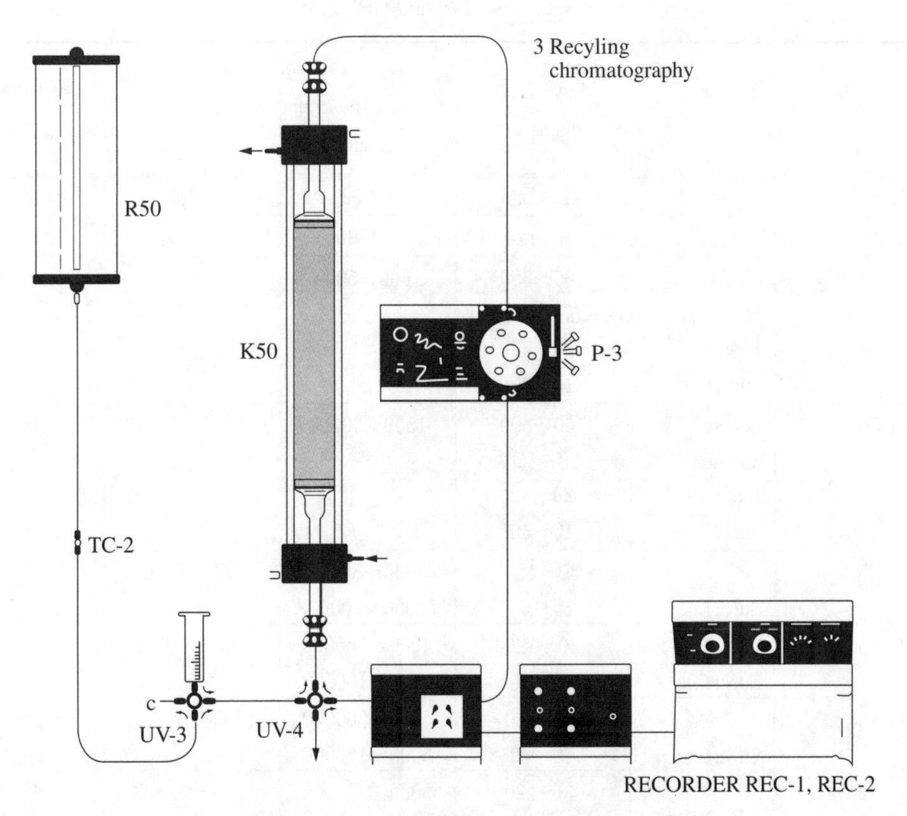

그림 1-11 겔 크로마토그래피의 장치

토그래피 등으로 구분된다.

이 방법은 식품분석분야 뿐만 아니라 생화학, 약학, 의학분야에서 효소, protein, DNA, 탄수화물, 기타 생체물질 등 고분자물질을 분리, 정제시에 많이 이용되고 있다.

(1) 겔 크로마토그래피

겔 크로마토그래피는 시료중의 화학성분을 분자크기와 분자의 상태에 따라 분리하는 방법이며 분리는 관속에 다공질인 gel에 잡혀있는 용액상에 시료가 침투할 수 있는 정도에 의존한다. 즉, 겔의 다공질(pore)보다 큰 분자나 이온은 겔의 구멍을 침투하지 못하기 때문에 관을 통해서 빠르게 이동하고, 작은 것들은 pore의 크기, 모양 및 겔에 침투 흡착하려는 경향에 따라 지연된다. 이 방법은 조작이 간단하고 높은 회수율과 재현성이 있으며 시간과 경비를 절약할 수 있는 장점이 있다.

표 1-4 Sephadex의 종류

Sephadex type a nd grade		Dry bead diameter	Fraction range (molecular weight)		Bed volume (㎖/gdry)
			Protein	Dextrans	
G-10		40~120	- 700	- 700	2~3
G-15		40~120	- 1500	- 1500	2.5~3.5
G-25	Coarse	100~300	1000~5000	100~5000	4~6
	Medium	50~150			
	Fine	20~80			
	Superfine	10~40			
G-50	Coarse	100~300	1500~30000	500~10000	9~11
	Medium	50~150			
	Fine	20~80			
	Superfine	10~40			
G-75		40~120	3000~80000	1000~50000	12~15
	Superfine	10~40	3000~70000		
G-100		40~120	4000~150000	1000~100000	15~20
	Superfine	10~40	4000~100000		
G-150		40~120	5000~300000	1000~150000	20~30
	Superfine	10~40	5000~150000		18~22
G-200		40~120	5000~600000	1000~200000	30~40
	Superfine	10~40	5000~250000		20~25

① Gel의 종류

가장 널리 사용되고 있는 sepadex는 polysaccharide dextran에 epichlororhydrin으로 측쇄결합시켜 만든 것으로 후자의 양에 따라 구멍(pore)의 크기가 결정된다. 최근의 생물공학의 발달로 Sepharose, Sephacryl, Bio-gel 등 같은 gel의 종류가 다양하다.

Sephadex의 종류에 따른 물리적 성질은 표 1-4와 같다.

② 분리에 영향을 주는 인자

겔 크로마토그래피에 의한 성분의 분리는 겔의 종류, 관의 크기, 용출속도, 시료량, 용출액의 수집량 등이 영향을 준다. 그러므로 분리하는 물질의 크기, 성질 등을 고려하여 위의 상항을 결정해야 한다.

- 겔의 선택 : 목적하는 성분의 종류와 분자량에 따라 gel을 선택해야 한다(표 1-4 참조).
- 관의 선택 : gel의 1선택은 분자량이 20,000 이하의 경우는 길이와 직경의 비가 5 : 1～15 : 1 정도, 2 이상의 고분자인 경우는 20 : 1～100 : 1인 관을 사용하는 것이 좋다.
- 시료의 양 : 시료의 양은 bed volume의 1～5% 정도가 좋다. 시료량이 많은 경우 bend가 겹치고 작을 경우 bend가 너무 좁게 나타났다.
- 용출속도 : 용출속도가 너무 빠르다든가 느린 경우는 잘 분리되지 않는다. 그러므로 용출속도는 일정하게 하고 최적용출속도는 2㎖/cm^2/h이다.
- 용출액의 수집량 : 관에 잘 분리되어 용출되더라도 수집량이 적당하지 못하면 분리된 것이 혼합된다. 그러므로 수집량을 적당하게 조절해야 한다.

③ 겔 충진법

컬럼 크로마토그래피에서 관에 겔의 충진상태가 성분의 분리를 결정함으로 매우 중요하다. 그러므로 실험자는 이 방법을 습득하여 주의를 기울려 gel을 충진해야 한다.

관을 깨끗이 세척한 후 toluene로 2회 세척한다. toluene을 완전히 제거한 후 직면과 수직이 되게 stand에 관을 부착시킨다. 필요한 양의 겔을 beaker에 넣고 증류수를 가하여 fine을 제거한 후 수시간 팽윤을 시킨다. 팽윤된 겔은 그대로 사용해도 좋다. 팽윤된 겔을 vacuum filter glass에 옮기고 약 30분간 진공시켜 겔내의 기포를 제거한다. 준비된 관에 증류수를 약 10㎝ 정도 채운 다음 겔을 천천히 부어 넣는다. Cock를 열어 용출시키고 겔이 마르지 않도록 증류수를 공급한다. 완전히 충진되면 0.02% sodium azide수용액으로 2～3회 세척한다. 다시 증류수로 씻은 다음 사용할 전개용매(buffer)로 충분히 세척하여 평행시킨다. 0.2% bromophenol blue와 0.5% blue dextran액을 관에 주입하여 전개용매로 용출시켜 void volume과 elution volume을 측정한다. 세척한 다음 분리하고 성분을 주입하여 용출시킨다.

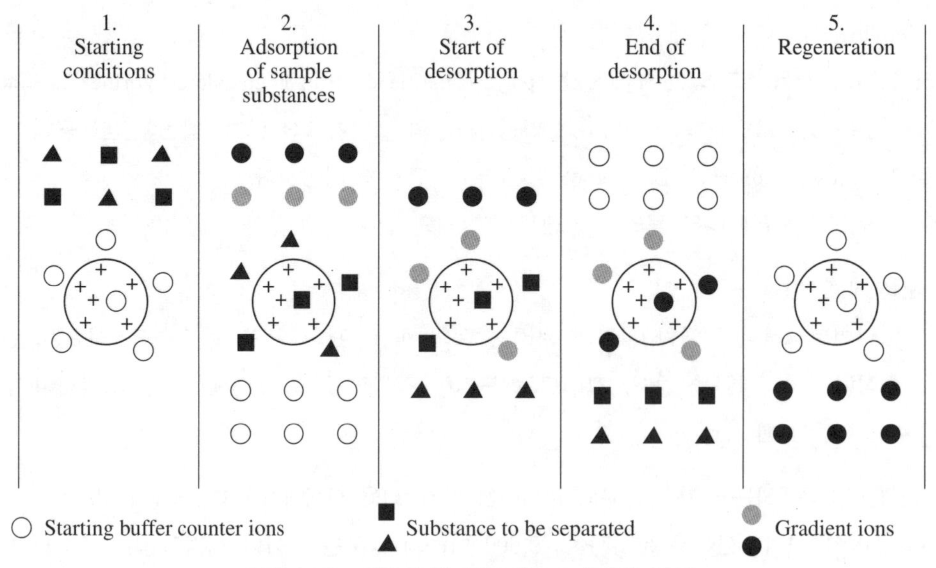

그림 1-12 이온교환 크로마토그래피의 원리

(2) 이온교환 크로마토그래피

이온교환 크로마토그래피는 이온화된 고정상(이온교환수지)을 관에 충진하여 용출액의 이온강도나 pH를 변화를 주면서 용출함으로서 각 성분과 이온교환수지 사이의 이온교환력에 따라 각 성분을 분리하는 방법이다.

그림 1-12에서 보는 것과 같이 1단계에서는 countor ion으로 평행된 관에 시료를 주입하면 2단계에서 countor ion과 시료성분이 교환이 일어나서 시료가 ion exghange resin에 흡착이 된다. 3단계에서는 용출액의 countor ion에 의해 이온력이 약한 성분이 분리된다. 4단계에서 남은 성분은 용출액의 이온농도를 증가시키므로서 분리된다. 5단계는 재사용을 위해 용출의 이온을 countor ion과 교환시킨다.

이 방법에서 성분분리에 영향을 주는 인자는 관의 크기와 모양, gradient의 형태와 정도, 용출속도, 용출액의 수집기 분획량 등이다.

① 이온교환수지

이온교환 크로마토그래피에 사용하는 이온교환수지는 물리적, 화학적으로 안정한 cellulose, polystyrene, dextran 등과 같은 polymer에 $-SO_3H$, $-COOH$, $-NH_4$, $-CH_2-N^+R_3COH$같은 기를 결합한 것으로 음이온과 결합하는 음이온 교환수지와 양이온과 결합하는 양이온 교환수지가 있다. 표 1-5는 널리 사용되고 있는 sephadex ion exchanger 들이다.

표 1-5 Sephadex ion exchangers

Types		Description	Functional groups	Counter ion
DEAE-sephadex	A-25 A-50	약염기 음이온교환 수지	Diethylaminoethyl	Chrolide
QAE-sephadex	A-25 A-50	강염기 음이온교환 수지	Diethyl-(2-hydroxyl-propyl)aminoethyl	Chrolide
CM-sephadex	C-25 C-50	약산 양이온교환 수지	Carboxylmethyl	Sodium
SP-sephadex	C-25 C-50	강산 양이온교환 수지	Sulphopropyl	Sodium

② 이온교환수지의 충진방법

겔 크로마토그래피와 같이 이온교환수지는 충진하는 것은 매우 중요하며 성분의 분리를 좌우함으로 매우 신중히 해야 한다.

이온교환수지 충진시 기본 사항은 다음과 같다.

- 이온교환수지 제조과정이 저장중에 생긴 불순물을 제거한다.
- fine을 제거한다.
- Ion exchanger을 팽윤시킨다.
- Ion exchanger에 countor ion을 치환시킨다.

여기서 이온교환수지 충진법을 CM-cellulose를 예를 들어 설명한다. Beaker에 적당한 이온교환수지를 칭량하고, 증류수로 5~6회 세척하여 fine을 제거한다. 하룻밤 팽윤시킨다. 0.5N HCl 용액으로 2~3회 세척한 후에 0.5N NaOH로 2~3회 세척한다(countor ion치환). 증류수로 수회 세척한 후에 진공상태에서 기포를 제거한다. 준비된 관에 천천히 주입시키고 starting buffer로 평행시킨다. 평행(용출액 pH와 starting pH가 동일한 것)이 되며 시료를 주입하여 용출시킨다.

5) 가스 크로마토그래피

이동상으로 기체를 사용하는 크로마토그래피를 가스 크로마토그래피라 부르며, 고정상을 흡착제로 사용하는 것을 gas-solid chromatography(G.S.C)와 액체를 담체(substrate)에 흡수시

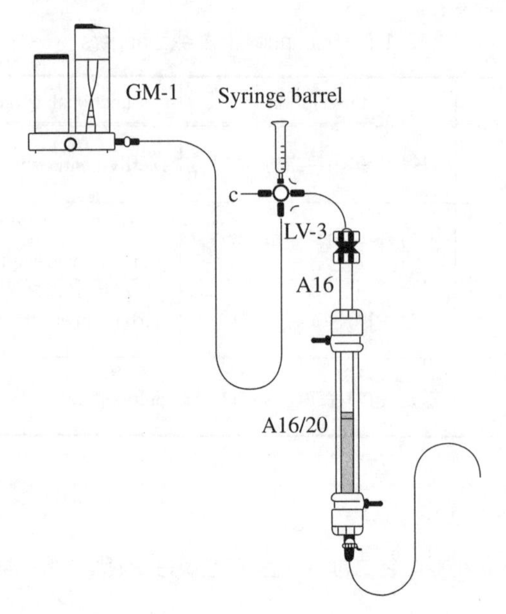

그림 1-13 이온교환 크로마토그래 장치

켜 고정상으로 사용하는 gas-liquid chromatography(G.L.C)가 있다.

가스 크로마토그래피의 용출전개법은 충진제를 채운 관을 통과하게 된다. 이때 시료는 충진제에 흡착과 단리현상 또는 용해, 증발을 반복하면서 이동한다. 시료성분중에 흡착성이 작은 것은 이동속도가 빠르고 큰 것은 느리게 되어 분리 용출된다. 용출된 성분은 검출기에 의해 검출되고 그 크로마토그램으로 성분의 함량을 산출할 수 있다.

가스 크로마토그래피는 동일한 성분을 분석할 때에는 실험조건을 일정하게 해야 한다. 즉 고정상의 종류, 관의 길이, 운반가스의 종류와 유속, oven의 온도 등을 일정조건에서 시료성분을 전개해야 한다. 이때 어떤 성분이 봉우리(peak)로 나타낼 때의 소요시간을 머무는 시간(retention time)이라 하고 각각의 peak는 각성분의 특유의 값이므로 정성분석을 할 수 있고 peak의 면적은 주입한 시료성분의 농도에 비례함으로 정량도 할 수 있다.

(1) 기기장치

가스 크로마토그래피는 일반적으로 관에 주입된 시료는 운반가스에 의해 이동하여 column에서 분리된 성분이 검출기인 열전도도 cell에 의해 검출되어 전기적인 신호를 기록계에 보내져 크로마토그램이 작성된다. 그 장치는 그림 1-14와 같다.

즉, 운반가스는 일정한 압력과 속도로 유량계, 예열기를 거쳐 열전도도 cell의 대조측을 통

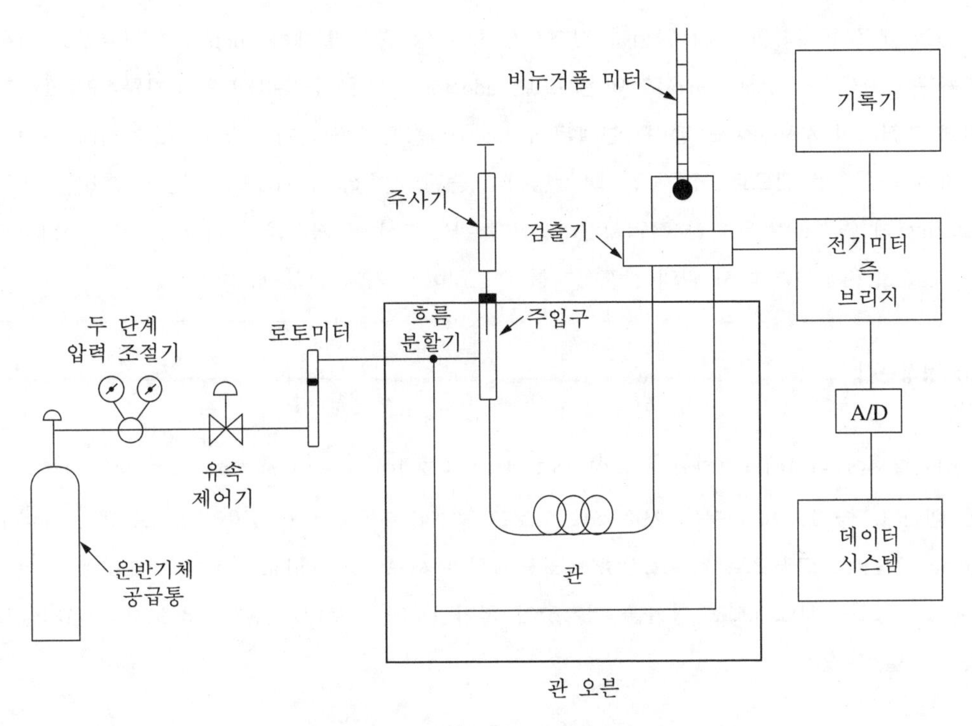

그림 1-14 가스 크로마토그래피의 장치

과하여 관의 입구에 도달하게 된다. 관에 주입구로 주입된 시료는 운반가스와 함께 관을 통과하여 열전도도 cell의 시료측을 통하여 대기로 방출된다.

이때 열전도도 cell의 대조측은 운반가스의 고유 열전도도를 갖고 있게 되며, 시료측은 분리된 성분된 운반가스의 열전도도를 갖게 되어 열전도도 cell에서 전위차를 일으켜 자동기록장치에 의해서 크로마토그램이 작성된다. 만약 관에 시료가 없이 운반가스를 통과시키면 열전도도 cell에 전위차가 없으므로 크로마토그램은 일직선으로 나타날 것이다. 이와 같은 조작은 시료를 주입하기 전후에 꼭 한번씩 행하여야 한다.

(2) 칼럼충진법

칼럼은 구리(copper), 스테인리스(stainless), 강철(steel), alumiun, 니켈(nickel), 유리(glass) 등으로 만든 관으로 직경이 3～5mm이고 길이가 1～6m 정도이다. 또 glass로 특수하게 만든 것으로 직경이 0.01～0.05mm이고 길이가 30～150m인 capillary column도 있다. 다른 크로마토그래피와 같이 가스 크로마토그래피도 충진제를 잘 충진하는 것이 매우 중요하다.

관을 깨끗이 세척한 후에 완전히 건조시킨다. 관의 한쪽 끝에는 adoptor를 연결하고 다른 한쪽은 GC용 석영 glass wool로 막는다. 단 adoptor가 없을 경우에서 주사기를 고무호스로 관에 연결하여 사용하여도 된다. 연결된 adoptor에 충진제를 적당량 넣는다. 가볍게 압력을 가하여 충진제를 관으로 이동시킨다. 적당량이 충진되면 glass wool로 막는다. 충진된 관은 asperator에 연결하여 30분간 흡입시킨다. 이때 관을 가벼운 충격을 주어 균일하게 충진시킨다. 완전히 충진되면 다시 관의 충진상태를 점검하여 기기에 연결시킨다.

(3) 정성분석

미지물질의 크로마토그램상 peak의 위치를 표준물질의 peak의 위치와 비교하여 정성분석을 행한다. 즉 1종의 성분은 가스 크로마토그래피의 분석조건이 일정하면 고유의 retention time을 갖는다. 그러므로 동일조건하에 표준물질과 시료의 retention time을 비교하여 정성할 수 있다. 또는 시료에 표준물질을 첨가하여 첨가전후의 크로마토그램을 비교하여 미지물질을 동정할 수 있다.

(4) 정량분석

크로마토그램상 peak의 바탕선과 수직으로 연결하는 선의 길이를 측정하여 표준물질의 peak의 높이와 비교 분석하는 법이다. 크로마토그래피의 분석조건은 시료와 표준물질의 크로마토그램을 얻는 동안 peak의 나비를 변화시키지 않는다는 조건이 필요하다. 그러므로 관의 온도, 용리유속, 시료주입 속도가 엄격히 조절해야 하며 관에 과다한 시료 주입을 삼가야 한다.

① Peak면적에 의한 분석

성분의 함량은 peak의 면적과 비례관계가 있으므로 각 peak의 면적을 면적계 또는 반칙폭법으로 측정하여 표준물질의 양과 peak면적과의 관계선(검량선)에 의해 산출된다. 면적측정은 구술판형 적분기나 전자식 적분기를 사용하여 정확하게 측정할 수 있으나 이러한 장치가 없을 경우는 peak의 높이에 그 peak의 반 높이의 나비를 곱하는 반치폭법을 행한다.

② 내부표준법

내부표준법은 가장 정밀한 정량분석법이다. 이 방법은 정확히 칭량한 내부표준물[6]을 각 표준시료와 미지시료에 넣어 시료와 내부표준물의 peak의 면적 또는 높이의 비를 분석 파라미터로 사용한다. 이 방법은 각 성분의 peak가 잘 분리되고 표준물의 peak가 성분의 peak와 인접하게 나타나야 한다.

③ 면적표준화법

이 법은 크로마토그램상의 용매 peak를 제외한 모든 성분의 peak 면적의 총합에 대한 어느 한 성분의 peak면적의 비를 함량의 비로 나타내는 것이다. 이때 상대농도의 총합은 100%가 되어야 하지만 면적측정의 어려움과 미량 성분의 peak 때문에 정확히 100%가 되지 않는 경우가 많다. 그러나 면적표준화법은 시료주입과 관계되는 부정확성을 피할 수 있다.

6) 고성능 액체 크로마토그래피(HPLC)

기체 크로마토그래피는 그의 신속성과 감도때문에 액체 크로마토그래피보다 널리 사용되었다. 그러나 화합물 중의 약 85%는 기화되지 않고 또한 기체 크로마토그래피에 의해 분리될 만큼 안정하지도 않기 때문에 액체 크로마토그래피가 많이 사용된다. 액체 크로마토그래피에서는 비교적 큰 직경의 관을 사용하였고 중력이나 낮은 압력에 의한 낮은 유속을 사용하였다. 따라서 분리시간은 몇 시간씩 걸렸으며 수집된 분액은 각각 분석하였으며, 분석하는데 많은 시간이 필요하였다. 최근에는 축적된 크로마토그래피의 발달로 인하여 몇 분내로 분리와 정량할 수 있는 고성능 액체 크로마토그래피의 방법과 장치가 개발되었다. 현재 HPLC는 유기물질을 취급하는 식품학, 영양학, 의학, 약학, 생화학, 농학 등의 분야에 널리 이용되고 있다.

(1) 원리

전형적인 액체 크로마토그래피에서 고정상과 이동상에 용질의 분배속도는 확산에 의해 주로 이루어졌다. 액체에 있어서 확산은 기체 확산에 비해 대단히 느리다. 확산과 관내에서 시료성분이 작용하기까지 또는 작용기로부터 이동할 때 필요한 시간을 최소로 하기 위해서는 두 가지 문제가 해결되어야 한다. 첫째는 충진물질의 입자크기가 작고 충진밀도와 최적의 균일성을 갖도록 균일하게 채워야 한다. 둘째는 액체 고정상이 얇고 균일한 피막의 형태로 되어야 한다. 전자는 van Deemter식에서 A값을 작게 하고 후자는 C값을 작게 한다. 몇 개의

6) 내부표준법에 사용하는 내부표준물은 시료에 존재하지 않고 시료성분과 유사한 것이어야 한다.

관 지지체들이 최근에 시판되고 있다. 한 예로 duPont의 Zipax는 고체중심부에 SiO_2의 엷은 다공성층으로 구성된 표면 다공성 지지체이다. 다공성층은 비교적 열린 구조이고 흡착제의 엷은 피막(고정 액체상)은 여기에 균일하게 분산되어 있다. 일반적으로 Zipax 형태의 입자를 포함해서 몇 가지 형태의 입자가 고성능 액체 크로마토그래피에 사용된다. 이들 중에는 화학결합상 충진제도 있다. 미세한 다공성 입자는 교차결합 그물구조를가지고 있다. 그들은 직경이 5~10㎛이다. 작은 용질분자만이 고정상과 반응할 수 있는 기공에 접근한다. 큰 다공성 입자는 미세한 구멍 이외에 큰 구멍을 가지고 있다. 작은 구멍은 직경이 수백 A정도이며 입자의 직경은 60㎛이상이다. 지적한 바와 같이 HPLC의 효율은 수정된 van Deemter식을 사용하여 설명할 수 있다. B항은 이동상 속도가 매우 느린 경우를 제외하면 거의 0에 가깝다. 실험적으로 HPLC에서 이론단의 높이 H는 다음과 같다.

$$H = A + Cu^{-n}$$

여기서 n은 0.3~0.6 정도인 상수이다. A항은 작고 상수에 가까우며 무시할 수 있다. 그래서 H는 Cu^{-n}에 접근한다. 대단히 낮은 속도에서 분자확산은 커지고 H는 약간 증가한다.

(2) HPLC의 장치

미세한 분말을 충진한 관을 사용하여 더 빠르고 더 효율적인 분리를 하기 위해 중요한 것은 압력과 이를 다룰 수 있는 특수장치이다. 2~4mm 직경과 10~50cm 길이의 관에서 1~2 ㎖/min의 유속을 얻기 위해 100~3000psi의 압력이 필요하다. 80~90% 정도의 HPLC에서 1200psi 이하의 압력에서 실험된다. 어떤 폴리우레탄관에서는 대기압 정도의 낮은 압력이면 된다. 그림 1-15에 고성능 액체 크로마토그래피 장치의 계통도를 나타내었다.

① 이동상 공급계

이동상 공급계는 필요한 높은 압력을 얻기 위한 펌프와 단계적 용리를 할 수 있는 장치가 포함되어 있다. 용매저장실은 여러 가지 극성의 용매혼합물 또는 여러 가지 pH의 용액 또는 완충용액의 혼합물로 채워진다. 용매는 순수하고 기체가 녹지 않는 것이어야 한다. 따라서 HPLC장치에는 기체 제거장치가 부착되어 있다.

HPLC에서는 분리효율을 높이기 위하여 기울기 용리법을 이용한다. 기울기 용리법은 성질이 서로 다른 두 가지 또는 그 이상의 용매를 섞어서 연속적으로 용리액의 농도를 변화시키면서 용리하는 방법이고, 이들의 혼합비를 프로그램되어 있는 계획에 따라 연속적으로 또는 단계적으로 변하게 한다.

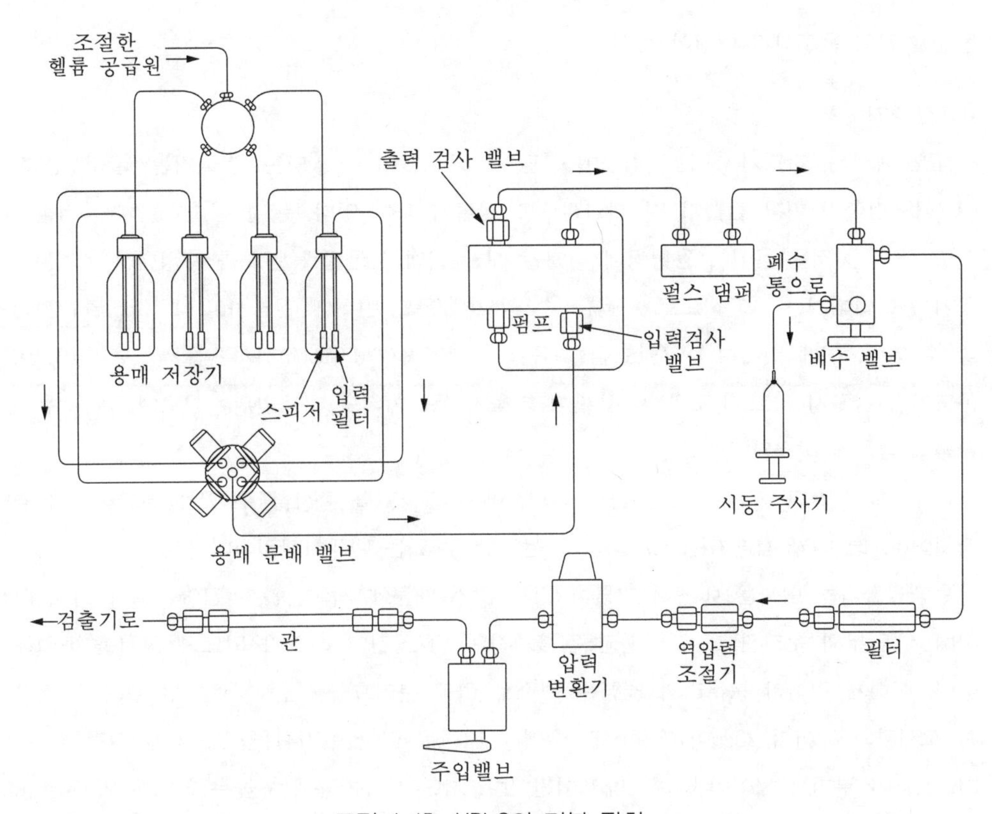

그림 1-15 HPLC의 기본 장치

② 시료주입계

일반적인 주입계는 여섯 개의 다른 부분으로 된 스텐레스강의 링으로 되어 있다. 그 중 하나는 분리관으로 향한다. 그 링 안에 있는 이동성 테프론 원추는 세 개의 연결부를 가지고 있다. 그 연결부의 각각은 한 쌍의 외부와 연결되어 있다. 두 부분은 고정부피나 기지의 외부 시료루프에 의해 연결된다. 한 배열에서 원추를 돌리면 용리액이 분리관으로 통하게 되고 루프는 시료로 채워진다. 원추를 30도 돌리면 시료루프는 이동상에 연결되고 시료는 분리관으로 들어간다.

③ 분리관

곧은 스텐레스강관은 좋은 분리관이다. 분리관의 온도조절은 액체－고체 크로마토그래피에서는 항상 필요한 것은 아니다. 그러나 다른 형태(액체－액체, 이온교환, 크기배제)의 액체 크로마토그래피에서는 온도조절이 필요하다. 특히, 굴절계같은 검출기는 온도변화에 민감하고 따라서 분리관의 온도가 높을 때는 냉각 재킷을 분리관 끝과 검출기 사이에 달아서 이동상을 임의 온도까지 내려야 한다.

④ 검출기

HPLC에서는 감도가 높은 검출기가 필요하다. 널리 사용되는 검출기는 굴절 검출기, UV/VIS 검출기 형광 검출기 및 전기전도도 검출기 등이 있다. 굴절 검출기는 만능검출기라고도 한다. 이것은 용질이 용출액에 나타날 때 용리액의 굴절률 변화를 측정한다. 이것은 기울기 용리법에서는 효과적으로 사용할 수 없으며 온도 변화에 민감하고, 10^{-1}ppm까지 검출할 수 있다. 이에 비하여 UV/VIS 검출기는 더 예민해서 0.01ppm까지 검출할 수 있다. 이는 온도에 민감하지 않고 비교적 값이 싸며 기울기 용리법에도 사용할 수 있으며, 많은 유기화합물의 검출에 이용된다.

대부분의 UV/VIS 검출기는 몇몇 선택파장에서 흡광도를 측정할 수 있는 간단한 간섭필터 장치이다. 더 비싼 검출기는 특수파장을 선택할 수 있는 단색화장치이다.

형광검출기는 형광을 내는 유기물이 많지 않기 때문에 자외선흡수 검출기보다 더 선택적이다. 주입부와 분리관 또 분리관과 검출기간의 빈 공간이 최소가 되도록 장치를 배열해야 한다. 이렇게 하여야 봉우리의 넓힘은 최소로 하고 분리효율을 증가시킬 수 있다. 스텐레스강 모세관의 길이가 20㎝이면 분리관 수행에 지장이 없이 분리관을 검출기에 연결할 수 있다. 검출기 부피는 적어야 되며 20㎖ 미만이다. 가연성 유기용매는 높은 압력과 밀폐된 공간에서 사용되기 때문에 안전장치가 있어야 한다.

전기전도도 검출기는 이온성 물질을 검출하는데 이용된다. 전하를 갖고 있는 물질은 일정한 전도도를 갖고 있으므로 전기전도도의 원리는 당량 전도도가 시료이온의 농도에 반비례한다는 근거를 두고 있다. 즉, $\Lambda = k/C$, Λ는 당량 전도도, k는 전기 전도도, C는 시료이온의 당량 농도이다. 전기전도도 검출기는 장치가 간단하고 검출기 부피를 최소할 수 있어 봉우리 띠 넓힘 효과를 최소화할 수 있는 장점을 갖고 있다.

(3) HPLC의 응용

HPLC는 높은 감도, 정확성, 선택성이 있고 비휘발성 성분이나 열적으로 불안정한 물질을 쉽게 분리할 수 있기 때문에 모든 분리분석 중에 가장 빠르게 발전하고 널리 응용되고 있다. HPLC으로 분석할 수 있는 물질의 종류는 핵산, 단백질, 유기산, 탄수화물, 약품, 살충제, 항생제, 스테로이드, 유기금속 등이며, 앞으로는 대부분의 유기물의 분석에 이용될 것으로 생각된다. 따라서 생화학, 식품학, 영양학, 약학. 의학, 농학 등의 분야에 널리 이용되고 있다.

2 식품일반성분의 분석

제1절 시료의 채취, 조제 및 보존

1. 시료의 채취

적은 양의 일부 시료가 식품 전체를 대표하는 것이기 때문에 시료가 균일하게 분포되는 것이 필요조건이 된다. 그러나 개체에 있어서 성분상의 차이도 있겠으나 동일 개체에서도 부분적으로 성분의 차이가 심하기 때문이다. 분석에 사용되는 시료는 가능한 한 많은 부분에서 소량씩 취하여 잘 혼합시켜야 한다.

과실이나 채소류의 성분 함량은 품종, 재배방법, 성장기의 일조시간, 토양, 기후, 풍토 혹은 저장 등의 여러 조건에 따라 크게 달라지고, 어류는 어획시기에 따라서 그 조성이 달라지기 때문이다.

보통 한 성분의 한번 정량에 사용하는 시료의 양은 1~10g 정도로 많은 시료 중 일부만이 실제 분석에 사용된다. 이렇게 일부의 시료를 적당한 방법으로 채취하는 것을 시료의 추출과 축분이라 한다.

1) 과채류와 같이 상자에 담겨있는 식품

상자에 담겨있는 과채류를 시료로 채취하는 경우 먼저 과채류 전체를 대표하는 몇 개의 과채류를 골라내야 한다. 만약 8개의 과채류를 시료로 채취한다면 상자의 한쪽 모퉁이에서 8개 전체를 꺼낸다는 것은 비합리적이므로 그림 2-1A와 같이 상자를 8등분하여 각각의 등분에서 한 개씩을 임의로 취해야 한다.

이 선택된 8개의 과채류 전체를 마쇄하여 사용하면 좋겠으나 그 양이 너무 많으므로 개개의 과채류에서 일부분씩 취하는 것이 합리적이다.

그 방법은 일정하지 않으나 한 개의 과채류를 8등분하고 다시 2등분하여 그림 2-1B와 같이 상하가 서로 엇갈리게 축분하여 채취된 8개의 과채류에서 각각 1/4씩 취하여 편차를 작게 하여야 한다.

2) 모양이 길거나 평평한 식품

근채류나 생선 등은 그림 2-1C와 같이 두께에 관계없이 일정한 간격으로 평행하게 절단하여 취해야 한다.

3) 곡식과 같이 불균일한 작은 입자로 된 식품

불균일한 작은 입자의 혼합물로부터 일부분을 취할 때는 원뿔사분법 또 교번시약스푼법이 적용된다.

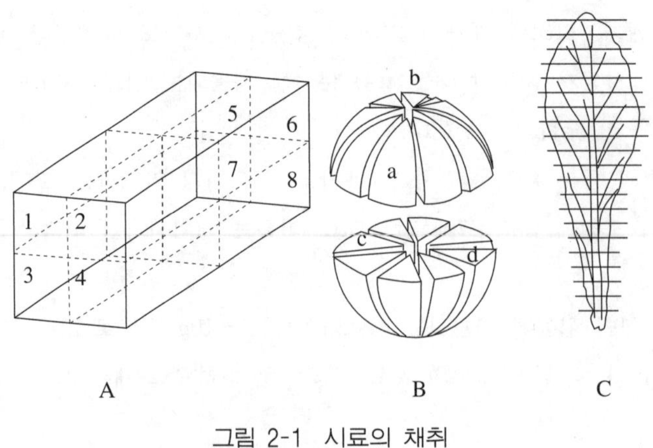

그림 2-1 시료의 채취

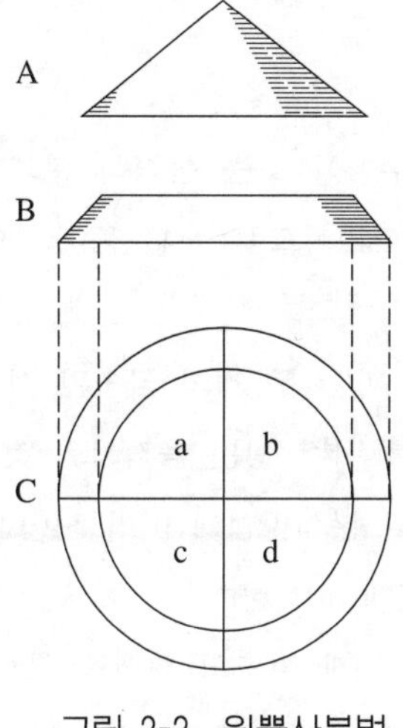

그림 2-2 원뿔사분법

원뿔사분법은 시료를 먼저 그림 2-2A와 같이 원뿔모양의 원추형으로 쌓은 다음 B처럼 상부를 평평하게 하고, 이것을 C와 같이 a, b, c, d의 네 부분으로 구분한다. 여기서 대각선상의 a, d부분을 취하여 혼합하고, 다시 이와 같은 조작을 2~3회 계속 반복하여 시료의 양을 축소시킨다.

4) 여러 종류가 혼합된 식품 또는 액상의 식품

혼합한 야채 등과 같이 여러 종류가 혼합, 밀봉된 식품의 경우는 먼저 동일 종류의 것을 합하여 중량비율을 계산하고, 같은 중량비율대로 정확히 칭량하여 각 종류로부터 취한다. 또한 간장 등과 같은 액상의 식품은 마개를 닫은 상태 그대로 상하로 흔들어 혼합한 후 마개를 열고 A, B 양쪽으로부터 같은 양을 취한다(시료가 2개인 경우).

2. 시료의 조제

시료의 조제는 일반적으로 채취한 시료를 양적으로 보아 소량으로 할 것과 충분히 혼합할 것, 그리고 고체 시료일 경우에는 입상을 적게 할 것 등이 문제이다. 따라서 고체 시료는 먼저 분쇄나 마쇄를 하여야 한다.

1) 분쇄

분쇄에는 자제 약절구(유발)나 수동식 또는 동력식 분쇄기가 있으며, 동력식 분쇄기로는 볼 밀(ball mill), 해머 밀(hammer mill, 그림 2-4) 등이 사용되고 경우에 따라서는 가정용 믹서도 사용된다.

분쇄기의 형식에는 몇 개의 홈이 파인 두 개의 금속판 사이에 시료를 밀어 넣는 달팽이형 또는 롤러(roller)형의 것이나 시료를 탁탁 찧는 충격식의 것, 시료를 미세하게 깎아 내는 절삭식의 것 등이 있다. 시료의 종류나 분석방법에 따라 적당한 것을 사용한다. 분쇄는 처음에는 거칠게 분쇄하고 점차 가늘게 분쇄해야 한다.

Ball mill은 경질자기의 통 안에 몇 개 정도의 자제공(磁製球)과 시료를 함께 넣고 용기를 장시간 회전하면 자제공에 의한 마찰과 충격으로 가늘게 마쇄되도록 되어 있다. 이 방법을 이용하는 것이 일반적인 분쇄보다 더 좋은 세분(細分)을 얻을 수 있으나 수분이 적어야 하고 미리 조쇄(粗碎)된 것을 사용하여야 한다.

분쇄된 입자의 크기는 840~500㎛ 정도로 하여야 한다. 이때 사용되는 체는 표준체로 하여야 하고(그림 2-3), 체 위에 남은 것은 다시 분쇄하여 전부가 통과하도록 한다.

분쇄기는 그때 그때 기계를 해체하여 남아 있는 시료를 솔이나 붓으로 쓸어모아 체질하여야 한다. 마지막까지 체 위에 남은 것은 유발에 다시 빻아서 체질하여야 한다.

체를 통과한 시료는 스푼으로 균일하게 혼합시키고 시료병에 넣는다. 그런데 500㎛체를 통과시킨 것이라도 시료에 따라 개개의 입자의 비중과 형태가 같지 않기 때문에 잘 혼합하여도 병에 옮길 때나 병으로부터 일부를 취할 때 가벼운 입자가 상부로 분리되는 수가 많으므로 병을 잘 흔들어 주어야 한다.

그림 2-3 표준체

그림 2-4 분쇄기

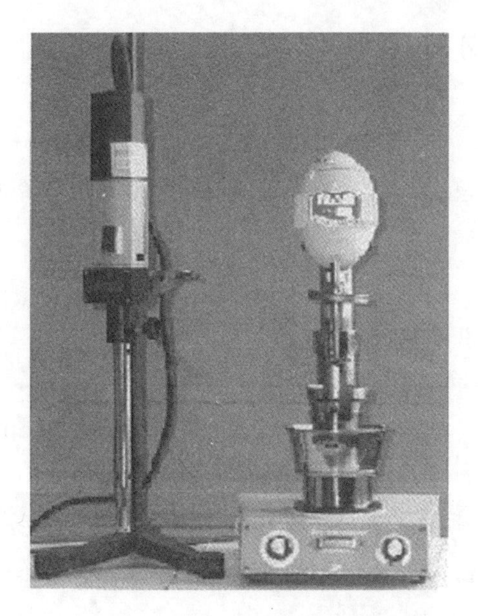

그림 2-5 Homogenizer

표 2-1 표준체의 눈 크기와 메쉬(mesh)규격

표 준 체			Tyler 체		표 준 체			Tyler 체	
호칭지수 (μ)	호칭 번호	체눈의 크기 (mm)	mesh	체눈의 크기 (mm)	호칭지수 (μ)	호칭 번호	체눈의 크기 (mm)	mesh	체눈의 크기 (mm)
44	325	0.044	325	0.043	590	30	0.59	28	0.589
53	270	0.053	270	0.053	710	25	0.71	24	0.701
62	230	0.062	250	0.060	840	20	0.84	20	0.833
74	200	0.074	200	0.074	1,000	18	1.00	16	0.991
88	170	0.088	117	0.088	1,190	16	1.19	14	1.168
105	140	0.105	150	0.104	1,410	14	1.41	12	1.397
125	120	0.125	115	0.124	1,680	12	1.68	10	1.651
149	100	0.149	100	0.147	2,000	10	2.00	9	1.981
177	80	0.177	80	0.175	2,380	8	2.38	8	2.362
210	70	0.210	65	0.208	2,830	7	2.83	7	2.794
250	60	0.250	60	0.246	3,360	6	3.36	6	3.327
297	50	0.297	48	0.295	4,000	5	4.00	5	3.062
350	45	0.350	42	0.351	4,760	4	4.76	4	4.699
420	40	0.420	35	0.417	5,660	3.5	5.66	3.5	5.613
500	35	0.500	32	0.495					

2) 체

시료조제용 체는 황동제의 것이 보통 사용된다. 체눈의 크기는 KSA5101(표준체)에서 규정하고 있다(표 2-1). 한편 Tyler체(미국)의 mesh라는 단위도 사용되어 왔다.

3) 마쇄

수분이 많은 야채, 과실, 육류, 어류 등이나 각종 가공식품과 조리식품의 대부분은 마쇄하거나 잘게 빻아서 균질화 할 필요가 있다.

마쇄에는 유발, 자동식약절구, homogenizer(그림 2-5), mixer 등이 사용된다. Homogenizer나 mixer의 원리는 비슷하나 회전하는 금속제 날개가 시료를 절삭하여 분쇄한다.

3. 시료의 보존

조제된 시료는 그대로 보존해도 좋으나 이때 적절한 처리를 못하면 보존 중에도 성분의 변화가 생긴다. 특히 수분의 함량이 많은 시료가 더 큰 영향을 받지만 대체로 다음과 같은 요인에 따라 성분의 변화가 생긴다.

- 수분의 증발 또는 흡수
- 공기에 의한 산화
- 효소에 의한 영향
- 미생물에 의한 침해

수분의 변화를 막기 위하여 조제된 시료를 밀폐된 용기 중에 보존하며, 한편 공기산화를 방지하기 위해서는 시료를 담은 용기 내의 공기를 제거하고 여기에 질소 등의 불활성 가스를 넣어두는 방법이 좋다. 그러나 이것은 완전한 효과를 거둘 수 없다. 실제적으로는 공기와 접촉하는 표면적을 적게한 상태로 밀폐하여 보존하는 정도이다. 한편 가능한 한 저온에 보존하여 산화반응의 속도를 느리게 하는 것도 효과적인 방법이다.

그리고 효소와 미생물의 영향을 방지하기 위하여 냉장 또는 건조시키거나 방부제 등을 첨가하기도 한다.

냉장은 가장 일반적인 방법이지만 시료에 수분 함량이 많으면 전기 냉장고에 넣어두는 것만으로는 조제 시료의 비타민류의 분해와 단백질 또는 당분의 변화를 정지시키지 못한다. 식품자체가 가진 효소의 작용을 완전히 불활성화시키기에는 −40℃ 정도의 온도가 이상적이며, 최소한 −15℃ 정도의 저온이 필요하다.

건조는 시료의 보존성에는 냉장의 경우보다 우수하나 시료의 성질, 상태, 그리고 건조 조건에 따라서는 크게 성분이 변하는 수도 있다. 건조는 가능한 한 저온에서 신속하게 하지 않으면 안된다. 따라서 감압건조, 통풍건조의 경우가 상압고온 건조보다 우수하다. 그리고 건조된 시료를 저온에 보존하면 더욱 좋다.

이와 같이 조제한 시료는 분석이 끝날 때까지 가능한 한 그대로 보존하여 두는 것도 중요한 일이다.

제 2 절 식품일반성분의 분석

1. 수분(Moisture)의 정량

수분의 정량법에는 건조법(상압, 감압, 동결 등), 증류법, 적정법 등의 여러 방법이 있는데, 일반적으로 널리 이용되고 있는 방법은 건조법이지만 다른 방법에 의한 측정결과와는 일치하지 않는 것이 보통이다. 모든 식품에 통용되는 방법은 없으므로 수분정량을 이용한 방법, 조건 등을 명시할 필요가 있고, 다른 방법으로 측정한 수분 함량을 서로 비교하는 것은 무의미하다.

건조법의 요건

① 수분이 유일한 휘발성분이고, ② 건조에 의해서 완전히 제거되어야 하며, ③ 성분이 건조 될 때 다른 성분이 변화하여도 결과에는 큰 영향을 주지 않는다는 가정으로 측정하지만 실제로는 alcohol이나 휘발성 산, 휘발성 유지 등도 나오게 되고, 불포화지방산 같은 산화되기 쉬운 성분은 건조 중 공기 속의 산소와 결합하여 중량을 증가시키는 경우도 있다.

1) 상압가열건조법 (Air-oven method)

개 요

물은 1기압 하에서 100℃의 온도에서 기화한다. 이것을 이용하여 식품을 105~110℃의 건조기에서 건조하여 감소된 중량을 수분량으로 한다. 이렇게 구한 수분량에는 향기성분 등의 휘발성분도 함유되어 있으나 수분에 비해 비교되지 않을 정도의 미량이다. 따라서 얻어진 값은 절대적인 수분 함량이 아니므로 water라 하지 않고 moisture라 한다.

시료 조제

식품에 따라서는 건조할 때 표면에 딱딱한 피막이 생겨 심부의 물이 나올 수가 없다. 따라서 될 수 있는 한 수분을 완전히 제거하기 위하여는 ① 열분해 등의 염려가 없는 범위까지 고온에서 건조하고 ② 시료 심부에 있는 수분의 증발을 용이하게 하며 ③ 자동산화나 표면피막의 생성을 막기 위하여 감압건조하고 ④ 수분의 증발 면적을 될 수 있는 한 넓게 하기 위하여 시료를 분쇄, 세절하여야 한다.

시약 및 기구

■ 전기정온건조기(dry oven) : 그림 2-6 모양의 수분정량에 이용하는 가열장치이다.

밑바닥에 니크롬선과 자동온도조절장치를 가지고 있어서 내부온도를 60~150℃, ±1℃ 정도로 자동으로 조절할 수 있게 되어있다. 계속과 단속 2개의 스위치를 가지며, 양자를 모두 on으로 하여 일정 온도에 이르면 계속 전류는 끊고 단속 전류가 온도 조절장치에 작동하여 일정 온도를 유지하게 된다.

■ 건조기(desiccator) : 검체의 보존, 가열 건조시킨 칭량병, 작열한 도가니 등을 건조한 상태에서 보존하려고 할 때 분석실험에 필요한 기구로서 여러 가지 모양과 크기가 있으나 언제든지 그 뚜껑과 밑받침이 꼭 맞아서 공기가 유입되지 않아야 한다.

뚜껑을 할 때에는 바셀린 칠을 하여 꼭 닫혀지도록 하는 것이 좋다. 그림 2-7은 보통 많이 사용되는 건조기의 한 예로서 (b)는 위쪽에서 내부의 공기를 뽑아 낼 수 있도록 한 감압건조기이다. 또 자외선을 피하기 위한 갈색 유리로 만든 건조기도 있다. 그 밑창에는 건조제(BaOH, $CaCl_2$, c.H_2SO_4)를 넣어둔다. 작열한 도가니를 사용할 때는 주의하여야 한다. 즉, 작열한 도가니는 대략 100~150℃가량으로 냉각시킨 후에 건조기 속에 넣어야 한다. 그리고 적어도 30분 후에 천칭에서 칭량하도록 한다. 만일 더운 물질을 건조기 속에 넣고 뚜껑을 하면, 공기가 팽창하였다가 냉각됨에 따라 공기가 수축하여 부분진공이 생겨서 나중에 뚜껑을 열기가 곤란하게 되는 때가 많다. 그러므로 이와 같을 때는 건조기를 꼭 붙잡고 뚜껑을 한쪽으로 가만히 밀어 움직이게 한다.

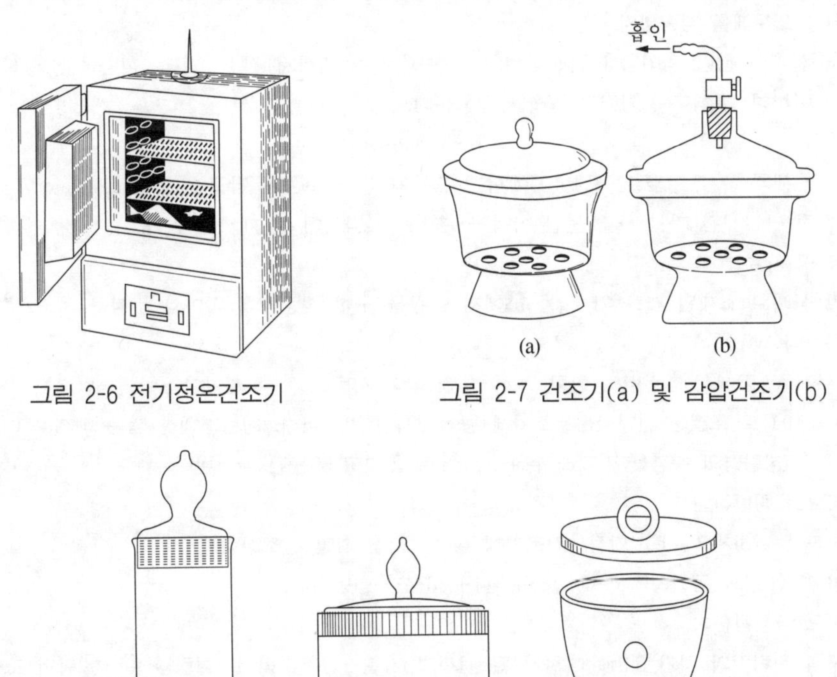

그림 2-6 전기정온건조기

그림 2-7 건조기(a) 및 감압건조기(b)

그림 2-8 칭량병

■ 칭량병 : 칭량병은 그림 2-8과 같이 유리로 만든 병인데 뚜껑으로 밀폐할 수 있도록 되어 있다. 대개 10~100mℓ의 내용량을 가지고 있는데 수분정량이나 방습을 필요로 하는 시료를 담아 이용한다.

칭량병은 사용전에 잘 씻고 물기를 없앤 다음 뚜껑과 병을 따로따로 110~150℃에서 1시간쯤 말린 후에 건조기에 넣어 보존한다.

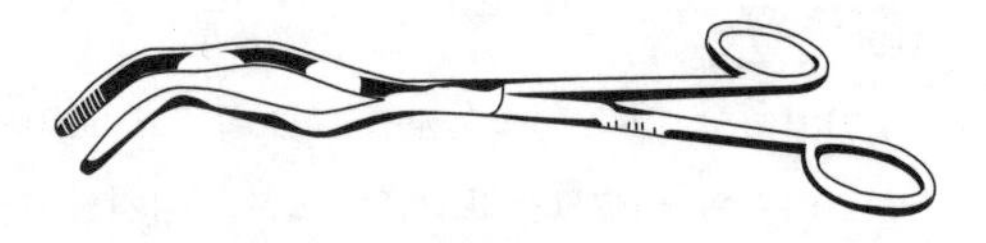

그림 2-9 칭량병 집게

■ 칭량병 집게 : 칭량병은 직접 손으로 만지지 말고 칭량병 집게(그림 2-9)로 집어 옮긴다.

방법(조작)

1 칭량병의 항량 측정

① 깨끗한 칭량병을 뚜껑을 열어서 105~110℃로 조절되어있는 전기정온건조기에 넣고 2시간 가열한다.

② 가열 후 칭량병 뚜껑을 해서 desiccator에 옮겨 30분간 방냉한다. 칭량병의 취급은 집게를 사용한다.

③ 천칭으로 칭량병 무게를 칭량한다. 칭량할 때는 꼭 뚜껑을 덮는다.

④ ①항과 같이 다시 뚜껑을 열어서 oven 속에서 2시간 가열 건조한다.

⑤ 건조 후 칭량병의 뚜껑을 하여 desiccator에 옮겨 30분간 방냉한다

⑥ 천칭으로 무게를 칭량한다.

⑦ 건조 전후의 칭량 차이가 0.3㎎ 이하의 항량을 얻을 때까지 건조, 방냉, 칭량을 ④~⑥항과 같이 반복한다. 최후의 칭량값 W_1g을 칭량한다.

[Procedure]

칭량병 → 세척 → 뚜껑을 열고 105℃에서 2시간 가열 → 뚜껑을 닫고 30분간 desiccator에서 방냉 → 칭량 → 1시간 가열 → 30분간 방냉 → 칭량 → 항량이 될 때까지 반복

2 시료 중의 수분 측정

① 분말 상태로 조제된 시료 약 2g을 **1**에서 항량을 구한 칭량병에 담아서 뚜껑을 하고 무게를 칭량한다(W_2g).

② 이 무게(W_2g)에서 칭량병의 항량(W_1g)을 뺀 값이 시료(S)의 무게이다($S=W_2-W_1$)

③ 105~110℃로 조절한 전기정온건조기에 넣어 2시간 가열한다. 칭량병의 뚜껑은 비껴 둔다.

④ 가열 후 칭량병의 뚜껑을 밀폐해서 desiccator로 옮기고 30분간 방냉한다.

⑤ 천칭으로 칭량한다.

⑥ ③항과 동일하게 다시 전기정온건조기에 넣어 1시간 가열 건조한다.

⑦ 가열 후 ④항과 동일하게 desiccator에 넣어 30분간 방냉한다.

⑧ 천칭으로 칭량한다.

⑨ 전후의 칭량값의 차가 0.3㎎ 이하가 될 때까지 가열－건조－방냉－칭량과 ⑥~⑧항의 조작을 반복한다. 최후의 칭량값 W_3g을 항량으로 한다. 유지가 많은 시료는 건조에 의해 최초 중량이 감소하지만 도중에 유지의 산화로 중량이 증가하게 된다. 이 경우는 중량이 증가하기 직전의 가장 최저값을 항량으로 한다.

[Procedure]

시료 약 2g을 칭량 → 뚜껑을 열고 2시간 가열 → 뚜껑을 닫고 30분간 방냉 → 칭량 → 1시간 가열 → 30분간 방냉 → 칭량 → 항량이 될 때까지 반복 → 계산

결과 및 고찰

시료 중의 수분은 다음 식에 의해 계산한다.

$$\text{수분}(\%) = \frac{\text{수분 중량}}{\text{시료의 무게}} \times 100 = \frac{W_2 - W_3}{W_2 - W_1} \times 100$$

W_1 : 칭량병의 무게

W_2 : 건조 전의 무게(칭량병 + 시료)

W_3 : 건조 후의 무게(칭량병 + 시료)

참고문헌

1. 남궁석, 김재웅 : 최신식품화학실험. 신광출판사, 서울, p.72(1999)
2. 일본식품과학공학회 : 신·식품분석법. 일본광림출판사, 동경, p.4(1997)
3. 이만정 : 식품분석. 동명사, 서울, p.32(1999)

2) 상압가열건조법의 변법

(1) 고온가열건조법

개 요

열에 매우 안정한 식품에 한해서 한 번만 고온으로 가열해서 결과를 얻는 신속정량법이다. 105℃ 가열정량법과 다른 점은 105℃보다 높은 온도로 가열한다는 점과 항량은 구하지 않고 한 번 가열한 것으로 수분량을 결정짓는다는 점이다. 이 방법을 적용할 수 있는 시료로는 경험적으로 분석이 가능하다고 인정된 것이 주이고(표 2-2 참조), 소맥분은 130℃, 1시간 가열, 곡류, 가루, 국수, 라면 등은 135℃, 3시간 가열로써 수분을 정량한다.

시약 및 기구

저울접시, 전기정온건조기, desiccator

방법(조작)

1. 미리 130~135℃에서 건조시키고 항량을 구한 저울 접시에 시료 약 2g을 정확히 칭량하여 취한다.

2. 밀가루, 빵, 면류, 콩가루, 탈지 대두의 경우는 130±3℃에서 1시간 건조하여 desiccator 속에서 방냉후 한번만 중량을 달아 수분함량을 구한다.
3. 쌀, 밥, 쌀가루, 콩의 경우는 135±2℃에서 2~3시간 건조한다.
4. 생육과 그 가공품은 5g을 달아서 125℃에서 2~4시간 건조한다.

표 2-2 가열건조법에 의한 수분정량의 조건

식 품 군	채취량(g)	가열온도(℃)	가열시간	보조제	film 법
곡립, 국수, 과자	2	V_{25} 100	5, (5)항량		
	2	135	3		
곡분, 전분	2	135	1~2		
**빵, 생면	2	135	1		
감자, 고구마, 토란	10	V_{100} 70	5, (5)항량		
정제당	5	100	3, (1)항량		
조당, 생과자, 꿀	2	V_{50} 70	2, (2)항량	○	
물엿	2	V_{25} 100	2		○
잼	2	V_{100} 70	2, (2)항량	○	
	2	V_{25} 70	4		○
유지	5	V_{100} 120	2, (2)항량		
*종실	4	V_{100} 100	5, (2)항량		
	4	130	2		
*두류	4	135	2		
콩가루, 탈지대두	2	130	1		
삶은콩	2	V_{25} 100	2, (2)항량		○
된장	2	V_{50} 70	2, (2)항량		○
생선 및 그 가공품	10	100	4		
	5	V_{50} 70	5, (2)항량		
생육 및 그 가공품	5	V_{100} 100	5, (2)항량		
	5	125	2~4		
생란	3	V_{25} 100	2, (2)항량		
생유	3	100	3	○	
분유	2	V_{100} 100	2, (2)항량		
연유	2	V_{100} 100	2, (2)항량	○	○
치즈	3	V_{100} 100	2, (2)항량		
	3	130	1.5		
야채, 과실, 해초	10	V_{100} 70	5, (2)항량	○	
건조야채, 건조과실	5	V_{100} 70	6		
건조해초	2	V_{100} 70	5, (2)항량		

*분쇄시료, **예비가열건조시료

V : vaccum oven, 감압건조 V_{50} 70 : 50mmHg, 70℃

( )속은 두 번째 이후의 가열건조시간

5, (2)항량은 첫 번째 5시간 가열, 2번째 이후는 2시간 가열, 그냥 2는 2시간 가열 한 번으로 항량이 된다.

결과 및 고찰

수분량은 다음 식에 의하여 산출한다.

$$수분(\%) = \frac{W_1 - W_2}{W_1 - W_0} \times 100$$

W_0 : 저울 접시의 중량(g)

W_1 : 저울 접시 + 시료의 중량(g)

W_2 : W_1을 건조하여 항량으로 된 때의 중량(g)

참고문헌

1. 남궁석, 김재웅 : 최신식품화학실험. 신광출판사, 서울, p.77(1999)
2. 이현기, 황호관, 이성우, 이응호, 박원기 : 식품화학실험. 수학사, 서울, p.107(1999)
3. 이만정 : 식품분석. 동명사, 서울, p.32(1999)

(2) 적외선 램프 가열조절법(간편법)

개 요

그림 2-10과 같은 적외선 램프를 가열전원으로 이용한 간이 수분측정기가 있다.

시료를 천칭의 시료접시에 놓고 적외선 램프를 조사하여 시료를 가열건조한 후 중량의 감소를 측정한다. 건조 감량을 수분 %로 하여 직접 구하는 방법이다. 단시간에 측정이 가능하므로 현장용의 측정방법으로서는 간편하여 좋으나 천칭의 정밀도, 적외선조사 조건 등 오차의 요인이 많으므로 정밀한 측정에는 적당치 않다. 이 방법은 100℃ 이상의 고온으로 가열하기 때문에 신속히 수분 함량을 구할 수 있으나 가열조작은 표준적인 수분 정량법을 참고로 하여 식품의 종류에 따라서 각자가 정할 필요가 있다.

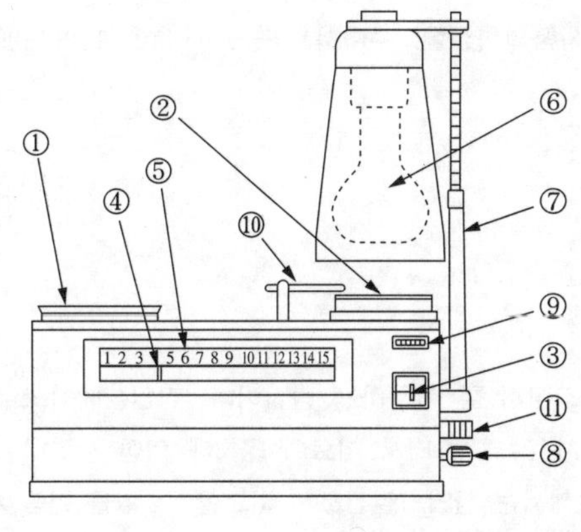

① 분동접시 ② 시료접시
③ 평형바늘 ④ 수분바늘
⑤ 수분눈금판 ⑥ 적외선 램프
⑦ 램프지주 ⑧ 수분바늘이동핸들
⑨ 평형다이얼 ⑩ 온도계
⑪ 온도조절핸드

그림 2-10 적외선 수분 측정기

시료조제

■ 곡류시료(쌀, 보릿가루, 밀가루 등)

시약 및 기구

■ 적외선수분측정기(Kett식, 그림 2-10)

방법(조작)

1 측정준비

① 바늘 움직임대 끝에 있는 고리를 이용하여 수분바늘을 눈금의 0%에 맞춘다.

② 평형다이얼을 적당하게 돌려 평형바늘을 평형눈금판의 0선에 맞춘다.

2 측정(기본무게에 의한 측정)

① 측정준비가 끝나면 분동접시에 기본무게의 분동을 올려놓은 다음 시료접시에 같은 무게의 시료를 얹는다.

② 측정램프의 지주 밑에 있는 회전나사를 돌려 지주에 새겨져 있는 cm 눈금을 기준으로 하여 측정할 시료에 적당하게 적외선 램프를 올려 놓고 고정시킨다.

③ 램프가 적당한 높이로 고정되었으면 전원스위치를 넣어 램프를 켠다.

④ 건조가 잘 되어 시료가 가벼워지면 처음 1분 정도는 평형바늘이 위쪽으로 움직이는데, 평형바늘이 완전히 올라가면 평형바늘이 0선에 올 때까지 수분바늘을 오른쪽으로 가게 한다.

⑤ 이와 같이 하여 계속 건조시키면서 이 조작을 되풀이하면 바늘은 오른쪽으로 가게 되는데 수분이 없어지면 수분바늘을 움직여 평형바늘을 0선에 일치시킨다.

⑥ 이때 수분바늘이 나타내는 눈금을 측정값으로 읽는다.

참고문헌

1 이만정 : 식품분석. 동명사, 서울, pp.32～43(1999)

2 일본식품과학공학회 : 신・식품분석법. 일본광림출판사, 동경, pp.18～19(1997)

3 이현기, 황호관, 이성우, 이응호, 박원기 : 식품화학실험. 수학사, 서울, pp.110～112(1999)

3) 감압가열건조법(Vaccum oven method)

개 요

그림 2-11과 같은 진공건조기(감압전기정온건조장치)를 이용하는 방법이다. 감압상태이므로 시료 중의 수분을 휘발시키는 데 고온을 필요로 하지 않고, 따라서 시료의 공기에 의한 산화나 열분해를 막을 수 있으므로 정확한 분석치를 얻기 위해서는 상압가열건조에 비교할 수 없을 만큼 우수한 분석법이다.

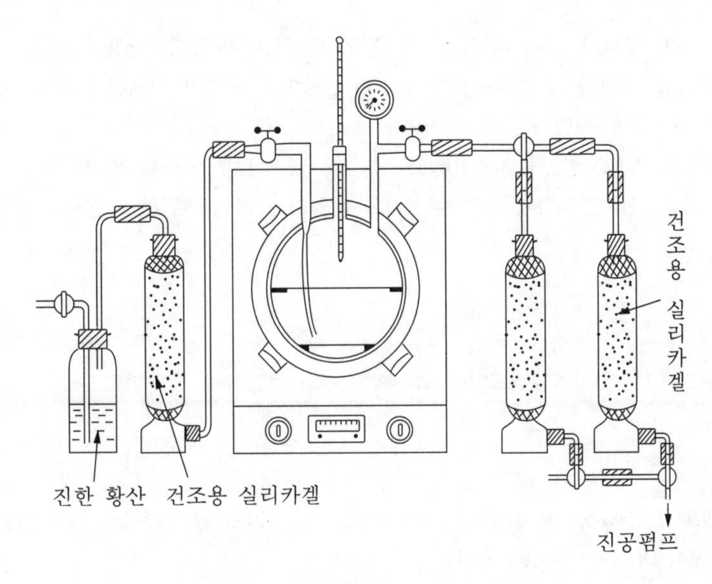

그림 2-11 감압전기정온건조장치

앞의 표 2-2와 같이 각종 식품에서 수분정량의 기준법이 정해져 있고, 식품에 따라서 100℃ 가열과 70℃ 가열의 2가지로 나눌 수 있다(유지 등은 120℃로 가열). 또 감압도 25mmHg, 50mmHg, 100mmHg 등으로 구분하고 사용하는 용기는 다음과 같이 칭량병을 이용하는 경우와 polyethylene film을 이용하는 경우로 구별되나, 방법은 상압가열건조법에 준한다.

시약 및 기구

정제해사, 감압전기정온건조기, 칭량병 또는 polyethylene film, 교반기

방법(조작)

1 칭량병 이용

① 105℃로 항량을 구한 칭량병에 시료를 담아서 각 시료의 소정의 가열온도와 감압 정도에 따라서 (표 2-2 참조) 진공건조기를 조절하고, 칭량병 뚜껑을 반쯤 비스듬히 얹어서 건조기 속에 넣는다.

② 진공기의 뚜껑을 닫고 진공 펌프로 감압시킨다.

③ 5시간 정도 감압건조시켜서 진공 펌프를 끄고, 진한 황산의 세척병을 통해서 제습된 공기를 도입하여 진공기 속을 상압으로 되돌려서 상압가열건조때와 같이 방냉, 칭량, 1시간 감압건조, 방냉, 칭량을 되풀이하여 항량을 구한다. 여기서 각별히 주의할 점은 진공기 속을 상압으로 되돌릴 때는 장시간에 걸쳐서 서서히 할 것이며, 급히 상압으로 되돌리기 위해 일시에 많은 공기를 도입하면 시료가 비산할 우려가 있다.

2 polyethylene film의 이용 : 무르고 점성이 있는 된장, 잼 등은 polyethylene film 속에 채워서 roller로 눌러 엷은 막모양으로 만든 다음 감압건조하는 방법이다. 여기에 이용하는 polyethylene film은 두께가 0.04~0.06mm 정도되는 내열성의 저압중합 polyethylene film을 쓰고, 가로 5~7.5cm, 세로가 12~14cm되는 봉투를 만들어 두었다가 사용하기 전에 100℃, 1시간 가열 건조시켜 쓴다. 항량은 구할 수 없다.

① 정량할 때는 시료 약 2g을 polyethylene 봉투에 담고 봉투 입구를 세 번 접어서 칭량한다.
② 봉투를 열고 진공건조기에 넣고 칭량병을 이용하는 경우와 같은 요령으로 건조하고 항량을 구한다.

결과 및 고찰

시료 중의 수분함량은 상압가열건조법에서 수행한 식과 동일하게 계산한다.

참고문헌

1 AOAC : *Official method of analysis.* 16th ed., Assocition of Official Analytical Chemists, Arington, VA, USA, 44. 1. 03, Ch44, p.2(1995)
2 AOAC : *Official method of analysis.* 16th ed., Assocition of Official Analytical Chemists, Arington, VA, USA, 44. 7. 03, Ch44, p.38(1995)
3 이만정 : 식품분석. 동명사, 서울, p.38(1999)

4) 증류법(Distillation method)

개 요

물과 혼합하지 않는 유기용매 속에 시료 일정량을 가하고 가열하면 시료중의 수분은 유기용매와 함께 증발하게 된다. 이 증기를 환류냉각기로 차게 하면 액체로 엉켜서 떨어지고, 밑쪽의 관에 눈금을 표시해 두면 물의 부피를 알 수 있다.
그림 2-12와 같은 장치가 그 대표적인 것으로서 AOAC형이라 일컬어지고 있다. 수분함량이 많은 시료는 간편하고 신속하게 정량할 수 있어서 좋다. 유기용매로서는 일반으로 toluene을 쓰는 경우가 많은데, 이것은 인화성이 센 까닭에 학생들이 실험할 때는 각별한 주의가 필요하다.

시약 및 기구

- 시약 : 시약 1급 toluene에 무수황산나트륨(sodium sulfate anhydride, Na_2SO_4)을 가하여 탈수, 여과하여 쓴다.
- 증류식수분측정장치 : 그림 2-12와 같은 AOAC형이 알맞다. 톨루엔 환류형이고, 아래쪽 눈금이 표시된 관의 부피는 6㎖ 정도로서 1㎖의 1/10까지 읽을 수 있도록 되어 있다.
- mantle heater
- 변압기

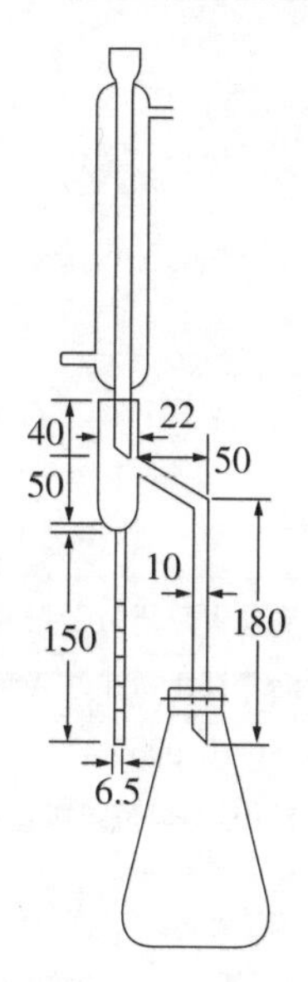

그림 2-12 증류식 수분측정장치

방법(조작)

1. 시료 중의 수분함량이 3g 정도 되도록 시료를 채취하여 플라스크에 담는다.
2. 여기에 플라스크의 반 정도의 톨루엔을 가하고 가열한다.
3. 가열은 gas burner의 직화로도 무방하지만 화재를 염려해서 변압기(transformer)가 달린 mantle heater를 사용하는 것이 안전하다.
4. 가열 속도는 1초 동안에 용매가 2~3방울이 떨어지도록 온도를 조절한다.
5. 유출액은 2층으로 나누어지고, 물은 밑쪽에 고이며 위쪽 톨루엔의 일부는 측관을 통해서 플라스크에 흘러가도록 되어 있다.
6. 환류냉각기에서 떨어지는 액이 물기를 가지지 않고 맑아 보이고, 수분의 증가가 현저히 줄면 유출액이 1초에 4방울 정도 떨어지도록 가열을 조금 세게 하여 약 10분간 더 가열한다.
7. 가열이 끝나면 냉각기 위쪽에서 피펫으로 톨루엔을 흐르게 하여 냉각기 안쪽 벽에 묻어 있는 수분을 씻어 내리게 한다. 그대로 방치해 두었다가 실온으로 냉각된 후 눈금을 읽는다.

주의사항

1. 톨루엔은 인화성이 세므로 사전에 모래를 준비하고 화재에 대한 세심한 배려가 있어야 한다.
2. 톨루엔은 무수황산나트륨(sodium sulfate anhydride, Na_2SO_4)으로 완전히 탈수시킨 것을 쓴다.
3. 지나치게 가열을 세게 하면 수증기가 환류냉각기 위쪽으로 달아나게 된다.
4. 유리기구는 모두 깨끗이 씻고 완전히 건조시켜서 쓴다. 유리기구에 수분이 남아 있으면 error를 가져온다.

결과 및 고찰

$$수분(\%) = \frac{V}{S} \times 100$$

V = 유출된 수분의 용량(mℓ)

S = 시료 채취량(g)

참고문헌

1. 일본식품과학공학회 : 신・식품분석법. 일본광림출판사, 동경, p.19(1997)
2. AOAC : *Official method of analysis.* 16th ed., Association of Official Analytical Chemists, Arington, VA, USA, 43.1.04, Ch43, p.1(1995)
3. 이현기, 황호관, 이성우, 이응호, 박원기 : 식품화학실험. 수학사, 서울, p.112(1997)

5) Karl Fischer법

개 요

Karl Fischer법은 메틸알코올과 같은 유기용매 중에서 SO_2가 수분 및 pyridine과 같은 염기의 존재하에 I_2를 환원시키는 성질을 이용한 방법이다. 실제로는 Karl Fischer 시약으로 시료의 무수 메틸알코올 용액을 적정함으로써 I_2의 소비량을 측정하고 나아가서는 수분을 정량한다. 이의 화학반응식은 다음과 같다.

$$SO_2 + I_2 + H_2O + 3C_5H_5N \longrightarrow 2C_5H_5N \cdot HI + C_5H_5N\langle{}^{SO_2}_{O}$$

$$C_5H_5N\langle{}^{SO_2}_{O} + CH_3OH \longrightarrow C_5H_5\langle{}^{SO_4CH_3}_{H}$$

위의 반응식에서와 같이 이론상으로는 1몰의 I_2를 환원시키는데 1몰의 H_2O가 필요하며, pyridine의 무수 황산염은 메틸에스테르로 안정하게 된다.

Karl Fischer 시약은 흡습성이 매우 강하므로 전 조작과정에서 대기 중의 수분을 차단하여야 한다. 또 I_2와 반응하는 물질을 함유하고 있는 식품 또는 시약 중의 메탄올 및 물과 반응하는 알데히드나 케톤을 함유하고 있는 어떤 향신료 등에는 이용할 수가 없다. 그러나 상온에서 짧은 시간에 소량의 시료를 정밀하게 수분을 측정할 수 있으며, 고체, 액체, 기체 및 휘발성인 시료에도 응용할 수 있다.

시약 및 기구

- Karl Fischer 시약 : 유리마개가 달린 건조한 시약병에 pyridine 425mℓ를 넣고 I_2 133g을 용해시킨다. 여기에 ethylene glycol monomethyl ether 425mℓ를 가하고 얼음중탕(ice bath)에서 4℃ 이하로 냉각시킨 후 SO_2 102~105g 중에 넣어 잘 혼합시킨 후 12시간 방치한다. 이 시약의 정확한 농도는 다음과 같이 결정한다.
  자석젓게가 있는 20mℓ의 비젤리우스 비이커에 50mℓ의 formamide를 취하여 titrimeter에 놓고 특유한 종말점의 색깔이 나타날 때까지 적정한다. 여기에 빨리 주석산 나트륨(disodium tartarate · $2H_2O$) 250~350mg을 정확히 가하고 위에서와 같은 종말점의 색이 나타날 때까지 적정한다. 이러한 과정을 2~3번 되풀이하여 다음 식에 의하여 시약 1mℓ에 해당되는 물의 mg수(F)를 계산한다.

$$F = \frac{Na_2C_4H_4O_6 \cdot 2H_2O\text{의 mg} \times 0.1566}{\text{사용한 시약의 m}\ell}$$

- *N,N*-dimethyl formamide
- 주석산나트륨 : 60메쉬, 특급
- Titrimeter : 여러 가지 titrimeter가 고안되어 있으며(예 : Fischer Scientific Co, model 36), 이 장치는 자동 조절 뷰렛, 시약수기, 자석젓게(magnetic stirrer), 적정용기, 전극 및 적정의 종말점을 확인하는 circuitry 등으로 되어 있다(그림 2-13).

방법(조작)

젓게가 들어있는 50mℓ의 유리마개가 달린 플라스크에 시료 2.0~2.5g을 정확히 취하고 시료가 잘 분산되도록 저으면서 formamide 20mℓ를 가하고 플라스크의 마개를 잘 닫고 90±1℃의 오븐에서 60±1분간 가열한다. 가열하는 동안에 플라스크를 10분마다 흔들어 주고 실온으로 냉각한다. 플라스크의 내용물을 기울여 따르기(decantation)를 하여 원심분리(1,500rpm, 약 15분)한다. 별도

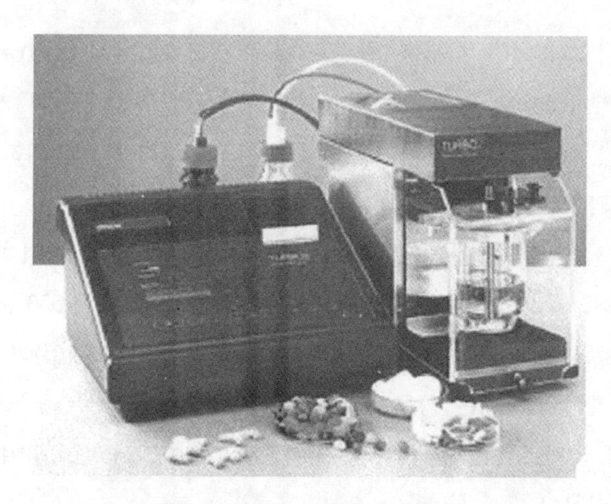

그림 2-13 Karl Fisher titrator

로 20㎖의 비젤리우스 비이커에 50㎖의 formamide를 취하고 표정한 Karl Fischer 시약으로 종말점까지 적정한다.
앞에서 처리한 시료용액 10㎖를 빨리 취하여 비젤리우스 비이커에 가하고 종말점까지 적정한다.
시료와 꼭같은 방법으로 10㎖의 dimethyl formamide로 적정하여 바탕시험을 실시한다.

결과 및 고찰

시료 중의 수분 함량은 다음과 같이 계산한다.

$$수분(\%) = \frac{[200(A-B)F]}{S}$$

S : 서료의 무게(mg)
A : 시료의 적정에 소비된 시약의 ㎖
B : 바탕시험에 소비된 시약의 ㎖
F : Karl Fischer시약의 농도계수

참고문헌

1 신효선 : 식품분석. 신광출판사, 서울, p.74(1997)
2 일본식품과학공학회 : 신・식품분석법. 일본광림출판사, 동경, p.24(1997)
3 남궁석, 김재웅 : 최신식품화학실험. 신광출판사, 서울, p.79(1999)

2. 조회분의 정량

식품분석에 있어서 회분이란 식품을 태우고 남은 재를 말한다. 그러나 남은 재는 무기질의 총량과 반드시 일치한다고 할 수 없다. 이는 무기질인 염소 등 몇 가지 성분은 회화될 때 전부 또는 일부가 없어지기 때문이다. 또 곡류, 두류, 야채류 및 해조류 등의 재는 유기물질인 탄소가 함유되어 있다.

이와 같은 사실은 실험적으로나 이론적으로 명백한 것이며 그 차이의 대소는 시료의 회화 시간과 온도에 따라서 달라진다. 예를 들면 두류의 회분은 500℃~550℃에서 회화 할 때는 많은 양의 탄소가 함유되나, 650℃~700℃로 회화하면 잔류 탄소가 많이 감소되나 고온으로 가열하면 다른 무기질이 휘발되는 경우가 많다.

이와 같이 잔회의 성격은 식품의 종류와 회화 조건에 따라서 변화하며 일정한 것이 아니므로 조회분이라 불리운다.

1) 직접회화법

개 요

시료를 550℃에서 완전히 회화시켰을 때 타고남은 재를 조회분이라 한다.

시약 및 기구

- 회화용기 : 직경 6cm 내외의 자제 증발접시 또는 용량 25mℓ 정도의 자제 도가니 등이다(번호가 기록된 용기를 사용할 것).
- 전기로(muffle furnace) : 700℃ 정도까지 온도 조절이 가능한 전기로가 버너를 사용하는 것보다 사용이 편리하다.
- 화학저울, 데시케이터, 도가니집게, 석면장갑

방법(조작)

평량한 회화용기를 전기로 속에서 600℃ 이상에서 수시간 태운 다음 desiccator에 옮기어 방냉한 후 실온에 달하면 즉시 평량한다. 항량에 달할 때까지 이 방법을 반복한다.

이 항량에 달한 도가니에 시료 2~5g을 평취한다. 주류, juice, 차 등과 유지류와 같은 회분량이 적은 것은 약 20g을 평취한다. 전처리에는 다음과 같은 방법으로 구분할 수가 있다.

1. 전처리가 필요치 않은 것 : 곡류, 두류, 기타 아래 어느 것에도 해당되지 않는 시료로서 이것은 직접 회화한다.
2. 사전에 건조시켜야 할 시료 : 야채, 과실 등과 동물성식품과 같이 수분이 많은 시료는 일단 건조기내에서 가능한 한 장시간 건조시킨 후 회화시킨다. 술, juice 등의 음료, 간장, 우유 등

그림 2-14 전기로와 회화용기

의 액체시료는 증발건조시킨 후 회화한다.

3 예열(미리 태우는 것)이 필요한 시료 : 시료의 종류에 따라서는 회화시에 상당히 팽창하는 것이 있는데 여기에 속하는 식품은 사탕류 및 당분이 많은 과자류, 정제전분, 난백, 어육(특히 새우, 오징어 등) 등이다.

이와 같은 시료는 평취 후에 전열기상에서 회화용기의 하면(下面)을 약하게 가열하고 내용물이 넘치지 않을 정도로 온도를 점차로 높여 가열시켜 회화시킨다. 이와같이 해서 내용물이 넘치지 않을 정도까지 태운다.

4 연소시킬 필요가 있는 것 : 유지류는 미리 기름기를 태워 없앤다. 즉 시료를 용기에 평취 후 전열기상에서 가급적 수분을 제거하고 이것을 연소시켜 불꽃이 약해질 때까지 계속한다. 불꽃이 약해지면 뚜껑을 덮어 불을 끄고 잔사를 회화시킨다. 이상과 같이해서 전처리가 끝나면 각 용기를 전기로 중에 옮기고 온도를 높여 550~600℃에서 수시간 이상 태우고 백색 또는 회백색의 재가 남을 때까지 회화를 계속한다. 회화가 끝나면 가열을 멈추고 그대로 방냉하여 온도가 약 200℃ 정도로 되면 desiccator속에 옮기어 방냉하며 실온이 되면 평량한다. 같은 방법으로 회화, 방냉, 평량을 반복하여 항량을 구한다.

5 불완전한 회화로 후처리가 필요한 것 : 가열의 정도나 시료에 따라서 완전히 회화되지 않으면 다량의 탄소가 남아 회백색의 회분을 얻기 어려울 때가 많다. 즉 난황, yeast 등과 같이 산성이 강한 식품, 다량의 식염을 함유하고 있는 식품, 즉 염장어, 짠지 등이 그러하다.

일반적으로 소량의 탄소는 정량치에 그다지 영향을 미치지 않아서 무시되는 경우도 있지만 이와 같이 탄소의 양이 많으면 흑색의 재밖에 얻지 못하게 되므로 이와 같은 경우에는 다음과 같이 처리하면 된다.

즉 흑색의 재를 냉각시킨 후 약 15㎖의 물을 가하고 탄소덩어리를 유리막대기로 부수면서 탕욕상에서 가온하여 가용분을 침출하고 회분이 없는 여지로서 작은 beaker에 경사여과하고 다시 경사수세하여 세액을 beaker에 가한다.

여지상의 잔사는 여지와 함께 사용중인 용기에 넣고 건조 후 550~600℃에서 회화한다.

beaker의 액은 탕욕상에서 농축시키고 잔사를 회화시킨 상기의 용기에 그 액을 옮기고 소량의 물로서 beaker를 씻고서 세액을 용기에 가한다. 재차 용기를 탕욕상에서 증발건고시키고 550~600℃에서 2시간 작열을 하면 탄소를 함유하지 않은 회분을 얻을 수 있다.

회화 후 desiccator에 옮기어 냉각시킨 후 실온에 달하면 평량한다. 이 평량치를 W_1으로 하고 계산식에 의해서 산출한다.

결과 및 고찰

시료의 조회분량은 다음식으로서 산출한다.

$$\text{회분(\%)} = \frac{W_1 - W_0}{S} \times 100$$

W_0 : 도가니의 항량(g)

W_1 : 회화 후의 도가니+회분(g)

S : 시료의 중량(g)

2) 밀가루의 신속회분정량법

소맥제분에서는 소맥분의 품질판정의 기준으로서 회분량의 함량이 중요한 의의를 갖고 있다. 따라서 소맥분의 회분정량은 일반 다른 식품에 비해서 많이 연구되어 분석치의 정확도가 요구되고 있으며, 또는 실용상의 요구에 따라서는 방법의 신속화도가 요구된다.

개 요

현재 일본 등지의 제분공장에서 일반적으로 행하고 있는 신속법은 인산을 다량 함유하는 식품 시료를 완전히 회화시키기 위해서 시료에 일정량의 $Mg(CH_3COO)_2$[또는 $Mg(NO_3)_2$]를 가하여 재를 염기성으로 한 다음 재빨리 회화시키는 방법이다.

시약 및 기구

- $Mg(CH_3COO)_2 \cdot 4H_2O$ 용액: $Mg(CH_3COO)_2 \cdot 4H_2O$ 약 15g을 물 150mℓ와 빙초산 2mℓ에 녹이고 여기에 methyl alcohol을 가해서 1 ℓ 로 한다.
- 전기로, 자제도가니, 데시케이터, 화학저울, 도가니집게

방법 및 조작

1. 용량 15mℓ의 자제 도가니를 전기로에서 미리 600℃로 가열하여 항량을 구한다(W_0).
2. 여기다 시료 3g을 채취해서 평량한다(W_1). 이어 $Mg(CH_3COO)_2$용액 3mℓ를 피펫으로 정확히 가하고 5분간 정치시켜 균일하게 한다. 전열기나 버어너의 약한 불꽃에서 연기가 나지 않게 예열시킨 뒤 미리 600℃로 온도를 맞추어 둔 전기로 내에 옮겨서 항량이 될 때까지(약 3~4시간) 가열한다(W_2).
3. 한편, 시료 중에서 부가된 $Mg(CH_3COO)_2$의 열분해에 의해서 생성된 MgO의 blank test를 실시하여야 한다.

$$Mg(CH_3COO)_2 + 4O_2 \rightarrow MgO + 4CO_2\uparrow + 3H_2O\uparrow$$

4. 항량을 아는 도가니에 시약 3mℓ를 피펫으로 취해서 용매가 증발할 정도로 건조시키고, 600℃에서 3~4시간 가열시킨 뒤 방냉 칭량한다. 소맥분의 직접회화에 의한 재는 비흡습성이나 Mg 첨가의 재는 흡습력이 있다. 산출된 MgO의 blank test 중량을 B라 한다.

결과 및 고찰

$$\text{회분(\%)} = \frac{W_2 - B - W_0}{W_1 - W_0} \times 100$$

W_0 : 도가니의 항량(g) W_1 : 도가니와 시료(g)

W_2 : 회화 후의 용기 + 회분(g)   B : blank test 중량(g)

3) Microwave furnnace를 이용한 회분 정량법

Microwave는 적외선 영역과 라디오파 영역 사이에 존재하는 전자기파(주파수 영역 : 300~300,000MHz)의 일종이다. 이 영역대의 전자기파는 에너지 크기가 작아 실제 분자의 구조변화를 일으키지는 않고 단지 분자운동만을 유발하여 가열을 일으킨다.

Microwave는 극성 또는 이온성 물질의 쌍극자회전과 이온전도를 유발시킨다. 가열용으로 널리 사용되고 있는 2,450MHz의 microwave는 극성용매에 대해 초당 2.45×10^9회의 회전 또는 진동운동을 일으키며 이때 발생하는 열에너지에 의해 신속히 가열이 된다.

Microwave는 물질이 갖고 있는 특성에 따라 물질과 다음의 상호관계를 갖는다. 금속과 같은 도체는 microwave를 반사한다. 이러한 성질을 이용하여 furnace 내의 cavity, wave guide, blade(반사판) 등은 주로 stainless 철강으로 제작되어 있다. 반면 teflon 같은 절연체는 가열 또는 반사 없이 microwave를 투과시키는 역할을 한다. 그리고 극성 또는 이온성 물질은 microwave를 흡수하여 빠르게 가열된다.

(1) 개 요

식품에는 알코올기, 수분과 같은 극성 물질이 많이 포함되어 있기 때문에 microwave에 의해서 급속히 온도가 상승된다. 이러한 특징을 이용하여 다양한 식품의 회분 함량 측정에

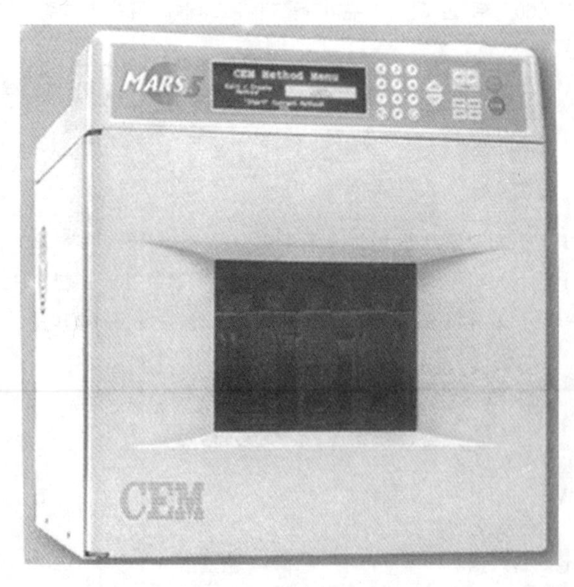

그림 2-15 Microwave furnace

microwave furnace가 이용될 수 있다. 사용 가능한 식품의 종류는 인공감미료, 육류 및 육가공품, 달걀, 밀가루, 우유 및 유제품, 과일, 쥬스류, 국수류, 유지류, 설탕 등이다.

(2) Microwave furnace의 장단점(기존 furnace와의 비교)

① 장 점

- 일반 회화로보다 회화 시간이 10배 이상 단축
- 1200℃까지 신속히 가열
- 내부 공기 흐름이 원활하여 연소가 촉진
- One piece silicon carbide heating block을 이용하므로 균일한 가열이 가능
- Electric furnace에 비해 50% 이상 전력이 절약
- Fume hood가 필요 없음
- 다공성 quartz fiber crucible을 사용하여 가열 및 냉각 시간을 단축(1분 이내에 1200℃에서 상온까지 냉각이 가능함)
- 마이크로프로세서에 의한 정확한 온도 조절 및 다단계 승온 기능
- 사용자 안전 보장(microwave를 흡수하는 시료만 가열되므로 고온에서도 회화로를 여닫을 수 있고, 사용자가 열에 노출될 위험이 없다)
- 저울, 프린터, 컴퓨터 등과 연결하여 자동화 가능

② 단점

- 일반 회화로에 비해 가격이 비싸다.

참고문헌

1. 채수규 : 표준식품분석학. 지구문화사(1997)
2. 주현규, 조황연, 박충균, 조규성, 채수규, 마상조 : 식품분석법. 유림문화사(1991)
3. 손태화, 홍영석, 하영선 : 최신식품분석. 형설출판사(1985)
4. 정동효, 장지현 : 최신식품분석법. 삼중당(1982)
5. 조덕제, 채수규, 홍종만, 김만홍 : 수정판 식품분석. 지구문화시(1990)
6. AOAC : official methods analysis 15th ed, association of Official Analytical Chemists, Washington D.C.(1990)

3. 조단백질(Crude protein)의 정량

개 요

식품중의 단백질은 탄소는 약 52%, 수소는 약 7%, 산소는 약 23%, 질소는 약 16% 그리고 유황은 약 2%이고 일부 단백질에는 인, 그 밖에 미량 금속을 함유하고 있다. 이 중에서 질소는 지방이나 탄수화물에는 함유되지 않은 단백질 특유의 구성원소로써 그 함유율은 단백질의 종류가 달라도 거의 일정하므로 식품 중의 단백질량을 정량할 경우 질소량을 정량하고, 그 수치에 100/16, 즉 6.25를 곱해서 단백질량을 구한다. 최근에 질소단백질 환산계수는 단순히 6.25로 정해져있지 않고 각 식품의 주요한 단백질의 질소함량을 기초로 해서 또 식품중의 질소함량에 질소계수를 곱하여 산출한 값을 조단백질(crude protein)이라고 한다. 질소를 포함하고 있다하여 반드시 단백질이라고 할 수는 없다. Amide화합물, amine형 ammonium화합물, amine류, purine 염기류 및 creatine류 등은 질소화합물이지만 단백질은 아니므로, 이들을 비단백태 질소라 한다.
질소의 화학적 정량법은 Dumas법과 Kjeldahl법을 들 수 있다. Dumas법은 시료내 질소화합물을 전부 질소가스로 변화시키고 표준조건하에 체적으로부터 질소량을 구하는 원소분석 방법으로 매우 정확한 결과를 얻을 수 있으나 고도의 기술을 요하며 잔손이 많이 가고, 미량성분을 정량하는 데 적당한 방법이기 때문에 일반적인 식품분석에서는 잘 이용되지 않는다.
Kjeldahl법은 1883년 Kjeldahl에 의해 제안되었는데 그 후 많이 개량되어 오늘날 가장 신뢰할 수 있는 정량법으로 널리 이용되고 있다.
Kjeldahl법에는 micro법, semimicro법 및 macro법이 있는데 이들 방법은 각각 시료의 채취량과 증류방법이 다르다. 요즈음은 적은 시료량으로 짧은 시간에 분석가능하며 질소화합물의 완전한 암모니아화가 가능하도록 개량된 semimicro Kjeldahl법이 널리 사용되고 있다.

(1) Kjeldahl 질소정량법

개 요

식품에 진한 황산 및 산화제를 가하여 가열분해하고 생성된 황산암모늄에 과잉의 알칼리를 가해 암모니아를 발생시켜, 이것을 가열 증류해서 일정량의 산 표준액에 흡수시킨다. 산은 암모니아 량에 따라서 중화되므로 과잉의 산을 알칼리표준액으로 역적정하여 전 질소량을 구하는 방법이다.
Kjeldahl법은 실제 다음의 4단계 반응으로 진행된다.

- 분해반응 : 시료 중의 질소(N) + $H_2SO_4 \rightarrow (NH_4)_2SO_4 + SO_2\uparrow + CO_2\uparrow + CO\uparrow + H_2O\uparrow$
- 증류 : $(NH_4)_2SO_4 + 2NaOH \rightarrow 2NH_3 + Na_2SO_4 + 2H_2O$
- 중화반응 : $2NH_3 + H_2SO_4 \rightarrow (NH_4)_2SO_4$
- 적정 : $H_2SO_4 + 2NaOH \rightarrow Na_2SO_4 + 2H_2O$

시료 조제

양질의 실험실용 분쇄기나 균질기를 사용하여 시료를 균일하게 갈아서 평량한다.

1. 고체시료 : 고체시료들은 유리용기 또는 뚜껑이 꼭 조이는 수지용기에 넣어 수분의 감량을 막기 위해 냉각보관한 후 황산지에 시료를 평량하여 싼 후 시험관에 넣는다. 시중의 많은 수지제들은 흡습성이 있어서 용기내의 수분 변화를 가져올 수 있다.
2. 반고체시료 : 반고체 시료들은 통상적으로 매우 끈적거리므로 정확한 시료의 중량을 취하기가 어렵다. 따라서 무질소 평량지(Tecator 제품, Part No. 1529-0006)를 사용하는 것이 바람직하다. 시료와 평량지를 함께 시험관에 넣는다.
3. 액체시료 : 평량병을 사용해서 평취하든가 피펫으로 취한다. 시료의 평취량은 식품성분표에 있는 식품의 경우 표에서 역산하여 적량을 결정한다.

시약 및 기구

- 진한 황산(c-H_2SO_4) : 비중 1.84정도의 진한 황산시약 1급이면 된다.
- 분해촉매제 : 황산칼륨(potassium sulfate, K_2SO_4)과 황산구리(cupric sulfate, $CuSO_4 \cdot 5H_2O$)를 10 : 1의 비율로 분쇄혼합하여 사용한다. 한번 사용량은 1~2g 정도이다.
- 0.1N-NaOH 표준용액 : 정확히 표정하여 조제한다. 용액내에 탄산화합물이 존재하면 중화적정에 장애가 되므로 시약조제시 제거하여야 한다.
- 0.1N-H_2SO_4 : 정확히 표정하여 조제한다. 진한황산은 물과 혼합하면 심하게 발열하므로 물을 비이커에 넣고 소량씩 황산을 주의하면서 가하여 조제한다.
- 중화용 30% NaOH용액 : 시약 1급의 NaOH 90g을 증류수 210㎖에 용해(발열반응)하여 냉각시킨 후 시약병에 옮겨 저장한다. 알칼리는 유리를 침해하므로 병의 뚜껑은 고무마개가 좋다.
- 혼합지시약 : 0.1% methyl red alcohol 용액과 0.1% methylene blue alcohol 용액의 등량 혼합액을 스포이드가 달린 갈색 유리병에 보존한다.
- 비등석 : 경석을 직경 1~3mm 정도로 분쇄시켜 물로 씻고 500℃ 이상에서 가열시킨 것이나 또는 외경 1~1.5mm 정도의 유리관을 사용한다.
- 분해용 flask 및 분해대 : 밑이 둥근 분해용 flask(Kjeldahl flask라고도 함)로 100~200㎖의 것

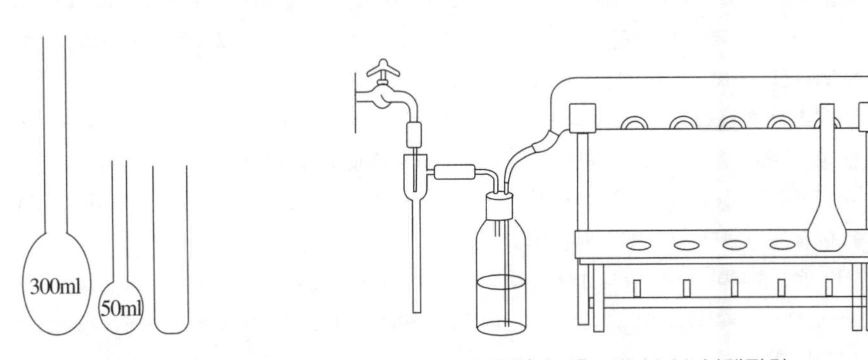

그림 2-16 Kjeldahl flask

그림 2-17 Kjeldahl 분해장치

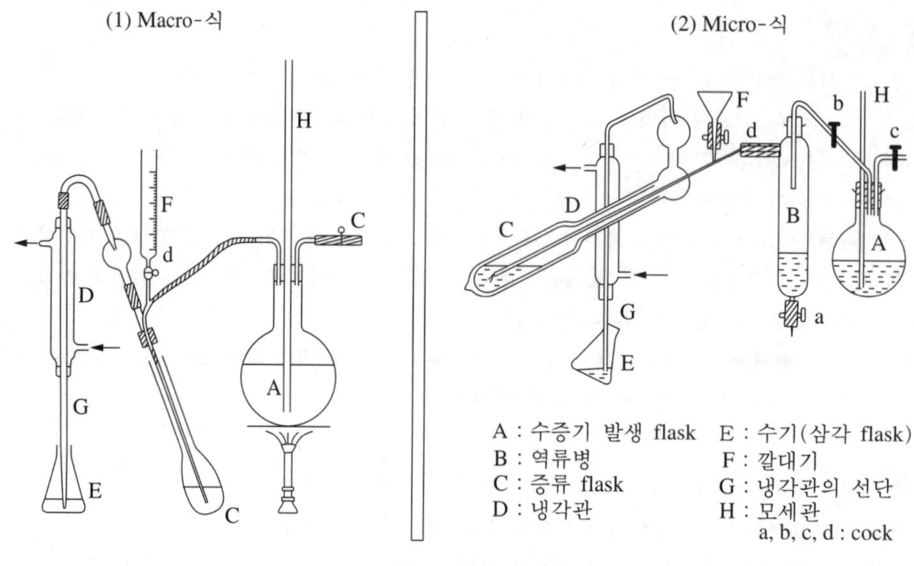

그림 2-18 질소증류장치

이 많이 이용되고 분해시에 발생하는 SO_2 등의 유독한 gas를 배기시키는 장치를 분해대(draft)라 한다. 가열은 전열기 또는 gas burner를 이용한다.

- 증류장치 : 질소 증류장치로는 Macro- 또는 Micro-Kjeldahl 증류장치가 있다. 어느 장치를 사용하여도 되지만 일반적으로 후자는 미량용으로 이용된다. 본 실험에서는 그림 2-18의 (2) Micro- 식 질소증류장치를 이용한다.
- 자동 burette : 산용액 및 알칼리용액 전용의 자동 burette을 준비한다.
- 메스실린더, 피펫, 세척병, 기타

방 법

1 분해

① 분해 flask에 적당량의 시료(질소량 10~25mg, 단백질 함량 50~150mg 상당)를 정확히 취하여 넣고, 분해촉매제 3g을 넣는다. 이때 분해병의 긴목에 묻지 않도록 폴리에틸렌 필름이나 질소를 함유하지 않은 종이에 싸서 넣는다.

② 진한 황산 20㎖를 분해 flask에 천천히 넣고 내용물을 잘 혼합한다. 유기물을 완전히 분해하는 데 필요한 황산은 당질, 단백질 1g당 약 5.4㎖(10g), 지질 1g당 10.4㎖로 알려져 있다.

③ 분해 flask를 Kjeldahl 분해장치에서 가열하고(처음에는 약한 불로 가열) 발생하는 가스(유독)를 연결한 수류펌프로 흡인 배기한다.

④ 분해액이 청색이 되면 다시 1시간 더 가열하여 분해를 완료한다. 이때 분해 flask의 안쪽 벽에 분해액의 흑색물질이 부착되어 있을 경우 주의하여 분해 flask를 흔들어 황산 중에 씻어 주도록 한다.

⑤ 실내온도 가까이까지 방냉하고 약 30㎖의 깨끗한 증류수로 분해 flask의 안벽을 씻으면서 속

의 황산을 희석한다(발열하기 때문에 충분히 교반하면서 깨끗한 증류수를 조금씩 넣는다).

⑥ 충분히 물로 냉각한 후 분해 flask의 내용물을 깔대기를 사용해서 250㎖의 메스플라스크에 천천히 옮긴다. 분해 flask의 내부를 깨끗한 물을 사용하여 3~4회(각 회 약 20㎖) 닦아서 표선을 맞춘다.

2 증류

① 수기 E에 0.1N H_2SO_4 표준용액 10~25㎖를 정확히 취하고, 혼합 지시약 4~5방울을 가한다. 이때 냉각관 D의 선단 부분G가 반드시 이 용액에 잠기도록 해야 한다.

② 증류플라스크 C에 분해액 10㎖를 여두 F를 통해서 넣고, 소량의 증류수로 여두에 묻은 시료액을 씻어 넣는다.

③ 플라스크 A에 물을 2/3정도 채우고 돌비를 방지하기 위하여 비등석을 몇 조각을 넣고서, 코크 b를 열고, c는 닫고서 가열한다(플라스크에 넣을 물은 황산 몇 방울을 가하여 약한 산성으로 하면 물 속에 존재하는 유리 암모니아의 휘발을 막을 수 있으므로 실험오차를 없앨 수 있다).

④ 플라스크 A에 수증기가 나오면 여두 F를 통하여 중화용 NaOH용액을 10㎖ 가하여 증류플라스크 C내의 액이 알칼리가 되도록 하고 코크 d를 닫는다.

⑤ 계속하여 플라스크 A에서 수증기를 공급하면서 약 30~40분간 증류한다. 증류액이 60~120㎖가 되는 동안 증류플라스크 C에서 발생되는 암모니아는 플라스크 A에서 나오는 수증기에 밀려서 냉각관 D를 통하여 수기 E에 들어가서 H_2SO_4와 중화되면서 $(NH_4)_2SO_4$를 형성한다.

⑥ 증류가 끝나면 수기 E를 약간 내려 G의 선단이 용액 내에 조금 잠길 정도로 하여 다시 2~3분간 증류를 계속한 다음 수기 E를 들어내고 G를 증류수로 씻어 E안에 넣는다.

⑦ 들어낸 수기 E의 위치에 증류수를 담은 다른 수기로 대치시킨 다음 코크 c를 열고, b를 닫으면 수기 속의 증류수가 역류되어 증류플라스크 C를 완전히 씻어내고 물은 B에 모이게 되므로 코크 a를 열어 흘러 내리게 한다.

⑧ ⑦의 조작을 반복하면 증류플라스크 C를 완전히 씻을 수 있다.

3 적정 : 유출되어 나온 암모니아(NH_3)에 의하여 중화되고 남은 과잉의 0.1N-H_2SO_4를 0.1N-NaOH 표준용액으로 중화적정한다. 혼합지시약의 적자색이 회색으로 변한 점을 종말점으로 한다. 이상과 같은 조작과 같게 별도로 blank test를 한다.

결과 및 고찰

$$\text{조단백질}(\%) = \frac{(V_0 - V) \times F \times 0.0014008 \times D \times N}{S} \times 100$$

V_0 : Blank test의 0.1N NaOH 소비 ㎖수

V : 본 시험에 필요한 0.1N NaOH 소비 ㎖수

F : 0.1N NaOH 표준용액의 factor

D : 희석배수

N : 질소계수

S : 시료 채취량(g)

참고문헌

1. 남궁석, 김재웅 : 개정 최신식품화학실험. 신광출판사(1995)
2. 이만정 : 식품분석. 동명사(1992)
3. 주현규, 조황형, 박충균, 조규성, 채수규, 마상조 : 식품분석법. 유림문화사(1992)
4. 정동효, 장현기 : 최신 식품분석법. 삼중당(1982)

(2) Micro Kjeldahl 분해법

식품시료를 Kjeldahl 분해 플라스크에 취하고 TiO_2, $CuSO_4$, K_2SO_4 및 진한 황산을 첨가하여 가열해서 유기물을 분해하며, 화합물 중의 질소를 암모니아로 포착한다. 그리고 강알칼리성 용액으로 직접 가열증류하여 유출하는 암모니아를 붕산 혹은 황산용액 속에 포집하고서 황산 혹은 NaOH 표준용액으로 적정하여 얻어진 질소량에 단백질 환산계수를 곱하여 단백질 함량으로 한다. 콩가루, 밀가루, 보리가루, 백미, 그리고 질소함유량이 적은 옥수수전분 및 벌꿀의 경우도 정밀도와 정확성이 높다고 한다. 단백질 함량이 5~20% 범위의 것이 가장 좋지만 시료채취량을 5g 정도 취하면 단백질함량이 0.1% 전후의 식품이라도 분석할 수 있다.

시약 및 기구

- 진한황산: 시약 1급을 사용한다.
- K_2SO_4 : 시약 1급 분말을 사용한다.
- TiO_2 : 시약 1급 이상의 것을 사용한다.
- $CuSO_4$ $5H_2O$: 시약 1급, 20mesh 이상으로 분쇄한 것을 사용한다.
- 중화용 NaOH용액 : NaOH 450g을 탈이온수 1 ℓ에 용해시킨 것을 사용한다.
- 비등석 : 10~20mesh 정도의 입도를 지닌 도사판(陶士板)이 좋다.
- 혼합지시약 : 0.1% methyl red와 0.2% bromocresol green의 95% ethanol용액을 2 : 1의 비율로 혼합한다.
- 4% H_3BO_3(Boric acid) : 붕산 40g을 탈이온수 960㎖의 비율로 가온 용해하여 냉각한다. NH_3의 포집은 3% 이상의 붕산이면 가능하다.
- Dextrose : 시약용 또는 정제된 굵은 설탕을 사용한다. 설탕의 질소함유량은 극히 미량이기 때문에 2~5g을 채취하여야 측정에 영향이 없으므로 blank test용으로 사용한다.
- 분해용 가열장치 : 그림 2-17의 분해용 가열대를 사용한다. Kjeldahl 분해 플라스크는 용량 500㎖ 또는 800~1000㎖를 사용한다. 시료채취량이 1g 이상인 때는 용량이 큰 편이 분해가 빠르고 또한 암모니아화도 완전하게 된다.
- 질소증류장치 : 그림 2-19의 질소 직접증류장치를 사용한다.
- Burette : 테프론 콕이 달린 용량 25㎖ 이하의 것으로, 0.05㎖의 눈금이 새겨진 것을 사용한다.

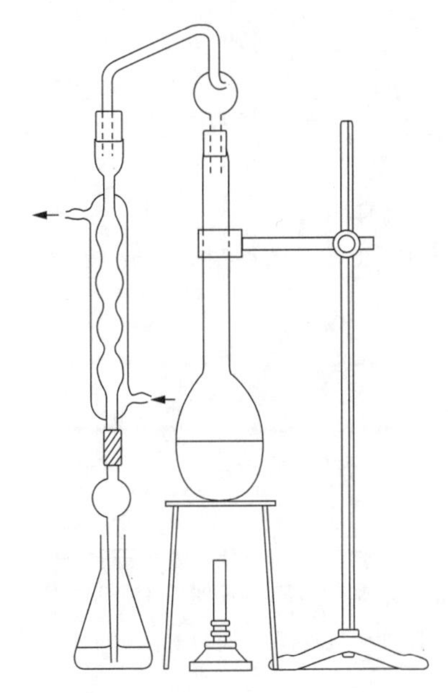

그림 2-19 질소 직접증류장치

방 법

1 분해

① 시료 0.5~2.2g을 칭량하여 Kjeldahl 플라스크에 넣는다. 플라스크의 긴 목부분에 시료가 부착하였을 때는 소량의 탈이온수로 씻어내린다. 여기에 황산칼륨(K_2SO_4)15g, 이산화티탄(TiO_2) 0.5g, 황산동($CuSO_4$ $5H_2O$) 0.5g(분해촉매는 미리 K_2SO_4 150g : TiO_2 5g : $CuSO_4$ $5H_2O$ 5g의 비율로 혼합해 두고 그 중 16g을 채취하여도 된다) 및 진한황산 25㎖를 첨가하고 비등석 5~6개를 넣고서 황산이 충분히 시료에 침투하도록 조용히 흔들어 섞은 다음 분해용 가열장치에서 가열한다. 이때 거품이 심하게 일지 않도록 주의하면서 가열하고, 거품이 심할 경우는 파라핀을 첨가하면 된다.

② 분해 플라스크내의 용액이 투명하게 된 다음, 더욱 강하게 30~60분간 더 가열하여 분해를 완료시킨다.

③ 냉각이 되면 탈이온수 200㎖를 가하여 25℃ 이하로 냉각한 다음, 중화용 NaOH용액 70㎖를 넣고서 흔들지 말고 증류장치에 직접 연결한다.

2 증류

① 증류장치의 출구는 4% boric acid용액(25㎖) 속에 들어가 있도록 하다. 부해 플라스크를 흔들어 내용물을 혼합한다. 이 때 시료에 따라서는 심하게 거품이 발생하는 경우도 있으므로 주의한다.

② 30분간 가열 증류하여 증류액 120~150㎖를 모은다.

3 적정 : 유출액에 혼합지시약 5~6방울을 가하고 0.1N-산표준용액으로 적정한다. 청색 → 담홍색이 된 점을 종말점으로 하고 눈금을 읽는다(V_1㎖). 별도로 blank test로서 시료대신 dextrose를 시료와 동량 채취하고 같은 조작의 방법으로 분해・증류하여 적정한다(V_2㎖).

결과 및 고찰

$$조단백질(\%) = \frac{1.4 \times (V_1 - V_2) \times F \times N}{S \times 1000} \times 100$$

V_1 : 0.1N 산표준용액의 적정치(㎖)

V_2 : Blank test에서 소비된 0.1N 산표준용액의 적정치(㎖)

F : 0.1N 산표준용액의 factor

N : 질소환산계수

S : 시료 채취량(g)

참고문헌

1. 주현규, 조황형, 박충균, 조규성, 채수규, 마상조 : 식품분석법. 유림문화사(1992)
2. 남궁석, 김재웅 : 개정 최신 식품화학실험. 신광출판사(1995)
3. 정동효, 장현기 : 최신 식품분석법. 삼중당(1990)

(3) Semimicro Kjeldahl 분해법

이산화티탄-황산구리를 촉매로 하여 Kjeldahl 분해 후 암모니아를 수증기 증류하는 외에는 micro Kjeldahl법과 같다.

시약 및 기구

- 시약 : micro Kjeldahl법의 시약과 같으며, 단, 산표준용액은 0.05N을 사용한다.
- 기구
  - 분해용 가열장치 : 열원조절이 가능한 분해대를 이용한다.
  - Kjeldahl 분해 플라스크 : 용량 200~300㎖를 사용한다.
  - NH_3 수증기 증류장치 : 그림 2-18(1) Macro-식 질소 증류장치를 이용한다.

방 법

1. 분해

① 시료0.5~2.0g(질소량으로 14~140mg 전후가 좋다)을 취하여 분해 플라스크에 넣고 K_2SO_4 5g, TiO_2 0.25g, $CuSO_4 \cdot 5H_2O$ 0.25g(분해촉매는 미리 혼합하여 채취하여도 된다)을 가하고 진한황산 25㎖를 서서히 첨가한 다음 분해 가열장치에서 가열한다.

② 처음에는 약하게 가열하였다가 가열온도를 높여 분해하고, 분해액이 투명하게 된 다음 30~60분간 더 가열하여 분해를 완료시킨다.

③ 냉각한 다음 50~100㎖의 탈이온수를 가하여 희석시키고 탈이온수로 분해 플라스크를 세척하

면서 100 또는 200㎖로 정용하여 시료 분해액으로 한다.

❷ 증류

① 수기인 삼각 flask E에 4% boric acid 용액 25㎖를 취하고, 혼합지시약 2방울을 가하여 그림 2-19와 같이 냉각관의 끝이 용액속에 잠기도록 한다.

② 시료분해액 10~50㎖를 취하여 flask C에 넣고 장치에 연결하고서, F를 통하여 중화용 NaOH 용액 20~40㎖(시료분해액이 25㎖이하면 20㎖로 충분)를 주입하고서, 약 10~15분간 수증기 증류하여 NH_3를 발생시켜 삼각 flask E에 포집한다.

❸ 적정 : 삼각 flask내의 용액을 0.05N-산표준용액으로 적정해서 청색→청록색→담홍색이 되는 점을 종말점(V_1 ㎖)으로 한다. 별도로 blank test로서 시료량과 동일하게 설탕을 취하여 같은 방법으로 분해·증류하여 적정한다(V_2 ㎖).

결과 및 고찰

$$\text{조단백질}(\%) = \frac{0.7 \times (V_1 - V_2) \times F \times D \times N}{S \times 1000} \times 100$$

V_1 : 0.05N 산표준용액의 적정치(㎖)
V_2 : Blank test에서 소비된 0.05N 산표준용액의 적정치(㎖)
F : 0.05N 산표준용액의 factor
N : 질소환산계수
S : 시료 평취량(g)
D : 희석배수(정용량/채취량)

참고문헌

❶ 주현규, 조황 , 박충균, 조규성, 채수규, 마상조 : 식품분석법. 유림문화사(1992)
❷ 남궁석, 김재웅 : 개정 최신 식품화학실험. 신광출판사(1995)
❸ 신효선 : 식품분석. 신광출판사(1998)
❹ 윤익섭, 이종화, 오대섭, 홍영석 : 식품분석. 형설출판사(1991)

(4) Kjeltec에 의한 조단백질 분석

Kjeltec은 수 십년간 다양한 시료의 질소 및 단백질의 함량을 측정할 수 있는 방법을 개발하여 육제품, 사료원료, 유제품 및 곡물 등의 신속한 단백질 분석에 이용할 수 있도록 하였다. Kjeltec의 장점은 시료량에 따라 기기 선택의 폭이 넓어 100㎖ 이상의 대형시료도 분석이 가능하며 질소량이 적은 소형의 시료도 semi-Kjeltec으로 가능하다.

현재 Kjeltec제품의 종류로는 Kjeltec 1002, Kjeltec 2200, Kjeltec Auto 2300, Kjeltec Auto

2400, Kjeltec Auto 1035, Kjeltec Auto 2640 등이 있다. Kjeltec 1002는 수동식 증류장치로서 수동으로 별도의 적정이 필요하며 DS-6 분해기와 연결하여 사용하며 1일 30점의 분석이 가능하다. Kjeltec 2200은 1일 10~60점의 분석이 가능하며 증류전 자동 시료희석과 delay time의 조정이 가능하기 때문에 sulfite, phenol, cyanide 등의 응용분석이 가능하다. Kjeltec Auto 2400은 증류, 적정, 결과 계산이 동시에 수행되어지는 기기로서 측정범위가 넓고(0.1~200mgN) 안전기능이 내장되어 있어 회수율이 높다. Kjeltec Auto 1035는 현재 전세계적으로 가장 powerful한 질소 단백질 자동분석 장치로서 컴퓨터, 저울, Auto sampler 등의 연결운영이 가능하고 다양한 software가 내장된 최첨단 Kjeltec System이다.

시약 및 기구

- 진한 황산(c-H_2SO_4)
- 분해촉매제 : Kjeltabs - K_2SO_4 3.5g과 $SeSO_4$(Se) 3.5mg을 포함한다.
- 40% NaOH
- 0.1N HCl 표준용액
- Boric acid 4%(4% with bromocresol green/methyl red indicator solution) 10 ℓ
  - 9 ℓ의 뜨거운 증류수에 boric acid 400g을 용해시킨다.
  - Methanol 100㎖와 bromocresol green 100mg을 혼합한 후 그 중 100㎖를 취한다.
  - Methanol 100㎖와 methyl red 100mg을 혼합한 후 그 중 70㎖를 취한다.
  - 위의 것을 혼합하여 10 ℓ가 되도록 증류수를 넣는다.
- Kjeldahl 분해 flask

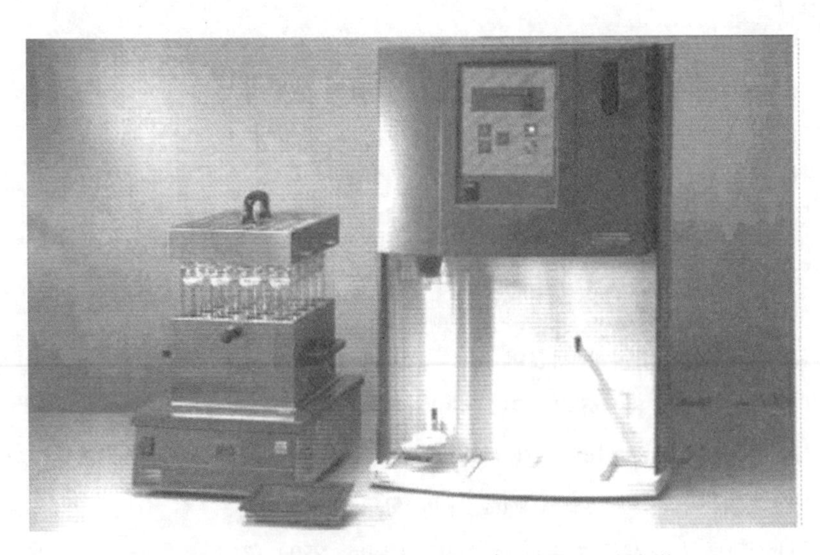

그림 2-20 Kjeltec systems(질소/단백질 분석장치)

- 분해장치: 2006 Digestor(Foss Tecator)(그림 2-20 좌측)
- 증류장치: 2200 Kjeltec Auto Distilation(Foss Tecator) (그림 2-20 우측)
- Burette Digital
- Magnetic stirrer

방 법

1 분해(digestion) : 2006 Digestor 이용(Foss Tecator)

$$\text{모든 Amino or Nitro} \longrightarrow \text{Ammonium Ion } (NH_4^+)$$

$$2NH_4^+ + H_2SO_4 \longrightarrow (NH_4)_2SO_4$$

K_2SO_4

촉매(selenium or $CuSO_4$)

① 시료는 시료 각각의 전처리 방법에 의해서 준비한 후 0.5~1g 정도 취한다.
② 분해튜브에 시료, 촉매제(2개), 진한황산(12~15㎖)을 차례로 넣는다.
③ 분해기가 420℃까지 예열된 상태에서 시료가 들어 있는 분해튜브를 stand를 이용하여 분해기에 gas 포집기와 함께 장착한다.
④ Water valve를 열어 aspirator를 작동시킨다.
⑤ 분해는 50분 정도면 완료되고 분해튜브를 들어 확인한다.
(구리 촉매제 : 투명한 연푸른색, 셀레늄 촉매제 : 투명한 노란색)
⑥ 분해가 완료되면 분해기로부터 stand와 같이 분해튜브를 꺼내어 상온까지 냉각시킨다.
⑦ Water valve를 닫는다.
⑧ 분해과정 완료.

2 증류(distilation) : 2200 Kjeltec Auto Distilation 이용(Foss Tecator)

분해액에 40% NaOH를 가하고, 수증기로 증류하면 암모니아 가스가 발생한다. 이렇게 발생한 암모니아 가스를 붕산(boric acid, H_3BO_3) 포화용액에 흡수시킨다.

$$NH_4^+ \xrightarrow[NaOH]{} NH_3$$

$$(NH_4)_2SO_4 + 2NaOH \xrightarrow[Steam]{} 2NH_3 + Na_2SO_4 + 2H_2O$$

$$NH_3 + H_3BO_3 \longrightarrow NH_4BO_2 + H_2O$$

3 적정(Titration) : 증류과정에서 유리된 암모니아를 지시약이 들어있는 붕산액에 포집하여 0.1N 염산표준용액으로 적정하는 과정이다. 혼합지시약의 색이 녹색에서 홍자색으로 되는 중간색 또는 회색이 되는 점을 종말점으로 한다.

$$NH_4BO_2 + HCl \longrightarrow NH_4Cl + HBO_2$$

이상과 같은 조작과 같게 별도로 blank test를 한다.

결과 및 고찰

$$조단백질(\%) = \frac{(V-V_0) \times F \times 0.001401 \times D \times N}{S} \times 100$$

V : 본 실험에 대한 0.1N HCl 적정치(㎖)

V_0 : Blank test에 대한 0.1N HCl 적정치(㎖)

F : 0.1N HCl 표준용액의 factor

D : 희석배수

0.001401 : 0.1N HCl 용액 1㎖에 상당하는 질소량(g)

N : 질소환산계수

S : 시료 채취량(g)

참고문헌

1 남궁석, 김재웅 : 개정 최신식품화학실험. 신광출판사(1995)

2 이만정 : 식품분석. 동명사(1992)

3 주현규, 조황형, 박충균, 조규성, 채수규, 마상조 : 식품분석법. 유림문화사(1995)

4 식품 가공 기기조작 및 분석 실험. FOSS (포스코리아 주)(1999)

5 Ceirwyn S. James : Analytical Chemistry of Foods. Chapman & Hall(1999)

4. 조지방(Crude fat)의 정량

1) Soxhlet 정량법

개 요

식품 중에 함유된 지질의 함량은 일반적으로 Soxhlet법에 의하여 ether로 추출하여 정량한다. 그러나 ether, 석유 ether, hexane 등의 유지용매에 용해되는 물질에는 중성지방 외에 유리지방산, 레시틴, 콜레스테롤, 지용성색소, wax, lipoid, alkaloid 등도 추출되기 때문에 정확하게 지질 함량만을 측정할 수 없다. 따라서 ether로 추출한 지질을 조지방(crude fat) 또는 Ether extract라고 한다.

시료 조제

1 고체시료

① 분말로 하기 쉬운 시료(곡류, 종실류, 두류) : 마쇄하여 분석한다.

② 유분이 많은 시료(참깨 등과 같은 채종실) : 채소의 종실과 같이 기름이 많은 시료는 마쇄할

때 기름이 유출되기 때문에 다음과 같이 처리한다. 시료 10g을 취하여 소량씩 유발에 넣고 마쇄하면서 무수황산나트륨 20g을 가하여 충분히 혼합한 다음 원통여지에 넣는다. 유발과 유봉은 에틸에테르를 넣어 탈지면으로 여러번 닦아서 그 탈지면을 원통여지에 넣어 함께 분석한다

③ 단백질과 수분이 많은 시료(된장, 육류, 난류) : 이러한 시료는 건조해시켜도 마쇄하기 어렵기 때문에 시료 3~8g을 평취하여 유발에 넣고, 무수황산나트륨을 8~10g 가한 다음 소량의 정제 해사를 넣고 건조분쇄하여 분석한다.

④ 당류가 많은 시료(캔디, 잼, 크림) : 당류나 호상물질을 많이 함유하고 있는 시료는 ether로 추출이 완전히 되지 않기 때문에 다음과 같이 처리한다. 시료 5~10g을 취하여 비이커에 넣고 물 200㎖를 가하여 섞는다. 여기에 황산구리용액 10㎖를 가하여 잘 혼합한 후 수산화나트륨용액을 가하여 미산성으로 되면 충분하게 교반하여 방치한다. 이 용액을 여과하여 당분을 제거하고 잔사를 건조하여 시료로 한다.

2 수용액 중에 분산된 조지방

① 수용액을 건조하여 추출하는 경우 : 시료를 농축(산화가 일어나는 경우는 감압 또는 CO_2 중에서 한다)한 후 Hofmeister 샤레라고 하는 얇고 적고 깊은 유리용기에 옮겨서 농염산를 넣고 끓인 후 충분히 세정한다. 여기에 정제한 해사를 넣고 교반하면서 증발건조한다. Hofmeister 샤레와 교반 봉도 시료와 함께 마쇄하여 그대로 속실렛 추출기 중에 넣어서 상법대로 추출한다.

② 수용액을 그대로 추출한 경우 : 수용액 중에 분산된 조지방을 그대로 추출할 수 있는 액체용 Soxhlet을 이용한다. 액체 Soxhlet(그림 2-21)은 시료를 넣은 a에 사이폰관이 없고, 원통여지 대신에 d관이 사용된다. a부에 1/2 정도의 시료를 넣고 그 위에 용제를 가한다. b부에서 증발한 용제는 c에서 응축되어 d를 통하여 e를 거쳐 b에 모아지면 무수황산나트륨 분말로 완전히 탈수한 후 일반 Soxhlet법과 동일하게 진행한다.

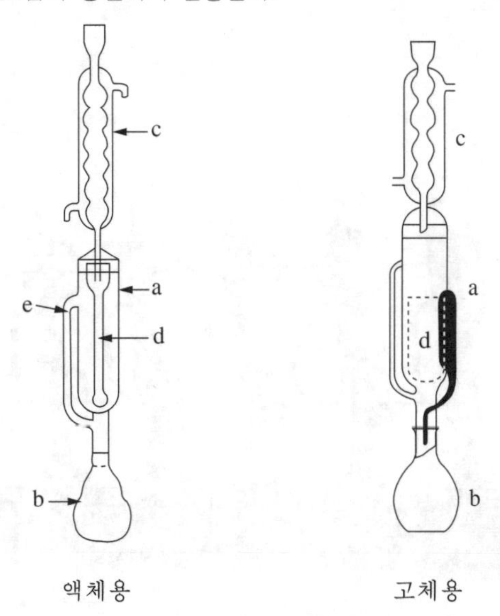

그림 2-21 액체용 및 고체용 Soxhlet 추출관

시약 및 기구

diethyl ether($C_2H_5OC_2H_5$), Soxhlet 추출기, 원통여지, 탈지면, 항온수조, 정온건조기, desiccator, pincet

방법(조제)

1. 분말화된 시료 5~10g을 평취하여 원통여지에 넣고 탈지면을 엷게 깐 다음 비이커에 넣고 100~105℃ 정온건조기에서 2~3시간 건조한다.
2. 원통여지를 데시케이터에서 방냉한 후 Soxhlet 추출관에 넣는다(그림 2-21).
3. 100~105℃에서 건조하여 방냉한 후 항량을 구한 수기에 2/3 정도의 ether를 넣은 후 냉각관, Soxhlet 추출관 및 수기를 그림 2-22와 같이 연결한다. 이 때 ether가 1분에 약 80방울 떨어질 정도로 전기항온조의 온도를 약 50~60℃로 조절하여 8~16시간 가열 추출한다(ether가 증발되면 수시로 냉각관 상부를 통하여 공급하며, 특히 실내환기에 주의해야 한다).
4. 추출이 끝나면 Soxhlet관을 분리하여 핀셋으로 원통여지를 꺼내고 ether를 수기에 모두 회수하여 항온수조에서 남은 ether를 증발시키거나, 회전진공농축기를 이용하여 ether를 증발시킨다.
5. 수기의 외측을 면포로 잘 닦고 90~105℃ 정온건조기에서 1시간 건조한 후 데시케이터에서 30분 방냉하는 것을 반복하여 수기의 항량을 구한다(정온건조기에서 건조하는 동안 ether이나 수분이 증발하므로 중량은 감소하나 때에 따라서는 지방의 산화가 일어나 중량이 증가되므로 측정값의 최저치를 취하여 지방량을 산출한다).

결과 및 고찰

$$\text{조지방의 함량(\%)} = \frac{W_1 - W_0}{S} \times 100$$

W_0 : 수기의 중량(g)　　W_1 : 지질 추출 후 수기의 중량(g)

S : 시료의 채취량(g)

그림 2-22 Soxhlet 장치

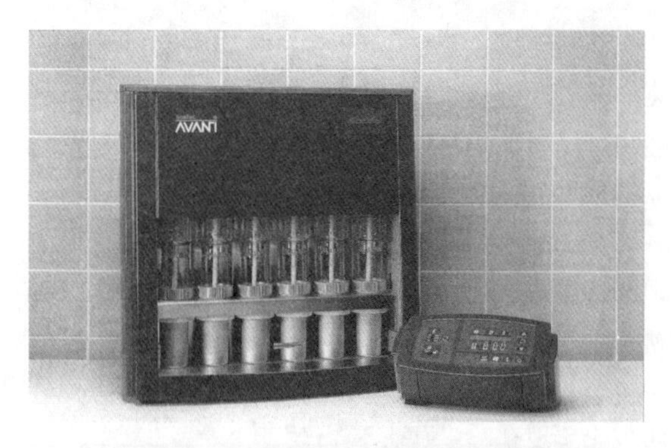

그림 2-23 지방 자동추출 장치(Soxtec)

2) Soxtec에 의한 조지방 분석

개 요

Soxtec은 지방 자동추출장치(그림 2-23)로서 시료형태에 따른 추출온도 및 추출시간 등을 Control Unit에 입력하여 분석한다. 기존 Soxhlet 장치에 비하여 예열시간 및 추출시간이 30~60분 정도로 짧고, 밀폐형 용매주입 및 회수시스템으로 되어 있어 용매 냄새가 없으며, 간접가열을 하기 때문에 안전성이 높다. 최대 시료분석량은 65㎖이며, 분석절차가 용이하고 가열온도를 20~280℃까지 1℃단위로 조절할 수 있어 용매 사용의 제한이 없다. 용매 회수율이 90%이상으로 높고, 시료간의 재현성이 Soxhlet보다 훨씬 높다.

시약 및 기구

Diethyl ether, 원통여지, Soxtec 장치

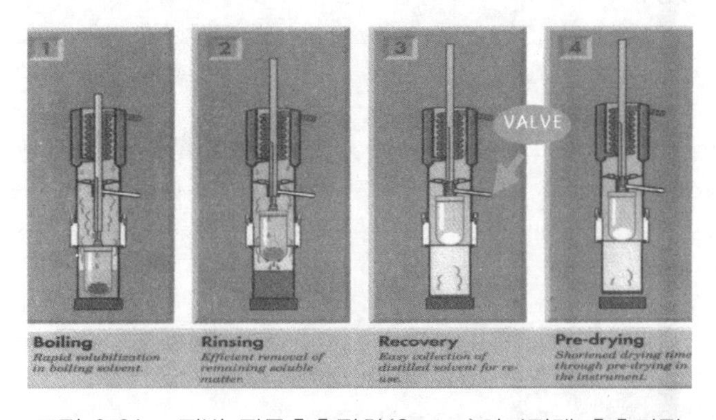

그림 2-24 지방 자동추출장치(Soxtec)의 4단계 추출과정

방법(조작)

시료를 원통여지에 담아 Soxtec 장치에 연결한 다음 용매를 넣어 가열한다. Soxhlet의 추출과정은 냉추출 과정(Rinsing step) 1단계이지만 Soxtec은 그림 2-24와 같이 열추출, 냉추출, 용매회수, 건조과정의 4단계로 작동되어 자동적으로 분석된다.

1. 열추출(boiling step) : 시료의 추출
2. 냉추출(rinsing step) : 용매 증기가 상승하여 냉각기를 통해 응축되어 떨어지면서 시료가 들어있는 thimble을 세척
3. 용매회수(recovery step) : 사용된 용매는 열린 glass valve를 통해 외부용기에 모아짐
4. 건조과정(pre-dry step) : 용매가 증발되어 지질분리

결과 및 고찰

Soxhlet 추출법과 동일하다

참고문헌

1. 정동효, 장현기, 김명찬, 박상희 : 최신식품분석법. 삼중당(1980)
2. 小原哲二郎, 鈴木隆雄, 岩尾裕之 : 食品分析 handbook. 建帛社(1982)
3. 日本食品工業學會: 食品分析法 光琳(1983)
4. 조덕제, 김정숙, 채주규, 홍종만 : 식품분석. 지구문화사(1992)
5. Soxtec manual, Foss Tecator(1996)

5. 조섬유의 정량

1) 일반 조섬유 정량법

개 요

섬유질은 hemicellulose, lignin, pentosan, pectin, cellulose 등과 같이 식물의 뼈대를 이루고 있는 성분으로 유기용매 및 묽은 산, 알칼리에는 녹지 않는다. 이와 같은 성질을 이용, 적절한 산과 알칼리로 처리하여, 불순물인 단백질, 지방, 전분 등을 제거하고 남는 물질인 조섬유를 정량한다.

시료조제

추출을 용이하게 하기 위해 시료는 가능한 미세하게 세절하여 분석 시료로 사용한다. 지방 함량이 많은 시료의 경우 ether로 탈지 후 건조하여 사용한다.

시약 및 기구

황산, 수산화나트륨, ether, 환류추출장치, 건조기, 회화로, Gooch crucible, Buchner funnel, aspirator, filtering flask, 가열기, 비이커를 이용한다.

방법(조작)

1. 섬유량이 대략 20~200mg이 되도록 시료를 정확히 칭량한 다음 플라스크에 넣고 ether를 이용해 여러 번 반복 탈지시킨다.
2. 충분히 마쇄한 다음, 환류 추출장치가 있는 수기에 옮긴다.
3. 1.25%(0.255N) 황산 용액 250mℓ를 가하고 1분 이내에 끓도록 온도를 조절하여 정확히 30분간 끓인다.
4. Buchner funnel을 이용해 조심스럽게 내용물이 방출되지 않도록 여과하고, 뜨거운 증류수로 용액이 산성을 띄지 않을 때까지 반복하여 여과한다.
5. 남아있는 잔사에 1.25%(0.313N) 수산화나트륨 용액 250 mℓ를 가하고 같은 방법으로 가열한다.
6. 가열 후 미리 건조하여 둔 Gooch crucible로 여과한다(그림 2-26 참조). 뜨거운 증류수로 여액이 알칼리성을 띄지 않을 때까지 반복하고, 마지막으로 95% 알코올 20mℓ로 세척한다(뜨거울 때 즉시 여과하지 않으면 여과가 오래 걸림).
7. glass filter에 남아 있는 잔사를 건조기에서 건조하여 항량을 구한다.
8. 유리 여과기를 다시 회화(550℃)하여 그 항량을 구한다.

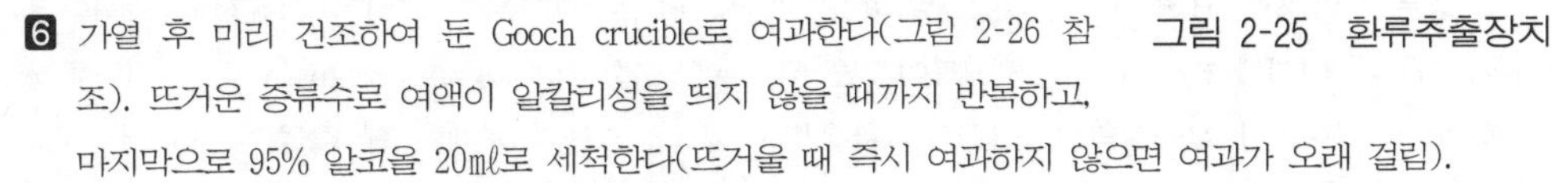

그림 2-25 환류추출장치

결과 및 고찰

시료의 조섬유 함량은 다음 식에 의거 산출한다.

$$조섬유\ 함량(\%) = \frac{W_1 - W_2}{S} \times 100$$

W_1 : glass filter 가열건조 후 항량

W_2 : glass filter 회화 후 항량

S : sample 채취량(g)

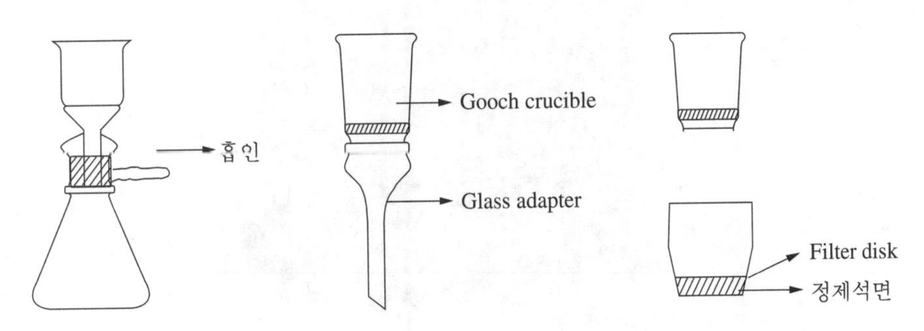

그림 2-26 Gooch crucible과 흡인 여과장치

주의사항

처음 1.25% 황산 용액을 가한 후 1분 이내에 시료 용액이 끓어야 하기 때문에 미리 가열된 용액을 사용하도록 한다.

2) Fibertec에 의한 조섬유 정량

조섬유의 분석은 여러 단계의 여과과정이 있는데, 대부분의 경우 여과에 굉장한 어려움이 있다. 다음에 소개할 내용은 조섬유 분석장치를 이용하여 최종 회화전 단계까지 기기를 이용한 방법으로 분해 및 여과를 기기를 통해 하기 때문에 보다 신속하고 간편하게 할 수 있는 이점이 있다. 조섬유 분석장치의 일반적인 모델은 그림 2-27과 같다.

원 리

시료 속의 섬유질은 묽은 산과 묽은 알칼리 또는 에테르에 녹지 않으므로 지방질을 제외한 시료를 묽은 산(1.25% H_2SO_4)과 묽은 알칼리(1.25% NaOH)로 차례로 처리하면 섬유질이 찌꺼기로 남는다. 이 찌꺼기는 섬유소가 주성분이지만 그 외에도 소량의 Lignin, Pentosan 및 무기염류를 포함하고 있다. 이 섬유질의 수분을 제외한 무게에서 그 회분의 무게를 뺀 값을 섬유소, Lignin, Pentosan의 함량에 해당한다. 이 값은 조섬유(Crude Fiber)로 나타낸다. 이와 같은 조섬유는 단일 성분이 아니며, 이외 정량 방법은 하나의 세계적인 규약이므로 일정 농도의 산이나 알칼리의 일정량으로 일정 시간동안 처리하므로 시약의 농도와 시간 등의 규약을 엄밀히 지켜가야 한다. 현재 조섬유의 정량법으로 널리 쓰이는 것은 AOAC법이 가장 많이 이용된다.

그림 2-27 조섬유 분석장치

시약 및 제조

- 1.25% H_2SO_4 : 진한 황산 6.875㎖를 1000㎖ 증류수에 희석시켜 사용한다. 시료당 150㎖가 소비된다.
- 1.25% NaOH : 12.5 NaOH를 1000㎖ 증류수에 녹여 사용한다. 시료당 150㎖가 소비된다.
- n-Octanol : 거품 방지제
- Anhydrous acetone : Washing시 사용한다.

방 법

1. 시료를 분쇄한다.
2. 시료를 Crucible에 넣고 각각의 무게를 단다(F_0). 시료의 무게는 대략 1g 정도를 하고, 지방함량이 많은 것은 탈지하여 사용하거나 무게를 0.5g 정도로 한다.
3. Crucible을 기기에 설치한다.
4. 1.25% H_2SO_4를 미리 가열하여(약 90℃ 정도) 각각의 칼럼에 채운다(최대 150㎖가 될 때까지).
5. 거품방지제를 3~4방울 첨가한다.
6. Heater를 최대로 켜고 가열한 다음 전체 칼럼이 균일하게 끓기 시작한 후 정확히 30분간 가열한다.
7. 30분 후 가열이 끝나면 heater를 끄고 vacuum으로 돌려놓는다(이때 switch의 위치는 closed에서 vacuum으로 돌려놓는다).
8. 뜨거운 증류수로 3번씩 Washing한다.
9. 1.25% NaOH를 미리 가열하여(약 90℃ 정도) 각각의 칼럼에 채운다(최대 150㎖가 될 때까지).
10. 거품방지제를 3~4방울 첨가한다.
11. Heater를 최대로 켜고 가열한 다음 전체 칼럼이 균일하게 끓기 시작한 후 정확히 30분간 가열한다.
12. 7번과 동일(단 시약은 1.25% NaOH)
13. 뜨거운 증류수로 3번씩 washing한다.
14. 찬 증류수로 1번 washing한다.
15. Solvent로 3번씩 washing한다.
16. 105℃ Dry Oven에서 시료를 포함한 Crucible을 건조한다(1시간).
17. Desiccator에서 방냉한 다음 무게를 단다(F_1).
18. 500℃ Furnace에서 회화한다(3시간)
19. Desiccator에서 방냉한 다음 무게를 단다(F_2).

결과 및 고찰

결과는 다음식에 의거 산출한다.

$$\text{조섬유 함량 (\%)} = \frac{F_1 - F_2}{F_0} \times 100$$

참고문헌

1 주현규, 조규성, 조광연, 채수규, 박충균, 마상조 : 식품분석법. 학문사, pp.315-319(1996)
2 Horwitz, W., Ed. : Official Methods of Analysis of the Association of Official Analytical Chemists, 13th ed., AOAC, Washington, D.C., p.132(1980)
3 Nielsen, S.S. : Introduction to the chemical analysis of foods. Jones and Bartlett Publishers, London, England, Ch. 11, pp.172-173(1994)
4 Y. Pomeranz and C.E. Meloan, Food analysis: Theory and practice. Chapman & Hall, New York. pp.661-667(1994)

6. 가용성 무질소물의 정량

가용성 무질소물(nitrogen-free extract)의 양은 보통 직접 정량하는 것이 아니라 시료 전중량을 100으로 하고 여기서 수분, 조회분, 조단백질, 조지방 및 조섬유의 양을 뺀 것을 말한다.

가용성 무질소물(%) = 100 − (수분+조회분+조단백질+조지방+조섬유)

가용성 무질소물은 조섬유 정량에 이용한 산, 알칼리에 용해되는 물질 중에서 조단백질, 조지방 및 조회분을 제외한 물질이다. 즉 전분, 당류, 덱스트린 등과 소량의 고무질, 펙틴질, 점질물, 산류, 색소 등이다

특별한 경우를 제외하고는 보통 식품 중의 가용성 무질소물은 전분, 덱스트린, 당류이다. 따라서 식품성분표에서는 이 가용성 무질소물의 양을 당질의 양으로 한다. 당질에 대해서 정밀한 분석을 요하는 경우에는 이들의 물질을 각각 정량하여야 한다.

[계산] (1) 시료명 : (콩가루)

(예) 수분 7.8%, 조단백질 21.9%, 조지방 19.2%, 조섬유 4.5%, 회분 4.7%

(2) 가용성 무질소물(당질)% = 100−(7.8+21.9+19.2+4.5+4.7)=41.9%

참고문헌

1 정동효, 장현기, 김명찬, 박상희 : 최신 식품분석법. 삼중당(1980)
2 주현규, 조규성, 조광연, 채수규, 박충권, 마상조 : 식품분석법. 학문사(1996)
3 신효선 : 식품분석. 신광출판사(1998)

7. 탄수화물 정량 (제3장 및 영양편 제15장 참조)

8. 식품의 에너지 분석

식품의 칼로리(calorie, 熱量)는 열량계(Bomb calorimeter)를 이용해서 직접측정하여 각 열량소(熱量素)의 소화흡수율을 고려한 유효열량으로 나타내는 방법도 있으나 보통은 식품의 성분분석 결과로부터 칼로리 환산계수를 이용하여 계산한다. 즉, 식품의 칼로리는 그 식품중의 단백질, 지방질, 탄수화물(당질+섬유)의 양에 표 2-3과 같은 FAO가 제창한 각각의 칼로리 환산계수를 곱한 것을 모두 합한 것으로 나타내는 것이 일반적이다.

그러나 FAO방식이 이론적으로는 합리적이지만 실제적으로 혼합식품이나 가공품의 일부에 대해서 또는 1일 섭취칼로리 산출에 있어서 등적용하기 곤란한 경우가 많다. 이 경우 종래의 방식에 따라 Atwater계수인 단백질 4.0kcal/g, 지방질 9.0kcal/g, 당질(가용성 무질소물) 4.0kcal/g을 사용하여 계산하며, 이외에 alcohol은 6.93kcal/g이 주어지고 있다

표 2-3 FAO가 제창한 주요 식품의 칼로리 환산계수

식품군 \ 구분	FAO의 칼로리 환산계수(kcal/g)			FAO에 의한 식품군명
	조단백질	조지방	탄수화물	
곡 류	3.41	5.39	4.07	현미
	3.73	6.88	4.12	5분도미
	3.82	7.53	4.16	7분도미
	3.91	8.09	4.16	정백미
	3.46	8.37	4.12	오트밀, 탄보리
	3.55	8.37	3.95	보리(정맥)
	3.59	8.37	3.78	밀가루, 도정율97~100%
	4.05	8.37	4.12	밀가루, 도정율70~74%
	1.82	8.37	2.35	밀기울
곡 류	3.55	8.37	3.95	메밀가루
	2.73	8.37	4.03	옥수수가루(전립)
	3.46	8.37	4.16	옥수수가루(배아를 제거한 것)
	0.91	8.37	4.03	수수(전립)
	3.05	8.37	3.86	호밀(전립분)
	3.23	8.37	3.09	호밀(중간도정)
	3.41	8.37	4.07	호밀
	3.87	8.37	4.12	기타 정백곡류
감자 및 전분류	2.78	8.37	4.03	감자, 전분질괴근
설탕 및 감미류	3.11		3.87	사탕수수, 사탕무당
	3.36		3.87	(벌꿀)

			3.68	포도당
			3.87	(사탕수수당, 사탕무당)
과자류	3.87	8.37	4.12	기타 정백곡류
유지류	4.27	8.79	3.87	버터
	(4.27)	9.02		기타 동물성 지방
	4.27	8.84	3.87	마가린(식물성)
		8.84		기타 식물성 유지
종실류·두류	3.47	8.37	4.07	콩류, 종실류(성숙, 건조)
	3.47	8.37	4.07	콩(건조, 가루)
어패류·수조육류	4.27	9.02	a[1]	육, 어류
				글리코겐
	3.90	9.02	4.11	젤라틴
난 류	4.36	9.02		난(卵)
유 류	4.27	8.79	3.68	유, 유제품
채소류	2.78	8.37	3.84	지하주 이용의 채소 b[2](감자, 전분질괴근 제외)
	2.44	8.37	3.57	기타 채소
	3.47	8.38	4.07	미성숙 콩류
	2.78	8.37	3.03	감자, 전분질괴근
	3.36	8.37	3.60	기타 과실
	2.73	8.37	4.03	(옥수수)
과실류	3.36	8.37	2.70	레몬
	3.36	8.37	3.60	기타 과실
기호음료류	섭취한 알코올 1g당 6.39kcal			에탄올(ethanol)
조미료류	1.83	8.37	1.33	초콜릿, 코코아
			2.40	식초
기타	3.00	8.37	3.35	효모

1) 뇌, 심장, 신장, 간장(조미료를 가한 가공품 포함)의 탄수화물에 대한 계수는 3.87, 혀, 조개류(근육)의 탄수화물에 대한 계수는 4.11

2) 사탕무, 당근, 양파, 무 등

식품성분표상 백미 및 우유의 분석치가 표 2-4와 같을 때 그의 칼로리를 계산하면 표 2-5 및 표 2-6과 같다.

표 2-4 백미 및 우유의 성분(%)

식 품	수 분	회 분	단백질	지방질	탄수화물	
					당 질	섬 유
백 미	14.5	0.6	6.4	0.8	77.4	0.3
우 유	88.6	0.7	3.0	3.2	4.5	

표 2-5 FAO방식에 의한 백미 및 우유의 칼로리 계산

식 품	단 백 질	지 방 질	탄 수 화 물	칼 로 리
백 미	6.4×3.91=25.0	0.8×8.09= 6.4	77.7×4.16=323.5	355
우 유	3.0×4.27=12.8	3.2×8.79=28.1	4.5×3.87= 17.4	58

표 2-6 종래의 4·9·4 방식에 의한 백미 및 우유의 칼로리 계산

식 품	단 백 질	지 방 질	탄 수 화 물	칼 로 리
백 미	6.4×4.0=25.6	0.8×9.0=7.2	77.7×4.0=309.6	342
우 유	3.0×4.0=12.0	3.2×9.0=28.8	4.5×4.0= 18.0	59

참고문헌

1 주현규, 조황경, 박충균, 조규성, 채수규, 마상조 : 식품분석법. 유림문화사(1992)
2 손태화, 홍영석, 하영선 : 최신 식품분석. 형설출판사(1985)
3 정동효, 장지현 : 최신 식품분석법. 삼중당(1982)

제 3 절 각종 식품의 일반성분분석

1. 과일 및 채소류

1) 시료조제

야채 및 과실류는 각종 형태, 성상이 다르므로 ① 으깰 수 있는 시료 ② 마쇄할 수 있는 시료 ③ 풍건할 수 있는 시료로 대별하여 조제방법을 설명한다. 수분은 다른 성분의 측정에 있어서 기본적으로 측정하는 경우가 많다. 여기서 조제하는 경우 측정용 시료는 효소에 의하여 변화가 쉬운 성분 및 비타민의 측정에는 사용하지 않는다. 또 풍건한 시료는 전질소, 초산이온, 회분, 무기질 성분의 측정에는 사용하지만 다른 성분측정에는 사용하지 않는다. 시료는 원칙적으로 부착된 토사, 먼지 등을 제거하기 위하여 물로 씻고서 물기를 말리고 폐기부위도 도려낸다. 시료에 따라서는 축분 후에 물로 세척 후의 물기 제거는 여과지를 사용하면 좋다. 일반적으로 시료조제가 끝나면 곧바로 측정하는 것이 좋으나, 1일 보존은 0℃로 가능하지만 2일 이상이면 냉동상태로 보존한다.

(1) 으깰 수 있는 시료

호박, 오이, 토마토, 무, 당근, 양파, 감, 배, 복숭아, 사과 등의 과실 및 야채류는 전체를 대표하도록 5~10개를 추출한다(조제시료의 축분 및 추출 항 참조).

시료는 폐기부위를 제거하고 세로 방향으로 4~8분할하여 반드시 마주보는 위치의 것을 200~500g을 채취하여 조리용 강판 등으로 으깨고, 이중 일부를 poly bag에 넣어 측정용 시료로 한다.

(2) 마쇄할 수 있는 시료

딸기, 앵두, 버찌, 수박, 비파, 포도, 파인애플, 멜론, 참외, 연시, 밀감 등 과즙이 많은 과일류에 해당되는 방법으로 1)과 마찬가지로 시료수를 추출한다. 그러나 딸기나 앵두처럼 작은 열매의 시료는 20개 이상, 포도는 5송이를 택하며, 각 송이별로 상하로부터 열매를 균등히 채취한다. 시료는 각각 폐기부위를 제거하고 축분하여 mixer나 homogenizer로 마쇄·균질화한 다음 poly bag에 넣어 측정용 시료로 한다.

(3) 풍건할 수 있는 시료

양배추, 채소 등의 엽채류나 풋완두콩, 풋강낭콩, 풋콩 등과 같이 으깨거나 마쇄하기가 곤란한 시료에 적용하는 방법으로 1)과 마찬가지로 축분하고 500g 이상을 시료로 채취한다. 채취한 시료의 전체 무게를 0.1g까지 칭량(M_1g)한 다음 시료가 비산하지 않도록 주의하면서 2~3mm 크기로 잘게 썰어, 플라스틱 필름을 편 aluminium tray 위에 얇게 펴서 분쇄가 가능할 정도로 실내에서 풍건한다. 건조가 어려운 부위가 있을 때는 약 60℃의 열풍으로 1차 건조한 다음 실온에 방치하여 대기습도와 평형이 되도록 한다. 풍건시료는 전중량을 0.50g까지 칭량(M_2g)하고 poly bag에 옮겨넣고 주머니 속에서 잘 주물러 거칠게 부수고 혼합하여 균질화한 후 측정용 시료로 한다. 한편, 간편법에 적용할 시료는 위와 같이 축분하여 500g 이상을 채취한다. 시료는 플라스틱 필름으로 씌워두고 2~3mm로 잘게 썰면서 poly bag에 모아 혼합 균질화시켜서 측정용 시료로 한다.

2) 수분의 정량

(1) 으깨거나 마쇄한 시료

규조토 약 3g을 채취한 플라스틱 필름 주머니에 넣고 측정용 시료를 5~10g(수분 80% 전후의 시료는 약 5g, 수분 90%이상 시료는 약 10g, 즉, 고형물량으로서 1~1.5g 범위)을 채취하여 혼합하고서, 상압상태에서 70±1℃로 조절한 감압가열 건조기에 넣고 25~30mmHg로 감압하여 5시간 건조하는 가열 건조법에 따라 수분함량을 측정한다. 2시간씩 재건조하여 항량을 구하며 측정치의 오차는 0.1~0.2%이다.

(2) 풍건한 시료

소형 알루미늄제 칭량용기에 측정시료 3~4g을 정확히 채취하여 감압가열 건조법에 따라 수분함량을 측정한다. 가열조건은 제2절의 수분정량과 같다. 측정치의 오차는 0.2%이다.

$$\text{생선물 과실 및 채소류의 수분함량(\%)} = \left\{(M_1 + M_2) + \frac{W_1 - W_2}{W_1 - W_0} \times M_2\right\} \times \frac{100}{M_1}$$

M_1 : 조제용으로 채취한 시료의 전체무게(g)

M_2 : 풍건한 조제용 시료의 전체무게(g)

W_0 : 측정용기의 무게(g)

W_1 : 건조전의 무게(g)

W_2 : 건조후의 무게(g)

(3) 간편법

수분 85% 이상으로 풍건가능한 야채류에 적용한다. 15×20cm 크기의 aluminium tray 위에 조금 크게 비교적 내열성의 랩(saran wrap) 등을 깔고, 이것이 들어가는 크기의 poly bag에 넣고서 이들의 총중량을 0.05g까지 칭량(W_0g)한다.

Poly bag에서 aluminium tray를 꺼내고 랩위에 측정용 시료 약 200g을 채취하고 전중량을 0.05g까지 칭량(W_1g)하고서, 상압상태에서 70±2℃로 조정한 통풍 정온건조기 속에 늘어놓은 다음, 통기용 레버를 모두 열고, 문도 수 cm열어 둔 상태로 시료에 따라 1~3시간 건조한다. 대부분의 수분이 증발하면 문을 닫고 2시간 건조한다. 건조가 끝나면 위에서 aluminium tray 무게 칭량시 사용한 poly bag에 넣고서 0.05g까지 칭량한다. 이어서 1시간씩 재건조 및 칭량을 반복하여 0.05g 이하의 감량차가 되면 항량(W_2g)으로 한다. 측정치의 오차는 0.1~0.2%이다.

$$\text{시료의 수분(\%)} = \frac{W_1 - W_2}{W_1 - W_0} \times 100$$

W_0 : 측정용기의 무게(g)

W_1 : 건조전의 무게(g)

W_2 : 건조후의 무게(g)

3) 조단백질의 정량

야채는 엽채류, 근채류, 과채류로 대별할 수 있고 이들은 질산태 질소화합물을 어느 정도 함유하는 식품이다. 야채류에는 어느 정도 다량의 질산태 질소화합물을 함유하므로 일반적인 Kjeldahl법으로 분해하여 전질소를 정량하고, 별도로 질산이온을 이온 전극법으로 측정하여 제한 다음, 질소-단백질 환산계수 6.25를 곱하여 단백질 함량으로 한다. Salicylic acid에 의한 질산이온의 포착은 축합에 의한 nitro화의 반응이므로 시료는 반드시 건조하여 분쇄할 필요가 있다. 한편 야채류 가운데 질산태 질소화합물이 적은 것들은 micro-Kjeldahl법으로 단백질의 정량이 가능하다.

(1) 시료조제

수분을 측정하고 난 후 건조물을 분쇄혼합하여 기밀용기에 보존하면서 측정용 시료로 하면 좋다. 이 경우 분쇄할 때 흡습우려가 있으므로 다시 70℃로 1시간 건조한 다음 밀봉용기에 보존한다. 또한 측정용 시료는 무수물로 보고 그의 1g당 생선물 중량 W(g)을 다음식으로 산출한다.

$$\text{생선물중량 } W(g) = \frac{100}{100 - M}$$

M : 생선물 시료의 수분 %

(2) 측정방법

① Kjeldahl분해법에 의한 전질소 정량

전질소 정량은 제 2절의 조단백질 정량법에 준한다.

② 이온전극을 사용하는 질산태 질소의 정량

이 방법은 이온전극을 사용하므로 다량의 황화물이온이 공존하면 방해를 받기 때문에 야채류의 염적물 등과 같이 식염을 첨가한 식품은 곤란하다.

시약 및 기구

- 추출용 용액 : 0.05M-aluminium sulfate($Al_2(SO_4)_3 18H_2O$) 용액 (33.31g을 물 1 ℓ에 용해)과 첨가용 표준용액(다음 표준용액의 NO_3-N 20㎍/㎖을 이용)을 사용한다.
- 표준용액 : 14.445g(≒14.4443g)의 KNO_3을 정확히 칭량하여 물 1 ℓ로 정용하고 2,000㎍/㎖의 표준용액으로 한다. 이것을 희석하여 200㎍/㎖의 각 농도의 용액을 조제하고 이들에 각각 0.05M aluminium sulfate 용액을 같은 양으로 가하여서 NO_3-N 농도로 하여 10㎍/㎖, 100㎍/㎖, 1000㎍/㎖의 표준용액을 조제한다.

■ 이온미터 및 이온전극 : 이온미터 또는 이온농도계를 이용하여 측정한다. 이온전극 및 비교전극을 접속하여 사용한다.
■ 전자교반기

방 법

시료 약 0.5g을 정확히 칭량하여 용량 100㎖의 뚜껑있는 삼각 flask에 옮기고 이것에 추출용 용액 ① 및 ②를 25㎖씩 가하고 마개를 닫고서 진탕기로 45분간 흔들어 혼합한다. 이어서 여과하여 추출액을 용량 30~50㎖의 비이커에 취하고 바로 전극을 넣어 전자교반기로 교반하면서 이온미터에서 전위를 측정한다(1~1.5분 후의 눈금측정). 또한 동시에 각 표준용액에 대해서도 전위를 측정하여 검량선을 작성하고, 검량선으로부터 추출액의 NO_3-N(㎍/㎖)을 구하고 다음 식으로 시료 및 생선물의 NO_3-N함량을 계산한다.

결과 및 고찰

1 무수물인 시료중의

$$NO_3\text{-N(mg/무수물 100g)} = \frac{(A-10)\times B\times 100}{S\times 1000}$$

A : 추출액중의 NO_3-N 농도 (㎍/㎖)
B : 추출액량(㎖) (여기서는 50㎖)
S : sample량(g)
W : 무수물 1g당의 생선물 중량
T−N : Total nitrogen(전질소)

2 생선물중의

$$NO_3\text{-N(mg/무수물 100g)} = \frac{\text{무수물 } NO_3-\text{N(mg/100g)}}{W}$$

3 생선물 100g중의 단백질 함량

$$\text{단백질} = \frac{[\text{T-N(mg/생선물100g)} - NO_3-\text{N(mg/생선물100g)}]\times 6.25}{1000}$$

4) 조지방의 정량

과일 및 채소류는 유기용매로 처리하면 천연색소류(chlorophyll, carotenoid 등) 및 유리하는 유기산류, flavonoid 등이 동시에 추출된다. 그러므로 전지질의 정량에서는 지질이외의 성분추출을 최소한으로 방지하여야 한다. 색소의 경우 예를 들면 추출액을 활성탄에 통과시켜 제거한다. 또 수분함량이 많은 시료도 건조하면 지질은 조직내로 포함되어 추출이 불완전하므로 건조하지 않고 추출하는 것이 바람직하다.

이 방법에 해당되는 식품은 지질함량이 생선물로서 0.1~0.3%(대부분 0.1% 이내)이므로 영양소의 성분치로는 큰 의의가 없다. 또한 야채, 과실류는 그 종류도 많으며 각각 지질성분에도 많은 차이가 있다. 예를 들면, 토마토에서 중성지질은 50~1000㎎/100g, 인지질은 100~150㎎/100g로 인지질의 비율은 전지질 중 60~70%를 차지하고 있고, 양배추는 전지질량 160㎎(수분 92.6%)에 대하여 중성지질 51%, 당지질 40.8%, 인지질은 8.2%의 비율이다. 그러므로 인지질이 많은 식품의 경우 ether추출법으로는 지질의 추출이 불완전하기 때문에 C-M혼합용액추출법의 적용이 바람직하다.

(1) 시료조제

시료의 채취에 의한다.

(2) 측정방법

① Ether추출법

시약 및 기구

- C-M 혼합용액: Choloroform과 methanol을 2:1로 혼합하여 사용한다.
- Homogenizer : 용량 200㎖를 균질화시킬 수 있는 것을 사용한다.
- 활성탄 충전용 column : 유리제 칼럼(직경 1.5~2cm, 길이 20cm 가량)으로 탈지면 위에 활성탄을 1g 충전하여 사용한다.

방 법

시료 50g을 취하여 증류수 50㎖를 가하고서 homogenizer로 균질화한 후에 규조토 3g을 혼합하여 시험용액으로 한다. 미리 규조토 5g을 50㎖의 증류수에 현탁시키고, 여과지를 깔아둔 Büchner funnel위에 흘려 규조토층이 균일하게 되도록 주의하면서 여과층을 만든 다음 시료용액을 조용히 부으면서 흡인 여과한다. 증류수로 수회 세척한 후에 규조토층을 유발에 옮기고, 무수황산 나트륨 50g을 첨가하여 충분히 혼합시켜서 보송보송한 상태로 만든다. 만일 수분이 그래도 많으면 풍건하여 보송보송하도록 한 다음에 ether추출법에 의하여 시료를 원통여지에 넣고 추출한다. Ether추출액은 약 30㎖까지 유거시킨 다음에 활성탄 Column을 통과시켜 색소류를 흡착시킨 후 미리 항량을 구하여 둔 비이커 플라스크에 ether유출액을 받아서 ether를 유거한 뒤에 105℃로 30분간 건조하고서 방냉·칭량을 반복하여 항량을 구한다.

② C-M 혼합용액 개량추출법

시 약

①의 시약 및 기구와 같다.

방 법

①의 조작방법과 같이 규조토층을 만들어 C-M혼합용액 추출법에 따라 지방을 추출한다. C-M 혼합용액은 100㎖를 사용하고, 추출이 끝나면 여과, 세척을 하고서 C-M 혼합용액을 증산시켜 수㎖(5㎖ 정도)의 물이 남도록 농축한다. 냉각한 다음 석유 ether 50㎖를 가하고 무수황산나트륨 30g을 첨가하여 마개를 하고 2분 정도 흔들어 혼합한 다음 25㎖를 취하여 활성탄 column을 통과시켜서 ①의 방법과 같이 지방함량을 측정한다.

5) 과실류의 당류

과실류에 함유된 주요한 수용성 당류는 sucrose, glucose, fructose, sorbitol 등이 있으며, galactose, xylose, arabinose, inositol, mannitol 등이 미량으로 존재하며 이들의 분석법은 HPLC와 GC를 사용한다.

(1) 시료조제

과일은 개체에 따라 당함량 및 조성이 다르므로 분석목적에 따라 시료채취 방법, 축분 및 채취부위를 검토한다.

(2) 측정방법

기기 분석편의 HPLC와 GC법에 준한다.

참고문헌

1 채수규: 표준식품분석학. 지구문화사(1997)
2 주현규, 조황연, 박충균, 조규성, 채수규, 마상조 : 식품분석법. 유림문화사(1991)
3 손태화, 홍영석, 하영선 : 최신식품분석. 형설출판사(1985)
4 정동효, 장지현 : 최신식품분석법. 삼중당(1982)
5 조덕제, 채수규, 홍종만, 김만홍, : 수정판식품분석. 지구문화사(1990)
6 AOAC : Official Methods Analysis, 15th ed., Association of Official Analytical Chemists, Washington D.C(1990)

2. 곡류 및 두류

1) 시료조제

(1) 곡류

■ 쌀, 보리, 기타 잡곡류 및 압맥, 건면(비교적 수분이 적은 것) : 먼지, 모래, 흙 등의 이물질을 체로 제거시킨 것을 그대로 또는 거칠게 빻거나 분쇄하여 분석에 이용한다.
■ 밥, 식빵, 떡, 된장, 두부(비교적 수분이 많은 것) : 시료를 그대로 분석에 사용하는 경우는 시료를 가능한 한 잘게 썰어 혼합하거나 유발이나 육만기 등을 사용하여 혼합 분쇄시켜 시료로 한다. 건조하여 분석할 경우는 시료를 천칭 또는 상명천칭으로 평취한 후 샤레에 엷게 펴고 1~2시간 풍건시킨 후 시료의 90% 이상이 30mesh를 통과하도록 분쇄, 체로 쳐서 시료로 한다.
■ 곡식가루 : 시료는 충분히 혼합・균일화한 다음에 200~300g을 채취하여 분석용으로 한다.

(2) 대두 및 땅콩

지질함량이 20% 전후인 대두는 roller mill로 조쇄하고, 지질 함량이 45%를 넘는 아몬드(지방 55~60%), 호도, 브라질 넛트(지방 65~70%), 피칸(지방70%) 등은 mortar로서 분쇄・균질화하여 측정한다.

2) 수분의 정량

① 수분을 재흡습한 시료는 알갱이 그대로 약 5g 정도 소형 aluminium제 칭량용기에 취하여 135℃ 상압 가열건조법으로 15~20시간 건조하여 측정한다.
② 건조시료는 질 혼합하고 3g 정도를 칭량하여 roller mill로 조쇄하고 소형 aluminium제 칭량용기에 일부를 채취하여 135℃ 상압 가열건조법으로 측정한다.
③ 수분이 많은 시료는 poly bag내에서 충분히 혼합한 다음 4~5g을 소형 알루미늄제 칭량용기에 정확히 채취하여, 골고루 편 다음 135℃ 상압 가열건조법으로 측정한다.
④ 밀가루 중의 수분함량은 기후 조건에 따라 다르며, 상당량의 결합수를 함유하고 있으므

로 건조온도와 방법에 따라 수분 함량이 다소 달라진다. 수분의 정량은 보통 100℃에서 5시간, 130℃에서 1시간 가열하는 건조법에 의하여 측정한다.

3) 조회분의 정량

① 시료 2~5g을 회화용기에 채취하여 550~600℃로 연소하여 유기물을 제거하고 잔존하는 전 무기물 중량을 회분으로 한다(직접회화법으로 분석).
② 밀가루의 회분은 550℃에서 회화법으로 정량한다.

4) 조단백질의 정량

① 곡류(단백질 함량 45%이면 1g, 단백질 함량 45% 이상이면 0.5g)의 분쇄시료, 대두의 분쇄시료(2.0g±0.2 이내로 정확히 칭량) 콩가루, 건조두유, 대두단백질 및 탈지두유(단백질함량이 많은 시료는 1.0g±0.1 이내)를 칭량하여 micro Kjeldahl법으로 측정한다.
② 밀, 밀가루 제품 : 시료 채취량은 macro Kjeldahl법에서는 1.5g, semimacro법에서는 0.15~0.2g으로 한다. 밀가루의 단백질 함량은 질소량에 5.7을 곱하여 구한다. 밀가루 중의 단백질은 Kjeldahl법 외에 absorptiometry에 의하여 신속하게 정량하는 방법도 있다.

5) 조지방의 정량

① 곡류 및 그 분말은 100mesh 이상으로 분쇄하여 분말화된 시료 5~10g을 칭량하며, 대두 및 대두제품은 건조시료 약 3g을 정확히 칭량하여 Soxhlet 추출법에 따라 정량한다.
② 밀가루와 같은 녹말식품에서는 결합지질의 양이 상당히 많으므로 산으로 처리하고 지방을 정량하여야 한다. 밀가루 2g을 정확히 취하여 100㎖의 비이커에 넣고 2㎖의 알코올을 가하여 막대로 잘 젓는다. 여기에 3㎖의 물, 진한 염산 7㎖를 가하고 잘 저은 후 80℃의 물 속에서 때때로 저어 주면서 약 30분간 방치한다(완전히 가수분해하기 위해). 이 혼합물을 식힌 후 분액깔때기에 옮기고, 비이커는 알코올 10㎖와 디 에틸 에테르 25㎖로 차례로 씻어 깔때기에 붓는다. 이 혼합물을 잘 흔든 후 석유에테르(b.p. 40~60℃) 25㎖를

가하고 다시 흔든다. 정치 후 아래층을 다른 분액깔때기에 옮겨 다시 추출한다. 이와 같은 조작을 세 번 이상 반복하고 거른 후, 용매를 제거하여 Soxhlet 추출법에 따라 지방 함량을 정량한다.

6) 조섬유의 정량

시료(곡류는 2~10g, 두류는 2~3g : 조섬유로 20~200mg)를 취하여 분쇄하여 조제한 후 AOAC의 방법에 따라 정량한다.

밀가루 중 조섬유의 함량은 AOAC의 방법에 의하여 정량한다. 껍질에는 배유보다 섬유질의 함량이 많으므로 밀가루 중의 조섬유의 함량은 회분과 같이 제분수율과 관계가 있다. wholemeal flour는 약 2%, light wholemeal flour는 약 0.6%, 72% 제분수율의 밀가루는 약 0.1~0.2%의 조섬유를 함유하고 있다.

7) 가용성 무질소물의 정량

시료는 환원당으로 0.1~1.0g을 함유하도록 취한다. 이 방법의 당정량에서는 공시당액 20mℓ 속에 환원당이 꼭 10~100mg 포함되도록 해야 한다. 따라서 어떤 식품이 식품성분분석표상에 10.0의 당함량을 함유하고 있는 경우, 시료 ag을 취하여 250mℓ의 메스플라스크에 정용하고 그 중 20mℓ을 취하여 실험을 할 때 시료 내에는 125~1250mg의 당이 함유되어야 한다. 그러므로 100 : 10=b : 125mg, b=1.25g에서 많으면 100 : 10=b : 1250mg, b=12.5g으로 계산되므로 시료 1.25~12.5g을 취하여 상법으로 분석한다.

참고문헌

1 주현규, 조황형, 박충균, 조규성, 채수규, 마상조 : 식품분석법. 유림문화사(1995)
2 정동효, 장현기 : 최신 식품분석법. 삼중당(1982)
3 Approved methods of the AACC 46-15, Vol. Ⅱ(1983)

3. 우유 및 낙농제품

1) 수분의 정량

(1) 상압가열건조법

개 요

수분정량법에는 정제백사를 사용하는 혼사법과 시료를 그대로 건조시키는 직접법이 있는데 주로 전자는 액상유에, 후자는 분유에 적용한다. 유당이 많이 들어있는 우유 및 유제품은 원래 열에 의한 분해가 생기기 쉽기 때문에 건조온도에 주의하지 않으면 안된다.

시약 및 기구

- 칭량병 : 직경 5cm 내외의 공전 칭량병으로서 유리제품 또는 알루미늄 제품
- 항온건조기 : 정밀전기 정온식으로 102±2℃로 조절 가능한 것과 135±2℃로 조절가능한 것
- 데시케이터(desiccator) : 새로이 작열하여 냉각시킨 무수 $CaCl_2$ 또는 황산을 건 조제로 사용한 것
- 화학천칭

방법 및 조작

정제해사 15~20g 및 작은 유리봉을 칭량병에 넣고 건조기에서 항량이 될때까지 건조시키고 이 칭량병에 시료 2~5g을 취하고 102±2℃ 또는 135±2℃의 항온건조기에서 3~5시간 또는 1시간 건조시킨 후 데시케이터에서 방냉시킨 다음 신속히 칭량하여 항량이 될 때까지 반복 건조한다. 액체시료의 경우에는 수욕상에서 때때로 유리봉으로 교반하면서 예비 건조한 다음 항온건조기에 옮긴다.

결과 및 고찰

$$\text{수분(\%)} = \frac{a - b}{\text{시료 채취량(g)}} \times 100$$

a : 시료와 칭량병의 무게

b : 건조후 시료와 칭량병 무게

(2) 간이법

시약 및 기구

- 건조기(Ultra-x)
- 알루미늄 은박지

방법(조작)

시료 5g을 취하고(눈금 '0'에 맞춘다) 건조판을 일정한 높이로 고정시킨 후 규정된 온도와 시간(자체시험에 의해 보정함)에서 건조시키고 가온된 상태에서 눈금의 수치를 수분 %로 한다.

(3) 속성법(액체시료의 간이측정에만 사용함)

시약 및 기구

알루미늄 은박지, 항온건조기(102±2℃로 조절 가능한 것)

방법(조작)

은박지 여지를 102±2℃의 건조기에서 10분간 건조시킨 후 공기 중의 수분혼입이 없도록 신속히 은박지를 접은 후 여지와 은박지의 무게(F_1)을 재고 시료 약 3g을 여지에 도포하고 신속히 무게(F_2)를 재고 102±2℃의 항온건조기에서 30분간 건조시킨 후 잠시 방냉시킨 다음 다시 무게(F_3)를 잰다.

결과 및 고찰

$$수분(\%) = \frac{F_2 - F_3}{F_2 - F_1} \times 100$$

참고문헌

1. 한국낙농공학연구센터 : 낙농식품가공학. 선진문화사, 서울, p.685(1999)
2. 이재구 : 우유 및 유제품 검사. 선진문화사, 서울, p.57(1999)
3. AOAC : *Offcial Methods of analysis.* 16th ed., Association of Official Analytical Chemists, Arington, VA, USA, 33. 5. 02, Ch33, p.49(1995)
4. AOAC : *Offcial Methods of analysis.* 16th ed., Association of Official Analytical Chemists, Arington, VA, USA, 33. 5. 02, Ch33, p.53(1995)

2) 조회분의 정량

개 요

일반 시료를 회화시켜 그 찌꺼기 시료에 대한 중량을 백분율로 나타낸 것을 회분량이라고 한다. 그러나 찌꺼기가 우유 중의 염류 조성과 같다고 생각해서는 안된다.

시료조제

1. 우유, 가공유, 유음료, 젖산균음료, 아이스크림, 요구르트 : 10㎖를 정확히 칭량하여 취한다.
2. 연유(가당, 무당), 분유: 2g을 정확하게 칭량하여 취한다.
3. 치즈 : 3g을 정확하게 칭량하여 취한다.

시약 및 기구

- 도가니 : 30~50㎖ 용량의 백금 또는 자제(磁製)
- 전기로 : 550~600℃로 조절 가능한 것.
- 데시케이터 : 건조제로서 새로 태운 무수염화칼슘을 사용한다.

방법(조작)

1. 전기로법 : 깨끗한 도가니를 전기로에서 600℃로 강열시켜 항량을 구한 다음 시료 2~5g(시료 조제 참고)을 취하고 항온수조상에서 syrup상이 될 때까지 건조시킨 다음 전기곤로를 이용하여 탄화시킨다. 이를 550~600℃의 전기로 내어서 약 3시간 이상 회화하여 완전히 백색 또는 회백색이 되면 건조기에서 1차 냉각시킨 후 데시케이터에서 냉각시켜 칭량한다.
2. 가스법 : 도가니를 muffle 내에 넣고 muffle 뚜껑을 덮지 않고 도가니에 뚜껑도 벗기고 미열을 가한다. 불꽃을 내지 않게 시료를 회화시킨 다음 도가니에 뚜껑을 비스듬히 닫고서 다소 화력을 높여 도가니 밑바닥이 약간 적변하게 버어너의 화력을 조정한다. 이때 도가니 속의 탄화가 꺼져서는 안 된다. 도가니 속의 탄소는 거의 손실될 정도까지 가열을 계속한다. 다음 도가니를 몇 차례 회전시켜 가열을 골고루 하여 도가니 밑바닥의 약 1/4이 미적열로 될 정도로 가열(약 1시간)하여 완전히 회화시켜 데시케이터 속에 1~5시간 넣어 방냉시켜 칭량한다.

결과 및 고찰

$$\text{회분(\%)} = \frac{a - b}{\text{시료 채취량(g)}} \times 100$$

a : 회화된 도가니 무게

b : 도가니 무게

주의사항

1. 회분이 용해되어 굳어지거나 도가니에 고착하는 것은 가열이 과도하기 때문이다. 알칼리염이 많은 시료는 특히 탄화를 충분히 하여 저온에서 회화한다.
2. 탄화는 버어너 또는 전열기를 사용하는 것이 편리하다. 가능한 한 저온에서 실시한다. 탄화시킬 때 온도가 높으면 회화가 곤란하다.
3. 우유에서는 아세트산 2~3적을 가하여 커드를 만든 다음 건조기 내에서 예비 건조한다.
4. 가당연유와 같이 당류를 많이 지니고 있는 것이나 특수한 안정제를 첨가한 유음료는 탄화할 때 부풀어 올라와 튀어나오는 일이 있는데 처음 탄화할 때 순수한 올리브유를 몇방울 가하면 좋다.

참고문헌

1. 한국낙농공학연구센터 : 낙농식품가공학. 선진문화사, 서울, p.696(1997)
2. 이재구 : 우유 및 유제품 검사. 선진문화사, 서울, p.102(1999)
3. AOAC : *Offcial Methods of analysis*, 16th ed., Association of Official Analytical Chemists, Arington, VA, USA, 33. 2. 10, Ch 33. p.10(1995)
4. AOAC : *Offcial Methods of analysis*, 16th ed., Association of Official Analytical Chemists, Arington, VA, USA, 33. 7. 07, Ch 33. p.59(1995)

3) 조단백질의 정량

개 요

총질소를 정량할 때에는 Kjeldahl법을 이용하는 것이 보통이며, Kjeldahl법에는 macro법, semi-micro법, micro법 등이 있으나 이 중에서 정량방법이 간편한 semi-micro 법이 널리 이용되고 있다. 이 방법으로 단백질을 정량하면, 비단백태질소화합물이나 지질성질소도 단백질로서 당연히 계산된다. 그리고 단백질에 따라 질소함량이 다르므로(우유에서 15.3~16.0%) 그 계수도 유단백질에서 6.38(15.65%의 질소), 다른 시료에서는 6.25를 사용한다.

시약 및 기구

- 농황산, N/10 HCl 또는, N/20 H_2SO_4, 40~50% NaOH액, 4% 붕산액(boric acid)
- 분해촉매 : $CuSO_4 \cdot 5H_2O$ 1g에 K_2SO_4 9g을 섞은 것
- 혼합지시약(Brunswick's reagents) methyl red 0.1g 및 methylene blue 0.1g을 200㎖의 에탄올에 녹여서 갈색병에 보관한다.
- Kjeldahl 분해관, Kjeldahl 분해장치, Burner, 피펫
- 뷰렛 : 25~50㎖용

방법(조작)

시료 0.5~2g(단백질로서 0.05~0.2g 상당량), 농황산 5~7㎖, 분해촉매 약 2~3g 및 작은 유리알을 Kjeldahl 분해관에 취하고 5~10분간 약한 불로 서서히 가열한다. 다음 수시간 동안 격렬히 가열하여 청색 또는 무색투명하게 되면 실온에서 냉각시킨다. 4% 붕산액 10㎖를 100㎖ 삼각 플라스크에 취하고 혼합지시약 3~4방울 떨어뜨린 다음 냉각관의 끝이 붕산액속에 잠기게 고정한다. 분해시료를 증류장치내에 주입하고 소량의 증류수로 3~4회 분해관을 씻어서 넣어 50% NaOH액 10~15㎖를 가하고 신속히 입구를 막고 증류한다. 증류액이 80~100㎖ 정도되면 냉각관 끝을 소량의 증류수로 씻어넣고 잠시동안 증류액 수 ㎖를 더 받은 다음 N/10 HCl액 또는 N/20 H_2SO_4액으로 적정하여 본래의 색깔인 적자색이 될 때까지의 소요량을 구하여 아래의 수식에 의해 단백질량을 산출한다.

결과 및 고찰

단백질(%)=a×1.4mg(또는 0.7005)×6.38×F×100×1/W

a : N/10 HCl 또는 N/20 H_2SO_4의 소비㎖
F : N/10 HCl 또는 N/20 H_2SO_4의 역가
W : 시료 채취량(g)

참고문헌

1. 한국낙농공학연구센터 : 낙농식품가공학. 선진문화사, 서울, p.692(1997)
2. 이재구 : 우유 및 유제품 검사. 선진문화사, 서울, p.76(1999)
3. AOAC : *Offcial Methods of analysis*, 16th ed., Association of Official Analytical Chemists, Arington, VA, USA, 33. 2. 14, Ch33, p.13(1995)
4. AOAC : *Offcial Methods of analysis*, 16th ed., Association of Official Analytical Chemists, Arington, VA, USA, 33. 2. 14, Ch33, p.10(1995)

4) 조지방의 정량

우유 및 유제품의 일반 분석법으로서 지방 검사법은 Roese-Gottlieb법이 표준법으로 적용되고 있는데 우유, 크림, 탈지유 등의 액상유에 대해서는 Gerber법과 Babcock법 등의 특별한 방법이 있다. 그리고 Babcock 변법으로서 아이스 크림이나 코코아가 들어간 우유에 응용되는 Minesota법과 Phensylvania법이 있다.

(1) Roese-Gottlieb법

개 요

암모니아와 알코올을 시료에 가하여 지방구를 싸고 있는 단백질 피막을 용해시킨 다음 2종의 에테르로 지방을 용해 추출하여 에테르층만을 옮겨 에테르를 증발시켜 지방을 칭량한다.

시료 조제

- 우유 : 10g을 칭량법으로 정확하게 취하게 Roehrig관으로 옮긴다.
- 연유 : 희석 시료(20g/100㎖) 10㎖를 정확하게 취한다.
- 전지분유 및 조제분유 : 시료 1g을 50㎖ 비이커에 취하여 더운 증류수 4㎖로 용해시켜 Röhrig관으로 옮기고, 비이커를 3㎖의 더운 증류수로 2회, 강암모니아수 2㎖, 알코올 10㎖의 순서로 씻어 이를 Röhrig관에 넣는다. 그때마다 마개를 해서 흔들어 섞는다.
- 크림 및 아이스크림 : 크림 0.5g, 아이스크림 4~5g의 시료를 추출관에 취하여 더운 증류수 5~6㎖를 가하여 잘 혼합한다.
- 버터 : 시료 1g을 작은 비이커에 8㎖의 더운 증류수로 용해시켜 추출관으로 옮긴 다음 비이커를 암모니아수 1㎖, 알코올 10㎖의 순서대로 씻어 추출관에 가한다.
- 치즈 : 시료 1g을 등이 높은 비이커에 취하여 증류수 9㎖와 진한 암모니아수 1㎖를 가하여 유리봉으로 저어서 균일하게 하고 따뜻하게 하여 카제인을 연화시킨다. 염산으로 중화하여 다시

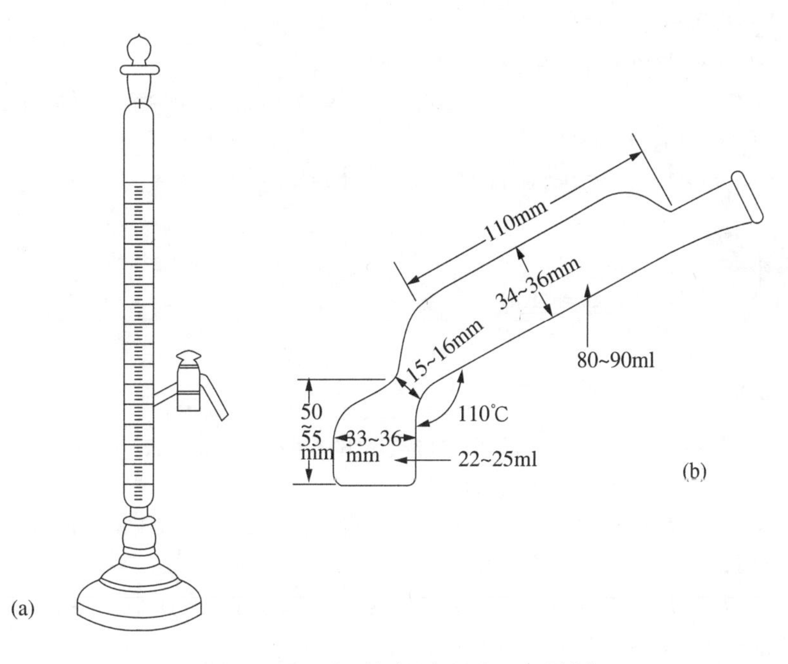

그림 2-28 Röhrig관(a) 및 Mojonner관(b)

염산 10㎖를 가한다. 정제 백사를 0.5g 소량 가하여 시계접시로 덮고 조용히 5분간 끓인다. 냉각시킨 내용물을 추출관으로 옮긴다.

시약 및 기구

진한 암모니아수, 95% ethyl alcohol, 에틸에테르(ethyl ether), 석유에테르(petroleum ether) Röhrig관(그림 2-28), 또는 Mojonnier관(그림 2-28), 원심분리기, 알루미늄제 또는 유리제품의 칭량병, 항온건조기, 데시케이터, 항온수조, 피펫, 화학천칭

방법(조작)

1. 시료 1~10g(시료 조제 참조)을 정밀히 달아서 또는 Roehrig관 같은 모양의 장치에 넣어 진한 암모니아수 1.25~2㎖를 넣어 잘 혼합한다.
2. 95% 알코올 10㎖를 넣어서 다시 잘 혼합한 후, 에테르 25㎖를 넣고 30초 동안 심하게 흔들어서 다시 석유에테르 25㎖를 넣고 30초 동안 심하게 흔든다.
3. 20~30분간 또는 상층이 투명하게 될 때까지 정치한다.
4. 상등액을 소형건조여지로 여과하고, 하층의 잔액에는 에테르 및 석유에테르를 각각 15㎖씩 가하여 30초 동안 심하게 흔든다.
5. 정치한 후 상징액을 여과하고, 이 때의 여액을 앞의 여액과 합한다.
6. 에테르와 석유에테르의 같은 양 혼합액의 소량으로 여지와 깔때기를 씻는다.
7. 다시 잔액에 세 번째의 유출을 반복하여 지방을 완전 제거한다.
8. 여액을 모은 플라스크는 탕욕상에서 조용히 가온하고, 용제를 증발시킨 다음 100℃에서 건조시켜 냉각한 후 칭량한다.
9. 항량이 될 때까지 건조, 냉각, 칭량을 반복한다.
10. 계속해서 플라스크에 석유에테르를 넣어 지방을 완전 용해하고 제거하여 불용해물은 다시 건조, 냉각, 칭량을 반복한다.
11. 이 때의 중량을 앞의 중량에서 빼면 지방의 양이 된다.

결과 및 고찰

$$\text{지방(\%)} = \frac{\text{시료의 감소된 중량(g)}}{\text{시료의 중량(g)}} \times 100$$

참고문헌

1. 이현기, 황호관, 이성우, 이응호, 박원기 : 식품화학실험. 수학사, 서울, pp.189~191(1997)
2. 이재구 : 우유 및 유제품 검사. 선진문화사, 서울, p.61
3. AOAC : *Offcial Methods of analysis*, 16th ed., Association of Official Analytial Chemists, Arington, VA, USA, 33. 2. 25, Ch33, p.18(1995)
4. AOAC : *Offcial Methods of analysis*, 16th ed., Association of Official Analytial Chemists, Arington, VA, USA, 33. 3. 12, Ch33, p.46

(2) Gerber법

개 요

우유의 emulsion을 황산에 의하여 파괴시키고, 지방을 원심력에 의하여 분리측정하는 방법이다. 원리는 Babcock법과 동일하지만 지방 분리를 촉진시키기 위하여 아밀 알코올을 사용한다. Fucoma법이라고도 한다. 이 방법은 생유, 멸균유, 혼합(보존)유 등에 적용되지만 쵸콜릿우유는 예외이다.

시약 및 기구

황산, 아밀알코올, Gerber 유지방계, Gerber 원심분리기

방법(조작)

황산 10mℓ를 황산용 피펫을 써서 Gerber 유지방계(그림 2-29)에 넣은 다음, 시료를 우유용 11mℓ 피펫으로 관벽을 따라 서서히 넣어 황산층과 섞이지 않도록 한다. 다시 아밀알코올 1mℓ를 넣어서 고무 마개로 막고 손가락으로 마개를 눌러 상하로 여러 번 이동하여 잘 혼합한다. 우유가 용해된 후 65℃의 탕욕중에 5분간 담가서, 곧 700~1,000r.p.m.의 Gerber용 원심분리기(그림 2-29)에서 4분간 원심분리시킨다. 다시 65℃의 탕욕에 5분간 담가서 온도를 일정하게 한 후 지방층을 읽는다.

결과 및 고찰

이때 읽은 것은 지방의 중량 %로 나타낸다.

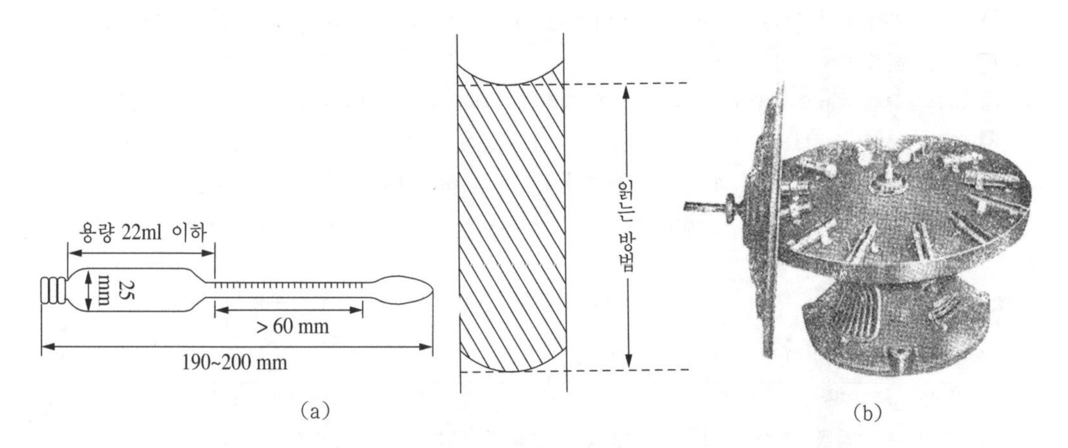

그림 2-29 Gerber 유지방계(a) 및 Gerber용 원심분리기(b)

참고문헌

1. 이현기, 황호관, 이성우, 이응호, 박원기 : 식품화학실험. 수학사, 서울, pp.188~189(1997)
2. 이재구 : 우유 및 유제품 검사. 선진문화사, 서울, pp.68~70(1999)

(3) Babcock법

개 요

유지방은 비중이 0.93(15℃)으로서 유성분 중에서 가장 낮고 황산에 안전하기 때문에 우유에 진한 황산을 가하여 단백질, 유당을 분해시켜 에멀젼을 파괴시키면 지방분이 유리된다. 이를 원심분리하여 그 용량으로 지방율을 읽는다. 시료의 채취 · 측정 모두 용량법이고 결과만이 중량 %로 구하기 때문에 시료 채취나 지방주 측정 온도 등을 정확하게 하여야 한다. 이 법에서 전유인 경우 17.6mℓ 들이 피펫을 사용하고 있으나 AOAC 규격상 약 17.4mℓ가 Babcock 유지계에 들어가므로 우유의 평균 비중을 1.032라고 하면 17.44×1.032=18.0g에 상당하게 된다. 지방주의 눈금은 1%가 0.2mℓ, 측정온도 60℃에서 유지방의 비중이 0.9이기 때문에 0.2mℓ의 지방은 0.18g이므로 1%에 상당하게 된다.

시료조제

시료의 온도와 황산의 온도는 15~20℃가 좋다.

시약 및 기구

황산, Babcock 유지계, Babock 원심분리기, 항온수조, 우유용 피펫

방법(조작)

1. 시료 17.6mℓ를 우유용 피펫을 사용하여 Babcock 유지계(그림 2-30)에 따라 황산 17.6mℓ를 넣고 잘 혼합하여 녹인다.
2. 700~1,000r.p.m.의 Babock 원심 분리기(그림 2-30)에 5분간 원심분리시킨다.
3. 60℃ 이상의 열탕을 유지계의 목에 닿을 때까지 넣어서 2분간 원심분리한다.
4. 다시 열탕을 넣어 지방층의 상단 가까이까지 닿도록 해서 1분간 원심분리한다.
5. 이것을 55~60℃의 수조에 넣어 온도가 일정하도록 유지한 다음 지방층을 읽는다.

결과 및 고찰

이때 읽는 것은 지방의 중량을 %로 나타낸다.

이 법으로 균질화유를 측정하면 지방 분리가 완전히 되지 않아 정확하지 않을 우려가 있으므로 다음과 같은 방법을 적용하면 보다 정확하다. 즉 비중 1.83~1.835의 황산 17.5mℓ를 8.0, 5.0, 4.5

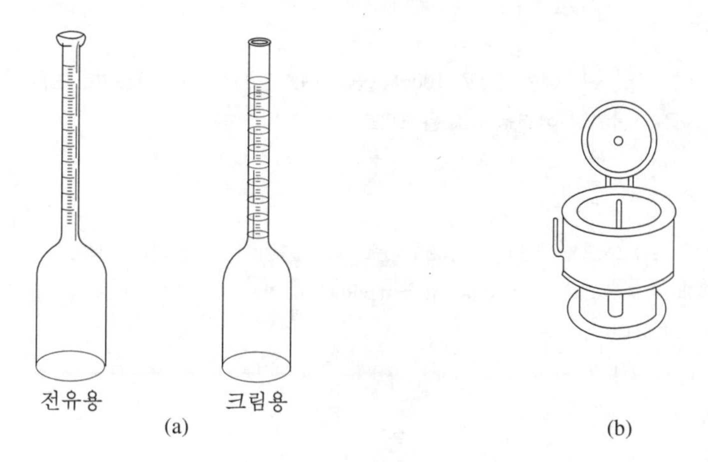

그림 2-30 Babcock 유지계(a) 및 Babcock 원심분리기(b)

mℓ씩 3회로 나누어 넣은 후 매번 적어도 2분간 기계적으로 진탕시켜 15초간 원심분리한다. 이 방법은 Greber법보다 Roese-Gottlieb법에 가까운 값이 나온다.

참고문헌

1 이현기, 황호관, 이성우, 이응호, 박원기 : 식품화학실험. 수학사, 서울, p.189(1997)
2 이재구 : 우유 및 유제품 검사. 선진문화사, 서울, p.64(1999)
3 AOAC : *Offcial Methods of analysis*, 16th ed., Association of Official Analytical Chemists, Arington, VA, USA, 33. 2. 27., Ch33, p.19(1995)
4 AOAC : *Offcial Methods of analysis*, 16th ed., Association of Official Analytical Chemists, Arington, VA, USA, 33. 3. 12., Ch33, p.46(1995)

5) 유당의 정량

(1) Lane-Eynon법

개 요

우유 및 유제품 중의 유당은 보통 Lane-Eynon법에 의해 정량한다. 끓고 있는 Fehling용액에 환원당을 적가하면 적가량에 따라 Fehling 용액이 환원되어 석출된다. 이 때 지시약으로서 methylene blue를 미리 넣어두면 환원당은 Fehling 용액이 있는 동안은 이것은 환원하고, 없어지면 methylene blue를 환원하여 용액의 색은 청색에서 무색으로 된다. 이 점을 종말점으로 하여 환원당의 적가량에서 당농도를 구할 수 있다.

시료조제

시료가 우유이면 5g, 연유이면 2g을 100mℓ 들이 메스플라스크에 취하고, 표선까지 물을 넣어 100mℓ로 한 다음 혼합하여 이것을 시료용액으로 한다.

시약 및 기구

- Fehling 용액 A : $CuSO_4 \cdot 5H_2O$ 34.639을 용해시켜 총량이 500mℓ되게 한다.
- Fehling 용액 B : Sodium potassium tartrate(Rochelle염) 173g 및 NaOH 50g을 증류수에 용해시켜 500mℓ 되게 한다.
- Methylene blue 용액
- 뷰렛 : 50mℓ용
- 전기 heater
- Fehling 용액 A의 역가검정 : 삼각 플라스크에 Fehling용액 A 10mℓ를 정확히 취하고 증류수 40mℓ를 가한 후 30% 초산(acetic acid) 4mℓ 및 50% KI 용액 6mℓ를 가하여 유리되는 옥도를 1% 전분시약을 지시약으로 하여 N/10 sodium thiosulfate액으로 적정한다. N/10 sodium thiosulfate 1mℓ은 6.354mg의 동에 해당되며, 이에 의하여 A액 100mℓ 중에 함유된 동의 양을 산출한다. 이 동의 양을 174.8(mg)로 나눈 값을 Fehling 용액 A의 역가로 한다.

황산구리용액의 역가 = 6.354×N/10 $Na_2S_2O_3$ 소비 mℓ×10×1/174.8

방법(조작)

1. 시료 일정량(유당 약 0.5g 상당량)을 200mℓ용 메스 플라스크에 취하고, 증류수로 200mℓ되게 희석한다. 별도로 200mℓ용 삼각 플라스크에 Fehling 용액 A 및 B 각 5mℓ, 증류수 10mℓ를 순차적으로 취하고, 위의 희석시료는 뷰렛에 취한다.
2. 석면 금망상에 Fehling 용액이 담긴 플라스크를 놓고 가열하여 끓기 시작하면 뷰렛의 시료를 적하하여 적정 예정량의 대부분을 가하고, 이 용액의 청색이 거의 손실될 때까지 가열한 후 메틸렌 블루 지시약 4방울을 가하고 청색이 완전 손실될 때까지 계속 적정한다. 이 때의 적정은 3분이내에 끝나도록 한다.
3. 적정예정량을 정하기 위하여 예비시험을 실시하며, 이 예비시험에 의하여 시료의 희석정도를 결정한다. 즉, 소요적정액이 25~35mℓ되게 희석정도를 조절한다.
4. 유당량은 Lane-Eynone 유당 정량표에 의하여 희석시료 100mℓ 중의 유당량을 구하여 Fehling 용액 A의 역가를 곱하여 보정하고 시료 100g 당의 유당량을 구하여 유당 %로 한다.

결과 및 고찰

$$\text{유당 \%} = \frac{a \times F \times n}{W}$$

a : 시료 100mℓ 중의 유당량
F : Fehling 용액의 A의 역가
n : 희석배수
W : 시료 채취량(g)

참고문헌

1. 한국낙농공학연구센터 : 낙농식품가공학. 선진문화사, 서울, p.693(1997)
2. 이현기, 황호관, 이성우, 이응호, 박원기 : 식품화학실험. 수학사, p.192(1997)
3. AOAC : *Offcial Methods of analysis.* 16th ed., Association of Analytical Chemists, Arington, VA, USA, 33. 2. 21, 33. 2. 22, Ch33, p.16(1995)
4. AOAC : *Offcial Methods of analysis.* 16th ed., Association of Analytical Chemists, Arington, VA, USA, 33. 3. 11, Ch33, p.46(1995)

(2) Bertrand법

시약 및 기구

- $CuSO_4 \cdot 5H_2O$ 용액(A액) : $CuSO_4 \cdot 5H_2O$ 40g을 증류수에 녹여 전량을 1ℓ로 한다.
- 알칼리성 Rochelle 염액(B액) : Potassium sodium tartrate(Rochelle 염, $C_4H_6KNa \cdot 4H_2O$) 200g과 NaOH 150g을 증류수에 녹여 1ℓ되게 한다(NaOH를 먼저 녹인다).
- $Fe_2(SO_4)_3$ 용액(C액) : $Fe_2(SO_4)_3 \cdot NH_2O(n<1)$ 50g과 농황산 200g을 물에 녹여 전량이 1ℓ가 되게 한다. 이 액은 $KMnO_4$액을 환원하면 안된다.
- $KMnO_4$ 용액(D액) : $KMnO_4$ 5g을 증류수에 녹여 전량을 1ℓ로 한다. 2일간 실온에서 방치하고 glass filter($3G_3$)로 여과하여 착색병에 보존한다.
- Witt 여과장치 및 Glass filter($15G_3$) : Glass filter의 여과판상에 Gooch 여과기용 석면을 흡입시킨다(Allihn 관을 써도 무방).
- 뷰렛 : 25~50㎖용
- $KMnO_4$ 액의 역가 : $C_2O_4(NH_4)_2$ H_2O 0.25g을 증류수 100㎖에 용해시키고 농황산 2㎖를 가한 후 60~70℃로 가온하고 뷰렛으로부터 $KMnO_4$액을 적정하여 미홍색이 되게 한다. 여기에 소비된 $KMnO_4$액의 양을 a㎖라 하면, 그 1㎖는 동 0.2238g/a에 해당한다.

방법(조작)

150~200㎖ 삼각 플라스크에 시료 20㎖(예비시험에 의하여 20~80㎎의 환원당에 상당하게 시료를 희석한다)를 취하고, 여기에 $CuSO_4$액과 Rochelle 염액을 각각 20㎖씩 흔들면서 가하고 가열하여 3분간 끓이고 방냉한다. 이 때 상등액이 청색을 나타내지 않으면 환원당의 양이 많으니 더욱 희석하여야 한다. 삼각 플라스크 중의 상등액을 경사하여 서서히 여과하고, 더운물 50㎖를 플라스크 내벽을 따리 붓고 플리스크를 흔들어 침전을 헌탁시키고, 잠시 방치한 후 침전이 안전히 되면 상등액을 전과 같이 여과한다. 이 조작을 수회 반복하여 여액에 알칼리반응이 일어나지 않을 때까지 계속한다.

이 때 침전물(Cu_2O)이 공기와 접촉되지 않게 주의하면서 경사여과 하여야 한다. 다음 $Fe_2(SO_4)_2$ 용액 약 20㎖를 삼각 플라스크에 가하고, 침전물을 녹여 새로운 수기에 그 여과액을 받고 증류수로 삼각 플라스크 및 여과기를 수회 반복하여 세척하여 그 세액을 여과액과 합한 다음에

$KMnO_4$액으로 적정하여 미적색이 30초간 지속하게 한다.
이 적정량으로부터 시료 일정량 중의 Cu_2O의 양(mg)을 구하여 Bertrand 당류 정량표에 의하여 당량(mg)을 산출한다.

결과 및 고찰

Cu(mg)=V×F

V : $KMnO_4$ 적정량
F : $KMnO_4$ 액의 역가 [$KMnO_4$ 1mℓ에 해당되는 Cu량(mg)]

참고문헌

1 한국낙농공학연구센터 : 낙농식품가공학. 선진문화사, 서울, p.694(1997)
2 이현기, 황호관, 이성우, 이응호, 박원기 : 식품화학실험. 수학사, 서울, p.89(1997)

(3) Chloramin T법

시약 및 기구

- N_2WO_4 용액 : $N_2WO_4 \cdot 2H_2O$ 7g을 증류수 870mℓ에 녹이고 H_3PO_4(88%) 0.1mℓ, 1N-H_2SO_4 70mℓ를 가한다.
- Chloramin T용액 : 0.04N(5.7g/ℓ)
- 0.04N $Na_2S_2O_3$ 용액
- 10% KI 용액
- 1% 전분용액

방법(조작)

1 시료 10mℓ를 100mℓ 메스 플라스크에 취하고 증류수 25mℓ 및 $NaW_4 \cdot 2H_2O$ 용액 40mℓ를 가하고 혼합한 다음 증류수를 가하여 전량을 100mℓ로 한다.
1 잘 혼합하여 여과하고 여액 10mℓ를 삼각 플라스크에 취하고, 10% KI 용액 5mℓ 및 Chloramin T 용액 20mℓ를 혼합한 다음 마개를 막아 냉암소에서 90분간 방치한다.
3 다시 2N 염산액 5mℓ를 가하고 1% 전분용액을 지시약으로 0.04N $Na_2S_2O_3$액으로 적정한다.
4 별도로 시료를 넣지 않고 동일한 방법으로 바탕시험을 행한다.

결과 및 고찰

유당(%) = $0.0072 \times (V_0 - V) \times 0.992 \times 10 \times 100 \times 1/W$

V_0 : 바탕시험 소비량(mℓ) V : 본시험 소비량(mℓ)
W : 시료 채취량(g)

참고문헌

1 한국낙농공학연구센터 : 낙농식품가공학. 선진문화사, 서울, p.695(1997)
2 신효선 : 식품분석. 신광출판사, 서울, p.240(1995)

4. 축육식품

축육제품은 일반적으로 우육(beef), 돈육(pork), 양육(lamb), 가금육(poultry) 등과 같은 신선육과 이 신선육들을 원료로 하여 첨가물들을 첨가하여 가공한 햄, 소시지 및 베이컨 등을 말한다. 원료육의 일반성분은 같은 육종이라 할지라도 그 부위에 따라 다소 차이를 보이고 있으나 일반적으로 원료육의 살코기(lean) 부분의 일반성분은 표 2-7에 나타난 바와 같이

표 2-7 가식부분 100g당 주요 축육식품의 일반성분표 (%)

축육종류	수분	단백질	지방	회분
우육	75.8	22.8	3.7	1.0
돈육	72.4	20.7	4.6	1.1
계육	73.5	20.7	4.8	1.3
양육	74.4	16.4	8.0	1.2
칠면조	72.9	19.6	6.5	0.9

식육의 과학과 이용(1996)

표 2-8 축육가공품의 일반성분표 (%)

축육가공품	수분	단백질	지방	탄수화물	회분
소시지류					
볼로나(Bologna)	56.2	12.1	27.5	1.1	3.1
프랑크 후루드(Frankfurter)	57.3	12.4	27.2	1.6	1.5
비엔나 소시지(Vienna, canned)	63.0	14.0	19.8	0.3	2.9
빌효, 긴조 소시지(Salami)	29.8	23.8	38.1	1.2	7.1
햄류					
런천밀(Luncheon meat)	59.1	19.1	17.1	0	4.9
통조림햄(Cooked, canned)	62.2	18.1	15.8	0.9	3.0
프레스햄(Minced ham)	61.7	13.7	16.9	4.4	3.3

(Processed meats, 1984)

약 70~75%의 수분, 20% 내외의 단백질, 4~5%의 지방 및 1% 내외의 회분으로 구성되어 있고 탄수화물은 글라이코젠의 형태로 약 1% 미만이 존재하고 있어서 그 양은 무시하여도 될 정도이다. 또한 축육가공품은 첨가물의 양이나 가공방법 등에 큰 차이를 보이고 있으며 대표적인 축육가공제품의 구성성분은 표 2-8과 같다.

축육제품의 일반성분을 분석함에 있어서 시료의 채취는 매우 중요하다. 왜냐하면 잘못된 시료의 채취는 측정방법이 아무리 정확 할 지라도 잘못된 결과를 산출하기 때문이다. 따라서 시료는 가급적으로 측정하고자 하는 축육제품을 대표하여야 하므로 축육제품으로부터 골고루 취하고 일반성분 분석을 위하여서는 약 30g 정도의 시료가 필요하다. 측정하고자 하는 축육제품을 가급적 냉장온도에서 고기혼합기(waring blendor)로 잘 갈아주고 잘 혼합된 내용물로부터 시료를 적당량을 채취한다. 식품의 일반성분 측정을 위한 다양한 방법이 있으나 축육제품의 일반성분분석을 위해 사용되는 방법으로 Association of Official Agricultural Chemists(AOAC)에서 승인된 방법을 사용한다.

1) 수분의 정량

개 요

축육에 함유되어있는 수분은 약 70~75% 정도로 자유수(free water)와 결합수(bound water)의 형태로 존재하며 자유수는 근육내에서 표면장력에 의해 유지되고 있는 반면, 결합수는 단백질과 같은 거대분자와 결합하고 있는 물로서 외부의 물리적인 힘이나 기계적인 압력에도 유리되지 않는 수분이다. 수분의 함량은 특히 축육가공품의 저장성 및 보수력과 밀접한 관계가 있으므로 축육제품의 품질을 결정하는 중요한 요인이다. 축육제품의 수분정량법으로는 자동건조기(dry oven)를 이용한 건조법, Ohaus moisture balance법 및 microwave에 의한 건조법이 있으나 현재 자동건조기를 이용한 방법이 널리 사용된다.

잘 교반된 축육시료를 100~102℃에서 약 16~18시간 동안 건조시키거나 125℃ 에서 2~4시간 동안 건조시킨 후 무게의 감소량을 산출하여 수분으로 간주한다.

시약 및 기구

칭량접시, 자동천칭, 데시케이터, 자동건조기, 집게

방 법

1. 축육시료를 잘 분쇄하여 혼합시킨 후 이미 건조된 칭량접시의 무게를 측량하고 시료를 약 2g을 잰 후 다시 무게를 기록한다.

그림 2-31 수분정량을 위한 자동건조기(dry oven)

2 측량된 시료와 칭량접시를 자동건조기(102℃)에 넣고 약 16~18시간 동안 건조시킨다.
3 충분히 건조된 시료를 포함하는 칭량접시를 데시케이터에서 냉각 및 건조시킨다.
4 데시케이터에서 약 30분간 냉각 및 건조시킨 후 다시 그 무게를 잰다.

결 과

$$\text{총 수분량 산출} = \frac{(B-C)\times 100}{A}$$

A = 시료무게(g)
B = 접시무게 + 건조전 시료무게(g)
C = 접시무게 + 건조후 시료무게(g)

2) 조지방의 정량

개 요

일반적으로 동물성지방은 식물성지방보다 포화지방산이 많이 함유되어 있고 대부분은 중성지질(neutral fat)과 근육 세포막의 구성성분인 인지질(phospholipid)로 구성되어 있다. 지방의 함량은 부위에 따라 차이를 나타내며 살코기(lean)의 경우 약 4~5% 정도를 나타낸다. 축육제품의 지방 측정법으로는 soxhlet 지방추출법, 변형된 Babcock법, Folch법과 CEM 지방분식법 등이 있으나 현재 Soxhlet법이 널리 사용되고 있다.

이미 건조된 축육시료의 지방을 유기용매인 petroleum ether로 약 40~50℃에서 추출한다. 추출물로부터 petroleum ether를 증발시켜 제거시킨 후 남은 시료의 무게를 재어 조지방량으로 한다.

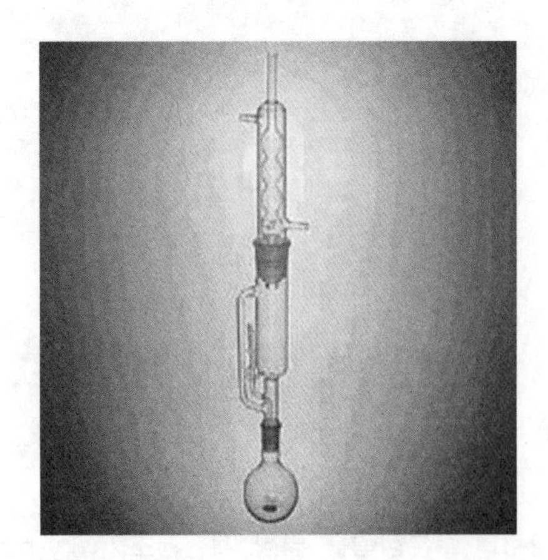

그림 2-32 지방정량을 위한 Soxhlet 지방추출장치

시약 및 기구

Soxhlet 추출기, 원통여지(thimbles, 25×80mm), 데시케이터

방 법

1. 원통여지나 15cm의 여과지(whatmann #2)로 제조한 thimble을 102℃에서 건조시킨 후 데시케이터에서 냉각 및 건조시킨다.
2. 먼저 건조한 thimble을 측량한 후 약 2g의 축육시료를 Thimble에 넣고 무게를 잰다.
3. 시료를 포함하는 thimble을 자동천칭에서 약 16~18시간 동안 건조시킨 후 그 무게를 잰다("건조 후 thimble 및 시료무게").
4. Soxhlet 추출기에서 매초 약 5~6 방울 떨어뜨리도록 조절하여 약 4~5시간 동안 시료속의 지방을 추출한다.
5. 지방 추출 후 hood에서 ether를 날려보낸 후 약 16시간 동안 건조시키고 데시케이터에서 다시 냉각 및 건조시킨 후 최종 무게를 단다("지방을 제거한 thimble과 시료무게").

결 과

$$\text{조지방 함량} = \frac{(B-C)\times 100}{A}$$

A : 시료무게 (g)

B : 건조 후 thimble 및 시료무게(g)

C : 건조 후 지방을 제거한 thimble 및 시료무게(g)

3) 조단백질의 정량

개 요

축육단백질은 기능성과 용해성에 따라 염용성(salt soluble), 수용성(water soluble) 및 결체조직(connetive tissue) 단백질로 구분되며 살코기에서 약 20% 내외의 단백질을 함유한다. 염용성 단백질에는 액틴(actin)과 마이오신(myosin) 등이 속하며 생체내의 근육수축에 관여할 뿐만 아니라 식육가공품의 바람직한 조직을 부여한다. 마이오글로빈(myoglobin)과 같은 육색소와 대사에 관련되는 효소들(enzymes)이 여기에 속한다. 한편 결체조직으로는 생체내의 연결부위에 구성요소인 콜라젠(collagen), 엘라스틴(elastin) 및 레티큘린(reticulin) 등이 여기에 속한다.

일반적으로 축육단백질은 16%의 질소가 함유되어 있고, 이 상수(100/16=6.25)에 실험으로 구하여진 질소 함량을 곱한 후 계산으로 조단백질의 함량이 얻어진다. 단백질의 정량법으로는 켈달(kjeldahl)법이 보편적으로 사용되고 있으며, 또한 시료와 첨가 될 시약의 양을 적게 하여 사용할 수 있는 microkjeldahl 방법도 많이 사용되고 있다. 그 원리는 시료를 농황산과 촉매제로 분해시켜 발생하는 질소는 암모니아의 형태로 황산과 결합하여 황산암모늄($(NH_4)_2SO_4$)을 형성하고 황산암모늄중의 질소는 첨가한 수산화나트륨(NaOH)과 반응하여(증류) 다시 암모니아 형태로 분리되는데 이때 증류된 암모니아는 지시약이 혼합된 표준산(4%, boric acid)에 포집되어(중화) 암모늄의 형태로 되고 표준산에 흡수된 암모니아의 양이 증가함에 따라 표준산의 색깔이 붉은색에서 녹색으로 변해간다. 따라서 흡수된 암모늄염을 정확히 표준화된 0.1 혹은 0.2N 염산으로 역적정하여 녹색에서 무색 혹은 옅은 갈색이 되는 점을 종말점(endpoint)으로 하여 적정량을 구한 후 질소의 함량을 산출하고 이어서 질소상수(6.25)를 곱하여 조단백질의 함량을 측정한다.

시약 및 기구

농황산, 촉매제(K_2SO_4와 $CuSO_4$ $5H_2O$을 9:1로 혼합), 40% 수산화 나트륨(sodium hydroxide, NaOH), 지시약(0.1% methyl red와 bromocresol green를 ethanol에 녹임), 정확하게 표준화된 0.1N 혹은 0.2N 염산(hydrochloric acid), Kjeldahl 분해 및 증류장치, Kjeldahl flask, 증류물을 포집하기 위한 flask, 적정 뷰렛, 비등석, 삼각 flask(250㎖)

방 법

1. 약 0.5g의 시료를 유산지와 함께 Kjeldahl flask에 넣고 농황산(10~12㎖) 및 촉매제(2g)를 넣은 후 켈달 분해장치에서(450℃) 약 4시간 동안 분해(digestion)시킨다. 시료를 첨가하지 않고 같은 방법으로 공시험(blank)을 실시한다. Kjeldahl flask 내의 액이 투명할 때까지 분해시킨 후 약 30분간 hood에서 냉각시킨다.

$$\text{분해반응 : } H_2SO_4 + 2NH_3 \longrightarrow (NH_4)_2SO_4$$

2. 냉각 후 약 50㎖의 증류수로 희석시키고 40% 수산화 나트륨(sodium hydroxide)를 약 50㎖ 첨가한 후 증류(distillation)를 실시한다. 수산화나트륨을 kjeldahl flask에 첨가할 때 열이 많이

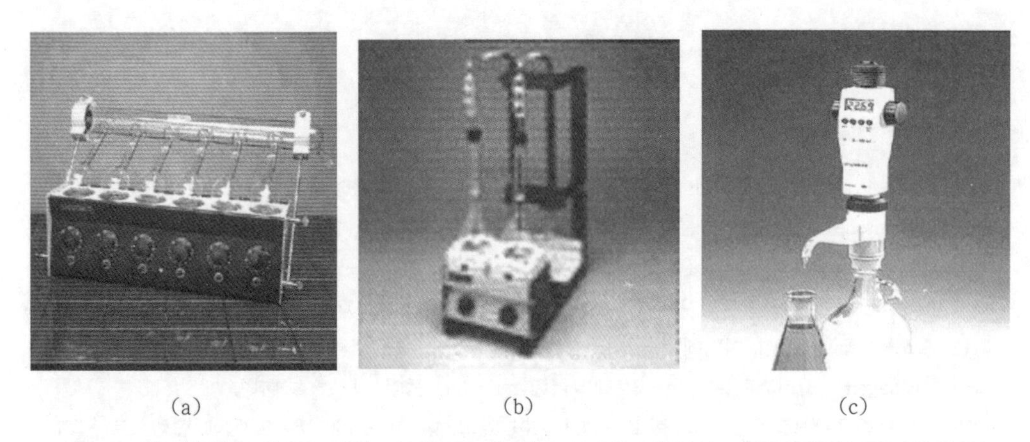

(a) (b) (c)

그림 2-33 단백질 정량을 위한 마이크로 켈달(Kjeldahl) 분해(A), 증류(B) 및 적정장치(C)

발생하므로 kjeldahl flask를 약간 기울여 조심스럽게 첨가하여야 한다.

증류반응 : $(NH_4)_2SO_4 + 2NaOH \longrightarrow Na_2SO_4 + 2NH_3\uparrow + 2H_2O$

3. 이미 준비된 약 25㎖ 표준산 조제액(4% boric acid와 지시약)을 250㎖ 삼각 flask에 넣고 증류하여 나온 질소(암모니아 형태)를 포집하여 약 5분간 중화(neutralization)시킨다.

중화반응 : $H_3BO_3 + 3NH_3 \longrightarrow (NH_4)_3BO_3\downarrow$

4. 중화된 액을 정확히 표준화된 0.1 혹은 0.2N 염산으로 적정(titration)하고 적정량을 기록한 후 아래공식에 따라 조단백질양을 산출한다.

적정반응 : $3HCl + (NH_4)_3BO_3 \longrightarrow 3(NH_4)Cl + H_3BO_3$

결 과

$$\text{조단백질 \%} = \frac{(A-B)\times N\times 1.4008\times 6.25}{\text{시료량(g)}}$$

A : 시료적정량(㎖)

B : 공시험 적정량(㎖)

N : 표준화된 염산의 노르말 농도(0.1 혹은 0.2N))

4) 조회분의 정량

개 요

식품에 있어서 회분은 높은 온도에서 가열되는 유기물의 건조 무기잔류물을 칭량함으로써 얻어진다. 이 직접회화법은 일반적으로 총회분을 결정하는데 이용되고 때때로는 각각의 무기물 원소의 분석을 위한 전처리로 이용된다. 본 방법은 시료를 전기로 에서 550℃로 태워서 회분만 남긴 후 중량차이로 회분을 산출한다.

시약 및 기구

전기로, 저울, 도가니, 가열판, 집게

방 법

1. 도가니를 자동건조기에서 건조시킨 후 측량하고, 약 1.5~2.0g의 시료를 도가니에 다시 그 양을 기록한다.
2. 시료를 포함하는 도가니를 집게를 이용하여 muffle furnace에 넣고 550~600℃에서 약 24시간 동안 태운다.
3. 전기로를 끄고 나서 약간 식은 도가니에서 시료를 꺼내어 데시케이터에 넣고 냉각, 건조시킨 후 최종양을 측량한다.

시 약

$$\text{조회분양(\%)} = \frac{(B-C)\times 100}{A}$$

A : 시료무게

B : 도가니 무게 + 태우기전 시료양

C : 도가니 무게 + 태운후 시료양

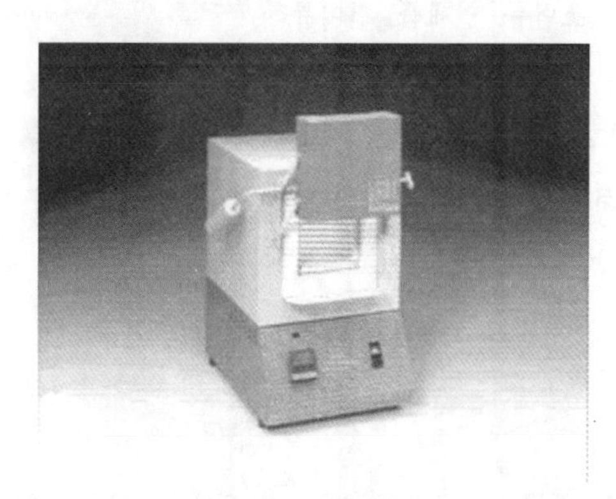

그림 2-34 회분 정량을 위한 전기로(Muffle furnace)

참고문헌

1. 박형기외 15명 : 식육의과학과 이용. 선진문화사, 서울, p.100(1996)
2. 하영길 : 식품제조관리실무. 태성출판사, p.361(1996)
3. Koniecko, E.S. Handbook of Meat Analysis. Avery Publishing Group Inc. Wayne, New Jersey, p.9(1985)
4. Pomeranz, Y. and Meloan, C.E. Food analysis: Theory and practice. Chapman & Hall, New York. p.575(1994)
5. Pearson, A.M. and Tauber, F.W. Processed meats. AVI publishing Co., Inc. Westport, CT. p.18(1984)

5. 수산제품

1) 시료조제

(1) 어패류

칼이나 핀셋 등을 이용하여 가식부와 폐기부를 구분한 다음, 식용할 수 있는 부분을 각각 잘라서 골고루 시료를 취한다. 각 시료를 혼합하여, 시료가 비산하지 않도록 호모게나이져를 사용하여 마쇄한다. 특히 대형어류인 경우 부위에 따라 차이가 있으므로 분석시료의 채취시 주의해야 한다.

(2) 통조림, 생선, 해조류, 조림류, 연제품, 건어류

① 통조림, 생선 또는 해조류 등의 조림류, 연제품 등은 생시료와 동일하게 분석한다.
② 건어류 중 설 말린 것은 생시료와 동일하게 분석하고, 건조도가 높은 것은 가식부 만을 취하여 세절한 후, 유발이나 마쇄기에서 마쇄하여 20mesh 정도의 굵기로 시료를 조제한다.

(3) 냉동어류

냉동어류는 해동한 후 생시료와 동일하게 처리한다. 해동은 우선 표면을 덮고 있는 얼음을 제거한다. 수분이 제거한 다음, 표면을 타월이나 가제로 가볍게 눌러 부착된 수분을 제거한다. 수분이 제거된 시료를 폴리에틸렌 봉지에 넣어 입구를 봉하고 나서 흐르는 물에서 해동한다. 이 때 용출되어 나온 액즙은 시료와 함께 섞어서 분석한다.

(4) 염장품

염장품은 우선 소금을 깨끗이 제거하고, 경우에 따라 부착되어 있는 결정염은 포화식염수로 씻어내고 식염수는 될 수 있는 대로 잘 닦아서 분석한다.

(5) 해조류

① 신선한 것은 모래와 이물질을 제거하고, 필요한 경우 3% 식염수로 씻은 다음 표면을 타월로 가볍게 닦아서 시료로 한다.
② 건조물인 경우 혼재 되어있는 이물질을 제거한 뒤 세절, 분쇄하여 시료로 한다. 만일 표면에 만니톨의 결정이 석출되어 있거나 기타 침전물이 있으면 물로 씻어서는 안된다.

2) 수분의 정량

① 시료의 조제시 수분의 함량이 원재료와 차이가 없도록 주의해야 하며, 고온이나 바람이 부는 곳 등에서는 시료를 조제해서는 안된다.
② 어패류 등 수분이 비교적 많고 덩어리가 진 것은 세절하여 정제해사를 시료와 동량으로 넣고 마쇄한다. 그중 10～20g(시료 5～10g에 해당)을 대형 aluminium제 칭량용기에 취하여 105℃ 상압 가열건조법에 의하여 2시간 건조 방냉하여 측정한 후 1시간씩 더 건조하여 항량을 측정한다. 항량은 재건조한 전・후 차이가 2mg 이내로 한다.
③ 수분 함량이 적은 시료는 0.5cm 정도로 잘게 썰어 2～5g을 칭량용기에 취하여 105℃ 상압 가열건조법에 의하여 2시간씩 건조하여 항량을 구한다. 재건조한 전・후 차이가 2mg 이내로 한다.

3) 조회분의 정량

시료 2~5g을 취하여 수분이 많은 것은 예비건조하여 직접회화법으로 분석한다.

4) 단백질의 정량

1~5g(질소 약 10mg에 상당하는 양)을 취하여 micro kjeldahl법으로 측정한다. 수분이 많은 시료는 무수황산나트륨을 가하여 탈수시킨 후 마쇄한다.

5) 조지방의 정량

① 어류의 지질함량은 성숙도, 계절, 부위에 따라 차이가 있으므로 분석시료의 채취시 주의해야 한다.
② 지질을 정량할 때는 시료에 무수황산나트륨을 가하고 마쇄하거나 동결건조하여 분쇄하거나 추출용제와 함께 호모게나이즈하여 사용한다. 어패류의 지질은 고도 불포화지방산을 함유한 것이 많고 조직 중에 존재하는 효소에 따라 극성지질이 가수분해되는 경우가 많으므로 즉시 분석하여야 한다. 저장해야하는 경우에는 공기접촉이 되지 않도록 잘 포장해서 −20℃ 이하에서 보관한다.
③ 수산물과 같이 수분이 많은 시료는 시료 5~10g을 취하여 무수황산나트륨을 넣고 탈수, 마쇄한 건조시료를 Soxhlet법으로 분석한다.

6) 조섬유의 정량

시료 2~5g(조섬유로 0.005g 이하)을 위와 같이 시료를 조제한 후 상기방법에 따라 분석한다.

7) 가용성무질소물의 정량

시료는 환원당으로 0.1~1.0g을 포함되도록 취한다. 즉 어떤 식품이 식품성분 분석표에서 10%의 당함량을 포함하고 있는 경우, 시료 *x*g을 취하여 250mℓ의 mess flask에 정용하고 그 중 20mℓ를 취하여 실험을 할 때, 시료 20mℓ 속에 0.125~1.25g의 당이 포함되어야 한다. 따라서 당함량을 10%라고 가정하였으므로 100 : 10=시료량 : 0.125~1.25g으로 계산되므로 시료는 1.25~12.5g을 취하여 상법으로 분석한다.

참고문헌

1 石川清一, 西田壽美, 染野亮子 : 食品化學實驗書, 光生館(1993)
2 주현규, 조황형, 박충균, 조규성, 채주규, 마상조 : 식품분석법, 유림문화사(1990)

식품 구성성분의 분리 및 분석

제 1 절 단백질의 분리 및 분석

1. 단백질의 정량분석

1) 분광학적 정량법

개 요

용액상태의 단백질은 spectrophotometer로써 간단하게 정량할 수 있다. UV 영역에서 단백질의 흡광도는 단백질 분자중의 tyrosine과 tryptophan의 흡광도에 의한다. 따라서 280nm에서의 흡광도는 단백질의 종류에 따라 다르다. 이 분석법의 장점은 간단하게 시료를 회수할 수 있는 것이고, 단점은 다른 흡광물질에 의한 방해와 단백질 고유의 흡광치를 결정해야 한다는 것이다. 그리고 280nm에서의 핵산의 흡광도는 단백질의 10배 가량되므로 미량의 핵산에 의해 흡광도가 영향을 받을 수 있다.

시료조제

용액상태의 단백질. 수용성의 단백질인 경우 낮은 이온강도의 완충액으로 용해시키고, 염용성의 단백질인 경우 높은 이온강도의 염용액으로 용해시킨다.

시약 및 기구

적당한 완충용액(20mM Sodiumphosphate, Tris-Cl buffer), UV-vis spectrophotometer, Cuvets (quartz), Nonionic detergent, 0.2㎛ filter

방법(조작)

1. 증류수를 바탕값으로 하여 280㎚에서 흡광도를 측정한다
2. 단백질 용액을 완충용액으로 적당히 희석시킨다.
3. 희석된 단백질 용액을 석영 cuvet에 넣어 280㎚에서 흡광도를 측정한다.
4. 시료용액의 흡광도에 바탕값의 흡광도를 뺀다.

결과 및 고찰

일반적으로 단백질의 종류에 따라 흡광도는 차이가 있다. 예를 들면 1㎎/㎖ 농도의 bovine serum albumin은 280㎚에서의 흡광도는 0.66이다.
그리고 정제된 단백질의 실제적인 흡광도는 아미노산 조성에 의해 계산될 수 있다. 단백질의 흡광도는 다음과 같은 식에 의해 계산된다.

$$A_{280}(1mg/m\ell) = (5690n_w + 1280n_y + 120n_c)M$$

위 식에서 n_w, n_y 및 n_c는 단백질 분자내 Trp, Tyr 및 Cys 잔기의 수이며, 5690, 1280 및 120은 Trp, Tyr 및 Cys의 몰 흡광계수이다.

주의사항

1. 분광학적인 측정을 위한 단백질의 농도는 280㎚에서 0.05~1.0의 범위이내여야 하며, 0.3 정도에서 정확도가 가장 높다.
2. 단백질의 탁도가 높으면 산란에 의해 280㎚에서의 흡광도가 증가한다. 따라서 0.2㎛ filter로써 여과하거나 원심분리 후 측정한다. 실험실에서 적용할 수 있는 또 다른 방법은 280nm의 흡광치에서 310nm에서의 흡광치를 감하여 계산한다.
3. 단백질의 농도가 낮을 때 단백질이 cuvet의 벽에 흡착되어 회수가 어렵다. 따라서 cuvet으로부터 단백질을 회수하기 위하여 이온강도가 높은 용액을 사용하든지 비이온성 detergent(ex, 0.01% Brij 35)를 첨가한다.
4. 단백질 용액에 핵산이 오염되어 있을 경우 다음과 같은 식에 의해 단백질의 농도를 결정한다.

$$단백질\ 농도(mg/m\ell) = 1.55A_{280} - 0.76A_{260}$$

2) Lowry법

개 요

단백질 정량에 있어서 Lowry법의 감도는 비교적 넓게 적용되기 때문에 오랫동안 광범위하게 이용되고 있다. 이 방법은 알칼리성에서 단백질의 peptide 결합과 구리가 반응하여 Cu^+ 이온을 생성하는 Biuret 반응의 원리를 이용한 것이다. 발색의 정확한 기작은 밝혀지지 않았지만 Cu^+ 이온은 방향족 아미노산의 산화를 유도하여 phosphomolybdotungstate를 푸른색의 heteropolymolybdnum으로 환원시킨다. 이러한 반응 결과 강한 푸른색을 생성하며 그 강도는 tryptophan과 tyrosine 양에 영향을 받는다. 이 방법은 단백질의 농도가 0.01~1.0mg/mℓ의 경우에 측정가능하다.

시료조제

앞의 분광광도법과 동일하며, 단백질의 농도를 더 희석할 필요가 있다.

시약 및 기구

- Lowry 시약 : 시약 A:B:C를 100:1:1로 혼합하여 사용하며 매일 새로 혼합하여 사용한다.
  - 시약 A : 2%(w/v) Na_2CO_3 in distilled water
  - 시약 B : 1%(w/v) $CuSO_4 \cdot 5H_2O$ in distilled water
  - 시약 C : 2%(w/v) sodium potassium tartrate in distilled water
- 2N NaOH
- Folin reagent(시판되는 시약을 3배로 희석하여 사용)
- 검량곡선 작성 : 표준 단백질로서 BSA를 0~1.0mg/mℓ의 범위 내에서 여러 농도로 제조하여 실험 방법에 의하여 흡광도를 측정하여 최소제곱법에 의하여 검정곡선을 구한다.

방법(조작)

1. 1.0mℓ의 시료 또는 표준용액에 0.1mℓ의 2N NaOH를 가하고 100℃에서 10분간 가열하여 가수분해시킨다.
2. 가수분해물을 방냉시킨 후 1.0mℓ의 Lowry 시약을 가하고 혼합 후 10분간 방치시킨다.
3. 0.1mℓ의 Folin 시약을 가하고 혼합 후 30~60분간 방치시킨다.
4. 660nm에서 흡광도를 측정한다.

편 법

성질이 비슷한 시료 또는 단백질 정제시 반복되는 단백질의 정량을 보다 간단하게 수행하기 위하여 간단한 방법이 필요하며, 표준방법과의 측정오차를 고려하면 된다.

1. 0.1mℓ의 시료용액에 1.0mℓ의 2%(w/v) Na_2CO_3 용액을 가한다.
2. 0.1mℓ의 Folin reagent를 가하고 혼합 후 15~30분간 방치시킨다.
3. 660nm에서 흡광도를 측정한다.

결과 및 고찰

계산은 표준용액을 이용한 검량곡선 또는 회귀 방정식에 대입하여 시료의 단백질량을 계산한다.

주의사항

1. 표준방법과 편법과의 결과는 큰 차이가 없으나, 시료의 종류에 따라 차이가 있을 수 있으므로 두 방법을 비교하여 측정오차를 결정한 후 실험에 임해야만 한다.
2. 시료가 침전된 상태일 경우 시료를 2N NaOH로 완전히 용해, 분해시킨 후 사용해야 한다.
3. 위 반응은 pH에 민감하므로 알칼리로 조정해야 한다.
4. 복합 시료 또는 세포의 단백질량을 측정하기 위하여 전처리가 필요하며 Ref 4와 5를 참고할 해야 한다.
5. 이 방법은 여러 가지 화학약제 또는 계면활성제에 의해 영향을 받을 수 있기 때문에 단백질 용액에 포함된 시약의 조성을 고려할 필요가 있다.

3) Bradford법

개 요

Lowry 정량법에 비하여 간단하고 빠르고, 보다 감도가 높은 방법이며, 반응에 있어서 비단백물질에 의한 방해를 덜 받는다. Bradford법은 Coomassie blue G250과 단백질과의 결합에 의한다. Coomassie blue G250은 4종의 다른 ion형태를 지니며 산성용액에서는 산성의 적색과 녹색 형태가 우세하게 존재하여 각각 470과 650nm에서 최대 흡광도를 가진다. 그러나 단백질과 결합하는 보다 염기성의 푸른색 이온형은 590nm에서 최대 흡광도를 지닌다. 따라서 단백질의 양은 푸른색의 ion형의 양을 측정함으로서 결정되며 통상 595nm에서 측정한다. 푸른색의 ion형은 단백질의 arginine이나 lysine 잔기에 결합하여 발색하며, 단백질중의 arginine이나 lysine의 함량에 따라 다소 차이가 있다. 통상 2가지 분석방법이 이용되며, 표준측정법은 10~100μg의 단백질의 정량에 미량측정법은 1~10μg의 단백질 정량에 이용된다.

시료조제

앞의 분광광도법과 동일하며, 단백질의 농도를 더 희석할 필요가 있다.

시약 및 기구

100mg의 Coomassie blue G250을 50mℓ의 95% methanol에 용해시킨 후 100mℓ의 85% 인산과 혼합하여 1ℓ로 정용하여 염색약을 제조한다. 염색 용액을 Whatman No 1. 여과지로 여과한 후 갈색병에 넣어 상온에 보관하면서 사용하며, 수주간 사용할 수 있다. 또는 Bio-Rad, Pierce, Amresco 사로부터 구입하여 사용하는 것이 편리하다.

방 법

1 표준측정 방법

① 10~100㎍의 단백질 용액 100㎕을 시험관에 취한다. 단백질의 농도를 모를 경우 원액, 10, 100 또는 100배 희석액을 취한다.

② 검량곡선을 얻기 위하여 10, 20, 40, 60, 80 및 100㎕의 단백질 용액(1mg/㎖ BSA 또는 γ-globulin)을 시험관에 각각 취하고 증류수를 가하여 100㎕이 되게 한다. 공시험으로 시료 대신에 증류수 100㎕을 취한다.

③ 증류수 4㎖을 시험관에 가하고 염색시약 1㎖을 시험관에 가하고, 거품이 생기지 않게 흔들어 섞는다.

④ 염색시약을 넣고 5~30분 사이에 595nm에서 흡광도를 측정하여 표준 검량곡선과 비교하여 단백질량을 계산한다.

2 미량측정 방법 : 이 방법은 표준법보다 감도가 높고 사용되는 단백질량이 적기 때문에 시료를 아끼기 위하여 많이 이용된다.

① 1~10㎍의 단백질을 1회용 cuvet에 취하고 증류수를 가하여 100㎕이 되게 한다. 단백질의 농도를 모를 경우 원액, 10, 100 또는 100배 희석액을 취한다.

② 검량곡선을 얻기 위하여 10, 20, 40, 60, 80 및 100㎕의 단백질 용액(1mg/㎖ BSA 또는 γ-globulin)을 시험관에 각각 취하고 증류수를 가하여 100㎕이 되게 한다. 공시험으로 시료 대신에 증류수 100㎕을 취한다.

③ 증류수 700㎕을 시험관에 가하고 섞은 후 염색시약 200㎕을 시험관에 가하고 거품이 생기지 않게 흔들어 섞는다.

④ 염색시약을 넣고 5~30분 사이에 595nm에서 흡광도를 측정하여 표준 검량곡선과 비교하여 단백질량을 계산한다.

결과 및 고찰

기지의 단백질량을 사용하여 얻은 검량곡선에 따라 미지 시료의 단백질량을 계산한다.

주의사항

Bradford법은 화학약제에 의한 방해효과가 적어 광범위하게 사용되는 단백질 정량법이다. 그러나 소수성 단백질 추출시 사용되는 계면활성제에 의해 다소 영향을 받기 때문에 주의를 요한다. 이러한 문제가 결과에 영향을 미칠 경우 겔여과 또는 투석에 의해 방해물질을 제거하든지 또는 표준 단백질을 이용한 검량곡선 작성시 동일한 농도의 계면활성제를 첨가하여 흡광도를 측정함으로써 방해물질에 의한 오차를 줄일 수 있다.

참고문헌

1 Gill, S.C. and von Hippel, P.H. Calculation of protein extinction efficients from amino acid sequence data. Anal. Biochem. 182, p.319(1989)

2 Layne, E : Spectrophotometric and turbidimetric methods for measuring proteins. Methods Enzymol. 3, p.447(1957)

3 Lowry, O.H., Rosebrough, N.J., Farr, A.L., and Randall, R.J. : Protein measurement with Folin phenol reagent. J. Biol. Chem. 193, p.165(1951)

4 Waterborg, J.H. and Matthews, H.R. : The burton Assay for DNA, in Methods in Molecular Biology, vol. 2: Nucleic Acids(Walker, J.M., ed.), Humana, Totowa, NJ, p.1(1984)

5 Peterson, G.L. : Determination of total protein. Methods Enzymol. 91, p.95(1983)

6 Smith, P.K., Krohn, R.I., Hermanson, G.T., Mallia, A.K., Gartner, F.H., Provenzano, M.D., Fujimoto, E.K., Goeke, N.M., Olson, B.J., and Klenk, D.C. : Measurement of protein using bicinchoninic acid. Anal. Biochem. 150, p.76(1985)

7 Bradford, M.M. : A rapid and sensitive method for the determination of microgram quantities of protein utilizing the principle of protein-dye binding. Anal. Biochem. 72, p.248(1976)

8 Compton, S.J. and Jones, C.G. : Mechanism of dye response and interference in the Bradford protein assay. Anal. Biochem. 151, p.369(1085)

9 Congdon, R.W., Muth, G.W., and Splittgerber, A.G. : The binding interaction of Coomassie blue with proteins. Anal. Biochem. 213, p.407(1993)

2. 단백질의 분리

개 요

단백질은 수백~수천개의 아미노산으로 구성된 거대분자로써 각각의 단백질은 각기 다른 물리적, 화학적 성질을 지니고 있다. 따라서 모든 단백질을 정제하는데 공통적으로 사용되는 한가지 방법은 없다. 목적단백질 외에 혼재된 단백질의 물리적 또는 화학적 차이를 이용하여 불순단백질을 제거하기 때문에 한 단백질의 정제방법은 시행착오를 통해서 얻게 된다. 그리고 단백질은 생체외에서 불안정하기 때문에 실험중의 온도를 변성이 잘 일어나지 않는 온도대인 4~6℃로 유지하는 것이 필요하다. 그리고 단백질 시료중에 단백질 분해효소가 존재할 경우 단백질 분해효소의 활성을 억제하기 위하여 단백질 분해효소 저해제를 첨가하여 목적단백질의 분해를 억제해야 한다. 단백질 분해효소 저해제를 사용할 경우 한 종류의 저해제를 사용하는 것보다는 여러 종의 저해제를 혼합하여 사용함으로써 목적단백질의 분해를 막을 수 있다. 세포로부터 한 종의 단백질을 분리하기 위하여 염과 유기용매에 대한 단백질의 용해성, 이온교환수지와의 흡착성, 분자량 등의 성질을 파악함으로써 단백질의 분리가 용이하다. 목적단백질을 분리하기 위하여 먼저 문헌검색을 통하여 유사한 단백질 또는 다른 종으로부터 동일단백질의 정제방법 등을 찾아 분리방법에 대한 전략을 세우는 것이 우선이다.

시료조제

분리할려는 단백질의 종류에 따라 다르나, 대체로 생세포 또는 신선한 세포를 완충용액하에서 마쇄하여 원심분리 후 사용한다.

시약 및 기구

■ 단백질 분리에 사용되는 기구 및 기기
- pH meter : 완충용액의 조제
- UV-vis spectrophotometer : 효소활성, 단백질 농도 측정
- 원심분리기 : 냉각기능이 있으며 10,000*xg* 이상
- 칼럼과 수지 : 실험의 특성과 목적에 따라 유동적
- 농도구배기(gradient maker) : 500, 1,000 또는 2,000㎖
- 기타 : 자석교반기, 투석막, 초자기구류

■ 단백질 분리에 사용되는 시약류
- 완충용액 : Tris, potassium phosphate, sodium phosphate
- 시약류 : HCl, NaOH, phosphoric acid, polyethyleneimine(PEI), Trixon X-100, β-mercapto-ethanol, NaCl, KCl, EDTA, ammonium sulfate, protease inhibitor, glycerol, dithiothreitol, bovine serum albumin

■ 크로마토그래피용 수지

	양이온 교환수지	음이온 교환수지	소수성 상호작용
Weak	CM(Craboxymethyl)	DEAE(Diethylaminoethyl)	Butyl
Strong	SP(Sulfopropyl)	Q(Quanternary anion)	Octyl, Phenyl

방법(조작)

단백질을 분리하기 위한 일률적인 방법은 없다. 생화학 교재에 나타난 바와 같이 단백질 분리의 첫 단계는 과도한 혼재 단백질을 제거하고 용액의 부피를 줄이기 위한 방법이 선행된다. 대표적인 방법으로써 염석과 유기용매에 의한 침전법이다. 이러한 전처리 과정을 거친 후 목적 단백질을 분리하기 위하여 여러 가지 이온교환수지 또는 소수성 상호작용 수지를 이용한 binding test가 실험에 소요되는 노력과 시간을 절약한다. 그리고 binding test 결과에 따라 선택된 수지를 이용하여 일련의 실험을 행함으로써 목적을 성취할 수 있다.

1) Chromatography를 위한 binding test

① 5㎖의 사용하고자 하는 수지를 50㎖의 완충액으로 수회 씻는다(20~50mM buffer).

② 수지를 5mℓ의 완충액에 현탁시킨다.

③ 1.5mℓ eppendrof 튜브에 200μℓ씩 수지를 넣는다.

④ 수지를 방치하여 침전시킨 후 과량의 완충액을 제거한다.

⑤ 각 튜브에 500μℓ의 단백질 시료를 넣는다.

⑥ 0.1~1.0M의 NaCl을 함유하는 고염농도 완충액 400μℓ을 가한다.

⑦ 5~10회 정도 튜브를 뒤집어 섞이게 한다.

⑧ 10~15분간 방치후 다시 뒤집는 조작을 2회 정도 반복한다.

⑨ 단시간 원심분리하여 수지를 침전시킨다(5초 정도).

⑩ 상등액을 취하여 단백질의 농도와 목적 단백질의 농도를 측정한다.

⑪ 수지와 단백질이 결합하는 염농도와 수지와 단백질이 해리하는 염농도를 결정한다.

⑫ 선택된 수지의 개방형 칼럼을 이용하여 목적단백질을 분리한다.

⑬ 이후의 방법은 다른 종류의 수지에 의한 binding test, 겔여과, 전기영동, chromatofocusing 등을 이용하여 정제도를 향상시킨다.

2) 이온교환 크로마토그래피

개 요

이온교환 크로마토그래피는 여러 회사(Pharmacia, Bio-rad)에서 구입할 수 있으며, 종래에는 cellulose를 매체로 한 수지가 많이 이용되었다. Cellulose 수지는 가격이 싼 반면에 단백질의 흡착능이 떨어지고 column chromatography시 유속이 느려 대체로 실험자들이 꺼리는 경향이다. 특히 시료의 단백질 농도가 높을 경우 유속이 극히 느리다. 단백질의 분리에 있어서 많이 이용되는 수지류는 보다 유속이 빠른 sephadex, sepharose 및 agarose 계통의 수지들이다. 대장균의 균체 단백질을 예로 들면 약산성에서 약알칼리성의 영역에서 양이온 교환수지에 비해 음이온 교환수지의 흡착능이 우수하기 때문에 목적 단백질이 음이온 교환수지에 결합하지 않고 양이온 교환수지에 결합하면 의외로 쉽게 단백질을 분리할 수 있다. 이러한 조건을 찾기 위하여 실험자는 여러 영역의 pH와 여러 농도의 염농도 조건하에서 binding test를 행함으로써 분리조작을 단순화시킬 수 있다.

3) 겔 크로마토그래피

개 요

겔 크로마토그래피(gel filtration, gel permeation chromatography, size exclusion chromatography)는 단백질의 분자량에 의해 분리하는 방법이다. GPC를 행하기 위하여 목적단백질의 대략적인 분자량을 파악해야 그에 적당한 수지를 선택할 수 있다. 단백질을 GPC할 경우 분획범위가 다른 2~3종의 수지류를 갖추고 실험에 임하는 것이 원칙이다. 수지류를 선택하기 위하여 실험 경험이 있는 선임자나 catalogue를 참고해도 충분하다.

GPC에 의한 단백질의 분리는 수지의 종류, 칼럼의 길이, 온도, 유속, 시료의 농도 및 시료의 량에 좌우된다. 대체로 온도는 단백질의 변성이 낮은 4~6℃가 적당하며, 칼럼은 길수록, 유속은 느릴수록, 시료량은 적을수록 단백질의 분리능은 우수하나, 실험의 편리상 이러한 조건들은 실험자가 결정해야 한다. 대체로 GPC를 위한 시료량은 칼럼상에서 전체 수지 높이에 비해 시료량의 높이가 2% 이하가 적당하다.

3. 단백질의 전기영동

개 요

전기영동은 하전을 띈 단백질 분자가 전기장에서 양극 또는 음극으로 이동하는 현상을 말한다. 이때 단백질의 이동속도는 분자의 전하량, 크기와 모양, 용액의 pH, 지지체의 종류 등 많은 요인에 의해 영향을 받는다. 실험적인 전기영동에 있어서 단백질의 분리는 단백질의 하전과 전기영동 겔의 농도에 의해 좌우된다. 따라서 실험의 목적에 따라 전기영동방법을 선택해야하고, 목적 단백질의 예상되는 분자량에 따라 겔의 농도를 결정해야 한다. 단백질의 전기영동에 사용되는 겔은 polyacrylamide 겔을 사용한다. Polyacrylamide gel은 acrylamide와 N,N′-methylene-bis-acrylamide가 격자모양으로 중합되어 만들어진다. 중합시 acrylamide는 긴 fiber 형태로 중합되며 각 fiber들은 bis에 의하여 서로 연결되어 격자 형태를 이루게 된다.

중합은 free radical mechanism에 의하여 이루어지며, 주로 사용되는 개시제는 ammonium persulfate와 riboflavin phosphate가 있다. Ammonium persulfate는 물에 용해되어 persulfate free radical을 형성하며 riboflavin phosphate는 445nm의 가시광선 혹은 UV light에 의해 광분해되어 free radical(HO·)을 형성하여 개시제로 작용한다. 또한 중합반응의 촉매로 TEMED가 주로 사용된다. 공극의 크기는 acrylamide와 bis의 농도 및 성분비에 의하여 조절되며, 전체 acrylamide 농도와 bis의 농도에 따른 평균 공극의 크기는 표 3-1에 표시하였다. 전체 acrylamide 농도는 acrylamide와 bis를 합한 농도로 %T로 표시하며, crosslinker인 bis가 전체 acrylamide 내에서 차지하는 비율은 %C로 표시한다.

표 3-1 Acrylamide와 bis acrylamide 농도에 따른 평균적인 pore size

Total acrylamide (%T)	Average pore size (Å)(%C)			
	1	5	15	25
6.5	24	19	28	--
8.0	23	16	24	36
10.0	19	14	20	30
12.0	17	9	--	--
15.0	14	7	--	--

Sodium dodecylsulfate polyacrylamide gel electrophoresis(SDS-PAGE)는 protein이나 peptide의 분자량의 측정 및 분리에 많이 이용되는 방법이다. SDS는 음극전하를 띈 세제로서 단백질과 결합하여 강한 (−)를 띈 SDS-protein 복합체를 형성한다. SDS는 보통 protein g당 1.4g 결합하며, 또한 복합체의 모양 또한 일정하여 전기영동시 단백질 본래의 전하를 제거시켜 주기 때문에 분자량에 의해서만 protein의 분리가 가능하다. 그러므로 분자량 측정시 주로 이용되며, 일반적으로 protein 내의 disulfide bond를 끊어주는 2-mercaptoethanol이나 dithiothreitol 등과 같은 환원제와 함께 사용하여 protein의 소단위(subunit) 분자량 측정에 이용한다.

분자량 측정 시에는 이미 분자량을 알고 있는 표준 protein을 사용하며, SDS-PAGE 완충용액 system은 continuous system과 discontinuous system이 있으며, 그 차이점은 이동 완충액의 조성이 다르다. 즉, continuous system은 gel과 완충액을 동일한 pH의 인산 완충액을 사용하나, discontinuous system은 완충액과 gel의 pH가 다르다. 현재 가장 많이 사용되고 있는 system은 두 방법을 혼합하여 개량한 Laemmli방법으로, 이 방법은 stacking gel, separating gel 완충용액과 reservoir 완충용액이 모두 다르며, 2.7%C의 bis를 사용한다. 이 방법에 의해 protein이 stacking 겔에서 농축되고 resolving gel에서 분리된다.

1) 비변성 (non-dissociating) electrophoresis

개 요

SDS-PAGE에서는 단백질의 SDS화와 단백질 간의 disulfide 결합을 분해시키기 위하여 환원제의 첨가하에서 가열하는 조작이 있다. 이러한 조작시 단백질은 변성되므로 원래의 구조를 잃게 되어 효소의 경우 그 활성을 잃는다. 따라서 단백질의 원래 구조를 지닌채 분리하는 방법이 비변성 전기영동이며, 필요한 경우 gel상의 단백질을 잘라 단백질을 추출함으로써 분리가 가능하다. 또한 이 방법은 gradient gel을 사용하면 자연상태의 단백질(native protein)의 분자량 측정이 가능하다. 비변성 electrophoresis시 사용되는 완충액은 continuous system과 Laemmli법과 같은 discontinuous system을 이용할 수 있는데, 여기서는 TBE(Tris-borate-EDTA)buffer과 4~30% polyacrylamide gradient gel을 사용하여 분자량 측정이 가능한 continuous system을 소개한다.

시료조제

단백질 용액 30μℓ에 대하여 10μℓ의 5×TBE buffer와 10μℓ의 40% glycerol을 가하여 혼합한다.

시약 및 기구

전기영동 세트, Acrylamide, bis-acrylamide, 5×TBE buffer(pH 8.4, 0.45M Tris, 0.4M boric acid, 0.01M disodium EDTA), 10% ammonium persulfate(−20℃에서 수개월간 안정), TEMED, 염색시약(0.1% Coomassie brilliant blue R-250, 10% acetic acid, 40% methanol), 탈색시약(10% acetic acid, 10% isopropyl alcohol)

실험방법

1 Gel 제조

① 먼저 29.2g의 acrylamide와 0.8g의 bis에 5×TBE stock 용액(pH 8.4) 20mℓ를 넣고 물로 최종 부피가 100mℓ되게 부어 30% gel 용액을 만든 다음, 이 용액 10mℓ를 1×TBE 완충용액(pH 8.4) 65mℓ로 희석하여 4% gel 용액이 되도록 한다.

② 다음 각 gel 용액을 degassing하고, gel 판에 맞게 일정량씩 같은 부피로 취한 다음, 10% ammonium persulfate(40μℓ/10mℓ)와 TEMED(5μℓ/10mℓ)를 섞고, 4~30% gradient gel을 만든 후 종합시킨다(gel 높이는 comb 끝에서 1cm 이내로 한다).

③ TEMED(10μℓ/10mℓ)와 20% ammonium persulfate(30μℓ/10mℓ)를 넣은 4% stacking gel 용액을 주사기로 붓고 comb을 꽂은 후 중합시킨다.

2 전기영동 : Gel 준비가 끝나면 gel의 well들을 reservoir buffer로 헹구고, sample을 well에 가하고, electrophoresis 장치를 조합한 후, 냉각장치가 있으면 500V의 일정전압으로 충분한 시간 동안(16cm 길이 gel인 경우 8시간), 냉각장치가 없으면 150V에서 24시간 이상 전기영동시킨다.

2 염색 및 탈색 : 전기영동이 끝난 후 gel은 염색용액으로 실온에서 15분~1시간 이상(60℃에서 1~2시간)염색시키고 탈색용액으로 gel의 배경색이 없어질 때까지 탈색시킨다.

결과 및 고찰

단백질의 분자량은 비변성 표준 단백질과의 이동거리에 의하여 계산한다.

2) SDS-PAGE (Laemmli system)

시료조제

SDS-PAGE용 시료는 단백질 용액 30μℓ에 시료조제용 용액 10μℓ을 가하여 100℃에서 1~2분간 가열시킨다.

표 3-2 시료조제용 용액

	최종농도	4×Conc.	100mℓ of 4× Conc.
Tris-HCl (pH 6.8)	0.0625M	0.25M	12.5mℓ of 2M Tris
Glycerol	10%	40%	40mℓ of glycerol
SDS	2%	8%	8g of SDS
BPB	0.01%	0.04%	40mg of BPB
β-ME	5%	20%	20mℓ of β-ME
D.W.			20mℓ

시약 및 기구

Acrylamide, bis-acrylamide, 5×TBE buffer(pH 8.4, 0.45M Tris, 0.4M boric acid, 0.01M disodium EDTA), 10% ammonium persulfate(−20℃에서 수개월간 안정), TEMED, 염색시약(0.1% Coomassie brilliant blue R-250, 10% acetic acid, 40% methanol), 탈색시약(10% acetic acid, 10% isopropyl alcohol, 10% sodium dodecyl sulfate(SDS)), Reservoir buffer(0.025M Tris, 0.192M glycine, 0.1% SDS, pH 8.3)

400μℓ씩 Eppendorf tube에 넣어 냉동 보관(1년까지 가능)

사용직전에 100μℓ의 β-mercaptoethnaol을 가하여 사용하며 상온에서 1주일간 가능

실험방법

1. 전기영동 gel caster를 조립한다.
2. Separating gel mixture를 섞어서 위에서 2cm 가량 gel caster에 붓고 D.W.를 부어 gel을 굳힌다(20분). Running gel과 stacking gel을 제조시 표 3-2와 3-3을 참조한다.
3. 물을 따라내어 filter paper로 말린 후 comb를 꽂은 후 stacking gel mixture를 붓고 gel을 굳힌다(20분).

표 3-3 Running Gel(for SE 280)

	7.5%	10%	12.5%	15%
D.W.	35.2	29.7	24.2	18.7
30% acrylamide	16.5	22.0	27.3	33.0
2M Tris-HCl, pH 8.8	12.3	12.3	12.3	12.3
50% glycerol	0.924	0.924	0.924	0.924
10% SDS	0.643	0.643	0.643	0.643
10% APS	0.277	0.277	0.277	0.277
TEMED	0.02	0.02	0.02	0.02
Total	66	66	66	66

표 3-4 Stacking Gel

D.W.	14.5	7.25
30% acrylamide	2.7	1.35
1M Tris-HCl, pH 6.8	2.5	1.25
10% SDS	0.2	0.10
10% APS	0.16	0.08
TEMED	0.012	0.06
Total	20	10

4 comb를 빼고 전기영동 세트를 조립한다.

5 Sample을 loading 한다.

6 Constant voltage안 경우 50~100V로 시작하여 서서히 증가시킨다. Constant current인 경우 50mA로 조정한다(4시간 정도 소요).

7 전기영동 후 gel을 분리하여 염색약에 넣어 15분간 염색시킨다.

8 Gel을 탈색액에 넣어 shacker 상에서 탈색시킨다.

결과 및 고찰

목적 단백질의 분자량은 SDS-PAGE용 표준단백질과의 이동거리로 계산한다.

3) 저분자량의 peptide을 위한 SDS-PAGE

시료조제

SDS-PAGE와 동일

시약 및 기구

- Separating/spacer gel acrylamide : 24g acrylamide + 0.75g Bis to 50㎖(1kDa까지용)
- Separating gel acrylamide : 48g acrylamide + 3.0g Bis to 100㎖(0.5kDa까지용)
- Stacking gel acrylamide : 15g acrylamide + 0.4g bis to 50㎖
- Separating/spacer gel buffer : 3M Trizima base, 0.3% SDS. Bring to pH 8.9 with HCl
- Stacking gel buffer : 1M Tris-HCl, pH 6.8
- Top running buffer(10×Stock solution) : 1M Trizima base, 1M Tricine, 1% SDS. Dilute to 10times before use.
- Bottom running buffer(10×Stock solution) : 2M Trizima base. Bring to pH 8.9 with HCl.

Dilute to 10 times before use.

- 0.2M Tetrasodium EDTA
- 10% APS
- TEMED
- 50% Glycerol
- Fixer/destainer : 25% isopropanol, 7% Glacial acetic acid in D.W.
- 1% CBB in fixer/destainer
- Sample solublization buffer : 2㎖ 10% SDS, 1㎖ glycerol, 0.625㎖ 1M Tris-HCl, pH 6.8, 6㎖ D.W. BPB.
- DTT
- 2% agarose
- Marker
- PVDF membrane
- M-OH
- Blotting transfer buffer : 20mM phosphate buffer, pH 8.0: 94.7㎖ 0.2M·Na_2HPO_4 stock solution, 5.3㎖, 0.2M NaH_2PO_4 stock solution in 900㎖ D.W.
- Filter paper

실험방법

각각의 gel을 조제하기 위한 recipe는 표 3-5, 3-6 및 3-7을 참조

1. Assemble the gel apparatus(Well depth가 12mm일 경우 separating gel은 위로부터 35mm까지 채우고, 다음에 spacer gel을 위에서부터 20mm까지 채우고, stacking gel은 8mm 정도 채운다).
2. Separating gel mixture를 섞어서 위에서 3cm 가량 gel caster에 붓고 D.W.를 부어 gel을 굳힌다(20분).
3. 물을 따라내어 filter paper로 말린 후 위에서 2cm 가량 spacer gel mixture를 붓고 D.W.를 부어 gel을 굳힌다(20분).

표 3-5 Separating Gel Recipe(4×SE280)

D.W.	7.0
Separating/spacer gel acrylamide	20
Separating/spacer gel buffer	20
50% Glycerol	12.4
10% APS	0.2
TEMED	0.02
Total	60.02

표 3-6 Spacer Gel Recipe

D.W.	6.9
Separating/spacer gel acrylamide	3.0
Separating/spacer gel buffer	5.0
10% APS	0.05
TEMED	0.005
Total	14.955

표 3-7 Stacking Gel Recipe

D.W.	10.3
Stacking gel acrylamide	2.5
Stacking gel buffer	1.9
EDTA	0.15
10% APS	0.15
TEMED	0.075
Total	15.075

4 물을 따라내어 filter paper로 말린 후 stacking gel mixture를 붓고 gel을 굳힌다(20분).
5 Sample을 loading한다.
6 Constant voltage인 경우 50~100V로 시작하여 서서히 증가시킨다. Constant current인 경우 50mA로 조정한다(4시간 정도 소요).
7 전기영동 후 gel을 분리하여 200~300㎖의 fixer/destainer에 넣어 4~16시간 동안 교반시킨 후 CBB로 30분 동안 염색시킨다.
8 탈색시킨다.

4) Silver staining

개 요

Silver staining은 CBB보다 20~200배 민감하며 0.1ng까지 감지 가능하다.
단백질이 은과 결합하는 정확한 기구는 밝혀져 있지 않지만, 은 양이온이 단백질의 amino group, 특히 lysine의 ε-amino group과 복합체를 형성하며, Cys과 Met의 −SH기와의 결합에 의하여 염색되나, Gersten 등은 특정 AA가 아니라 단백질 구조의 일부와 결합하여 염색된다고 주장하였다. Silver-staining은 gel에 은 이온이 스며들 때의 은 이온의 화학적인 상태에 따라 두 가지 방법으로 분류된다. 첫째 방법은 alkaline method라 하며, sodium-ammonium hydroxide 혼합액에 silver nitrate를 가하여 조제한 ammoniacal silver 또는 diamine 용액을 사용하는 방법이다. Biiuret 반응과 마찬가지로 Diamine 방법은 copper를 첨가함으로써 감도를 향상시킬 수 있다. Gel 내에서 silver ion은 단백질과 복합체로 형성된 후 산성용액(보통 citric acid)의 formaldehyde에 의해 금속의 은으로 환원되어 발색된다. 두번째 방법은 약산성(pH 6.0)의 silver nitrate용액을 gel에 스며들게 하는 방법이다. 그후에 은이온을 sodium carbonate나 NaOH의 alkali성 formaldehyde로 금속은을 선택적으로 환원시키는 방법이다. 유리상태의 silver nitrate는 발색전에 gel로부터 씻겨나가야 한다. 왜냐하면 silver oxide 침전은 높은 background를 형성하기 때문이다.

시약 및 기구

- 모든 용액은 신선하여야 하며, 하룻밤 지난 것은 권장할 만한 것이 못된다.
- Gel fixation soln : 20% TCA.
- Sensitization soln : 10%(w/v) glutaraldehyde soln.
- Silver diamine soln : 21㎖의 0.36% NaOH용액을 1.4㎖의 35% ammonia에 가한 후에 stirring상태에서 4㎖의 20% silver nitrate 용액을 한 방울씩 가한다. 혼합용액이 맑지 않고 갈색의 침전이 생기면 침전이 용해될 때까지 최소량의 ammonia 수를 가한다. 용액을 D.W.로 100㎖로 정용하여 사용하고, diamine 용액은 불안정하기 때문에 제조 후 5분 이내에 사용하여야 한다.
- Developing solution : 2.5㎖의 1% citric acid와 0.26㎖의 35% formaldehyde 용액을 가하여 1ℓ로 정용한다.
- Stopping solution : 40% ethanol, 10% acetic acid in water.
- Farmer's reducer : 0.3% potassium ferricyanide, 0.6% sodium thiosulfate, 0.1% sodium carbonate.

실험방법

1 Fixation

① 전기영동 후 gel을 200㎖의 20% TCA용액으로 1시간동안 고정시킨다. gel이 두껍거나, 고농도일 경우 overnight 고정이 요구된다.

② Gel을 200㎖의 40% E-OH와 10% HAc 용액에 30분간 2회 담근다.

③ 과량의 물로서 20분간 2회 씻는다(이 과정에서 gel이 수화되어 소수성을 잃게 되고 E-OH를 제거한다).

2 Sensitization

① Gel을 10% glutaraldehyde 용액에 30분간 담근다.

② Gel을 물로서 20분간 3회 씻는다.

3 Staining

① Gel을 silver diamine 용액에 30분간 담근다. 1.5mm gel인 경우 완전히 침지하도록 용액의 양을 증가시킨다. Ammoniacal silver 용액은 버리기 전에 1N 염산으로 희석시킨 후 버려야 한다.

② Gel을 물로써 5분 동안 3회 씻는다.

4 Development

① Gel을 developing 용액에 담근다. 10분내에 단백질은 진한 갈색으로 나타나고, background가 서서히 나타난다. 반응은 관성이 있다는 것을 명심할 것. 즉 gel을 developing 용액에서 꺼낸 뒤에도 반응은 2~4분간 지속된다. 20분 이상의 염색시간은 높은 background를 나타낸다.

② Gel을 stopping 용액에 담가 염색을 종료시킨다.

③ Gel을 물로써 씻는다.

5 Destaining : Farmer's rducing reagent를 사용하여 부분적으로 destaining함으로써 background를 적당히 줄일 수 있다.

① Gel을 물에다 5분 동안 씻음으로써 stop 용액을 제거한다.

② Gel을 Farmer' reducer에 적당한 시간 침지한다.

③ Gel을 stop 용액에 담가 destaining을 중지한다.

주의사항

1 Gel을 만질 때 장갑을 착용한다.

2 모든 용액은 gel이 충분히 침지되도록 충분한 양을 사용해야 한다.

3 Washing이 충분치 않을 경우 잔존하는 Tris, glycine 및 detergent에 의해 background가 높아질 수 있다.

4 Glutaraldehyde와 같은 reducing reagent 처리는 은의 환원반응을 촉진시킴으로써 sensitivity를 증가시킨다.

5 Developing 시간이 너무 길 경우 negative staining이 일어나 정량적인 분석이 어렵다.

참고문헌

1 Weber, K. and Osborn, M. : The reliability of molicular weight determinations by dodecyl sulfate-polyacrylamide gel electrophoresis. J. Biol. Chem., 224, p.4406(1969)

2 Davis, B.J. : Disk electrophoresis-II : Method and application to human serum proteins. Ann. N.Y. Acad. Sci., 121, p.404(1964)

3 Laemmli, U.K., Cleavage of structural proteins during the assembly of the head of bacteriophage T4. Nature, 227, p.680(1970)

4 Schagger, H. and von Jagow, G. : Tricine-sodium dodecyl sulfate-polyacrylamide gel electrophoresis for the separation of proteins in the range from 1 to 100 kDa. Anal. Biochem. 166, p.368(1987)

4. 순단백질의 정량

개 요

식품 중 단백질은 전질소를 측정하고 질소-단백질 환산계수를 곱하여 조단백질로 나타내는 경우가 대부분이다. 그러나 식품 중 질소화합물이 모두 단백질은 아니고 비단백태 질소화합물도 함께 존재한다(차나 커피 등은 비단백태 질소화합물이 많은 식품이다). 이들 식품에서 단백질만을 정량할 필요가 때로는 있는데 단백질을 정량적으로 분리한다는 것은 어려운 일이다. 따라서 현재 일반적으로 단백질 이외의 질소화합물을 추출, 제거하는 편의적인 방법이 이용되고 있다. 그러나 비단백태 질소화합물을 완전히 제거하는 것도 그리 간단치는 않다. 각각의 시료에 대해서 어느 정도 예비지식을 가지고 각 시료에 맞는 적절한 추출, 제거방법을 적용해야 할 것이다. 추출, 제거방법에 따라 단백질이 용출되어 버리거나 또는 비단백태 질소화합물이 불완전하게 용출되는 경우도 있다.

따라서 일반 식품에 대해서 현재 편의적인 순단백질의 정량은 엄격하게 말해서 큰 의미를 가지고 있다고는 볼 수 없다. 실제 특정식품에 대해 정확한 순단백질 함량을 구하기 위해서는 그 식품에 맞는 적절한 방법을 찾아야 할 것이다.

여기서는 옛부터 일반적으로 사용되고 있는 방법에 대해 기술한다.

1) 일반적인 방법 (Barnstein법)

개 요

비단백태 질소화합물을 물로 가온 추출하고 동시에 추출되는 수용성 단백질은 동염(銅鹽)으로 회수하는 방법이다. 이어서 킬달 분해법에 의해 전질소를 정량하고 질소-단백질 환산계수를 곱하여 순단백질로 나타내는 방법이다.

시약 및 기구

- 황산동 수용액 : 특급 황산동결정($CuSO_4 \cdot 5H_2O$) 60g을 순수 1ℓ에 용해.
- 수산화나트륨 용액 : 특급 수산화나트륨 12.5g을 순수 1ℓ에 용해.
- 10% 명반 수용액 : 질소를 함유하지 않는 특급 명반($Al \cdot K \cdot (SO_4)_2 \cdot 12H_2O$) 10g을 90mℓ 순수에 용해

실험방법

1. 일반적인 방법 : 잘 마쇄한 시료 1~2g을 정평하여 비이커에 옮긴 다음 순수 100mℓ을 가하고 끓을 때까지 잘 교반, 가열한다. 이어서 황산동 용액 25mℓ과 수산화나트륨 용액 25mℓ을 순차

적으로 가해 잘 교반하여 수산화동을 생성시킴과 동시에 단백질을 침전, 회수한다. 교반 후 정치해 두면 단백질이 침전되는데 상등액을 여과지를 통해 버리고 생성된 침전물은 5회 이상 수세, 여과를 반복한다. 동이온 혹은 황산이온의 반응이 거의 끝난 후 침전물을 전부 같은 여과지로 옮긴다. 여과지에 모인 침전물을 순수로 다시 여러 차례 수세한다(여과가 잘 되지 않아 곤란할 경우는 처음부터 원심분리하는 것이 좋다). 침전물과 여과지를 풍건 또는 80℃ 정도에서 거의 건조시킨 다음 여과지와 침전물을 함께 킬달 분해플라스크에 넣고 분해하여 전질소량을 측정한다.

2 인산알칼리 함유 시료 : 곡류, 종실류 및 쌀겨 등은 일반적으로 피틴(phytin)태로서 다량으로, 무기인산으로서 소량의 인을 함유하고 있으며, 여기에 칼륨, 마그네슘 등이 결합하고 있다. 이 들 시료에 황산동을 가하면 동이온과 치환결합해서 동을 소비하게 된다. 결과적으로 첨가한 수산화나트륨의 농도가 높아져 용액이 알칼리성으로 되어 단백질을 용해시킬 염려가 있다. 이 경우는 시약을 가하기 전에 10% 명반 용액 1~2mℓ을 가해 인산알루미늄의 형으로 해서 미리 그 영향을 없애두는 것이 좋다.

3 인지질을 다량 함유하는 시료 : 인지질은 인과 함께 질소를 함유하는 화합물이고, 이 인지질을 비교적 많이 함유하고 있는 식품으로 난황, 대두, 땅콩, 간장 및 곡류 등을 들 수 있다. 인지질은 chloroform-methanol 혼합용액(2 : 1, 이하 CM혼액이라 약칭함)으로 추출, 제거할 수 있다. 건물량 기준으로 시료 1~2g을 삼각 플라스크에 정평하여 넣고 CM혼액 50mℓ을 가해 냉각관을 부착하여 가온해서 약 30분간 환류시킨다. 여과지를 깐 glass filter로 여과하여 CM혼액을 버리고 다시 CM혼액 30mℓ을 가하여 가온, 환류한다. CM혼액과 함께 전 시료를 galss filter로 옮기고 소량의 CM혼액으로 씻어낸다. Glass filter에 있는 시료와 여과지를 함께 건조한 다음 1과 같은 방법으로 전질소를 측정한다.

4 물에 난용성 알칼로이드를 함유하는 시료 : 시료에 99% 알코올 100mℓ과 초산 1mℓ을 가하고 water bath상에서 끓을 때까지 가열한다. 이어서 알콜을 경사법으로 분별하고 다시 한번 알콜로 세정한 다음 남은 알콜을 적절히 휘발시키고 1와 같은 방법으로 전질소를 측정한다.

결과 및 고찰

최종 계산 방법은 Kjeldahl법에 의한 전질소 측정법과 같다.

주의사항

1 시료를 다량 채취하면 전분질 식품일 경우 여과가 어렵고 비단백태 질소화합물의 추출이 불완전한 경우가 있다.

2 전분질 식품은 가열 후 호화되어 여과가 어려운데 이 경우는 55~60℃에서 10분간 가온한다.

참고문헌

小原哲二郎, 鈴木隆雄, 岩尾裕之 : 食品分析ハンドブック, 建帛社, p.42(1982)

2) 삼염화아세트산 (Trichloroacetic acid)에 의한 침전법

실험개요

수산화동을 이용하여 단백질을 침전시키는 방법은 유리 아미노산, 아미드류, 탄닌류 등도 함께 침전되는 경우가 있다. 이들 비단백태 질소화합물을 다량 함유하는 시료의 경우에는 단백질 침전제로서 삼염화아세트산이 적합하다.

시약 및 기구

- 12% 삼염화아세트산 수용액(냉암소 보관)
- 2.5% 삼염화아세트산 수용액(냉암소 보관)

실험방법

시료 1~2g을 비이커에 정평하여 넣고 순수 75㎖을 가하여 비등시킨다. 방냉 후 12% 삼염화아세트산 수용액 25㎖을 가해 잘 교반한다. 침전물이 생기면 경사법으로 상등액을 버리고 2.5% 트리클로로 초산 수용액으로 수회 반복해서 씻어낸다. 이후로는 1)의 ❶과 같은 방법으로 행한다.

결과 및 고찰

최종 계산 방법은 Kjeldahl법에 의한 전질소 측정법과 같다.

참고문헌

小原哲二郎, 鈴木隆雄, 岩尾裕之 : 食品分析ハンドブック, 建帛社, p.44(1982)

5. 비단백태 질소 화합물의 정량

개 요

식품 중 함유되어 있는 비단백태 질소화합물은 전질소에서 단백태 질소를 뺀 것으로 엑스분 질소라고도 한다. 비단백태 질소는 유리아미노산, 펩타이드, 아미드, 유기염기, 암모니아, 아민 등에서 유래되고 어떤 화합물은 식품의 맛, 갈변, 변패 등과 관계가 있다. 여기서는 비단백태 질소, 암모니아태 질소, 아미드태 질소 및 아미노태 질소에 대해 기술한다.

1) 비단백태 질소정량법

비단백태 질소는 전질소량과 순단백 질소량의 차로서 나타낸다.

2) 암모니아태 질소정량법

(1) Folin법

시료조제

시료가 고체일 경우는 그대로 혹은 일정량을 취해 적당량의 순수로 침출액을 만들고, 액체의 경우는 그대로 검액으로 한다.

시약 및 기구

- N/10 황산 용액
- N/10 수산화나트륨 용액
- 포화 탄산칼륨 용액
- 소포제 : 소포 실리콘 혹은 아밀알콜
- Methyl red-Methylene blue 혼합지시약 : methyl red 0.2g과 methylene blue 0.1g을 ethanol 100㎖에 용해
- 암모니아태 질소정량장치(그림 3-1)
- 흡인 펌프(시간당 600ℓ을 흡인할 수 있는 펌프)

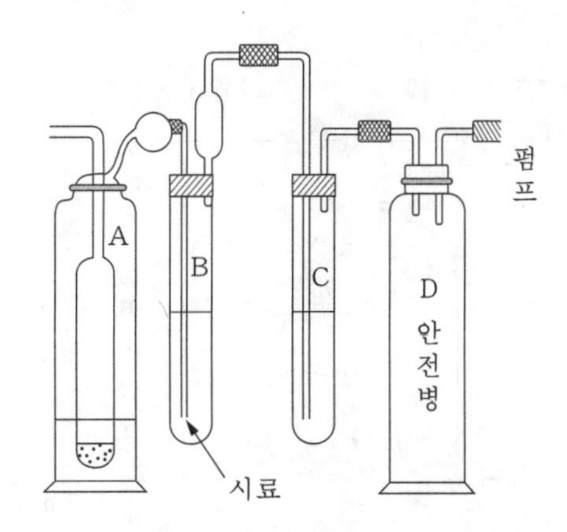

그림 3-1 Folin법 암모니아태 질소정량장치

실험방법

검액 일정량을 취해 B관에 주입하고, 소포제 한 방울을 떨어뜨린다. C관에 황산용액 20㎖을 넣고 액층이 약 5cm가 되도록 물을 가하고 지시약 2~3방울을 떨어뜨린다. 이어서 B관의 뚜껑을 열고 관벽을 따라 서서히 포화 탄산칼륨 10㎖을 가해 알칼리성으로 한 다음 바로 뚜껑을 닫고 약 2분간 약하게 흡인하고(4.5ℓ/분), 그 후 흡인을 강하게 해서(10ℓ/분) 암모니아의 흡수가 끝날 때까지 행한다(통상 20~25℃에서 1.5~2.5시간 소요된다). C관을 떼어 내어 순수로 세정하고 수산화나트륨 용액으로 적정한다.

결과 및 고찰

암모니아태 질소(%) = 0.0014 × (t_2-t_1) × F × (100/S)

t_1 : 적정치

t_2 : 황산용액 20㎖에 대한 수산화나트륨 용액의 적정치

F : 수산화나트륨 용액의 역가

S : 시료의 채취량(g)

참고문헌

小原哲二郎, 鈴木隆雄, 岩尾裕之 : 食品分析ハンドブック, 建帛社, p.45(1982)

(2) 감압증류법

시약 및 기구

- N/10 황산 용액
- N/10 수산화나트륨 용액
- 10% 수산화칼슘 용액
- 소포제 : 알코올
- Methyl red-Methylene blue 혼합지시약
- 암모니아태 질소 감압증류장치(그림 3-2) : 그림에서 A는 1ℓ, B는 200㎖용
- 흡인 펌프(시간당 600ℓ을 흡인할 수 있는 펌프)

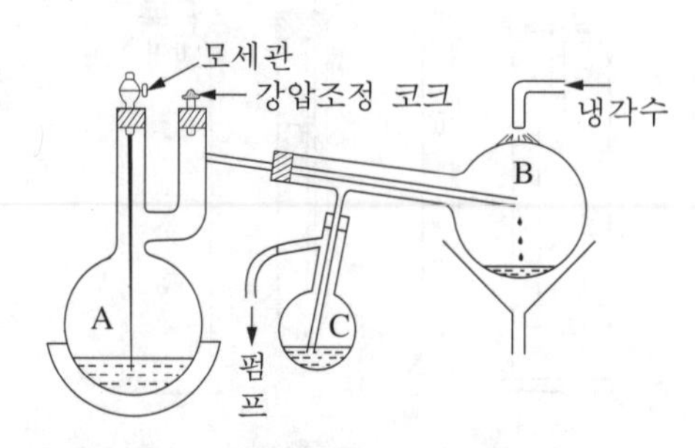

그림 3-2 암모니아태 질소 감압증류장치

실험방법

검액 일정량을 A에 넣고 순수를 가해 전량을 250㎖로 하고 기포를 방지하기 위해 알코올 100㎖을 가한다. 미리 황산용액을 B에 30~50㎖, C에 20㎖을 2~3방울의 지시약과 함께 넣과 장치를 고정한 다음 C에 수산화칼슘 용액 100㎖을 가하고 바로 40℃에서 감압(30mmHg 이하)하에 30분간 증류한다. 증류가 끝난 후 B 및 C의 내용물을 합하여 수산화나트륨용액으로 적정한다.

결과 및 고찰

Folin법과 동일하다.

참고문헌

小原哲二郎, 鈴木隆雄, 岩尾裕之 : 食品分析ハンドブック, 建帛社, p.46(1982)

3) 아미드(amide)태 질소정량법

실험개요

식품의 아미드태 질소는 주로 아스파라긴 및 글루타민에서 유래되며, 산 혹은 알칼리와 함께 끓이면 카르복실기에 있는 아미노기는 암모니아로 되는데 이를 아미드태 질소로 측정한다.
검액은 시료용액에서 단백질 및 펩타이드 등을 제거한 것으로 하고, 검액의 암모니아태 질소량과 동일 검액을 산처리한 것의 암모니아태 질소량과의 차이를 아미드태 질소량으로 한다.

시료조제

고체시료의 경우는 그 일정량에 10배량의 순수를 가해 1시간 침지하고 감압, 여과한다. 다시 1회 더 침출시키고 잔류물에 10배량의 순수를 다시 가해 자비, 여과한다. 여액을 전부 모아 자비하고 단백질을 응고시킨다(알부민이 응고된다). 이것을 다시 여과, 세정하고 여액은 감압농축하여 소량으로 한 다음 10% 황산용액을 가해 약 5%의 황산용액이 되게 한다. 여기에 인텅스텐산 용액을 가해 침전물(단백질, 펩타이드, 염기성 아미노산 및 일부 암모니아의 침전물)이 생기면 여과하고 5% 황산용액으로 세정한 다음 세정액과 함께 여액을 일정량으로 정용하여 검액으로 한다.
액체시료의 경우에는 일정량을 취해 자비하여 생성된 침전물을 여과하고 여액을 고체시료의 경우와 같은 방법으로 처리하여 검액으로 사용한다.

시약 및 기구

- 5% 및 10% 황산용액
- 인텅스텐산 용액 : 인산수소나트륨 120g과 텅스텐산나트륨 200g을 물 1000㎖에 용해하고 여기

에 희석 황산(1 : 3) 100㎖을 가한다.
■ 진한 염산 혹은 진한 황산
■ 기타 시약은 암모니아태 질소 정량의 경우와 동일하다.

실험방법

검액 일정량을 취해 암모니아태 질소를 측정한다(암모니아태 질소 측정방법 참조). 다음에 같은 검액 일정량을 취해 그 100㎖에 대해 진한 염산 7~8㎖ 혹은 진한 황산 2~2.5㎖을 가해 1.5~2시간 자비하고 냉각한 후 앞의 방법과 같이 암모니아태 질소를 측정한다.

결과 및 고찰

산가수분해로 얻어진 암모니아태 질소량과 산처리하지 않은 검액의 암모니아태 질소량의 차를 아미드태 질소량으로 한다.

주의사항

인텅스텐산으로 처리한 검액은 암모니아 일부가 소실되기 때문에 이 정량치는 아미드태 질소를 측정하기 위한 값이고 정확한 암모니아태 질소 값은 아니다.

참고문헌

小原哲二郎, 鈴木隆雄, 岩尾裕之 : 食品分析ハンドブック, 建帛社, p.46(1982)

4) 아미노태 질소정량법

개 요

아미노태 질소정량법으로 아미노산의 아미노기를 직접 정량하는 방법, 카르복실기를 측정해서 간접적으로 정량하는 방법 및 아미노산의 정색반응을 이용하는 방법 등이 있지만 여기서는 아미노기를 정량하는 Van Slyke법과 카르복실기를 정량하는 Formol법에 대해 기술한다.

(1) Van Slyke법

실험개요

아미노산의 아미노기의 질소는 일반적으로 아질산과 작용하여 질소가스를 발생하므로 이를 측정하는 방법이다. 이때 질소가스의 부피로부터 표준상태(0℃, 76mmHg)로 환산하여 질소의 양을 산출하는 것이 좋으나 실제로는 Van Slyke 표로 부터 질소량(mg)을 계산한다.

시료조제

시료가 고형인 경우에는 이의 일정량에 10배량의 증류수를 가하여 1시간동안 냉침한 후 감압, 여과하고 다시 1회 침출을 반복해 잔류물에 10배 가량의 물을 가하여 끓인 후 여과하고 여액 전부를 모아 끓인다(이때 albumin 단백질이 응고한다). 이를 여과하고 씻은 후 여액을 감압농축하여 소량으로 한 다음 10% 황산용액을 가하여 약 5%의 황산용액이 되게 하고 인텅스텐산(phosphotungstic acid) 용액을 가하여 생성되는 침전을 거르고(단백질, 펩타이드, 염기성 아미노산, 암모니아의 일부가 침전됨), 5% 황산용액으로 씻고, 여액과 씻은 액을 모아 일정량으로 한 후 검액으로 한다.

시약 및 기구

Van Slyke 장치(그림 3-3)

- 인텅스텐산(Phosphotungstic acid) 용액 : Na_2HPO_4 120g과 sodium tungstate 200g을 물 1L에 녹인 후 여기에 묽은 황산(1:3) 100㎖를 가한다.
- 빙초산, 아질산소오다 용액 : $NaNO_2$ 30g을 물 100㎖에 녹인다.
- Carpryl alcohol
- 그리스
- 알칼리성 KMnO4 용액 : $KMnO_4$ 50g과 KOH 25g을 물 1ℓ에 용해한다.

실험방법

1 장치내의 공기 제거 : 그림 3-3의 H부분에 있는 둥근 부분의 일부가 채워질 때까지 $KMnO_4$ 용액을 넣는다. f와 C를 회전시켜 F를 C를 통해서 외기와 통하게 하고 L에 물을 채우고 이를

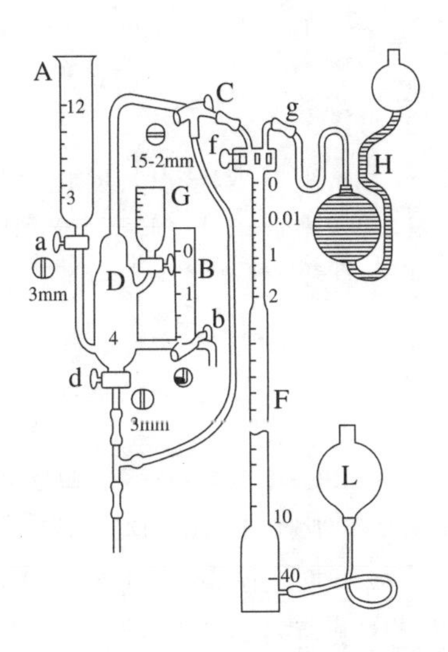

A : 시약주입관(약 35ml 용량)
a : 내부직경 3mm 코크
B : 피검액용 뷰렛
b : 내부직경 1mm 코크
C : 3방향 코크
D : 아미노태 질소가스 발생실 (약 15ml 용량)
d : 내부직경 3mm 코크
F : 가스뷰렛, f는 코크
G : Carpryl alcohol 주입관
H : Hempel 가스 피펫
L : 수순조

그림 3-3 Van Slyke법 아미노태 질소정량 장치

높이 올려 물이 C에 이르게 하면 F안의 공기는 제거된다. C를 닫고 f를 돌려 F와 H를 통해서 $KMnO_4$ 용액이 f에 도달할 때까지 L을 내려 H와 f 사이의 공기를 F에 유도시킨다. f와 C를 회전시켜 F를 C에 통하게 하고 다시 L을 높이 올려 F안의 공기를 C에서 밖으로 내몰고 f를 닫는다. C를 회전시켜 D를 외기와 통하게 하고 a, b, d를 모두 닫고 A에 빙초산 3㎖(아래 눈금까지)를 넣는다. a를 열고 빙초산을 D에 옮긴 후 $NaNO_2$ 용액 12㎖를 A에 넣고 역시 D에 옮긴다. 이어 C를 닫고 a를 열어둔 채 수초 동안 D를 진탕하면 NO가 발생하고 그 압력으로 D 중의 액은 A로 역류된다. C를 열어 외기와 통하게 하면 A 중의 액은 다시 D로 되돌아가고 가스는 C에서 외부로 제거된다. C를 닫고 다시 D를 진탕하고 D중의 용액을 A로 역류시켜 D안의 액면이 눈금에 이르면 a를 닫는다. C를 열어 외기와 통하게 하고 D를 1분간 진탕하여 C와 f를 회전시켜 D와 F를 통하게 한다. 이렇게 함으로써 장치 내부와 용액중의 공기는 거의 제거된다.

2. 아미노기의 분해 : 검액(아미노산 용액)을 B에 넣고 b를 회전시켜 D에 옮긴 후 3~5분간 D를 진탕하여 일정한 반응을 진행시킨 후 2분간 더 진탕한다. 발생되는 가스는 점차로 F로 유입되고 나머지 가스는 a를 열면 자연적으로 F로 이동된다. 이렇게 하여 발생된 가스를 전부 F로 유입시킨다. 이때 외기가 침입하지 않도록 특별히 주의하여야 한다.
3. NO의 흡수 및 N_2의 측정 : f를 회전시켜 F와 H를 연결하고 L을 위로 올려 F액의 가스를 완전히 H로 옮기고, f를 닫고 L을 아래로 내린다. H를 조용히 1~2분간 진탕한다(강하게 진탕하면 콜로이드상이 되므로 주의). 이때 대부분의 가스는 알칼리성 $KMnO_4$ 용액에 흡수되어 부피가 줄어든다. f를 회전시켜 F와 H를 연결하면 가스는 다시 F내에 도입된 알칼리성 $KMnO_4$를 f까지 도달하도록 하고, F의 눈금이 0이 되도록 하여 f을 닫고 L내 액의 표면과 F내 액의 표면이 일치되도록 L을 위로 올려(이 상태에서 가스의 압력과 외기의 압력이 같게 된다) F내 가스의 부피를 읽는다. 가스가 완전히 흡수되어지면 가스를 다시 H내로 보내어 조용히 진탕한 후 앞과 같은 조작을 되풀이하여 F내에 유도된 가스의 부피를 다시 읽는다. 전후 2회의 눈금이 거의 일치하면 반복할 필요가 없다. 일정한 가스의 부피를 기록하고, 동시에 측정할 때의 실온 기록하고 동시에 측정할 때의 실온(℃) 및 기압(mmHg)을 기록한다.

결과 및 고찰

Van Slyke 표(표 3-8)에 의해 계산한다. 측정시의 실온과 기압으로부터 표에서 얻은 수치와 측정부피(N_2 가스의 ㎖)를 곱한 값이 아미노태 질소의 양(mg)이다. 예를 들면 온도 18℃, 기압 754mmHg에서 측정한 N_2의 부피를 a㎖이라고 하면 표 중에서 얻은 수치 0.5700에 a를 곱한 값이 구하려는 아미노태 질소의 양(mg)이다.

주의사항

1. 검액을 사용하지 않고 바탕시험을 하여 시약으로부터 오는 오차를 제거하고 보정할 필요가 있다.
2. 측정이 끝나면 F내의 가스를 f와 C를 열어 외계로 배출하고, A와 D는 증류수로 잘 씻고, D는 알코올과 에테르로 다시 씻어 건조한 후 다음 측정에 사용한다. 액체시료인 경우에는 일정량을 취하여 끓여서 생성되는 침전을 거르고, 거른 액을 앞에서와 같이 10% 황산용액을 가하여 약 5% 황산용액으로 하고 인텅스텐산 용액을 가하여 생성되는 침전을 거르고, 이 거른 액

을 일정량으로 하여 검액으로 한다.

표 3-8 질소 1mℓ에 상당하는 아미노태 질소의 양(mg)

온도(℃) / 기압(mmHg)	11	12	13	14	15	16	17	18	19	20
728	0.5680	0.5655	0.5630	0.5605	0.5580	0.5555	0.5525	0.5500	0.5475	0.5445
730	5695	5670	5645	5620	5595	5570	5540	5515	5490	5460
732	5710	5685	5660	5635	5610	5585	5555	5530	5505	5475
734	5725	5700	5675	5650	5625	5600	5575	5545	5520	5495
736	5745	5720	5695	5665	5640	5615	5590	5560	5535	5510
738	5760	5735	5700	5680	5655	5630	5605	5580	5550	5525
740	5775	5750	5725	5700	5670	5645	5620	5595	5565	5540
742	5790	5765	5740	5715	5685	5660	5635	5610	5580	5555
744	5805	5780	5755	5730	5705	5675	5650	5625	5595	5570
746	5820	5795	5770	5745	5720	5690	5665	5640	5610	5585
748	5840	5815	5785	5760	5735	5710	5680	5655	5630	5600
750	5855	5830	5805	5775	5750	5725	5695	5670	5645	5615
752	5870	5845	5820	5790	5765	5740	5710	5685	5660	5630
754	5885	5860	5835	5805	5780	5755	5730	5700	5675	5645
756	5900	5875	5850	5825	5795	5770	5745	5715	5690	5660
758	5915	5890	5865	5840	5810	5785	5760	5730	5705	5675
760	5935	5905	5880	5855	5830	5800	5775	5745	5720	5690
762	5950	5925	5895	5870	5845	5815	5790	5765	5735	5705
764	5965	5940	5910	5885	5860	5830	5805	5780	5750	5725
766	5980	5955	5930	5900	5875	5850	5820	5795	5765	5740
768	5995	5970	5945	5915	5890	5865	5835	5810	5780	5755
770	6010	5985	5960	5930	5905	5880	5850	5825	5795	5770
772	6030	6000	5975	5945	5920	5895	5965	5840	5810	5785
728	5420	5395	5365	5335	5310	5280	5250	5520	5195	5160
730	5435	5410	5380	5380	5325	5295	5265	5235	5210	5175
732	5450	5425	5359	5359	5340	5310	5280	5250	5220	5190
734	5465	5440	5410	5410	5355	5325	5295	5265	5235	5205
736	5480	5455	5425	5425	5370	5340	5310	5280	5250	5220
738	5495	5470	5440	5415	5385	5355	5325	5295	5265	5235
740	5510	5485	5455	5430	5400	5370	5340	5310	5280	5250
742	5525	5500	5470	5445	5415	5385	5355	5325	5295	5265

표 3-8(계속)

온도(℃) / 기압(mmHg)	21	22	23	24	25	26	27	28	29	30
744	0.5540	0.5515	0.5485	0.5460	0.5430	0.5400	0.5370	0.5340	0.5310	0.5280
746	5555	5530	5500	5475	5445	5415	5385	5355	5325	5295
748	5575	5545	5515	5490	5460	5430	5400	5370	5340	5310
750	5590	5560	5530	5505	5475	5445	5415	5385	5355	5325
752	5605	5575	5545	5520	5490	5460	5430	5400	5370	5340
754	5620	5590	5560	5535	5505	5475	5445	5415	5385	5355
756	5635	5605	5575	5550	5520	5490	5460	5430	5400	5370
758	5650	5620	5595	5565	5535	5505	5475	5445	5415	5385
760	5665	5635	5610	5580	5550	5520	5490	5460	5430	5400
762	5680	5650	5625	5595	5565	5535	5505	5475	5445	5415
764	5695	5665	5645	5610	5580	5550	5520	5490	5460	5430
766	5710	5680	5655	5625	5595	5565	5535	5505	5475	5445
768	5725	5695	5670	5640	5610	5580	5550	5520	5490	5460
770	5740	5710	5685	5655	5625	5595	5565	5535	5505	5475
772	5755	5730	5700	5670	5640	5610	5580	5550	5520	5490

참고문헌

小原哲二郎, 鈴木隆雄, 岩尾裕之 : 食品分析ハンドブック, 建帛社, p.48(1982)

(2) Formol 적정법

실험개요

아미노산은 양성전해질이므로 수용액 중에서 산이나 알칼리로 직접 적정할 수 없다. 그러나 중성 수용액에서 formaldehyde와 반응하여 그의 염기성이 없어져 보통 산과 같이 알칼리로 적정할 수 있다. 아미노산 중 proline 및 hydroxyproline의 imino기는 fromaldehyde와 친화성이 약하므로 낮은 값을, tyrosine은 산성의 OH기를 가지고 있으므로 높은 값을, arginine 및 lysine은 formalin 용액을 가하였을 때 중성으로 작용하므로 이들 아미노산들이 시료액 중에 다량으로 함유되어 있을 때는 정확한 값을 얻을 수가 없다.

시료조제

1 인산염, 탄산염 및 다량의 암모늄염을 함유하고 있지 않은 시료는 시료액(Van Slyke법에서 언급한 방법으로 만든 시료액) 일정량을 취하여 약산성으로 중화한다(pH 6.8).

2 인산염 및 탄산염을 함유하고 있는 시료는 시료액(Van Slyke법에서 언급한 방법으로 만든 시료액) 50mℓ를 100mℓ의 메스플라스크에 취하고 0.5% 페놀프탈레인 용액 1mℓ, $BaCl_2$ 2g을 가하고 진탕하여 용해시킨 후 지시약이 변색될 때까지 포화 $Ba(OH)_2$ 용액을 가하고 여기에 눈금까지 물을 채워 잘 진탕한다. 이를 15분간 방치한 후 거르고, 거른 액 80mℓ(시료 40mℓ에 상당)를 100mℓ 메스플라스크에 취하여 0.2N-HCl 용액으로 중화(pH 6.8)하고, 탄산을 함유하지 않은 물로 눈금까지 채워 시료액으로 한다.

3 탈색 : 시료가 산가수분해물일 경우에는 탈색할 필요가 있다. 고체시료인 경우에는 1~3g을 0.1N-HCl 용액 25mℓ에, 액체인 경우에는 0.1N-HCl 용액으로 산성화한 25mℓ를 50mℓ의 메스플라스크에 취하고 $BaCl_2$ 용액 4mℓ를 가한 후 강하게 진탕하면서 $AgNO_3$용액 20mℓ를 떨어뜨린다. 여기에 탄산을 함유하지 않은 물을 눈금까지 채운다(이때 침전된 AgCl의 부피를 보정할 필요가 있으므로 이에 해당하는 물 4방울을 가한다). 이것을 거르고 거른 액을 일정량 취하여 1과 같이 중화하여 시료액으로 한다. 만일 인산, 탄산을 제거할 필요가 있을 때는 50mℓ를 취하여 2와 같이 처리한다.

시약 및 기구

- $BaCl_2$
- 0.5% 페놀프탈레인 용액
- 포화 $Ba(OH)_2$ 용액
- 0.2N-HCl 용액
- 0.1N-HCl 용액
- $BaCl_2$용액 : $BaCl_2 \cdot 2H_2O$ 244g을 물 1 ℓ에 용해한다.
- $AgNO_3$용액 : $AgNO_3$ 57g을 물 1 ℓ에 용해한다.
- 0.2N-NaOH 용액(정확히 농도계수를 구한 것) : 아미노산 함량이 적을 경우에는 0.1N 용액을 사용한다.
- 중성 formalin 용액 : formalin(30~40% HCHO 함유) 500mℓ에 페놀프탈레인용액 1mℓ를 가하고 0.2N-NaOH 용액으로 엷은 붉은 색이 될 때까지 중화한다. 이 시약은 분석할 때마다 새로 만들어 사용한다.

실험방법

1 대조시험 : 끓여서 탄산을 제거하고 식힌 순수한 물 20mℓ에 중성 formalin 용액 10mℓ를 가하고 실제 적정 소요량의 약 반정도의 0.2N-NaOH 용액을 가하고, 잘 섞은 후 액이 약한 분홍색이 될 때까지 0.2N-HCl 용액으로 역적정해 이 점을 제1당량점으로 한다(pH 8.3). 여기에 0.2N-NaOH 용액 5방울을 가하여 붉은 색이 되는 점을 제2당량점(pH 8.8)으로 한다.

2 본실험 : 시료액 20mℓ에 중성 formalin 용액 10mℓ를 가하고, 대조시험 때의 색깔보다 진하게 될 때까지 0.2N-NaOH 용액을 가하고, 0.2N-HCl로 다시 대조액과 같은 색이 되게 해 최후로 0.2N-NaOH용액으로 대조액의 제2당량점 때와 동일한 색깔이 되도록 적정한다. 다음에 대조시험액에 0.2N-NaOH용액 2방울을 가하여 이 점을 제3당량점(pH 9.1)으로 하고, 시료액을 제3당량점 때와 동일한 색깔이 될 때까지 적정한다.

결과 및 고찰

0.2N-NaOH 용액 1mℓ는 2.8mg의 formol태 질소에 상당하므로 다음과 같이 계산한다.

$$\text{Formol태 질소(mg)} = 2.8 \times \{V_t - (V_h + V_c)\} \times F$$

V_t : 제삼 당량점까지 소비된 0.2N NaOH의 총량(mℓ)
V_h : 가한 0.2N HCl에 상당하는 0.2N NaOH 용액량(mℓ)
V_c : 대조액에 가한 0.2N NaOH 용액의 총량(대게 약 0.1mℓ)
F : 0.2N NaOH의 역가

참고문헌

小原哲二郎, 鈴木隆雄, 岩尾裕之 : 食品分析ハンドブック, 建帛社, p.51(1982)

제2절 지방질의 분리 및 분석

1. 총지질의 추출

개 요

대부분의 천연지질은 생체에서 소수성결합 및 친수성결합을 형성하고 있기 때문에, 비극성용매와 극성용매를 조합하여 혼합용매로서 총지질을 추출한다. 동물, 식물, 미생물 등 원료의 종류에 따라 다소의 차이는 있으나, 여기서는 일반적으로 널리 이용되고 있는 Bligh and Dyer(1959)에 의한 방법을 중심으로 소개한다.

시료의 전처리

신선한 동물원료인 경우에는 speed cutter에 의해 마쇄하여 추출하는 방법이 가장 널리 이용되는 방법이지만, 경우에 따라서는 원료를 균질화 또는 세절한 후 동결건조하여 추출하는 방법도 있다. 동결건조법은 조직으로부터 수분이 제거되므로 지질의 추출이 쉬워지는 이점이 있다. 식물이나 미생물인 경우에는 균질화하기 전에 조직을 끓는 물 속에 1~3분간 가열한 후 추출하면 조직 중의 대부분의 효소가 실활되는 이점이 있다.

시약 및 기구

- 시약 : 0.88% KCl, Chloroform, Methanol, Na_2SO_4
- 기구 : Separate funnel, Spoid, Beaker, Erlenmeyer flask, Graduate cylinder, Balance, Desiccator, Vacuum pump, Speed cutter, Filter paper, Buchner funnel, Homogenizer, Vacuum evaporator, receiver

추출방법

전처리한 시료 약 100g을 beaker에 정확히 취하고, chloroform 100㎖와 methanol 200㎖ 취하여 homogenizer(rpm 16,000~17,000)로 약 3분간 균질화하여 여과한다. 잔사는 chloroform 100㎖로서 약 1분간 균질화하여 여과하고 위의 여액과 혼합한다. 이 여액을 separate funnel로 옮기고 0.88% KCl 100㎖을 첨가한 후 전 용액을 가볍게 흔들어 하룻밤 실온(암소)에서 방치한다. Funnel의 상층(methanol-water)과 하층(chloroform-methanol)이 분리되면 하층을 삼각 플라스크에 취한 후 Na_2SO_4로 탈수하고 여과한다. 여액을 40℃ 이하의 진공증발기에서 용매를 제거한 다음 chloroform을 이용하여 총지질을 일정량으로 정용하여 −35℃ 이하에서 보존한다.

결과 및 고찰

Chloroform으로 정용한 총지질 일정량을 미리 항량을 측정해 둔 수기에 취한 다음, 용매를 제거한 후 진공 데시케이터에 넣어 약 30분간 진공펌프에 의해 공기를 제거한다. 이것을 하룻밤 방치한 다음 수기의 무게를 측정한다.

$$총지질(\%) = \frac{(총지질\ 포함\ 수기무게 - 최초의\ 수기\ 무게) \times 희석배수 \times 100}{시료무게(g)}$$

주의사항

총지질을 추출한 혼합 여액을 separate funnel에서 하룻밤 방치한 후, 상층과 하층사이의 경계면이 불명확한 경우에는 소량의 methanol을 가하여 가볍게 흔들어 주면 경계면이 명확하게 된다.

참고문헌

1. 藤野安彦: 脂質分析法入門, 學會出版センター、p.42(1990)
2. Bligh, E.G. and W.J. Dyer : A rapid method of lipid extraction and purification. Can. J. Biochem. Physiol., 37, p.911(1959)

2. 지방의 물리화학적 시험법

1) 지방의 물리적 시험법

지방에 대해 건조중량(수분), 색, 비중, 수분(가열감량), 굴절률, 녹는점, 응고점, 냉각상태, 점도, 발연점, 인화점, 연소점, 용해도, 가열불용출, 가열색도, 겔화시간, 건조시간, 고체지방인덱스 등이 물리적으로 측정된다. 보통의 지방실험에서는 수량은 반드시 살펴보고, 색, 녹는점, 용해도 등을 더 조사하는 경우가 많다.

2) 지방의 화학적 시험법

지방에 대해 산가, 중화가, 검화가, 에스테르가, 요오드가, 로단가, 아세틸가, 수산기가, 불검화물가, 과산화물가, 공역디엔가, 등이 화학적으로 측정된다. 이중 가장 빈번히 측정하는 산가와 과산화물가에 대해서만 상세히 기술한다.

(1) 산가

개 요

지방 중에 존재하는 산성지질(주로 유리지방산)의 함량을 나타내는 척도이다. 중화가라고도 한다. 단, 중화가란 본래 시료지질이 지방산일 때의 산가를 가리킨다.

시료조제

지방상태의 시료는 그대로 사용하나 그렇지 않은 경우는 1.의 시료전처리와 같은 방법으로 지방분획만을 분리해내어 사용한다.

시약 및 기구

- 에탄올성 0.1N KOH 용액 : 수산화칼륨 7.0g을 물 5mℓ에 녹이고, 에탄올 : 물(95 : 5)로 묽혀 1000mℓ로 한다. 0.1N 염산 25mℓ를 삼각플라스크에 정확히 취하고, 1% 페놀프탈렌을 지시약으로 하여 에탄올성 0.1N KOH 용액으로 적정하여 이것의 역가를 결정한다.
- 0.1N 염산 : 염산 10mℓ를 1000mℓ의 물로 묽힌다. 한편, 소량의 탄산나트륨을 백금 도가니 속에서 500~650℃로 40~50분간 가열하고, 데시케이터 내에서 냉각한다. 그 1.0~1.5g을 메스플라스크속에 정확히 달아 넣고 물 25mℓ와 0.1% 브로모페놀블루 두세 방울 가하고서 0.1N 염산으로 적정하고, 종말점 가까이에서는 끓여서 탄산가스를 제거하고서 냉각한 뒤 좀더 적정을 계속하여 0.1N 염산용액의 역가를 결정한다.
- 1% 페놀프탈렌 : 페놀프탈렌 1g을 에탄올 : 물(95 : 5) 100mℓ에 녹인다.
- 0.1% 브로모페놀블루 : 브로모페놀블루 0.1g을 에탄올 : 물(95 : 5) 20mℓ에 녹이고, 물로 100mℓ로 한다.
- 용매 : 벤젠 : 에탄올(1 : 1 또는 2 : 1), 또는 에테르 : 에탄올(1 : 1 또는 2 : 1)의 혼합액을 사용 직전에 1% 페놀프탈렌을 지시약으로 하여 에탄올성 0.1N KOH용액으로 중화한다.

실험방법

무기산이 혼입되어 있지 않은 시료수 g을 삼각플라스크속에 정확히 달아 넣는다. 채취량은 추정산가가 5 이하라면 20g, 5~15라면 10g, 15~30이라면 5g, 30~100이라면 2.5g, 100 이상이라면 1.0g이 적당하다. 이것에 용매 100mℓ와 1% 페놀프탈렌 수 방울 떨어뜨려 잘 섞어 시료를 완전히 녹인다. 이것을 에탄올성 0.1N KOH용액으로 적정하고, 지시약의 엷은 분홍색이 30초간 지속될 때를 중화종점으로 한다.

$$산가 = \frac{5.611 \times A \times f}{시료\ 지방의\ 채취량(g)}$$

A : 에탄올성 0.1N KOH용액의 적당량 mℓ

f : 에탄올성 0.1N KOH용액의 역가

주의사항

에탄올성 0.1N KOH용액은 가능한한 플라스틱용기에 보관한다.

참고문헌

藤野安彦 : 脂質分析法入門, 學會出版センター, p.50(1983)

(2) 과산화물가

개 요

지질의 초기 산화 내지는 초기 변패의 정도를 나타내는 척도이다. 시료에 요오드화칼륨을 가하였을 때 유리되는 요오드를 치오황산나트륨으로 표정하고, 시료 1kg에 대한 mili당량수로 나타낸다. 이것은 지질산화의 초기에 생기는 과산화물(peroxide)이 요오드화칼륨과 반응하여 요오드를 유리시키는 성질을 이용하고 있다. 더욱이, 과산화물가는 지질중의 peroxide함량을 간접적으로 나타낸다.

$$-CH_2-\underset{\displaystyle OOH}{\underset{|}{CH}}-CH=CH- \; + \; 2KI \; \rightarrow \; -CH_2-\underset{\displaystyle OH}{\underset{|}{CH}}-CH=CH- \; + \; I_2 \; + \; K_2O$$

$$I_2 + 2Na_2S_2O_3 \rightarrow Na_2S_4O_6 + 2NaI$$

시료조제

지방상태의 시료는 그대로 사용하나 그렇지 않은 경우는 1.에 예시한 바와 같은 방법으로 시료로부터 지방획분만을 분리해내어 사용한다.

시약 및 기구

- 용매 : 클로로포름 : 빙초산(2 : 3)의 혼합액을 만든다.
- 포화 KI용액 : 끓는 물에 과잉의 요오드화칼륨 분말을 가하고, 불용부분을 남긴 채의 포화용액으로 한다.
- 0.01N 치오황산나트륨 : 0.1N 치오황산나트륨을 탄산가스를 포함하지 않은 물로써 정확히 10배로 희석한다.
- 1% 전분용액 : 감자나 옥수수전분 1g에 물 100mℓ를 가해 혼탁한 액이 어느 정도 투명해질 때까지 끓인다. 이때 너무 장시간 가열하면 완전히 풀로 되기 때문에 적당한 시점까지만 끓여

가용화 전분이 되도록 한다. 상등액만을 여과하여 사용한다.

■ 250mℓ 공전플라스크, 25mℓ 뷰렛 등의 기구가 필요하다.

실험방법

250mℓ 공전플라스크에 시료 1~10g을 정확히 달아 넣고, 용매 25~50mℓ를 가해 녹인다. 시료 채취량은 추정 과산화물가가 50 이상이면 1g 이하, 50~10이면 1~5g, 10~1이면 5~10g, 1 이하라면 10g 이상이 적당하다. 질소기류하에 포화요오드화칼륨 1mℓ를 정확히 가하고, 1분간 진탕하고서, 상온암소에서 5분간 방치한다. 여기에 물 75mℓ를 가해 잘 혼합하고, 1% 전분용액을 지시약으로 하여 유리요오드를 0.01N 치오황산나트륨용액으로 청색이 소실되는 점까지 적정한다. 아울러 본 시험과 병행하여 시료를 넣지 않은 공시험을 행한다.

$$\text{과산화물가} = \frac{(A-B) \times f}{\text{시료 지질의 채취량(g)}} \times 10$$

A : 본시험에서의 0.01N 치오황산나트륨용액의 적정량(mℓ)

B : 공시험에서의 0.01N 치오황산나트륨용액의 적정량(mℓ)

f : 0.01N 치오황산나트륨용액의 역가

주의사항

1 포화 KI용액은 실험 직전에 만들고, 알루미늄 호일로 용기를 감싸 최대한 빛을 받지 않도록 한다. 그런데 만약 원래색인 무색에서 진한 갈색으로 변하면 다시 제조하여 사용하여야만 한다. 대략 10mℓ의 물에 약 15g의 KI가 녹는다.

2 1% 전분용액도 당일 실험 직전에 제조하여 사용해야만 한다.

3 산화지질인 경우는 0.1g 이하를 취해도 정확도에 지장을 주지는 않는다.

4 미량분석방법 등 여러 방법이 더 있으나, 상기 기술한 AOAC법이 가장 일반적이고 확실하다.

참고문헌

藤野安彦 : 脂質分析法入門, 學會出版センター, p.59(1983)

3. 지방산의 분석

개 요

지방산은 생체내에서 대부분 glycerol과 ester 결합형태로 존재하므로 이 ester 결합을 강알카리 시약으로 절단하여 검화하고, methyl 또는 ethyl ester 유도체로 만든 다음 분석한다. 여기에서는 저자의 실험실에서 주로 이용하고 있는 AOCS법을 소개하고자 한다.

시약 및 기구

- 시약 : 0.5N NaOH-Methanol solution, Saturated NaCl solution, 14% BF3-Methanol reagent, Iso-octane, C23:0 methyl ester(100mg/100mℓ iso-octane)
- 기구 : Screw-cap tubes(10mℓ) and vial(5mℓ), Pasteur type pipettes, Volumetric pipettes(1-2mℓ), Heating block, Balance, Gas-liquid chromatography

시료조제

Internal standard(IS, 23:0 methyl ester) 1mℓ를 test tube에 정확히 취하여 질소기류하에서 용매를 제거하고, 일정량의 총지질(약 25mg) 용액을 정확히 취하여 용매를 제거한다. 여기에 0.5N NaOH 1.5mℓ를 가하고 tube 내의 공기를 질소로 치환한 다음 뚜껑을 닫은 후 vortex mixer에 의하여 혼합하고 100℃에서 7~10분간 heating block에서 가열한다. 이것을 냉각하고 BF3-Methanol reagent 2mℓ을 가하여 질소로 치환한 다음 뚜껑을 닫은 후 혼합하고 100℃에서 5~7분간 heating block에서 가열한다. 약 30~40℃로 냉각한 다음 iso-octane 1mℓ를 가하고 질소로 치환한 후 뚜껑을 닫고 약 30초간 강하게 흔들어 지방산 methyl ester를 추출한다. 여기에 포화 NaCl 용액 5mℓ를 가하고 질소로 치환한 다음 뚜껑을 닫고 혼합한 후 방치하여, tube의 상층에 iso-octane 층이 분리되면 이 층을 주의 깊게 spoid로 취하여 vial로 옮긴다. Tube에 iso-octane 1mℓ을 다시 가하여 질소로 치환하고 뚜껑을 닫고 혼합한 후 방치하여 iso-octane 층을 재차 분리한다. 이 추출 조작을 총 3회 반복하여 iso-octane 층을 vial에 모은 다음 질소기류하에서 약 0.5mℓ로 농축한 것을 gas-liquid chromatography 에 의한 지방산 분석용 시료로 한다.

Gas-liquid chromatography(GLC)

지방산 methyl ester 유도체 약 1μℓ를 syringe에 취하여 FID-GLC의 injector port에 주입하여 분석을 개시한다. 저자의 실험실에서 사용하는 GLC 분석조건은 다음과 같다. Column은 Omegawax 320(30m×0.32mm, ID)를 사용하고 column 온도는 180℃에서 8분간 유지한 후 3℃/min으로 230℃까지 승온 시킨 다음 15분간 유지한다. Injector와 detector 온도는 250℃로 하고, Carrier gas 는 He(99.9999%, 1kg/cm^2)을 사용하며, split ratio는 1:50으로 한다. 분석된 지방산은 표준품을 동일조건에서 분석하여 ECL를 비교하여 동정하고, 표준품이 없는 경우에는 GC/MS에 의해 동정하거나, 문헌의 ECL과 비교하여 동정한다.

결과 및 고찰

시료 지방산의 조성은 각 peak의 면적으로 구하고, 각 peak 성분(지방산)의 정량적 계산은 기지 함량의 IS 면적과 비교하여 구할 수 있다.

$$\text{지방산조성(Area \%)} = \frac{100(Ax)}{(At)-(Ais)}$$

Ax : 각 지방산 peak의 면적
At : 총 지방산 peak의 면적
Ais : IS peak의 면적

$$\text{EPA/DHA 함량 (mg/g oil)} = \frac{(Ax)(Wis)(CFx)1,000}{(Ais)(Ws)(1.04)}$$

Ax : EPA 또는 DHA의 peak 면적

Ais : IS peak의 면적

CFx : EPA(0.99), DHA(0.97)의 IS에 대한 이론적 보정계수

Wis : IS의 무게(mg)

Ws : 시료의 무게(mg)

주의사항

지질은 공기, 광선, 열 등 여러 가지 물리화학적 요인에 의하여 산화하기 쉬우므로 취급은 가능한 한 신속히 취급하여야 한다.

참고문헌

1. AOCS: AOCS official method Ce 1b-89. In Official Methods and Recommended practice of the AOCS 4th ed., AOCS, Champaign, IL., USA(1990)
2. Koizumi, C., B.Y. Jeong and T. Ohshima: Fatty chain composition of ether and ester glycerophospholipids in the Japanese oyster. Lipids, 25, p.363(1990)
3. Jeong, B.Y., T. Ohshima and C. Koizumi: Hydrocarbon chain distribution of phospholipids of the ascidian and the sea urchin. Lipids, 31, p.9(1996)
4. Jeong, B.Y., B.D. Choi, S.K. Moon and J.S. Lee: Fatty acid composition of 72species of Korean fish. J. Fish. Sci. Tech., 1, p.129(1998)
5. Jeong, B.Y., B.D. Choi, S.K. Moon, J.S. Lee and W.G. Jeong: Fatty acid composition of 35 species of marine invertebrates. J. Fish. Sci. Tech., 1, p.232(1998)

4. 콜레스테롤의 정량

개 요

시료를 먼저 검화하고서 유기용매로 시료내 콜레스테롤을 모두 추출해낸 뒤, GC로 그 양을 측정한다.

시료조제

식품 생시료로부터 1.에 예시한 방법으로 지방을 추출해내어 그것을 분석 시료로 한다.

시약 및 기구

- 5α-cholestane 용액 : 내부표준물질로서 5α-cholestane 100㎎을 클로로포름 100㎖에 녹인다.
- 1N 수산화칼륨-에탄올용액 : (1) 참조
- 증류수 또는 탈이온수
- 석유에테르 및 핵산
- GC

실험방법

먼저 시료 1~10g(콜레스테롤로서 약 1~5mg)을 정확히 채취한다. 단, 난황은 0.3g을 채취한다. 여기에 5α-cholestane 용액(1mg/㎖) 2㎖를 정확히 가한다(단, 고로케, 우유 및 난백은 0.2mg/㎖ 용액을 2㎖ 정확히 가한다). 다음에 1N 수산화칼륨-에탄올 용액 50㎖를 가해 1시간 가열한다. 냉각후, 물 50㎖ 및 석유에테르 50㎖로 분액여두에 옮기고, 진탕추출한다. 아울러, 석유에테르 50㎖로 2회 더 추출한다. 석유에테르층을 모아, 물 40㎖로 4회 수세한다.

석유에테르층을 무수황산나트륨으로 탈수하고, 로터리형 진공농축기로 농축건조한다. 여기에 핵산 약 5㎖를 가해 잘 섞은 뒤 약 1~2㎕를 GC에 주입하여 분석한다. GC의 분석조건은 다음과 같다. 3% OV-1/Supelcoport, 100~120mesh, 컬럼관 3mm×1m, 컬럼온도 265℃, 검출기(FID)

$$\text{식품중의 콜레스테롤 함량(mg/100g)} = \frac{Psa \times K}{Pst} \times \frac{St}{W} \times 100$$

Psa : 콜레스테롤의 피크면적

Pst : 내부표준물질(5α-cholestane)의 피크면적

K : 검량선으로부터 구한 변환인자(cholesterol / 5α-cholestane의 weight ratio area ratio 값에 해당)

St : 내부표준물질의 무게(mg)

W : 시료의 무게(g)

주의사항

1. 최근에는 capillary column 장착 GC로 많이 분석되고 있는데, 이 경우도 적용원리는 똑같다. 단지 이때는 전처리 시료채취량이 0.5㎕ 이하라야 좋은 GC chromatogram을 얻을 수 있다.
2. 참고로 아래의 인용 문헌에서 K값은 1/0.798 = 1.253 이었다.

참고문헌

Kaneta. T. : GLC determination of cholesterol in foods. J. Natr. Sci. Vitaminol., 26(5), p.497(1980).

제 3 절 탄수화물의 분리 및 분석

1. 당류의 정성반응

1) 일반당류의 반응

(1) Molish test

개 요

단당류는 진한 황산에 의해 탈수 반응을 일으켜 furfural 또는 methyl furfural 등을 생성하며, 이들은 α-naphthol-sulfonic acid와 반응하여 triarylmethane-chromogen을 만들고, 이것이 황산에 산화되어 적자색의 퀴노이드화합물이 되는 반응을 이용한다.

시약 및 기구

- 1%의 당용액을 만든다.
- 5% α-naphthol의 95% 에탄올 용액
- 진한 H_2SO_4

방법(조작)

시료액 0.5㎖에 5% α-naphthol의 알코올 용액 2방울을 가하여 혼합한 다음 진한 H_2SO_4 1㎖를 시험관벽으로 천천히 주입하여 두 액의 접촉면에 자색고리가 나타나면 천천히 혼합한다.

결과 및 고찰

단당류는 적색 또는 자색으로 된다.

주의사항

1. 진한 황산과 α-naphthol은 분석용 시약을 사용한다.
2. 질산염 또는 아질산염은 유해하므로 주의한다.

참고문헌

1 Devor, A. W. J. Amer. Chem. Soc., 72, p.2008(1950)
2 Devor, A. W. Anal. Chem., 24, p.1626(1952)

2) 케토오스(ketose)의 반응

(1) Resorcinol-HCl test

개 요

케토오스나 케톤을 함유하는 다당류는 resorcinol-thiourea와 산성 조건에서 반응하여 암갈색의 침전을 형성한다. 알도오스는 미약한 반응을 나타내며 무수당이나 2-deoxy sugar는 이 반응에서 양성을 나타낸다.

시약 및 기구

- 1%의 당용액을 만든다.
- Resorcinol-thiourea 시약 : Resorcinol 0.1g과 thiourea 0.25g을 빙초산 100mℓ에 용해하여 갈색병에 보관한다.
- 30% HCl
- 항온 수조

방법(조작)

시료액 2.0mℓ를 시험관에 넣고 resorcinol-thiourea 시액 1.0mℓ와 30% HCl 7.0mℓ를 조심스럽게 섞어 80℃로 10분간 수조에서 가열하고 재빨리 물로 냉각시킨다.

결과 및 고찰

케토오스나 케톤을 함유하는 다당류의 경우 20초 이내에 적색으로 되고, 암갈색의 침전을 생성한다.

참고문헌

1 Roe, J. H. : J. Biol. Chem., 107, p.15(1934)
2 Chefurka, W. : Analyst, 80, p.485(1955)
3 Gray, D. J. S. : Analyst, 74, p.314(1950)

(2) Pinoff test

개 요

케토오스는 α-naphthol과 반응하여 적색의 침전을 형성한다. 알도오스도 반응하나 그 발색이 훨씬 늦으므로 케토오스와의 판별반응에 이용된다.

시약 및 기구

- 10% 당용액을 제조한다.
- α-naphthol 용액 : α-naphthol 5g을 96% 알콜 100mℓ에 녹인다.
- 에탄올 황산 용액 : H_2SO_4 75mℓ를 96% 알콜 20mℓ에 혼합한다.
- 항온 수조

방법(조작)

시료액 1mℓ에 에탄올 황산 용액 10mℓ를 가하고, 여기에 α-naphthol 용액 0.2mℓ를 가하여 끓는 수조에서 2분간 가열한다.

결과 및 고찰

케토오스를 함유하는 다당류가 존재하면 2분 이내에 진한 자색을 띤다.

참고문헌

Pinoff, E. : Ber., 38, p.3308(1905)

(3) Seliwanoff test

개 요

이 반응에서 케토오스는 적색 침전을 형성하나 알도오스는 적색 침전을 형성하지 않으므로 케토오스의 검출에 이용된다.

시약 및 기구

- 1% 당용액을 만든다.
- Seliwanoff 용액 : resocinol ($C_6H_4(OH)_2$) 0.5 g을 묽은 HCl(1:2) 1 ℓ 에 용해시킨다.
- 항온 수조

방법(조작)

Seliwanoff 용액 3㎖와 시료액 1㎖를 시험관에 취하여 끓는 수조에서 가열한다.

결과 및 고찰

가열한 시험관이 적색을 나타낼 때 케토오스 양성반응이다.

참고문헌

Seliwanoff, T. Ber., 20, p.181(1887)

(4) Diphenylamine test

개 요

케토오스와 펜토오스는 산성하에서 diphenylamine와 반응하여 발색하므로 이 반응을 이용하여 알도오스와 구별할 수 있다.

시약 및 기구

- 1% 당용액을 만든다.
- Diphenylamine 용액 : 무수 알코올에 diphenylamine을 녹여 20% 용액을 만든다.
- HCl
- 항온 수조

방법(조작)

시료액 1㎖에 diphenylamine 용액 10방울과 HCl 1㎖를 가하여 끓는 수조에서 10분간 가열한다.

결과 및 고찰

케토오스가 존재하는 다당류는 2분 이내에 청색을 나타내고 펜토오스는 적색을 나타낸다.

주의사항

너무 오래 가열하면 알도헥소오스도 반응하여 약한 청색의 혼탁액을 만들 수 있다.

참고문헌

1. Dische, Z. Mikrochemie, 2, p.4(1930)
2. Stacey, M. Deriaz, R. E. Teece, E. G. and Wiggins, L. F. Nature, 157, p.740(1946)
3. Deriaz, R. E. Stacey, M. Teece, E. G. and Wiggins, L. F. J. Chem. Soc., p.1222(1949)

3) 헥소오스(hexose)의 반응

(1) Chromotropic acid test

개 요

Hydroxymethyl furfural을 황산과 가열하면 formaldehyde가 발생하며, 이것이 chromotropic acid 시약과 반응하면 자색을 띠게 되므로 헥소오스를 확인하는데 이용된다.

시료조제

1%의 당용액을 만든다.

시약 및 기구

- Chromotropic acid 시약 : 1,8-dihydroxy naphthalene-3,6-disulfonic acid 100㎎을 물 1㎖에 녹여 15M-H_2SO_4 50㎖로 한다.

방법(조작)

시료액 1.0㎖에 chromotropic acid 시약 5㎖를 가한다.

결과 및 고찰

헥소오스나 헥소오스를 함유한 다당류는 자색으로 변한다.

참고문헌

1. Flyvholm, M. A., Tiedemann, E., and Menne, T. : Contact-Dermatitis. 34, p.35(1996)
1. Manius, G. J., Wen, L. F., and Palling, D. Pharm-Res., 10, p.449(1993)

(2) Aminoguanidine test

개 요

헥소오스는 aminoguanidine액과 $K_2Cr_2O_7$-H_2SO_4 혼합액과 반응하여 적색을 나타낸다.

시약 및 기구

- 1%의 당용액을 만든다.
- Aminoguanidine액 : 2.5%-aminoguanidine 황산염의 1수화물용액
- $K_2Cr_2O_7$-H_2SO_4 혼합액 : 1%-$K_2Cr_2O_7$ 용액 1㎖를 진한 H_2SO_4 100㎖에 녹인다.

방법(조작)

시료액 0.4㎖와 aminoguanidine액 0.4㎖를 혼합한 뒤 $K_2Cr_2O_7$-H_2SO_4 혼합액 1㎖를 가한다.

결과 및 고찰

케토헥소오스 또는 이것을 함유하고 있는 다당류는 바로 적색을 나타내며, 알도헥소오스는 1분 이내에 짙은 청색이 되고, 펜토오스는 황색을 나타낸다.

(3) Methyl-indole test

개 요

헥소오스는 산성 하에서 methyl indole 용액과 반응하여 자색을 나타낸다.

시약 및 기구

- 1%의 당용액을 만든다.
- 3-methyl indole 용액 : 0.5% 3-methyl indole의 알코올 용액
- 진한 HCl

방법(조작)

시료액 1㎖에 진한 HCl 10㎖와 methyl indole 용액 0.5㎖를 가하고 끓는 수조에서 3분간 가열한다.

결과 및 고찰

헥소오스 또는 이것을 함유하고 있는 다당류는 자색을 나타낸다.

4) 펜토오스(pentose)의 반응

(1) Orcinol-$FeCl_3$ test(Bial-Sumner test)

개 요

펜토오스나 펜토오스를 구성 성분으로 하는 다당류는 강산과 가열하면 furfural로 되어 정색반응을 나타낸다.

시약 및 기구

- 1% 당용액을 만든다.
- Bial 시약 : Orcinol 1g을 25% HCl 500㎖에 용해시키고 10% $FeCl_3$ 용액 25방울을 가한다.

방법(조작)

Bial 시약 4㎖를 가열하여 끓인 다음 이것에 시료액 1㎖를 가한다.

결과 및 고찰

펜토오스나 펜토오스를 구성성분으로 하는 다당류는 청록색의 침전을 형성하거나 청색을 띤다.

주의사항

Uronic acid도 산성 용액 중에서 CO_2를 방출하고 furfural을 생성하므로 uronic acid의 반응을 동시에 실시하여 그 유무를 검정할 필요가 있다.

참고문헌

1 Tillmans, J. and Philippi, K. : Biochem. J., 215, p.36(1929)
2 Rimington, C. : Biochem. J., 25, p.1062(1931)
3 Mejbaum, W., and Hoppe-Seyler's, Z. : Physiol, Chem., 258, p.117(1939)

5) 단당류와 이당류의 판별반응

(1) Barfoed test(Tauber-Kleiner 변법)

개 요

단당류는 이 반응에서 산화제일구리의 적색 침전을 형성하나 환원성 이당류에서는 이 반응이 일어나지 않으므로 단당류와의 구별에 사용된다.

시약 및 기구

- 1% 당용액을 만든다.
- Barfoed 시약 : 초산동(copper acetate) 66g과 빙초산 10㎖를 물에 용해하여 1 ℓ로 한 후 여과하여 사용한다.
- 항온 수조

방법(조작)

Barfoed 시약 5㎖를 시험관에 취하여 약한 불로 가열한 후 시료액 1㎖를 가하여 10초 동안 끓는 수조에서 가열한다.

결과 및 고찰

단당류를 포함한 시험관에서 Cu_2O의 적색 침전이 생긴다.

주의사항

1. 시험관을 계속 가열하면 이당류와 그 외의 물질들도 환원되므로 주의해야 한다.
2. 이 반응은 염화물이 공존할 경우 염기성 염화구리의 백색 침전을 생성시키므로 사용할 수 없다.

참고문헌

1. Hodge, J. E. and Davis, H. A. U. S. Dept. Agric., Agr. Res. Serv. Publ. AIC p.333(1952)
2. Barfoed, C. Z, : Anal. Chem., 12, p.27(1873)

6) 환원당의 정성반응

(1) Fehling test : 영양편 제15장 참조(1.1)

(2) Benedict test : 영양편 제15장 참조(1.3)

(3) Tollen's test : 영양편 제15장 참조(1.4)

2. 환원당의 정량반응

1) Bertrand 법

개 요

환원당은 알칼리성에서 당량에 비례하여 Cu_2O의 적색 침전을 생성하므로 이를 이용하여 환원당을 정량할 수 있다. 이 방법은 환원당이 존재하는 모든 식품에 적용할 수 있으며 전분, 자당 등의 비환원당을 포함하는 식품의 경우에는 산분해하여 환원당액을 만들면 적용이 가능하다.
반응식은 아래와 같으며 당용액에 $CuSO_4$와 Rochelle염의 혼합 용액을 가하여 가열하면 환원당의 양에 따라 적색의 Cu_2O가 침전된다. 이 Cu_2O를 $Fe_2(SO_4)_3$ 산성 용액에 녹이면 $FeSO_4$가 생성되고 이것을 KMnO4로 적정해서 구리의 양을 계산한다.

$$2Cu(OH)_2 + RCHO \rightarrow Cu_2O + 2H_2O + RCOOH$$
$$Cu_2O + Fe_2(SO_4)_3 + H_2SO_4 \rightarrow 2CuSO_4 + 2FeSO_4 + H_2O$$
$$10FeSO_4 + 2KMnO_4 + 8H_2SO_4 \rightarrow 5Fe(SO_4)_3 + 2MnSO_4 + K_2SO_4 + 8H_2O$$

Bertrand표(표 3-9)를 통하여 구리의 양에 상당하는 당량을 구한 후 시료 중 환원당량을 산출한다.

시료조제

환원당이 0.1~1.0g 함유되도록 평취한 시료를 메스플라스크에 넣고 증류수를 가하여 100mℓ 정도가 되게 한다. 여기에 침전이 더 이상 생기지 않을 때까지 중성 초산납 용액을 떨어뜨린 후 증류수를 가해 200mℓ로 맞춘 후 여과한다. 침전을 제거한 액에 분말 상태의 $Na_2C_2O_4$을 가하여 침전된 납을 여과한 후 그 여액을 시료액으로 한다.

표 3-9 Bertrand 당류 정량표

당류 (mg)	각 당류에 상당하는 총중량(mg)					당류 (mg)	각 당류에 상당하는 총 중량(mg)				
	전회당	포도당	갈락토오스	맥아당	유당		전회당	포도당	갈락토오스	맥아당	유당
10	20.6	20.4	19.3	11.2	14.4	46	88.2	88.2	84.3	50.6	63.3
11	22.6	22.4	21.2	12.3	15.8	47	90.0	90.0	86.6	51.7	64.6
12	24.6	24.3	23.0	13.4	17.2	48	91.8	91.8	87.7	52.8	65.9
13	26.5	26.3	24.9	14.5	18.6	49	93.6	93.6	89.5	53.9	67.2
14	28.5	28.3	26.7	15.1	20.0	50	95.4	95.4	91.2	55.0	68.5
15	30.5	30.2	28.6	16.7	21.4	51	97.1	97.1	92.9	56.1	69.8
16	32.5	32.2	30.5	17.8	22.8	52	98.8	98.9	94.6	57.1	71.1
17	34.5	34.2	32.3	18.9	24.2	53	100.6	100.6	96.3	58.2	72.4
18	36.4	36.2	34.2	20.0	25.6	54	102.2	102.3	98.0	59.3	73.7
19	38.4	38.1	36.0	21.1	27.0	55	104.0	104.0	99.7	60.3	74.9
20	40.4	40.1	37.9	22.2	28.4	56	105.7	105.8	101.5	61.4	76.2
21	42.3	42.0	37.8	23.3	29.8	57	107.4	107.4	103.2	62.5	77.5
22	44.2	43.98	41.6	24.4	31.1	58	109.2	109.3	104.9	63.5	78.8
23	46.1	45.8	43.4	25.5	32.5	59	110.9	111.1	106.8	64.6	80.1
24	48.0	47.7	45.2	26.6	33.9	60	112.6	112.8	108.3	65.7	81.4
25	49.8	49.6	47.0	27.7	35.2	61	114.3	114.5	110.0	66.8	82.7
26	51.7	51.5	48.9	28.9	36.6	62	115.9	116.2	111.6	67.9	83.9
27	53.6	53.4	50.7	30.3	38.0	63	117.6	117.9	113.3	68.9	85.2
28	55.5	55.3	52.5	31.1	39.4	64	119.2	119.6	115.0	70.0	86.5
29	57.4	57.2	54.4	32.2	40.7	65	120.9	121.3	116.6	71.1	87.7
30	59.3	59.1	56.2	33.3	42.1	66	122.6	123.0	118.3	72.2	89.0
31	61.1	60.9	58.0	34.4	43.4	67	124.2	124.7	120.0	73.0	90.3
32	63.0	62.8	59.7	35.5	44.8	68	125.9	126.4	121.7	74.0	91.6
33	64.8	64.6	61.5	326.5	46.1	69	127.5	128.1	123.3	75.4	92.8
34	66.7	66.5	63.3	37.6	47.4	70	129.2	129.8	125.0	76.5	94.1
35	68.5	68.3	65.0	38.7	48.7	71	130.8	131.4	126.6	77.6	95.4
36	70.3	70.1	66.8	39.8	50.1	72	132.4	133.1	128.3	78.6	96.9
37	72.2	72.0	68.6	40.9	51.4	73	134.0	134.7	130.0	79.7	98.0
38	74.0	73.8	70.4	41.9	52.7	74	135.6	136.3	131.5	80.8	99.1
39	75.9	75.7	72.1	43.0	54.1	75	137.2	137.9	133.1	81.8	100.4
40	77.7	77.5	73.9	44.1	55.4	76	138.9	139.6	134.8	82.9	101.7
41	79.5	79.3	75.6	45.2	56.7	77	140.5	141.2	136.4	84.0	102.9
42	81.2	81.1	77.4	46.3	58.0	78	142.1	142.8	138.0	85.1	104.2
43	83.0	82.9	79.1	47.4	59.3	79	143.7	144.5	139.7	86.1	105.4
44	84.5	84.7	80.8	48.5	60.6	80	145.3	146.1	141.3	87.2	106.7
45	86.5	86.4	82.5	49.5	61.9	81	146.9	147.7	142.9	88.3	107.9

표 3-9(계속)

당류 (mg)	각 당류에 상당하는 총중량(mg)					당류 (mg)	각 당류에 상당하는 총 중량(mg)				
	전회당	포도당	갈락토오스	맥아당	유당		전회당	포도당	갈락토오스	맥아당	유당
82	148.5	149.3	144.6	89.4	109.2	92	164.2	165.2	160.8	100.1	121.6
83	150.0	150.9	146.2	90.4	110.4	93	165.7	166.7	162.4	101.1	122.8
84	151.6	152.5	147.8	91.5	111.7	94	167.3	168.3	164.0	102.2	124.0
85	153.2	154.0	149.4	92.6	112.9	95	168.8	169.9	165.6	103.2	125.2
86	154.8	155.6	151.1	93.7	114.1	96	170.3	171.5	167.2	104.2	126.5
87	156.4	157.2	152.7	94.8	115.4	97	171.9	173.1	168.8	105.3	127.7
88	157.9	158.3	154.0	95.8	116.6	98	173.4	174.6	170.4	106.3	128.9
89	159.5	160.4	156.0	96.9	117.9	99	175.0	176.2	172.0	107.4	130.2
90	161.1	162.0	157.6	98.0	119.1	100	176.5	177.8	173.6	108.4	131.4
91	162.6	163.6	159.2	99.0	120.0						

시약 및 기구

- $CuSO_4$ 용액(A액) : $CuSO_4 \cdot 5H_2O$ 40g을 물에 녹여 1ℓ로 한다.
- Rochelle염 용액(B액) : Rochelle염 200g과 NaOH 150g을 물에 녹여 1ℓ로 한다.
- $Fe_2(SO_4)_3$ 용액(C액) : $Fe_2(SO_4)_3$ 50g을 적당량의 물에 녹이고 진한 H_2SO_4 200g을 서서히 가한 후 냉각하고 다시 물을 가해 1ℓ로 한다.
- $KMnO_4$ 용액(D액) : $KMnO_4$ 5g을 물에 녹여 1ℓ로 만들고 착색병에 2일간 실온 방치한 후 glass filter로 여과하여 사용한다.
- 아린(Allihn)관
- 흡인 여과기
- 수산암모늄, 진한 황산
- 중성 초산납 용액9iPb$(CH_3COO)_2 \cdot 3H_2O$ 50g을 물 100㎖에 용해시킨 후 여과하여 사용한다.

방법(조작)

시료 용액 20㎖를 삼각 플라스크에 넣고 Bertrand A액과 B액을 각각 20㎖씩 가하여 정확하게 3분간 끓인다. 이를 냉각시키고 상등액은 아린관에서 흡인 여과한다. 더운물로 적색 침전을 씻은 후 그 상등액을 다시 흡인 여과하는 조작을 3~4회 반복한다. Bertrand C액 20㎖를 침전물이 담긴 삼각 플라스크에 가하여 침전을 녹이고 이 액을 아린관에 3~4회 나누어 여과하여 침전물을 안전히 녹인다. 더운 물을 이용하여 아린관을 씻은 후 이를 Bertrand D액으로 적정한다. 담적자색이 될 때까지 소요된 Bertrand D액의 양(㎖)으로부터 구리의 양을 산출한다.

$KMnO_4$ 용액의 역가(f)는 수산암모늄 결정 일정량을 물에 용해한 후 진한 황산 1~2㎖를 가하여 수조에서 가열하고 미적색이 나타날 때까지 $KMnO_4$ 용액으로 적정하여 구한다.

결과 및 고찰

$KMnO_4$ 용액 1mℓ에 상당하는 구리의 양(mg), 즉 $KMnO_4$ 용액의 역가 f는,

$$f = \frac{\text{수산암모늄의 중량(mg)} \times 0.08951}{KMnO_4 \text{ 적정량(mℓ)}}$$

침전된 구리량은 다음 식으로 계산된다.

$$Cu(mg) = V \times f$$

V : $KMnO_4$ 용액 적정량(mℓ)　　　　f : $KMnO_4$ 용액 역가

Bertrand 표(표 3-9)로부터 구리의 양에 상당하는 당량(mg)을 구하고 환원당 양은 다음 식으로 계산된다.

$$\text{환원당(\%)} = \frac{A}{S} \times 100$$

A : Bertrand 표에서 구한 당량(mg)　　　　D : 희석 배수
S : 시료량(mg)

주의사항

1. 다량의 지방질이 함유된 시료는 ether로 탈지하고 산성 시료는 K_2CO_3로 중화한다.
2. Bertrand 표는 실험적으로 얻어진 수치이므로 당량과 비례하지 않는다. 따라서 시료 중의 당량, 가열 및 처리하는 시간, 적정 방법 등에 세심한 주의를 하여야 한다.
3. Bertrand표에서 구리량에 상당하는 환원당이 없을 경우 비례배분하여 계산한다.

2) Somogyi법

개 요

환원당과 알칼리 시약을 함께 가열하여 생성된 Cu_2^+이온은 황산이 첨가된 산성 상태에서 과옥소산과 KI의 반응으로 생성된 요오드를 정량적으로 소비하게 된다. 따라서 잔존하는 요오드를 $Na_2S_2O_3$용액으로 적정하여 소비된 I_2량을 구한 다음 이로부터 당함량을 산출하는 방법이며, 주로 미량의 당을 정량할 때 사용한다.

$$Cu(OH)_2 + R \cdot CHO \rightarrow Cu_2O + H_2O + R \cdot COOH$$

$$KIO_3 + 5KI + 3H_2SO_4 \rightarrow 3K_2SO_4 + 3H_2O + 3I_2$$

$$Cu_2O + H_2SO_4 \rightarrow 2Cu^{2+} + SO_4 + H_2O$$

$$2Cu^+ + I_2 \rightarrow 2Cu^{2+} + SO_4^{2-} + 2I^-$$

$$I_2 + 2Na_2S_2O_3 \rightarrow Na_2S_4O_6 + 2NaI$$

시료조제

Bertrand 법에서 설명한 시료 조제 방법에 따라 조제한다.

시약 및 기구

- 구리시약 : 제이인산나트륨($Na_2HPO_4 \cdot 12H_2O$) 71g, 주석산칼륨나트륨($KNaC_4H_4O_6 \cdot 4H_2O$) 40g을 400mℓ의 물에 녹인 다음 1N NaOH용액 100mℓ를 가하여 흔들어 섞으면서 액면까지 달하는 깔때기를 사용하여 황산동 용액($CuSO_4 \cdot 5H_2O$ 10g을 물에 녹여 100mℓ로 한다) 80mℓ를 가한다. 여기에 황산나트륨($Na_2SO_4 \cdot 10H_2O$) 410g을 가하여 녹인 다음 1N 요오드칼륨용액 25mℓ를 가하고 물을 첨가하여 1,000mℓ로 만든다. 이것을 1~2시간 방치한 다음 여과하여 갈색병에 보관한다.
- 2.5% KI용액 : KI를 물에 녹여 2.5% 용액을 만든 다음 미량의 Na_2CO_3용액을 이용하여 알칼리성으로 만든다.
- 0.005N $Na_2S_2O_3$용액 : 티오황산나트륨($Na_2S_2O_3 \cdot 5H_2O$) 약 25~26g에 10% NaOH용액 2mℓ와 물을 가해 전량을 1,000mℓ로 하여 0.1N의 원액을 만들고, 사용시 원액을 20배로 희석하여 사용한다.
- 전분 지시약 : 가용성 전분 1g을 냉수 20mℓ에 현탁하고 더운 물 60mℓ를 가하여 2분간 끓인 다음 NaCl 20g을 첨가하여 용해하고, 방냉하여 100mℓ로 정용한다.
- 마개있는 시험관 : 25mm×200mm
- 뷰렛

방법(조작)

시료액 및 바탕시험의 대조액(증류수) 5mℓ를 각 시험관에 취하여 구리시약 5mℓ를 각각 가하고 마개를 한 후 강하게 끓는 수조 중에서 15분간 가열한다. 찬물로 식힌 후 KI용액 2mℓ를 천천히 넣고, 이어 2N H_2SO_4용액 1.5mℓ를 빨리 넣고 흔들어 섞어 침전을 완전히 녹인다. 5분 후 석출한 I_2를 0.005N $Na_2S_2O_3$용액으로 적정하며, 액이 담황색으로 변하였을 때 전분 지시약 2방울을 가하여 보라색이 없어지는 점을 종말점으로 한다.

결과 및 고찰

대조액의 적정치로부터 시료액의 적정치를 뺀 소비 I_2량이 생성된 Cu^+ 이온에 상당하며, 이 양은 환원당의 존재량에 비례한다. 환원당의 양은 다음과 같이 계산한다.

$$\text{당량}(\%) = \frac{(B-A) \times f \times D \times 1.55}{S} \times 100$$

A : 시료액의 적정값(mℓ)　　B : 대조액의 적정값(mℓ)

f : 0.005N $Na_2S_2O_3$ 액의 역가　　D : 희석 배수

1.55 : 0.005N $Na_2S_2O_3$, 1mℓ=glucose(mg/5mℓ)

S : 시료량(g)

참고문헌

1. Somogi, M. J. Biol. Chem., 160, p.61(1945)
2. Somogi, M. J. Biol. Chem., 195, p.19(1952)

3. 크로마토그래피를 이용한 당 조성 분석

1) 종이 크로마토그래피에 의한 당 분석

개 요

종이 크로마토그래피는 원리상으로 분배 크로마토그래피의 일종으로서 거름종이에 흡착된 용매(물)는 정지상의 구실을 하고, 물과 잘 섞이지 않는 유기용매는 이동상의 구실을 한다. 그리고 거름종이는 정지상의 지지체(supporting medium)가 된다. 종이 크로마토그래피는 용매의 모세관 현상으로 인하여 종이 위쪽으로 퍼져 올라가는 상승식 전개법(ascending method)과 중력에 의해 아래쪽 방향으로 이동하게 되는 하강식 전개법(descending method)이 있다. 또한 한 쪽 방향으로 전개시키는 일차원법과 정사각형 거름종이를 써서 두 번 전개시키는 이차원법이 있다(그림 3-4). 이차원법은 일차원법보다는 분리효과가 크며 특히 아미노산의 검출에 많이 이용된다.

사용되는 용매는 대개 여러 가지 혼합 용매가 많이 사용되고 있으며 또한 초산(아세트산)과 같은 산성 용매나 암모니아수를 섞은 염기성 용매 또는 pH를 일정하게 유지하기 위하여 완충용액을 섞은 용매를 사용하기도 한다.

종이 크로마토그래피는 시료액을 거름종이 위에 점적한 후 물로 포화된 유기용매속에 한 쪽 끝을 담가두면 시료중의 각 성분들은 물과 유기용매에 대한 용해도의 차이에 따라 분리되고 적당한 발색 시약을 사용하여 그 이동거리(R_f)를 확인한 후 표준 물질의 R_f와 비교한다(그림 3-5).

$$R_f \text{ 값} = \frac{\text{시료의 이동거리}}{\text{용매의 이동거리}}$$

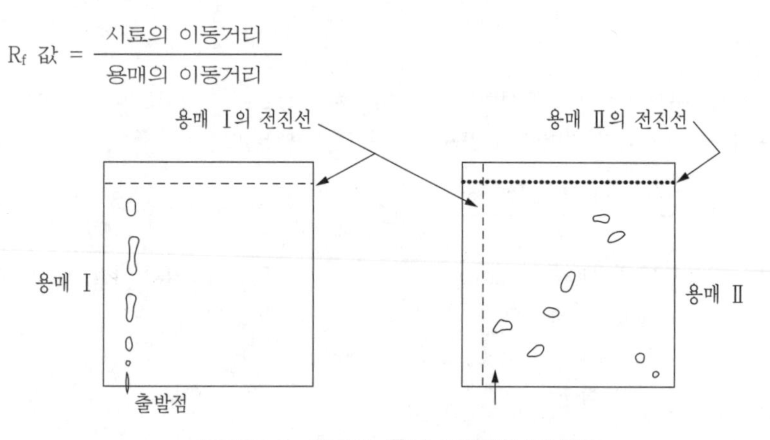

그림 3-4 이차원 종이 크로마토그래피

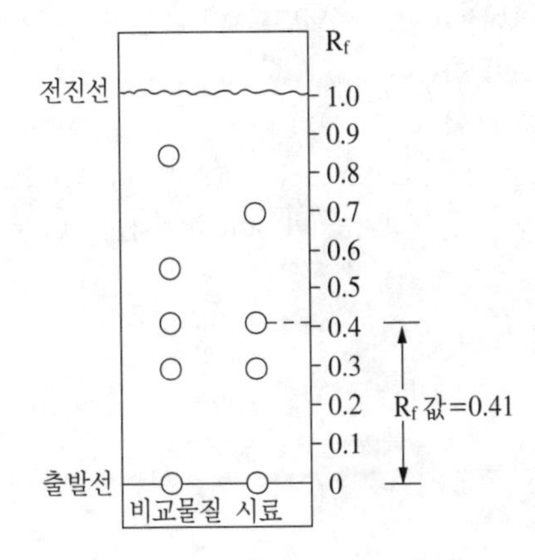

그림 3-5 일차원 종이 크로마토그래피

R_f 값과 분배계수(α) 사이에는 다음과 같은 관계가 성립한다.

$$\alpha = \frac{Al}{As\left(\frac{1}{R_f - 1}\right)}$$

Al : 이동상의 단면적 As : 고체상 정지상의 단면적

일반적으로 상승식 전개법이 많이 사용되지만, 혼합 성분의 R_f 값에 큰 차이가 없을 때는 하강식 전개법을 쓰면 더 효과적으로 분리된다. 하강식 전개법에서는 R_f 값을 측정할 수 없으므로 글루코오스와 같은 표준물질을 함께 전개시켜서 R_f 값을 구한다.

$$R_f = \frac{\text{시료성분의 이동거리}}{\text{글루코오스의 이동거리}}$$

아주 미량(5μg 또는 그 이하)의 물질을 정성적으로 확인하는 데 매우 편리한 방법이다.

시료조제

순수한 당을 함유한 시료는 1%의 당액으로 조제하고, 다당류인 경우 산으로 가수분해시켜 실험에 사용한다. 시료 속에 무기염 또는 단백질이 섞여 있으면 R_f 값이 달라질 뿐만 아니라 분리가 잘 되지 않으므로 분리를 방해하는 물질은 이온 교환 수지를 사용하여 제거하거나 시료액에 무수 pyridine을 가하여 무기염, 단백질을 제거한 상등액을 시료로 한다.

시약 및 기구

- 상승식 전개법에 필요한 장치
- Whatman No.1 종이

- 아닐린 - 디페닐아민 시약(발색시약) : 아닐린과 디페닐아민의 각 1% 아세톤 용액을 5㎖씩 섞고 85% H_3PO_4 1㎖를 가하여 만든다.
- 전개용매 : 이소프로판올과 물을 4:1의 부피 비율로 잘 혼합한다.
- 표준시료 : 각 당(글루코오스, 프룩토오스, 리보오스, 수크로오스, 락토오스, 글루쿠론산)을 10% 이소프로판올에 녹여 1% 용액으로 만든다(전개 실험에서는 이들 중에서 1~2가지 만을 택하도록 한다).
- 오븐(100℃)
- 헤어드라이어
- 분무기
- 미량 피펫 또는 모세관

방법(조작)

Whatman No.1 종이(25×6cm 정도)의 한 쪽 끝에서 3㎝쯤 되는 곳에 가로선을 그어서 출발선을 표시한다. 출발선 위에 적어도 2cm 간격으로 표준시료와 미지시료의 용액을 점적하여 잘 말린다. 전개용매로 포화된 전개용기 속에 점적한 종이를 적어도 15분간 매달아 두어 용매증기와 평형을 유지시킨 후 출발선이 있는 끝 쪽을 용매 속에 담근다. 이 때 점적한 부분이 용매 속에 잠기지 않도록 조심하여야 한다. 전개용매가 종이의 위 쪽 끝 가까이 이르렀을 때 종이를 끄집어 내어 전진선을 표시하고 줄에 걸어 실내에서 건조시키거나 또는 헤어드라이어 같은 것을 써서 가온 건조시킨다. 종이 전면에 발색시약을 뿌린 후 오븐(100℃)속에서 4~5분간 가열하고 반점이 나타나면 R_f 값을 구한다.

결과 및 고찰

거름종이 전면에 나타난 시료의 몇 가지 반점에서 R_f값을 구하고 이를 각 표준 당액의 Rf값과 비교하여 미지시료의 당을 확인한다.

R_f 값은 전개온도, 용매의 pH, 불순물 및 다른 여러 가지 조건에 따라 변하므로 미지시료를 확인하기 위해서는 반드시 이미 확인된 같은 계열의 화합물을 동시에 전개시키는 대조실험을 하여야 한다.

주의사항

- 점적시 시료용액이 넓게 번지지 않아야 하며 지름이 5mm 이하가 되게 한다.
- 묽은 시료용액일 경우 점적한 자리를 말린 후 같은 자리에 점적을 되풀이 하되 한자리에 점적하는 시료량은 10~20μg 정도가 적당하다.
- 전개는 상온에서 실시하며 전개 중의 온도의 급격한 변화가 있는 곳을 피하여야 하고 전개거리는 보통 30~35cm 정도가 적당하다.
- 착색시료는 육안으로 곧 그 반점을 알 수 있으며 또 형광성 시료는 암실에서 자외선 등으로 비쳐보면 반점을 식별할 수 있다. 무색의 시료에 대해서는 특수한 발색시약을 분무기로 골고루 뿌려서 반점이 나타나게 만든다.

참고문헌

1. Block, R. J., Durrum, E. L. and Zweig, G. : A Mannual of Chromatography and Paper electrophoresis, Academic Press, New York(1955)
2. Craig, L. C. and King, T. P. : Design and Use of a 1.000-tube counter current distribution apparatus, Fed. Proc., 17, p.1126(1958)

2) HPLC를 이용한 당 분석

개 요

단당류 혼합물의 조성 분석을 위한 방법으로 HPLC와 GC를 이용한 방법이 가장 널리 이용되고 있다. HPLC방법은 GC방법에 비하여 감도 및 분리도가 상대적으로 낮으나 유도체 처리 등의 전처리 조작 없어 신속히 정량할 수 있는 장점이 있다. 단순한 조성의 단당류 혼합물이나 이당류의 분석 및 공정 관리용으로 이용되고 있다.

시료조제

액체가 아닌 시료는 용매로 우선 추출하여야 하는데 이 때 사용하는 용매는 시료내의 모든 당을 추출할 수 있어야 하고, 방해물질의 추출은 최소화하여야 한다. 일반적인 시료의 경우는 시료 일정량을 80% 에탄올 용액으로 추출하여 일정농도로 정용하여 0.45㎛ filter로 정밀 여과한 후 HPLC 분석시료로 이용한다. 그러나 시료에 따라서 유기용매, 이온교환수지 또는 Sep-Pak cartidges 처리를 하여 방해물질을 제거하여야 한다. 또한 이동상 용매는 초음파기 등을 이용하여 탈기를 하여야 한다.

시약 및 기구

- 혼합표준용액(1mg/㎖) : 표준당(glucose, fructose, mannose, maltose 등)을 각각 100mg씩 100㎖ 증류수에 녹여 표준용액으로 한다.
- HPLC 및 RI detector
- HPLC column(Aminex HPX-87C, 300×7.8mm), column 온도조절 장치
- 이동상 용매 : HPLC용 증류수
- 탈기장치

방법(조작)

HPLC에 칼럼을 연결한 후 먼저 이동상 용매(HPLC용 증류수)를 서서히 흘리면서 유속(0.6㎖/min) 및 칼럼의 온도(85℃)를 설정하여 칼럼 및 검출기를 안정화시킨다. 안정화된 후에 먼저 표준용액(20㎕)을 주입하여 크로마토그램 분리 정도를 확인한 후 시료를 분석한다(그림 3-6).

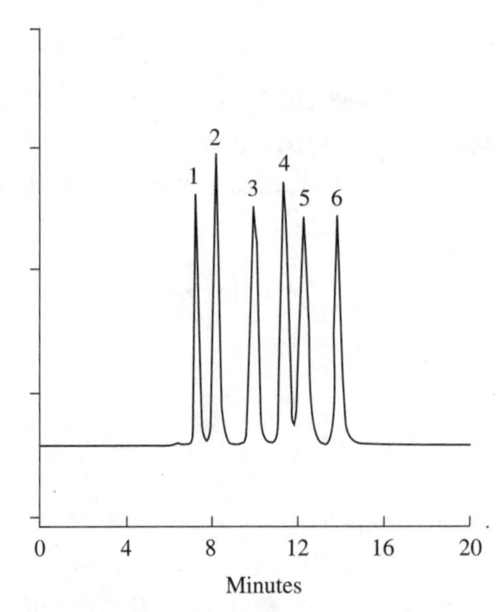

1. Melezitose, 2. Maltose, 3.Glucose, 4. mannose, 5. Fructose, 6. Adonitol(Ribitol)

그림 3-6 당의 HPLC chromatogram

결과 및 고찰

구성당의 확인은 표준혼합 용액과의 retention time을 비교하여 확인하고 정량은 표준 혼합 용액으로부터 검량 곡선을 먼저 구한 후 시료 용액 중의 당의 농도(mg/mℓ)를 구하여 다음 식에 따라 산출한다.

$$\text{당 함량(\%)} = \frac{A \times D}{S} \times 100$$

A : 검량 곡선으로부터 구한 시료 주의 당류 농도(mg/mℓ)
D : 희석배수
S : 시료의 채취량(mg)

HPLC를 이용한 당 조성의 분석은 매우 다양한 분석 방법이 개발되어 있다. 이는 하나의 방법이 모든 시료에 적용되지 않음을 의미한다. 따라서 각 실험자는 시료의 특성을 검토하여 가장 적합한 조건을 선정하여야 한다.

참고문헌

1. Macrae, R : High performance liquid chromatography. In *Analysis of Food Carbohydrate*, Birch, G.G. (Ed.). Elsevier Applied Scieence Publishers, p.61(1985)
2. Chaplin, M.F. : High performance liquid chromatography. In Carbohydrate analysis, Chaplin, M.F. and Kennedy, J.F. (Ed.), IRL Press, p.15(1986)

3) GC를 이용한 당 분석

개 요

GC방법은 HPLC방법과 더불어 당 조성 분석에 가장 널리 이용되는 방법이다. HPLC방법에 비하여 분리능이 뛰어나며 감도가 높아 미량 시료 및 복잡한 조성으로 이루어진 당의 분석에 주로 이용된다. 그러나 당을 GC로 분석하기 위해서는 우선 휘발성 유도체화 조작이 요구된다. 유도체화 방법으로는 여러 가지 방법이 보고되고 있으며 이 중 alditiol acetate 방법은 가장 널리 사용되고 있는 방법 중의 하나이다. 즉, 단당류인 aldose를 alditol로 환원시킨 후 다시 acetylation하여 alditol acetate로 유도체화 한다. alditol acetate의 peak는 다른 GC유도체 방법에 비하여 비교적 조작이 간단하고 재현성이 우수하며 정량 분석에 적합하다.

시료조제

다당류인 시료는 먼저 TFA(Trifluoroacetic acid), HCl, H_2SO_4 등의 무기산을 이용하여 단당류로 가수분해한다. 가수분해액 또는 단당류 혼합액 0.2㎖를 시험관에 넣고 내부표준물질인 myo-inositol과 0.26M $NaBH_4$(1M 암모니아 용액에 녹임)용액 0.1㎖을 첨가하여 1시간 동안 실온에서 환원시킨다. 과잉의 $NaBH_4$는 acetic acid를 가하여 분해시킨 후 N_2 gas로 건조한다. 메탄올을 첨가하여 교반한 후 N_2 gas로 휘발시키는 조작을 2회 되풀이하여 잔류 boric acid를 제거한다. 잔사에 acetic anhydride와 pyridine을 각각 0.2㎖씩 첨가하여 120℃에서 20분간 가열하여 아세틸화시킨다. N_2 gas로 휘발시킨 후 dichloromethane 1㎖에 용해시켜 증류수로 2회 세척하고 dichloromethane 층만 회수하여 -20℃에 저장하여 두고 GC분석 시료로 이용한다.

표준시약을 혼합한 표준용액도 내부표준물질을 넣어 시료와 동일한 방법으로 유도체화한다.

시약 및 기구

- 내부표준물질(myo-inositol)과 표준시약(rhamnose, fucose, ribose, arabinose, xylose, mannose, galactose, glucose)
- GC, FID detector, integrator, 주사기(GC용)
- Capillary column : SP-2380(0.25mm i.d.×30m, film thickness : 0.2㎛)
- $NaBH_4$, acetic anhydride, pyridine, dichloromethane, acetic acid, 암모니아 용액
- 질소 가스, Heating block, 시험관

방법(조작)

칼럼을 연결한 후 carrier gas(He, 11psi) 및 make up gas를 흘리면서 오븐(230℃), injector와 detector(265℃) 온도를 올린다. 온도가 올라가면 검출기를 켜 안정화시킨다. 검출기가 안정화된 후 온도 program[230℃(10min), 2.5℃/min, 265℃(10min)]을 설정한 후 혼합표준시료를 1㎕ 주입하여 크로마토그램을 보고 분리도를 확인한 후 시료를 분석한다(그림 3-7).

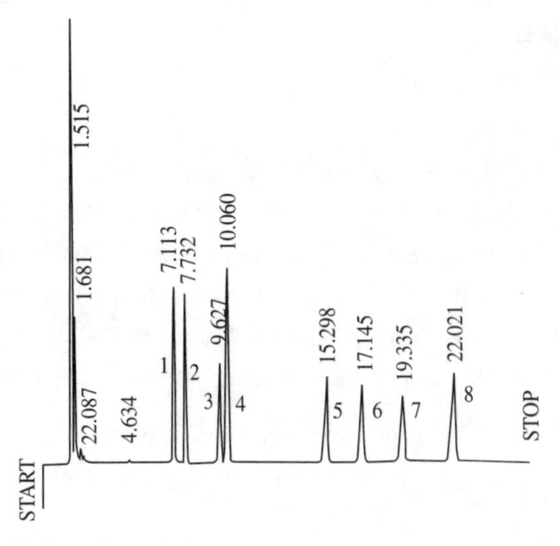

1. Ribose, 2. Arabinose, 3. 6-methyl galactose, 4. Xylose,
5. Mannose, 6. Galactose, 7. Glucose, 8. Myo-inositol

그림 3-7 당의 GC chromatogram

결과 및 고찰

구성당의 확인은 표준물질과의 retention time을 비교하여 확인한다. 정량은 횡축에는 내부표준물질에 대한 표준물질의 중량비를, 종축에는 내부표준물질 peak면적에 대한 표준물질의 peak면적을 나타낸 검량선을 작성하여 시료의 당조성을 산출한다.

Alditol acetate로 유도체화한 본 방법에서는 xylose와 arabinose, glucose와 gulose, altrose와 talose가 동일한 alditol로 환원된다. 또한 ketose는 입체 특이적으로 환원되지 않아 D-fructose는 D-glucitol과 D-manitol로, D-sorbose는 D-glucitol과 D-iditol로 변환되므로 주의해야 한다.

참고문헌

1. Macrae, R : Gas-Liquid chromatography, In Analysis of Food Carbohydrate, Birch, G.G. (Ed.). Elsevier Applied Science Publishers, p.91(1985)
2. Chaplin, M.F. : Gas-Liquid chromatography. In Carbohydrate analysis, Chaplin, M.F. and Kennedy, J.F. (Ed.), IRL Press, p.23(1986)

제 4 절 식품의 무기성분의 분석

1. AAS나 ICP를 이용한 무기질 분석방법

개 요

무기질은 식품을 구성하고 있는 주요한 유기물의 구성원소인 탄소, 수소, 질소 및 산소를 제외한 모든 원소를 말하며, 약 100가지 정도가 된다. 이러한 일면에서 유기질과 무기질이 다량 공존하여 다성분계를 이루고 있는 식품에서 무기질을 정량하기 위하여는 반드시 유기질을 분해시켜 제거한 후 무기질만 잔존하여 있는 시료를 조제하는 전처리를 하여야 한다. 무기질의 분석을 위한 전처리법은 크게 고온(550～600℃)에서 유기물을 연소, 회화하는 방법인 건식법(dry ashing)과 강산의 혼합물 중에서 가열분해하는 습식법(wet ashing)으로 나누어지고, 이들 전처리 방법은 표 3-10과 같이 목적성분의 종류와 함량, 분석요구정밀도, 분석실의 설비, 분석비용, 분석자의 기호 등에 따라 결정된다.

전처리한 용액은 원자흡광분광광도계(atomic absorption spectrophotometer, AAS) 또는 ICP (inductively coupled plasma atomic emission spectrometer) 등과 같은 기기분석이나 기타 화학적인 분석방법으로 목적 무기성분의 분석 및 동정을 한 다음 목적 무기성분의 표준용액과 바탕용액으로 작성한 검량선을 이용하여 농도를 계산한다. 그러나 본 장에서는 무기성분의 기기분석에 관하여만 언급하기로 한다.

원자흡광분광광도계(atomic absorption spectrophotometer, AAS)법은 시험용액 중의 금속원소를 적

표 3-10 무기성분의 분석을 위한 전처리 방법(습식법, 건식법)의 비교

습 식 법	건 식 법
분해온도가 낮아 무기성분의 손실이 적다.	분해온도가 높아 무기성분의 손실이 많다.
소요시간이 짧으나 작업이 번거롭다.	소요시간이 길으나 작업이 간단하다.
시료의 개수가 적은 것에 유리하다.	회화로가 허용하는 범위에서 시료의 개수에 제한을 받지 않아 시료 개수가 많은 것에 유리하다.
건식법에서 사용하기 곤란한 단백식품(난류, 육류 및 어류) 등에 주로 적용되나, 지질 및 탄수화물이 많은 경우 불편하다.	식물성 식품, 유제품, 음료 등에 주로 적용한다.
분해액이 강산으로 된다.	분해액을 임의의 산도로 조절 가능하다.
산화제로부터 오염의 위험이 크다.	오염의 위험이 적다.
전처리 경비가 약간 높다.	전처리 경비가 낮다.
회분의 정량이 동시에 되지 않는다.	회분의 정량이 동시에 된다.

당한 방법으로 해리시켜 원자를 증기화시킨다. 이렇게 하여 생성한 기저상태의 원자는 그 원자 증기를 통과하는 빛으로부터 특정 파장의 빛을 흡수한다. 따라서 원자흡광광도계법은 목적 무기 원소를 분석하기 위하여 우선 특정 파장에서 표준시료 용액의 흡광도를 측정하고, 이어서 시험 용액의 흡광도를 측정하여 흡광도를 서로 비교하여 목적 무기원소의 농도를 구하는 방법이다. 검체를 원자화하는 일반적인 방법은 화염방식과 무염방식이 있다. 화염원자흡광법은 Zn, Cd, Cu, Pb, Mn, Ni, Co, Sn, Fe 등을, 무염원자흡광법은 이들 원소와 Sb, Cr, Se, Bi, As, V 및 Be 등의 측정에 사용된다. 그러나 원자흡광광도법은 개개의 특정 흡수파장을 내는 광원램프가 있으므로 스펙트럼 및 파장방해가 비교적 적으나 한정된 농도범위에서만 흡광도와 농도가 직선성을 가진다는 단점이 있다.

ICP(inductively coupled plasma atomic emission spectrometer)법은 아르곤가스에 고주파를 유도결합방법으로 걸어 방전되어 얻어진 아르곤 플라즈마레에 시험용액을 주입하여 목적원소의 원자선 및 이온선의 발광광도를 측정하여 시험용액 중의 목적원소의 농도를 구하는 방법이다. ICP법은 분석하고자 하는 원소들을 동시에 신속하게 분석할 수 있고, 분석결과의 안정성이 있으며, 원자흡광분광광도계법에서 측정하기 어려운 원소들까지도 측정가능하다. 그러나 ICP법은 Na, K 등의 검출한계가 원자흡광분광광도계법보다는 좋지 않으며, 분석기기, 시약 및 가스 등이 고가이어서 운용경비가 많이 소요된다는 단점이 있다.

시료조제

무기성분의 정량분석에 앞서 우선 시료식품중의 유기물을 분해 제거해야 한다. 이 방법은 크게 건식과 습식으로 나누어진다. 건식분해법은 시료를 고온의 전기로에 넣어 유기물을 연소 제거해 회화하고, 그 재를 산으로 용해하는 방법으로 식물성의 식품, 유제품 등에 이용된다. 습식분해법은 강산의 혼합물과 가열해 분해하는 방법으로 동물성식품에 주로 이용된다.

주로 식물성 식품과 같이 쉽게 회화시킬 수 있는 것은 건식 회화가 간편하고 좋다. 하지만 고온에서 휘산하기 쉬운 P와 같은 성분 정량에는 습식 회화하는 것이 좋다.

식품분석표에서는 식물성, 동물성을 구별하지 않고, 전 식품에 대해서 칼슘, 인, 철은 건식분해법(회화한 후, 염산용액으로 함)을 채용하고, 나트륨, 칼륨에 대해서는 분해하지 않고 1% 염산용액으로 추출하는 방법을 채용하고 있다.

1) 건식분해법

개요 및 원리

식품을 550~600℃의 고온에서 회화시키는 경우 염소와 같은 일부의 무기성분이 소실되면서, 일부의 탄산염이 잔존하여 탄소 및 질소와 같은 유기물이 잔존하기도 하나, 대부분의 잔존성분은 무기성분으로 이루어져 있다. 따라서 건식회화법의 경우도 강산으로 유기성분을 분해시켜 제거하는 습식법과 더불어 무기질 분석을 위한 전처리 방법으로 많이 사용되고 있다. 그러나 550℃

이상의 고온에서 강한 수은의 경우는 측정이 불가능하고 또한 비교적 낮은 온도에서 휘발하는 납과 같은 무기물의 분석시 결과값의 오차가 생길 수 있다.

시약 및 기구

- 분석에 사용되는 시약은 모두 G.R급 이상의 시약을 사용해야 한다. 특히 해수의 분석시에는 초특급시약을 사용하여야 한다. 다만 세척에 사용되는 산은 비교적 낮은 순도의 것을 사용해도 무방하다.
- 질산용액 : 질산과 증류수를 1:1, 2:1 및 4:1로 적절히 희석하여 사용한다.
- 무기질 표준용액(100mg/ℓ) : 분석하고자 하는 무기질의 표준품을 필요에 따라 적당히 희석하여 사용한다.
- 여과지 : Toyo No 6. 또는 No. 5B의 것을 사용한다.
- 회분도가니
- 회화로
- Water bath
- Dry oven
- 정용 플라스크
- 원자흡광분광광도계(atomic absorption spectrophotometer, AAS) 또는 ICP(inductively coupled plasma atomic emission spectrometer)

실험방법

1. 시료를 도가니 또는 백금접시에 일정량(건조물로서 5～20g에 상당하는 양)을 취한다.
2. 채취 시료를 건조기에서 건조(약 105℃부근)한다. 단, 건조는 수분함량이 많은 경우 실시를 하고 그렇지 않은 경우 생략하여도 좋다.
3. 건조 시료를 회화(450～550℃)한다. 이 때에 회화가 잘 되지 않으면 일단 식혀 산용액(물로 1:1로 희석) 또는 50% 질산 마그네슘용액 2～5mℓ로 적시고 건조한 다음 회화를 계속한다. 다만, 회화보조제로서 염산, 산화마그네슘, 탄산나트륨 등을 사용해도 좋으나 Sn의 시험에 있어서는 질산염 또는 질산을 사용해서는 안되며, 그 밖의 금속의 경우에도 시험조작에 영향이 없을 때에만 사용하되 공시험 용액에 대해서도 같은 조작을 하여 시험용액을 보정한다.
4. 회화 시료를 방냉한다.
5. 방냉시료를 분말이 날아가지 않도록 주의하면서 증류수로 적신다.
6. 이어서 염산(염산:증류수=2:1) 또는 질산(질산:증류수=2:1)의 2～4mℓ를 가한다.
7. 질산 처리 시료를 수욕싱 또는 건조장치에서 건조한 다음 염산(염산:증류수=4:1) 약 5mℓ와 증류수 10mℓ를 또는 각 시험법에서 지정한 용매(원자흡광광도법에 의한 직접법의 경우 Sb은 1N 염산, 그 밖의 급속은 0.5N 질산)를 가하여 가온해서 용해시킨다.
8. 용해물에서 불용물이 있으면 여과(No. 6)한다.
9. 여과물을 일정량으로 정용하여 시험용액으로 한다.

2) 습식분해법

개요 및 원리

습식법은 시료를 진한 질산, 황산 등과 같은 강산으로 가열하여 유기질을 제거하고 무기질만이 잔존하는 전처리 시료용액을 조제하여 기기분석 또는 화학분석으로 목적 무기성분을 분석하는 조작을 말한다. 습식회화법의 경우는 수은과 비소를 제외한 대부분의 무기질을 분석할 수 있으나 분해시 산이 비등하거나 산을 추가로 보충해야 하는 등의 전처리과정에서 세심한 주의를 요한다.

시약 및 기구

- 분석에 사용되는 시약은 모두 G.R급 이상의 시약을 사용해야 한다. 특히 해수의 분석시에는 초특급시약을 사용하여야 한다. 다만 세척에 사용되는 산을 비교적 낮은 순도의 것을 사용해도 무방하다.
- 0.2N 질산용액 : 질산의 농도는 14N이므로 1000㎖의 1N 질산용액을 만들기 위해서는 14.2㎖의 질산을 1000㎖ 용량플라스크에 넣고, 초순수로 표선까지 채운다.
- 무기질 표준용액(100㎎/ℓ) : 분석하고자 하는 무기질의 표준품을 필요에 따라 적당히 희석하여 사용한다.
- 경질유리 : 우선 세제를 이용하여 내부와 외부를 잘 세척한다. 세척한 후 수돗물로 세제가 남아 있지 않도록 3~4회 헹군다. 이를 증류수로 다시 씻는다. 2N 산용액(염산, 질산용액)에 하룻밤 이상 담가둔다. 산을 비우고 증류수로 3회 세척한다. 초순수로 다시 3회 세척한 다음 사용한다.
- 피펫 : 시약을 분주할 때 정밀도가 높은 피펫을 사용하여야 하며, 교차오염을 방지하기 위해 일회용 피펫팁을 사용한다.
- 정용플라스크
- 유리여과기(0.45㎛, GF/C)
- 원자흡광분광광도계(atomic absorption spectrophotometer, AAS) 또는 ICP(Inductively coupled plasma atomic emission spectrometer)

방 법

1. 시료를 250㎖ 삼각플라스크에 일정량(건조물로서 1g, 생물로서는 10g 이상)을 취한다.
2. 질산(20㎖)을 가한 다음 뚜껑을 덮는다.
3. 급격한 반응이 일어나지 않도록 실온에서 방치(12시간 이상 반응)한다.
4. 가열(100℃, 24시간 이상)을 노란색의 맑은 용액이 될 때까지 실시한다. 이 때 급격한 반응이 일어나 끓으면 즉시 열판에서 내려놓는다.
5. 반응이 끝나면 삼각플라스크에서 뚜껑을 열고 산을 증발시킨다.
6. 다시 20㎖의 질산을 넣고 산이 완전히 증발할 때까지 재반응시켜 유기질을 제거한다.
7. 재반응 후 열판에서 분리한다.
8. 0.2N 질산용액을 20㎖ 가하여 재용출(24시간)시킨다.

9 시료용액을 여과(0.45㎛, GF/C)한다.

10 시료용액을 일정량으로 정용한다.

3) 원자흡광분광광도계법

(1) 검량선 작성

① 분석 목적 무기성분의 표준용액을 준비한다. 원자 흡광분광광도계로 구리를 분석하고자 하는 경우 구리의 측정한계가 5mg Cu/L이므로 표준용액을 5gm Cu/L 농도로 희석하여 부표준용액으로 사용한다. 5mg Cu/L의 부표준용액을 이용하여 0.04, 0.10, 0.20, 0.40mg Cu/L 등의 표준용액을 만들 경우 25㎖ 용량 플라스크에 각각 0.20, 0.50, 1.0, 2.0㎖의 부표준액을 피펫을 이용하여 정확히 넣은 다음 표선까지 1N 질산용액을 채워 만든다.

② 준비된 부표준용액과 바탕용액(1N 질산용액)을 흡광분광광도계 또는 ICP로 분석한다. 단, 바탕용액과 표준용액은 각 농도별로 2개 이상 복수로 분석하여야 한다.

③ 분석 결과를 얻으면 이를 토대로 검량선을 작성한다.

④ 시험용액을 기기로 분석하여 목적 무기성분의 함량을 계산한다. 그러나, 최근에는 기기의 발달로 컴퓨터에 의해 자동적으로 함량이 구하여진다.

(2) 분석조건

분석하고자 하는 목적 무기성분의 종류가 약 100종류가 되어 여기서 그 분석조건을 일일이 언급하는 것은 곤란하나, 일반적으로 자주 분석하는 몇종의 분석조건은 표 3-11과 같다.

표 3-11 원자흡광 분광광도계를 이용한 무기질의 분석조건

조 건	K	Mg	Ca	Na	Cd	Cu	Pb	Zn	Hg
Wave length(nm)	766.5	285	422.7	589	228.6	324.6	283.2	213.8	253.6
Lamp current(mA)	20	10	10	20	8	10	10	10	6
En-Ex slit(mm)	2.2	2.2	2.2	2.2	2.2	2.2	2.2	2.2	2.2
Air flow(ℓ/min)	15	15	15	15	14	14	14	14	-
Acetylene flow(ℓ/min)	3	3	3	3	2.5	2.5	2.5	2.5	-
Burner height(mm)	25	25	25	25	25	25	25	25	29
Range	-	-	-	-	10	10	10	10	2
Chart speed(mm/min)	10	20	10	10	10	10	10	10	10

2. Na과 K 분석

인체에 있어 나트륨은 혈장, 조직사이의 액, 림프액 등의 세포외액에 주요 양 ion으로 존재하며, 산-염기 평형의 조절에 관여함과 동시에 삼투압이나 수분보유에 도움을 준다. 나트륨은 조미료로서, 식염을 함유한 식품이나 어패류, 해조류로부터 섭취된다.

종래, 나트륨을 분석하기 위해서는 다른 무기성분과 마찬가지로 탄화후 시료용액을 조제하는 방식을 채택하였으나, 도자기제나 유리 비커 등을 사용하는 경우에는 이들 용기로부터 나트륨의 혼입을 막기 어렵고, 이것을 방지하기 위해서는 석영이나 백금 용기의 사용이 필요했다. 그러나 이 두 용기 모두 고가라서 일반적으로 잘 사용하지 않아 오차를 일으키는 원인이 되어 왔다.

따라서 이러한 오차의 원인을 배제하고, 미량의 나트륨에서부터 가공식품과 같이 다량의 나트륨을 함유하는 것까지 정확하면서 신속한 정량법으로서, 시료를 회화시키지 않고 polyethylene 용기 안에서 염산 추출에 의해 나트륨을 추출한 다음, 그 여과액에 대해 원자흡광분석법으로 측정하는 방법을 채용하게 되었다. 한편, 다량의 식염을 첨가한 가공식품 등에는 물을 첨가해 식염을 추출한 다음, 나트륨 이온 감응전극을 사용하는 이온농도를 계산한 측정방법을 적용하고 있다.

나트륨과 칼륨은 함께 체액의 산-염기 평형 및 삼투압의 유지에 도움을 준다. 나트륨은 세포외액의, 칼륨은 세포내액의 주요 양이온이며, 외액, 내액에 있어 각각의 농도가 적절히 유지되는 것이 건강을 위해 중요하다. 이러한 의미에서 칼륨은 식품성분표의 작성에 있어 신규로 수록하도록 되어 있다.

일상 보통의 식사를 하고 있는 한 칼륨은 충분히 보급되나, 영양 생리상 나트륨과 칼륨의 비율이 적정한 범위에 있는 것이 바람직하다고 되어 있다. 칼륨의 배설은 신장과 부신에 의해 조절되고 있으나, 이들 장기에 기능저하가 일어나면 칼륨의 혈중 농도가 상승해서 위험하게 되는 경우가 있으며, 최근 신부전의 치료에 있어 칼륨 섭취량의 제한이 필요하게 된 예도 있어, 식품중의 칼륨 함량을 명확히 하는 것이 필요하게 되었다.

칼륨의 분석법도 종래의 간단한 염광광도계에 의한 측정법보다도 원자흡광분석이 공존물질의 영향을 받기 어렵고, 보다 정확한 것으로 판단되고 있다. 또한, 시료조제법도 나트륨과 마찬가지로 1% 염산용액으로 추출하는 방법이 적용될 수 있다는 사실이 명확해져, 칼륨과 나트륨은 동시에 시료용액을 조제해 원자흡광분석을 할 수 있는 간편 신속법을 적용하게 되었다.

분말시료(또는 마쇄시료)를 polyethylene 병에 넣고, 1% 염산용액으로 나트륨염을 추출하여, Na의 농도를 0.5～2.0ppm, K의 농도를 0.5～2.0ppm으로 해서 원자흡광 측정한다.

시료조제

1 1% 염산용액: 정밀 분석용 20% 염산을 탈 이온수로 20배 희석한다.

2 나트륨(칼륨) 표준액: 특급 염화나트륨(특급 염화칼륨)을 적당량을 백금접시에 취해 600℃에서 3시간 가열한 다음, 황산 데시케이터 안에서 방냉시킨다. 평량후, 1% 염산용액에 용해시켜 1000ppm 용액을 제조한다(NaCl 2.5419g, KCl 1.9069g을 용해시켜 1ℓ로 하면, Na(K) 1000ppm 용액이 된다). 사용하는 원자흡광분광광도계의 형식에 따라, 측정용으로 Na 0.5～3.0ppm(또는 0.2～2.0ppm), K1～10ppm(또는 0.2-2.0 ppm)의 측정용 표준용액을 조제한다.

시약 및 기구

- 100～250mℓ 용량 polyethylene병
- 30mℓ 용량 polyethylene병

방법(조작)

1 시료용액의 조제

① 알맹이 상태의 식품은 30mesh 이상으로 분쇄해서 잘 섞는다.

② 분말시료 2～5g을 정확히 달아 100～200mℓ 용량의 polyethylene 병에 취해 넣고, 1% 염산용액 100～200mℓ을 가한다.

③ 실온에서 가끔 흔들어 섞어가면서 15～30분간 정치한 다음, 적정량의 상등액(20～30mℓ)을 작은 polyethylene 병에 채취해 시료용액으로 한다(여과하는 경우는 깔대기, 수기병 모두 polyethylene 재질을 사용해야 하며, 초기의 여과액은 버린다).

④ 수분함량이 많은 식품의 경우에는 잘게 썬 시료 50g을 homogenizer에 취해, 탈 이온수 150mℓ을 가해 균질화한 다음, 그 중 20g을 250mℓ 용량의 polyethylene 병에 채취하고, 20% 정밀분석용 염산 10mℓ, 탈이온수 172mℓ을 가해, 이하 상기 ③에 따라 조작한다.

2 원자흡광분석

① 조작의 상세한 부분은 장치의 설명서를 참조한다.

② 나트륨 Na는 아세틸렌-공기 프레임(flame)을 사용해, 분석선 파장 Na 589.0nm, K 766.5nm에서 분석한다.

③ 검량선법 또는 표준첨가법으로 정량한다.

3. ICP법

1) 검량선 작성

검량선 작성은 원자흡광광도계법과 동일하고, 단지 분석을 ICP로 실시하는 것만이 차이가 있다.

2) 분석조건

일반적으로 자주 분석하는 몇종의 분석조건은 표 3-12와 같다.

결과 및 고찰

다음은 수산가공 부산물을 습식법으로 전처리하여 ICP로 분석하여 얻은 결과이다. 실제 계산은 원자흡광분광광도계나 ICP 모두 동일한 방법으로 하면 된다. 즉 시료를 일정량(1.0062g) 취하여 질산으로 습식분해한 후 25mℓ로 정용 및 여과한 다음 ICP로 분석하여 얻은 결과이다. 이 결과로 볼 때에 Na, Mg, Ca 등은 분석범위를 넘어 희석하여야 하고, Cu, Ni, Cd, Pb, Co 등은 농도가 묽어 흔적량에 불과하다.
다음의 결과로부터 칼륨의 함량을 계산하여 보면 다음과 같고, 기타 무기성분의 계산도 동일한 형식으로 실시하면 된다.

K = 5.562ppm = 5.562mg/1,000mℓ
= (5.562 / 40)mg/25mℓ(∵시료를 25mℓ로 정용하였으므로)
= 0.13905mg/1.0062g(∵25mℓ 내에 시료 1.0062g이 함유되어 있으므로)
= (0.13905 / 1.0062)mg/g = (0.13819 × 100)mg/100g = 13.82mg/100g

표 3-12 ICP를 이용한 무기질의 분석조건

조 건	P	Mg	Ca	Cd	Cu	Pb	Zn	Hg
Wave length(nm)	213.63	279.55	393.47	214.44	324.75	220.35	213.86	257.61
PMT(V)	800	400	400	400	400	400	400	400
RF power	1.0	1.0	1.0	1.0	1.0	1.0	1.0	1.0
Plasma gas(L/min)	16	16	16	16	16	16	16	16
Carrier gas(L/min)	0.7	0.7	0.7	0.7	0.7	0.7	0.7	0.7
Auxiliary gas(L/min)	1.0	1.0	1.0	1.0	1.0	1.0	1.0	1.0

```
Analysis Report                              Fri 01-16-98 05:04:41 PM      page 1

Method: KWJ          Sample Name: 98-7                       Operator:
Run Time: 01/16/98 16:58:38
Comment:
Mode: CONC    Corr. Factor: 1
```

Elem	Na5895	Mg2802	Ca3933	K_7664	Cr2677	P_1774	B_2497
Units	ppm	ppm	ppm	ppm	ppm	ppm	ppm
Avge	S137.0	S149.7	S116.1	5.562	.0909	5.749	1.116
SDev	.0	.2	.1	.145	.0040	.213	.009
%RSD	.0200	.1137	.0570	2.610	4.368	3.698	.8454
#1	S137.0	S149.5	S116.2	5.516	.0876	5.834	1.125
#2	S137.1	S149.7	S116.2	5.400	.0945	5.787	1.105
#3	S137.0	S149.9	S116.1	5.748	.0874	5.443	1.112
#4	S137.0	S149.8	S116.1	5.582	.0942	5.931	1.122

Elem	Cu3247	Zn2138	Fe2599	Ni2316	Cd2288	Pb2203	Co2286
Units	ppm	ppm	ppm	ppm	ppm	ppm	ppm
Avge	D.0642	.7494	.6092	D.0473	D.0175	D.2894	D.0237
SDev	.0008	.0022	.0213	.0043	.0019	.0167	.0026
%RSD	1.313	.3003	3.489	9.024	10.66	5.761	11.13
#1	D.0645	.7525	.6207	D.0505	D.0193	D.3090	D.0260
#2	D.0651	.7489	.6328	D.0449	D.0149	D.2746	D.0209
#3	D.0642	.7491	.5966	D.0513	D.0175	D.2766	D.0221
#4	D.0631	.7472	.5867	D.0425	D.0182	D.2975	D.0260

그림 3-8 ICP를 이용한 무기질의 분석 결과

이상의 결과를 정리하면 아래와 같다.

무기질 함량(mg%) = 계산된 함량(ppm) × (정용mℓ/1000) × (1/무게 g) × 100

참고문헌

1 한국해양학회편 : 해양환경 공정시험방법. 출판사, pp.171-174(1997)

2 小原哲二郎 : 食品分析ハンドブック.建帛社, 東京, pp.51-55(1982)

3 채수규, 강갑석, 마상조, 방광웅, 오문헌 : 표준 식품분석학. 지구문화사, 서울, pp.437-459(1999)

제 5 절 비타민 분석

식품중에 함유되어 있는 지용성 비타민은 동물성 식품에는 주로 비타민으로서 식물성 식품에서는 카로텐이나 스테린 등 비타민의 모체로서 존재하고 있다. 이들은 지용성이며 또한 유지의 불검화물 중에 존재하기 때문에 식품을 용제로 추출한 후 보통의 방법으로 불검화물을 추출하든지 또는 식품을 수산화나트륨과 같은 알칼리 용제를 써서 가수분해하기도 한다.

한편, 식품 중에는 각 비타민의 정색시약에 대해 방해물질을 함유하고 있기 때문에 이런 경우에는 칼럼 크로마토그래피, 박층 크로마토그래피, 또는 여지 크로마토그래피를 써서 각 비타민을 단리하는 것이 필요하다.

1. 비타민 A의 정량

개 요

식품 중의 비타민 A는 대부분이 동물성 식품의 지방 중에 지방산 에스테르로서 존재하고 있다. 그리고 수산화칼륨 알코올로 검화할 때 불검화물 중에 함유된다. 그러나 보통의 검화로 얻어지는 불검화물 중에는 비타민 A 이외의 물질이 많이 혼재되어 나오며 그 양도 극히 적게 나오는 것이 보통이기 때문에 비타민제, 간유 등과 같이 흡수 스펙트럼법으로는 정량하기 어렵고 염화안티몬에 의한 비색법이나 글리세롤 디클로로히드린에 의한 정색반응이 이용된다.

1) 삼염화 안티몬에 의한 정량법

삼염화안티몬의 클로로포름 포화용액은 비타민 A와 반응하여 620nm에서 최대 흡수강도를 가지는 청색을 나타낸다.

시료조제

시료는 비타민 A 함량이 100~300I.U 정도의 것이 좋으며 약 0.1~5g의 범위에 속하면 가능하다.

1. 시료를 검화 플라스크에 취하고 동량의 50% KOH 용액 및 8배량의 에틸알코올을 가한다.
2. 비등수욕 중의 환류냉각을 행하여 검화시킨 후 즉시 흐르는 물로 실온까지 냉각시키고 벤젠 100mℓ를 정확히 가하여 마개를 한 플라스크에 옮긴다.

3 15초 정도 상하로 격렬히 흔든 용액을 정치한 후 침전물이 형성되면 다시 250~300mℓ 용량의 분액 깔대기에 옮기고 나서(침전물은 그대로 둔다), 여기에 1N 수산화칼륨용액 100mℓ를 가하고 15초 동안 격렬히 흔들어 물층(버린다)과 벤젠층을 분리시킨다.
4 계속해서 벤젠층에 N/2 수산화칼륨 용액 40mℓ 씩 이용해서 상기의 조작을 4회 이상 페놀프탈레인 지시약으로 홍색이 나타나지 않을 때까지 반복한다.
5 마지막 세정액을 충분히 제거한 후 분액깔대기의 벤젠층에 가늘게 자른 경질의 여지를 넣고 벤젠층이 투명해질 때까지 흔들어 탈수한다.
6 산화방지를 위해 소량의 아스코르빈산 나트륨을 첨가하고 벤젠층에서 정확히 50mℓ를 취해 100mℓ 용량의 증류플라스크에 옮겨서 불활성 가스와 함께 45~50℃의 온수욕상에서 벤젠을 증류하고 잔류물을 취한다.
7 이것을 클로로포름으로 1mℓ 중에 비타민 A가 10~20IU 되게끔 희석하여 일정량으로 한 다음 시료액으로 한다.

시약 및 기구

50% 수산화칼륨 용액[1], 에틸알코올[2], 벤젠, 1N 수산화칼륨 용액, 0.5N 수산화칼륨 용액, 페놀프탈레인 지시약, 클로로포름, 환류냉각기, 검화 플라스크, 분액깔대기

방법(조작)

1 클로로포름을 대조구로 하여 보정하고 대조액으로 클로로포름 0.3mℓ, 시료액 0.3mℓ를 각각의 셀에 취한다.
2 삼염화안티몬/클로로포름 용액[3] 3mℓ를 각각의 셀에 첨가하고 620nm에서 15초 내에 흡광도를 측정한다
3 이 흡광도를 별도로 작성한 검량선을 비교하여 비타민 A를 정량한다.

계 산

측정한 흡광도를 검량선과 비교하여 측정 시료액 1mℓ 중의 비타민 A량을 구하고 그 수치를 X, 희석배수를 V(mℓ), 시료 채취량을 W(g)이라고 하면,

$$\text{시료 중의 비타민 A(I.U/100g)} = X \times \frac{V}{W} \times 100$$

1) 특급 수산화칼륨 50g을 증류수 50mℓ에 용해시킨다.
2) 50~100mg/100mℓ의 결정형 아스코르빈산 나트륨(결정 그대로 사용한다)을 함유한다.
3) 특급 삼염화주석 20g에 정제한 클로로포름 100mℓ를 가하여 교반 용해하고 하룻밤 정치한 후 무수초산 2mℓ를 가하고 코르크 마개나 폴리에틸렌 마개를 하여 갈색병에 보관한다.

참고문헌

1 Morton, R. A. and A. L. Stubbs : Analyst., 71, p.348(1946)
2 Baruna, R. K. and R. A. Morton : Biochem. J., 45, p.308(1949)
3 佐橋, 中山, 原島 : 農化, 29, p.715(1955)
4 晃日, 岩尾, 西村 : 榮硏報告, 昭34, p.48(1959)
5 滕田, 靑山 : J. Biochem., 40, p.151(1953)

2. 비타민 D의 정량

개 요

비타민 D는 지용성으로 조지방의 추출시 함께 추출된다. 조지방은 트리글리세리드가 주성분으로 이는 알칼리로 가수분해하여 물층에 녹이고 가수분해되지 않는 비검화물질을 용매로 추출한다. 이 비검화물질에는 지용성비타민, 카로티노이드, 콜레스테롤, 왁스, 스테롤류, 색소 등이 포함되어 있으며 지용성 비타민과 스테롤류, 색소 등이 포함되고 있으며 지용성 비타민과 스테롤류 등은 비타민 정량시 방해물질로 이들을 제거해야 한다. 방해물질이 적은 경우는 조지방을 가수분해한 후 즉시 HPLC를 사용하여 분석할 수 있으나 대부분의 경우 방해물질을 제거하는 조작이 필요하다. 방해물질의 제거하는 정도에 따라 0.05μg(비타민 D/g 시료)까지 정량할 수 있다. 방해물질을 제거하는 방법으로는 고정상 추출(Solid phase extraction, SPE), TLC, 칼럼 크로마토그래피 등을 사용할 수 있다. 분석용 칼럼으로는 역상과 순상이 모두 가능하나 역상이 선호된다. 순상 칼럼은 비타민 D_2와 D_3이 분리되지 않아 같이 용출된다. 순상 칼럼은 장기간 사용할 경우 시료나 용매의 수분으로 인해 peak의 retention time이 변하고 분리능의 변화를 초래한다. 검출기는 RI, UV 및 ELSD(evaporative lighting scattering detector)를 사용할 수 있으나 일반적으로 UV 검출기를 사용하여 265nm(고정파장 검출기 : 254nm)에서 검출한다.

시료조제 및 방법

조지방을 건조시료로부터 속실렛(Soxhlet) 방법에 의하여 추출하거나 그 외의 방법으로 먼저 추출한 다음 검화를 하기도 한다. 일반적으로 고체시료는 직접 지방의 추출과 검화를 동시에 하는 방법이 많이 사용된다. 수분이 많은 생체 시료는 Bligh와 Dyer법에 의하여 조지방 추출을 한다. 검화 중 산화방지를 위하여 아스코르브산, 피로갈롤, BHT 등의 항산화제가 사용되며 EDTA가 금속 착화물제로 사용된다.

다음은 일반적인 시료에 작용될 수 있는 보편적인 추출과 검화를 하는 방법이다.

1. 시료를 분쇄기로 잘게 분쇄하고 0.2~10I.U 정도 비타민 D가 함유되도록 시료를 취하고 검화용 플라스크에 옮긴다.
2. 10% 피로갈롤/에틸알코올 용액을 30mℓ와 20% KOH 10mℓ를 가하고 magnetic bar를 플라스크

에 넣고 교반하면서 실온에서 12시간 이상 방치한다.

3. 검화가 끝나면 분액깔대기에 플라스크의 혼합액을 옮기고, 물 40㎖, 에틸 알코올 10㎖, 핵산 30㎖를 순서대로 사용하여 플라스크를 씻은 후 분액깔대기에 옮긴다(이때 플라스크의 큰 침전물은 그대로 둔다).
4. 분액깔대기의 마개를 막고 30번 정도 상하로 잘 흔들어 혼합하고 두 층이 완전히 분리될 때까지 정치하여 핵산층과 용매층을 분리한다[4].
5. 수용액층은 다시 핵산 20㎖로 2회 반복하여 추출하고 핵산을 분액깔대기에 모은다. 핵산은 찬물 20㎖로 수회 세정하고 세정액에 페놀프탈레인 용액 1방울을 가하여 보라빛으로 변하지 않을 때까지 계속한다.
6. 황산나트륨으로 물을 제거한 후 증발회전농축기로 2~3㎖까지 농축하고 다시 질소가스를 이용하여 용매를 완전히 제거한다.
7. 불검화물질의 제거 : 방해물질의 제거는 HPLC용 칼럼, semi-prep. HPLC용 칼럼, TLC, SPE tube 등을 이용하여 할 수 있다. 최근 SPE tube의 사용은 다른 방법에 비하여 간단하며 한번에 많은 시료를 다룰 수 있다. SPE silica tube(Water Associate)는 사용하기 전에 10㎖ hexane으로 지용성물질을 제거한다. 수기의 불검화 물질은 핵산 2㎖로 수기의 전면을 접촉시키면서 녹인다. 수기를 5분 정도 세워 정치한 후 가급적 모든 핵산을 SPE silica tube에 옮긴다. 핵산 1㎖를 다시 수기에 넣고 수기벽을 씻고 tube에 합친다. 1회 더 반복하고 진공 pump를 이용하여 용매의 추출을 용이하게 한다. 비타민 D는 SPE tube에 흡착되고 흡착된 물질은 핵산과 클로로포름의 혼합용액(21.5 : 78.5, V/V)을 5㎖ 가하여 용출한다. 용출액은 질소가스로 완전히 휘발시키고 아세토니트릴 1㎖로 희석하여 시료로 사용한다
8. 아래의 조건에 따라 시료액 100㎕ 주입하여 HPLC를 행한다[5].

시약 및 기구

- 용매 : HPLC용 아세토니트릴, 메틸알코올
- 비타민 D 표준품 : 비타민 D_2(에르고칼시페롤), 비타민 D_3(콜레칼시페롤)
- HPLC : UV 검출기 : 265nm : (0.02~0.04AUFS) : 유속 : 1.5㎖/분
  역상 column : 4.6mm Id × 25cm, 5㎛ 입자의 충전물질 C18,
  (Vydac C18, waters, Milford, MA)
  이동상 : 아세토니트릴 : 메틸 알코올(90 : 10, V/V)

---

4) 이때는 피펫을 이용하여 옮기거나 또는 다른 분액깔대기에 수용액층을 옮길 수가 있다.
5) 시료 주입 후 9분이면 비타민 D가 용출된다. 역상 HPLC 칼럼은 제조회사에 따라 달라질 수 있고 시료에 따라 HPLC 조건을 변경할 필요도 있다.

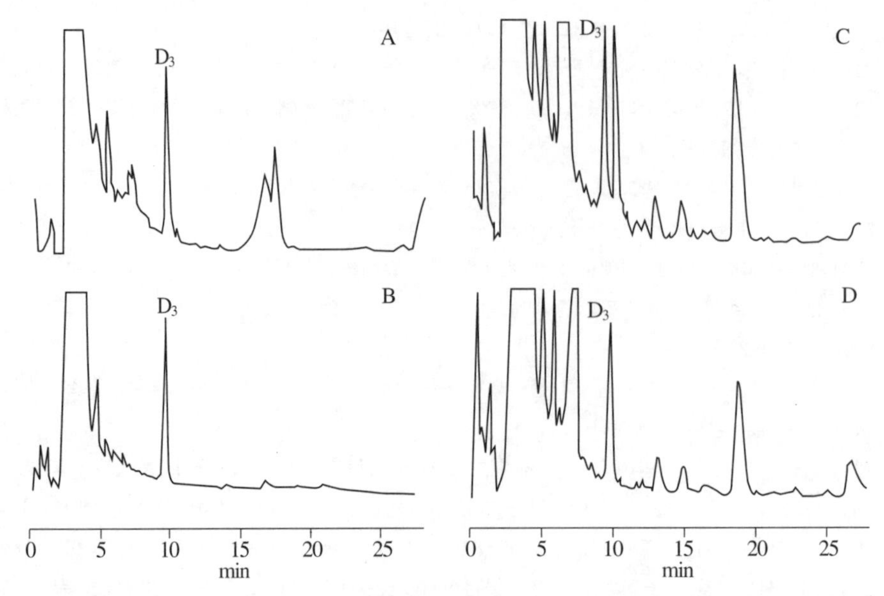

그림 3-9 SPE tube로 탈지 우유의 방해물질을 제거하지 않은 시료(A)와 방해물질을 제거한 시료(B), SPE tube로 우유의 방해물질을 제거하지 않은 시료(C)와 방해물질을 제거한 시료(D).

결과 및 고찰

다음의 그림 3-9는 SPE tube를 사용하여 방해물질을 제거한 시료와 제거하지 않은 시료를 비교한 것이다.

일반적으로 지방을 많이 함유하고 있을수록 많은 peak를 가지며 이들에 대한 방해물질 의 제거 조건을 달리해야 한다.

참고문헌

1. Brubacher, G., Muller-Mulot, W. and Southgate, D.A.T : Vitamin D in Margarine, HPLC method. In Methods for the determination of vitamins in food. Elservier Applied Science Publisher, New york(1985).
2. AOAC : Official Methods of Analysis of the Association of the Official Analytical Chemists. 14th edition. AOAC. Washington DC(1984).
3. Ball, G.F.M(ed.) : High-performance liquid chromatography. In Fat-soluble vitamin assays in Food Analysis. Elservier Applied Science Publishers, New York(1988)
4. Shearer, M.J. : Vitamins in HPLC of small molecules, a practical approach. C. K. Lim(Ed.). IRL Press. Oxford Washington DC.

3. 비타민 E의 정량

개 요

식품 중의 비타민 E 정량법으로서 광범위하게 사용되는 것은 비타민 E에 대하여 특이적으로 반응하고 특히, 미량의 정량이 가능한 비색법이 있다. 즉, 염화제2철과 α,α-디피리딜을 사용하는 Emmierie-Engel법, 질산을 사용하는 Futer-Meyer법, 몰리브덴산을 사용하는 Nair법 등이 있다. 여기서는 식품에 적합한 Emmierie-Engel법을 소개한다.

비타민 E를 염화 제2철과 반응시키면 산화하여 *p*-퀴논으로 되는 동시에 Fe^{3+}은 환원되어 Fe^{2+}으로 되며 이것을 α,α-디피리딜을 반응시키면 적색의 착염을 생성하는데 이 정색을 비색법으로 정량하는 방법이다. 이 방법은 비타민 E에 특이적인 것은 아니지만 정량을 저해하는 환원성물질을 크로마토그래피법에 따라 제거한 후 작성해야 한다. 그러나 조작은 비교적 간단하고 감도가 좋기 때문에 비타민 E의 정량법으로서 광범위하게 사용된다

시약 및 기구

α,α-디피리딜/에틸알코올 용액, 50~100mg의 피로갈롤을 함유하는 무수알코올, 50% 수산화칼륨 용액, n-핵산, 알루미나, 무수 황산나트륨, 벤젠

방법(조작)

1. 시료 0.5~3g을 증류수 5~10㎖와 함께 충분히 마쇄하고 검화플라스크에 넣은 후 50~100㎎의 피로갈롤을 함유한 무수알코올 5~10㎖를 가해서 자비하여 환류냉각시킨다.
2. 50% 수산화칼륨 용액을 시료의 1/2 가량 가하여 15~20분간 자비, 검화를 행한다. 검화가 완료되면 냉각하여 분액깔대기에 옮기고 10~15㎖의 n-핵산을 가해 교반, 추출한다.
3. 다음 소량의 n-핵산으로 2회 반복하여 추출하고 핵산층을 합한 후 증류수로 세정하고(알칼리성이 사라질 때까지) 무수황산나트륨으로 탈수한 것을 n-핵산으로 일정량 정용한다.
4. 별도로 0.3g의 알루미나에 4~12%의 물을 가해 약하게 활성화시킨 것에 탄산아연 0.3g과 셀리트(Celite) 1.5g을 혼화하고 0.5×5㎝의 유리관에 n-핵산을 사용해서 틈이 생기지 않도록 충전하여 칼럼을 완성시킨다.
5. 여기에 시료의 n-핵산 일정량을 주입, 흡착시킨 후 벤젠-핵산(1 : 4) 용액으로 전개하고 비타민 E의 용출 부분을 모아 N_2 기류 중에서 핵산을 감압 제거시킨다.
6. 그 잔사를 3㎖ 무수알코올에 녹이고 여기에 0.2% 염화제이철/알코올 용액 0.2㎖와 0.5% α,α-디피리딜/에틸알코올 용액 0.2㎖를 가하여 잘 혼화한 것을 10분 후 520㎚에서의 흡광도를 측정하여 비타민 E량을 구한다(대조는 무수 알코올).

계 산

$$시료\ 중의\ 비타민\ E(mg/g) = \frac{E \times 28.2}{L \times C}$$

E : 흡광도
L : 액층의 두께(cm)
C : 검액 100mℓ 중의 시료 g수
28.2 : 비타민 E의 환산계수

참고문헌

1. 勝井五一郎 : ビタミン 27, p.279(1963)
2. Furter, M. and Meyer, R. E. : Helv. Chim., Acta. 22, p.240(1939)
3. Nair, P. P. and Mager, N. G. : J. Biol. Chem., 220, p.157(1956)

4. 비타민 K의 정량

개 요

비타민 K의 정량법으로는 흡광도법, 수산화나트륨에 의한 비색법, 산을 이용한 비색법, 에틸디아조 초산에 의한 정색법, 페닐 히드라진법, 디에틸디티오카바메이트법, 아닐린법, 시스테인법 등의 비색법이나 비타민 K를 접촉 환원하여 생긴 히드로퀴논화한 것을 이용하는 산화환원 비색법, o-페닐렌디아민에 의해 생성한 형광성 축합물질을 측정하는 형광법 등이 있다. 또한 박층크로마토그라피를 이용한 방법도 발표되었으나 어느 것이나 식품에는 적합하지 못한 방법이기 때문에 여기서는 주로 제제로 사용되는 것을 이용 한 勝井의 정량법을 소개한다.

1) 4-디니트로페닐히드라진 법에 의한 비타민 K의 정량

시약 및 기구

에테르, 에틸알코올, 표준 비타민 K_3, 2,4-디니트로페닐히드라진, 암모니아·알코올 용액

방법(조작)

1. 시료 일정량(K3로서 20~25mg)을 채취하고 에테르를 소량 가해서 수시로 교반하면서 10~20분간 방치하여 침출시킨 후 탈지면을 이용하여 여과하고 불용물은 소량의 에테르로 2회 세정

한 후 전량을 50㎖로 한 것에 다시 에틸 알코올을 가해 전량을 100㎖로 정용하고 이것을 검액으로 한다.

2. 별도로 표준 비타민 K_3 25.0mg을 취하여 에테르/에틸알코올 혼액 100㎖에 용해하여 표준용액으로 한다.
3. 검액, 표준액, 에테르/에틸알코올 혼액의 3 시료용액을 각각 1㎖씩, 50㎖ 용량의 정용플라스크에 취하고 에틸알코올 4㎖를 가한다.
4. 2,4-디니트로페닐히드라진 용액[6] 1㎖를 가하고 2~3분간 진탕하면서 70~75℃의 수욕 중에서 15분간 가온한 후 25℃로 냉각하고 암모니아/알코올 용액[7] 5㎖를 가하고 다시 혼화한다.
5. 에틸 알코올을 가해 50㎖로 정용하고 15분 후에 대조실험 결과와 비교하여 635nm의 흡광도를 측정하고 비타민 K_3의 함량을 구한다.

계 산

$$\text{검체중의 비타민 } K_3(\text{mg}) = 25.0 \times \frac{\text{검액의 흡광도}}{\text{표준액의 흡광도}}$$

2) Diethyl dithiocarbamate에 의한 정량

방법(조작)

1. 시료(비타민 K_1으로서 250㎍)를 취하여 에틸 알코올 3㎖에 녹이고 xanthanhydride 시약[8] 1㎖를 혼화하고 1N 수산화칼륨 용액 1㎖를 가해 50℃에서 10분간 가열한 후 냉각한다.
2. 시약을 대조구로 해서 410nm의 흡광도를 측정한다.
3. 표준 비타민 K_1을 사용하여 여러 농도에서 표준액을 만들어 위와 동일하게 조작함으로써 검량선을 작성한다. 이것으로부터 검체의 비타민 K_1함량을 구한다.

계 산

측정한 흡광도를 검량선에 대입시켜 측정 1㎖ 검액 중의 비타민 K_1 함량을 구하고 그것을 X, 시료 채취량을 W라고 한다면

$$\text{시료 중의 비타민 } K_1\text{의 함량}(\mu g/100g) = X \times \frac{100}{W}$$

---

6) 2,4-디니트로페닐히드라진 50mg을 10% 염산 : 물(2 : 1)혼합액 20㎖에 용해한다.

7) conc-NH_4OH를 동량의 정제 에틸알코올에 혼합한다.

8) 다시 결정화시킨 5-이미노-1,2-디티아졸리딘-3-티온(xanthanehydride)의 과잉분을 에틸알코올에 진탕, 용해시킨 후 여과하여 여액에 1/4량의 에틸알코올을 가한다.

참고문헌

1. 山岸 : 武田研究所年報, 13, p.20(1954)
2. 山岸, 藤原, 白本 : 武田研究所年報, 13, p.16(1954)
3. Scudi, J. V. and Buhs, R. P. : J. Biol. Chem., 137, p.745(1941)
4. 勝井 : ビタミン, 29, p.211(1964)
5. 勝井 : ビタミン, 34, p.256(1966)

5. 비타민 B_1의 정량

개 요

식품 중에 존재하는 총 비타민 B_1의 정량에는 takadiastase 등의 효소를 이용해서 여기에 함유된 phosphate 작용에 의해 피로인산 ester를 분리하고 결합형을 유리형으로 전환시킬 필요가 있다. 비타민 B_1정량법에는 *p*-aminoacetophenol의 diazo시약을 알칼리성으로 B_1과 반응시키면 적자색의 색소가 형성되어지는 것을 이용한 diazo반응법과 B_1을 적혈염 또는 형광물질 thiochrome을 형광비색하는 thiochrome 형광법 등이 있다. 전자는 소량함유 식품에 적합하고 후자는 다량함유 식품에 적합하다. 또 HPLC에 의한 정량법도 많이 이용되고 있다.

1) 디아조 (Diazo) 법

원 리

비타민 B_1은 알칼리성으로 diazo화한 *p*-aminoacetophenone과 반응하여 물에 불용인 적자색 색소를 형성한다. 이것을 xylene으로 추출하여 비색 정량한다.

시약 및 기구

- d-HCl(pH 4.5), 0.1N H_2SO_4 용액, 4M TCA용액, 5% diastase 용액(takadiastase를 5%가 되도록 초산완충용액(pH 4.5)으로 용해)
- *p*-anminoacetophenone 용액 : 0.6g의 *p*-aminoacetophenone을 9㎖의 c-H_2SO_4용해하여 증류수로 100㎖ 되게 한다
- 아질산나트륨 용액 : 아질산나트륨(특급, $NaHO_2$) 23g을 증류수에 용해하여 100㎖로 한 후 갈색병에 넣어 냉장보관한다.
- 알칼리 용액 : NaOH 20g과 $NaHCO_3$ 2g을 증류수에 녹여 100㎖로 한다.
- 0.5%의 phenol / alcohol 용액
- 60～70%의 alcohol 용액

■ xylene, 산성 백토
■ 20mg% 비타민 B_1 표준액 : 갈색병에 보관
■ 100mℓ 삼각 플라스크, 환류냉각기, 항온수조, 원심분리기, 분광광도계

방법(조작)

1 총 비타민의 침출

① 시료를 취하여 100mℓ 삼각플라스크에 넣는다.
② 0.1N 황산을 45mℓ 가하고 환류냉각장치와 연결하여 수조에서 30분간 끓인다(가끔 저어준다).
③ 가열 후 냉각시킨 후 4M 아세트산나트륨 용액 3mℓ를 가하여 pH 4.5~4.7로 한다.
④ 5% diastase 용액 6mℓ를 가하여 45~50℃에서 2시간 가수분해한다.
⑤ 냉각 후 전체용액이 100mℓ되게 한 후 3000rpm에서 원심분리하여 상징액을 시료액으로 한다.

2 흡착 및 탈색

① 시료액 20~30mℓ(비타민 B_1의 량이 10~20㎍이 되게 한다)를 원심관에 취하고 여기에 산성백토 0.2g를 넣어 마개를 하여 1분간 힘차게 흔든 후 30분간 방치하여 비타민을 흡착시키다.
② 3,500rpm에서 5분간 원심분리시킨다. 여지 등을 사용하여 상징액을 완전히 제거한 후 원심관 내의 침전 백토에 소량의 염산을 가한 물(pH 4.5, 물 100mℓ당 10% 염산 2~3방울을 가한다)을 20mℓ 가하여 흔들어 백토를 잘 현탁시킨 후 원심분리시킨다.
③ 상징액을 제거한 백토에 물 4mℓ, 0.5% phenol 용액 4mℓ를 가하여 잘 흔들어 현탁시키다.
④ 다른 시험관에 *p*-aminoacetophenone액 0.2mℓ를 mass pipette로 취하여 아질산염 용액 0.2mℓ를 가하고 물 10mℓ를 가한다. 또 알칼리용액 6mℓ를 미리 준비하여 벽을 따라 조심스럽게 가한 후 용액 전체를 앞의 원심관에 재빨리 붙는다.
⑤ 마개를 하고 30초간 진탕한 후 1시간 방치한 후(이때 오렌지색) 원심분리시켜 백토를 분리하고 상징액을 버린다. 백토는 존재량에 따라서 적자색으로 착색되어 진다. 앞의 방법과 같이 원심관을 여지위에 거꾸로 세워 반응액을 따르고 여지로 원심관의 입구를 훔친다.
⑥ 원심관에 60~70% ethanol 용액 6mℓ과 xylene 5mℓ 가하여 약 2분간 진탕한 후 1,000rpm으로 2분간 원심분리한다(액이 맑아짐). 이때 백토에 적색이 남아 있으면 95% ethanol를 가하여 더 실시한다(만약 액이 맑지 않으면 회전속도를 높이거나 여과한다).

3 비색 : 착색된 xylene 층을 cell에 취하고 분광광도계로 520nm에서 읽는다(reference: xylene).

4 검량선 : 비타민 B 표준액(20mg%)을 물로 희석한다. 희석액을 각각의 원심관에 0.5, 1.0, 2.0, 3.0, 5.0mℓ씩 취한 후 물을 첨가하여 일정량으로 만든다. 여기에 산성백토 0.2g씩 가하여 흡착 및 탈색조작을 하여 흡광도를 구한다.

결과 및 계산

$$\text{시료중의 비타민 함량(r\%)} = \frac{c \times \text{희석배수}}{S} \times 100$$

S : 시료량(g)

비타민 B_1 표준용액의 흡광도(c) : 5γ( ), 10γ( ), 20γ( ), 30γ( ), 50γ( )

2) Thiochrome 형광법

원 리

비타민 B_1(thiamine)은 알칼리성에서 적혈염 또는 bromcyan(BrCN)으로 선화되어 thiochrome이 된다. 이것이 자외선을 쪼이면 형광을 발하므로 이 강도의 정도를 형광광도계로 측정한다. 그러나 동식물계에서는 비타민 B의 대부분이 인산염의 형태로 존재하며, 또 비타민 B_1 외에도 형광물질이 존재하기 때문에 가수분해, permutit흡탈착 등의 조작을 행한다. 비타민 B_1은 pH 4.5에서 permutit에 선택적으로 흡착되며, 25% KCl 용액에서 탈착된다. 비타민 B_1은 알칼리성에서 산화(산화제 : 적혈염, BrCH, $HgCl_2$ 등)되면 정량적으로 thiochrome으로 변한다. 이것을 butanol로 추출하여 자외선을 조사하면 비타민 B_1의 농도에 따라서 청자색의 형광이 생긴다.

시약 및 기구

- 25% 염화칼륨염산용액 : KCl 결정을 N/10 HCl 용액으로 만든다.
- 25% 염화칼륨용액
- 3% 아세트산 용액
- 4M 아세트산나트륨 : 특급아세트산나트륨 544g을 증류수로 용해시켜 1 ℓ 되게 한다.
- 아세트산·아세트산나트륨 완충용액(pH 4.5) : 빙초산 6㎖, 초산나트륨 13.6g에 증류수를 가하여 1 ℓ 되게 한다.
- N/10 H_2SO_4 용액
- Takadiastase 용액 : 일정량을 평취하여 20배량의 pH 4.5의 아세트산 아세트산나트륨 완충용액을 가하여 충분히 용해시키고 이 용액 100㎖에 산성백토 0.2g 비율로 가한다. 3,000rpm에서 15분간 원심분리한 후 상징액이 분해용 효소액으로 한다.
- 30% NaOH : 조제한 것을 10일 이상 방치한 후 사용한다.
- B_1 표준용액 : 결정 비타민 B_1 결정염 25mg을 취하여 증류수100㎖로 한다. 사용시 용액 1㎖를 아세트산·아세트산 나트륨 완충용액으로 250㎖로 하여 사용한다(1γ/㎖).
- Buthanol
- 정제 permutit : permutit 100g을 60～100mesh로 하여 플라스크에 넣어서 다음과 같은 조작을 한다.

① 물 400㎖를 가하여 15분간 교반하여 정치한 후 린스한다. 이 조작을 3～4회 반복한다. 또 3% 아세트산·아세트산 나트륨 완충용액을 400㎖로 같은 조작을 2회 행한다.

② 25% KCl 용액 300㎖를 가하여 수조에서 15분간 가열한다. 냉각 후 액을 경사지게 하여 버린다.

③ 3% 아세트산·아세트산 나트륨 완충용액으로 2～3회 씻는다. 또 물로서 충분히 수세한다.

④ 90℃에서 하룻밤 건조한다.

방법 및 조작

1. 치환탑 준비 : 시험관에 permutit 약 1.5g을 넣어서 물을 가하여 흔들어 주면서 permutit내의 기포를 제거하고 상징액을 버리고 다시 물을 가한다. 한편 치환탑 하부에 glass wool을 넣어 유리봉으로 조절하고 마개를 막아 물을 채운 다음 다시 마개를 막아 물을 밑으로 유출시킨다.

   다음에 물을 탑에 반정도 넣고 상기의 시험관을 흔들어 주면서 permutit를 흘러들어 가게 한다. permutit를 완전히 탑에 옮긴 다음 마개를 열어서 물을 유출시킨다. 이어서 3% 초산수 10mℓ를 유출시킨 다음 물 20mℓ를 1분간 1mℓ(3초에 1방울)를 흐르게 하여 permutit층을 통하게 한다. 이 단계에서 시료를 흡착한다.

2. 시료액의 조제 : 증류수 20mℓ에 검체(1~5g)를 칭량하여 넣고 homogenizer로 분쇄하여 100mℓ의 정용플라스크에 옮긴다. 그리고 N/10 황산액을 45~60mℓ 가하여 30분간 수조상에서 가열시킨다. 가열할 때 5분마다 잘 흔들어 주고 그 이후에는 5분마다 1회 정도 흔들어 준다. 50℃ 이하로 냉각시킨 후에 4M 아세트산나트륨액을 가하여 pH 4.5~4.7로 조정한다(pH는 리트머스시험지로 확인한다).

   조정후 5% diastase액 6mℓ를 가하고 45~50℃의 수조에서 2시간 보존한다(장시간 가수분해할 때는 2% diastase액 4mℓ와 toluene 0.2mℓ를 가하여 38℃에서 하룻밤 보관한다). 실온에서 냉각후 증류수로 표선까지 채워서 원심분리(3,000rpm, 15분)하여 상징액을 시료액으로 한다.

3. 흡착 : 시료액의 일부(10~30mℓ, B_1으로서 0.5~4γ 정도)를 whole pipette으로 취하고 치환탑에 주입시켜서 1분간 1mℓ(3초에 한방울)의 속도로 떨어뜨린다. 완전히 시료액이 통과한 후에 즉시 염산으로 pH 4.5로 조정한 물 10mℓ를 치환탑을 씻으면서 통과시킨다. B_1은 permutit에 흡착된다.

4. 수세 : 흡착이 끝나면 비등수(보통 100~150mℓ)를 치환탑에 넣고 마개를 열어 유출시켜 흡착층을 세척한다. 엽차 또는 귤 등을 시료로 할 경우는 수세할 때 먼저 4% 구연산용액 5mℓ를 1분간 1mℓ의 속도로 통과시킨다.

5. 탈착 : 수세에 의해서 치환탑이 뜨거울 때 계속하여 비등한 25% KCl · HCl액을 탑에 주입시켜서 1분간 3~4mℓ(1초에 한방울)의 속도로 통하게 하며 나오는 탈착액을 25mℓ 정용플라스크에 받는다. 25% KCl · HCl액을 강한 열에서 빨리 비등시킨다(가열이 늦으면 KCl이 석출되어 실험이 불가능하게 된다). 냉각후 25% KCl · HCl액으로 표선까지 채운다.

6. 산화 : 탈착액을 혼합한 후 whole pipette을 사용하여서 마개 달린 원침관에 5mℓ씩 3개를 취하

표 3-13 비타민 B_1 정량에 있어서 산화의 절차

	주시험	첨가시험	공시험
탈착액	5mℓ	5mℓ	5mℓ
B_1 표준액	-	0.5	-
아세트산완충액	0.5	-	0.6
30%수산화나트륨액	-	-	3
적혈염알칼리용액	3.1	3.1	-

단, 적혈염액은 1% ferrocyan화 칼륨용액 0.1mℓ를 30% NaOH 3mℓ에 동시에 섞는다.

여 각각 다음 순서에 따라 천천히 반응시킨다. 액을 가하는 순서는 표 3-13과 같다. 잘 흔들어서 산화시킨후에 15㎖의 butanol을 각각의 원심관에 가하여 100~150회 심하게 흔들어준다. 정치후 하층(수층)을 pipette으로 취하여 버리고 남은 butanol층에 망초 3g을 가하여 다시 100회 강하게 흔들어서 원심분리(1,000rpm, 3분)한다. 첨가 B_1량은 주시험의 B_1량의 1~2배가 좋다.

7 측정 : 형광광도계에서 butanol액의 형광광도를 측정한다. 영점을 조정한 후에 첨가시험액을 넣은 cuvette을 중심부에 넣어서 눈금을 100에 맞게 하여 주시험, 공시험을 읽는다.

결과 및 계산

첨가한 B_1의 양을 Cγ로 하면 주시험 중의 B_1(Mγ)은

$$M(\gamma) = C \times \frac{\text{주시험을 읽은 것} - \text{공시험검을 읽은 것}}{\text{첨가시험을 읽은 것} - \text{주시험을 읽은 것}}$$

시료 100g중의 B_1의 γ(γ%)는

$$M(\gamma\%) = M \times \frac{25}{5} \times \frac{V}{A} \times 100$$

A : 흡착액량

V : 희석배수

3) HPLC에 의한 정량법

원 리

식품중의 vitamin B_1 인산 에스테르를 효소로 분해하여 vitamin B_1를 유리시켜 HPLC에 주입하여 분리용출되어 나오는 vitamin B_1을 페리시안화칼륨($K_3Fe(CN)_6$)으로 산화시켜 thiochrome로 전환한 후 형광검출기로 검출한다.

시 약

- 4M 아세트산나트륨용액
- Takadiastase : takadiastase를 물에 용해시켜 2%를 만든 후 permutit column에 넣어 효소 중에 존재하는 vitamin B_1를 제거한 후 사용한다(매 사용시마다 조제).
- 알칼리성 ferricyanate : 15%의 NaOH 용액에 1% 페리시안화칼륨(Potassium ferricyanide, $K_3Fe(CN)_6$)가 되게 한다(사용시마다 조제).
- 표준 용액의 조제 : vitamin B_1 염산염을 10% 삼염화아세트산에 0.01~1.0mg/㎖ 되게 한 후 이 용액에 4M 아세트산 나트륨, 2% takadiastase를 20 : 3 : 1의 비율로 한 후 표준용액으로 사용한다.

방법 및 조작

일반적인 시료 : 시료 1g을 10% 삼염화아세트산에서 균질화한 후 9,000rpm으로 원심분리한다. 심징액을 취하여 4M 아세트산나트륨용액을 가하여 pH 4.5~4.7이 되게 하고 2% takadiastase를 가한 후 37℃에서 10시간 방치 한 후 분석한다.

Column은 비타민 B_1분리용을 사용하고, 이동상은 0.1M 인산나트륨용액을 사용한다.

분석효과를 높이기 위한 시료별, column 및 검출기별 분석조건은 아래와 같다.

1 콩 및 콩제품

① 추출 : HCL용액으로 pH 2.0에서 20psi, 15분간 autoclaving한 후 pH 4.5로 조절하여 원심분리하여 단백질 제거, 15% NaOH에 1% potassium ferricyanide로 vitamin B_1을 thiochrome으로 산화시킨다. 진한 phosphoric acid로 중화시키다.

② Column : Precolumn－RP-18(3cm; Brownlee)
Analytical－Ultrasphere C18(150×4.6mm, 5㎛ : Beckman)

③ 이동상 및 유속 : A－acetonitrile / B－0.01M acetate buffer, pH 5.5 / C-water
gradient A+B(13+87 v/v) at t=0min. 1.2㎖/min.
isocratic at A+B(13+87v/v) until t=6min. 1.2㎖/min.
step gradient to A+C(90+10v/v) at t=6min. 2.3㎖/min.
isocratic at A+C(90+10v/v) until t=11min. 2.3㎖/min
step gradient to A+B(13+87v/v) at t= 11min. 1.2㎖/min.
isocratic at A+B(13+87v/v) until t=18min. 1.2㎖/min.

④ 검출기 : Fluorescence, 364/436nm(ex/em.)

2 치즈, cereal, 육류 감자 밀가루

① 추출 : 산분해는 0.1M HCL, 효소분해는 β-amylase와 takadiastase로 하며, 치즈의 경우 단백질은 trichloroacetic acid로 침전시킨다. 산화는 0.25% potassiumferricyanide로 처리한다.

② Column : Precolumn－Not Specified
Analytical－Novapak C18(150×3.9mm, 4㎛ : Waters)

③ 이동상 및 유속 : Isocratic－methanol+50mM phosphate buffer, pH 7.0(30+70v/v) 1.0㎖/min.

④ 검출기 : Fluorescence, 445/522nm(ex/em.)

3 우유

① 추출 : Trypsin으로 단백질을 효소분해하고 claradiastase로 thiamine phosphate ester을 thiamine화한 후 다시 ferricyanide로 thiochrome로 산화시킨다.

② Column : Analytical－Nucleosil Phenyl(150mm, 5㎕)

③ 이동상 및 유속 : Isocratic: methanol+acetonitrilc+isobutanol+water(80+10+10+5 v/v/v/v). 0.7㎖/min.

④ 검출기 : Fluorescence, 375/430nm(ex/em.)

4 쌀

① 추출 : 0.1M HCl+methanol(60+40 v/v)용액으로 60℃에서 30분간 환류 냉각한 후, 균질화하고 원심분리한다.

② Column : Analytical-Zorbax TMS(250×4.6mm, DuPont) at 55℃
③ 이동상 및 유속 : Isocratic : phosphate-perchlorate buffer, pH 2.5, 0.4㎖/min.
④ 검출기 : Fluorescence, 375/435nm(ex/em.)
**On-line postcolumn derivatization with alkaline potassium ferricyanide to convert thiamine to thiochrome.

참고문헌

1. 佐橋圭一外 : ビタミン, 34, p.539(1966)
2. 食品分析ハンドブック、p.308-315(1977)
3. Bargerm G et al.: Nature, 136, p.259(1953)

6. 비타민 B_2(Riboflavin)의 정량

개 요

비타민 B_2는 식품중의 존재 형태는 유리형태인 riboflravin, 인산에스테르화된 FMN 및 5′-adenylic acid가 pyrophosphate와 결합한 FAD로 존재하기 때문에 riboflavin의 형태로 유리시킨 다음 정량한다.
비타민 B_2의 정량법에는 riboflavin 비색법, riboflavin 형광법. lumiflavin 형광법, 미생물법이 있으나 비교적 감도가 우수한 lumiflavin 형광법과 최근에 많이 이용되는 HPLC법을 정리한다.

1) 루미플라빈 형광법 (Lumiflavin fluorimetry)

원 리

비타민 B_2는 등황색으로 형광을 가지며 중성과 산성용액에서는 열에 상당히 안정하나 알칼리성 하에서는 빛에 의하여 lumiflavin으로 변화한다. lumiflavin은 강한 황록색의 형광을 내고 산성으로 하면 chloroform에 용해한다. 이것을 이용하여 식품 중의 비타민 B_2를 다른 형광물질과 분리해서 정량하는 방법을 lumiflavin 형광법이라 한다.

시약 및 기구

- 1N H_2SO_4 용액, 1% CH_3COOH, 1N-NaOH 용액
- Chloroform : 시판 chloroform을 증류하여서 무형광으로 한다.

■ B_2 표준액 : B_2의 결정 10mg을 정확히 칭량하여 1% 아세트산 용액에 용해한다(100γ/mℓ). 녹지 않을 시에는 60℃로 가온한다. 사용시 정확하게 1,000배 희석하고 0.1γ/mℓ 용액으로 한다. 원액과 기준액은 갈색병에 넣어서 보존하며 표준액은 일주일마다 조제한다.

■ 삼각 flask, 항온수조, homogenizer, 원심분리기, 광분해장치, 형광광도계

방법 및 조작

1 침출

① 동물조직 : 시료 0.1~0.5g을 정확하게 취하여 시험관에 놓고 미리 80℃로 가온한 증류수 3~5mℓ를 가하여 80℃의 수조에서 3~5분간 가열한다. 이것을 homogenizer에 씻어넣고 냉각시키면서 마쇄한다. 마개 달린 눈금이 있는 원심관에 마쇄물을 옮겨 증류수 20mℓ를 가하고 가끔 흔들어 주면서 80℃의 항온수조에서 15분간 가온한다. 그리고 유수중에서 냉각하고 정확하게 100mℓ로 하여 원심 분리시키고 상징액을 시료액으로 한다.

② 식물조직 : 비교적 조직이 연약한 것은 동물조직의 경우와 같이 처리하지만 곡류와 같이 조직이 단단한 것은 막자사발에서 마쇄하여 위와 같이 처리하든지 혹은 마쇄물에 1N 황산을 가하여서 N/4이 되게 하여 마개가 달린 원심관에 넣어 똑같은 방법으로 처리한다.

2 광분해 : 마개달린 원심관에 시료, 1N NaOH액, B_2 기준액을 표 3-14와 같이 가한다. 단, 공시험의 원심관은 aluminium foil로 빛이 들어가지 않도록 싼다. 이때 주시험과 첨가시험을 100W 형광등 2~3개를 광원으로 하여 여기서부터 15cm의 거리에서 30분간 광분해한다.

3 추출 : 광분해를 한 주시험과 첨가시험, 그리고 공시험에 각각 빙초산 0.2mℓ, chloroform 15mℓ를 가하여 수냉시키면서 세게 흔들어 lumiflavin을 chloroform으로 옮긴다.

4 측정 : 첨가시험의 chloroform층(하층)을 pipette으로 형광광도계의 cuvette에 취하여 눈금을 100내외로 하여 읽는다. 이 상태에서 주시험과 고시험의 chloroform층을 사용하여 각각의 값을 읽는다.

결과 및 계산

$$\text{시료중의 } B_2\text{량}(\gamma\%) = 0.1 \times \frac{\text{주시험을 읽은 것} - \text{공시험을 읽은 것}}{\text{첨가시험을 읽은 것} - \text{주시험을 읽은 것}} \times \frac{\text{희석배수}}{\text{시료(g)}} \times 100$$

표 3-14 비타민 B_2 정량에 있어서 광분해의 절차

	첨가시험	주시험	공시험
검 액	1.0mℓ	1.0mℓ	1.0mℓ
물	-	1.0mℓ	1.0mℓ
비타민 B_2 기준액 (0.1γ/mℓ) 1.00	1.0mℓ	-	-
1N수산화나트륨용액	1.0mℓ	1.0mℓ	-

2) HPLC에 의한 정량법

원 리

HPLC를 이용한 방법으로 비타민 B_2를 정량할 경우 식품중에 여러 형태로 존재하는 비타민 B_2인 riboflavin, FMN 및 FAD를 column으로 분리시키고 형광 검출기로 각각의 량을 riboflavin으로 환산하여 비타민 B_2의 량으로 한다.

시 약

- 메탄올 : HPLC용.
- 10mM의 인산나트륨용액 : NaH_2PO_4 12g을 물에 녹여 1000ml로 하고 1N NaOH용액으로 pH 5.5로 조절한다.
- Riboflavin 표준용액 : 비타민 B_2 표준용액을 온탕에 녹여 40㎍/㎖이 되게하여 100㎖의 양에 아세트산 몇방울을 가하여 갈색병에 넣어 냉장 보관한다(사용시 농도를 묽게하여 사용 보통 0.2㎍/㎖의 농도).
- FMN표준용액과 FMN표준용액은 각각을 물에 녹여 riboflavin표준용액 사용시와 같은 농도가 되게 한다.

방법 및 조작

일반적 시료액 조제 및 조작 : 시료액의 조제는 식품의 종류에 따라 최적의 방법을 택하겠지만 보통 일정량의 시료에 소량의 물을 가하여 균질화 한 후(지질함유가 많은 시료의 경우 탈지 후 균질화 한다) 적당량을 물을 가하여 70~80℃의 수조에서 12~15분 추출한 후 보통 0.05~0.5㎍/㎖의 농도로 주입한다. 또 시료의 종류에 따라 HPLC의 조건을 달리한다. 보통 액상분배형 column을 사용하고 이동상은 Methanol/ 10mM NaH_2PO_4 용액(pH 5.5)(35:65)한다.

분리의 효능을 높이기 위해 시료별, column 및 검출기별 분석방법은 아래와 같다.

1 Riboflavin으로서의 전체 비타민 B_2

① 유제품

- 추출 : Autoclave에서 0.1M HCl 용액으로 103.5kPa, 20분간 추출; 효소분해는 claradiastase와 papain으로 pH 4.5, 37C에서 20시간 분해, 단백질 침전은 trichloroacetic acidfhf 100℃에서 10분간 침전
- Column : Precolumn－Nucleosil C18(50×4.6mm, 10㎛)
  Analytical－Nucleosil C18(50×4.6mm, 5㎛) at 41℃
- 이동상 및 유속 : Acetonitrile＋0.01M potassium phosphate buffer pH 7.0(10.5+89.5v/v), 1.0㎖/min.
- 검출기 : UV, 268nm.

② 우유

- 추출 : 단백질 침전, 10% lead acetate at pH 3.2

- Columns : Precolumn－C_{18} Bondapak guard(5㎛)
  Analytical－Spherisorb ODS 2(150×3.9mm, 5㎛)
- 이동상 및 유속 : Methnol＋dilute acetic acid(30+70v/v). 1.5㎖/min.
- 검출기 : UV absorbance, 270nm.

③ 콩, 두부

- 추출 : Autoclave에서 HCl(pH 2.0)용액으로 20 psi에서 15분간 추출. 단백질은 pH 4.5에서 침전하여 원심분리하여 제거한다.
- Columns : Precolumn－RP-18(3cm : Brownlee)
  Analytical－Ultrasphere C_{18}(150×4.6mm, 5㎛ : Beckman)
- 이동상 및 유속 : A－acetonitrile, B－0.01M acetate buffer, pH 5.5, C－water
  gradient: *A+B(13+87,v/v at t=0min. 1.2㎖/min.
  isocratic at A+B(13+87,v/v) until t=10min. 1.2㎖/min.
  step gradient to A+C(90+10,v/v) at t=10min. 2.3㎖/min.
  isocratic at A+C(90+10,v/v) until t=15min. 2.3㎖/min.
  step gradient to A+B(13+87,v/v) at t=15min. 1.2㎖/min.
  isocratic at A+B(13+87,v/v) until t=22min. 1.2㎖/min.
- 검출기 : Fluorescence, 465/535nm(ex/em).

④ 유제품, 간, 육류 생선 채소 커피, 맥주, 빵, 이유식

- 추출 : 121℃의 autoclave상에서 0.1M sulfuric acid, 20min. pH 4.5(with 2.5M acetate buffer)에서 추출, 효소분해는 claradiastase로 45℃에서 overnight한다. 시료의 cleanup를 위해 Sep-Pak cartridge 사용(Waters).
- Columns : Precolumn－Spherisorb S5 ODS2 guard(5㎛ : Phase Sep.)
  Analytical－Spherisorb S5 ODS2(250×4.6mm, 5㎛ : Phase Sep.)
- 이동상 및 유속 : Isocratic : methanol＋water(35+65,v/v). 1.0㎖/min.
- 검출기 : Fluorescence, 445/525nm(ex/em).

2 Riboflavin, FMN 및 FAD

① 유제품

- 추출 : 6%의 formic acid와 2M urea로 단백질을 용해시키서 원심분리하고 internal standard로 sorboflavin 첨가, sample cleanup with silica-based C_{18} solid phase extraction.
- Column : Analytical－LC-18(75×4.6mm; 3㎛; Supelco).
- 이동상 및 유속 : Isocratic : 100mM phosphate buffer, pH 2.9, 1㎖/min.
- 검출기 : Fluorescence, 450/530nm(ex/em).

② 우유

- 추출 : 생우유의 endogenous pyrophosphatase의 불활성화를 위해 3분간 boiling한다. Pronase로 45C에서 1시간 동안(phosphate buffer로 pH 5.5) 추출 및 탈단백질화한 후 원심 분리한다.
- Column : Analytical－Capcell Pak C_{18}(250×4.6mm, 5㎛; Shiseido) at 40℃
- 이동상 및 유속 : A－methanol +water(90+10,v/v) / B－10mM phosphate buffer, pH 5.5

gradient A+B(35+65,v/v) at t=0min.

linear gradient to A+B(95+5,v/v) at t=8min.

isocratic at A+B(95+5,v/v) for 5min. 0.8㎖/min.

■ 검출기 : Fluorescence, 462/520nm(ex/em).

③ 간, 육류, 계란, 곡류, 햄버그

■ 추출 : internal standard로 7-ethyl-8-methyl riboflavin 첨가, methanol, methylene chloride, 100mM phosphate buffer pH 5.5로 추출한 후 원심 분리한다.

■ Column : Precolumn－PLRP-S(5x3 mm; Polymer Labs)

Analytical－two PLRP-S 100Å columms (150×4.6mm＋250×4.6mm, 5㎛ : Polymer Labs) at 40℃

■ 이동상 및 유속 : A－acetonitrile, B－0.1M sodium azide in 10mM citrate phosphate buffer, pH 5.5

Gradient: * A+B(3+97,v/v) at t= 0 min. 1.2㎖/min.

linear gradient to A+B(6+94,v/v) at t=43min. 1.2㎖/min.

linear gradient to A+B(14+86,v/v) at t=51min. 10㎖/min.

isocratic at A+B(14+86,v/v) until t=70min. 1.0㎖/min.

linear gradient to A+B(3+97,v/v) at t=80min. 1.0㎖/min.

isocratic at A+B(3+97,v/v) until t=90min. Convex flow rate gradient to 1.2㎖/min. at t=90min.

■ 검출기 : Fluorescence, 450/522nm(ex/em).

참고문헌

1. 八木國夫: フラビン の生化學 公立出版(1957)
2. Handbook of Food Analysis, volumn 1. Physical Characterization and Nutritent Analysis. Dekker(1966)

7. 비타민 C의 정량

개 요

비타민 C(ascorbic acid)의 정량에는 indophenol법(적정법과 비색법), hydrazine비색법 및 HPLC에 의한 정량법이 있다.

1) Indophenol 적정법

원 리

2,6-dichlorophenol indophenol은 ascorbic acid(환원형 비타민 C)에 의하여 환원되어 홍색이 무색으로 되므로 indophenol용액에 ascorbic acid를 떨어뜨려 홍색이 없어지는 점을 구하여 정량한다. 또 dehydroascorbic acid(산화형 비타민 C)를 황화수소로 환원하여 두면 같은 방법으로 총 비타민 C를 정량할 수 있다.

Ascorbic acid + 2,6-dichlorophenol indophenol
(환원형, 무색) (산화형, 홍색)

----------► dehydroascorbic acid + 2,6-dichlorophenol indophenol
(산화형, 무색) (환원형, 무색)

시약 및 기구

- 5% 메타인산액 : 특급 HPO_3 25g을 물로 500mℓ로 한다(냉장고에 보존).
- 2% 메타인산액 : 5% 메타인산액 40mℓ를 물로 100mℓ로 한다.
- N/100 요오드산칼륨용액 : N/10 KIO_3액(KIO_3 0.357g을 정확히 평취하여 물로 100mℓ로 한다. 갈색병에 보존)을 원액으로 하고 사용시에 원액 1mℓ를 정확하게 물로 100mℓ로 한다.
- 6% 요오드화칼륨액 : KI 0.6g을 물 10mℓ에 용해하여 갈색병에 보존한다.
- 1% 전분액 : 가용성 전분 1g을 100mℓ의 물에 가열 용해하여 식염 30g을 가한다.
- indophenol 용액 : 2,6-dichlorophenol indophenol 나트륨 1mg을 물 200mℓ에 용해하여 여과한다. 실험할 때마다 새로이 조제한다.
- 4mg% ascorbic acid용액 : L-ascorbic acid 4mg을 2% 메타인산액으로 100mℓ로 한다.
- 해사(sea sand) : 시판해사를 사용한다.
- mortar, 분액 깔때기, micro buret, 원심분리기

방법 및 조작

1. Ascorbic acid 용액의 농도검정 : Ascorbic acid 용액 2mℓ를 시험관에 취하여 요오드화칼륨액 0.2mℓ와 전분액 2~3방울을 가하여 micro buret을 사용하여 N/1000 요오드화칼륨액을 떨어뜨린다. 적정의 종말점은 엷은 청색이 나타나는 점으로 한다(이 때 백색종이를 사용하면 쉽다).

$$\text{ascorbic acid 용액농도(mg/100g)} = \text{적정치(mℓ)} \times \frac{1}{2} \times 8.8$$

2. Indophenol용액의 농도검정 : Indophenol용액 1mℓ를 시험관에 취하고 여기에 농도검정을 한 ascorbic acid 용액을 micro buret으로 적정한다. 액은 도중 청색에서부터 적색으로 변하며 적색이 없어지는 점을 종말점으로 한다.
3. 시료용액의 조제 : 시료를 일정희석배수의 침출액(5배 또는 10배)으로 만들고 이것이 최종적

으로 2% 메타인산용액이 되게 한다.

① 10배 희석액 : 시료의 적당량(야채, 과실의 경우 5~10g)을 측정하여 막자사발에 넣고 시료 1g에 4mℓ의 5% 메타인산용액을 가하여 해사를 적당량 가하고 잘 마쇄한다. 여기에 시료 1g에 5mℓ의 물을 가하여 흔들어서 원침시킨다. 이 상층액을 시료용액으로 한다. 상층액이 깨끗하지 않으면 여과한다.

② 5배 희석액 : 시료 1g에 따라 5% 메타인산 2mℓ와 물 2mℓ를 가하여 ①과 같이 한다.

4 적정 : 이와 같이 조제한 시료용액을 micro buret에 넣고 시험관에 1mℓ의 indophenol액을 취하여 적정한다. 적정방법은 색소용액의 검정과 같이 한다.

결과 및 계산

시료 중의 ascorbic acid의 양 A는 다음 식에서 구한다.

$$A = b \times \frac{m}{n} \times v$$

b : ascorbic acid용액의 농도(mg/100g)
m : 색소액에 대한 ascorbic acid용액의 적정치(mℓ)
n : 색소액에 대한 시료용액의 적정치(mℓ)
v : 희석배수

2) Hydrazine 비색법

원 리

Dehydroascorbic acid(산화형 비타민 C)는 2,4-dinitrophenyl hydrazine(DNP)용액과 작용하여서 정량적으로 적색의 osazone을 만든다. 이것에 황산용액을 가하면 정색이 되는 것을 이용한다. 따라서 시료 중의 환원형 ascorbic acid를 산화시켜 산화형 dehydro-ascorbic acid로 만들고, 여기에 DNP용액을 가하여 생성된 osazone을 비색시키면 총 비타민 C를 정량할 수 있다.

시약 및 기구

- 0.2% indophenol액 : 2,6-dichlorophenol indophenol 나트륨 0.2g을 온탕 100mℓ에 용해시킨다. 냉소에 저장하면 2주간 유효하다.
- 5% 및 2% 메타인산용액
- thiourea 메타인산용액 : 사용시에 thiourea 2g을 2% 메타인산 50mℓ에 용해하여 물로 100mℓ로 한다.
- DNP 용액 : 2,4-dinitrophenyl hydrazine 2g을 9N 황산 용액(진한황산 1 : 물 3) 100mℓ에 용해하여 유리여과기로 여과한다. 냉장고에 보관하면 2주간 유효하다.

- 85% 황산용액 : 물 12㎖에 진한황산 100㎖를 용해한다. 처음에는 조금씩 천천히 가하고 과열에 주의하면서 서로 섞는다.
- 8N 황산용액 : 3배의 물에 황산 1배를 천천히 가한다. 과열에 주의한다.
- 비타민 C 표준용액 : 순결정 비타민 C 100㎎을 2% 메타인산용액에 용해하여 100㎖로 한다. 이 액 0.25, 0.5, 1.0, 1.5, 2.0, 2.5㎖를 각각 2% 메타인산용액에 용해하여 100㎖로 하여서 6종류의 표준용액으로 한다.
- 분광광도계(520mm)

방법 및 조작

1. 시료용액의 조제 : Indophenol법과 같다.
2. 산화 : 3개의 시험관에 시료용액을 2㎖씩 넣고 ① 총비타민 C용 ② dehydroascorbic acid용 ③ 맹검용으로 한다. ①의 시험관에 indophenol용액 한방울을 가하여 홍색이 될 때 3개의 시험관 각각에 thiourea용액 2㎖를 가한다.
3. Osazone의 생성 : ① 및 ②의 시험관에 DNP용액을 각각 1㎖씩 가하고 37℃에서 3시간 보온한다. 다음에 3개의 시험관을 빙수중에서 식히며 85% 황산용액 5㎖를 주의하면서 조금씩 가하고 흔들어 혼합한 후 ③의 시험관에 DNP용액 1㎖를 가한다. 시험관 전부를 빙수중에서 꺼내어 실온에서 30～40분 방치한다.
4. 비색 : 시약 항에서 만든 6종의 표준용액을 앞의 시험관 ①과 같이 처리하고 비색계의 510～540nm에서 비색하여 검량선을 작성한다. 다음에 시험관 ③의 액을 대조용액으로 하여 ①및 ②의 흡광도를 측정한다.

결과 및 계산

다음과 같이 시료중의 총 비타민 C, dehydroascorbic acid 및 환원형 비타민 C를 구한다.

$$\text{총 비타민 C량(mg/100g)} = C_1 \times \frac{A}{2} \times \frac{100}{S}$$

$$\text{Dehydroascorbic acid량(mg/100g)} = C_2 \times \frac{A}{2} \times \frac{100}{S}$$

환원형 비타민 C량(mg/100g) = 총 비타민 C량(mg/100g) − dehydroascorbic acid량(mg/100g)

C_1 : 검량선에 의하여 구한 비타민 C량(시험관①)
C_2 : 검량선에 의하여 구한 비타민 C량(시험관②)
A : 조제시료용액량(㎖)
S : 시료 채취량(g)

3) HPLC에 의한 정량법

Column과 검출기 및 시료에 따라 분석조건들을 달리하여 분석의 감도를 최적화하기 위해 최근의 분석방법은 아래와 같다.

조작 및 방법

1 C18 column사용

1. Ascorbic acid(AA), dehydroascorbic acid(DHAA) 및 isoascorbic acid(IAA)의 동시분석

① 오렌지, 오렌지주스, 키위, 육류, 토마토

■ 추출 : methanol+water(5+95,v/v)로 추출하는데 IAA가 시료에 미함유시 internal standard로 IAA첨가, 고체시료 추출 후 C_{18} Sep-Pak(Waters)로 cleanup한다.

■ Column : Precolumn－C_{18}(Waters)

Analytical－μBondapak C_{18}(300×3.9mm, 10㎛ : Waters)

■ 이동상 및 유속 : Isocratic : 5mM cetrimide in methanol ＋ 50mM phosphate buffer, pH 4.59 (5+95,v/v) 1.8㎖/min.

■ 검출기 : AA & IAA : UV absorbance, 261nm / DHAA : UV absorbance, 348nm

② 감귤류, 과일, 채소

■ 추출 : 0.05N phosphate buffer, 고체시료 추출 후 C_{18} Sep-Pak(Waters)로 cleanup한다.

■ Column : Analytical－Spheri-5 RP-18(110×4.6mm, 5㎛ : Brownlee Labs) ＋ two Polypore H(110×4.6mm ＋ 220×4.6mm : Brownlee Labs)

■ 이동상 및 유속 : Isocratic－2% potassium phosphate buffer, pH 2.3. 0.4㎖/min.

■ 검출기 : AA : UV absorbance, 260nm / DHAA: UV absorbance, 251, 269nm

2. Ascorbic acid(AA)

① Babaco(Carica pentagona Heil)

■ 추출 : 물로 추출

■ Column : Analytical－Lichrosorb-NH_2(250×4.6mm, 5㎛)

■ 이동상 및 유속 : Isocratic－acetonitrile ＋ 5mM phosphate buffer, pH 3.5(40+60v/v) 1㎖/min.

■ 검출기 : UV absorbance, 268nm

② Babaco, berries, currants 등

■ 추출 : metaphosphoric acid ＋ acetic acid로 추출

■ Column : Precolumn－Newguard RP-18(Brownlee Labs)

Analytical－Spherisorb-ODS(250×4.6mm, 5um)

■ 이동상 및 유속 : Isocratic : 황산으로 pH 2.2로 조절한 물, 0.4㎖/min.

■ 검출기 : UV, 254nm.

③ Margarine, butter 등

■ 추출 : 온수와 hexane으로 추출

- Column : Analytical－Spherisorb-ODS(150×4.6mm, 3㎛)
- 이동상 및 유속 : Isocratic－황산으로 pH 1.95를 조절한 물, 0.7㎖/min.
- 검출기 : UV, 254nm

3. DHAA로서 전체 비타민 C

① 야채통조림, potato chip, 과일 주스

- 추출 : metaphosphoric acid ＋ acetic acid로 추출, Norit로서 AA를 DHAA로 산화
- Column : Analytical－Bondapak C_{18}(300×3.9mm : Waters)
- 이동상 및 유속 : Isocratic－mathanol ＋ wate(55+45,v/v) 1.0㎖/min.
- 검출기 : Fluorescence, 350/430nm(ex/em)

2 Polymer column사용

1. AA, DHAA, IAA 및 DHIAA동시 분석

① 신선 또는 가공 과일, 야채, 주스, cereal, 피자, 가공육 등

- 추출 : EDTA 함유 metaphosphoric acid ＋ acetic acid 로 추출하는데 IAA가 시료에 미함유시 internal standard로 IAA첨가, 지질 함유 시료는 hexane, 전분함유 시료는 butanol로 제거
- Column : Precolumn－PLRP-S guard catridge(Polymer Labs)
  Analytical－two PLRP-S(150×4.6mm ＋ 250×4.6mm, 5㎛, 100Å pore(Polymer Labs) at 4Co.
- 이동상 및 유속 : Isocratic－0.2M phosphate buffer, pH 2.14, 0.8㎖/min.
- 검출기 : On-line postcolumm : $CuCl_2$로 AA와 IAA를 DHAA와 DHIAA로 산화; o-phenylenediamine으로 DHAA와 DHIAA유도; Fluorescence detection at 350/430 nm(ex/em).

2. 전체 AA 및 전체 IAA

① 모든 신선식품(곡류, 두류, 과일, 야채 생선 육류 등), 가공식품(음료수, cereal, 과일 야채 생선, 육류, 우유 등)

- 추출 : Indophenol로 AA와 IAA를 DHAA와 DHIAA로 산화, o-phenylenediamine으로 DHAA와 DHIAA 유도, 고체시료는 C18 Sep-Pak(Waters)로 cleanup한다.
- Column : Precolumn－PLRP-S(5×3mm; Polymer Labs)
  Analytical－PLRP-S(150×4.6mm, 5㎛, 100Å pore : Polymer Labs)
- 이동상 및 유속 : Isocratic－methanol ＋ 80mM phosphate buffer, pH 7.8(7+3v/v) 0.8㎖/min.
- 검출기 : Fluorescence 355/425nm(ex/em)

참고문헌

1 勝井 : ビタミン學. 金原出版, p.676(1956)

4

식품의 기호적 특성의 분석

제 1 절 향기성분의 분석

향미(flavor)는 음식물을 입으로 섭취할 때 느껴지는 맛(taste)과 냄새(odor), 그리고 입안에서 느끼는 모든 감촉(touch) 등으로 정의되고 있다. 특히 냄새는 좁은 의미로서의 향기성분으로 알려져 있으며, 식품에 있어서 향기성분의 분석은 주로 그 식품의 휘발성 성분에 대부분 초점이 모아지고 있다. 최근에는 제품의 품질을 개선하고자 할 때 관능적인 요소, 즉 냄새나 맛의 개선이 우선시 되고 있으며, 1990년대 이후부터 분석장비의 발달로 인하여 향기성분의 분석 및 구명이 훨씬 쉬워지고 동시에 그 메카니즘도 많이 밝혀져 식품가공중의 품질개선도 원활하게 되었다.

1. 시료조제

식품성분 분석시와 마찬가지로 시료로부터 향기성분을 추출하고 농축하기 위해서는 마쇄,

균질화 및 혼합을 하여야 한다. 특히 신선한 식물이나 동물의 조직은 마쇄 및 균질화 도중에 효소의 활성으로 인하여 flavor profile이 변하는 경우가 있으므로 최단 시간내에 시료를 처리하여야 한다. 일반적으로 식품을 메탄올에서 균질화하는 경우가 있는데, 이는 시료가 희석되고 극성이 감소되어 분석시에 화합물의 분리를 방해하는 경우가 있다. 그리고 효소를 불활성화하고자 열처리를 하는 경우 2차 향기성분의 생성을 염두에 두어야 한다. 특히 장시간 추출하는 경우에는 향기성분이 산화하는 경우가 있으므로 CO_2 또는 N_2 가스하에서 실시하여야 하며 BHA나 BHT, 아스코르브산과 같은 항산화제를 처리한 경우도 있다. 한편 고온(60℃ 이상)에서 처리할 경우는 비효소적 갈변반응이 일어나므로 가능한 한 온도를 낮추는 것(진공증류방법 등)이 필요하다.

2. 향기성분 분리방법

1) Headspace법

(1) 직접주사법

일정용기에 시료를 담고 알미늄 캡으로 밀봉하고 시료 위의 headspace 증기를 취하여 분석하는 방법으로 가장 이상적이며 간편하다. 그러나 문제점은 GC(gas chromatography) 등과 같은 기기 분석에는 이러한 headspace양이 너무나 적다는 점이다. 직접주사법은 용량이 10㎖나 그 이하가 한계이며 이중에 존재하는 휘발성 화합물은 GC분석에서는 10^{-7}g/L(headspace) 이상, GC-MS분석에서는 10^{-5}g/L가 필요하다.

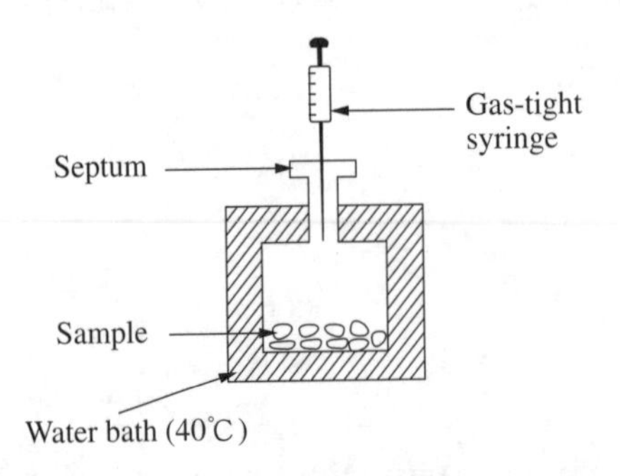

그림 4-1 Headspace 법에 의한 향기성분 추출

Splitless나 on-column방법에 의한 headspace법은 감도는 일부 증가하지만, 아직까지 직접주사법은 식품내의 미량의 휘발성 물질분석에는 적당하지 않다. 또한 직접적인 sampling은 주사기내에 휘발성 물질의 농축, 시료용기 천장(septum부분)에 흡착의 문제점 그리고 실험의 재현성이 없다는 결점이 있다.

(2) Headspace 농축법

Headspace에 의한 미량 휘발성 물질의 분석은 headspace 농축기술 등을 통하여 분석효율이 개선되었다. 즉 많은 양의 headspace 가스를 얻기 위하여 불활성 가스를 시료용기 속에 주입하는 방법이며 휘발성 화합물의 분리 및 농축을 위한 가장 보편적인 방법은 다음과 같다.

① Cryogenic trapping

연속의 cold trap을 headspace나 purge가스가 통과하면서 headspace 내의 휘발성 화합물이 농축되는 장치인데, 이 장치의 주요 결점으로는 수분함량이 많은 식품인 경우 trap내에 수분이 많이 흡착되어 이러한 수분으로부터 향기성분을 추출하여야 하는 번거로움이 있다. 이 방법은 불활성가스가 용기내의 밑부분에서 식품을 통과하여 연속의 응축기를 통과하는데 맨 처음 것은 냉매로서 주로 얼음물을 이용하고 다음 것부터는 드라이아이스-아세톤 혼합용액이나 액체질소를 이용하여 냉각한다. 이러한 응축물은 에텔이나 디크로로메탄과 같은 용매를 이용하여 추출, 탈수(무수 황산나트륨이나 황산마그네슘 등을 이용) 및 농축하여 GC 분석을 행한다. 이 장치를 이용하여 headspace 분석을 하고자 할 경우는 적어도 2~4시간 이상이 요구되나 너무 장시간인 경우에는 시료의 변화를 주의하여야 한다.

② Adsorbent trapping

휘발성 향기물질을 선택적으로 흡착제 표면에 흡착시키는 방법이다. 일반적으로 흡착제의 종류에 따라 휘발성 성분의 흡착능력에 차이가 있는데, 활성탄은 비극성물질을 강하게 흡착하는 반면에 물에 대한 흡착능력은 적어 일반적으로 headspace 증기로부터 휘발성 물질을 흡착하는데 오래 전부터 이용되어 왔다. 표 4-1에서 활성탄은 가장 큰 흡착능력을 가지고 있으며 흡착된 향기물질은 열이나 용매추출에 의해 탈착될 수 있다. 그러나 활성탄이 순도가 높지 않을 경우는 열 탈착과정에서 인위적 화합물이 생성될 우려가 있다. 휘발성 물질을 흡착할 목적으로 이용되는 합성 다공성 폴리머로는 표 4-1에서 처럼 여러 가지가 있는데 이 중에서 Tenax GC는 수분과 친화력이 거의 없고 높은 온도(300℃)에서도 안정하며 흡착효율이 좋아 가장 많이 이용되는 흡착제이다. 현재 이것을 이용한 기기(dynamic headspace

표 4-1 휘발성물질의 흡착에 사용되는 흡착제의 종류

흡착제	화학구조	표면적 (m^2g)	흡착능력[a]	
			에탄올	벤젠
Charcoal	Coconut carbon	1150～1250	7.9	24.7
Porapak Q	Ethyl vinyl benzene-divinyl benzene	550～650	0.18	NAc
Tenax GC	Diphenyl-phenylene oxide	18.6	NRb	0.53
XAD-4	Styrene divinyl	849	0.4	2.9
XAD-7	Acrylic ester	445	0.9	1.8
XAD-9	Sulfoxide	70	0.7	0.82

[a] 흡착제 무게의 백분율 [b]NR, not retained [c]NA, not available.

sampling, DHS)가 상업용(Tekmar, USA)으로 시판되고 있다. 이 방법은 열에 의해 변성이 일어나기 쉬운 식품에서 향기성분의 분리에 적합한 방법이다.

2) 동시수증기증류추출법(Simultaneous steam distillation/extraction)

증류법은 식품의 향기를 분리하는데 가장 보편적인 방법으로서 수증기증류법, 진공증류법 등이 있으며, 수증기를 매체로 하여 식품으로부터 휘발성 성분을 분리하여 응축기를 통하여 농축되어 진다. 이때 사용되는 냉매는 앞에서와 같이 드라이아이스-아세톤이나 액체질소를 주로 이용하고 있다. 얻어진 증류물은 유기용매(주로 펜탄, 에틸 에텔 또는 디클로로메탄 등)로 추출하고 탈수 및 농축함으로서 GC용 분석시료로 된다. 가장 간단한 향기성분장치로는 Likens과 Nickerson이 개발한 동시추출법(SDE)이 있는데, 현재는 그 방법이 많이 변형되어 이용되고 있지만 원리는 근본적으로 동일하다.

SDE장치의 장점은 빠른 시간(두 시간 이내)에 증류와 추출을 동시에 할 수 있고, 향기성분이 적더라도 고농도의 추출액을 얻을 수 있으며 적은 양의 용매를 필요로 하므로 휘발성 성분과 용매와의 2차 반응을 줄일 수 있다. 그러나 상압하에서의 SDE는 100℃ 이상의 온도에서 추출되므로 열유도화합물(thermal artifact compounds)이 생성될 수 있는 단점이 있다. 따라서 이러한 문제점을 보완하기 위하여 기존의 SDE장치를 감압(24～26in. Hg, 45～60℃)하여 추출동안에 열변성을 극소로 하고 있으며 이러한 진공 SDE장치가 현재 향기성분의 분리에 매우 잘 이용되고 있다.

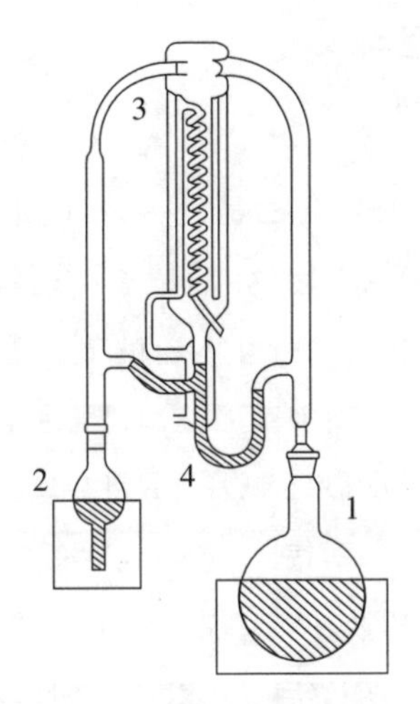

1. Flask with heating bath containing the aqueous sample
2. Flask with heating bath containing the solvent(e.g. pentane)
3. Cooler
4. Condensate separator : extract is the upper and water the lower phase

그림 4-2 동시수증기증류 추출장치

3) 초임계유체추출법 (Supercritical fluid extraction)

초임계유체란 기체의 고유 임계점 이상의 압력과 온도에서 기체상과 비슷한 확산계수, 점도 등의 물성을 가지며 액체상과 비슷한 밀도를 가지는 물질을 말하며, 초임계유체에 의해 향기성분의 분리는 용매추출이나 수증기증류법에 비해 열변성이 적고 휘발성 화합물의 손실이 적으며 특히 유기용매에 의한 독성문제를 해결할 수 있어 식품을 위시해서 화장품, 향수 등의 고급 향료성분의 추출수단으로 광범위한 이용범위를 가지고 있다.

초임계유체 추출에 현재까지는 액체 이산화탄소가 주로 사용되고 있는데 이는 임계온도 및 압력이 31.1℃와 7.38 MPa로서 통상 상온에서 추출을 할 수 있는 장점이 있고, 또한 불활성 액체이므로 용매의 산화반응이 없고 이산화탄소 자체가 인체에 해가 없다. 또한 초임계상태에서 액체상태의 비중과 낮은 점도 그리고 가스와 같이 침투력이 강한 특성 때문에 천연물질의 추출에 많이 이용되고 있다.

3. 각 휘발성 성분의 그룹별 분리

향기성분을 그룹별로 분리하는 것은 각 그룹 관능기의 화학적 반응성을 이용하는 것으로 몇 가지 이점이 있다. 즉 화학적 유도체는 자외선 흡수 능력이 있어 HPLC나 UV로 분석이 가능하다. 그리고 대부분의 향기성분은 휘발성이 강하고 또한 매우 불안정하나, 이들 화학적 유도체는 안정하고 휘발성이 약하다. 그 예로 함황화합물은 중금속(납, 수은 등)과 결합하는 성질이 있으므로 이를 이용하는데, 아세트산 납은 유화수소 흡착에, 염화수은은 직쇄의 황화합물 흡착에, 그리고 시안화수은은 메르캅탄 흡착에 이용된다. 한편 알코올은 반응성이 낮은 중성물질이므로 유도체 형성에는 반응성이 강한 시약이 필요하다. 주로 유도체 이용에는 p-nitrobenzoate ester, benzoate가 이용되고 있다. 카르보닐화합물은 2,4-dinitrophenyl hydrazine, hydroxylamine, bisulfite 등과 반응하여 안정한 유도체를 형성하며, perfluoro-benzene 유도체를 이용하면 일급 및 이급아민류도 분석할 수 있다. 이러한 그룹별 분석방법은 GC분석 기술이 발달하기 이전에는 장점이 있었으나 최근에는 아주 복잡한 화합물도 fused silica capillary column으로 분리 및 분석이 가능하게 되어 이러한 그룹별의 분리방법은 점차 그 사용이 둔화되고 있다.

4. 휘발성 물질의 농축

먼저 증류 및 용제 추출에 의한 휘발성 물질은 GC-FID 또는 GC/MS(mass spectrometry)로 분석하기에는 농도가 상당히 묽기 때문에 농축 과정을 필요로 한다. 먼저 포집된 휘발성 물질에는 소량이 물이 섞여있는 경우가 있으므로 추출용매에 무수황산나트륨을 첨가하여 하룻밤 정도 방치하여 여과하면 수분을 쉽게 분리할 수 있다. 향기성분의 유기용매 분획분은 vigreux column을 사용하여 약 2mℓ까지 농축하고 GC용 vial에 옮긴 후 질소가스 기류하에서 약 1mℓ까지 농축하여 GC와 GC/MS의 분석시료로 한다.

농축과정에서는 시간과 온도가 휘발성 성분의 산화에 가장 민감한 요소이다. 상온에서 농축할 경우 산소와의 접촉으로 산화의 우려가 있으므로 불활성 기체를 이용하여 저온에서 짧은 시간에 농축을 한다. 이론적으로는 GC에 직접적으로 분석하고자 하는 경우 식품중의 휘발성 성분의 농도가 10ppb 이상이어야 하기 때문에 휘발성 성분을 함유하고 있는 GC-FID, GC/MS 분석용 시료 1$\mu\ell$에 10ppb(0.01ng) 이상이 되도록 조정한다.

5. Gas chromatography(GC)에 의한 휘발성 물질의 분석

1) 분리용 칼럼(Column)

산/염기에 의한 분리나 유도체를 이용하여 휘발성 물질을 분석하고자 할 경우에는 HPLC나 규산칼럼을 이용하여 왔으나 최근에는 GC분석에서 모세관칼럼(fused silica capillary column)의 등장으로 인하여 종전의 유리칼럼에서 휘발성 물질의 분리 어려움은 해결되었다고 본다. 이러한 모세관칼럼은 유연성이 좋아 다루기가 쉬우며 칼럼 내부표면과 도포물질과의 화학반응을 일으켜서 도포물질을 더욱 안정하게 하고 또한 비교적 높은 온도(max. 360℃)에서도 사용가능하게 되어 과거보다도 column 수명뿐만 아니라 분석 가능한 화합물의 범위도 넓게 되었다. 사용칼럼은 시료의 분석특성에 따라 극성이나 비극성칼럼으로 나뉘지만 향기성분의 분석에 대한 연구논문 대부분이 Carbowax 20M의 칼럼을 주로 이용하고 있다. 이는 polyethylene glycol(PEG)이 주성분이며 분자량이 20,000이여서 20M이라 부르고 있다. 그리고 생산회사에 따라 Supelco, HP, DB 등으로 상품화되고 있다. Column의 선택은 도포물질의 종류이외에도 column의 내부 직경, 길이, 도포물질의 두께(film thickness) 등을 모두 고려해서 선택해야 한다.

모세관칼럼인 경우 칼럼의 내경이 0.25mm(60m인 경우)로 아주 적으므로 유속이 1mℓ/min 이하로 조정하여야 한다. GC의 운전이나 특성에 관한 부분은 각 GC생산 회사에서 발행하는 GC 및 관련부품이나 기기에 관한 책자나 자료를 이용하는 것이 오히려 바람직할 것으로 생각된다.

2) 시료 주입방법

시료의 주입방법에는 split, splitless, on-column 등이 있는데 향기성분 분석시 미량의 시료를 이용하므로 주입된 시료가 그대로 분석되는 splitless나 on-column방법을 주로 쓰고 있다. Split injection은 주입된 시료를 순간적으로 기체화시켜 일부분만 column 안으로 들어가도록 하는 장치이므로 injection port의 온도가 비교적 높아야 하므로 열에 의한 분해나 반응이 일어날 수 있는 향성분의 분석으로는 그리 적합한 방법은 아니다. 특히 온도에 민감한 성분의 분석에는 on-column방법이 좋은데 이는 split방법이 온도가 높은데(적어도 180℃ 이상) 반해

on-column방법은 시료를 직접 칼럼 내부에 주입하므로 시료의 분석 초기 설정온도(통상 40℃)와 동일하므로 함황화합물과같은 물질의 분석에 좋으며 열에 의한 분해나 반응을 최소화할 수 있다. 그리고 on-column에서는 시료를 직접 칼럼까지 주입하므로 주사기가 splitless용(보통 0.32mm) 보다 가는 주사바늘을 이용하여야 한다. Splitless injection은 특히 저비점용매에 녹아있는 고비점 성분의 분석에 효과적으로 시료가 주입장치에 주입되면 대부분의 시료는 순간적으로 기체화되어 column 안으로 들어가게 하는 방법이다.

3) 검출기의 종류

모세관 컬럼에서 분리된 각각의 향기성분들은 검출기에 도달이 되면서 검출이 되는데 이때 시료의 특성에 따라 검출기를 선택하여야 한다. 검출기(detector)는 여러 가지의 종류가 많으나 향기성분의 분석에서 주로 이용되는 것은 FID(flame ionization detector)인데, 이는 대부분의 식품, 즉 육류나 어패류, 과일의 향기성분은 aldehyde, ketone, alcohol, aromatic hydrocarbon, ester, furan, terpene류 등의 불꽃에서 탈 수 있는 성분들로 주로 구성되어 있기 때문이다. 그러나 특정한 성분의 분석을 목적으로 할 때에는 검출기의 선택을 고려하여야 한다. 예를 들면 황화합물의 경우 FPD(flame photometric detector)를 사용하여야 하며, 질소화합물만 선택적으로 분석하여야 할 경우는 NPD(nitrogen phosphorous detector)를 사용하여야 한다.

표 4-2 분석물질에 따른 SPME 화이버의 종류

분 석 물 질	화이버의 종류	
	두 께(㎛)	재 질
휘발성(volatile) 및 반휘발성 물질(semivolatiles)	7 85 100	polymethylsiloxane polyacrylate polydimethylsiloxane
수용액중의 휘발성 물질 또는 극성 유기물	75 65 65	carboxen/polydimethyl/siloxane polydimethylsiloxane/divinylbenzene carbowax/divinylbenzene
향기성분(flavor 또는 odor)	100 65 75	polydimethylsiloxane polydimethylsiloxane/divinylbenzene carboxen/polydimethylsiloxane

6. SPME (Solid phase microextraction) 법에 의한 향기성분의 분석

최근 캐나다 워털루 대학의 연구팀에 의해 개발된 SPME(Solid phase microextraction)법은 기존의 전처리법이 가지는 과다한 유기용매와 시간이 오래 소요되는 단점 등을 보완하며 유기용매를 사용하지 않고 복잡한 장치없이 시료를 전처리하는 기술이다. 많은 분석물질에 대해 결과치가 상관성이 높게 나타나고 있으며 모든 GC와 GC/MS에 사용이 가능하다.

1) SPME의 구성

SPME 장치는 분석하고자하는 물질을 흡착하는 고정상이 입혀진 화이버와 이를 장착하는 홀더로 구성되어 있다. 샤프펜슬처럼 위의 플린저를 누르면 바늘 굵기의 매우 가는 튜빙 밖으로 화이버가 나오고 이를 수용성 시료에 직접 주입하거나 또는 headspace 부분에 노출시키면 분석물질이 고정상에 흡착 추출된다. 흡착평형을 이루는 시간은 약 2~30분 정도가 소요되고 플린저를 다시 위로 올려 화이버가 안으로 들어가면 GC 주입구에 꽂아 250℃ 정도의 고온으로 열탈착시켜 분석을 실행한다. 용매를 사용하지 않기 때문에 분석물질은 빠르게 탈착되어

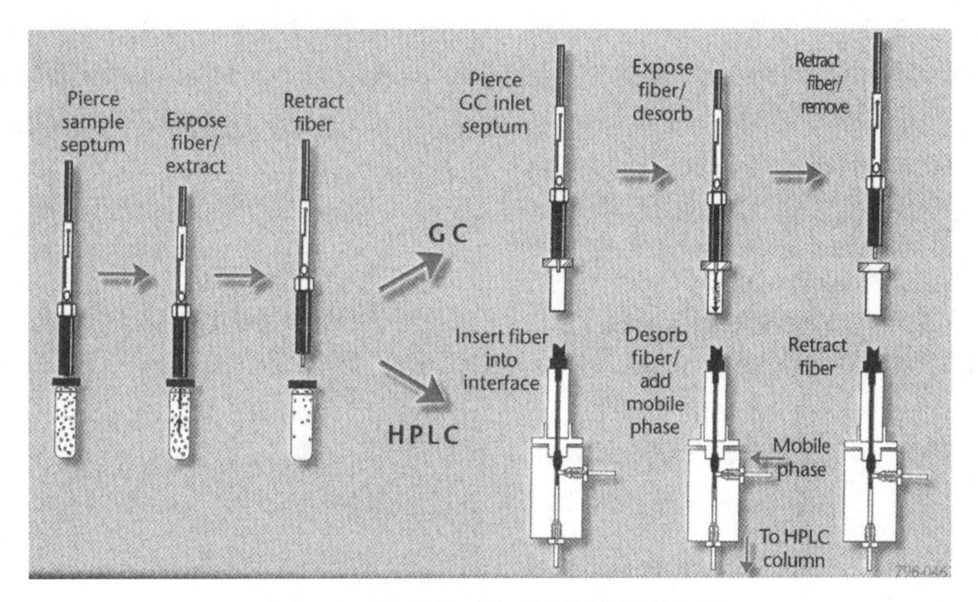

그림 4-3 SPME에 의한 휘발성성분 분석과정

짧고 좁은 내경의 분석칼럼 안으로 주입되며 이로 인해 분석시간이 크게 단축되고 검출한계까지 향상된다.

분석물질의 종류에 따라 재질(fiber)의 고정상 두께나 종류를 변화시킴으로써 선택적인 추출이 가능하다. 예를 들어 분배계수가 낮고 비극성을 띄는 염소계 물질이나 방향족 휘발성 시료의 경우는 비극성의 두꺼운 필름의 재질을 사용한다. 휘발성 물질은 두꺼운 필름의 재질이 적합하고, 얇은 두께의 재질은 중간 휘발성 물질의 흡착/탈착에 더욱 효과적이다.

화이버에 흡착되는 분석물질의 양은 분석물질의 분배계수와 화이버 필름의 두께에 의해 좌우되며, 전체 추출시간은 추출하려는 분석물질 중 가장 높은 분배계수를 가진 물질이 추출되는 시간으로 결정한다. 분배계수는 일반적으로 물질의 끓는점이 높고 분자량이 클수록 증가한다.

2) 분석방법

시료를 교반시키거나 염을 첨가해 주고, pH를 조절하며, 시료흡착을 위한 headspace법과 직접주입법을 선택적으로 사용함으로써 추출하기 어려운 물질의 회수율과 선택성을 향상시킨다.

직접주입법과 headspace sampling법은 반응속도 측면에서 차이가 있기 때문에 두 방법을 서로 보완적으로 사용하면 효과적이다. Headspace법을 이용할 경우, 분석물질에 시료 매트릭스가 섞이지 않으므로 방해물질없이 화이버에 흡착 분배되어 직접주입법에 비해 흡착평형이 더욱 빠르게 이루어진다. 강한 휘발성의 분석물질일 경우, 헤드스페이스법이 더욱 효과적이며 그 반대의 경우는 직접주입법을 사용하면 감도가 뛰어나다.

시료의 탈착은 흡착된 분석물질의 끓는점과 화이버 필름의 두께, 그리고 GC 주입구의 온도에 따라 좌우된다. 어떤 물질은 30초 내에 탈착되기도 하며, 이러한 물질에 대해서는 칼럼의 주입부분에서 냉각농축되는 과정이 필요할 수도 있다. 1mm 정도의 좁은 내경을 가진 주입구 라이너를 사용하면 냉각농축 과정 없이도 날카로운 피크를 얻는데 도움이 된다. 시료를 완전히 탈착시킨 뒤 재질은 재사용할 수 있으며 일반적으로 5~10회까지 사용한다.

SPME에서 높은 정확성과 정밀성을 얻기 위해서는 완전한 흡착평형을 추구하는 것보다 동일한 추출시간과 기타 추출 파라미터를 조절하는 것, 시료용기의 크기와 시료량, 시료에 주입하는 화이버의 깊이를 일정하도록 하는 것등 재현성을 추구하는 것이 중요하다.

7. GC-olfactometry에 의한 향기성분의 분석

GC-Olfactormetry(GC/O) 방법은 여러 가지 향기성분중 전체적인 향에 가장 지배적인 성분을 GC-sniffing방법을 통해 파악하는 것으로서 최근에 각 식품의 냄새성분중에서 특정성분(aroma-active compound)을 구명하는데 이용되고 있다.

1) GC/O 구조 및 방법

이 방법은 휘발성 물질이 GC칼럼 끝부분에서 검출기로 가는 부분을 1:1로 split하여 반은 검출기로 가고 나머지 반은 sniffing port로 가도록(동일한 유속이여야 함)하여 코로서 직접 냄새를 맡는 것이며 그 냄새의 강도를 인위적으로 표시할 수 있다. 그러나 냄새를 맡는 동안에 칼럼을 통하여 나오는 가스의 온도가 높으므로 가습장치 및 유량계 등의 보조장치를 외부에 부착하지 않으면 코가 건조하여 냄새를 맡는데 어려움이 있다.

GC/olfactometry 분석시 냄새강도와 GC의 피크면적과는 상호 일치하지 않는다는 것을 알 수가 있는데 이러한 결과는 동정된 냄새성분의 역치(threshold)와 함량에 의해서 냄새의 강도가 표시되는데 반해 GC상의 검출기에 의한 분석은 역치가 고려되지 않고 검출기를 통과하는 물질의 농도로만 나타내지기 때문이다. 따라서 이러한 방법을 적용하기 위해서는 냄새 표현에 대한 경험과 능력 및 냄새에 대한 식별능력이 필요하며 통상적으로 냄새에 대한 ppb 단위 정도의 식별능력의 훈련과 그 냄새의 표현능력이 요구된다.

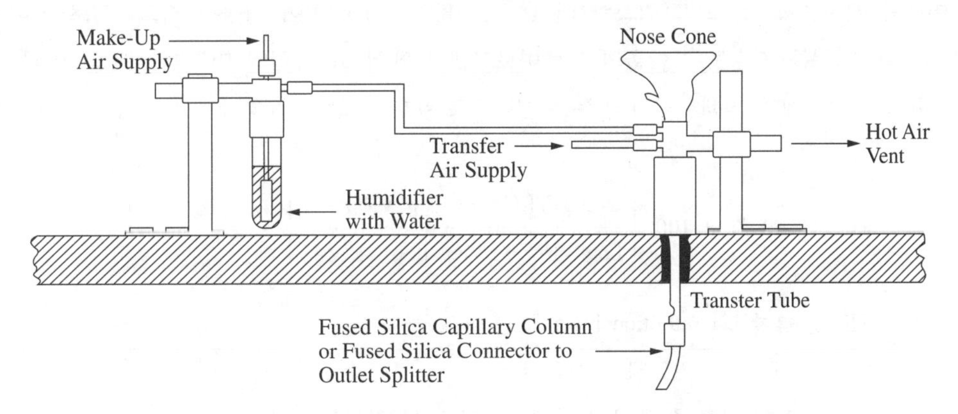

그림 4-4 GC/O분석을 위한 sniffing port의 구성 및 구조

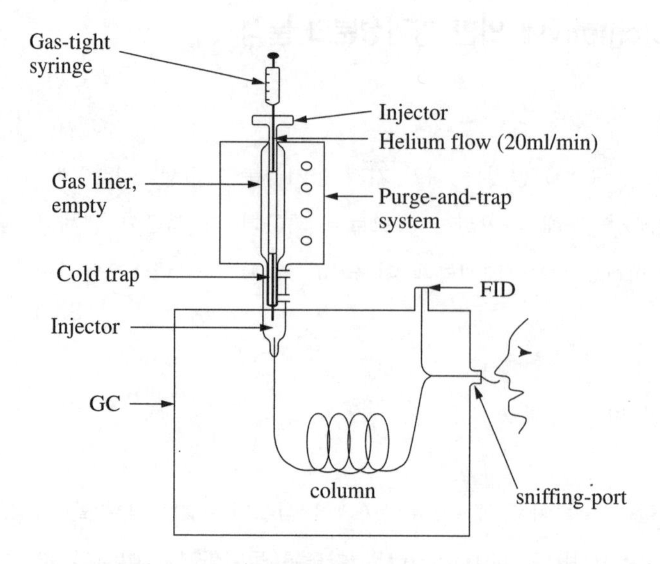

그림 4-5 P&T system에 의한 GC/O 분석과정.

8. 휘발성 물질의 동정

1) 머무름 지수 (Retention index) 의 수립

머무름 지표의 합리적인 표시법으로서 Kovats가 제시한 머무름 지수(retention index or kovats index, RI)는 직쇄알칸을 기준으로 하여 머무름 시간을 등간격으로 표시한 것이다.

머무름 지수는 크로마토그램으로부터 용질을 확인하기 위하여 사용된 파라미터로서 어떤 한 용질의 머무름 지수는 혼합물의 크로마토그램 위에서 그 용질의 머무름 시간의 앞과 뒤에 나타나는 두 개의 직쇄알칸의 머무름 시간으로 부터 구할 수 있다.

$$RIi = 100\,Z + 100 \left\{ \frac{\text{Log } VR(i) - \text{Log } VR(Z)}{\text{Log } VR(Z+1) - \text{Log } VR(Z)} \right\}$$

RIi : 화합물 i의 retention index

VR(i), VR(Z), VR(Z+1) : 화합물

i, 탄소수가 각각 Z, Z+1인 직쇄알칸의 각 공간보정 시간 (VR(Z) ≤ VR(Z+1))

정의에 의하면, 직쇄알칸의 머무름 지수는 column 충진제, 분리온도 및 다른 크로마토그래피 조건과 무관하게 그 화합물에 들어 있는 탄소수의 100배와 같은 값을 갖는다. 따라서 n-alkane은 어느 분석 column에서도 항상 CH_4(RI=100), C_2H_6(RI=200) … C_nH_{2n+2}(RI=100n)이라는 표준지표를 나타낸다.

머무름 지표을 구하기 위하여 탄소수 7개부터 30개까지의 n-alkane 표준물질 혼합액으로 조제하여 시료의 GC 분석조건과 동일한 분석조건하에서 분석하여 GC chromatogram에서 확인된 n-alkane 표준물질의 머무름 시간(retention time, RT)을 미리 작성된 basic program에 입력하여 RI를 구할 수 있다.

2) GC/MS(Mass spectrometry)에 의한 휘발성 물질의 분석

GC/MS는 일반적으로 ionizer, analyzer, detector 및 vacuum부분으로 구성되어 있으며 분석결과의 처리 및 저장을 위해 computer system이 부착되어 있다.

그림 4-6 GC/MS의 모식도

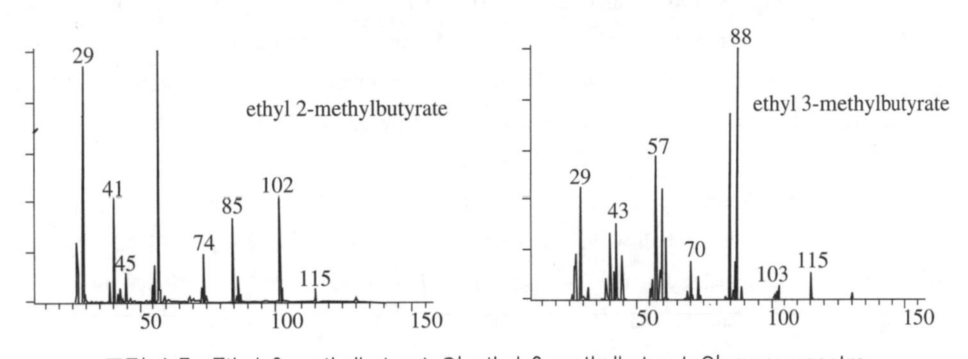

그림 4-7 Ethyl 2-methylbutyrate와 ethyl 3-methylbutyrate의 mass spectra

이온화하는 방법에 따라 electron impact(EI)와 chemical ionization(CI)있는데 EI system은 ionizer에 있는 filament로부터 나오는 전자와의 충돌에 의해 이온화가 되는 방식이며(통상 70eV), 이 이온화된 조각들이 여러 단계에서 ion beam을 형성하게되고 이 beam중에서 특정 m/z를 갖는 이온들이 quadrupole(analyzer)을 통과하여 검출기에서 검출된다. 그러나 CI system은 반응가스와의 충돌에 의해 이온화가 되므로 이온화시키는데 EI system에 비해 고 에너지가 요구되지 않으므로 molecular ion을 구하고자 하는데 널리 사용되는 방법이다. 따라서 어떠한 향기성분을 분석할 때 CI 및 EI system을 상호 비교하여 보면 그 물질의 동정은 확실하다고 볼 수 있다.

3) 휘발성 물질의 확인

Total ionization chromatogram(TIC)에 분리된 각 peak의 성분분석은 mass spectrum library와 mass spectral data book의 spectrum과의 일치 및 GC-FID 분석에 의한 retention index와 문헌상의 retention index와의 일치 및 표준물질의 분석 data를 비교하여 확인한다.

참고문헌

1. Drawert, F., Heimann, W., Emberger, R. and Tressl, R.: Gas-chromatographische Untersuchung pflanzlicher aromen. II. Anreicherung, trennung und identifizierung von apfelaromastoffen. Chromatographia, 2, p.57(1969)
2. Leahy, M.M. and Reineccius, G.A.: Comparison of methods for the analysis of volatile compounds from aqueous model systems. In Analysis of Volatiles: Methods and Application, P. Schreier, (Ed.), de Gruyter, Berlin(1984)
3. Grob, K.: Organic substances in potable water and in its precursor. Part I. Methods for their determination by gas-liquid chromatography. J. Chromatogr., 84, p.255(1973)
4. Sydor, R. and Pietryzk, D.J.: Comparison of porous copolymers and related adsorbents for the stripping of low molecular weight compounds from a flowing air stream. Anal. Chem., 50, p.1842 (1978)
5. Gasco, L. and Barrera, R.: The use of gas-chromatographic identification of alcohols, primary and secondary amines and thiols in food aromas. Anal. Chim. Acta. 61, p.253(1972)
6. Weurman, C.: Sampling in airborne odorant. In Human Responses to Environmental Odors, Turk, A.J., Johnston, W. and Moulton, D.G. (Eds.), Academic Press, New York(1974)
7. Sulpelco Chromatography Products. Supelco Inc., Bellefonte, PA., USA, p.258(2000)

제2절 색소 및 색의 측정

1. 색소의 정의 및 색의 측정

태양 백색광의 전자기파장의 넓은 범위 가운데 가시광선 영역(약 380~780nm)의 파장들이 눈의 망막을 자극하여 색으로 인식되며, 인간은 파장의 차이에 따라 약 160가지 정도의 색조를 식별할 수 있다. 색소란 어떤 파장 영역의 가시광을 선택적으로 흡수하고(스펙트라색, spectral color) 나머지 파장들은 반사하는(여색, complementary color) 물질로서 우리는 여색을 느끼게 된다.

색의 분류와 측정에 사용되는 가장 일반적인 방법은 C.I.E.색체계이며, 식품의 색을 측정할 때는 먼셀 체계(munsell system)와 헌터 체계(hunter system)가 많이 사용되고 있다.

1) C.I.E. 색체계

C.I.E. 체계(commission international de i'eclairage-international commission on illumination system)에서 모든 색은 빨간색, 초록색과 푸른색의 세 종류의 기본색(primary colors)을 적당하게 배합함으로써 재현할 수 있다는 원칙에 그 근거를 두고 있다. 기본색들의 기준으로는 파장 700.0nm의 빨간색(R), 546.1nm의 초록색(G)와 435.8nm의 푸른색(B)을 1 : 4.597 : 0.0601의 강도비율(intensity ratio)로 혼합할 때 백광(white light)을 형성하는 사실에 입각하여 이상의 강도비율의 단파장의 광선을 기본색으로 하고 있다.

어떤 임의의 색깔의 빨간색, 초록색과 푸른색의 비율 a, b, c는 다음과 같은 식으로 표시될 수 있으며, 그 색깔의 삼자극치(the tristimulus values of the color)라고 불려진다.

$$a = \frac{a}{a+b+c}, \quad b = \frac{b}{a+b+c}, \quad c = \frac{c}{a+b+c}$$

실제에 있어서는 이상의 자극치 중에는 음의 수치를 갖는 경우가 있기 때문에, 좌표전환을 실시하여 언제나 양의 수치를 갖도록 하며 X, Y, Z의 삼자극치로 표시하도록 하고 있다.

2) 먼셀 색체계

어떤 임의의 색깔에 대해서 색상(hue), 명도 또는 명암도(value 또는 lightness), 채도 또는 색채도(chroma)의 세 가지의 특성으로서 설명하고자 하는 간소화된 삼원색 체계(tristimulus color systems)의 하나이다.

색상은 10개의 색상으로 구성되어 있으며 R, Y, G, B, P와 그 중간색상인 YR, GY, BG, PB, RP로 표시되고 있다. 이 개개의 색상은 0에서 10까지로 분류되고 있으며, 위의 기호에 해당하는 색상들은 각각 그 중간치, 즉 5에 해당한다.

명암도는 밝기를 나타내는 수치이며 색상에 대해서 수직으로 표시되고 있으며 0(black)에서 10(white)으로 구분되고 있다.

색채도는 구형모델의 중심에서 0으로부터의 수치로 표시되며 실제 존재하는 색소(pigments)에 의해서 표시될 수 있는 가장 맑은, 선명한 색채도가 10이 된다. 따라서 0이란 수치는 가장 맑지 않은, 즉 흐린, 침침한 색깔을 의미한다.

예로서 3R 2.5/8.0인 색은 빨간 색상이 R의 3이고, 명암도가 2.5, 색채도가 8.0인 색을 말한다.

3) 헌터 색체계

어떤 임의의 색깔의 특성들(color characteristics)은 명암도(lightness)를 나타내는 L, 빨간색과 초록색으로 이어진 좌표상에 표시되는 a 또는 −a, 노란색과 푸른색으로 이어지는 좌표상에 표시되는 b 또는 −b로써 표시된다.

여기서 명암도 L은 100(white)과 0(black) 사이의 어떤 위치에 표시되나, 0과 100 사이의 수치는 비례적으로 설정되어 있지 않다는 점(non-linear)에 유의해야 한다. 그리고 어떤 임의의 색깔은 먼셀체계(munsell color system)의 경우와 마찬가지로 입체적으로 표시되는 점에도 유의할 필요가 있다.

2. 클로로필 색소

1) 총 클로로필과 클로로필 a,b의 정량

개 요

고등식물의 녹색 잎에는 광합성에 의하여 합성된 chlorophyll(엽록소)이 함유되어 있다. Chlorophyll은 porphyrin(tetrapyrrole) 핵 중심에 Mg을 포함하고 있으며, 긴 사슬의 탄화수소(phytyl group)가 연결되어 있다.

식물계에 존재하는 chlorophyll은 chlorophyll a, b, c, d, e, protochlorophyll, bacteriochlorophyll, bacterioviridin 등이 알려져 있는데, 고등식물 중에는 보통 3:1의 비율로 a와 b가 존재하고 있다. 홍색 유황세균에는 bacteriochlorophyll이, 그리고 녹색 유황세균에는 bacterioviridin이 함유되어 있다. Chlorophyll a는 3번 탄소에 메틸기가 결합되어 있으나 chlorophyll b는 알데히드기가 치환되어 있다. 순수한 chlorophyll은 물에 녹지 않으며 아세톤, 에테르 및 벤젠 등에 잘 녹는다.

시료조제

정량에 사용되는 유리기구는 미리 진한 Na_2HPO_4 용액으로 세척하고 산의 흔적을 제거하여 둔다. 시료가 생엽인 경우에는 가위로 잘게 잘라서 혼합하고, 건조물이면 분쇄기로 분쇄 혼합한다. 시료 2~10g을 chlorophyll 함량에 따라 칭량하고, 유발에서 $CaCO_3$ 0.1g과 혼합한다. 석영모래를 가하여 파쇄한 후 85% 아세톤을 가하여 조직이 아주 잘게 분쇄될 때까지 잘 갈아낸다. 혼합물을 뷰흐너 깔때기를 사용하여 흡인여과하고 잔류물을 85% 아세톤으로 세척하여 세액은 여액에 합친다.

잔류물은 유발에 다시 넣고 85% 아세톤을 가하여 다시 분쇄하여 여과하고 세척한다. 이 조작을 잔류물 및 세액이 녹색을 나타내지 않을 때까지 반복한다. 필요에 따라서는 소량의 에테르를 사용하여 잔류물로부터 흔적의 색소까지 추출한다. 유발을 사용하는 대신에 믹서를 사용하여 분쇄・추출을 행하여도 좋다. 전 세척액과 여액을 합하여 적당한 용량의 플라스크에 옮겨 놓고 85% 아세톤을 가하여 일정 용량으로 한다.

추출용액 25~50mℓ을 에테르 50mℓ를 넣은 제1분별깔때기에 넣어 혼합시킨 다음, 주의하면서 물의 지용성의 색소가 명확하게 에테르층에 이행할 때까지 가하여 흔들어 섞고, 정치한 다음 물층을 버린다. 제1분별깔때기의 아래쪽 출구를 세척관 속에 가두고 세척관의 하단을 물 약 100mℓ를 넣은 제2분별깔때기의 물층 깊이 넣어 둔다. 제1분별깔때기로부터 에테르 용액이 흘러내리면 용액은 세척관의 선단으로부터 작은 방울이 되어 제2분별깔때기에 방출되어 아세톤이 물로 용해되고 에테르 용액이 상층에 모인다.

흘러내리기가 끝나면 제1분별깔때기 및 세척관을 소량의 에테르로 세척해 넣는다. 두 분별깔때기의 위치를 바꾸고 제2분별깔때기 중의 물층을 버리고 제1분액깔때기에 새로 물 100mℓ를 넣어 세척관을 넣고 위의 조작을 반복한다. 이 조작을 5~10회 반복하여 아세톤을 완전히 제거한 다음 에테르 용액을 100mℓ 메스플라스크에 옮기고 에테르르 가하여 정용하고 혼합하여 시료용액으로 한다.

시약 및 기구

- 막자사발 : 약 10cm 내경
- 세척관 : 구경 20mm의 유리관의 한 끝에 더 가는 관을 접착한 후 가는 관 아래 끝은 작은 구멍이 뚫어 있음
- 분광광도계 : 600nm 부근에 있어서 파장분해폭 약 3mm, 셀(cell)은 에테르를 사용할 수 있는 유리제 기밀공전을 갖춘 것을 사용한다.
- 고속 블렌더(waring blender)
- Acetone
- Ether
- 석영모래

실험방법

시료용액을 60mℓ용 플라스크에 취하고, 무수 Na_2SO_4를 가하여 혼합한다. 투명한 시료용액 일정량을 피펫으로 적당한 용량의 메스플라스크에 취하여 건조 에테르를 가하여 일정량으로 희석한다. 희석한 시료용액의 농도는 측정파장 660~642.5nm에서의 흡광도가 0.2~0.8이 되도록 하는 것이 적당하며, 660nm에서의 흡광도가 약 0.6이면 가장 좋은 것으로 642.5nm에서의 흡광도도 적당하게 된다.

두 개의 셀(cell)의 외면을 알코올솜, 그 다음 마른 솜으로 닦고 그 한 개에 건조 에테르를 채워 대조로 하고, 다른 한 개에 희석 시료용액을 부어 분광광도계에 세트한다. 600nm에서 3~4nm의 분해능을 갖도록 슬리트(slit)폭을 조정한 다음에 658~665nm를 1nm 간격으로 흡광도를 측정한다. 기기가 바르게 조정되어 있으면 최대흡광도는 660nm에 나타난다.

결과 및 고찰

660nm 및 642.5nm에서 측정한 흡광도 $\log I_o/I$로부터 총 chlorophyll, chlorophyll a 및 b의 양은 다음 식에 의하여 구한다.

- 총 chlorophyll의 양(mg/ℓ) = $7.12\ A_{660.0} + 16.8\ A_{642.5}$
- chlorophyll a의 양(mg/ℓ) = $9.93\ A_{660.0} - 0.777\ A_{642.5}$
- chlorophyll b의 양(mg/ℓ) = $17.6\ A_{642.5} - 2.81\ A_{660.0}$

참고문헌

1. AOAC : Official methods of analysis. 16th edition, vol. I, chapter 3 p.27(1995)
2. Nielsen, S.S. : Food analysis. 2nd edition, An spen pub., p.293(1998)
3. Miller, D.D. : Food chemistry : a laboratory manual. Wiley-interscience pub. p.940(1998)

2) 박층 크로마토그래피(TLC)에 의한 클로로필 분리

개 요

시료(대체로 식물)로부터 chlorophyll을 추출하여 TLC판에 주입하여 전개함으로써 chlorophyll 성분들의 이동거리(RF)에 의해 각 성분들을 분리할 수 있다.

시료조제

Chlorophyll 추출방법은 제4장 제2절의 시료조제에서 설명한 바와 같다.

시약 및 기구

- cellulose MN 300, petroleum ether, acetone
- n-propanol, 전개조, UV-light lamp

실험방법

추출한 chlorophyll 용액을 20×20cm의 cellulose MN 300에 주입한 후 petroleum-：acetone-：n-propanol(90:10:0.45, v/v)의 전개용매를 사용하여 30분간 전개시킨 다음, 분리된 녹색 spot들의 R_f를 측정하거나, UV lamp를 사용하여 적색 형광 spot들의 이동거리를 측정한다.

결과 및 고찰

표 4-1 TLC상에서 클로로필 a와 b의 R_f값의 색상

Pigment	R_f	Colour in daylight
Pheophytin a	93	grey
Pheophytin b	80	yellow-brown
Chlorophyll a	60	blue-green
Chlorophyll b	35	yellow-green
Pheophorbide a	48	grey
Pheophorbide b	7	yellow-brown
Chlorophyllide a	3	blue-green
Chlorophyllide b	2	yellow-green

TLC on MN 300 cellulose in petroleum(b.p. 60~80℃) : acetone : n-propanol(90:10:0.45) for 30 min run on 20×20cm plate.
용매 : petroleum : acetone : n-propanol = 90 : 10 : 0.45
TLC판 : MN 300 cellulose(20×20cm)

참고문헌

1. J.B. Harborne : *Phytochemical Methods-a guide to modern techniques of plant analysis.* Chapman and Hall, New York, p.133(1984)

3. 카로티노이드

1) 총 카로틴의 정량

개 요

Carotenoids는 chlorophyll과 함께 식물계에 널리 분포되어 있는 지용성 색소로 주로 chloroplast 속에 존재하며 동식물에서 노란색, 붉은색을 나타낸다. Carotenoids는 isoprene 구성단위 8개가 결합하여 형성된 tetraterpene의 기본구조를 갖고 있으며 그 분자구조 내에는 수많은 공액이중결합(conjugated double bonds)이 있다. Carotenoids는 구조에 따라 hydrocarbon carotenes과 oxygenated xanthophyll로 분류되며 carotene은 석유 에테르에 잘 녹으나 에탄올에는 잘 녹지 않고, 반대로 크산토필은 에탄올에 녹고 석유 에테르에는 녹지 않는다.

천연에 존재하는 carotenoids는 약 500종 이상이며, 그 중 β-carotene은 비타민 A 전구체로서 식품영양학 측면에서 매우 중요한 위치를 차지하고 있다. Carotene의 정량은 일반적으로 분광광도계를 이용한다. 시료를 유기용매로 추출한 후 크로마토그래피법으로 chlorophyll 등의 지용성 물질을 크로마토그래피관에 흡착시키고 carotene을 용출시켜 그 용출액을 분광광도계로 측정하여 정량한다.

시약 및 기구

- 건조 acetone : 알코올을 함유하지 않은 것을 사용한다. 건조시키기 위해서는 무수 Na_2SO_4로 탈수시키고 약 10mesh의 입자상 아연 존재하에 증류시킨다.
- 시판 hexene : 비점(b.p)이 60～70℃인 것으로 KOH 존재하에 증류시킨 것을 사용한다.
- 활성화 마그네시아(activated magnesia) : 활성화 MgO
- 규조토(diatomaceous earth) : Hyflo Super-Cel

실험방법

1 추출

① 건초 및 건조한 동물체 : 분말로 한 시료를 N0. 4의 체로 사별한다. 시료 2g(carotene 함량이 120mg/kg 이상이면 1g, 30mg/kg 이하이면 4g)을 정확히 칭량하고 추출플라스크에 넣는다. 아세톤 : 핵산(3:7v/v) 혼합액 3㎖를 플라스크에 넣고 1초 동안에 1～3방울의 속도로 한 시간 환류추출하던가 또는 밀전하여 암소에 하룻밤(적어도 15시간)을 방치한다. 100㎖의 플라스크에 추출액을 여과하고 잔사는 핵산으로 세척하여 세액을 여액과 혼합하여 정용한다(9% 아세톤 함유용액).

② 신선한 식물체 및 사료용 푸른 풀 : 시료를 가위나 칼로 잘게 자른다. 만약 분석을 즉시 할 수 없는 경우에는 뜨거운 물로 5～10분간 끓인 다음 동결건조 상태로 보관한다. 시료 2～5g

을 아세톤 40㎖, 핵산 60㎖, 0.1g $MgSO_4$와 혼합하여 고속의 혼합기에서 5분간 혼합한다. 흡인여과하여 분리된 추출액을 분액깔때기에 넣는다. 잔사는 25㎖ 아세톤으로 2회, 25㎖의 핵산으로 1회 세척하여 추출액에 합친다. 추출액을 물 100㎖로 5회 세척하고 아세톤을 제거한다. 아세톤을 제거시킨 상층을 아세톤 9㎖가 들어있는 100㎖용 플라스크에 옮겨 넣고 핵산을 가하여 정용한다. 알코올 80㎖와 핵산 60㎖를 아세톤 대신에 사용할 수 있다.

2 색소의 분리 : 활성화 마그네시아 : 규조토(1:1, W/W)의 혼합물로 크로마토 칼럼(column)을 만든다. 외경 22mm, 길이 175mm로 하단이 가는 관(외경 10mm)으로 되어 있는 pyrex관의 밑부분에 유리솜(glass wool) 또는 탈지면을 채운다. 흡착제의 혼합물을 용매에 현탁시켜 주입시키고 15cm의 가벼운 층이 되도록 한다. 흡착관은 흡인병에 장치시키고 아스피레이터를 이용하여 흡인시켜 끝이 평평한 막대로 칼럼층 윗면을 가볍게 눌러 흡착층의 높이를 약 10cm가 되도록 한다. 그 위에 무수 Na_2SO_4를 1cm의 층이 되도록 가한다.

흡인을 계속하면서 칼럼에 추출액을 주입하고 아세톤-핵산(1:9v/v)의 혼합액 50㎖로 전개시킨다. Carotenoid는 흡착층으로부터 용출된다. 이 조작 중 칼럼의 상단부는 항상 전개용매로 덮여 있도록 하며(전개용매층이 1~2cm면 된다), 용출액을 모은다. 이때 carotene류는 빨리 용출되나 xanthophyll류(carotene의 산화물), chlorophyll류는 흡착대로서 칼럼 내에 머물러 있다. 용출액을 100㎖ 이하로 농축하여 아세톤 : 핵산(1:9)으로 100㎖의 일정량이 되도록 한다.

3 측정 : 가능한 한 신속하게 분광광도계로 436nm에서 흡광도를 측정한다. 필터광도계로 측정할 때에는 No. 44(Klett), 440(Erelyn)의 필터(filter)를 사용한다. 이러한 필터를 사용할 때에는 미리 고순도의 β-carotene의 표준농도용액에 대해서 측정하여 표준곡선을 작성하여 둔다.

4 계산 : 시료 중의 총 carotene 함량은 다음 식에 의해 계산한다.

$$\text{총 carotene(mg\%)} = \frac{A \times 100}{196 \times L \times W}$$

A : 436nm에서 측정한 흡광도

L : 칼럼(column)층의 길이(cm)

W : 측정시 시료액 1㎖의 시료량(g)

이 계산치는 β-carotene으로서의 값이며 이 값에 1667을 곱하면 국제단위(I.U.)/100g가 된다.

2) 박층 크로마토그래피(TLC)에 의한 카로티노이드의 분리 동정

개 요

개개의 카로틴을 결정화시키는 것은 비교적 간단하나, 보통 식물 중에는 2~3종 또는 10종류 정도가 혼재하고 있으므로, 크로마토그래피법이 아니면 분별하기란 거의 불가능하다. Carotenoid의 분리는 이제까지는 원통, 크로마토그래피를 사용하여 행하였으나 최근에는 TLC를 사용하여 간단히 정성, 정량을 행하고 있다. Carotenoid에 대하여서는 여러 가지의 흡착층과 전개제를 사용하여 분석하고 있다.

확인시험

Carotenoid의 확인은 그 색조로 판별할 수 있으나 기타 다음과 같은 방법도 있다.

1. 254nm 또는 365nm의 자외선 조사에 의해 암색흡수 spot을 생성한다.
2. $SbCl_3$액($SbCl_3$ 25g을 $CHCl_3$ 75g에 용해한다), $SbCl_5$액(20% $SbCl_5$ · $CHCl_3$액 또는 $SbCl_5$: CCl_4 = 2 : 8 혼합액)으로 청색을 나타낸다.
3. 진한 H_2SO_4에 청색을 나타낸다.
4. $HClO_4$ 용액으로 청색을 나타낸다.
5. Rhodamine액(1~5% rhodamine의 에탄올 용액)으로 carotenoid aldehyde는 적등색으로 발색한다.
   확인한계는 검출용액에 따라 다른데 예를 들어 β-carotene은 $HClO_4$로 2μg, $SbCl_3$액으로 0.05 μg, 자외선 조사로 0.03~0.04μg이다.

시료조제

1)과 동일

결과 및 고찰

표 4-2 카로티노이드와 크산토필의 TLC

Pigments	R_f(×100) in system			Pigments	R_f(×100) in system		
	1	2	3		4	5	6
Hydrocarbons				Xanthophylls			
α-carotene	66	80	88	Lutein	10	35	56
β-carotene	49	74	84	Zeaxanthin	5	24	55
γ-carotene	11	41	45	Violaxanthin	5	21	84
ε-carotene	70	84	-	Cryptoxanthin	54	75	7
Lycopene	1	13	15	Capsanthin	6	16	-
				Neoxanthin	-	-	95

Key to systems : 1. activated MgO, petroleum(b.p. 90~110℃)-C_6H_6(1:1) : 2. activated MgO, petroleum(b.p. 90~110℃) : C_6H_6 (1:9) : 3. silica gel : $Ca(OH)_2$(1:6); petroleum : C_6H_6(49:1); 4. sec magnesium phosphate, petroleum(b.p. 40~60℃) : C_6H_6 (9:1); 5. silica gel, CH_2Cl_2 : EtOAc(4:1); 6. Kieselguhr G impregnated with 8% solution of triglyceride, acetone : MeOH-H_2O(3:15:2).

주의사항

Carotenoid류는 건조시킨 TLC판 위에서 급속히 변색하므로 원점(starting point or line)에 spot한 뒤에는 즉시 전개한다. 전개는 CO_2 gas 기류 중에서 행하면 안정하다. 또한 구조상의 변화를 피하기 위하여서는 시료는 가능한 한 정제품을 택하고, 항상 새로 조제된 용액을 사용할 것이며, 표준품을 동시 전개시켜 비교하는 것이 바람직하다.

표 4-3 카로티노이드의 분광학적 특성

색소	최대흡수파장		색소	최대흡수파장	
	Petroleum or n-hexane	chloroform		Petroleum or n-hexane	chloroform
Hydrocarbons			Xanthophylls		
α-carotene	422,444,473	- ,454,485	Lutein	420,447,477	428,456,487
β-carotene	425,451,482	- ,466,497	Violaxanthin	- ,443,472	424,452,482
γ-carotene	437,462,494	447,475,508	Zeaxanthin	423,451,483	429,462,494
ε-carotene	419,444,475	418,442,471	Neoxanthin	415,437,466	421,447,477
Lycopene	446,472,505	456,485,520	Rubixanthin	432,462,494	439,474,509
			Fucoxanthin	425,450,478	- ,457,492
			Cryptoxanthin	425,451,483	433,463,497

참고문헌

1 Harborne, J. B. : *Phytochemical Methods-a guide to modern techniques of plant analysis.* Chapman and Hall, New York, p.129(1984)

2 Davies, B. H. : Carotenoids. in The Chemistry and Biochemistry of Plant Pigments, 2nd ed. (ed. by T. W. Goodwin), Academic Press, London, p.489(1976)

4. 플라보노이드 분석

개 요

플라보노이드는 식물계에 널리 분포되어 있는 페놀성 천연색소 화합물로써 유리상태(aglycones)로 존재하기도 하나, 대부분의 경우 당류와 결합하여 배당체(glycosides)의 형태로 존재한다. 그 구조는 2-phenyl-1,4-benzopyrone(C_6-C_3-C_6)의 기본 골격을 지니고 있으며, pyrone 부위의 치환양상에 따라 flavone, flavonol, flavanone, flavanonol, isoflavone 및 anthocyanin 등으로 분류된다.

플라보노이드는 식물화학물질(phytochemicals) 중 최근 가장 주목을 받고 있는 생리활성물질의 하나로서 항산화 작용을 비롯한 항암, 항혈전, 항염증, 항알레르기 및 항균작용 등의 여러 생리·약리적 작용을 지니고 있다.

예를들어, 삼백초에 들어 있는 quercetin은 강력한 항암 및 이뇨작용을 지니고 있으며, 괴화, 메밀 및 토마토 등에 함유되어 있는 rutin은 quercetin의 배당체로써 고혈압 억제작용을 갖고 있으며, 감귤류의 과피에 들어 있는 hesperidin 및 naringin은 vitamin P로써 rutin과 같이 항혈관삼투작용이 있음이 확인되고 있다.

1) 감귤류 과실 중의 분광학적 방법에 의한 플라보노이드의 정량

개 요

감귤류 과실 및 그 가공품에 많이 함유되어 있는 flavonoid 중 hesperidin과 naringin 등의 flavan을 정량하기 위해 Davis법 및 Davis변법이 이용되고 있다.

Davis법은 flavonoid를 함유하는 시료에 알칼리를 작용시키면 hesperidin과 naringin 등의 flavanone 또는 수용성 flavonol 배당체가 황색을 나타낸다. 그 황색의 흡수극대에 가까운 420nm에서의 흡광도를 측정하여, 표준시료를 사용하였을 때의 같은 파장에서의 표준곡선으로부터 시료 중의 함량을 산출하는 것이다. 표준시료로서는 hesperidin, neringin 또는 rutin 등 대상으로 하는 시료에 가장 많이 함유되어 있는 것을 선정하여 사용한다.

Davis법에 의한 발색반응은 flavan에 특이적인 것이 아니라 flavonol 배당체의 발색이 특히 강하며, 또한 flavone, flavonol 등도 강하게 발색한다. 기타 대부분의 phenol 물질, 산화형 아스크로브산과 reductone, melanin 색소도 발색하기 때문에 측정치는 높게 나타나는 것이 보통이다. 실제로 분석할 때는 Davis변법을 채택하는 것이 바람직하다. 또한 hesperidin만을 측정하고자 할 때는 Indophenol법을 이용하면 좋다.

시약 및 기구

- Flavonoid 표준용액 : hesperidin, neringin, rutin 등을 사용한다. 특히 hesperidin은 물에 난용성이기 때문에 일정량의 표준품을 소량의 메탄올에 가온·용해하여 각각의 농도로 희석한다.
- 90% diethylene glycol
- 1N, 4N NaOH 용액
- Methanol
- 분광광도계(spectrophotometer)
- 항온수조(water bath) : 100℃ 승온 가능한 것을 사용한다.

실험방법

1 시료용액의 조제 : 감귤류 과실즙 10㎖를 메스플라스크에 채취하고, 이것에 증류수 및 메탄올을 각각 30㎖ 가하여 90℃에서 30분 가온하여 flavonoid 추출을 행한다. 다음 냉각하여 100㎖로 정용한 후 여과하여 시료용액으로 한다.

2 측정

① Davis법 : 90% diethylene glycol 10㎖에 시료용액 0.2㎖를 가하여 혼합하고, 4N NaOH 용액 0.2㎖를 가하여 30℃에서 5분간 유지한 후, 그의 등황색을 420nm에서 흡광도를 측정한다.

② Davis 변법 : 조작성이 우수하고 정밀도가 높다. 조작은 기본적으로 Davis법과 같으나 반응시간과 알칼리 농도가 크게 다르다. 즉, 시료용액 1㎖, diethylene glycol 10㎖, 1N NaOH 용액 1㎖를 혼합하여, 30℃에서 60분간 유지한 후 420nm에서의 흡광도를 측정한다.

2) HPLC 방법에 의한 플라보노이드의 정량

(1) 플라보노이드 추출

시료조제

건조 및 생체시료는 80% 수용성 메탄올 또는 50% 수용성 아세톤으로 상온 또는 reflux 장치에서 플라보노이드 성분을 추출한 후 핵산으로 탈지 및 탈색한 다음, 여과 및 감압·농축하여 조시료로 사용하며, 액체시료는 그대로 또는 소금을 첨가하여 포화시킨 후 핵산이나 클로로포름으로 탈지 및 탈색한 후 에틸아세테이트나 n-부탄올로 플라보노이드 성분을 추출하여 조시료로 사용한다.

시약 및 기구

핵산, 부탄올, 아세톤, 클로로포름, 에테르, 아세트니트릴, 메탄올, 에틸아세테이트, 탄산수소나트륨($NaHCO_3$), 염산, 초산납, 규조토, reflux 장치, 분별깔때기, silica gel, Daion HP-20(ion exchange resin), Sephadex LH-20, HPLC 등

실험방법

1. 산-알칼리 수용액 추출법 : 감귤껍질(3.0kg)에 물(2.5 ℓ)을 가하여 90℃에서 1시간 동안 가열한 다음 여기에 규조토를 첨가하여 균질화한 후 여과한다. 다음 잔사는 같은 방법으로 재반복 추출·여과하여 얻어진 여과물을 약 1 ℓ까지 감압·농축한다. 여기에 냉각한 에탄올(2 ℓ)을 가한 후 냉장고에서 하룻동안 방치하여 펙틴을 침전시켜 제거한 후 여과하여 얻어진 여과물은 다시 500mℓ까지 감압·농축한 다음, 여기에 n-핵산(500mℓ)을 가하여 수차례 씻는다. 수용액 하층에 다시 노르말-부탄올(500mℓ)을 수차례 가하여 혼합하고 분획한 후 얻어진 부탄올층을 약 100mℓ까지 감압·농축한 후 다시 물(2 ℓ)을 가한 후 포화 초산납(lead acetate, 200g) 용액을 가하여 냉장고에서 하룻밤 방치한다. 여기서 얻어진 노란 침전물을 여과한 후 포화 탄산수소나트륨($NaHCO_3$, 60g) 용액을 가하여 1시간 동안 혼합한 후 침전되는 탄산납을 제거하고 추출물을 6N HCl을 이용하여 pH 5.3으로 조정한 다음 여기에 부탄올을 수차례 가하여 추출되는 플라보노이드 배당체(약 7g)을 얻는다.
2. 용매추출법 : 감귤껍질(3.0kg)에 80% 수용성 메탄올(3.0 ℓ)을 가하여 균질화한 다음 80℃에서 3시간 동안 환류장치에서 반복 추출하여 여과한 후 감압·농축하여 메탄올 추출물 300g을 얻었다. 여기에 다시 80% 수용성 메탄올(1 ℓ)을 가하여 현탁시킨 후 n-핵산을 수차례 가하여 지방, 색소 및 정유성분을 제거한 후 수용층을 감압·농축한다. 이 건고물(290g)을 10% 수용성 메탄올로 녹인 후 에테르(또는 클로로포름), 에틸아세테이트 및 부탄올 순으로 용매분획한다. 한편, 다른 방법으로 앞서 얻어진 건고물을 소량의 메탄올에 녹인 후 증류수로 평형화시킨 Diaion HP-20 column(10×100cm)에 흡착시킨 다음, 메탄올 농도를 순차적으로 증가시키면서 용리한다.

3 플라보노이드의 분리 및 정제 : 위에서 추출된 플라보노이드 조추출물은 흔히 실리카겔 및 Sephadex LH-20을 이용한 칼럼크로마토그래피를 사용하여 플라보노이드 성분을 순수 분리 및 정제할 수 있다. 이때 실리카겔 칼럼크로마토그래피에서는 보통 클로로포름 : 메탄올 : 물(60:35:5, v/v) 혼합용액을 사용하여 분리하며, 또한 Sephadex LH-20 칼럼크로마토그래피에서는 메탄올, 수용성 메탄올, 수용성 메탄올 및 아세톤 혼합용액을 사용하여 분리하는 경우가 대다수이다. 그리고 위의 방법으로 분리가 잘 되지 않는 플라보노이드 성분은 최종 preparative HPLC를 사용하여 각각 순수 분리한다. 이때 용매로는 산성화 시킨 수용성 CH_3CN 또는 메탄올 용액이 많이 사용되며, 때때로 methylformamide 또는 THF(tetrahydrofuran)도 사용된다.

결과 및 고찰

위의 산-알칼리 수용액 추출방법을 사용하면 감귤껍질로부터 naringin, hesperidin 및 rarirutin과 같은 주된 플라보노이드 배당체를 쉽게 분리할 수 있으나 nobiletin 및 tangeretin과 같은 methoxylated flavone 성분들은 분리할 수 없다. 다음, 메탄올 추출물을 여러 용매분획법을 이용하여 감귤껍질의 주된 플라보노이드 성분을 분리하면 에테르 분획으로부터 nobiletin 및 tangeretin 성분을 그리고 에틸아세테이트 및 부탄올 분획으로부터 naringin 및 hesperidin 등의 주된 플라보노이드 성분을 분리할 수 있다. 그리고 Diaion HP-20 칼럼크로마토그래피법을 이용하면 80% 수용성 메탄올 분획으로부터 주된 플라보노이드 성분을 분리할 수 있다.

한편, 앞서 추출된 플라보노이드 성분을 순수 분리하는데는 흔히 Sephadex LH-20 이용한 칼럼크로마토그래피가 많이 이용되며, 이 방법으로 여러 플라보노이드 배당체 뿐만 아니라 aglycone 및 여러 procyanidin 성분의 분리가 가능하다. 단지, 이때 사용하는 용리용매는 보통 메탄올 용액을 많이 사용하나 때로는 물-메탄올 또는 물-아세톤 혼합용매로 농도구배용리하면 더욱 순수분리가 가능하다.

참고문헌

1 Choi, S.W., Lee, K.W., and Kim, H.J. : Isolation and Identification of flavonoids from Citrus peels. *Food Sci. and Biotechnol.*, (2000) accepted

2 Matsubara, Y., Kumamoto, H., Iizuka, Y., Murakami, T., Okamoto, K., Miyake, H. and Yokoi, K. : Structure and hypotensive effect of flavonoid glycosides in Citrus unshiu Peelings. *Agr. Biol. Chem.*, 49, p.909(1985)

3 Park, J.C. and Kim, S.H.: Flavonoid analysis from the leaves of Eucommia ulmoides. *J. Kor. Soc. Food Nutr.*, 24, p.901(1995)

4 Hertog M.G.L., Hollman P.C.H., and Katan M.B. : Content of potentially anticarcinogenic flavonoids of 28 vegetables and 9 fruits commonly consumed in the Netherland. *J. Agric. Food Chem.*, 40, p.2379(1992)

3) 안토시아닌 실험

개 요

Anthocyanins은 채소, 과일 및 꽃 등에 존재하는 빨간색, 자색 또는 청색의 수용성 색소이다. Anthocyanins은 배당체로 존재하며, 물에 잘 녹고, 산, 알칼리, 효소 등에 의하여 가수분해되어 aglycone인 anthocyanidin과 당류로 분해된다. Anthocyanidin은 2-phenyl-3,5,7-trihydroxyflavylium chloride의 기본구조로 이루어져 있다. Anthocyanidin의 2번 탄소에 붙은 phenyl기에 OH기가 1개 있는 것을 pelargonidin, 2개 있는 것을 cyanidin 및 3개 있는 것을 delphinidin으로 분류한다. Anthocyanins의 색과 안정성은 pH에 영향을 많이 받는데, 산성일수록 안정성이 큰 양이온(cation)의 형태로 존재하는 anthocyanin이 증가되어 안정성이 좋아진다.

시약 및 기구

- Lead acetate : $Pb(OAc)_2.3H_2O$ 8g을 증류수에 녹여 100㎖로 맞춘다.
- NH_4OH, 80% alcohol
- 원심분리기, 눈금있는 원추형의 원심분리관, 분별깔대기
- 전개용매 : n-BuOH : HOAc : H_2O(4:1:5)
- 발색제 : Phosphomolybdic acid 2g을 증류수에 녹여 100㎖로 맞춘다.
- 전개용기, 스프레이(발색제용), 모세관 tube, UV 램프, Whatman No. 1 여과지

실험방법

1. Anthocyanin 추출 : 마개가 있는 50㎖ 원심분리관에 시료(진한 색의 주스) 10㎖, lead acetate 용액 10㎖를 넣고 혼합한다. NH_4OH 0.5㎖를 가하여 다시 흔들어 준다. 침전물이 생길 때까지 원심분리하여 맑은 상등액은 버린다. 상등액이 맑지 않으면 lead acetate 용액을 더 첨가하여 다시 원심분리한다. 침전물에 80% alcohol 25㎖를 넣고 잘 혼합하여 원심분리한 후 상등액은 버리고, 다시 이 과정을 1회 반복한다. 침전물에 n-BuOH 10㎖, HCl 1㎖를 가하여 유색의 침전이 $PbCl_2$로 전환될 때까지 강하게 흔들어 준다. 맑은 액체는 125㎖ 분별깔대기에 옮기고, 침전물에 n-BuOH 5㎖를 가하여 잘 혼합한 후 원심분리하여 맑은 상등액을 앞의 분별깔대기에 합한다. 분별깔대기에 석유 에테르 100㎖를 가하여 잘 흔들어주고 방치시켜 액층이 완전히 분리되면, 하층의 액층(약 2㎖)을 눈금이 있는 15㎖ 원추형 원심분리관에 옮긴다. 분별깔대기에 증류수 0.2~0.5㎖를 가하고 흔들어준 후, 하층의 액층을 위의 원추형 원심분리관에 모으고 총 2.5㎖가 될 때까지 이 과정을 반복한다. 만약 첫 과정의 하층 분리에서 액층이 2.5㎖ 이상 얻어지면 그 후의 과정은 하지 않는다. 이와 같이 얻어진 색소액은 잘 혼합하여 실험에 사용할 때까지 냉장고에 보관하며, 크로마토그래피 실험에는 0.5㎖를 사용한다.
2. 종이 크로마토그래피 : Whatman No. 1 여과지(12×12'')의 밑에서 3cm에 줄을 긋고, 모세관을 이용하여 길이 3cm, 폭 0.3~0.6cm로 시료를 점적하며, 시료 사이에는 약 2.5cm의 간격을 둔다. Concord grape 주스의 경우 5~7회 점적하여야 만족할만한 농도가 되며, 시료에 따라

표 4-4 안토시아닌의 R_f 값(종이 크로마토그래피)

Anthocyanins	R_f(×100) in BAW
Monoglycosides	
Pelargonidin 3-glucoside	44
Cyanidin 3-glucoside	38
Malvidin 3-glucoside	38
Diglycosides	
Pelargonidin 3,5-diglucoside	31
Cyanidin 3-rhamnosylglucoside	37
Peonidin 3,5-diglucoside	31
Delphinidin 3,5-diglucoside	15
Triglycosides	
Cyanidin 3-rhamnosylglucoside-5-glucoside	25
Cyanidin 3-(2G-glucosylrhamnosylglucoside)	26
Acylated Diglucosides	
Pelargonidin 3(ρ-coumarylglucoside)-5-glucoside	40

BAW = n-BuOH : HOAc : H_2O(4:1:5)

가감하여 점적한다. 여과지에 시료를 점적할 때는 반드시 찬바람으로 건조시킨 후 다시 점적해야 하며 점적이 끝나면 여과지를 건조시킨다. 전개용기에 약 1cm 깊이로 전개용매를 넣고, 무명실로 여과지의 위쪽 끝을 묶은 여과지를 전개용매에 담그고 뚜껑을 덮어 실온에서 약 16시간 동안 전개시킨다. 전개가 끝나면 여과지를 꺼내어 건조시킨다.

결과 및 고찰

육안 및 장파장의 UV light으로 전개된 색소의 색 및 위치를 관찰하여 Rf 값을 계산하여 시료에 함유된 anthocyanin의 종류를 확인한다. Aglycone의 성질에 따라 색이 다르게 나타나며 glycosides는 오렌지-붉은색, cyanidin glycosides는 진한 붉은색으로 보인다. Pelargonidin, peonidin 및 malvidin의 3,5-diglycosides는 UV light 하에서 형광색을 발하며, 다른 glycosides는 어두운~밝은 색을 나타낸다.

$$R_f(\text{rate of flow}) = \frac{\text{원점에서 각 성분의 spot 중심까지의 거리}}{\text{원점에서 용매의 이동거리}}$$

참고문헌

1. AOAC : Official methods of analysis. 16th edition, vol. II chapter 37 p.17(1995)
2. Nielsen, S.S. : Food analysis. 2nd edition, An spen pub. p.300(1998)
3. Miller, D.D. : Food chemistry : a laboratory manual. Wiley-interscience pub. p.94(1998)
4. Harborne, J.B. : Phytochemical methods. 2nd edition, p.61(1984)

5. 육색소 정량

개 요

식육을 구매함에 있어 소비자의 기호성에 크게 작용하는 주요한 요소 중의 하나인 식육의 색택은 주로 myoglobin에 의해 좌우되는데 이 myoglobin의 함량은 동물의 종류, 연령, 성별, 근육, 운동성 및 부위에 따라 다르다. 즉, 고령, 숫소, 적색근(red muscle), 운동량이 많을수록 myoglobin 함량이 높다. 육색을 좌우하는 가장 중요한 요소가 색소물질의 전체함량이긴 하지만 육색소(meat pigments)의 화학적 상태, 다른 물질과의 반응 및 여러 가지 다른 조건들도 육색 결정에 있어서 색소물질 함량 못지 않게 중요하다. 그리고 육색은 냉동, 진공포장되어 판매될지라도 육색이 냉장육과 같은 선홍색을 나타내지 못하고 갈색이나 회색을 보이는 경우가 많아 소비자들이 구매를 기피하는 경향이 있다.

Heme에 존재하는 철원자가 2가(Fe^{2+})이면 환원 myoglobin이라 불리우고, 육색은 적자색이 되며, 3가(Fe^{3+})이면 metmyoglobin이라 불리우며 육색은 갈색이 된다. 또한 환원철원자의 여섯째 위치에 산소분자가 부착되면 이것을 산소화라 부르며 이를 oxymyoglobin이라고 하고, 육색은 밝은 적색이 된다. 식육이 공기 중에 노출되어 표면이 밝은 적색을 띄게되는 것은 산소압이 높아짐으로써 myoglobin이 산화되지 않고 산소화되기 때문이다. 식육 상층내부에는 표면에서의 환원효소들의 지속적인 산소 소비에도 불구하고 육표면으로부터 산소의 확산에 의해 산소압이 형성된다. 식육 내부상층에 형성된 산소압은 myoglobin의 산화에 알맞은 정도로 유지됨으로써 육색은 metmyoglobin의 갈색을 띠게 된다. 결과적으로 식육의 단면을 보면 표면은 oxymyglobin의 밝은 적색, 내부상층은 metmyoglobin의 갈색, 그리고 내부심층은 환원 myoglobin의 적자색을 띠게 된다. 따라서 식육을 저장할 때 산소와 온도를 통제한다면 가능한 장시간을 선홍색으로 유지할 수 있다. 이러한 식육의 색소는 90% 이상이 myoglobin 함량에 의존하고 있기 때문에 식육의 육색 차이를 조사하기 위해서 myoglobin 함량을 측정하는 방법이 이용될 수 있다.

시약 및 기구

- 고속원심분리기(Max. speed: 16,000rpm 이상)
- 균질기(Max. speed: 10,000rpm 이상)
- Spectrophotometer
- Whatman No. 3 여과지
- 0.4M Sodium phosphate 완충용액(pH 6.8)

실험방법

시료 5g을 정확히 칭량한 후 냉장된 0.4M Sodium phosphate 완충용액(pH 6.8)를 40㎖ 가하여 cold jacket이 장착된 균질기(또는 얼음으로 채운 수조)에서 9,000rpm의 속도로 3분간 균질한다. 고기균질물을 6,000rpm에서 20분간 4℃로 유지한 채 원심분리하고, 상등액을 Whatman No. 3 여과지를 사용하여 여과한 후 여액을 시험관에 담고 마개를 막은 후 실온(18℃)에 방치한다. 분광광도계에서 572, 565, 545, 525nm의 파장에서의 흡광도를 측정하여 계산식에 대입하여 산출한다.

결과 및 고찰

육색소 함량은 상대적인 농도(relative concentration)를 산출하여 Hunter 색차계의 값과 비교할 수 있는데, 이때 분광광도계에서 얻은 각 파장의 흡광도를 사용하여 계수를 구하여야 한다.

R_1 = 572nm의 흡광도/565nm의 흡광도
R_2 = 565nm의 흡광도/525nm의 흡광도
R_3 = 545nm의 흡광도/525nm의 흡광도

- myoglobin의 함량 산출식 = $0.369 \times R_1 + 1.14 \times R_2 - 0.941 \times R_3 + 0.015$
- oxymyoglobin의 함량 산출식 = $0.882 \times R_1 - 1.267 \times R_2 + 0.809 \times R_3 - 0.361$
- metmyoglobin의 함량 산출식 = $-2.514 \times R_1 + 0.777 \times R_2 + 0.8 \times R_3 + 1.098$

참고문헌

1. Krzywicki, K.: The determination of haem pigments in meat. *Meat Science.*, 7, p.29(1982)
2. Forrest, J. C., Aberie, E. D., Medrick, H.B., Judge, M.D. and Merkel, R.A.: Principles of Meat Science. W.H. Freeman and Company, p.179(1975)
3. Bodwell, C.E. and McClain, P.E.: Chemistry of animal tissues. Cited The Science of Meat and Meat Products. (Ed) Price, J.F. and Schweigert, B.S.W.H. Freeman and Company. p.93(1971)
4. Smith, G.C.: Effects of electrical stimulation on meat quality, color, grade, heat ring, and palatability. In Advances in meat research. Vol. 1. Electrical stimulation. Chap. 4, p.121(1985)
5. Fox, J.V.Jr.: The chemistry of pigments. J. Agric. Food Chem. 14, p.207(1966)

제3절 식품의 물성측정

1. Texture와 Rheology의 정의

1) Texture 정의

Texture란 음식물의 씹는 맛, 혀 끝에 닿는 맛, 입에 와 닿는 감촉과 같은 주로 음식물의 입안에서의 피부감각이나 저작중에 느끼는 식품의 물리적 성질이, 주관적이고 감각적으로 지각되는 요소로 정의되나, 식품을 손이나 손가락으로 만졌을 때 촉감이나 눈에 들어오는 시각적 감각까지 포함시키는 경우도 있다.

2) Rheology의 정의

Rheology란 물질의 변형과 흐름에 관한 연구분야로서, 고체의 변형과 액체의 유동을 포함하며, 또한 분산계의 분산을 포함시켜 식품의 역학적 성질을 물리적, 객관적으로 접근하는

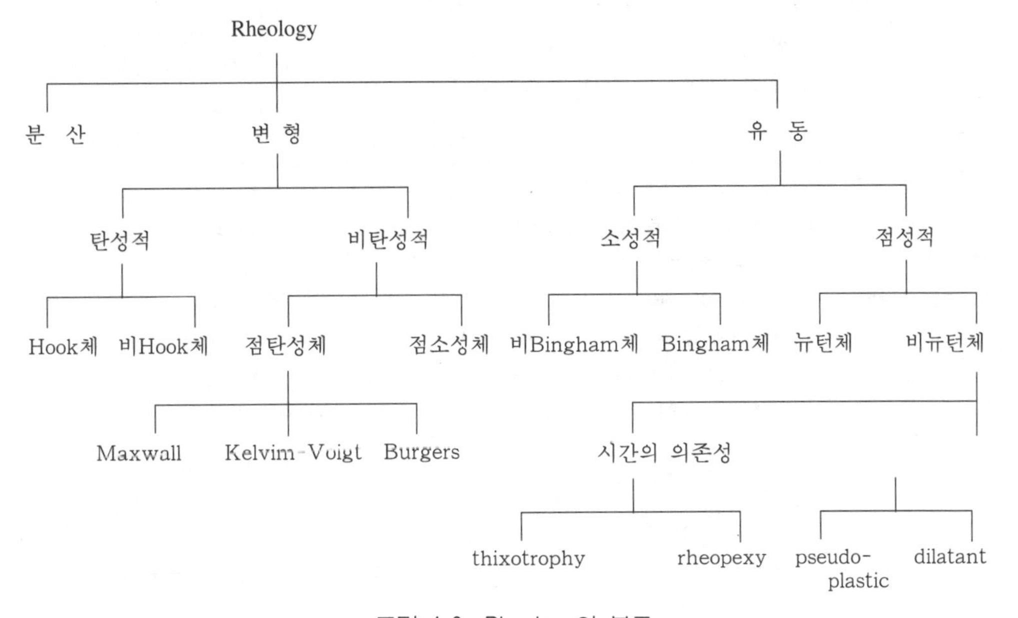

그림 4-9 Rheology의 분류

학문이다.

Rheology는 보통 유변학(流變學) 유동학(流動學) 또는 점탄성학(粘彈性學)으로 불려지며, 외부에서 힘이 가해질 때 물질의 반응하는 특성으로 정의할 수도 있다. 이러한 rhology는 식품산업의 원료 검사와 공정관리를 행할 때 중요한 수단중의 하나이며, 공장기계의 설계 및 식품소비자의 기호와 밀접한 관계를 가지며, 이것을 분류하면 그림 4-9와 같다

2. 식품의 물성측정법

식품물성측정법에는 크게 기기를 이용한 방법과 감각적 평가방법으로 크게 나눌 수 있는데 이절에서는 기기측정에 대하여 언급하겠다. 식품물성의 기기측정법은 표 4-7과 같이 ① 기초적 방법 ② 경험적 방법 ③ 모방적 방법의 3가지로 분류할 수 있다.

표 4-7 식품물성의 기기측정법

물성측정법	개 요	측 정 기 기
1. 기초적 방법	기초적인 레올로지를 측정하는 방법으로 측정값이 무엇인지 확실한 이론적이지만, 신속하게 측정 못하고, 제한적 성질만 측정하기 때문에 관능적 성질과 상관관계가 적을 수 있다.	1. 점성: 모세관 점도계, 회전점도계, 원추평판형점도계 2. 점탄성: creep 측정장치, 응력완화측정장치, 동적점탄성측정장치 3. 파괴특성: Instron, creep파괴측정장치
2. 경험적 방법	관능평가 또는 경험적 식품물성(texture) 과 관련된 실험방법으로 역학적으로 확실히 정의할수 없어 측정치가 무엇을 나타내는지 확실치 않고, 모든식품에 광범위하게 적용할수 없다. 그러나 신속,용이,저렴하게 측정되므로 식품공업에 많이 응용된다.	경도계 육 시험기 Penetrometer Curdmeter Neocurd
3. 모방적 방법	실제적으로 식품이 섭취될때나 가공될 때 취급되는 것과 같은 조건으로 측정하는 실험이다.	Amylograph Farinograph Extensograph Texturometer Rheometer

3. Texture 측정

본래, 식품의 texture는 인간의 감각으로 평가되는 것이다. 그러나 주관적인 측정은 개인의 판단으로는 보편성이 없고, 패널을 구성해서 행하는 관능검사는 노력이나 시간이 필요로 한다. Czszesniake이 제안한 texture profile은 texture를 객관적 측정이 가능한 요소로 분류했다는 점에 큰 의의가 있다.

Texture의 측정은 감각적인 측정과 상관이 높은 실용적, 경험적인 측정기기를 사용하는 것이 바람직하다.

1) Texturometer

Texturometer는 구강내의 씹는 동작을 단순화해서, 감각적으로 판단되는 식품의 texture를 가능한 객관적으로 이해하기 위한 측정장치로 Szczesniake의 texture profile — 식감요소(맛을 판단하는 요소)중 texture로 분류되는 언어표현을 정리하여 객관적 이해가 가능한 크게 3가지 종류(category)로 분류하고 각 종류를 측정 가능한 요소로 분류해 texture의 의미를 일반적으로 이해하고, 물리적 해석도 가능케 한 것 — 중의 경도, 점착성, 응집성 등에 상당하는 느낌의 객관적 평가가 시도되었다. 즉 기계로부터 얻은 저작곡선으로부터의 수치가 감각적 평가와 높은 상관 관계가 있다고 주장하고 있다. 그러나 松本 등은 texturemeter의 유용성이 식품 texture의 자세한 객관적 이해에 있다기 보다 오히려 측정법의 편리함에 두어, 복잡한 상태에 있는 시료의 물성을 품질관리의 대상으로 했다는 점에서 이 장치의 범용성이 있다고 생각하고 사용목적이 잘못되지 않고, 수치화된 시료 성질의 표현 허용범위를 잘 알고 있다면 상당히 편리한 장치라고 강조한다. 그래서 이 장치로 식품회사의 품질관리나 조리과학자, 구강생리학자들에게 널리 편리하게 이용된다.

Texturemeter에 의한 저작곡선과 그 해석을 아래 그림 4-10에 나타내었다.

2) Texturometer에 의한 측정값과 관능평가와의 관계

감각에 의한 식품의 texture의 평가에는 시각에 의한 것, 손 또는 손가락에 의한 운동적

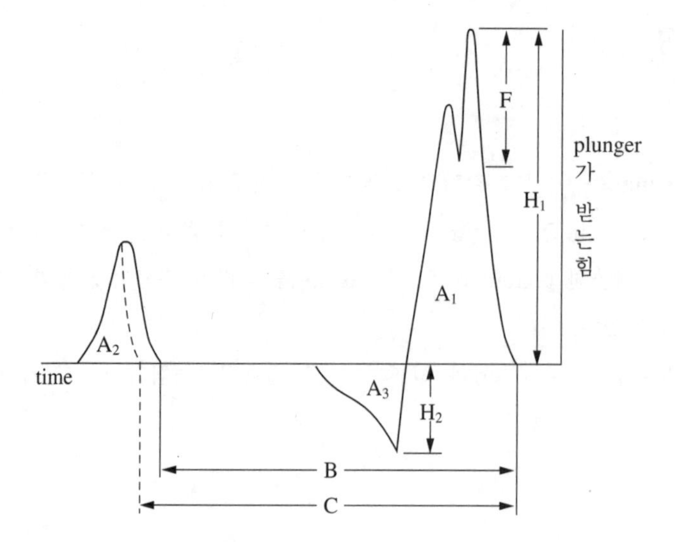

①경도(hardness)=면적A_1, 또는 높이 H_1
②응집성(Cohesiveness)=A_2/A_1
③부착성(adhesiveness)=A_3
④파쇄성(brittleness)=F
⑤탄력성(Springness)=C-B(c:탄력성이 전혀 없는 점토같은 표준물질의 거리)
⑥저작성(chewiness)=경도×응집성×탄력성(고체식품)
⑦점착성(stickiness)=h_2
⑧검성(gumminess)=경도×응집성(반고체식품)

그림 4-10 Texturometer에 의한 기록곡선과 해석

지각, 구강, 혀의 촉각에 의한 것 등이 동원되는 것이고, 기기측정에 의한 것보다 민감하게, 섬세한 texture특성을 평가할 수 있는 경우가 많다. 그러나 주관적 측정이기 때문에 관능검사 방법에 따라 적정한 조건을 찾아서 보다 객관적인 정보를 얻을 수 있도록 해야 한다.

Szczesniake 등이 개발한 texturometer에 의한 측정치와 관능평가 값과의 상관관계를 그림 4-11에 나타내었다. 경도와 파쇄성은 곡선관계가 저작성(씹힘성)과 부착성에서는 직선적인 관계가 있고, 검성과 점성에서는 대수의 비례적인 관계과 성립됨을 알 수 있다.

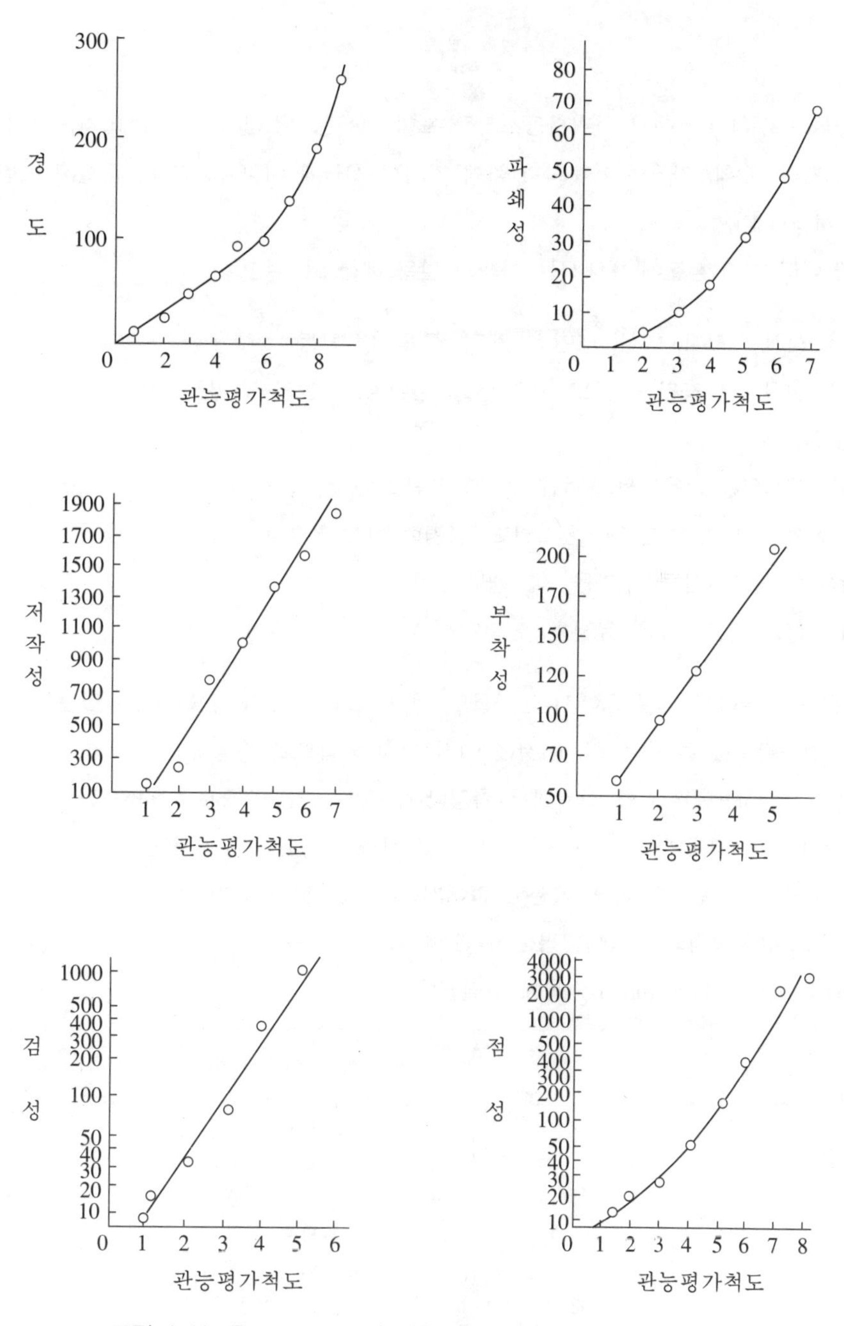

그림 4-11 Texturometer에 의한 측정치와 관능평가의 관계

4. 농산물의 물성 측정

농산물은 수확 후, 여러 단위가공조작을 포함한 유통시스템에 의해 소비자에게 전달(그림 4-12)되지만, 수확, 가공의 기계화와 함께 기계적 취급에 대한 성질이나 품질에 대한 평가가 중요하게 되었다.

또한 여러 가지 성질에 대해서는 아래와 같은 예를 들 수 있다.

- 물리적 성질 : 크기, 형상, 표면적, 체적, 무게, 비중 등.
- 역학적 성질 : 압축강도, 경도, 인장강도, 전단강도, 탄성률, 마찰, 충격강도, 내진동성, 점탄성 등.
- 유체역학적 성질 ; 유동성, 항력계수, 종말속도 등.
- 열적 성질 : 비열, 열전도율 온도전도율, 평형수분, 흡수성, 탈습성 등.
- 광학적 성질 : 반사물, 투과율, 색, 광택 등.
- 전기적 성질 : 전기저항, 유전률, 인피던스 등

이 많은 이공학적 성질 중에서 농산물의 성숙정도나 신선도 등을 알수 있는 가장 중요한 성질로 압축강도를 들 수 있다. 이것은 여러 가지 방법으로 측정되고 있지만, instron이나 여러 종류의 texture 측정기를 사용해서 측정할 수 있다. 일반적으로 압축하중-변형곡선은 그림 4-13과 같이 처음의 시작 부분을 제외하고 하중과 변형량은 일정 범위 내에서는 거의 직선적으로 증가하지만 그 이후 직선이 없어지면서 굴곡점이 나타난다. 그림 4-13의 곡선(a)와 같이 표피가 파괴되는 생물항복점(bioyield point)에 도달하고, 더욱 힘을 증가시키면 과육이 파괴되는 파괴점(rupture point)에 도달한다.

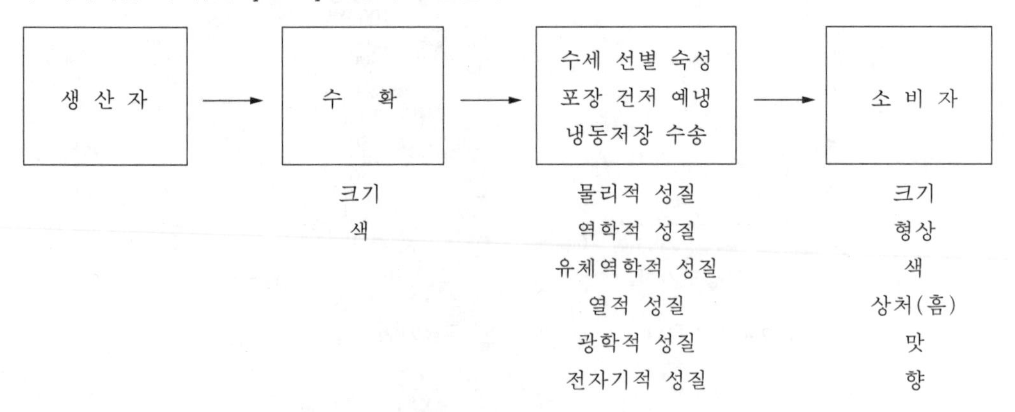

그림 4-12 농산물의 각 과정에 있어서 이공학적 성질

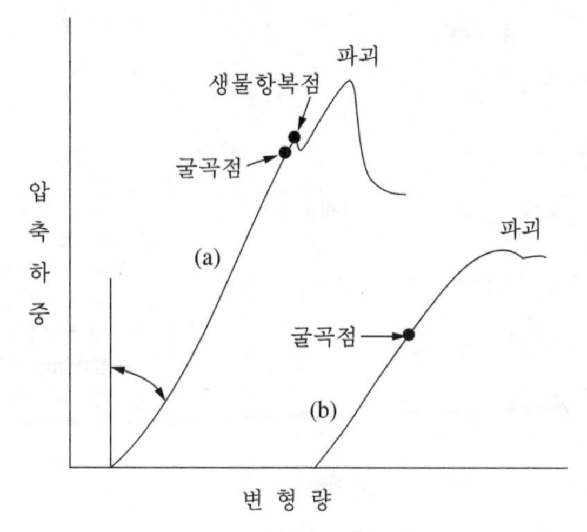

그림 4-13 압축하중과 변형량의 관계곡선

그러나, 농산물의 종류에 따라서는 곡선(b)와 같이 생물항복점이 확실치 않는 것이 많다.

하중을 가하는 방법으로는 그림 4-14와 같이 평판을 사용하는 경우와 프런저를 이용하는 경우가 있다. 각종 농산물의 프런저에 의한 압축하중-변형량 곡선의 예를 그림 4-15에 나타내었다.

압축조건이 동일하지는 않지만 농산물 종류에 따라 곡선의 형태가 다르고, 무른 농산물에서는 생물항복점은 나타나지 않는 것이 많다.

그러나 농산물의 압축강도는 힘을 가하는 방법과 속도, 온도, 성숙도, 저장법 등에 의해 달라지기 때문에 미국농업공학회(ASAE)에서는 압축시험에 관한 추천규격을 설정하고 있다.

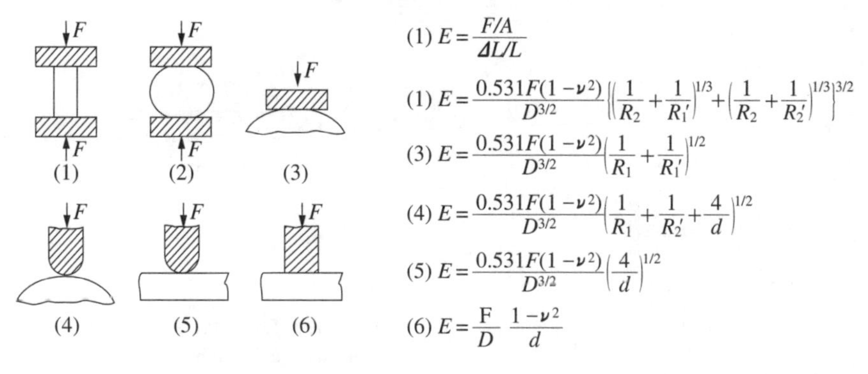

F : 압축하중　A : 시료단면적　L : 시료길이　D : 변형량　ν : 포아손비
b : 프런저직경　R_1, R_1', R_2, R_2' : 시료의 곡률 반경

그림 4-14 하중을 가하는 방법과 압축탄성률(E)의 계산법

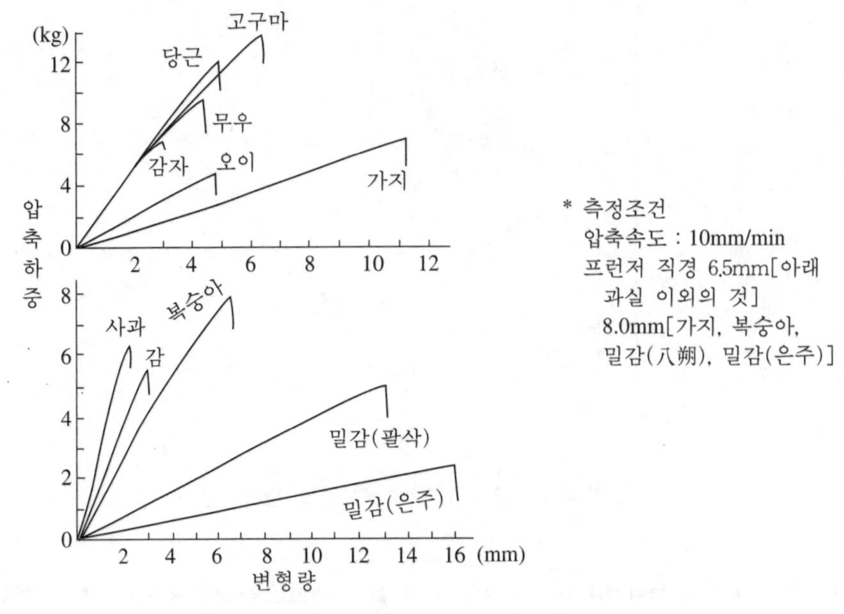

그림 4-15 야채 및 과실의 압축하중-변형량 곡선

이것에 의하면 그림 4-14의 (2),(3),(4),(5)의 프런져로 25㎜/min의 속도로 실온 20±5℃, 습도 50±5%하에서 최소 20회 측정하도록 권장하고 있다.

압축강도와 같은 뜻으로 사용되는 경도(firmness)는 생산현장에 있어서도 숙도의 판정 등에 이용되기 때문에 여러 종류의 간편한 측정기가 있다.

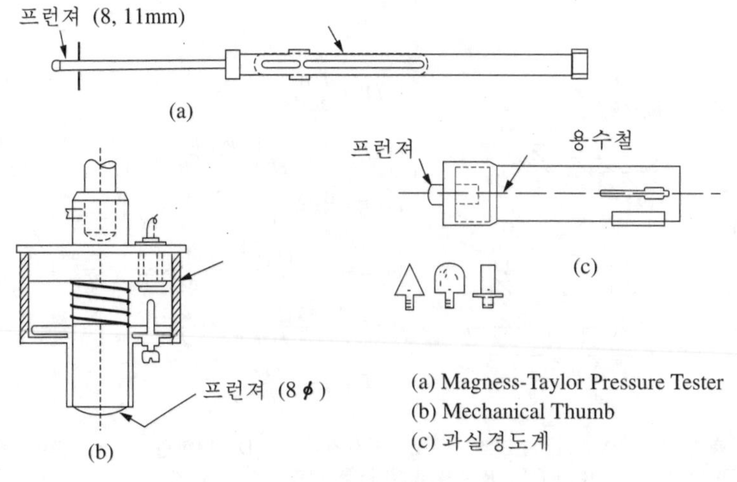

그림 4-16 경도측정기

그림 4-16(a)는 용수철을 이용한 Magness-Taylor pressure tester이지만 관입길이는 8mm로 과실에 상처를 내기 때문에 (b)와 같은 관입길이가 1.4mm인 Mechanical thumb가 있다. 또 (c)의 과실 경도계(Uniue rsal hardness tester)도 이들과 같은 종류의 것이 있다. 더욱 표피에 상처를 내지 않기 위해 고무판을 압축공기로 밀어 경도를 측정하는 방법이 있다. 딸기와 같이 소형이고 연약한 것은 소형 프런져를 사용해야 한다.

5. 액상식품의 물성

상온에서 액상의 식품에는 우유, 시럽, 스프, 주스, 퓨레, 소스, 꿀, 액상유 등이 있다. 이들 식품에는 단백질, 당질, 지질, 섬유질 등이 분산되어 있는 emulsion 또는 suspension에 속하는 것이다. 액상식품의 가장 중요한 물성은 점성이고, 뉴톤 유통식품과 비뉴톤 유동식품으로 구분된다.

① 뉴톤유동식품은 단일분자 액상식품의 유동특성을 나타내고, 전단속도가 변하여도 점도는 일정하다.
② 다당류, 단백질 등의 고분자 액상식품이나 emulsion 및 suspension과 같은 복잡한 분자구조나 분자간 응집 구조를 가진 액생식품은 비뉴톤 유동식품이다.

1) 측정법

식품의 점도를 측정할 때 측정의 목적을 충분히 검토한 후, 적당한 측정기를 선정할 필요가 있다. 대표적인 3종류의 점도계 측정법에 대해 설명한다.

(1) 모세관점도계

유리로 만든 간단한 모세관점도계(capillary flow viscometer)가 실험실에서 많이 사용되는데, 일정한 길이의 모세관에서 유체가 중력에 의해 층류로 흘러내리는 시간은 점도에 비례하고 밀도에 반비례한다. 이를 기준용액(물)과 측정하고자하는 용액에 각각 적용하여 정리하면 다음 식과 같다.

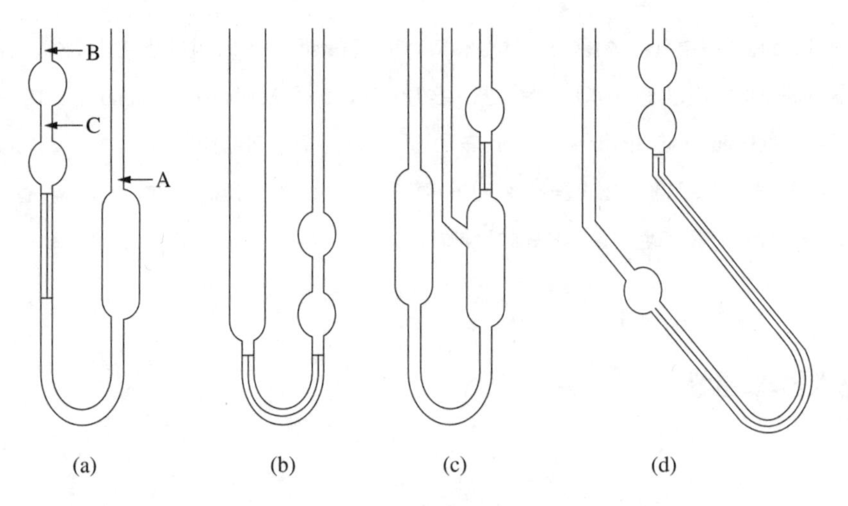

(a) (b) (c) (d)

(a) an Ostwld viscometer
(b) a reverse-flow viscometer
(c) a suspended-level viscometer
(d) a Cannon-Fenska viscometer

그림 4-17 유리모세관점도계

$$\upsilon = \frac{\eta}{\rho} = \frac{\eta_s}{\rho_s t_s} t = k_\upsilon t$$

η : 점도

k_υ: 점도계상수

t : 용액이 내려오는 시간

t_s : 기준액이 내려오는 시간

e : 용액의 밀도

ρ_s : 기준용액의 밀도

υ: 동점도

측정하고자 하는 유체를 그림 4-17의 표선A까지 채우고 항온수조에 넣어 온도를 일정하게(25±0.5℃)유지한 다음 상부까지 흡인한다. 다음 유체가 흘러내리도록 하여 표선 B에서 C까지 도달하는 시간을 측정하고 점도계 상수를 곱하면 동점도를 구할 수 있다.

(2) 원통회전점도계

원통회전점도계에는 단일원통회전점도계와 동심2중원통회전점도계가 있다. 단일원통회전점도계는 시료중에서 원통형의 모터를 일정속도 회전시켜 그 때 받는 점성토오크를 측정해

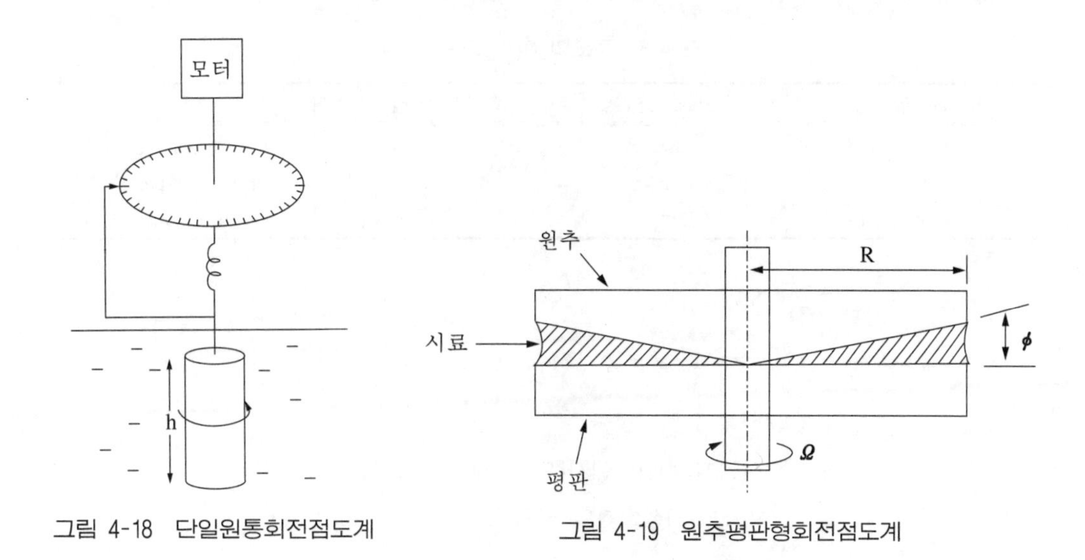

그림 4-18 단일원통회전점도계

그림 4-19 원추평판형회전점도계

서 점도를 구하는 것이고 동심2중원통회전 점도계는 내통과 의통사이에 시료를 넣고, 내통 또는 의통을 일정속도로 회전시켜 그때 생기는 점성에 의한 토오크를 측정해서 점도를 구하는 것이다.

(3) 원추평판형점도계

일정온도의 물을 순환시켜 평판의 온도를 일정하게 한 후 원추-평판사이의 작게 열린 각 ϕ사이에 유동식품을 넣고, 잠시후 원추를 가속도 δ의 일정속도(전단속도)로 회전시켜 이때 생기는 점성토오크(뒤틀림, 전단응력)를 측정해서 점도를 구한다. 이 점도계는 시료가 1㎖ 이하의 작은 양으로도 측정이 가능하며, 거의 모든 비뉴톤 유체의 점도측정에 사용 가능하다.

(4) 점도의 표시

학술적으로 사용되는 점도단위는 SI단위를 사용하는데, 일반적으로 점도는 centipoise(cp : 1p = 100cp)로 표현한다. 20.5℃에서 순수한 물의 점도가 1.00cp이다.

① 상대점도(ralative viscosity)

순수용매의 점도(η_0)에 대한 용액의 점도(η)를 나타낸 것으로 점도의 증가를 나타낼 때 사용한다.

표 4-8 점도의 여러 가지 단위

System of units	Shear stress	Shear rate	Viscosity
SI	N/㎡(=Pa)	S-1	N · s/㎡(Pa · s, 10P)
egs	dyn/㎠	S-1	dyn · s/㎠[poise(P)]
Imperial	Ibf/ft²	S-1	Ibf · s/ft²

$$\eta rel = \frac{\eta}{\eta_o} = 1 + a\phi + b\phi^2 + c\phi^3 + \cdots$$

ϕ : 분산질의 체적분률

a : 분산입자의 형태인자(완전구일 때 2.5)

b, c : 분산입자상호간의 작용상수(일반적으로 무시)

② 동점도(운동성점도, Kinematic viscosity)

점도(η)를 밀도(ρ)로 나눈값으로 단위는 stocks(St)를 사용한다. 주로 모세관점도계로 측정된다.

$$\upsilon = \frac{\eta}{\rho}$$

③ 유동도(흐름성, fluidity)

점도의 역수를 유동도라 하고 흐르기 쉬운 정도를 나타낸다. 단위도 rhe이다.

he = 0.1Pa · s = 1P

④ 비점도(Specific viscosity)

비점도는 기준물질에 대한 특정 액체의 점도의 비를 의미하고, 일반적으로 ηsp로 표시한다. 예를 들면 20℃에서 물의점도(1cp)를 기준으로 diethylether와 glycerol의 비점도는 각각 0.23과 1759가 된다. 단위가 없고 상대점도에서 1을 뺀 값과 같다.

$$\eta_{sp} = \eta_{rel} - 1 = a\phi + b\phi^2 + c\phi^3 + \cdots$$

(η_0 : 물의 점도, η : 시료의 점도, η_{rel} : 상대점도)

⑤ 겉보기 점도(appareut viscosity)

비뉴턴 유체를 유톤 유체처럼 생각하고 점도를 계산한 것으로 ηapp로 표시하는데 전단속도와 전단응력의 비율이 일정하지 않다.

⑥ 극한점도(고유점도, instrinsic viscosity)

분산상의 체적 분률이 0에 접근할 때 입자에 의해 일어나는 점도의 증가율을 체적분률로 나눈값이다.

$$[\eta] = \lim_{\phi \to 0} \frac{\eta_{sp} - a}{\phi}$$

⑨ Einstein 점도식

emulsion이나 suspension과 같이 분산매에 부유물질이 있을 때 점도를 나타내는 식으로

$$\eta = \eta_0(1+2.5\phi)$$

η : 분산계의 점도

η_0 : 분산매의 점도

이 식에서 부유물질이 완전한구일 때 2.5이고 이것이 완전한 구에서 멀어질수록 수치가 높아진다.

참고문헌

1. 松本幸雄, 食品の物性とは何か ; 弘學出版(1991)
2. M.C.Bourne, Food texture and Viscocity, Academic press(1982)
3. 松本幸雄, 山野善正, 食品の物性 1集~14集(1975~1988)

6. 식품의 점탄성 측정

개 요

식품의 각종 성분으로 구성되어 있으며, 그 형태도 액체상, 에멀젼상, 겔상, 거품상, 분체상, 고체상 등 다양하다. 이 들 중에서 겔상, 반죽상 등 많은 식품이 점탄성체로서 액체와 고체상의 중간적인 성질, 즉 탄성과 점성을 동시에 가지고 있는 것이 많이 있다. 일반적으로 탄성체라고 생각되는 어묵이나 젤리 등도 점성을 가지고 있으며, 점성체라고 볼 수 있는 소스, 스프류에도 탄성적 성질이 있다. 따라서 식품에는 이와 같이 점탄성체가 많이 있다. 점탄성은 Hooke의 고체요소와 뉴턴액체 요소를 동시에 가지고 있을 때 나타난다. 즉 응력-변형관계가 직선미분방정식(linear differential equation)으로 나타낼 수 있으면, 직선 점탄성체라 한다. 보통 조건하에서 비뉴턴 성질을 갖는 모든 물질은 교질성 혹은 거대분자이다. 전단 속도의 증가에 따라 점성이 저하하는 shear thinning은 매우 일반적인 현상이다. 그러나 반대현상인 shear thickening, 혹은 dilatancy는 흔한 현상은 아니다.

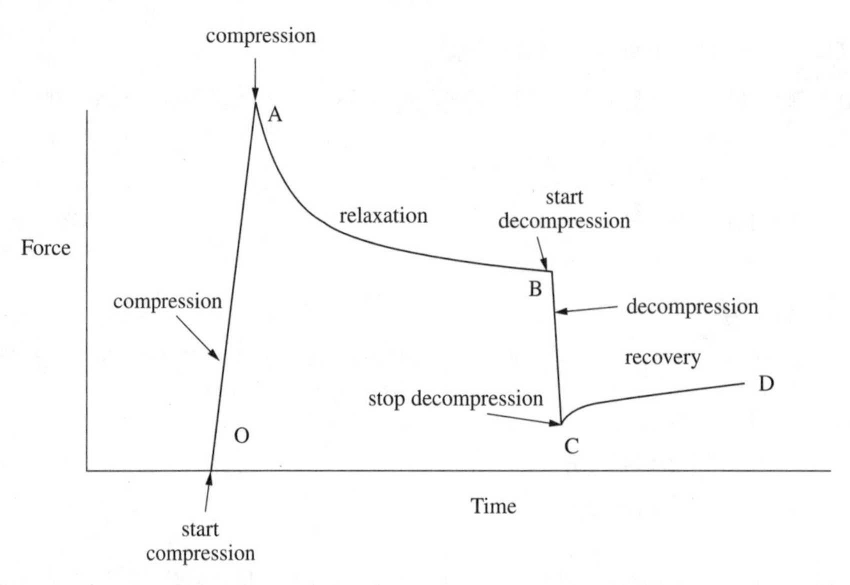

그림 4-20 일정한 변형하에서의 점탄성체의 힘-시간과의 상관관계

측정기기

점탄성의 성질을 측정할 수 있는 기기로는 Instron, Creep 측정장치, 응력 완화 장치 및 점탄성 측정장치 등이 있다.

방 법

그림 4-20에서와 같이 점탄성 고체에 힘을 가하면 O에서 A지점까지는 힘이 빠르게 증가하고, A 지점에서 압축이 정지되면 식품은 일정한 높이를 유지하게 되는데, 이 과정에서는 완화(relaxation)가 천천히 일어나는 응력 완화(stress relaxation)현상이 일어난다. B지점에서는 식품에 압축판으로부터 거리를 이동하여 힘을 제거하면 부분적으로 힘이 제거되어 C지점에서 다시 정지하게 되며, 그 이후에는 다시 식품이 원래 모양대로 천천히 회복되는데 이 때 힘은 다시 증가한다. 탄성을 갖는 고체식품의 경우에도 O에서 A까지는 점탄성 고체식품과 같은 형으로 힘과 시간의 곡선이 형성되지만, A지점에서 압축이 정지하면 힘은 변하지 않고 물체에 압축을 제거할 때까지 수평곡선을 나타내게 된다. 완화시간(relaxation)은 일정한 변형(strain)에서 응력(stress)이 처음 값은 1/e 감소시키는 데 요구되는 시간이다(1/e=0.368). 즉 완화시간은 힘이 처음 값의 36.8%가 붕괴하는데 소요되는 시간이다.

결과 및 고찰

응력이 변형에 비례하는 탄성체는 Hooke의 법칙을 따른다. Hooke형 고체의 전단율(shear modulus)은 변형에 관계없이 물질에 따라 일정하다. 액체인 경우 뉴턴의 점성흐름의 법칙을 응력과 전단속도는 비례한다. 그러므로 뉴턴 액체의 점도는 전단속도와 무관하며 물질에 대해서는 일정하다. 난백과 마요네즈와 같은 물질들은 점성과 탄성을 같이 나타낸다. 에멀젼 혹은 현탁액이 탄성을 나타내면 그 원인은 거의 항상 넓은 범위의 그물망 구조를 형성한다.

참고문헌

1. Peleg, M. and Bagley, E. B. : Physical properties of foods, Avi publishing(1993)
2. Muller : Introduction to food rheology, Heinemann, London(1973)
3. Sherman, P. : Food texture and rheology, Academic Press(1979)

7. 식품의 파괴특성 측정

개 요

정적 혹은 동적 점탄성은 식품에 작은 변형을 줄 때 나타나는 성질이지만 실제 식품을 계속 누르거나, 잡아당기거나, 쥐어짜거나, 칼로 긋거나 혹은 물어뜯으면 식품은 점점 변형되어 결국은 부서지게 된다. 이것을 식품의 파괴(fracture, rupture)특성이라 한다. 식품이 변형된 후 회복할 수 있는 것은 탄성적 성질이라 하고, 회복할 수 없는 경우에는 소성적 성질을 나타낸다. 따라서 파괴현상은 식품에 탄성한계 이하의 힘을 가할 때 나타나는 조직감의 변화 현상으로 stiff, strong, elastic 등과 같은 용어로 표현된다.

측정기기

식품의 파괴특성 측정 장치로는 Instron 및 Creep 파괴 측정장치 등이 있다.

방 법

그림 4-21에서와 같이 O에서 A까지 범위에서 변형을 증가시키면 응력도 증가하지만 A점이 지나면 응력을 증가시키지 않아도 변형은 증가하는데 이 영역을 소성변형 혹은 소성유동영역이라 하며, A점을 항복점(yield point)이라 한다. 만약 A점을 지나서 다시 변형을 증가시키면 식품은 결국 파괴하는데 이 때 점 B가 파괴점이 된다. 만약 식품이 파괴될 때 항복점과 파괴점이 일치할 경우에는 이 파괴를 부서짐 파괴(brittle fracture)라 하고, 소성 파괴 변형된 후 파괴되는 현상을 연성파괴(ductile fracture)라 한다.

식품의 파괴 특성을 Instron으로 측정하면 일정한 속도의 압축과 신장에 대한 응력－변형의 곡선으로 나타낼 수 있다. 그림 4-22에서는 한천 겔의 응력－변형곡선을 나타낸 것인데 이 곡선의 파괴점에서 파괴변형(rupture strain, ε_f)과 파괴 응력(rupture stress, P_f)을 구할 수 있다. 또한 면적 A로부터 파괴점까지의 파괴에너지(rupture energy, E_f)도 구할 수 있다. 파괴응력과 파괴에

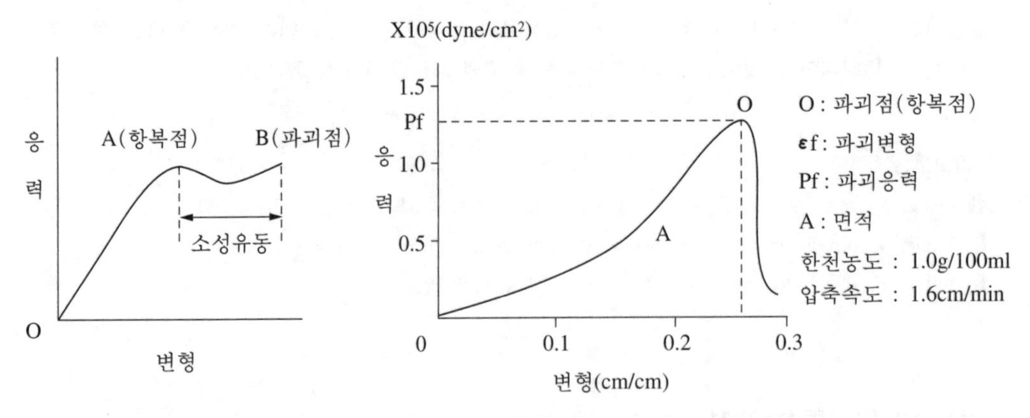

그림 4-21 응력-변형곡선　　그림 4-22 한천 겔의 응력-변형곡선의 예

너지는 압축속도와 한천농도에 따라 현저히 증가하며 식품의 크기에서는 큰 것이 작은 것보다 약하고 둥근 것보다 각이 있는 것이 응력 집중이 일어나기 쉬우므로 파괴되기 쉽다.

결과 및 고찰

파괴현상은 식품의 구조적 민감성과 관련이 있으며 보통 압축과 신장의 속도, 시료의 크기와 형태 등에 의해서 달라진다. 같은 식품이라 해도 농도 증가에 따라 점탄성 정수와 파괴 특성치는 증가한다. 일반적으로 식품을 압축하면 식품내부의 틈새가 좁혀지고, 전단력을 가하면 틈이 옆으로 비틀리며 장력으로 잡아당기면 틈이 더욱 커지거나 길어지게 된다. 이 때 틈이 커질 경우에는 탄성적 변형에너지(elastic strain energy)가 방출되고, 표면에너지는 흡수되며, 변형 에너지가 새로운 표면에너지보다 더 크거나 작으면 틈새는 더 이상 벌어지지 않는다. 이러한 현상은 고체 식품을 씹을 때 필요한 힘과 이에 따른 변형과의 관계를 해석하는데 필요하다.

참고문헌

1. Rockland, S. B. and Beuchat, L. R. : Theory and application to food, Marcel Dekker, Inc., New York and Brasel(1987)
2. Bourne, M. C. : Food texture and viscosity (Ed.), Concept and measurement, Academic Press (1982)
3. Prentice, J. H. : Measurements in the rheology of foodstuffs, Elsevier Applied Science Publishing, London and New York(1984)

8. 전분질 식품의 호화점도 측정

1) 아밀로그래프에 의한 측정

개 요

전분 또는 전분 함유물질의 특성을 살펴보는데 있어 그 물질의 호화양상과 점도는 상당히 중요하며, 현재 이를 측정하는 기기로는 아밀로그래프가 가장 일반적으로 사용되고 있다.

아밀로그래프는 원래 밀가루의 알파-아밀라아제의 활성을 측정하기 위하여 개발된 것이나, 이 목적 이외에도 전분질 식품의 호화패턴과 냉각 중 점도 변화를 측정하는데 널리 쓰이고 있다.

아밀로그래프는 기본적으로 회전점도계의 일종으로 일정한 토르크(torque)에서 온도변화에 따른 전분의 점도를 측정하는 기기로, 일반적으로 가열장치만 있으며, 가열 및 냉각장치를 갖춘 것은 비스코/아밀로/그래프라고 한다(그림 4-23). 최근에는 가열 및 냉각과정을 자동제어할 수 있는 모델이 쓰이고 있는데 이를 비스코그래프라고 한다(그림 4-24).

아밀로그래프에 의한 호화양상은 전분입자의 팽윤정도와 팽윤된 전분입자의 열과 전단에 대한 저항도, 입자의 크기와 모양, 입자들의 배열과 결합력, 아밀로오스와 아밀로펙틴의 구성비 및 구조 차이, 가열 중 입자로부터 용출된 가용성 전분의 존재 그리고 팽윤된 입자끼리의 상호작용 또는 응집성 등에 의해 영향을 받는다.

시료조제

아밀로그래프를 이용하여 측정할 수 있는 시료는 전분 또는 전분을 함유한 분말로 측정 시료의 입도를 60메쉬 이상이 되도록 분쇄하고 수분량을 측정한다. 이 때 입도에 따라 각 시료의 특성이 달라질 수 있으므로 시료의 입도를 고르게 한다.

비스코/아밀로/그래프의 기본장치 및 구조

아밀로그래프의 기본구조 및 장치는 그림 4-23과 같다.

카트리지 700cm-g, 센서 7-pin, 보울속도 75rpm, 기록장치, 500g 용량의 와링형(waring type) 블렌더

실험방법

1. 조제시료의 균일화 : 농도(건량기준으로 전분은 8% 정도, 분말은 10~12% 정도)에 따라 칭량한 시료는 미리 칭량해 놓은 증류수 중 1/3을 이용하여 잘 혼합한다. 이 때 시료와 증류수의 총 무게는 500g이 보통이나, 경우에 따라 조절할 수도 있다.
   덩어리가 없도록 잘 혼합한 시료혼합물에 다시 칭량해 놓은 증류수 1/3을 가하여 잘 혼합하여 보울에 넣은 후 남은 1/3 분량의 증류수를 이용하여 혼합용기에 남아있는 시료혼합물을 잘 세척하고 세척액 또한 보울에 넣고 핀 센서를 넣어 아밀로그래프에 장착, 냉각바를 내리

지 않은 상태로 25℃에서 5분간 작동시켜 시료혼합물을 균일하게 혼합시킨다.

❷ 측정조건 : 시료를 균일화시키는 동안 기록계의 펜을 가열이 0분에서부터 시작되도록 기록지의 영점선에 맞춘다.

시료혼합물이 균일화되면 초기온도를 25℃로 고정한 다음 분당 1.5℃씩 95℃까지 가열하고, 95℃에서 15분간 온도유지 후 냉각바를 내리고 분당 1.5℃씩 50℃까지 냉각한다. 냉각 후 30분간 온도를 유지시키며 점도측정 후 시험을 종료한다.

연구목적에 따라 가열최고온도, 최고온도에서의 온도유지시간, 냉각 후 온도유지시간 등을 달리할 수 있다.

최고점도가 1000BU를 넘는 경우에는 추(250BU, 500BU, 1000BU)를 사용하거나 농도를 재조

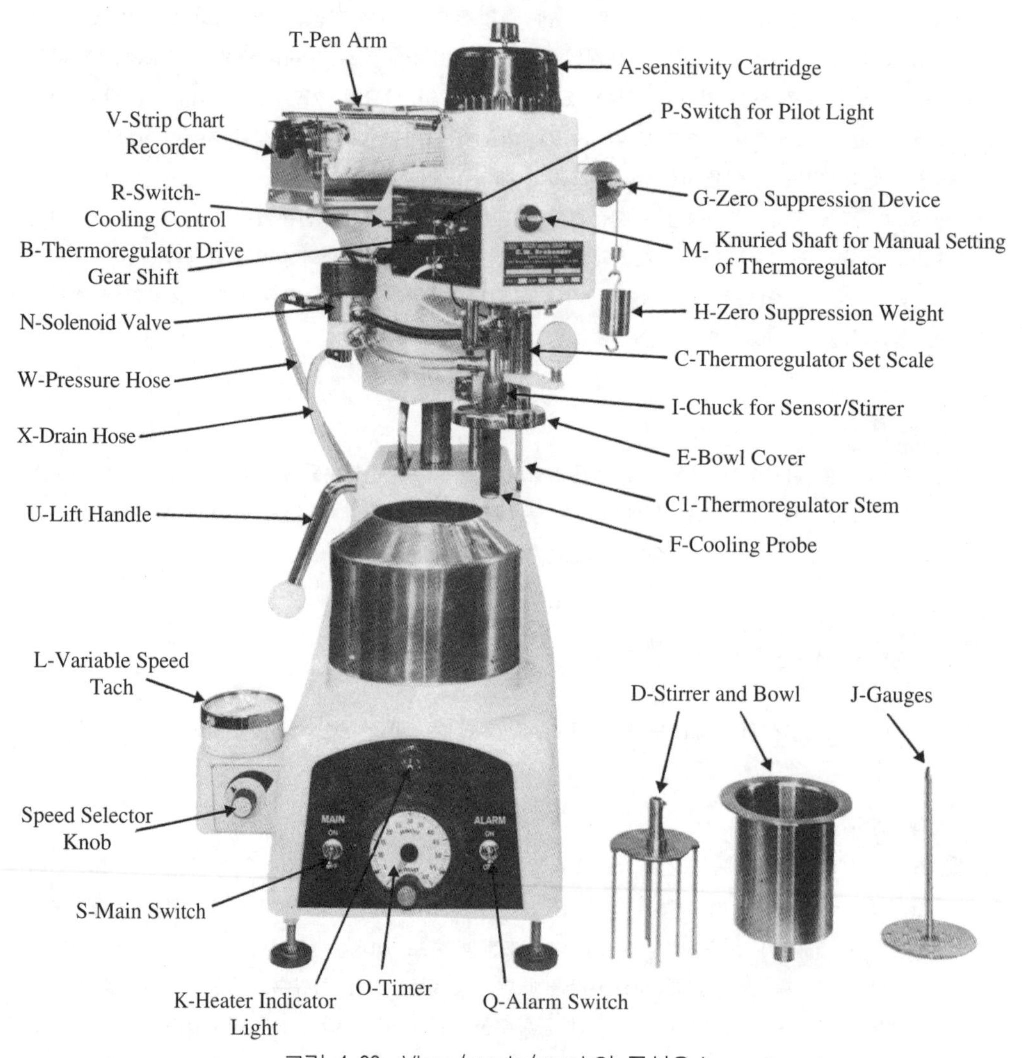

그림 4-23 Visco/amylo/graph의 구성요소

절한다. 700cm-g 카트리지 사용시 250BU 추의 무게는 62.5g, 500BU 추의 무게는 125g, 1000BU추의 무게는 250g이다. 예를 들어 1000BU 추를 사용하게 되면 기록계의 펜은 다시 1000BU 만큼 저하되어 기록지의 영점선으로 떨어진다. 사용한 추의 무게(BU)를 결과 해석시 고려하면 된다. 측정이 끝난 후 아밀로그램으로부터 호화특성 값을 읽는다.

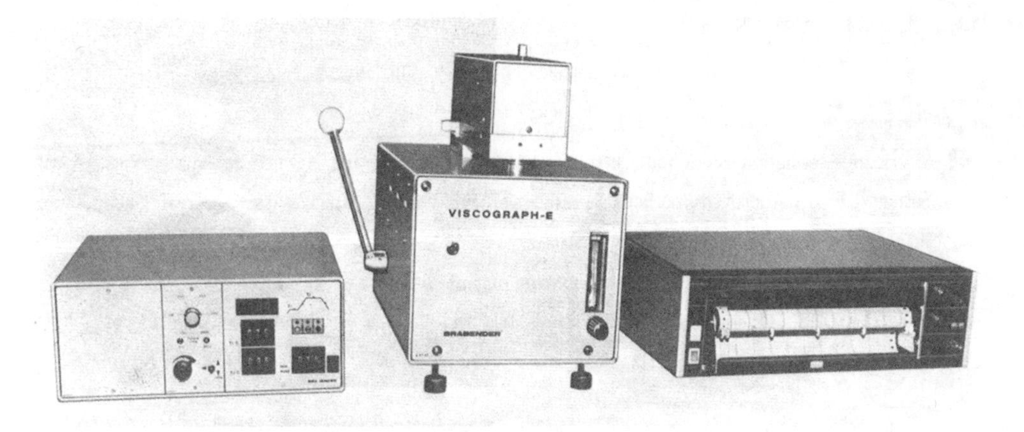

그림 4-24 Viscograph E의 구성

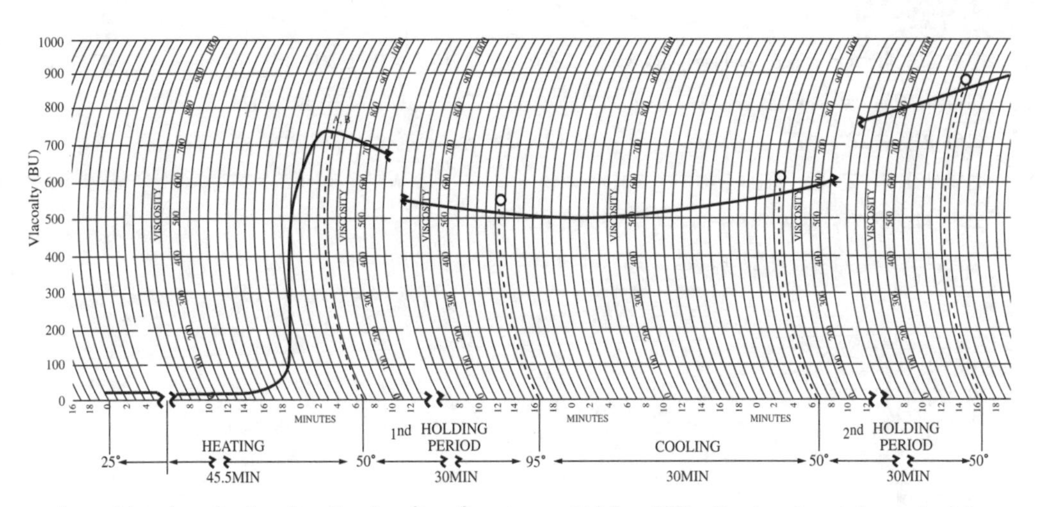

Λ, pcak(maximum) viscosity; B, viscosity of paste on attaining 95℃; C, viscosity at the end of the first holding period, ie, after 30min at 95℃; D, viscosity of cooked paste after cooling to 50℃; E, viscosity at the end of the second holding period, ie, after 30min at 50℃

그림 4-25 Brabender 아밀로그램의 해석

결과 및 고찰

아밀로그램의 전형적인 예는 그림 4-25와 같으며 이로부터 시료혼합물의 점도가 10BU에 도달하는 온도인 호화개시온도와 최고점도, 95℃에서 15분 유지 후의 점도, 냉각점도, 점도붕괴도(breakdown), 그리고 setback을 알아 낼 수 있으며, 이를 이용하여 각각의 시료의 호화특성을 밝힐 수 있다. 점도붕괴도(breakdown)은 최고점도와 95℃에서 15분 후의 점도와의 차이며 50℃에서의 setback은 50℃에서의 점도에서 최고점도를 뺀 값으로 이 값이 음(−)인 경우 냉각점도가 최고점도보다 작음을 나타낸다.

참고문헌

1. American Association of Cereal Chemists(AACC) : Amylograph method for milled rice. AACC method 61-01, Approved methods of analysis, 9th edition. Amer. Assoc. Cereal Chem., Inc., St. Paul, Minnesota(1995)
2. Shuey, W.C. and Tipples, K.H. : The amylograph handbook. A.A.C.C.(1982)
3. Brabender OHG : Instrution manual. No. 1737E and 17067E, Brabender OHG Duisburg(1996)

2) 신속점도계(Rapid visco analyser)에 의한 측정

개 요

신속점도계(rapid visco analyser, RVA)는 호주에서 개발된 것으로 기본적으로 전분 또는 전분질 식품의 가열 중 점도를 측정한다. 이 기기는 아밀로그래프보다 시료량이 적게 들고(2~4g) 토르크와 가열속도가 매우 빠르므로 짧은 시간(12~15분)에 측정할 수 있으며, 측정조건을 다양하게 변화시킬 수 있다는 장점이 있다. 그러나 가열에 의한 호화패턴을 이해하는데는 다소 무리가 있으며 시료간 차이를 이해하는데 더 유용하게 쓰인다.

신속점도계의 측정결과는 내장된 소프트웨어에 의해 자동 기록된다.

기본장치 및 구조

기본장치 및 구조는 그림 4-26과 같다.

시료조제

1. 시료의 입도는 아밀로그래프 항목을 참조한다.
2. 시료의 농도는 상대점도표에 나와 있는 전분농도에 기초하여 정한다.
3. 시료량은 재료에 따라 다르나 수분함량 14% 기준으로 일반전분은 3.00g, 찰전분은 2.50g, 감자는 2.00g, 밀가루는 3.50g이 표준으로 시료량 계산은 다음 식을 이용한다.

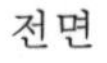

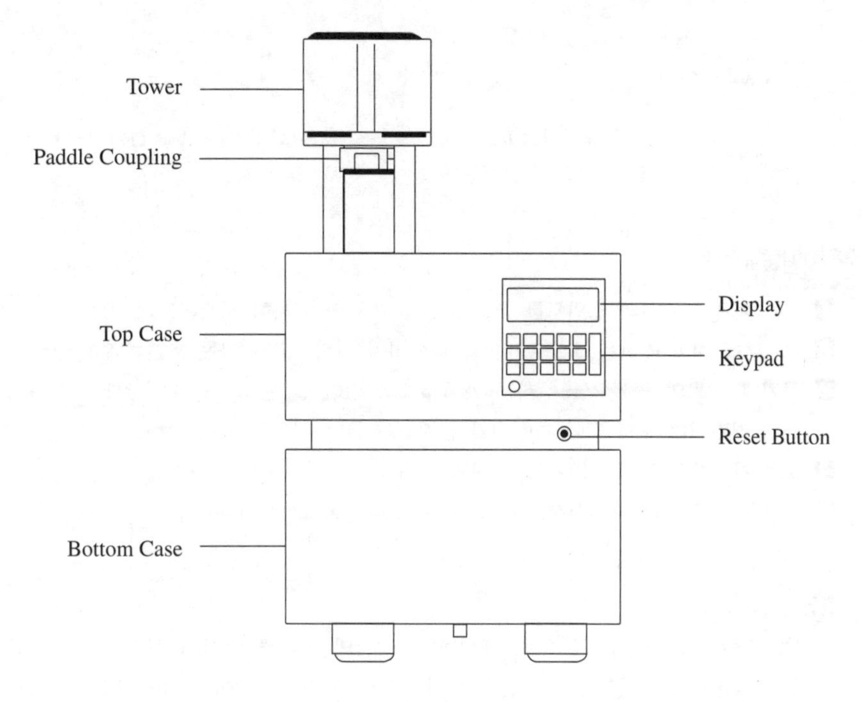

후면

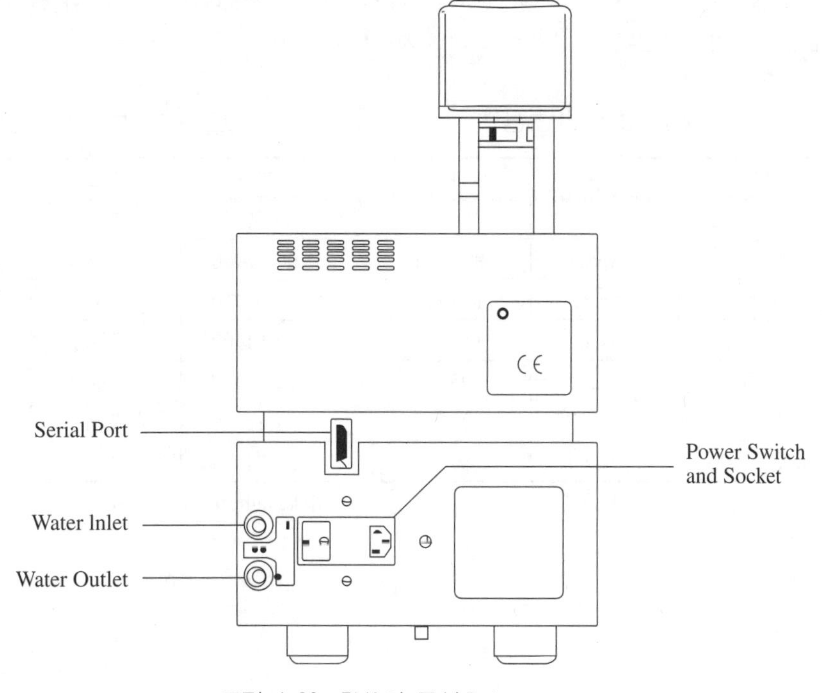

그림 4-26 RVA의 구성요소

S = (28×C) / (100−M)

W = 28.0 − S

S : 시료무게(g), C : 시료의 농도(%, 건량기준)

M : 시료의 수분함량(%) W : 물무게(g)

실험방법

1. 기기 예열 : 본체의 스위치를 켜고 30분간 예열하여 시험 시작온도인 50℃가 되도록 한다.
2. 컴퓨터를 켜고 RVA용 소프트웨어를 실행하여 시험하고자 하는 조건을 입력한다.
3. 용기에 시료와 증류수(총무게는 28.00g으로 한다)를 넣고 패들을 장착한 다음 잘 혼합하여 캔의 벽면이나 수면 위에 덩어리가 남지 않도록 하여 기기에 넣는다.
4. 표준 가열조건은 표 4-9과 표 4-10과 같다.
5. 호화곡선으로부터 호화개시온도, 최고점도, 최고점도까지의 시간, 최저점도 등을 구한다.

결과 및 고찰

결과는 그림 4-27를 기초로 하여 해석한다. 각각의 결과를 토대로 시료 전분의 특성을 확인할 수 있다. 이 때 최고온도는 최고점도를 나타내었을 때의 온도이며 유지강도(holding strength)는 최고점도 후에 나타난 최저점도로, breakdown은 최고점도에서 최저점도를 뺀 값으로, setback 1은 최종점도에서 최저점도를 뺀 값이며, setback 2는 최종점도에서 최고점도를 뺀 값이 된다. 이 값들은 기기에 내장된 소프트웨어에 의해 자동 기록된다.

표 4-9 표준가열조건 1

Time	Type	Value
00:00:00	Temp	50℃
00:00:00	Speed	960rpm
00:00:10	Speed	160rpm
00:01:00	Temp	50℃
00:04:42	Temp	95℃
00:07:12	Temp	95℃
00:11:00	Temp	50℃

Idle temperature : 50±1℃

End of test : 13 min

Time between readings : 4sec

표 4-10 표준가열조건 2

Time	Type	Value
00:00:00	Temp	50℃
00:00:00	Speed	960rpm
00:00:10	Speed	160rpm
00:01:00	Temp	50℃
00:08:30	Temp	95℃
00:13:30	Temp	95℃
00:21:00	Temp	50℃

Idle temperature : 50±1℃

End of test : 23 min

Time between readings : 4sec

참고문헌

1. American Association of Cereal Chemists(AACC) : Determination of the pasting properties of rice with the rapid visco analyser. AACC method 61-02, Approved methods of analysis, 9th edition. Amer. Assoc. Cereal Chem., Inc., St. Paul, Minnesota(1995)
2. Newport Scientific Pty. : Applications manual for the rapid visco analyser. Newport Scientific Pty. Ltd., Warriewood NSW, Australia(1998)
3. Crosbie, G.B., Ross, A.S. and Chiu, P.C. : Effect of α-amylase on flour paste viscosity measurements and relationships with alkaline noodle texture. The 9th Australian Barley Technical symposium, Melbourne, Australia(1999)

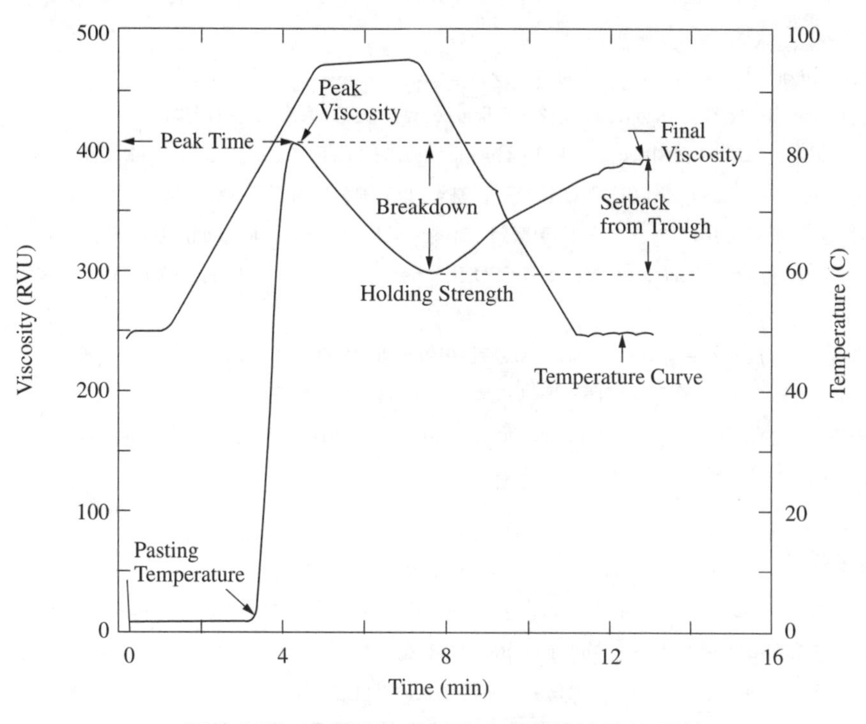

그림 4-27 호화점도 측정에서 전형적인 RVA 곡선

제 4 절 신미, 고미 및 삽미의 분석

1. 유기산의 분석

1) 고속액체크로마토그래프(HPLC)에 의한 유기산 분석

개 요

유기산은 크게 지방족 유기산과 방향족 유기산으로 구별되며, 카르복실(carboxyl)기의 수에 따라 1염기산 (monocarboxylic acid) 및 2염기산(dicarboxylic acid) 등으로 분류된다.

지방족 1염기산으로 저급지방산인 개미산(formic acid, HCOOH), 초산(acetic acid, CH_3COOH), 프로피온산(propionic acid, CH_3CH_2COOH) 등의 자극성 액체성분이 있으며, 지방족 2염기산은 탄소 사슬의 양끝에 카르복실기를 가진 결정성 고체로서 구연산[(citric acid, $(OH)C_3H_4(COOH)_3 \cdot H_2O$)], 호박산[succinic acid, $COOH(CH_2)_2COOH$], 마론산(malonic acid, $HOOCCH_2COOH$) 등이 있다.

방향족 유기산에는 카르복실기가 핵에 치환된 화합물과 측쇄에 치환된 화합물 이외에 여러 가지 카르복실기가 핵에 치환된 화합물 등이 있다. 본 시험법은 HPLC 및 GC를 이용하여 1염기산과 2염기산의 대표적인 유기산인 formic acid, acetic acid, citric acid 및 succinic acid를 동시에 분석하는 방법을 제시하고자 한다.

시료조제

고체 시료에 함유되어 있는 유리 유기산은 수용액으로 추출 후 그대로 사용하나 단지 아미노산을 많이 함유하고 있는 시료는 Amberite IR-120 같은 양이온교환수지에 아미노산을 흡착시켜 제거한 후 실시한다. 그리고 유기산염으로 존재하는 유기산은 1N HCl로 용해시킨 후 에탄올로 탈염한 후 분석한다. 한편, 청주, 포도주 등의 액체시료는 그대로, 간장 등은 물로 10배 희석하여 시료용액으로 한다.

시약 및 기구

유기산 kit, HCl, ethanol, H_3PO_4, Amberite IR-120, HPLC 등

실험방법

균질화한 시료 20mℓ를 100mℓ 용량 플라스크에 취하고 정확히 100mℓ되게 한 후 충분히 shaker로

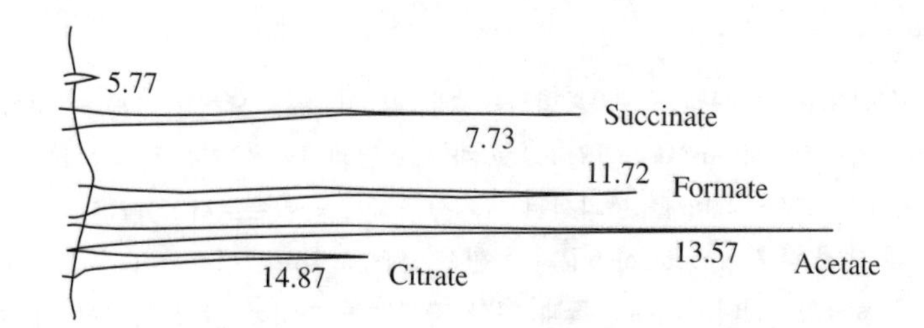

1, succinate; 2, formate; 3, acetate; 4, citrate.

그림 4-28 HPLC에 의한 유기산 표준용액의 chromatogram.

추출한다. 다음, 3,000rpm에서 10분간 원심분리한 후 0.45㎛ 여과지로 여과하여 시험용액으로 한다. 이때 표준용액으로 각각의 표준물 formic acid(0.4g), acetic acid(0.5g), citric acid(0.3g), succinic acid(0.6g)을 100㎖ 용량 플라스크에 취하고 증류수로 녹여 정확히 100㎖되게 조제한 후 HPLC에 10㎕ 주입하여 검량선을 작성한다. 이때, HPLC 조건은 다음과 같다.

검출기, 자외부흡광광도검출기(UV-detector); 칼럼, Aminex HPX-87 H, C18; 이동상, 0.1% 인산(0.1% phosphoric acid, H_3PO_4, v/v %); 검출기 파장, 210㎚; 유속, 0.6㎖/분; 주입량, 10㎕

결과 및 고찰

표준 유기산 용액을 위의 HPLC 장치 및 측정조건에서 10㎕ 주입하여 검량선을 구한다. 다음, 시험용액을 같은 조건에서 같은 량을 주입하여 chromatogram을 구하고 표준용액 및 시험용액의 chromatogram 피크와 머무름 시간(retention time)을 비교하고 피크의 면적 또는 높이를 표준용액으로 작성한 검량선과 비교하여 각각의 유기산에 대한 함량을 구한다. 이때, 얻어진 유기산 표준용액의 chromatogram은 그림 4-28과 같다.

2) 가스크로마토그래프(GC)에 의한 유기산 분석

시료조제

시료를 60℃ 정도의 온탕과 함께 균질화한 다음 원심분리하여 유기산 추출액을 얻는다.

시약 및 기구

Butanol, 뚜껑이 있는 시험관(25mmϕ ×100mm), 환류장치, 양이온(Amberite IR-120) 및 음이온(Amberite IR-45) 교환수지, rotary evaporator, GC 등.

실험방법

추출액 일정량(0.1N-NaOH 용액으로 중화하는 데 약 10㎖를 요하는 양)을 양이온(Amberite IR-120) 및 음이온교환수지(Amberite IR-45)를 차례로 통과시켜 유기산을 음이온 교환수지에 흡착시킨다. 다음 2N NH_4OH 50㎖를 통과시켜 유기산을 암모늄염으로서 용출한 후 일정량(100㎎)을 농축·건고한 다음 여기에 butanol 5㎖과 농황산 1㎖를 가하여 냉각관이 부착된 reflux 장치내에서 약 30분간 ester화시킨다. 여기에 물과 핵산 각 5㎖를 가하여 잘 혼합해서 에스테르를 핵산으로 이행한다. 다시 5㎖를 씩의 핵산으로 3회 추출하고 0.5% nonadecane(내부표준물질)의 핵산 용액 1㎖를 넣고서 용량 20㎖의 volumetric flask에 마개가 있는 피펫으로 옮긴 후 핵산으로서 20㎖를 되도록 정용하고 무수탄산나트륨 0.5g을 가하여, 미량으로 황산을 제거한 후 이 용액 5㎕를 취하여 gas chromatography(GC)로 분석한다. 이때 GC의 분석조건은 다음과 같다.

검출기, 불꽃이온화검출기(FID); 칼럼, 10% PEG 6,000 (60~80 mesh)을 충전한 유리 또는 stainless steel column (3㎜ × 2m); injector temperature, 200℃; detector temperature : 220℃; carrier gas, N_2(20 ㎖/min); injection volumn, 5㎕.

결과 및 고찰

표준 유기산 용액을 상술한 방법으로 butylester화해서 GC로 분석하고 표준곡선을 작성한 후 먼저 서술한 HPLC와 같이 시험용액의 유기산 함량을 구한다.

참고문헌

1. Leo M. L. Nollet : Food Analysis by HPLC, Marcel Dekker Inc.(1992)
2. Mehods of Biochemical and Food Analysis, Boehringer Mannheim GmbH, Mannheim(1989)
3. 강국희, 노봉수, 서정희 및 허우덕 : 식품분석학. 성균관대학교 출판부, pp.255-257(1998)
4. 주현규, 조광연, 박충균, 조규성, 채수규, 마상조 : 식품분석법. 유림문화사, pp.396-398(1995)

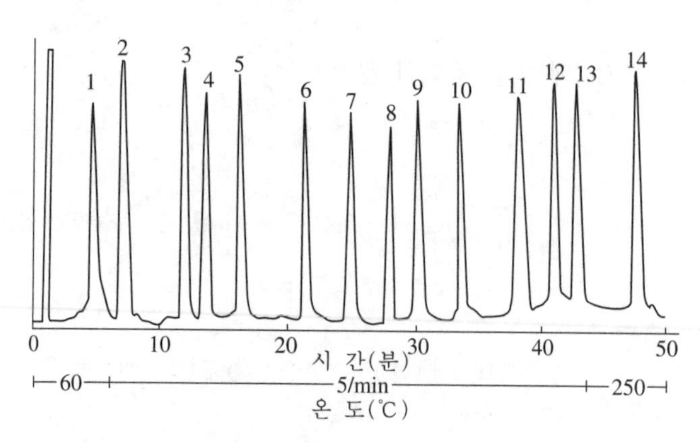

1, acetate; 2, propionate; 3, lactate; 4, oxalate; 5, malate; 6, fumarate; 7, tartarate; 8, citrate.

그림 4-29 표준유기산의 Gas Chromatogram

2. 카페인 분석

1) 고속액체크로마토그래피(HPLC)에 의한 카페인 분석

개 요

카페인(caffein)은 인체의 뇌나 근육의 자극제로 흥분을 일으키게 하는 백색의 분말 또는 침상결정으로 차의 잎이나 커피 등에 들어있는 성분이다. 카페인의 정량분석을 고속액체크로마토그래프를 이용하여 분석하여 본다.

시료조제

1. 인스턴트 커피 : 인스턴트 커피는 이동상에 쉽게 녹아 잔류물이 남지 않는 시료의 경우 약 0.2g을 정확히 채취하여 50mℓ 용량 플라스크에 취하고 이동상으로 정확히 눈금에 맞춘다(250배 희석). 다음, 60℃ 항온 초음파에서 20분간 추출하며, 휘발된 용매는 이동상을 보충하여 정확히 눈금에 맞춘 후 membrane filter(0.45㎛ milipore filter)로 여과하여 시험용액으로 한다.
2. 원두커피 및 티백홍차 : 원두커피 등 잔류물이 남는 시료의 경우 약 0.2g을 50mℓ 용량플라스크에 취하고 이동상으로 정확히 눈금을 맞춘다(250배 희석). 60℃ 항온 초음파에서 20분간 추출하며, 휘발된 용매는 이동상을 보충하여 정확히 눈금에 맞춘다. 위의 용액을 원심분리한(10,000rpm, 10분) 후 상등액을 membrane filter(0.45㎛ milipore filter)로 여과하여 시험용액으로 한다.

시약 및 기구

메탄올, 카페인, membrane filter, 원심분리기, 초음파 추출기, HPLC 등

실험방법

카페인($C_8H_{10}N_4O_2$) 표준물 10mg을 100mℓ용량 플라스크에 취하고 이동상으로 녹여 정확히 100mℓ 되게 표준용액을 조제한다. 카페인 표준용액을 위의 HPLC측정조건에서 10μℓ 주입하여 검량선(standard curve)을 구한다. 이때, HPLC 조건은 다음과 같다.

검출기, 자외부 흡광광도검출기(UV-detector); 이동상, 메탄올 : 물(2:8,v/v); 칼럼, Nova-pak C18, 혹은 μ-Bondapak C18 등; 검출기파장, 280nm; 유속, 1~1.2mℓ/분; 주입량, 10μℓ

결과 및 고찰

위의 표준 카페인 용액 제조과정과 같은 방법으로 시험용액을 10μℓ 주입하여 HPLC 크로마토그램을 구하고 표준용액 및 시험용액 피크와 머무름 시간(retention time)을 비교해서 정성한다. 또

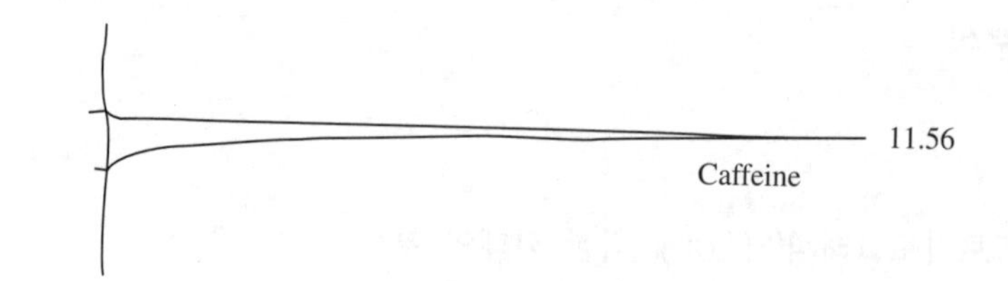

그림 4-30 UV-detector에 의한 caffeine 표준용액의 HPLC 크로마토그램

한, 얻어진 피크의 면적 또는 높이를 비교하여 표준용액으로 작성한 검량선으로부터 카페인 함량을 구한다

참고문헌

1 강국희, 노봉수, 서정희, 허우덕 : 식품분석학. 성균관대학교 출판부(1998)

3. 탄닌 분석

1) 탄닌의 정량

개 요

탄닌(tannin)은 생감이나 다류의 떫은 맛의 주성분이며 수렴성이 있다. 여러 중금속염, alkaloid와 침전을 형성하고 제이철염과 작용하여 흑청 녹색을 나타낸다. 물, 알코올, 아세톤에 잘 녹고, 에테르, 클로로포름, 석유 에테르에는 녹지 않는다.

시료조제

고체시료는 물 또는 메탄올로 상온에서 질소를 주입시켜 균질화하여 추출한 후 여과하여 시험용액으로 사용한다. 그러나 메탄올 추출액은 Sep-Pak C_{18}에 색소를 흡착하여 제거한 후 시험용액으로 한다.

시약 및 기구

메탄올, Folin-Ciocalteu's 페놀용액(원액을 10배 희석), Na_2CO_3, gallic acid, $KMnO_4$ 용액($KMnO_4$ 1.33g을 물에 녹여 1 ℓ 로 하고, 역가를 0.1N oxalic acid 용액으로 규정한다), Indigo carmin 수용액 (Indigocarmin 6g과 진한 H_2SO_4 50㎖를 물 1 ℓ 에 녹인다), 산성식염수(포화식염수 975㎖에 진한 H_2SO_4 25㎖를 가한다), gelatin 용액(미리 포화식염수 중에 한 시간 정도 담구어 연화시킨 다

음 gelatin 25g을 가온, 용해하고 방냉 후 포화식염수로 1ℓ로 한다), 균질기, Whatman 여과지, UV-vis spectrophotometer 등.

실험방법

1. 수용성 페놀물질 정량 : 생체시료 5g에 증류수 80㎖를 가하여 1분 동안 균질기로 파쇄한 후 Whatman No. 2 여과지로 여과하고 증류수를 가해 100㎖로 정용한다. 시료 5㎖에 0.2 N Folin-Ciocalteu's 페놀용액과 포화 무수 Na_2CO_3 용액(75g/ℓ)을 각각 5㎖씩 넣어 격렬히 혼합하고 10~60분간 방치 후 765㎚에서 흡광도를 측정하였다. 이 때 별도로 gallic acid를 사용하여 작성된 표준용액곡선으로부터 총수용성 페놀물질 함량을 환산한다.
2. 총탄닌 정량 : 시료 5g에 물 400㎖를 가하고 30분간 자비하여 방냉 후 500㎖의 메스플라스크에 옮겨서 표선까지 채운다. 이 침출용액을 건조 여과지로 여과하고 여액 10㎖에 indigocarmin 용액 20㎖와 물 750㎖를 가한다. 이것을 $KMnO_4$ 용액으로서 적정하며, 액이 녹색이 될 때까지는 빨리 적하하고 그 다음은 서서히 적하하여 액이 황색으로 되든가 액면의 주변이 미적색이 될 때까지 적정하여 이때의 $KMnO_4$ 용액의 소비량(A㎖)을 구한다. 다른 비커에 상기 시료용액 100㎖를 취하여 gelatin 용액 50㎖ 및 산성포화식염수 100㎖, 분말 caoline 10g을 가하여 몇 분간 흔든 다음 정치하여 상징액을 여과한다. 여액 25㎖를 취하여 위의 조작을 반복하여 측정한 적정치를 B(㎖)로 한다.

결과 및 고찰

1. 수용성 페놀물질 계산

$$\text{수용성 페놀함량(\%)} = A \times \frac{B}{\text{시료량(g)}} \times 100$$

A : 표준곡선에서 얻어진 시료의 페놀함량
B : 희석배수

2. 총탄닌 물질 계산 : 총탄닌의 함량을 측정하기위해 먼저 시료 중의 가산화물을 산화시키는 데 요구되는 $KMnO_4$의 양을 구한다. 시료 중의 탄닌을 gelatin과 작용시켜 제거하고 탄닌 이외의 피산화물의 양을 구하여 전후의 차이로부터 탄닌의 양을 구한다. 따라서 위에서 구한 A와 B로부터 A-B는 시료 중의 탄닌을 산화시키는 데 필요한 산화제의 양을 나타내고 0.1N oxalic acid 용액 1㎖는 0.042g의 tannin에 상당된다.

참고문헌

1. Swain, T. and Hills, W.E. : The phenolic constituents of Prunus domestica L. : The quantitative analysis of phenolic constituents. J. Sci. Food Agric., 10, p.63(1959)
2. 장현기, 정동효 : 식품분석, 형설출판사, p.326(1999)

제 5 절 지미성분의 분석

1. L-글루탐산 및 L-글루탐산나트륨

개 요

식품중에는 천연 유리 glutamic acid가 폭넓게 분포하고 있으며, glutamic acid 및 monosodium glutamate는 액체 크로마토그래피에 의해 glutamic acid(GA)로서 정량하고 monosodium glutamic acid(MSG)의 양은 glutamic acid에 분자량비를 곱해 환산한다.

시료조제

❶ 수용성 식품 : Glutamic acid로서 50～100㎎에 대응하는 시료의 양을 정확하게 측량하고 물을 이용해 분산 또는 녹여 200㎖로 하고 이를 시료용액으로 사용한다. 이 액을 약 2㎖ 취하고 picric acid용액 10㎖를 가할 때, 액이 현탁해질 경우에는 다음의 단백질제거 조작을 행하고 현탁하지 않으면 그대로 시료액으로 사용한다.

단백질제거조작은 시료용액 50㎖를 정확히 측정하고 에탄올 150㎖를 가해 잘 혼합한 후 여과한다. 잔류물은 에탄올(3→4) 20㎖씩으로 3회 세척하고 여과액 또는 세액을 합쳐 감압농축하여 약 40～45㎖로 한 후 물을 가하여 정확히 50㎖로 하면 시료액이 된다.

❷ 단백식품 : Glutamic acid로서 50～100㎎에 대응하는 시료의 양을 정확하게 측정하여 원심관에 넣고 시료 약 1g에 대하여 약 100의 물을 약 5㎖의 비율로 가하여 수욕 중에 15분간 가열하여 냉각한 후 냉동원심분리(약 10분간, 약 5000rpm/min)하고 분리액을 별도로 나눈다. 원심관의 잔류물에 최초로 더한 물의 양이 약 2/3씩 약 100에 물을 더하고 위와 같은 조작을 3회 반복한다.

전분리액을 합쳐 물을 가하여 정확히 200㎖로 하고 필요에 따라 여과하면 시료용액이 된다. 이때 전분리액양이 200㎖를 넘을 때에는 약 180～190㎖가 될 때까지 감압농축한 후 정확하게 200㎖로 하고 필요하면 여과해서 시료용액으로 사용한다.

시료용액 약 2㎖의 picric acid용액(1→100) 10㎖를 더할 때 액이 현탁한 경우는 ① 수용성 식품의 단백질 제거 조작을 행하고 시료액이 현탁하지 않으면 그대로 시료용액으로 사용한다.

❸ 유지식품 : 지방이 많은 식품의 경우에도 단백식품과 같이 조작하여 시료액을 조제한다. 단지 원심분리 했을 때 분리액이 기름층과 물층의 두층으로 나뉘거나 분리액의 유탁이 현저할 경우는 다음의 탈지조작을 행한 후 시료액으로 사용한다.

탈지조작은 전분리액을 분액기에 넣고 에틸에테르 또는 에틸에테르 : n-핵산 혼합액(2:1) 50㎖씩을 이용해 섞어서 탈지를 2회 반복하고 물층을 분리한 후 수욕 200㎖로 하고 필요하면 여과한다.

시약 및 기구

- Glutamin acid : 시판품, 특급
- Ethanol : 99.5v/v %, 특급
- Picric acid : 시판품, 특급
- Ethyl ether : 시판품, 특급
- n-hexane : 시판품, 특급
- 구연산 완충액(pH 3.25) : 구연산 나트륨·2수염 7.7g, 구연산 1수염 17.9g, 염화나트륨 7.1g, n-카프릭산 0.1㎖, 티오디글리콜 5㎖, BRIJ-35 용액(1→4) 4㎖ 및 에탄올 80㎖에 물을 가하여 용해시키고 1,000㎖로 한다.
- 구연산나트륨·2수염 : 시판품, 특급
- 구연산 1수염 : 시판품, 특급
- 염화나트륨 : 시판품, 특급
- n-카프릭산 : 시판품, 특급
- 티오디글리콜 : 시판품, 특급
- BRIJ-35 : 시판품 특급

실험방법

1 표준액의 조제 : Monosodium glutamate(MSG) 127.7mg을 정확히 측정하고 물을 가하여 용해시켜 정확히 100㎖로 한 후, 이 용액 2㎖를 정확히 측정하고 구연산 완충액(pH 2.2)을 가하여 다시 정확히 100㎖로 하여 표준액으로 사용한다.

2 측정조건

① 액체 크로마토그래피를 이용하고 다음에 조건에 따라 측정한다.

② 충진제 : 강산성 양이온 교환수지

③ 평균입경 : 10㎛

④ 가교 : 8%

⑤ 칼럼 및 칼럼온도 : 내경 9mm, 길이 50cm 55℃

⑥ 이동상 : 구연산 완충액(pH 3.25), 0.6㎖/min

결과 및 고찰

정량중의 계산식은 다음과 같이 한다.

$$\text{Glutamic acid 한량(g/kg)} = \frac{2 \times S \times A}{W \times A_S}$$

S : 표준액중의 glutamic acid 농도　　　W : 시료의 채취량(g)

A_S : 표준액으로부터 얻어진 크로마토그램의 glutamic acid peak면적

A : 측정액으로부터 얻어진 크로마토그램의 glutamic acid peak면적

MSG 함량(g/kg) = glutamic acid (g/kg)×1.272

참고문헌

1. 厚生省 生活衛生局 食品化學課 : 食品 中 食品添加物 分析法, 講談社, pp.399-402(1992)
2. 식품공업협회 : 식품첨가물공전(1998)

2. Disodium 5′-Inosinate

개 요

수조육이나 어육 중에는 천연의 5′-inosinic acid가 분포하고 있다. 식품 중의 disodium 5′-inosinate는 액체 크로마토그래피에 의해 정량한다.

시료조제

1. 수용성 식품 : 식품재료 20g 이하의 양을 정확히 측정하고 물을 가하여 약 90mℓ로 하고 염산(19→200)을 가하여 pH 2로 조정한 후 물을 가해 정확히 100mℓ로 하고 시료용액으로 사용한다.
2. 불용성 식품 : 식품재료 20g 이하의 양을 정확히 측정하고 과염소산용액(2→25) 30mℓ를 가하여 원심관에 넣고 원심분리(냉각하, 10분간 10,000rpm/min)해 상등액을 분취한다. 잔류물에 과염소산용액(2→25) 30mℓ씩을 더하고 위와 같은 조작을 반복한 후 전상등액을 합쳐 과염소산용액(2→25)씩을 더하고 시료용액으로 사용한다.

시료액의 조제는 시료용액 vmℓ를 정확하게 측정하고 미리 준비한 활성탄 컬럼을 통과시켜 거기에 물을 20mℓ를 통과시켜 세정한다. 다음으로 암모니아수 용액(1→10) 20mℓ를 유속 약 0.5 mℓ/min로 통과시켜 유출액을 모아 수욕상으로 증발 건고한다. 거기에 물 10mℓ를 정확하게 재어서 더하고 혼합한 후에 활성탄 처리액으로 한다.

활성탄 처리액 1mℓ씩을 정확히 측정하고 각각 2개의 시험관에 넣어 한쪽에는 효소액 0.2mℓ, 다른쪽에는 Magnesium sulfate·tris 완충액 0.2mℓ를 각각 정확하게 측정하여 더하고 37℃ 항온수조에 60분간 담가두고 이 액을 상온까지 냉각하고 각각 시료액 A,B로 한다.

시약 및 기구

- Disodium 5′-inosinate : 특급시약
- 염산 : 시판급, 특급
- 과염소산 : 60%, 특급
- 활성탄 : 시판 가스크로마토 그래피용을 다음의 방법으로 정제하고 사용한다.

105～250㎛, 입도를 200g 채취하고, 염산(19-200) 1,500mℓ를 가하고 30분간 혼합한 후 여과한다. 다음에 물 1,000mℓ를 암모니아·에탄올 혼합액 1,500mℓ씩 사용한다. 상기의 조작을 2회 반복한다. 여기에 에틸렌티디민 4초산 나트륨용액(0.372→1,000) 1,000을 가하고 30분간 잘 혼

합한 후 여과하고 물을 가하여 세액이 중성이 될 때까지 조작을 반복한다.

■ 암모니아수 : 특급

황산마그네슘·Tris 완충액 : 황산마그네슘 123.2mg에 0.5M tris 완충액(pH 7.5) 5mℓ을 가하여 녹인다. 0.5M tris 완충액(pH 7.5) : Tris 아미노메탄 60.6g에 물을 약 500mℓ 가하여 녹이고 염산을 사용하여 pH 7.5로 조정한 후 물을 가하여 1,000mℓ로 한다.

■ Tris 아미노메탄 : 시판품, 특급

■ 황산 마그네슘 : 특급

■ 1.5M 초산·초산 암모늄 완충액(pH 3.4) : 빙초산 90g을 정확히 재고 물을 가하여 녹이고 정확히 1,000mℓ로 하고 A액으로 한다. 초산 암모니아 115.5g을 정확히 재고 물을 가하여 녹이고 정확히 1,000mℓ로 하고, B액으로 한다. A액 1,000mℓ에 B액을 가하여 pH 3.4로 조정한다.

실험방법

1. 시료액 조제 : Disodium 5'-inosinate 250mg을 정확하게 측정하고 물을 가하여 용해시켜 정확히 100mℓ로 한다. 이 액 2mℓ를 정확하게 측정하고 물을 가하여 정확히 100mℓ로 하고 이를 표준액으로 한다. 표준액 1mℓ씩을 정확하게 측정하고 각각 두개의 시험관에 넣어 시료액의 조제에 의한 활성탄 조제액과 같이 조작을 하고 각각 표준 측정액 A_s, B_s로 한다.
2. 측정조건 : 액체 크로마토그래프를 이용해 다음조건에 의해 측정한다.
   ① 충진제 : 다공성 이온교환수지
   ② 컬럼 : 내경 4.6mm, 길이 25cm
   ③ 컬럼온도 : 60℃
   ④ 이동상 : 1.5M 초산·초산암모늄 완충액 pH 3.4
   ⑤ 유속 및 압력 : 1.5mℓ/min, 약 70kg/cm2
   ⑥ 측정파장 : 254nm

결과 및 고찰

표준측정액 A_s, B_s 및 시료액 A, B 5mℓ씩을 각각 정확하게 측정하여 각각을 액체크로마토그래피에 주입하고 얻어진 각각의 크로마토그램으로부터 피크의 높이를 구하고 다음 식에 의해 검체중의 disodium 5'-inosinate 함량(g/kg)을 구한다.

$$\text{Disodium 5'-inosinate 함량(g/kg)} = \frac{S \times (B-A)}{W \times V \times (B_s - A_s)}$$

S : 표준액중의 disodium 5'-inosinate 농도(μg/mℓ)

W : 시료채취량(g)

V : 시료용액의 채취량(mℓ)

A_s : 표준측정액 a_s에서 얻어진 크로마토그램의 disodium 5'-inosinate peak 높이

B_s : 표준측정액 b_s에서 얻어진 크로마토그램의 disodium 5'-inosinate peak 높이

A : 시료액 A에서 얻어진 크로마토그램의 disodium 5'-inosinate peak 높이

B : 시료액 B에서 얻어진 크로마토그램의 disodium 5'-inosinate peak 높이

주의사항

1. 시료가 조제기기에 부착되면 그 뒤에 조작이 곤란하게 되므로 검체에 대해서는 칼 또는 가위 등으로 가능한한 작게 잘라서 시료로 한다.
2. Disodium 5′-inosinate은 pH 2~4일 때 활성탄에 흡착되기 쉬운 성질이 있다.
3. 시료 중에 단백질 등의 분리를 잘 할 목적에서 과염소산용액을 이용한다.
4. 유지함량이 많은 식품에서는 원심분리 했을 때 유지가 원심관의 상층부에 분리되기 때문에 상등액에 유지가 혼입되지 않도록 피펫 등으로 상등액을 꺼낸다. 필요에 따라 여과한다.

참고문헌

1. 厚生省 生活衛生局 食品化學課 : 食品 中 食品添加物 分析法, 講談社, p.411(1992)
2. 식품공업협회 : 식품첨가물공전(1999)

3. Disodium 5′-Guanylate

개 요

수조육이나 어육 중에는 천연의 5′-guanylic acid이 분포하고 있다. 식품 중의 disodium 5′-guanylate은 liquid chromatography에 의해 정량한다.

시료조제

1. 수용성 식품 : Disodium 5′-guanylate으로써 1~5mg에 대응하는 식품재료 20g 이하의 양을 정확히 측정하고 물을 가하여 약 90㎖로 하고 염산(19 → 200)을 가하여 pH를 약 2로 조정한 후 물을 가해 정확히 100㎖로 하고 시료용액으로 사용한다.
2. 불용성 식품 : Disodium 5′-Guanylate으로서 1~5mg에 대응하는 식품재료 20g 이하의 양을 정확히 측정하고 과염소산용액(2 → 25) 30㎖를 가하여 균질한 후, 원심관에 넣고 원심분리(냉각하, 10분간 10,000rpm/min)해 상등액을 분취한다. 잔류물에 과염소산용액(2 → 25)30㎖씩을 더하고 위와 같은 조작을 반복한 후 전상등액을 합쳐 과염소산용액(2 → 25)씩을 더하고 시료용액으로 사용한다.

시약 및 기구

- Disodium 5′-guanylate : 시판품
- 염산 : 시판급, 특급
- 과염소산 : 60%, 특급
- 활성탄 : 시판 가스크로마토 그래피용을 다음의 방법으로 정제하고 사용한다.

105~250㎛ 입도를 200g 채취하고, 염산(19→200) 1,500㎖를 가하고 30분간 혼합한 후 여과한다. 다음에 물 1,000㎖를 암모니아·에탄올 혼합액 1,500㎖씩 사용한다. 상기의 조작을 2회 반복한다. 여기에 에틸렌디아민 4초산 나트륨용액(0.372→1,000) 1,000㎖을 가하고 30분간 잘 혼합한 후 여과하고 물을 가하여 세액이 중성이 될 때까지 조작을 반복한다.

- 암모니아수 : 특급
- 황산마그네슘·tris 완충액 : 황산마그네슘 123.2mg에 0.5M tris 완충액(pH 7.5) 5㎖을 가하여 녹인다.
- 0.5M Tris 완충액(pH 7.5) : Tris 아미노메탄 60.6g에 물을 약 500㎖ 가하여 녹이고 염산을 사용하여 pH 7.5로 조정한 후 물을 가하여 1,000㎖로 한다.
- Tris 아미노메탄 : 시판품, 특급
- 황산 마그네슘 : 특급
- 1.5M 초산·초산 암모늄 완충액(pH 3.4) : 빙초산 90g을 정확히 재고 물을 가하여 녹이고 정확히 1,000㎖로 하고 A액으로 한다. 초산 암모니아 115.5g을 정확히 재고 물을 가하여 녹이고 정확히 1,000㎖로 하고, B액으로 한다. A액 1,000㎖에 B액을 가하여 pH 3.4로 조정한다.

실험방법

1. 시료액 조제 : 시료용액 v㎖를 정확하게 측정하고 미리 준비한 활성탄 컬럼을 통과시켜 이에 물을 20㎖를 통과시켜 세정한다. 다음으로 암모니아수 용액(1→10) 20㎖를 유속 약 0.5㎖/min로 통과시켜 유출액을 모아 수욕상으로 증발 건고한다. 거기에 물 10㎖를 정확하게 재어서 더하고 석은 후에 활성탄 처리액으로 한다.

   활성탄 처리액 1㎖씩을 정확히 측정하고 각각 2개의 시험관에 넣어 한쪽에는 효소액 0.2㎖, 다른 쪽에는 magnesium sulfate·tris 완충액 0.2㎖를 각각 정확하게 재어 더하고 37℃ 항온수조에 60분간 담가두고 이 액을 상온까지 냉각하고 각각 시료액 A, B로 한다.
2. 표준액 조제 : Disodium 5′-guanylate을 정확하게 측정하고 물을 가하여 용해시키고 정확히 100㎖로 한다. 이 액 2㎖를 정확하게 측정하고 물을 가하여 다시 정확히 100㎖로 하고 이를 표준액으로 한다. 표준액 1㎖씩을 정확하게 측정하고 각각 두 개의 시험관에 넣어 시료액의 조제에 의한 활성탄 조제액과 같이 조작을 하고 각각 표준측정액 A_s, B_s로 한다.
3. 측정조건 : 액체크로마토그래프를 이용해 다음조건에 의해 측정한다.
   ① 충진제 : 다공성 이온교환수지
   ② 컬럼 : 내경 4.6mm, 길이 25cm
   ③ 컬럼온도 : 60℃
   ④ 이동상 : 1.5M 초산·초산암모늄 완충액 pH 3.4
   ⑤ 유속 및 압력 : 1.5㎖/min, 약 70kg/cm^2
   ⑥ 측정파장 : 254nm

결과 및 고찰

표준측정액 A_S, B_S 및 시료액 A,B 5㎖씩을 각각 정확하게 측정하여 각각을 액체크로마토그래피에 주입하고 얻어진 각각의 크로마토그램으로부터 피크의 높이를 구하고 다음식에 의해 검체 중의 disodium 5'-guanylate 함량(g/kg)을 구한다.

$$\text{Disodium 5'-guanylate(g/kg)} = \frac{S \times (B - A)}{W \times V \times (B_s - A_s)}$$

S : 표준액중의 disodium 5′-guanylate 농도(㎍/㎖)

W : 시료채취량(g)

V : 시료용액의 채취량(㎖)

A_S : 표준측정액 A_S에서 얻어진 크로마토그램의 disodium 5′-guanylate 피크 높이

B_S : 표준측정액 B_S에서 얻어진 크로마토그램의 disodium 5′-guanylate 피크 높이

A : 시료액 A에서 얻어진 크로마토그램의 disodium 5′-guanylate 피크 높이

B : 시료액 B에서 얻어진 크로마토그램의 disodium 5′-guanylate 피크 높이

주의사항

1. 시료가 조제기기에 부착하면 그 뒤에 조작이 곤란하게 되므로 검체에 대해서는 칼 또는 가위 등으로 가능한한 작게 잘라서 시료로 한다.
2. 5′-guanylate은 pH 2~4일 때 활성탄에 흡착되기 쉬운 성질이 있다.
3. 시료 중에 단백질 등의 분리를 잘 할 목적에서 과염소산용액을 이용한다.
4. 유지함량이 많은 식품에서는 원심분리 했을 때 유지가 원심관의 상층부에 분리되기 때문에 상등액에 유지가 혼입되지 않도록 피펫 등으로 상등액을 꺼낸다. 필요에 따라 여과한다.

참고문헌

1. 厚生省 生活衛生局 食品化學課 : 食品 中 食品添加物 分析法, 講談社, p.424(1992)
2. 식품공업협회 : 식품첨가물공전(1998)

4. 호박산과 그의 염류

개 요

식품 중에는 천연의 호박산이 분포하고 있다. 식품 중의 호박산(succinic acid) 및 그의 염류를 측정하는 가스 크로마토그래피(시험법 A) 및 succinate thiokinase, pyruvate kinase 및 lactate dehydrogenase를 이용해 효소법(시험법 B)에 의해 호박산으로서 정량한다. 필요하면 분자량비를 이용하여 각각의 염류의 양으로서 구한다.

1) 가스 크로마토그래피법에 의한 호박산의 분석

시료조제

통상 20g 이하의 양을 정확히 측정한다. 시료가 액상인 경우에는 그대로 이온교환컬럼에 주입하고 시료가 고형인 경우에는 물 30mℓ를 가해 균질하고 물 20mℓ를 이용해 정량적으로 원심관에 넣어 n-hexane 50mℓ를 가하여 잘 혼합하여 원심분리한다. n-hexane층을 버리고 물층을 분취해 여과한다.

원심관의 잔류물은 물 소량을 이용해 씻고 여과한다. 여과한 액 및 세액을 합쳐 필요하면 0.1N 수산화나트륨 용액으로 pH 7에 조정하고 이온교환칼럼에 주입한다. 이온교환컬럼에 물 100mℓ를 통과시킨 후 50mℓ 메스플라스크 수기로 하고 2N 염산·아세톤 혼합액(1 : 1) 50mℓ를 통과시킨다. 세출액에 물을 가하여 정확히 50mℓ로 하고 이액 5mℓ를 정확히 재서 플라스크에 넣어 수용액상에서 감압 하에서 증발 건고한다. 플라스크에 pyridine 0.5mℓ 및 TMS화액 0.5mℓ를 각각 정확히 측정하고 가하여 밀전하고 125℃에 10분간 가열한 후 실온에서 방냉하고 pyridine을 이용해 정량적으로 10mℓ의 메스플라스크에 옮긴 후 pyridine을 가하여 정확히 10mℓ로 하고 시료액으로 사용한다.

시약 및 기구

- 호박산 : 시판품, 특급
- n-hexane : 시판품, 특급
- 수산화나트륨 : 시판품, 특급
- 2N 염산·아세톤혼합액(1:1) : 2N 염산과 동량의 아세톤을 혼합한다.
- pyridine : 시판품, 특급

실험방법

1. 검량선용 표준액 조제 : 호박산(무수)100mg을 정확히 측정하고 물을 가하여 용해시켜 정확히 100mℓ로 한다. 이 액 10mℓ를 정확히 측정하고 물을 가하여 다시 정확히 100mℓ로 하고 표준액으로 사용한다. 표준액 5, 10, 20, 30, 40mℓ 및 50mℓ를 각각 정확히 측정하고 각각 플라스크에 넣어 수용상의 감압 하에서 증발건고한다.
   각각의 플라스크에 pyridine 0.5mℓ 및 TMS화액 0.5mℓ를 각각 정확히 측정하고 가하여 밀전하고 125℃에 10분간 가열한 후 실온에서 방냉하고 각각 pyridine을 이용해 정량적으로 10mℓ의 메스플라스크에 옮긴후 pyridine을 가하여 정확히 10mℓ로 하고 검량선용 표준액으로 한다.
2. 측정조건 : Gas chromatograph를 이용하고 다음 조건에 따라 측정한다.
   ① 충진제 : 60~80mesh GC용 gel 담체에 silicon SE-30을 1.5% 나누어서 함유시킨 것
   ② 칼럼 : 유리관, 내경 3mm, 길이 1.5m
   ③ 컬럼온도 : 120℃
   ④ 이동상 : N_2, 25mℓ/min

결과 및 고찰

호박산 및 그 염류의 계산식은 다음과 같이 한다.

$$호박산\ 함량(g/kg) = \frac{C}{10 \times W}$$

C : 시료액 중 호박산 농도(μg/mℓ)

W : 시료의 채취량

호박산나트륨함량(g/kg) = 호박산 함량(g/kg)×1.186

호박산2나트륨함량(g/kg) = 호박산 함량(g/kg)×1.288

호박산3나트륨함량(g/kg) = 호박산 함량(g/kg)×1.372

2) 효소법에 의한 호박산의 분석

시료조제

1. 액상식품 : 호박산으로서 2~40mg에 대응하는 식품재료 10g 이하의 양을 정확하게 측정한다. 시료가 청징하고 착색하지 않았거나 착색정도가 미미한 경우는 물을 가하여 정확하게 100mℓ로 하고 시료용액으로 사용한다. 시료가 현탁한 경우는 물을 가하여 약 50~60mℓ로 하고 여과한다. 용기 및 잔류물은 물 20~30mℓ를 이용해 수회 씻고 여과액 및 세척액을 합쳐 물을 가하여 정확히 100mℓ로 하고 시료액으로 한다. 시료의 착색이 현저한 경우는 시료양의 약 1/10양의 polyamide를 가하여 필요하면 물 20~30mℓ를 가하여 격하게 섞어 여과한다.
   용기 및 잔류물을 40~50mℓ를 이용해 수회 세척하고 여과액 및 세척액을 합쳐 물을 가하여 정확히 100mℓ로 하고 시료액으로 사용한다.
2. 고체식품 : 호박산으로서 2~40mg에 대응하는 식품재료 10g 이하의 양을 정확하게 잰다. 시료가 지방 또는 단백질을 포함하고 있지 않거나 그 함유양이 미미한 경우는 용기에 넣어 물 30~40mℓ를 가하여 5분간 균질한 후 60℃에서 15분간 가온하고 냉각 후 냉장고에 20분간 방치하고 여과한다. 용기 및 잔류물은 물 20~30mℓ를 이용해 수회세척하고 여과액 및 세척액을 합쳐 0.4M 과염소산액 10mℓ를 가하여 잘 혼합하여 2N 수산화나트륨 용액을 가하여 중화한 후 물을 가하여 정확히 100mℓ로 하고 시료액으로 사용한다. 냉장고에 20분간 방치하고 필요하면 여과하고 시료액으로 사용한다.

시약 및 기구

- 호박산 : 시판품, 특급
- n-hexane : 시판품, 특급
- 수산화나트륨 : 시판품, 특급
- 2N 염산・아세톤혼합액(1:1) : 2N 염산과 동량의 아세톤을 혼합한다.

- pyridine : 시판품, 특급
- polyamide : 시판품, 특급
- 수산화칼륨 : 시판품, 특급
- 글리실 글리신 완충액 : 글리실글리신 2.4g 및 $MgSO_4 \cdot 7H_20$ 600mg을 약 50mℓ 2차 증류수에 녹이고 2N 수산화나트륨 용액 약 5mℓ을 이용해 pH 8.4에 조정하고 2차 증류수로 정확하게 60 mℓ로 한다. 본 용액은 4℃에 보존한다.
- NADH액 : NADH-Na2 45mg 및 탄산수소나트륨 80을 2차 증류수 6mℓ에 녹인다.
- CoA/ITP/PEP 혼합액 : CoA-Li3 60mg, ITP-Na3 60mg 및 PEP-(CHA)3 60mg을 2차 증류수 6mℓ에 녹인다.
- PK/LDH 혼합액 : 시판 pyruvate kinase/ 젖산 탈수소효소(PK/LAH) 혼합물(PK 3mg/mℓ, LDH 1mg/mℓ)을 이용한다.
- SCS액 : 시판 succinate thiokinase(호박산 CoA염 합성효소 SCS) (SCS 5mg/mℓ)을 사용한다.

실험방법

1. 검량선용 표준액의 조제 : 호박산 1g을 정확히 측정하고 물을 가하여 용해하고 정확히 250mℓ로 한다. 이액 50mℓ를 정확히 측정하고 1N 수산화칼륨용액을 이용해 pH 8.0으로 조정하고 다음에 물을 가해 정확히 100mℓ하고 표준액으로 한다. 표준액 1, 5, 10, 15mℓ 및 20mℓ를 각각 정확히 측정하고 각각 물을 가하여 정확히 100mℓ로 하고 검량선용 표준액으로 한다.
2. 측정조건 : 분광광도계를 이용해 파장 340nm에 의한 흡광도를 측정한다.
3. 측정 : 광로폭 1cm 큐벳 2개를 준비하고 A,B로 한다. A,B 각각에 glycylglycine 완충액 1mℓ, NADH액 0.1mℓ, CoA/ITP/PEP 혼합액 0.1mℓ를 각각 정확히 양을 측정하고 순서에 맞게 잘 혼합한다. 그다음 A에는 시료액 0.1mℓ 및 물 1.4mℓ를, B에는 물 1.5mℓ를 정확하게 측정하여 더하고 거기에 A,B 각각 PK/LDH 혼합액 0.05mℓ를 정확하게 측정하여 잘 혼합하면서 가하고 37℃로 5분간 방치하고 A를 시료측정액 B를 공측정액으로 한다.

   시료측정액 및 공측정액 간에 각각 물을 대조해서 파장 340nm에 의한 흡광도 E_a 및 E_b를 측정한다.

   다음에 A,B의 큐벳에 각각 SCS액 0.02mℓ를 정확히 측정해서 가하여 혼합하고 20분후 다시 같은 조건으로 흡광도를 측정하고 각각 E'_A 및 E'_B로 한다.

   E_A와 E'_A의 차$\varDelta E_A$, E_B와 E'_B의 차=$\varDelta$EB를 구하고 거기에 EA와 EB의 차=$\varDelta$ET를 계산한다.
4. 검량선 : 각 검량선용 표준액 0.1mℓ씩을 각각 정확하게 측정하고 2측정에 의한 시료액의 대신으로 각각 큐벳에 S_1, S_2, S_3, S_4, S_5에 넣어 2측정과 같이 조작하고 각각 $\varDelta ES_1$, $\varDelta ES_2$, $\varDelta ES_3$, $\varDelta ES_4$, $\varDelta ES_5$구해 검량선을 작성힌다.

결과 및 고찰

시료액 $\varDelta$ET와 액검량선으로부터 시료액 중의 호박산 농도(μg/mℓ)를 구하고 다음식에 의해 검체중의 호박산함량(g/kg)를 계산한다.

$$\text{호박산 함량(g/kg)} = \frac{C}{10 \times W}$$

C : 시료액 중 호박산 농도(μg/mℓ)

W : 시료의 채취량

호박산나트륨함량(g/kg) = 호박산 함량(g/kg)×1.186

호박산2나트륨함량(g/kg) = 호박산 함량(g/kg)×1.288

호박산3나트륨함량(g/kg) = 호박산 함량(g/kg)×1.372

참고문헌

1 厚生省 生活衛生局 食品化學課 : 食品 中 食品添加物 分析法. 講談社, p.469(1992)

2 식품공업협회 : 식품첨가물공전(1999)

제6절 관능검사

관능검사 실험부분은 실질적인 시료를 예를 들어서 실험방법을 소개함으로써 실험을 하고자 하는 분들이 좀더 쉽게 실험방법에 접근하도록 하였다.

1. 맛 인지(Taste recognition) 실험

목 적

관능검사의 기초단계에서 이루어지는 실험으로서 기본 맛에 대한 단일용액과 혼합용액을 함께 제시하여 기본 용액들 서로간의 상관관계를 알아보고자 한다. 혼합용액의 경우는 서로간의 강도가 억제되거나 상승하게 될 것이다.

개 요

기본 맛 시료(단맛, 짠맛, 신맛, 쓴맛) 4가지와 그 혼합용액 4가지를 함께 제시하여 맛의 강도를 없음(0)에서 강함(10)까지의 범위 내에서 그 강도의 크기를 평가하도록 한다. 시료는 일정량으로 준비하여 제공해야 하며 반드시 전체의 양을 입안에 다 넣은 후 혀를 굴려 맛을 확인한 후 뱉는 것을 원칙으로 한다. 시료사이에는 반드시 물로 입안을 헹군다.

시약 및 기구

- Sucrose, NaCl, citric acid, caffeine, 증류수, 헹굼용생수
- 냅킨, 헹굼용물컵, 뱉는컵, 소형종이컵, volumetric flask

시료조제

시료	분자량		제조시료 몰농도(최소감미량 근처)
NaCl	58.45g		0.014M
citric acid	210.15g		0.0005M
caffeine	194.19g		0.0016M
sucrose	342.30g		0.025M
NaCl/sucrose	0.82g NaCl	+	8.56g sucrose/L
sucrose/caffeine	8.56g sucrose	+	0.3g caffeine/L
citric acid/NaCl	0.1g citric acid	+	0.8g NaCl/L
citric acid/caffeine	0.1g citric acid	+	0.3g caffeine/L

실험방법

1. 기본맛 시료(4가지)와 그 복합용액(4가지)이 제시된다.
2. 각 시료는 왼쪽부터 시작해서 오른쪽의 순서로 맛을 보며 시료와 시료 사이는 준비된 물로 입안을 헹군다.
3. 인지된 맛의 강도를 표시하고 모든 데이터는 실험이 끝난 후 결과종합표(mastersheet)에 기입한다.

맛 인지 실험 질문지

이름 : ____________ 날짜 : ____________ 조번호 : ____________

설명 : 실험을 실시하기 전에 입안을 물로 두 번 헹구시오. 각 시료는 두 번 맛을 보고 뱉는 것을 원칙으로 하시오. 각 시료는 왼쪽에서 오른쪽의 순서로 실험을 하시오. 각 시료 사이에는 물로 입안을 헹구고 맛을 본 후 그 강도를 아래의 항목을 사용하여 해당되는 숫자를 쓰시오.

0	1	2	3	4	5	6	7	9	10
없음					보통				강함

시료	단맛	짠맛	신맛	쓴맛

결과 및 고찰

1. 각 용액의 맛 강도에 대한 평균값과 표준편차를 표로 나타낼 것
2. 단일 용액과 혼합용액의 맛 강도를 막대그래프로 그려 비교할 것

참고문헌

1. Cain, W. : To know with the nose: Keys to odor identification, Science, 203(4379), p.467(1979)
2. Eugent, T. : Remembering odors and their names. *American Scientist.* 75(5), p.497(1987)
3. Ebeler, S. E., Pangborn, R. M. and Jennings, W. G. : Influnece of dispersion medium on aroma intensity and headspace concentration of Menthone and Isoamyl acetate. *J. Agric. Food Chem.*, 36, p.791(1988)
4. Mcauliffe, W. K. and Meiselman H. L. : The role of practice and correction in the categorization of sour and bitter taste qualities. *Percept. Psychophys.*, 16(2), p.242(1974)

2. 향미 실험 (Flavor test)

목 적

같은 시료에 대하여 맛과 냄새가 어떻게 다르게 작용하는지 알고 그 크기를 비교함으로써 냄새감각과 맛감각의 차이를 규명하고자 한다.

개 요

세 가지 정도의 맛과 냄새가 공존하는 식품을 선택하여 먹기에 적합한 크기로 시료를 제조한 후 냄새강도를 먼저 테스트하고 이어 맛 강도를 테스트하여 맛과 냄새강도의 차이를 비교하고자 한다.

시약 및 기구

- 세 가지 식품(바닐라과자, 커피캔디, 딸기우유)
- 냅킨, 헹구는 컵, 뱉는 컵

시료조제

바닐라 과자는 한입에 넣을 수 있는 크기로 자르고, 커피캔디는 두 개를, 딸기우유는 한입에 담을 수 있는 만큼의 양을 담아 시료로 사용하며 모든 시료의 크기와 양은 각 패널에게 일정하게 제공되도록 한다.

시료방법

우선 각 파넬원에게 냄새강도(odor intensity)를 우선 테스트하도록 한 후 계속해서 맛을 보고 그 강도(flavor intensity)를 표시하도록 한다.

향미 실험 질문지

이름 : ____________________ 조 : ______________

설명 : 우선 각 시료의 냄새를 맡고 그 강도를 0에서 10의 범위 안에서 기록하시오. 그후 맛을 본 후 그 강도를 아래에 기록하시오. 각 시료사이에는 시료의 냄새를 맡기 전에 증류수로 냄새를 맡은 후에 그 물로 입안을 헹구시오.

0	1	2	3	4	5	6	7	9	10
없음					중간				강함

냄새

시료	냄새강도
과자	________
캔디	________
딸기우유	________

맛

시료	향미강도
과자	________
캔디	________
딸기우유	________

결과 및 고찰

1. 서론
2. 실험 재료 및 방법
3. 결과 및 고찰의 순서로 보고서를 작성하도록 할 것

① 결과종합표(mastersheet)를 작성하여 결과의 각 수치를 기입한 후 평균과 표준편차를 함께 기입할 것

② 냄새(odor)와 향미(flavor)를 막대그래프로 그리고 편차를 함께 표기하도록 하여 냄새와 향미의 차이를 비교할 것

참고문헌

1. Ebeler, S. E., Pangborn, R. M. and Jennings, W. G. : Influence of dispersion medium on aroma intensity and headspace concentration of Menthone and Isoamyl acetate. *J. Agric. Food Chem.*, 36, p.791(1988)
2. Solms, J. Osman-Ismail, F. and Beyerler, M. : The interaction of volatiles with food components. *Can. Inst. Food Sci. Technol. J.* 6(1) A10-A1(1973)

3. 최소감미량 시험법(Threshold measurement)-ASTM Ascending Method of Limit 방법

역치(thresholds)란 감각의 한계치를 의미하는 것으로 4가지 종류가 있으며 이들은 절대감각량(absolute threshold), 최소감미량(recognition threshold), 최소감별량(difference threshold), 한계감미량(terminal threshold) 등이다.

목 적

기본맛의 최소감미량을 측정하고자 한다.

개 요

최소감미량은 빈도수측정법(frequency method)이나, 표준오류측정법(method of average error) 및 한계측정법(method of limits) 등과 같이 심리물리학적인 디자인에 근거를 두고 측정될 수 있다. 실제적으로 그룹의 최소감미량을 측정하는데 가장 적합하게 설계된 방법은 오름차순한계측정법(ASTM Ascending Method of Limits)이다. ASTM방법은 각 개인의 최소감미량이 100배 이상까지 차이가 날 경우 조차 그룹에 대한 믿을 만한 결과를 최소한의 노력으로 제공할 수 있기 때문에 약간의 오차를 낼 수 있는 소지가 있음에도 불구하고 많이 사용되고 있다.

시약 및 기구

- NaCl, 증류수, 소형컵, volumetric flask, 비이커

시료조제

시료는 맛의 종류에 따라 원하는 대로 변화시킬 수 있으나 여기서는 짠맛만을 예로 들어 기재한다.

기준시료 : 단맛(sucrose), 신맛(citric acid), 쓴맛(caffein), 짠맛(NaCl)

시료농도	시료번호
0.5mM NaCl(0.03g/L)	125
1mM NaCl(0.03g/L)	697
2mM NaCl(0.03g/L)	643
4mM NaCl(0.03g/L)	148
8mM NaCl(0.03g/L)	276
16mM NaCl(0.03g/L)	329

증류수 시료의 번호 : 460, 292, 310, 959, 917, 832, 561, 432, 384, 746, 628, 985
(실험에 따라 임의로 숫자를 변경시킬 것)

실험방법

예비실험을 거쳐 설정된 6가지의 농도가 다른 소금용액과 3개씩 증류수를 세자리 숫자의 번호가 부착된 용기에 담아 제공한다. 6가지 다른 수준의 용액이 3개씩 각 패널을 위하여 준비되며 각 3가지 시료 가운데 한가지 다른 시료를 선택하는 삼점시험법이 이용된다. 각 소금용액의 농도는 증가하는 순서(ascending method)로 제시되며 각 패널의 실험결과는 BET(Best Estimated Threshold)값을 계산하기 위하여 결과종합표(mastersheet)에 기록된다. 그 결과 표시는 정답은 '+', 오답은 '-'로 표시하여 첨부된 예를 참조하여 각자의 BET값을 계산한 뒤 각 조의 BET 값을 계산한다.

결과 및 고찰

1. Mailgaard 등의 표에 제시된 예를 참조하여 각자의 BET값(g/L과 log 10)을 구하고 각 조의 BET 값을 구할 것
2. 각 개인의 BET값을 이용하여 히스토그램을 작성할 것

참고문헌

1. Mailgaard, M., Civile, G. V. and Carr, B. T. : Sensory Evaluation Techniques. CRC Press, Inc. Boca Raton, Florida(1990)
2. Pangborn, R. M., : Sensory techniques of food analysis, In Food Analysis. Principles and Techniques. Vol. 1, Gruenwedel, D. W. and Whitaker, J. R., Eds., Marcel Dekker, New York, p.43(1984)

4. JND (Just-noticeable difference) 측정 실험

JND 측정실험은 두 자극사이의 최소의 감각인지의 차이를 말하는 것이다.

절대 감각량(absolute threshold)이란 자극에 대한 최소의 예민도이며 또 다른 중요한 한계 민감도(difference threshold)는 감각에 있어 변화를 나타나게 하는데 요구되는 특정자극의 최소량을 의미하며 차이 한계값이라고도 한다. Difference threshold(JND)를 알기 위해서 사용되는 실험방법에는 두 가지가 있다.

1) Ad libitum mixing - 즉석혼합법

이 방법은 JND를 측정하는 가장 간단한 방법이다. 세 개의 비이커와 두 개의 빈 소형컵이 각 패널에게 제공된다. 세 개의 비이커 중 하나는 설탕표준용액(표준용액), 다른 하나는 증류수(H_2O), 나머지 다른 하나는 고농도의 설탕용액이며, 그리고 나머지 두 개의 빈 소형컵(1과 2로 쓰여짐)이 제공된다.

① 우선 표준용액의 맛을 보고 난 후 H_2O와 설탕용액을 함께 섞어 표준용액의 당도와 같게 만든 후 1번 컵에 넣는다. 같은 방법으로 되풀이하여 두 용액을 섞어 2번 컵에 넣는다.

② 두 개의 소형 컵에 있는 용액은 refractive index를 측정할 수 있도록 적어도 5mℓ 이상이 되도록 준비하여야 한다.

참고문헌

1. Blais, C. "Effect of dietary sodium restriction on taste perception of sodium chloride." M. S. Thesis, Univ. of Calif., Davis.(1984)
2. Braddock, K. "Relation of dietary and salivary sodium to preferences for selected salts in chicken broth." M. S. Thesis, Univ. Calif., Davis.(1982)
3. Pangborn, R. M. : Sensory analysis as an analytical laboratory tool in food research. In: "Modern Methods of Food Analysis," K. K. Stewart and J. R. Whitaker(eds.) Avi Publ. Cl., Westport, Conn.(1984)
4. Pangborn, R. M., Bos, K. E. O., and Stern, J. S. : Dietary fat intake and taste responses to fat in milk by under-, normal-, and overweight women.(1985)

2) 고정자극을 이용한 방법(Method of constant stimulus)

설탕이 첨가된 우유를 준비한다. 표준 당 농도가 8가지의 다른 농도로 준비되며 비교시험 방법을 사용하여 비교한다(총 8쌍). 각 쌍은 랜덤하게 준비되고 테스트는 왼쪽에서 오른쪽의 방향으로 실시한다. 각 쌍 가운데 더 단 시료의 번호에 O표를 할 것이며 각 쌍 사이에는 물로 입안을 헹군다.

시료조제

시료: 시판 우유제품을 준비하되 반드시 같은 회사 제품으로 준비할 것

일정 자극 용액 : 6% 설탕이 첨가된 우유

A : 6% 설탕용액: (시료번호) 646, 487, 429, 580, 860, 768, 517, 629

B :

설탕농도(설탕 w/w,우유 %)	시료번호	설탕농도(설탕 w/w,우유 %)	시료번호
5.00	276	6.25	465
5.25	807	6.50	680
5.50	979	6.75	909
5.75	703	7.00	335

실험질문지

고정 자극을 이용한 측정법(Method of constant stimulus)

성명 : ______________ 조번호 : ______________ 일시 : ______________

설명 : 우선 준비된 물로 입안을 헹구시오. 그리고 나서 각 쌍의 맛을 본 후 더 달은 쪽에 원을 그리시오. 각 쌍 사이에는 물로 입안을 헹구는 것을 원칙으로 하고 모든 시료는 뱉는 것을 원칙으로 하시오. 모든 시료는 왼쪽에서 오른쪽의 방향으로 맛을 보시오.

	시료번호	시료번호		시료번호	시료번호
1세트	________	________	2세트	________	________
3세트	________	________	4세트	________	________
5세트	________	________	6세트	________	________
7세트	________	________	8세트	________	________

실험방법

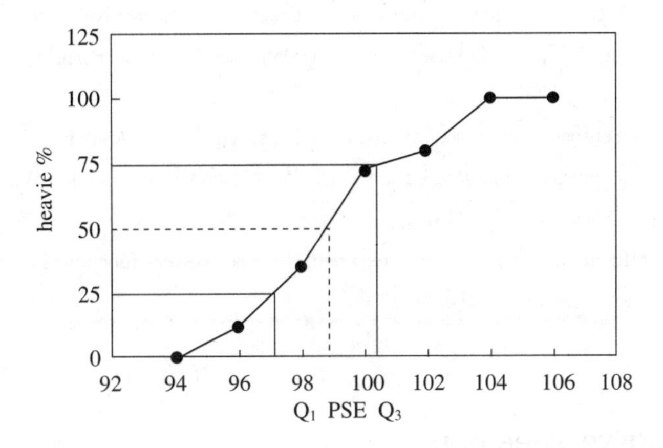

JND와 PSE의 정의

- JND(Just Noticeable Difference) : 패널의 자극에 대한 농도를 구분하는 능력를 측정하는 것으로서 배율의 1/2을 감지하는 자극의 양임. JND는 표준용액의 강도가 증가함에 따라 증가함. 계산은 $Q_3-Q_1/2$
- PSE(Point of Subjective Equality) : 패널이 참 표준농도와 합치되는 것으로 결정한 자극의 농도임, Y축의 50%에 해당되는 X축의 값으로 계산함.

결과 및 고찰

1. 정해진 % 설탕농도에 대한 반응결과(% sweeter)를 plot할 것
2. 회귀직선을 그리고 PSE(the point of subjective equality)와 JND(just noticeable difference)를 계산할 것
3. PSE와 JND에 대한 정의를 내릴 것

주의사항

식품의 특별한 관능적 특성을 위해서 JND값을 아는 것이 제품을 개발하고자 하는 사람에게 어떠한 잠재적 가치를 가지는 지를 주의 깊게 생각할 것

참고문헌

1. Faurion, A., Lardier, T., Guinard, J. X. and Naudin, B. : Human taste detection thresholds. In "Olfaction and Taste", Annals New York Academy of Sciences, p.276(1987)
2. Marin, A. B., Acree, T. E. and Barnard, J. : Variation in odor detection thresholds determined by charm analysis. Chem. Senses 13(3), p.435(1988)
3. Mailgaard, M. Civille, G. V. and Carr, B. T. : Determining thresholds. In "Sensory Evaluation

Techniques", Vol I., CRC Press, Boca Raton, FL, p.113(1987)

4 Pangborn, R. M. : A critical review of threshold, intensity and descriptive analysis in flavour research. In "Flavour '81", P. Schreier (ed.), Walter de Gryyter, Berlin, p.3(in lecture syllabus)(1981)

5 Pangborn, R. M. : Sensory techniques of food analysis. In "Food Analysis, Principles and Techniques, Vol. 1, Physical characterization", D. W. Gruendel and J. R. Whitaker(eds.), Marcel Dekker, Inc., New York, p.37(1984)

6 Sauvageot, F. : Differential threshold and exponent of the power function in the chemical senses. Chemical Senses 12(4), p.537(1987)

5. 상대감미도 (Relative sweetness)

개·요

당의 종류에 따른 감미도에 관한 정보는 식품과 음료산업 그리고 합성감미료를 사용하는 소비자들에게 새로운 감미료들이 diet식품(aspartame, cyclamate, acesulfane-K, sucralose...)으로 이용될 수 있는지의 여부를 파악하는데 중요한 역할을 한다. 이와 관련하여 감미도의 관능적 특성에 관한 실험적 연구-특히 상대감미도-가 수년동안 계속되어 오고 있다. 이 실험은 glucose와 비교된 1가지 농도의 sucrose의 상대적인 감미도를 정하는 방법으로 실험적으로는 이점대비법을 이용하여 테스트하는 방법이다.

시약 및 기구

- sucrose, glucose, 생수, 무가당과자
- 소형컵, 뱉는 컵, 헹구는컵

시료조제

sucrose 5%

glucose 7.50, 7.75, 8.00, 8.25, 8.50, 8.75, 9.00, 9.25%

실험방법

실험에 사용되는 방법은 이점 대비법, constant-stimulus, forced-choice 등이 사용될 수 있으며 각 패널들은 농도를 달리한 8개의 glucose 등을 이용하여 실험을 하게 되며 sucrose는 고정된 용액만을 받아서 비교하게 될 것이다.

실험에 사용하는 양은 25mℓ의 양을 각 컵에 넣어 각각의 패널에게 공급되며 한입에 모든 용액을 넣은 후 혀를 천천히 굴려 맛을 본 후 뱉는 것을 원칙으로 한다.

1. 실험은 왼쪽에서 시작해서 오른쪽 방향으로 맛을 본다.
2. 각 쌍 가운데서 어느 쪽이 더 달은지를 확인한 후 그 번호에 ㅇ 표를 할 것
3. 맛에 의심이 될 때는 추측하여 답하도록 하며, 용액은 삼키지 않도록 할 것
4. 각 쌍 사이에 입을 헹굴 때는 생수를 사용할 것
5. 입안의 피로를 피하기 위하여 맛보기 테스트는 천천히 진행할 것
6. 질문지에서 결과종합표(mastersheet)로 옮겨 쓸 때 점수표에 sucrose는 S로 glucose는 G로 표기할 것

결과 및 고찰

1. 결과분석은 두가지 방법을 이용해서 5%의 sucrose에 상응하는 glucose의 농도를 계산할 것.
   ① proportional method(Amerine, M. A., Pangborn, R. M. and Roessler, E. B., : Principles of Sensory Evaluation of Food. p.89, Academic Press INC., New York)(1965)
   ② regression method(Larson-Powers, N. and Pangborn, R. M., : J. Food Sci., 43(1). p.47-51(1978)
2. 농도에 따른 linear regression equation을 보여주는 그래프를 그릴것.
3. glucose와 sucrose의 상대감미도에 대해 결론을 내리고 두 방법에 대하여 비교할 것

주의사항

모든 시료 제조에 이용되는 용액은 하루 전에 준비하여 온도에서 오는 오차를 막아야 한다.

참고문헌

1. Larson-Powers, N. and Pangborn, R. M. : Descriptive analysis of the sensory properties of beverages and gelatines containing sucrose or synthetic sweeteners. *J. Food Sci.*, 43(1). p.47(1978)
2. Lichtenstein, P. W. : The relative sweetness of sugars: sucrose and dextrose. *J. Exp. Psychol.* 38, p.578(1948)
3. Pangborn, R. M. and Gee, S. C. : Relative sweetness of alpha- and beta-forms of selected sugars. *Nature* 191(4790), p.810(1961)
4. Pangborn, R. M. : Relative taste intensities of selected sugars and organic acids. J. Food Sci., 28(6), p.726(1963)
5. Schutz, H. G. and Pilgrim, F. J., : Sweetness of various compounds and its measurement. Food Research 22, p.206(1957)
6. Shallenberger, R. S. : Hydrogen bonding and the varying sweetness of sugars. J. Food Sci., 28(5), p.584(1963)
7. Stone, H. and Oliver, S. : Measurement of the relative sweetness of selected sweetness scales. *J. Experimental Psychol.* 44, p.316(1969)

8 Yamaguchi, S., Yoshikawa, S., Ikeda, S., and Ninomiya, T. : Studies of the taste of some sweet substances. part I. Measurement of relative sweetness. Ag. & Biol. Chem. 34(2), p.181(1970a)

9 Yamaguchi, S., Yoshikawa, T., Ikeda, S., and Ninomiya, T. : Studies on the taste of some sweet substances. Part I. Interrelationships among them. Ag. & Biol. Chem. 34(2), p.187(1970b)

6. 평점시험법 (Rating test) –Ranking and Scaling

목 적

평점법의 대표적인 순위시험법과 척도법 가운데 항목척도법과 선척도법, 크기추정척도법을 포도주스를 이용하여 실험을 함으로써 방법을 습득하고 차이점을 이해하는데 도움을 주고자 한다.

개 요

포도주스의 붉은색에 대한 포화정도(saturation)와 밝기(brightness) 정도를 평점법을 이용하여 평가한다. 8가지의 포화정도를 달리하여 제조된 포도주스가 표준 조명하에서 포화도와 밝기를 평가하기에 적합한 유리용기에 담겨 제공될 것이다. 왼쪽 시료부터 적색도와 밝기를 관찰하고 그 정도의 크기를 평가하기에 적합한 네 가지 방법(순위시험법, 항목척도법, 선척도법, 크기추정척도법)을 이용하여 실험을 실시한다.

시약 및 기구

포도주스, 증류수, 와인잔

시료조제

포도주스를 다음 각 농도로 준비한다. 모든 시료는 포도주스/증류수를 무게대 무게 비율로 제조한다.

100%, 82%, 78%, 74%, 70%, 60%, 50%, 40%

1) 순위시험법 (Ranking test)

목 적

여러 가지 시료를 단일 특성에 따라 비교할 때 이 방법을 사용하며, 농도가 다르게 준비된 포도주스의 농도변화에 따른 적색도와 밝기의 차이 여부를 알고자 한다

실험방법

적색도가 가장 낮게 포화된 상태부터 가장 높게 포화된 상태의 순서로 순위를 매긴다. 동점은 없으며 적색도를 다 테스트한 후 바로 밝기정도를 계속해서 테스트한다.

순위시험법(Ranking Test) 질문지

이름 : ________________ 날짜 : ________________ 조번호 : ________________

설명 : 8개의 시료를 적색의 포화정도에 따라 순위를 매기시오. 8(가장 붉다)에서 1(가장 덜 붉다)까지의 순위를 매기되 동점은 사용하지 마시오. 적색의 포화정도를 체크한 후 밝기의 강도를 순위를 매기시오. 8(가장 어둡다)에서 1(가장 밝다)까지 순위를 매기되 동점은 사용하지 마시오.

시료번호	적색도 순위	시료번호	밝기 순위

결과 및 고찰

χ^2-test 결과를 이용하고 Friedman 분석법을 적용하여 계산할 것(Meilgaard 등, 1990)

주의사항

순위를 매길 때 동점은 사용하지 말 것

참고문헌

1. Newell G. J. and MacFarlane J. D. : Expanded Tables for Multiple Comparison Procedures in the Analysis of Ranked Data. J. Food Sci. 52(6), p.1721(1987)
2. Meilgaard, M., Civille, G. V. and Carr, B. T. : Sensory Evaluation Techniques. CRC Press, Inc. Boca Raton, Florida. p.240(1990)
3. Joanes, D. N. : On a rank sum test due to Kramer. *J. Food Sci.*, 50, p.1442(1985)
4. Reimer, C. : Some applications of rank order statistics in sensory panel testing. *Food Research*, 22, p.629(1957)

2) 항목척도법(Category scale)

목 적

농도를 달리하여 제조된 포도주스들의 적색도와 밝기의 차이 여부를 파악하고자 한다.

개 요

한정된 숫자범위를 이용하여 특정자극의 범위를 평가하는 방법으로, 척도의 크기는 5점, 7점, 9점 크기가 일반적으로 많이 사용되나 경우에 따라서는 15점 크기가 이용되기도 한다. 일반적으로 단어항목척도(word category scale)와 수항목척도(number category scale)를 사용한다.

실험방법

1점(약하다)에서 10점(강하다)의 크기로 각 시료에 대한 붉은색의 포화정도를 점수를 매긴다. 계속해서 밝기의 정도의 점수를 매긴다.

결과 및 고찰

χ^2-test, t-test, 분산분석, 회귀분석

참고문헌

1. Sanders, H. R. and Smith, G.L. : The construction of grading schemes based on freshness assessment of fish. *J. Food Technol.*, 11, p.365(1976)
2. Pangborn, R. M., Sensory techniques of food analysis. In Food Analysis. principles and

Techniques, Vol. I, Gruenwedel, D. W. and Whitaker, J. R. : Eds., Marcel Dekker, New York. p.61(1984)

3. Giovanni, M. E, and Pangborn, R. M. : Measurement of taste intensity and degree of liking of beverages by graphic scales and magnitude estimation. J. Food Sci., 48. p.1175(1983)

항목척도법(Category Scale) 질문지

성명 : ____________ 조번호 : ____________ 날짜 : ____________

설명 : 다음 시료를 왼쪽부터 오른쪽의 순서로 적색도의 강도를 평가하시오. 계속해서 밝기의 강도를 표시하시오.

1점 : 약하다. 10점 : 강하다

시료번호	적색도 점수	밝기 점수
________	________	________
________	________	________
________	________	________
________	________	________
________	________	________
________	________	________
________	________	________
________	________	________

3) 선척도법 (Line scale)

목 적

농도를 달리하여 제조된 포도주스의 적색도와 밝기의 차이여부를 파악하고자 한다.

개 요

인지강도의 크기와 일치하도록 제작된 선 위에 주어진 강도의 크기에 해당하는 점수를 표시하도록 하는 측정방법이다. 대부분의 경우는 15cm의 길이가 주로 사용된다.

선척도 위에 표시된 점수는 자를 사용하여 그 크기를 재서 숫자로 전환시킴으로서 통계분석이 가능하다.

실험방법

8가지 시료를 왼쪽에서 오른쪽의 순서로 적색의 강도를 가장 낮다에서 가장 높다 사이의 적당한 위치에 |로 표시하도록 한다

선 척도법(Line scaling test) 질문지

성명 : ____________ 조이름 : ____________ 일시 : ____________

설명 : 적색의 강도를 가장 낮다 에서 가장 높다 사이의 적당한 위치에 |로 표시하시오.

시료번호	낮다	높다

설명 : 밝기의 강도를 가장 낮다에서 가장 높다 사이의 적당한 위치에 |로 표시하시오.

시료번호	낮다	높다

결과 및 고찰

t-test, 분산분석, 회귀분석

참고문헌

1. Pangborn, R. M. : Sensory Techniques of food analysis. In Food Analysis. principles and Techniques, Vol.1, Gruenwedel, D. W. and Whitaker, J. R., Eds., Marcel Dekker, New York. p.61(1984)
2. Giovanni, M. E, and Pangborn, R. M. : Measurement of taste intensity and degree of liking of beverages by graphic scales and magnitude estimation. *J. Food Sci.*, 48. p.1175(1983)

4) 크기추정척도법 (Magnitude estimation scale)

실험을 시작하기에 앞서 제시된 그림을 가지고 우선 연습을 실시한다. 표준 크기는 10이며 각 그림의 표준크기에 대한 비율을 훈련한 후 포도주스의 적색의 포화정도와 밝기의 정도를 평가한다.

목 적

농도를 달리하여 제조된 적색주스의 포화정도와 밝기의 차이를 파악하고자 한다.

개 요

미리 준비된 크기 연습그림을 이용하여 크기 추정여부를 파악하는 연습을 실시한 후 계속해서 8가지 시료를 표준시료와 비교하여 크기 추정실험을 실시한다.

시약 및 기구

견출지, 증류수, mass cylinder, volumetric flask

시료조제

농도수준 : 100, 82, 78, 74, 70, 60, 50, 40%. 표준농도 78%(포도주스/증류수, w/w)

실험방법

적색포도주스를 희석배율을 달리하여 제시한다. 왼쪽부터 오른쪽의 순서로 표준시료의 크기를 10으로 정하고 표준시료에 대한 크기의 비율을 평가한다. 각 배율은 0이나 −의 기호를 사용해서는 안되며 미리 연습을 한 면적비율을 생각하며 크기 비율을 사용한다.

결과 및 고찰

1. 각 시료의 적색의 포화정도와 밝기에 대한 기하평균값을 계산할 것
2. 기하 평균값의 log(Y)와 주스 농도의 log(Φ)를 XY축에 plot할 것

$$Y = K\Phi^{\beta} \text{ or } \log Y = \log K + \beta \log \Phi$$

3. 인지된 적색 포화정도와 포도주스의 밝기사이의 관계에서 지수 β는 무엇을 의미하는 지를 상기할 것.

주의사항

본 실험에 들어가기에 앞서 크기 비율에 대한 연습을 통하여 크기에 대한 감각을 익히는 것이 필요하다.

크기 연습

각 면적의 크기를 크기평가법으로 평가하시오.(1-8). 표준 R의 면적은 10임을 기억하시오.

표준
크기
=10

1

4

2

3

5

7

8

6

질문지 작성

크기평가 실험 질문지

성명 : ____________________ 일시 : ____________________

설명 : 각 시료의 적색의 포화정도를 비교 평가하시오. 표준 시료(R)의 크기를 10으로 정하고 그에 대한 각 시료의 크기를 평가하시오. 크기 평가는 비율이므로 0이나 - 부호를 사용하지 마시오.

시료번호	크기 평가
______	______
______	______
______	______
______	______
______	______
______	______

참고문헌

1. Engen, T. and Levy, N. : The influence of standards on psychophysical judgements. Perceptual & Motor Skills. 5, p.193(1955)
2. Engen, T. and Ross, B. M. : Effect of reference number on magnitude estimation. *Perception & Psychophysics 1*, p.74(1966)
3. Friedes, D. and Philips, P. : Effect of reference number on magnitude estimates of groups and individuals. *Psychonomic Science* 5, p.367(1966)
4. Giovanni, M. E. and Pangborn, R. M. : Measurement of taste intensity and degree of liking of beverages by graphic scales and magnitude estimation. *J. Food Science* 48(4)(1983)
5. Stevens, S. S. : Perceptual magnitude and its measurement. In "Handbook of Perception. Vol. II. Psychophysical Judgement and Measurement." E. C. Carterette and M. P. Friedman (eds.), Academic Press, N. Y., p.361(1974)
6. Stevens, S. S. and Galanter, E. : Ratio scales and category scales for a dozen perceptual continua. J. Exp. Psychology 54, p.377(1957)
7. Teghtsoonian, M. and Teghtsoonian, R. : How repeatable are Steven's power law exponents for individual subjects? *Perception & Psychophysics* 10, p.147(1971)

7. 차이식별법(Difference test)

설탕을 첨가한 무가당 오렌지 주스가 3가지 차이식별 시험을 위해 제공된다.

이 실험의 목적은 3가지 차이 식별법을 좀 더 잘 이해하고 그 차이 정도를 정확하게 파악하고자 하는 데 있다.

1) 이점차이 비교법 (Paired difference test)

두 쌍의 시료가 무작위순서로 제시될 것이다. 우선 시료의 맛을 보고 더 단 시료에 체크하고 각 쌍 사이에는 물로 입안을 헹군다.

(시료제시순서 예) A: 무가당 오렌지주스 B: 가당 오렌지주스

시료제시 순서표			번호부착된 시료제시순서			
1세트	2세트	→	1세트		2세트	
AB	BA		329/A	875/B	111/B	546/A
BA	BA		386/B	456/A	563/B	897/A
BA	AB		156/B	725/A	203/A	456/B
AB	AB		546/A	325/B	467/A	860/B
BA	AB		964/B	275/A	532/A	120/B
AB	BA		364/A	402/B	403/B	103/A
AB	AB		203/A	725/B	121/A	321/B
BA	BA		369/B	240/A	104/B	506/A
BA	AB		912/B	130/A	423/A	526/B
BA	BA		520/B	432/A	136/B	269/A
AB	AB		204/A	531/B	423/A	521/B
AB	BA		132/A	199/B	721/B	325/A

2) 일-이점 대비법 (Duo-trio test)

두 가지 시료 세트를 제시하며 왼쪽의 첫 시료는 기준 시료가 된다. 우선 첫 시료의 맛을 본 후 다른 두개 시료의 맛을 본다. 그 후 기준시료와 동일한 시료를 찾아내어 질문지에 체크한다. 두 번째 시료 세트도 첫 번째 세트와 같은 요령으로 실시하며, 세트 사이에는 물로 입안을 헹군다

(일-이점대비법의 시료준비 예) A: 무가당 오렌지주스 B: 가당 오렌지주스

시료제시 순서표			번호부착된 시료제시순서					
1세트	2세트		1세트			2세트		
R_AAB	R_BBA		R_A	119/A	357/B	R_B	320/B	664/A
R_BBA	R_ABA	→	R_B	456/B	963/A	R_A	267/B	483/A
R_BBA	R_ABA		R_B	741/B	147/A	R_A	354/B	390/A

R_BBA	R_AAB	R_B 852/B 258/A	R_A 467/A 294/B
R_BBA	R_AAB	R_B 369/B 963/A	R_A 497/A 402/B
R_BAB	R_BBA	R_B 654/A 753/B	R_B 160/B 400/A
R_AAB	R_ABA	R_A 357/A 951/B	R_A 462/B 612/A
R_AAB	R_BBA	R_A 690/A 320/B	R_B 821/B 392/A
R_AAB	R_AAB	R_A 720/A 850/B	R_A 432/A 910/B
R_ABA	R_BAB	R_A 950/B 760/A	R_B 790/A 811/B
R_BAB	R_ABA	R_B 610/A 735/B	R_A 301/B 933/A
R_BAB	R_BBA	R_B 105/A 637/B	R_B 299/B 611/A

3) 삼점대비법(Triangle test)

두 세트의 삼점대비법 시료가 무작위 순서로 제시된다. 각 세트 시료를 맛을 본 후 한가지 다른 시료를 골라 원을 그리고, 각 세트사이는 물로 입안을 헹군다.

(삼점대비법 시료준비의 예) A: 무가당 오렌지주스 B: 가당 오렌지주스

시료제시 순서표		번호부착된 시료제시순서	
1세트	2세트	1세트	2세트
ABB	ABA	329/A 768/B 966/B	478/A 766/B 980A
BAB	AAB	986/B 677/A 121/B	455/A 566/A 785/B
BBA	BAA	721/B 569/B 474/A	439/B 282/A 173/A
AAB	BAB	164/A 395/A 284/B	289/B 395/A 394/B
BBA	ABA	826/B 692/B 596/A	384/A 295/B 285/A
ABB	AAB	834/B 205/B 923/A	592/A 865/A 546/B
BAA	BAB	455/B 154/A 454/A	572/B 865/A 546/B
ABA	BBA	494/A 961/B 687/A	659/B 764/B 374/A
BBA	ABB	566/B 721/B 679/A	333/A 345/B 634/B
BAA	BBA	452/B 156/A 436/A	643/B 167/B 321/A
ABA	ABB	456/A 431/B 643/A	164/A 316/B 457/B
BAB	BAA	464/B 664/A 731/B	237/B 631/A 248/A

목 적

두 가지 제품사이에 관능적 차이가 존재하는지 여부를 알고자 한다.

개 요

전체차이식별법(overall difference test)인 삼점검사법과 일-이점비교법의 실험적 특성을 알아보고, 특성차이시험법(attribute difference test)인 이점 차이검사법을 테스트함으로서 세가지 차이식별법의 차이 및 분석방법을 표를 이용해서 구하는 방법을 습득하고자 한다.

시약 및 기구

무가당 오렌지 주스 한가지 종류, 설탕, 소형컵, 뱉는 컵, 헹구는 컵, 내프킨, 무가당쿠키

시료조제

무가당 오렌지주스, 설탕 1.5% 가당오렌지 주스, 설탕 2.5% 가당 오렌지 주스

질문지

차이식별법 관능검사 질문지

이름 : ______________________________ 날짜 : ______________________________

이점 차이비교법(Paired difference test)

설명 : 두 쌍의 세트가 준비되어있는지를 확인하시오. 한 세트는 두 개의 다른 시료로 구성되어 있다. 두가지 시료를 맛을 보고 더 달은 시료에 원을 그리시오. 각 쌍 사이에는 준비된 물로 입을 헹구고, 시료는 뱉는 것을 원칙으로 하시오.

세트 1 ____________ ______________

세트 2 ____________ ______________

일-이점 대비법(Duo-trio test)

설명 : 두 세트의 시료가 준비되어 있는 지를 확인하시오. 한 세트는 세 개의 시료로 구성되어 있으며 한 개의 시료는 표준시료(R)이며 다른 두가지 시료중 하나는 표준시료와 같은 시료이다. 시료를 맛을 본 후 표준시료와 같은 시료를 골라내어 원을 그리시오. 각 쌍 사이에는 물로 입안을 헹구고, 모든 시료는 뱉는 것을 원칙으로 하시오.

세트 1 표준시료(R) ______________ ________________

세트 2 표준시료(R) ______________ ________________

삼점 대비법(Triangle test)

설명 : 세가지 시료 두 세트가 있는지를 확인하시오. 한 세트가운데 두 개는 동일한 시료이고 나머지 하나는 다른 시료이다. 다른 한가지 시료의 번호에 원을 그리시오. 각 세트사이에는 물로 입안을 헹구고, 모든 시료는 뱉는 것을 원칙으로 하시오.

세트 1 ______________ ________________ ________________

세트 2 ______________ ________________ ________________

결과 및 고찰

결과는 확률분포표를 이용하여 유의수준을 확인할 것

Probability of *X* or More Correct Judgments in *n* Trials (One-Tailed, $p = {}^1/_2$)[a]

n[a]	0	1	2	3	4	5	6	7	8	9	10	11	12	13	14	15	16	17	18	19	20	21	22	23	24	25	26	27	28	29	30	31	32	33	34	
5		.969	.812	.500	.188	.031																														
6		.984	.891	.656	.344	.109	.016																													
7		.992	.938	.773	.500	.227	.062	.008																												
8		.996	.965	.855	.637	.363	.145	.035	.004																											
9		.998	.980	.910	.746	.500	.254	.090	.020	.002																										
10		.999	.989	.945	.828	.623	.377	.172	.055	.011	.001																									
11			.994	.967	.887	.726	.500	.274	.113	.033	.006																									
12			.997	.981	.927	.806	.613	.387	.194	.073	.019	.003																								
13			.998	.989	.954	.867	.709	.500	.291	.133	.046	.011	.002																							
14			.999	.994	.971	.910	.788	.605	.395	.212	.090	.029	.006	.001																						
15				.996	.982	.941	.849	.696	.500	.304	.151	.059	.018	.004																						
16				.998	.989	.962	.895	.773	.598	.402	.227	.105	.038	.011	.002																					
17				.999	.994	.975	.928	.834	.685	.500	.315	.166	.072	.025	.006	.001																				
18				.999	.996	.985	.952	.881	.760	.593	.407	.240	.119	.048	.015	.004	.001																			
19					.998	.990	.968	.916	.820	.676	.500	.324	.180	.084	.032	.010	.002																			
20					.999	.994	.979	.942	.868	.748	.588	.412	.252	.132	.058	.021	.006	.001																		
21					.999	.996	.987	.961	.905	.808	.668	.500	.332	.192	.095	.039	.013	.004	.001																	
22						.998	.992	.974	.933	.857	.738	.584	.416	.262	.143	.067	.026	.008	.002																	
23						.999	.995	.983	.953	.895	.798	.661	.500	.339	.202	.105	.047	.017	.005	.001																
24						.999	.997	.989	.968	.924	.846	.729	.581	.419	.271	.154	.076	.032	.011	.003	.001															
25							.998	.993	.978	.946	.885	.788	.655	.500	.345	.212	.115	.054	.022	.007	.002															
26							.999	.995	.986	.962	.916	.837	.721	.577	.423	.279	.163	.084	.038	.014	.005	.001														
27							.999	.997	.990	.974	.939	.876	.779	.649	.500	.351	.221	.124	.061	.026	.010	.003	.001													
28								.998	.994	.982	.956	.908	.828	.714	.575	.425	.286	.172	.092	.044	.018	.006	.002													
29								.999	.996	.983	.969	.932	.868	.771	.644	.500	.356	.229	.132	.068	.031	.012	.004	.001												
30								.999	.997	.992	.979	.951	.900	.819	.708	.572	.428	.292	.181	.100	.049	.021	.008	.003	.001											
31									.998	.995	.985	.965	.925	.859	.763	.640	.500	.360	.237	.141	.075	.035	.015	.005	.002											
32									.999	.997	.990	.975	.945	.892	.811	.702	.570	.430	.298	.189	.108	.055	.025	.010	.004	.001										
33									.999	.998	.993	.982	.960	.919	.852	.757	.636	.500	.364	.243	.148	.081	.040	.018	.007	.002										
34										.999	.995	.988	.971	.939	.885	.804	.696	.568	.432	.304	.196	.115	.061	.029	.012	.005	.002									
35										.999	.997	.992	.980	.955	.912	.845	.750	.632	.500	.368	.250	.155	.088	.045	.020	.008	.003	.001								
36										.999	.998	.994	.986	.967	.934	.879	.797	.691	.566	.434	.309	.203	.121	.066	.033	.014	.006	.002	.001							
37											.999	.996	.990	.976	.951	.906	.838	.744	.629	.500	.371	.256	.162	.094	.049	.024	.010	.004	.001							
38											.999	.997	.993	.983	.964	.928	.872	.791	.686	.564	.436	.314	.209	.128	.072	.036	.017	.007	.003	.001						
39											.999	.998	.995	.988	.973	.946	.900	.832	.739	.625	.500	.375	.261	.168	.100	.054	.027	.012	.005	.002	.001					
40												.999	.997	.992	.981	.960	.923	.866	.785	.682	.563	.437	.318	.215	.134	.077	.040	.019	.008	.003	.001					
41												.999	.998	.994	.986	.970	.941	.894	.826	.734	.622	.500	.378	.266	.174	.106	.059	.030	.014	.006	.002	.001				
42													.999	.996	.990	.978	.956	.918	.860	.780	.678	.561	.439	.322	.220	.140	.082	.044	.022	.010	.004	.001				
43													.999	.997	.993	.984	.967	.937	.889	.820	.729	.620	.500	.380	.271	.180	.111	.063	.033	.016	.007	.003	.001			
44													.999	.998	.995	.989	.976	.952	.913	.854	.774	.674	.560	.440	.326	.226	.146	.087	.048	.024	.011	.005	.002	.001		
45														.999	.997	.992	.982	.964	.932	.884	.814	.724	.617	.500	.383	.276	.186	.116	.068	.036	.018	.008	.003	.001		
46														.999	.998	.994	.987	.973	.948	.908	.849	.769	.671	.558	.442	.329	.231	.151	.092	.052	.027	.013	.006	.002	.001	
47														.999	.998	.996	.991	.980	.961	.928	.879	.809	.720	.615	.500	.385	.280	.191	.121	.072	.039	.020	.009	.004	.002	[illegible]
48															.999	.997	.993	.985	.970	.944	.903	.844	.765	.667	.557	.443	.333	.235	.156	.097	.056	.030	.015	.007	.003	[illegible]
49															.999	.998	.995	.989	.978	.957	.924	.874	.804	.716	.612	.500	.388	.284	.196	.126	.076	.043	.022	.012	.005	[illegible]
50																.999	.997	.992	.984	.968	.941	.899	.839	.760	.664	.556	.444	.336	.240	.161	.101	.059	.032	.016	.008	[illegible]

[a] Reprinted from *J. Food Sci.* **43**, p. 940–947, 1978. Copyright © by Institute of Food Technologists.

Probability of *X* or More Correct Judgments in *n* Trials (One-Tailed, $p = {}^1/_3$)[a]

n[a]	0	1	2	3	4	5	6	7	8	9	10	11	12	13	14	15	16	17	18	19	20	21	22	23	24	25	26	27	28
5		.868	.539	.210	.045	.004																							
6		.912	.649	.320	.100	.018	.001																						
7		.941	.737	.429	.173	.045	.007																						
8		.961	.805	.532	.259	.088	.020	.003																					
9		.974	.857	.623	.350	.145	.042	.008	.001																				
10		.983	.896	.701	.441	.213	.077	.020	.003																				
11		.988	.925	.766	.527	.289	.122	.039	.009	.001																			
12		.992	.946	.819	.607	.368	.178	.066	.019	.004	.001																		
13		.995	.961	.861	.678	.448	.241	.104	.035	.009	.002																		
14		.997	.973	.895	.739	.524	.310	.149	.058	.017	.004	.001																	
15		.998	.981	.921	.791	.596	.382	.203	.088	.031	.008	.002																	
16		.998	.986	.941	.834	.661	.453	.263	.126	.050	.016	.004	.001																
17		.999	.990	.956	.870	.719	.522	.326	.172	.075	.027	.008	.002																
18		.999	.993	.967	.898	.769	.588	.391	.223	.108	.043	.014	.004	.001															
19			.995	.976	.921	.812	.648	.457	.279	.146	.065	.024	.007	.002															
20			.997	.982	.940	.848	.703	.521	.339	.191	.092	.038	.013	.004	.001														
21			.998	.987	.954	.879	.751	.581	.399	.240	.125	.056	.021	.007	.002														
22			.998	.991	.965	.904	.794	.638	.460	.293	.163	.079	.033	.012	.003	.001													
23			.999	.993	.974	.924	.831	.690	.519	.349	.206	.107	.048	.019	.006	.002													
24			.999	.995	.980	.941	.862	.737	.576	.406	.254	.140	.068	.028	.010	.003	.001												
25			.999	.996	.985	.954	.888	.778	.630	.462	.304	.178	.092	.042	.016	.006	.002												
26				.997	.989	.964	.910	.815	.679	.518	.357	.220	.121	.058	.025	.009	.003	.001											
27				.998	.992	.972	.928	.847	.725	.572	.411	.266	.154	.079	.036	.014	.005	.002											
28				.999	.994	.979	.943	.874	.765	.623	.464	.314	.191	.104	.050	.022	.008	.003	.001										
29				.999	.996	.984	.955	.897	.801	.670	.517	.364	.232	.133	.068	.031	.013	.005	.001										
30				.999	.997	.988	.965	.916	.833	.714	.568	.415	.276	.166	.090	.043	.019	.007	.002	.001									
31					.998	.991	.972	.932	.861	.754	.617	.466	.322	.203	.115	.059	.027	.011	.004	.001									
32					.998	.993	.978	.946	.885	.789	.662	.516	.370	.243	.144	.078	.038	.016	.006	.002	.001								
33					.999	.995	.983	.957	.905	.821	.705	.565	.419	.285	.177	.100	.051	.023	.010	.004	.001								
34					.999	.996	.987	.965	.922	.849	.744	.612	.468	.330	.213	.126	.067	.033	.014	.006	.002	.001							
35					.999	.997	.990	.973	.937	.873	.779	.656	.516	.376	.252	.155	.087	.044	.020	.009	.003	.001							
36						.998	.992	.978	.949	.895	.810	.697	.562	.422	.293	.187	.109	.058	.028	.012	.005	.002	.001						
37						.998	.994	.983	.959	.913	.838	.735	.607	.469	.336	.223	.135	.075	.038	.018	.007	.003	.001						
38						.999	.996	.987	.967	.928	.863	.769	.650	.515	.381	.261	.164	.095	.051	.025	.011	.004	.002	.001					
39						.999	.997	.990	.973	.941	.885	.800	.689	.560	.425	.301	.196	.118	.066	.033	.016	.007	.003	.001					
40						.999	.997	.992	.979	.952	.903	.829	.726	.603	.470	.342	.231	.144	.083	.044	.021	.010	.004	.001					
41							.998	.994	.983	.961	.920	.854	.761	.644	.515	.385	.268	.173	.104	.057	.029	.014	.006	.002	.001				
42							.999	.995	.987	.968	.933	.876	.791	.683	.558	.428	.307	.205	.127	.073	.038	.019	.008	.003	.001				
43							.999	.996	.990	.974	.945	.895	.820	.719	.600	.471	.347	.239	.153	.091	.050	.025	.012	.005	.002	.001			
44							.999	.997	.992	.980	.955	.912	.845	.753	.639	.514	.389	.275	.182	.111	.063	.033	.016	.007	.003	.001			
45							.999	.998	.994	.984	.963	.926	.867	.783	.677	.556	.430	.313	.213	.135	.079	.043	.022	.010	.004	.002	.001		
46								.998	.995	.987	.970	.938	.887	.811	.713	.596	.472	.352	.246	.161	.098	.055	.029	.014	.006	.003	.001		
47								.999	.996	.990	.976	.949	.904	.836	.745	.635	.514	.392	.282	.189	.119	.070	.038	.019	.009	.004	.002	.001	
48								.999	.997	.992	.980	.958	.919	.859	.776	.672	.554	.433	.318	.220	.142	.086	.048	.025	.012	.006	.002	.001	
49								.999	.998	.994	.984	.965	.932	.879	.803	.706	.593	.473	.356	.253	.168	.105	.061	.033	.017	.008	.003	.001	
50								.999	.998	.995	.987	.972	.943	.896	.829	.739	.631	.513	.395	.287	.196	.126	.076	.042	.022	.011	.005	.002	.001

[a] Reprinted from *J. Food Sci.* **43**, p. 940–947, 1978. Copyright © by Institute of Food Technologists.

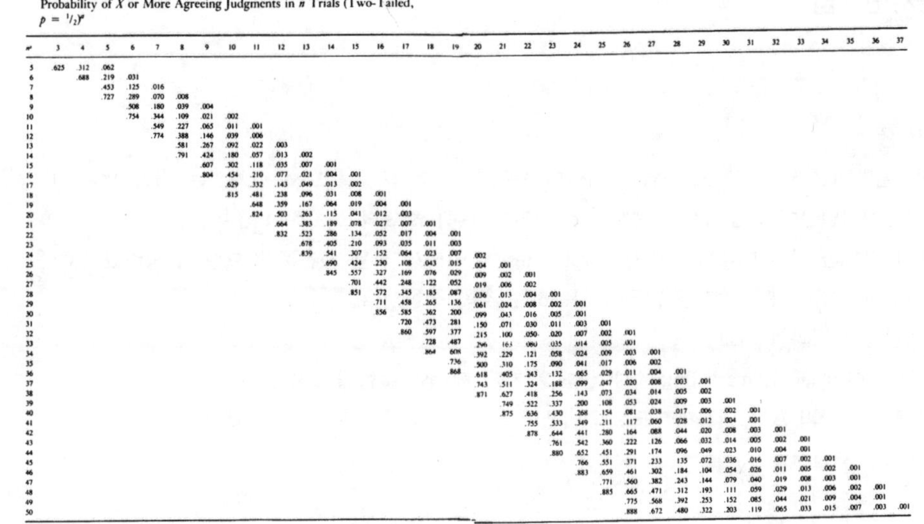

Probability of X or More Agreeing Judgments in n Trials (Two-Tailed, $p = ^1/_2$)[a]

n	3	4	5	6	7	8	9	10	11	12	13	14	15	16	17	18	19	20
5	.625	.312	.062															
6		.688	.219	.031														
7			.453	.125	.016													
8			.727	.289	.070	.008												
9				.508	.180	.039	.004											
10				.754	.344	.109	.021	.002										
11					.549	.227	.065	.011	.001									
12					.774	.388	.146	.039	.006									
13						.581	.267	.092	.022	.003								
14						.791	.424	.180	.057	.013	.002							
15							.607	.302	.118	.035	.007	.001						
16							.804	.454	.210	.077	.021	.004	.001					
17								.629	.332	.143	.049	.013	.002					
18								.815	.481	.238	.096	.031	.008	.001				
19									.648	.359	.167	.064	.019	.004	.001			
20									.824	.503	.263	.115	.041	.012	.003			
21										.664	.383	.189	.078	.027	.007	.001		
22										.832	.523	.286	.134	.052	.017	.004	.001	
23											.678	.405	.210	.093	.035	.011	.003	
24											.839	.541	.307	.152	.064	.023	.007	.002
25												.690	.424	.230	.108	.043	.015	.004
26												.845	.557	.327	.169	.076	.029	.009
27													.701	.442	.248	.122	.052	.019
28													.851	.572	.345	.185	.087	.036
29														.711	.458	.265	.136	.061
30														.856	.585	.362	.200	.099
31															.720	.473	.281	.150
32															.860	.597	.377	.215
33																.728	.487	.296
34																.864	.608	.392
35																	.736	.500
36																	.868	.618
37																		.743
38																		.871
39																		
40																		
41																		
42																		
43																		
44																		
45																		
46																		
47																		
48																		
49																		
50																		

n	21	22	23	24	25	26	27	28	29	30	31	32	33	34	35	36	37
5																	
6																	
7																	
8																	
9																	
10																	
11																	
12																	
13																	
14																	
15																	
16																	
17																	
18																	
19																	
20																	
21																	
22																	
23																	
24																	
25	.001																
26	.002	.001															
27	.006	.002															
28	.013	.004	.001														
29	.024	.008	.002	.001													
30	.043	.016	.005	.001													
31	.071	.030	.011	.003	.001												
32	.100	.050	.020	.007	.002	.001											
33	.163	.080	.035	.014	.005	.001											
34	.229	.121	.058	.024	.009	.003	.001										
35	.310	.175	.090	.041	.017	.006	.002										
36	.405	.243	.132	.065	.029	.011	.004	.001									
37	.511	.324	.188	.099	.047	.020	.008	.003	.001								
38	.627	.418	.256	.143	.073	.034	.014	.005	.002								
39	.749	.522	.337	.200	.108	.053	.024	.009	.003	.001							
40	.875	.636	.430	.268	.154	.081	.038	.017	.006	.002	.001						
41		.755	.533	.349	.211	.117	.060	.028	.012	.004	.001						
42		.878	.644	.441	.280	.164	.088	.044	.020	.008	.003	.001					
43			.761	.542	.360	.222	.126	.066	.032	.014	.005	.002	.001				
44			.880	.652	.451	.291	.174	.096	.049	.023	.010	.004	.001				
45				.766	.551	.371	.233	.135	.072	.036	.016	.007	.002	.001			
46				.883	.659	.461	.302	.184	.104	.054	.026	.011	.005	.002	.001		
47					.771	.560	.382	.243	.144	.079	.040	.019	.008	.003	.001		
48					.885	.665	.471	.312	.193	.111	.059	.029	.013	.006	.002	.001	
49						.775	.568	.392	.253	.152	.085	.044	.021	.009	.004	.001	
50						.888	.672	.480	.322	.203	.119	.065	.033	.015	.007	.003	.001

[a] Reprinted from *J. Food Sci.* **43**, p. 940–947, 1978. Copyright © by Institute of Food Technologists.

주의사항

1. 시료는 뱉는 것을 원칙으로 할 것
2. 실험이 끝난 후에 정답을 칠판에 적어 놓을 것
3. 시료와 시료사이에는 무가당과자를 먹어 입안에 남아있는 잔미를 제거할 것
4. 과자를 먹은 후 물로 입안을 헹군 후 뱉고 다음시료를 맛을 볼 것
5. 시료의 양은 컵마다 일정한 양을 준비할 것
6. 시료의 준비는 w/w비율로 준비할 것
7. 시료의 색에서 오는 오차를 막기 위하여 필요한 경우는 붉은색 조명을 사용할 것

참고문헌

1. Roessler, E. B., Pangborn, R. M., Sidel, J. L. and Stone, H. : Expanded statistical tables for estimating significance in paired-preference, paired- difference, duo-trio and triangle test. *J. Food Sci.* 43 p.940(1978)
2. Bressan, L. P. and Behling, R. W. : The selection and training of judges for discrimination testing, *Food Technol.*, 31(11), p.62(1977)
3. Aust, L. B., Gacula, M. C., Jr., Beard, S. A. and Washam, R. W.,II : Degree of difference test method in sensory evaluation of heterogeneous product type, *J. Food Sci.*, 50, p.511(1985)
4. Scheffe, H. : An analysis of variance for paired comparisons. *J. Am. Stat. Assoc.*, 47, p.381(1952)

8. 묘사분석법

서 론

차이식별법과는 달리 묘사분석법은 제품의 모든 관능적 특성을 묘사 평가하는 방법이다. 이 방법은 차이식별법이나 순위시험법에 비해 시간이 많이 소요되고 또한 파넬원들에 대한 심도있는 훈련이 필요한 것이 단점이나 flavor profile test에 비해서 적은 시간이 소요된다. 정량묘사분석법은 산업체에서는 다음과 같은 경우에 사용하는 것이 적합하다.

① 경쟁사 제품과의 비교
② 소비자에게 제품, marketing 소매 중에 제기된 제품의 결함을 해결하는 데 도움을 줌
③ 제품의 배합비율을 변화시키므로써 발생할 수 있는 제품의 전체적인 변화를 확인
④ 새로운 제품개발

1) 정량묘사분석법(QDA, Quantitative descriptive analysis) - 용어개발

① 시중에서 판매되고 있는 고추장을 이용한 용어 개발

패널들은 각 조별로 나누어 네 가지 종류의 고추장을 외양부터 검사하여 생각나는 용어들을 나열하고 냄새, 맛, 풍미, 조직감, 후미의 순서로 실험을 진행하면서 생각나는 용어들을 정리하여 나아간다. 각 조별로 실험을 끝낸 후 조별로 모여 panel leader의 인도 하에 시료간의 특성을 가장 잘 묘사할 수 있는 용어를 선별하여 기록하며 용어의 수는 20~25개 정도를 선정하는 것이 적당하다. 각 조별로 선택된 용어를 정리하고 최종적으로 공통적인 용어와 각 용어의 빈도수를 적는다. 선택된 용어들에 대한 결과종합표(mastersheet)에의 기입을 완료한 후 그 정확한 의미를 사전을 찾아 기입한다.

② 표준물질(reference standard)을 이용한 훈련

용어개발을 하는 과정에서 표준물질이 필요한 경우는 사전에 준비를 하여 패널들에게 정확한 개념과 의미를 주지시키는 과정이 필요하다. 이것은 실제적으로 실험에 임하기에 앞서 묘사용어에 대한 의미를 더 정확하게 인식할 수 있도록 하기 위함이다. 표준물질의 맛을 보거나 냄새를 맡은 후 그들의 감각을 기억하도록 하며 것. 처음부터 느낌을 수치로 전환하려고 애쓰지 말 것. 훈련을 한 후에는 각 특성에 관한 강도에 대하여 크기로 평가를 하게 될 것이다.

목 적

본 실험의 목적은 자유롭게 관련된 용어를 개발할 수 있도록 유도하여 실제적으로 고추장을 대표할 수 있는 공통 용어들을 선정하는 것이며 각 그룹간의 유사한 용어들은 대표적인 용어를 선정하여 통합하는 과정이 필요하다.

개 요

고추장을 묘사분석하기 위한 일차실험으로 용어선정을 하는 단계로서 4가지 고추장을 이용하여 감각을 느끼는 순서대로 묘사하기 위하여 외양, 냄새, 맛, 풍미, 조직감, 후미의 순서로 고추장을 대표할 수 있는 용어를 선정한다.

시약 및 기구

4가지 다른 제조회사의 고추장, 고추장을 맛볼 수 있는 작은 접시, 무가당 과자, 입을 헹구는 컵, 뱉는컵, 내프킨, 고추장을 맛볼 수 있는 작은 스푼, 질문지

실험방법

시료의 특성을 대표할 수 있는 용어를 선정하는 실험이므로 가능한 외양의 수분이 마르지 않은 상태를 유지하도록 하고 고추장의 특성을 다 파악할 수 있는 용기에 담아 제공해야 한다. 시료는 가능한 자유스러운 분위기 속에서 단어를 나열할 수 있도록 해야 하며 소수의 의견도 존중되어야 한다. 너무 한사람의 독단적인 의견에 좌우되지 않도록 주의를 기울여야 한다.

정량묘사분석 묘사용어개발 질문지

조이름 : ____________________

각 조별로 선택된 용어들의 리스트를 나열하시오.

묘사용어(descriptor)	정의(definition)
외양(appearance)	
냄새(aroma)	
맛(taste)	
향미(flavor)	
조직감(texture)	
후미(aftertaste)	

결과 및 고찰

1. 패널리더, 그룹상호간의 관련성, 개발된 용어들, 그룹간의 일치정도 등을 확인하고 선택된 용어들을 표로 작성할 것
2. 선정된 용어들을 외양, 냄새, 맛, 조직감, 후미의 순서대로 적고 그 정의(사전적 의미)를 참여하는 모든 패널들이 이해할 수 있도록 일목요연하게 작성할 것
3. 관능검사 용어는 15~30개 정도의 용어가 되도록 작성할 것

주의사항

묘사용어를 선정할 때는 다음의 유의사항을 참고하여야 한다.

① 서로 연관성이 없는 용어를 사용할 것
② 식품의 기본적인 구조에 기초를 두고 선정할 것(외양, 냄새, 맛, 향미, 조직감, 후미)
③ 목적물을 폭 넓게 포용할 수 있을 것
④ 정의가 명확해야 함

참고문헌

1. Stone, H., Sidel, J., Oilver, S., Woolsey, A., and Singleton, R. C. : Sensory evaluation by quantitative descriptive analysis, Food Technol., 28(11), p.24(1974)
2. Stone, H., Sidel, J. L. : Sensory evaluation practices. Academic Press. Orlando, Fla(1985)
3. Stone, H. Sidel, J. L. and Bollmquist, J.Quantitative descriptive analysis, Cereal Foods World, 25. p.642(1980)

2) 정량 묘사분석법 - 본 실험

일반적으로 묘사분석법 가운데 비교적 많이 사용되고 있는 방법인 정량묘사분석법은 향미프로필과 텍스쳐프로필이 정성적인 측면에 의존하고 실험자에 의해 개발된 특정용어를 사용하는데 반해 이러한 단점을 보완하기 위하여 제품의 관능적 특성을 일상적인 용어를 사용하여 보다 정확하게 수학적으로 나타내기 위한 의도에서 개발된 방법이다.

정량묘사분석 사용시 고려해야할 점

① 제품에서 감지되는 모든 관능적 특성을 포함해야 함 - 외양, 냄새, 맛, 풍미, 조직감 등
② 특성의 출현 순서 등을 고려해야 함
③ 각 특성의 강도(intensity)는 반복실험을 통하여 측정되어야 함

④ 다시료 검사가 될 것
⑤ 소수의 패널을 사용할 것
⑥ 검사에 참여하기 전에 자격이 인정된 검사원을 사용할 것
⑦ 정량적일 것
⑧ 데이터에 대한 유용한 통계분석체계를 가질 것

실험단계

우선 네 가지 고추장을 무작위로 번호를 매긴 용기에 넣은 후 제시순서에서 오는 오차를 막기 위하여 시료의 제시순서를 조절하여 제시된 시료를 왼쪽부터 오른쪽의 순서로 실허을 실시한다. 한가지 시료에 대하여 외양 및 냄새를 테스트한 후 맛을 본다. 한가지 시료에 대하여 맛을 본 후에 다음 시료의 맛을 보기 전에 물로 입안을 헹군 후 준비된 무가당 과자로 입안에 남아 있는 잔미를 제거한다. 그 후 2분간 쉰 후 다음 시료를 같은 방법으로 맛을 본다.

시약 및 기구

네 가지 다른 종류의 고추장, 무가당과자, 고추장 테스트용 용기, 작은 스푼, 입안을 헹구는 물, 뱉는 컵, 헹굼용컵, 내프킨

실험방법

정량묘사분석법 실험을 위한 질문지

성명 : ______________ 조번호 : ________________ 날짜 : ____________

설명 : 준비된 4가지 고추장을 아래의 선척도법을 이용하여 각 용어의 특성에 대해 인지된 강도를 표시하시오. 준비된 고추장들의 외양을 먼저 평가한 후 다음 특성의 순서대로 평가하시오. 한가지 시료에 대하여 맛을 보고 다음 시료를 맛을 보기 전에 준비된 물로 입안을 헹군 후 과자를 이용하여 입안에 남아 있는 잔미를 제거하시오. 그 후 다음 시료를 위하여 2분간 휴식한 후 다음 시료를 같은 방법으로 맛을 보시오.

1. 외관(appearance)

적색도 ——┼——————————————————┼——
약하다 강하다

윤기 ——┼——————————————————┼——
약하다 강하다

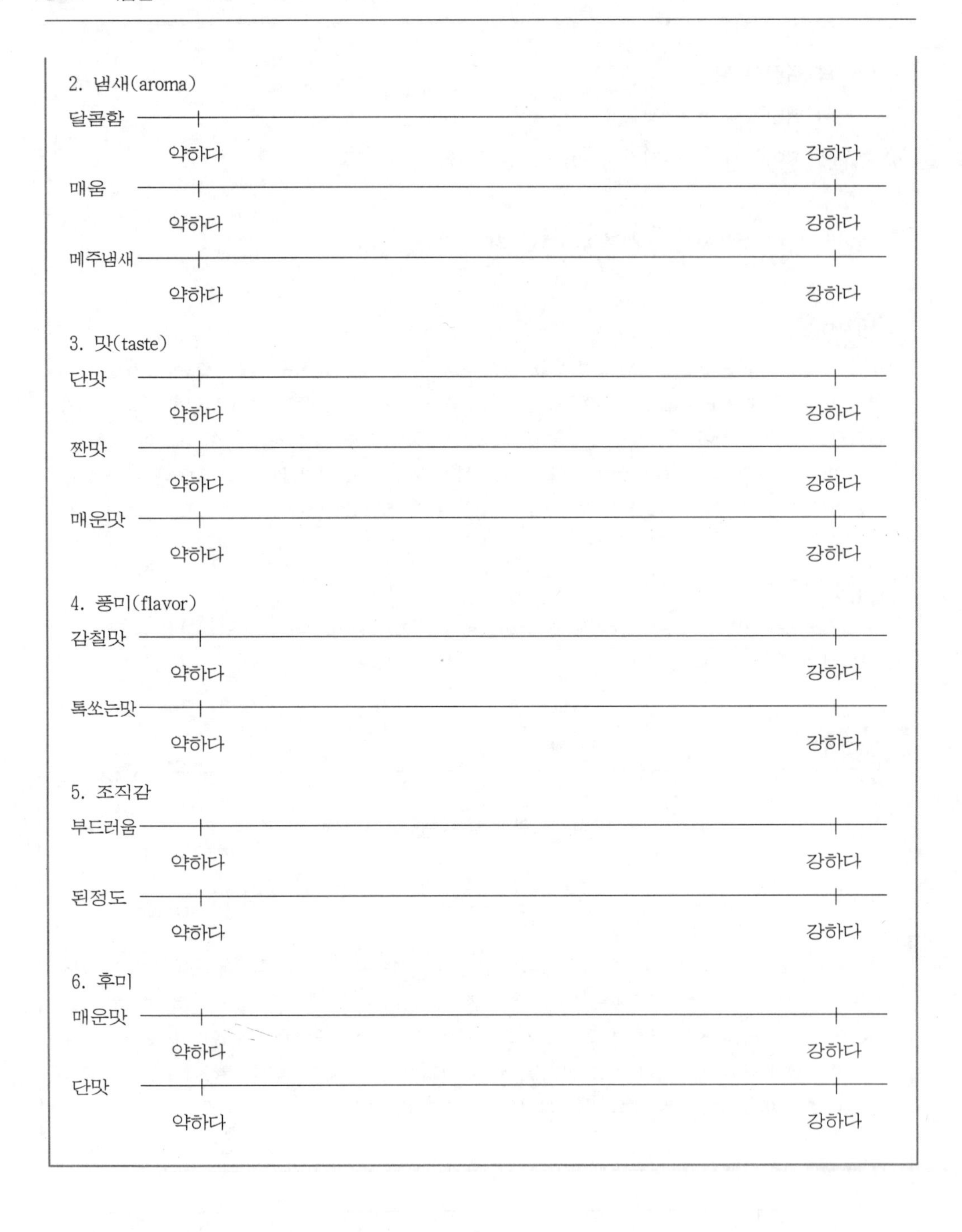
2. 냄새(aroma)
달콤함
약하다
강하다
매움
약하다
강하다
메주냄새
약하다
강하다
3. 맛(taste)
단맛
약하다
강하다
짠맛
약하다
강하다
매운맛
약하다
강하다
4. 풍미(flavor)
감칠맛
약하다
강하다
톡쏘는맛
약하다
강하다
5. 조직감
부드러움
약하다
강하다
된정도
약하다
강하다
6. 후미
매운맛
약하다
강하다
단맛
약하다
강하다

결과 및 고찰

1. 네 가지 시료에 대한 분산분석을 실시하여 각 특성에 대하여 시료간에 유의적 차이가 있는지 여부를 판단할 것
2. 유의적인 차이가 존재하는 시료에 대하여는 Duncan's 다범위 검정을 실시하여 어느 시료가 어떤 특성에 대하여 같고 다른지 여부를 판단할 것
3. 각 특성가운데 유의적 차이가 존재하는 것만을 선별하여 각 시료에 대하여 거미줄 그림(spider web)을 그려 시료간에 특성들을 서로 비교할 것

주의사항

1. 시료는 온도를 일정하게 유지하여 제공해 줘야 한다.
2. 정량묘사 분석에서 사용하는 용어는 반드시 일상에서 사용하는 용어들로만 구성되어야 한다.
3. 반복해서 테스트 할 수 있도록 실험계획을 짜야 한다.

참고문헌

1. Stone, H., Sidel, K., Oliver, S., Woolsey, A. and Singleton, R. C. : Sensory evaluation by quantitative descriptive analysis, Food Technol., 28(11), p.24(1974)
2. Stone, H. and Sidel, J. L. : Sensory Evaluation Practices. Acadamic Press. Orlando, Fla(1985)
3. Sidel, J. L., Stone, H. and Bloomquist, J. : Use and misuse of sensory evaluation in research and quality control, J. Dairy Sci., 64, p.2296(1981)

3) 스팩트럼법(Spectrum test)

서 론

이 방법은 시료의 냄새와 향미를 재현이 가능하도록 묘사하고 분석하는 절차를 통해 진행된다. 전체적인 관능적 인상을 형성하는 각각의 특성을 규명하고 그 강도를 측정함으로써 제품의 향미 및 후미를 분석한다. 기본적인 원리는 표준물질을 이용하는 것이 특징이며 외양, 냄새, 향미, 조직감만을 주로 묘사해서 분석하는 것이다.

실험단계

1. 우선 묘사용어에 대한 의미를 정확히 파악할 것
2. 시료를 입안에 다 넣은 후 삼키는 것을 원칙으로 할 것
3. 시료를 삼킨 후 질문지에 있는 각 용어의 강도 가운데 적합한 곳에 체크할 것

실험방법

스팩트럼 실험방법 질문지

이름 : ____________________ 조 : ____________________

설명 : 시료는 6가지가 제시될 것입니다.(그 중 한가지는 표준제품임) 우선 준비된 물로 입안을 헹구시오. 그리고 나서 왼쪽시료부터 오른쪽시료의 순서로 품질을 평가하시오. 각 항목에 대한 귀하의 의견을 표준시료와 비교하여 해당하는 위치에 |로 표시하시오. 후미는 시료를 마신 후 20초를 기다린 후 느낀 맛의 강도를 표시하시오.

향미
0 7.5 15

단맛
0 7.5 15

짠맛
0 7.5 15

신맛
0 7.5 15

쓴맛
0 7.5 15

떫은맛
0 7.5 15

감칠맛
0 7.5 15

후미
0 7.5 15

결과 및 고찰

1. 각 맛에 대한 시료간의 차이를 분산분석할 것
2. 유의적인 차이가 있는 것은 Duncan's 다범위검정을 실시할 것
3. 결과 가운데 유의적인 차이가 있는 것은 그림으로 나타낼 것.

주의사항

기본적인 원리는 모든 관능적 특성, 예를 들어 각 특성의 강도를 평가하는 것으로 시간에 따른 변화등에 대하여 완전히 이해를 할 때까지 훈련을 시킨다.

참고문헌

1. Caul, J. F. : The profile method of flavor analysis, Adv. Food Res., 7. p.1(1957)
2. Cairncross, S. E. and Sjostrom, L. B. : Flaor profiles - a new approach to flavor problems. *Food Technol.*, 4, p.308(1950)

4) 자유선택프로필(Free choice profile)

목 적

본 실험의 목적은 묘사분석 방법 중 한가지 방법으로 소개하는 것이다.

시약 및 기구

4가지 종류의 콜라, 헹굼컵, 먹는샘물, 냅킨, 질문지, 소형컵

시료조제

시료의 제시순서

booth 번호	1	2	3	4
1	269/2	929/1	761/4	919/3
2	242/4	446/2	673/3	689/1
3	356/1	201/2	664/3	497/4
4	497/2	296/4	748/1	978/3
5	823/3	656/4	602/1	295/2
6	601/1	432/3	758/2	122/4
7	792/4	984/2	438/1	466/3
8	941/2	648/3	339/4	117/1

9	334/3	772/4	782/2	120/1
10	659/1	611/3	696/2	834/4
11	128/4	955/1	906/3	145/2
12	105/3	724/1	469/4	736/2

실험방법

1. 각 패널에 의한 용어의 개발 : 실험은 각 booth에서 진행될 것이며 앞에 놓여진 콜라의 관능적 특성을 묘사하는 용어의 리스트를 만든다. 기호도와 관련된 개념으로 실험에 임하지 말고 단지 용어개발의 목적만을 가지고 실험을 실시해야 하며 각 용어는 외양, 냄새, 풍미와 조직감(mouthfeel)으로 분류하여 묘사한다. 각 특성에 대한 평가에 대해 같은 의미를 부여할 수 있도록 각자 용어에 대하여 정의를 한다..
2. 네가지 다른 콜라를 이용한 자유선택 프로필 : 각자에 의하여 결정된 용어를 가지고 4가지 종류가 다른 콜라의 각 특성에 대한 강도를 평가한다. 크기는 1=전혀 없다, 9=지극히 강하다의 크기로 정하여 실험한다.

자유선택 프로필 용어선정 질문지

성명 : ________________ 조 : ________________ 일시 : ________________

설명 : 준비된 4가지 종류의 콜라를 맛을 본 후 콜라를 묘사할 수 있는 대표적인 용어들을 나열하시오. 각 시료 사이에는 물로 입안을 헹구시오.

	용어선정	정의
외양		
냄새		
풍미		
조직감		

자유선택 프로필 실험 질문지

성명 : ____________ 조이름 : ____________

설명 : 4가지 종류가 다른 콜라가 준비되었나를 확인하시오. 시료는 왼쪽에서 오른쪽의 순서로 맛을 보고 그 강도를 나타내시오. 각 시료 사이에는 물로 입안을 헹구시오.

강도의 크기는 1= 전혀 없다, 9= 지극히 강하다

용어 \ 종류					
외양					
냄새					
풍미					
조직감					

결과 및 고찰

1. 분산분석이 가능하며 각 패널에 의하여 선택된 용어들은 표로 작성할 것.
2. 본인에 의하여 선정된 용어들을 다른 사람의 결과와 비교하고 본인이 한 실험 결과가 다른 사람이 실험한 결과와 어떻게 다른 지를 비교 관찰할 것

참고문헌

1. Caul, J. F., Cairncross, S. E. and Sjostrom, L. B. : The flavour profile in review, *Perfum Essent. Oil Rec.*, 49, p.130(1958)
2. Sjostrom, L. B., Cairncross, S. E. and Caul, J. F. : Methodology of the flavor profile, Food Technol., 11(9), p.20(1957)
3. Bartels, J. H.M., Burlingame, G. A. and Suffet, I. H. : Flavor profile analysis: taste and odor control of the future, *J. Am Water Works Assoc.*, p. 50 March(1986)

9. 소비자 검사(Consumer testing)

목 적

본 실험의 목적은 제품이 소비자들에게 어떻게 받아들여지고 있는가를 평가하기 위해서 사용되는 실험을 소개하는데 목적이 있다. 많은 항목들이 소비자 검사를 통하여 측정될 수 있다. 즉 좋아하는 정도, 구입의향, 선호도 등등... 테스트하는데 사용되는 소비자의 수 또한 중요한 요소가운데 하나이다. 또한 식품 빈도수 질문지를 사용하여 소비자들의 식품섭취를 평가할 수 있다.
(좀더 자세한 관련 사항에 대해서는 Mailgaard 등의 Sensory Evaluation Technique의 affective test부분을 참조하기 바람)

1) 이점 기호도 실험(Paired preference test)

목 적

이 방법은 두 가지 제품 가운데 더 선호하는 한 가지 시료를 직접 선택하는 방법으로 제품을 개발하거나 기존의 제품의 성분 원료를 변화시킴으로써 그 제품의 변화 여부를 확인하는 경우, 혹은 경쟁사 제품과 비슷하게 되도록 노력하는 과정에서 사용되는 방법이다. 두 가지 제품 가운데 더 선호하는 것을 선택함으로써 두 가지 제품간의 기호도에 있어서의 차이 여부를 측정하고자 한다.

실험방법

1. 기호도 실험에서는 기호도를 실험하기에 앞서 차이식별 실험을 실시하는 것은 바람직하지 않다.
2. 시료의 제시순서는 두 가지 시료에 관하여 두 가지 가능한 시료의 제시순서를 이용한다(AB, BA)

관능검사 설명서

방법 : 이점 기호도 실험법(paired preference test)
시료 : 기능성 음료

* 실험을 실시하기 전에 반드시 설명서를 읽은 후 실험을 실시하시오.
1. 테스트는 총 1회에 한하여 실시됩니다.
2. 각 시료는 마시는 것을 원칙으로 합니다.

3. 제품의 맛을 보는 방법을 읽은 후 그대로 실행하십시오.
   1) 먼저 향을 느끼십시오.
      제품을 마시기 전에 넘쳐 나오는 향을 느끼십시오.
   2) 입안에서 음미하세요.
      입안 가득 음료를 담고 서서히 위, 아래 옆으로 움직이면서 음료의 전체적인 인상을 느끼고 삼킨 후에는 혀의 중간과 밑에서 acidity(날카로움)을, 혀끝으로는 단맛을 음미하시오.
   3) 입안에서 다시 향기를 느끼세요.
      목을 다 넘어가고 나서 서서히 다시 한번 음료의 향, 풍미, 후미등을 느껴보십시오.

관능검사 질문지(Paired preference test)

성명 : ______________ 조번호 : ______________ 날짜 : ______________

1. 성별: 남자 □ 여자 □
2. 귀하에게 해당되는 나이 범위에 v표를 하시오.
   ① 20세 이하 □ ② 21-25세 □ ③ 26-30세 □ ④ 31-40세 □ ⑤ 40세이상 □

설명 : 시작하기에 앞서 앞에 놓인 물로 입안을 헹구시오. 시료를 왼쪽에서 오른쪽의 순서대로 두가지 시료의 맛을 보십시오. 귀하가 좋아하는 만큼의 양을 드십시오. 그러나 적어도 제시된 시료의 반 이상은 마셔야 합니다. 테스트하는 중에 의문이 생기면 담당자에게 질문을 하십시오.

다 마신 후 더 좋아하는 시료의 번호에 o표를 하시거나 만일 좋아하는 시료가 없다면 없음에 o표를 하십시오.

시료번호 ______________ ______________

없음

왜 이 제품을 선택했는지 이유를 설명해 주십시오.

____

참석해 주셔서 대단히 감사합니다. 질문지를 담당자에게 제출해 주십시오.

결과분석

결과분석은 기대치와 그것에 부합되는 관측치를 이용해서 카이검정법을 이용하여 분석을 실시할 것

$$\chi^2 = \frac{(O_1 - E_1)^2 - 0.5}{E_1} + \frac{(O_2 - E_2)^2 - 0.5}{E_2}$$

O_1 = 첫 번째 시료에 관한 관측치

O_2 = 두 번째 시료에 관한 관측치

E_1 = 첫 번째 시료에 관한 기대치

E_2 = 두 번째 시료에 관한 기대치

첨부된 부록의 카이 검정표를 이용하여 결과를 해석할 것

Critical Values of Chi-Square[a]

	Level of significance for one-tailed test					
	.10	.05	.025	.01	.005	.0005
	Level of significance for two-tailed test					
df	.20	.10	.05	.02	.01	.001
1	1.64	2.71	3.84	5.41	6.64	10.83
2	3.22	4.60	5.99	7.82	9.21	13.82
3	4.64	6.25	7.82	9.84	11.34	16.27
4	5.99	7.78	9.49	11.67	13.28	18.46
5	7.29	9.24	11.07	13.39	15.09	20.52
6	8.56	10.64	12.59	15.03	16.81	22.46
7	9.80	12.02	14.07	16.62	18.48	24.32
8	11.03	13.36	15.51	18.17	20.09	26.12
9	12.24	14.68	16.92	19.68	21.67	27.88
10	13.44	15.99	18.31	21.16	23.21	29.59
11	14.63	17.28	19.68	22.62	24.72	31.26
12	15.81	18.55	21.03	24.05	26.22	32.91
13	16.98	19.81	22.36	25.47	27.69	34.53
14	18.15	21.06	23.68	26.87	29.14	36.12
15	19.31	22.31	25.00	28.26	30.58	37.70
16	20.46	23.54	26.30	29.63	32.00	39.29
17	21.62	24.77	27.59	31.00	33.41	40.75
18	22.76	25.99	28.87	32.35	34.80	42.31
19	23.90	27.20	30.14	33.69	36.19	43.82
20	25.04	28.41	31.41	35.02	37.57	45.32
21	26.17	29.62	32.67	36.34	38.93	46.80
22	27.30	30.81	33.92	37.66	40.29	48.27
23	28.43	32.01	35.17	38.97	41.64	49.73
24	29.55	33.20	36.42	40.27	42.98	51.18
25	30.68	34.38	37.65	41.57	44.31	52.62
26	31.80	35.56	38.88	42.86	45.64	54.05
27	32.91	36.74	40.11	44.14	46.96	55.48
28	34.03	37.92	41.34	45.42	48.28	56.89
29	35.14	39.09	42.69	46.69	49.59	58.30
30	36.25	40.26	43.77	47.96	50.89	59.70
32	38.47	42.59	46.19	50.49	53.49	62.49
34	40.68	44.90	48.60	53.00	56.06	65.25
36	42.88	47.21	51.00	55.49	58.62	67.99
38	45.08	49.51	53.38	57.97	61.16	70.70
40	47.27	51.81	55.76	60.44	63.69	73.40
44	51.64	56.37	60.48	65.34	68.71	78.75
48	55.99	60.91	65.17	70.20	73.68	84.04
52	60.33	65.42	69.83	75.02	78.62	89.27
56	64.66	69.92	74.47	79.82	83.51	94.46
60	68.97	74.40	79.08	84.58	88.38	99.61

[a]The table lists the critical values of chi square for the degrees of freedom shown at the left for tests corresponding to those significance levels heading each column. If the observed value of χ^2_{obs} is *greater than or equal to* the tabled value, reject H_0.

보고서 지시사항

결과에 대한 빈도수를 계산하고 첨부된 카이검정표를 이용하여 유의수준을 평가할 것

참고문헌

1. Lawless, H. and Heymann, H. : Sensory Evaluation of Food. Chapman Hall(1998)
2. Caul, J. F. : The profile method of flavor analysis. Advanced in food research 7, p.1(1957)
3. Foster, D., Pratt, C., and Schwartz, N. : Variations in flavor in a group situation. Food Research 20, p.539(1955)
4. Edmunds, W. J. and Lillard, D. A. : Sensory Characteristics of oysters, clams, and cultured and wild shrimp. *J. Food Science* 44(2) p.368(1979)

2) 기호도 검사법(Hedonic test)

목 적

제품의 소비자 인지도를 기존 시장에서 판매되고 있는 경쟁사 제품과의 비교를 통하여 제품의 소비자 기호정도를 비교하고자 한다.

개 요

소비자 조사와 market research의 차이점

소비자 기호도 조사는 대부분 상표를 부치지 않은 상태로 코드 번호만을 사용하여 테스트를 하나 market research의 경우는 대부분 제품의 상표를 그대로 부착한 상태에서 테스트를 한다는 것이 큰 차이이다.

실험의 특징

가장 일반적인 기호도테스트는 Hedonic test이며 일반적으로 9점 크기를 주로 사용한다. 그 이유는 사용하기가 매우 간단하며 실험을 실시하기가 매우 용이하기 때문이다. 시료는 대개 한번에 한가지 시료씩이 제공되며 패널에게는 시료에 대한 좋아하는 반응 정도를 크기가 표시된 질문지에 표시하도록 한다. 항목은 가로 혹은 세로의 형태로 표시하며 각 점수사이의 간격은 같은 간격을 갖도록 작성되어야 한다. 그 이유는 데이터 분석에서 parametric statistics을 사용하기 위해서 중요한 역할을 하기 때문이다.

시료조제

세가지 각기 다른 회사에서 제조된 두 가지 다른 종류의 제품(총 6가지)

1. 땅콩 쵸코볼 : 3가지 다른 종류
2. 해바라기씨 쵸코볼 : 3가지 다른 종류
3. 쵸코색 2가지 종류

실험방법

두 단계에 걸쳐 실험이 실시된다.

1. 첫 번째 단계 : 쵸코볼 3가지 시료에 대한 실험에서 실험 준비조는 각 booth에 있는 패널을 3명씩 분담하며, 방법은 첫 번째 시료를 booth 투입구를 통하여 제시한 후 테스트가 끝나면 두 번째 시료를 투입하고 두 번째 시료의 테스트가 끝난 후 세 번째 시료를 투입하여 테스트를 완료한다.
2. 두 번째 단계 : 그 후 해바라기씨의 실험을 쵸코볼 실험과 같은 방법으로 실시한다.

관능검사 기호도 실험(Hedonic test) 질문지

성명 : ____________ 조 : ____________________ 일시 : ______________

설명 : 우선 시료의 맛을 보기에 앞서 물로 입안을 헹구시오.

1) 먼저 색을 보고 색에 대한 귀하의 선호하는 정도를 가장 잘 나타내는 곳에 v로 표시하시오. 색에 대한 귀하의 견해를 표시한 후 입안에 시료를 넣고 귀하가 평소에 씹는대로 어금니 사이에 시료를 넣은 후 이빨을 이용하여 깨뜨려 씹어 먹은 후 아래의 용어에 대한 귀하의 견해를 가장 잘 표현한 곳에 표시를 하시오.
2) 첫 번째 시료를 맛을 본 후 두 번째 시료를 booth를 담당하고 있는 담당자에게 요구한 후 같은 방법으로 맛을 본 후 체크하시오. 세 번째 시료까지도 같은 방법으로 실시한 후 종류가 다른 시료에 대한 귀하의 견해를 마지막에 자유롭게 평가하시오.

색깔

□	□	□	□	□	□	□	□	□
지극히 싫다				좋지도 싫지도않다				지극히 좋다

경도

□	□	□	□	□	□	□	□	□
지극히 싫다				좋지도 싫지도않다				지극히 좋다

씹힘성

☐	☐	☐	☐	☐	☐	☐	☐	☐
지극히 싫다				좋지도 싫지도않다				지극히 좋다

이물감

☐	☐	☐	☐	☐	☐	☐	☐	☐
지극히 싫다				좋지도 싫지도않다				지극히 좋다

전반적인 기호도

☐	☐	☐	☐	☐	☐	☐	☐	☐
지극히 싫다				좋지도 싫지도않다				지극히 좋다

좋아하는 이유를 쓰시오.(싫어하면 싫어하는 이유를 쓰시오)

____

결과 및 고찰

1. 각 조별로 결과를 모아 평균과 표준편차를 구할 것
2. 세가지 다는 종류의 제품별 기호도와 각 특징을 그래프로 그리고 오차를 표에 나타낼 것
3. 세 가지 제품들에 대한 좋아하는 이유를 결과를 근거로 하여 설명할 것

참고문헌

1. Amerine, M.A., Pangborn, R. M. and Roessler, E. B. : Principles of Sensory Evaluation of Food. Academic Press, New York, chap. p.9(1965)
2. Schaefer, E. E., Ed. : ASTM Manual on Consumer Sensory Evaluation. Special Technical Publication 682, American Society for Testing and Materials, Philadelphia(1979)
3. Meiselman, H. L. : Consumer studies of food habits, in Sensory Analysis of Foods. Piggot, J. R., Ed., Elsvier, Amsterdam,chap. p.8(1984)

5

식품미생물 및 식품효소 실험

제 1 절 식품 미생물 실험

1. 염색법

1) 단순염색 (Simple staining)

개 요

한 종류의 염료(dye)를 사용하여 세균의 형태, 배열, 크기 등을 신속히 관찰하는데 목적이 있다. 세균의 형태학적 관찰은 세균의 생사와 관계없이 가능하지만 살아 있는 세균의 현미경적 관찰은 극히 제한되어 있다. 때문에 세균을 사멸 고정시켜 초기에 그 형태와 배열 및 특징을 신속히 관찰하는 것은 아주 중요하다.

그러나 단순염색표본에서 세균의 형태와 배열은 관찰할 수 있으나 세균의 편모, 아포, 협막과 같은 미세구조는 관찰할 수 없기 때문에 단순염색을 실시한 후 다시 필요한 염색을 하여야 한다.

주로 사용되는 염료로는 강한 염기성 색소인 methylene blue, carbol fuchsin, crystal violet 등이 사용된다.

시료조제

1 균주 : Nutrient broth와 nutrient agar에 18~24시간 배양된 균
① *Bacillus subtilis*
② *Staphylococcus aureus*
③ *Escherichia coli*
④ *Yeasts*

시약 및 기구

■ 염색시약
- Methylene blue solution
  Methylene blue 1.5mg, 95% Ethyl alcohol 100㎖
- Löefflers methylene blue solution
  KOH 10%용액 0.1㎖, Methylene blue 용액 3㎖, D.W 100㎖
  상기 용액을 잘 혼합하고 24시간 후에 여과하여 사용한다.
- Ziehl-Neelsen's carbol fuchsin solution
- Hucker's crystal violet solution
- 깨끗한 slide glass, loop, alcohol lamp, Bunsen burner, 현미경

실험방법

1 깨끗한 slide를 불꽃에 2~3회 통과시켜 지방을 제거한다.
2 Wax pencil로 slide 위에 검체를 떨어뜨릴 부위에 원을 그려 표시한다.
3 멸균된 loop로 균액 1~2방울을 slide glass 위에 가능한 얇고 넓게 편다.
4 사용한 loop는 다시 화염 멸균한다.
5 도말표본을 공기 중에 말린다(단, 급한 경우는 이 과정을 생략한다).
6 말린 도말표본을 불꽃에 2~3회 통과시켜 slide에 세균을 고정시킨다. 이 때 검체가 타지 않도록 주의한다.
7 고정시킨 도말표본을 식힌 후 염색액을 2~3방울 떨어뜨리고 약 1분간 염색한다.
8 염색액을 버리고 약하게 흐르는 수돗물로 조심스럽게 수세한다.
9 여과지 사이에 넣고 가볍게 눌러 slide 위의 수분을 제거한다.
10 도말표본이 건조된 것을 확인한 후 immersion oil 1방울을 떨어뜨린 후 1,000×로 세균을 관찰한다.

결과 및 고찰

1 Methylene blue로 염색된 균은 청색으로 염색된다.
2 Crystal violet로 염색된 균은 자색으로 염색된다.
3 Carbol fuchsin으로 염색된 균은 적색으로 염색된다.

2) 그람염색 (Gram staining)

개 요

Gram 염색법에 의해 세균 감별염색(differential stain) 순서를 익히고 세균의 Gram 염색성에 따른 분류와 Gram 염색의 원리를 익힌다.

덴마크(Danish) 세균학자 Christian Gram은 1884년 Gram 염색법에 의하여 세균을 크게 Gram 양성균과 Gram 음성균으로 분류했다. Gram 염색의 주된 원리는 확실히 밝혀지지 않았지만 현재 가장 일반화된 이론은 Gram 양성균의 세포벽에는 Magnesium ribonuclate라는 산성물질이 있어 염기성 염료인 crystal violet와 결합하여 alcohol에 탈색되지 않고 자색(violet color)으로 염색되고 Gram 음성균의 세포벽에는 Magnesium ribonuclate가 없어 탈색제인 alcohol에 의해 탈색된 후 대조염색인 safranin O에 의해 적색으로 염색된다.

Gram iodine 용액은 매염제(mordant)로 사용되며 crystal violet이 magnesium ribonuclate와의 결합을 촉진시켜 주는 역할을 한다.

Gram 염색과 같은 감별 염색방법은 세균학적 측면에서 매우 중요한 기술 중의 하나이다. 시약의 조성 및 시간을 변형한 여러 방법이 개발되었는데 그 중 Hucker 변법이 많이 사용된다.

시약 및 기구

■ 기구
- 깨끗한 slide glass
- Loop
- Wax pencil
- Alcohol lamp

■ 고체배지나 액체배지에 18~24시간 배양된 균
- Gram 양성균 : *Staphylococcus aureus, Bacillus subtilis*
- Gram 음성균 : *Escherichia coli, Salmonella*

■ 시약(Hucker's 변법)
- Ammonium oxalate crystal violet 용액
  - crystal violet 용액(stock solution)
    crystal violet 20g, 95% ethyl alcohol 100mℓ
  - Ammonium oxalate 용액
    Ammonium oxalate 1g, D.W 100mℓ
  - Working solution : Crystal violet stock solution을 D.W로 10배 희석하고 희석용액과 Ammonium oxalate 용액을 1 : 4의 비율로 희석한 후 여과하여 사용한다.
- Gram's iodine 용액(Lugol's solution)
  Iodine crystals : 1g, Potassium iodide : 2g
  약절구에 위 시약을 넣고 D.W 5~10mℓ를 넣고 녹이면서 D.W 240mℓ가 되게 한 다음 5%

sodium bicarbonate solution 60㎖를 첨가한다. 갈색병에 보관한다.

- 50% acetone alcohol(탈색제)

  95% ethyl alcohol 250㎖, Acetone 250㎖

- Safranin O solution(대조염색액)

  Safranin O 2.5㎖, 95% ethyl alcohol 100㎖, D.W 500㎖

실험방법

1 깨끗한 slide glass 위에 wax pencil로 원을 그린다(그림 5-1 참조).

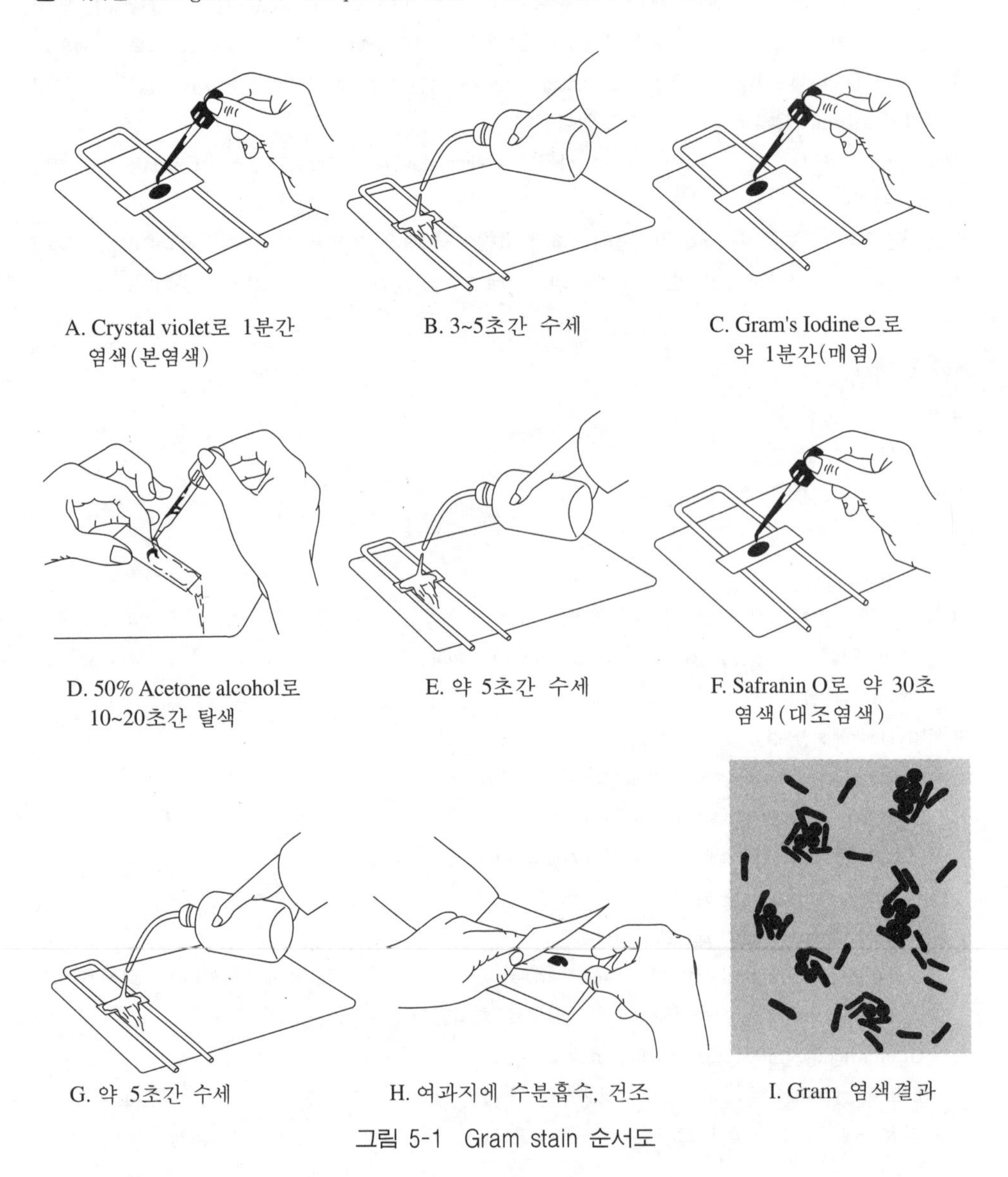

그림 5-1 Gram stain 순서도

2 배양된 균액을 잘 흔든 후 1~2 loop를 넓게 펴서 도말・건조・고정시킨다.
3 Crystal violet을 도말표본 위에 가하여 1분간 염색한다.
4 약하게 흐르는 수돗물로 수세하고 Gram's iodine solution으로 30초~1분간 염색한다.
5 수세 후 50% acetone alcohol로 10~20초간 탈색시킨다. 이 때 시간을 너무 오래주면 Gram 양성균이 탈색되어 Gram 음성균으로 보인다.
6 수세 후 Safranin O solution으로 30초간 대조염색한다.
7 수세 후 여과지로 수분을 흡수시켜 건조 후 immersion oil lens로 검경한다.

결과 및 고찰

Gram 양성균 : violet color

Gram 음성균 : red color

1 Gram 양성균 : *Staphylococcus, Streptoccus, Bacillus, Micrococcus, Clostridium, Corynebacterium, yeast* 등
2 Gram 음성균 : Neisseria, Enterobacteriaceae, Haemophilus, Vibrio 등
3 기타 Gram 음성으로 염색되는 것 : Epitherial cell.

※ 주의

① 도말이 고르지 못하거나 너무 두꺼우면 탈색시간이 지연되어 Gram 양성균이 Gram 음성균으로 관찰될 수 있다.

② 배양시간이 오래 되거나(old culture) 계대 배양을 하면 Gram 양성균의 세포벽이 약화되어 Gram 음성으로 관찰될 수 있다.

3) 아포염색(Spore staining)

개 요

세균 아포(spore)의 형태 및 위치 관찰을 위한 염색법을 익힌다(그림 5-2 참조).

*Bacillus*속이나 *Clostridium*속의 세균들은 물리 화학적 외부요인에 대해 상당한 내성을 갖는 내생포자(endospore)를 형성한다.

균종에 따라 아포의 형태와 위치가 다르게 나타나기 때문에 아포의 특성은 세균의 종(species)을 결정하는데 중요한 역할을 한다.

아포의 위치에 따라 중앙이포(central spore), 편재이포(subterminal spore), 단재 이포(terminal spore)로 구분하며, 형태에 따라 원형(round form), 난원형(oval form), 방형(rectangular form)이 있다. 이들 아포벽은 두꺼운 지질막이나 지단백(lipoprotein)막으로 싸여 있기 때문에 일반 염료색소가 침투하기 어렵다. 그러나 가온염색하면 염료가 아포벽의 지질과 결합하여 탈색제에 내성을 나타내 탈색되지 않는다.

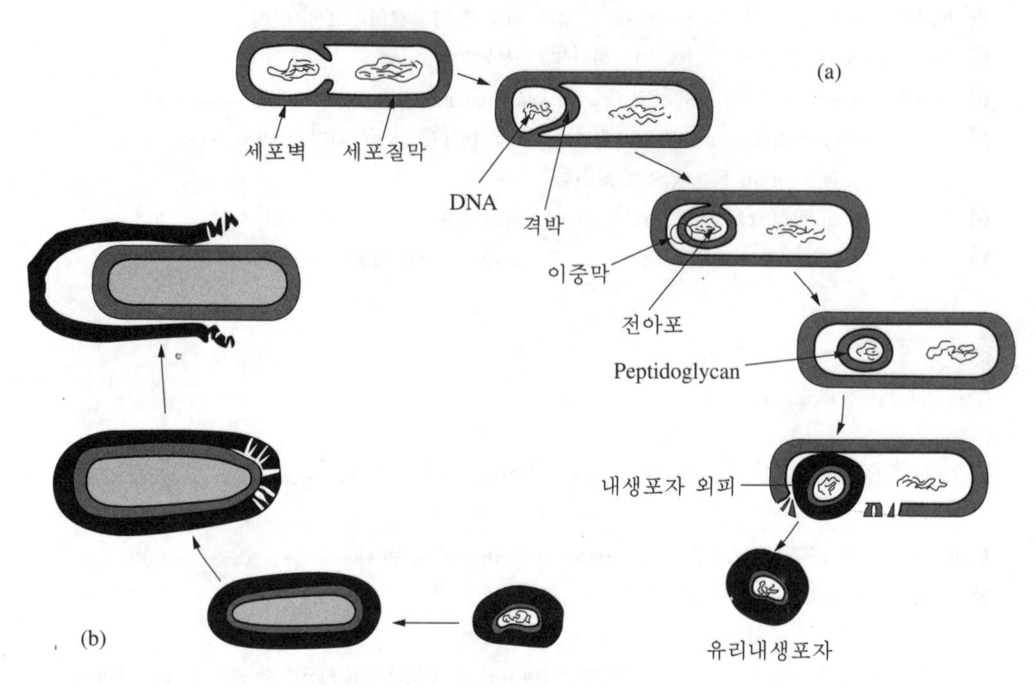

그림 5-2 아포의 특징과 형성과정

시약 및 기구

- 평판배지에서 24~72시간 배양된 아포 형성 균주 : *Bacillus subtilis*
- Loop
- Alcohol lamp
- 염색시약
- Beaker와 시험관

시 약

- Dorner's method
  - 시험관에 생리식염수 또는 증류수 0.5mℓ와 Ziehl-Neelsen's carbol fuchsin(AFB염색 참조) 0.5 mℓ를 넣고 아포형성균 1 loop를 넣어 잘 혼합한다.
  - 끓는 물에 5~10분간 중탕한 후 식힌다.
  - Slide glass에 1 loop 놓고 India ink 또는 Nigrosin 10% 용액을 한 방울 놓고 mix한 후 건조시킨다.
  - Oil immersion lens로 검경한다.
  - 결과 : Spore-적색, Cells-무색, 배경-회색
- Dorner's Modification method

－Slide glass 위에 균배양액을 도말・건조・고정시킨다.
－도말 부위에 여과지 절편을 올려놓고 그 위에 carbol fuchsin 액을 놓고 2~3분간 alcohol lamp나 Bunsen burner로 김이 날 정도로 가온한다.
－여과지를 떼고 물로 수세한 다음 10% Nigrosin액을 놓고 건조시킨다.
－Slide glass를 여과지에 여분의 습기를 제거하여 건조시킨 후 검경한다.
－결과 : Spore－적색, Cells－무색, 배경－회색

■ Schaeffer and Fulton's method
－Slide glass 위에 균배양액을 도말 건조시킨 후 불꽃고정한다.
－도말 부위에 여과지를 덮고 0.5% malachite green 수용액을 충분히 가한다.
－Alcohol lamp나 Bunsen burner로 김이 날 정도로 약 5분간 가온염색한다.
－여과지를 떼고 수세한 후 sarfranin O로 30초간 대조염색한다.
－물로 수세하고 여과지로 습기를 제거한 다음 검경한다.
－결과 : Spore－녹색, Cell－분홍색

2. 배지 및 미생물 접종 · 배양방법

1) 영양 한천배지의 제조

개 요

1930년대까지만 해도 배양에 필요한 성분을 하나하나 직접 조제하여 혼합시켜 사용해 왔다. 그러나 한 종류의 배지를 만들기 위해서는 최소 5~6종류의 성분이 함유되므로 배지 제조에 불편한 점이 많았다. 그 후 배지의 성분들을 건조분말로 잘 조합하여 상품화하게 되었다. 건조 분말배지는 극히 흡습성이 강하고 종류에 따라서 광선에 의해서 변질되는 것이 있다. 따라서 분말배지는 완전히 밀봉하여 어두운 곳에 보관하여야 하고 장시간 동안 보존할 때에는 건조제를 건조기(desiccator)에 넣어 보존하면 좋다.
특히 온도가 높고 습도가 많은 여름철에 분말배지를 계량할 때는 사용 후 될 수 있는 대로 빨리 뚜껑을 닫도록 하여 필요 이상으로 외부공기에 노출되지 않도록 주의할 필요가 있다.

시약 및 기구

■ Nutrient agar(상품화된 건조분말 배지) : Beef extract 3g, Pepton 5g, Agar 15g, D.W 1,000㎖
■ 2.0ℓ용 삼각 flask
■ 천평, 약수저
■ 시험관

- ■ 고압멸균기
- ■ 증류수
- ■ pH 측정기
- ■ 1N HCl
- ■ 1N NaOH

실험방법

1 배지의 용해

① 상품화된 건조분말배지는 증류수 1.0ℓ당 필요한 양을 용해하도록 표시되어 있다. 예를 들어 증류수 1.0ℓ에 50g의 분말을 용해하도록 되어 있다면 100mℓ의 배지를 만들 경우 분말배지 5g을 정확히 계량한 다음 용량 200~300mℓ용 삼각 플라스크에 증류수를 약 80mℓ 넣고 분말을 넣은 다음 flask의 기벽에 묻은 것은 나머지 20mℓ의 증류수를 서서히 가하면서 씻어준다. 만일 분말을 먼저 넣고 증류수를 부으면 분말이 덩어리져서 잘 풀리지 않는 경우가 있다.

② 플라스크를 잘 흔들어 분말이 완전히 풀어지면 내용물이 완전히 녹을 때까지 끓는물에 중탕한다.

③ 상품화된 건조분말 배지의 pH는 대개 수정되어 있으므로 pH수정이 필요없지만 pH를 확인하기 위해 용해한 다음 50~60℃로 식혀 1N HCl이나 1N NaOH로 pH를 조절한 다음 pH 측정기의 전극(electrodes)은 잘 세척한 다음 알루미늄 호일이나 거즈 뭉치로 flask 뚜껑을 막고 고압증기멸균한다.

④ 고체 평판배지인 경우 flask채로 고압증기멸균(121℃, 15lb, 15min)한 후 50~55℃ 정도로 식힌다.

- ■ 멸균된 배양접시를 바닥이 편평한 실험대 위에 준비해 두고 flask의 입구를 alcohol lamp나 bunsen burner의 불꽃으로 멸균한 다음 배양접시의 뚜껑을 열고 15~20mℓ 정도씩 붓는다.
- ■ 오염이 되지 않도록 주의하고 배지를 부은 배양접시를 즉시 뚜껑을 덮고 배지가 굳을 때까지 그대로 둔다.
- ■ 배지가 완전히 굳은 것을 확인하고 냉장고에 뒤집어서 보관한다. 이때 세균의 오염 여부를 알아보기 위해 무작위로 2~3개는 37℃ 배양기에서 overnight하여 오염여부를 확인한다.

⑤ 사면배지인 경우는 중탕하여 잘 녹인 배지를 시험관에 약 3~4mℓ씩(시험관 크기에 따라 양의 조절은 가능하나 대개 시험관의 1/3정도 붓는다) 분주한다.

- ■ 마개를 한 후 고압증기멸균을 한다.
- ■ 멸균이 끝난 후 약 45° 정도의 경사가 되게 하여 굳힌다. 이때 배지 성분이 시험관 뚜껑에 닿지 않도록 주의한다.
- ■ 완전히 굳은 것을 확인한 후 평판배지에서와 같이 2~3개는 37℃ 배양기에서 오염여부를 확인하고 4℃ 냉장고에 보관한다.

⑥ 고층배지나 액체배지인 경우는 시험관에 분주하여 멸균한 후 그대로 실온에 방치한 후 4℃ 냉장고에 보관한다.

⑦ Thioglycollate배지, cooked meat배지 등은 실온의 어두운 곳에 보관한다.

2) 사면배지 및 액체배지 접종법

개 요

사면배지와 액체배지에 세균 접종법을 익히고 각 배지에서 자란 세균마다의 배양 특성을 관찰한다.
미생물을 순수분리하기 위하여 평판배지 상에서 독립된 집락을 얻는다. 얻어진 세균을 보존하거나 생화학적 성상검사, 형태관찰, 세균의 염색성, 집락의 특징, 항혈청 응집검사 및 약제 감수성 검사를 위하여 사용 목적에 따라 각종 배지에 세균을 접종하게 된다. 이 과정에서 세균 접종 방법에 따라 결과에 영향을 미칠 수 있다.
사면배지에 백금이로 선을 긋거나 고층배지에는 백금선으로 천자배양(stab culture)하기도 한다.

시약 및 기구

- 균주
  - *Staphylococcus aureus*
  - *Bacillus subtilis*
  - *Klebsiella pneumoniae*
  - *Proteus vulgaris*
- 백금이(loop), 백금선(needle)
- 한천사면배지
- Thioglycollate broth
- Wax pencil
- Alcohol lamp

실험방법

1 사면배지 접종

① Wax pencil로 시험관의 상층부에 균주명과 필요한 표시를 한다.
② Loop(백금이) 혹은 Needle(백금선)을 화염멸균한 후 공기 중에 약간 흔들어 냉각하되 평판에 배양된 독립된 집락을 취한다.
③ 접종하려는 사면배지를 왼손 둘째손가락과 셋째손가락 사이에 놓고 엄지손가락으로 가볍게 눌러 준 다음 마개를 오른손의 새끼손가락과 손바닥 사이로 뺀다.
④ 배지의 입구를 불꽃에 2~3회 통과시켜 화염멸균한 다음 균주를 취한 백금이를 사면의 아래로부터 위쪽으로 올리면서 지그재그(zigzag) 획선 접종한 다음 입구를 다시 화염멸균하고 마개를 막는다. 이때 배지 표면이 긁혀서는 안된다.
⑤ 백금이는 다시 화염 멸균한 후 rack에 꽂아 놓는다.
⑥ 접종한 사면배지는 37℃배양기에 18~24시간 배양한다.

2 고층배지 접종

① 고층배지는 반고체 배지로 주로 세균의 운동성 관찰과 균주보존에 이용된다.
② Wax pencil로 시험관의 상층부에 균주명과 필요한 표시를 한다.
③ 사면배지 접종과 같이 멸균된 백금선으로 접종할 세균을 채취한 후 고층배지의 중앙부 밑으로 직선이 되도록 접종한다.
④ 백금선은 아래 5mm부위까지 천자하였다가 흔들리지 않도록 조심하여 천자한 자리로 곧바로 위로 뺀다.
⑤ 배지 입구를 화염멸균한 후 마개를 막는다.
⑥ rack에 꽂아 놓는다.
⑦ 접종한 배지는 37℃ 배양기에 18~24시간 배양한다.

3 액체배지 접종

① 액체배지에서 세균의 발육상, 피막형성(pellicle formation), 침전물 형성, 가스 발생 유무, 생화학적 성상검사 등을 위해 사용한다.
② Wax pencil로 시험관의 상층부에 균주명과 필요한 표시를 한다.
③ Loop(백금이)를 화염멸균하여 식힌 후 평판에 자란 집락을 취한다.
④ 액체배지의 뚜껑을 열고 배지를 약간 기울여 시험관의 기벽에 대고 loop로 균액을 푼 다음 잘 흔들어 준다.
⑤ 시험관 입구를 화염멸균한 후 다시 마개를 막는다.
⑥ Loop(백금이)를 화염멸균하여 rack에 꽂아 둔다.
⑦ 접종배지는 37℃ 배양기에 18~24시간 배양한다.

결과 및 고찰

1 사면배지의 발육상

2 고층배지 발육상

3 액체배지 발육상

① Ring form : 균액이 시험관 주변에 흡착된 형
② Pellicle : 표면에 균막이 두껍게 자리한 것
③ Flocculent : 균덩어리가 떠있는 상태
④ Membranous : 균막이 비교적 얇은 것

3) 평판배지 접종법 및 분리 배양

개 요

획선배양법을 이용해서 검체 중에 들어있는 세균을 순수 분리배양하고 계대배양하여 집락의 특징을 익힌다.

자연계에서 많은 미생물들은 서로 혼합된 상태로 존재하여 있으므로 우리가 분리하고자 하는 미

생물의 특성이나 생화학적 성질을 연구하기 위해서는 순수분리배양을 해야 한다. 미생물의 순수 배양에 가장 많이 사용하는 방법을 평판획선배양법(streak plate method)과 혼합분주 배양법(pour plate method)이 있는데 본 실습에서는 평판획선배양법을 익힌다.

평판획선배양법은 loop을 이용하여 평판배지의 표면에 획선 접종하는 방법으로 비교적 간편하고 빠르게 분리할 수 있는 장점이 있다.

세균 집락의 관찰요령은 집락의 형태, 즉 집락의 표면(surface), 가장자리(edge), 고도(elevation) 및 집락의 질(consistency), 색소(pigment)생성능, 크기(size), 냄새(odor) 등을 종합하여 균속들의 특성을 관찰하고 예비동정을 하게 되는 아주 중요한 과정이다.

시약 및 기구

- 균주(액체배지 또는 고체배지에서 18~24시간 배양된 균주)
  - *S. aureus*
  - *B. subtilis*
  - *K. pneumoniae*
  - *Pseudomonas aeruginosa*
  - *Proteus vulgaris*
- Loop(백금이)
- Wax pencil
- Alcohol lamp
- 평판배지

실험방법

1. 세균을 접종할 새 평판은 냉장고에서 꺼내 실온이 된 후에 사용한다.
2. Loop를 화염멸균하여 공기 중에 식힌다.
3. 배양된 균주를 1 loop 취한다(평판에 배양된 균주를 채균시는 아주 미량만 취한다).
4. 획선 배양한다.
5. 평판을 90°로 돌린 후 1번 구획과 약간 중첩이 되도록 2번 구획에 획선 배양한다.
6. 다시 평판을 90°로 돌린 후 2번 구획과 약간 중첩이 되도록 3번 구획에 획선배양한다.
6. 다시 평판을 90°로 돌린 후 3번 구획과 약간 중첩이 되도록 4번 구획에 획선배양한 다음 뚜껑을 덮어 엎어 놓는다.
8. Loop 는 화염멸균하여 rack에 꽂아둔다.
9. 평판 뒷면에 균주명과 필요한 기록을 한 후 37℃ 배양기에 18~24시간 배양한다.

결과 및 고찰

1. 집락의 크기 : 평판의 뒷면에 자를 대고 직경을 측정한다. mm로 표시한다.
2. 집락의 질(consistency)

1. Punciform colony 2. Circular colony 3. Filamentous colony 4. Irregular colony 5. Rhizoid colony 6. Spindle colony

그림 5-3 집락의 형태

① Smooth colony(활면형 집락) : 물방울 모양의 윤기있는 집락.

② Rough colony(조면형 집락) : 빵부스러기 모양의 깨지기 쉬운 집락.

③ Mucoid colony(점액성 집락) : 끈끈한 점조성의 융합성 집락.

3 집락의 형태(평판 위에서 바라본 집락의 형태)(그림 5-3)

① Punctiform colony : 반점모양의 집락

② Circular colony : 원형의 집락

③ filamentous : 실헌의 집락

④ Irregular colony : 불규칙한 집락

⑤ Rhizoid colony : 식물의 뿌리 모양 집락

⑥ Spindle colony : 방추상 집락

4 집락의 고도(Elevation, 평판의 측면에서 바라본 집락의 형태)

① Flatten colony : 평판에 납작하게 붙은 집락

② Raised colony : 약간 평평하게 융기된 집락

③ Convex colony : 볼록 융기된 형태 집락

④ Umbonate colony : 배꼽모양으로 융기된 집락

5 집락의 가장자리(Edge)

① Entire : 가장자리가 둥근모양

② Undulate : 가장자리가 파동형

③ Lobate : 가장자리가 엽상모양

④ Serrate : 가장자리가 파상형 톱니모양

⑤ Filamentous : 가장자리가 섬유상

⑥ Curled : 가장자리가 말아올린 모양, 곱슬머리형

6 색소 생성능

① *Serratia marcescens* : 적색

② *Pseudomonas aeruginosa* : 녹색

③ *Staphylococcus aureus* : 황색

6 기타 투명도, 경도, 용혈성 등 관찰

4) 감자 엑스의 제조

시약 및 기구

- 감자
- 가제(cheese cloth) 또는 무명천

실험방법

감자 몇 개를 물로 잘 씻은 후 껍질을 벗기고 마쇄한 후 무명천에 싸서 물이 들어 있는 비이커 속에서 약 5분간 아래 위로 흔들어 짠 후 비이커 속에 가라 앉은 침전물은 여과시키고 그 여액을 가지고 환원당 실험과 단백질 실험을 참고하여 실시한다.

5) 배양방법 (Bacterial culture method)

(1) 호기성 배양법 (Aerobic culture method)

호기성균 내지는 통성혐기성균인 경우에는 대개 그대로 37℃의 배양기에 넣어 필요한 시간만큼 배양한다. 목적하는 발육최적온도에 따라 22℃, 28℃, 37℃ 등의 온도로 조절하여 통기 환경하에서 배양하는 방법이 호기성 배양법이다.

접종된 평판은 원칙적으로 엎어서 배양한다. 이것은 배지의 건조를 방지하고 세균의 오염을 방지하기 위함이다. 특히 액체배지 배양시 진탕배양을 하면 산소의 주입이 빨라 세균의 증식이 더욱 왕성해진다.

대부분의 병원균은 35~37℃에서 잘 발육하며 효모 및 곰팡이는 25~28℃, 포도당 비발효 Gram 음성 간균은 30℃ 전후의 배양이 좋다.

(2) 탄산가스 배양법 (CO_2 culture method)

개 요

탄산가스 배양법은 5~10%의 CO_2를 포함하는 환경에서 배양하는 방법으로 호기성 배양법의 일종이다.

*Neisseria*속(임균, 수막염균), *Haemophilus*, *Brucella*, *Streptococcus* 등의 배양에 주로 이용된다. 탄산가스 배양기는 상품화된 CO_2 Incubator나 간단한 방법으로는 desiccator나 혐기성 배양병과 같이

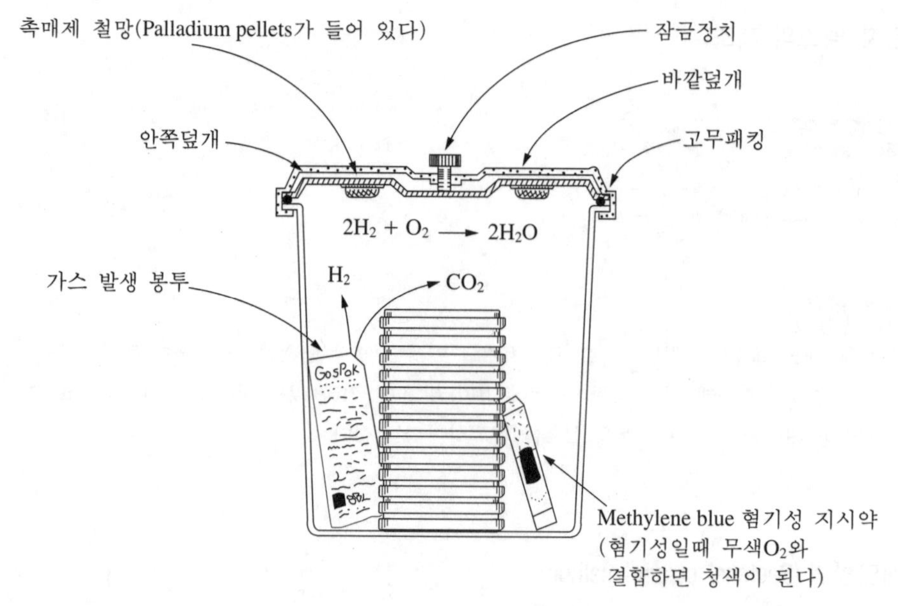

그림 5-4 Gas pak 장치의 원리

밀폐될 수 있는 유리용기 내에 배지를 넣고 양초를 넣은 후 불을 켜서 뚜껑을 덮고 밀폐하면 촛불이 자연히 꺼진다. 이때 CO_2 농도는 약 5～10%가 된다(그림 5-4).

시약 및 기구

- 균주
  - *N. gonorrhoeae*
  - *N. meningitidis*
  - *S. pneumoniae*
- Desicator 또는 candle jar
- 양초
- 거즈
- Vaseline
- Chocolate media 또는 BAP

실험방법

1. 상품화된 candle jar 장치에 고무바킹이 부착되어 있어 완전 밀폐될 수 있는지 확인한다. 만약 desicator를 사용하고자 할 때에는 뚜껑의 가장자리 부분에 vaseline을 발라서 공기가 유입되지 않도록 조절한다.
2. 거즈에 물을 적셔서 candle jar 내에 넣어 습도를 유지시킨다.

3 평판내에 균을 접종하고 candle jar에 엎어서 넣는다.
4 양초에 불을 켜서 candle jar내에 넣는다.
5 뚜껑을 덮고 공기가 새어 들어가지 않는가 확인한다.
6 촛불이 꺼진 것을 확인하고 37℃, 24～48시간 배양한다.
7 CO_2 Incubator 사용시 CO_2 농도가 약 5～10%가 되도록 valve를 조절하고 배양한다.

결과 및 고찰

24～48시간 후 배양여부를 확인하고 배양이 되었으면 집락의 특성을 관찰한 다음, Gram 염색, 생화학적 성상실험 등을 실시한다.

(3) 미호기성 배양법 (Microaerophilic culture method)

미호기성 배양법을 시행하는 경우는 주로 *Campylobacter*의 분리를 위해서 시행한다. Campylobacter는 5～10%의 CO_2와 5% 전후의 O_2 분압조건이 있어야 발육한다. 특수한 혼합가스(N_2 : CO_2 : O_2=85 : 10 : 5)를 jars 내에 주입하여 배양한다. 이와 같은 환경이 될 수 있도록 가스발생 봉투가 시판되고 있다(BBL : Campy pouch). Campy-BAP, Skirrow배지, Butzler 배지 등 Campylobacter 선택배지에 세균을 접종한 후 gas 발생봉투(Campy pouch)에 촉매제를 넣고 37℃ 또는 42℃에서 2～3일간 배양한다.

(4) 혐기성 배양법 (Anaerobic culture method)

개 요

혐기성 세균 중에는 *Clostridium perfringens*나 *Bacteroides fragilis* 등과 같이 산소 접촉에 다소 내성을 보이는 종류(Aerotolerants)는 소량의 산소에 노출되어도 쉽게 사멸하지 않는 것들이 있다. 또한 어떤 종류는 organic peroxides 등과 같이 배양배지가 산소와 접촉할 때 생성되는 독성 산화물질에 견디지 못하는 것도 있으므로 혐기성 세균의 배양에는 특별한 기술을 요한다. 일반적으로 이상적이 혐기성세균 배양법은 다음과 같은 3가지 요건을 충족시켜야 한다.

첫째, 배지가 산소와 접촉될 때 유독성 산화물질이 형성되지 아니할 것.
둘째, 배양하는 동안 배지가 산소와 접촉하지 아니할 것.
셋째, 배지와 산화 환원력을 낮게 유지시킬 것.

그러나 흔히 쓰이는 배양법은 위의 세 가지 요구조건을 다 충족시키는 것은 아니며 가급적 이를 충족시키면서 실질적으로 편리한 방법들이다. 검체로부터 혐기성세균을 분리하고자 할 때는 액체배지보다는 고체배지가 효율적이나 일단 얻어진 순수 배양체를 다루는데는 액체배지가 편리하다. 지금까지 여러 종류의 혐기성 세균배양법과 기구들이 개발되어 사용되고 있는데, 본 실험에서는 가장 일반적으로 사용되는 Gas-pak method를 실시한다.

시약 및 기구

■ 균주

— *Clostridium perfringens*

— *Bacteroides fragilis*

■ Thioglycollate broth

■ BAP. phenyl ethyl alcohol media

■ Anaerobic jar(Gas-pak)

■ Gas 발생봉투

■ Anaerobic catalyst

■ Anaerobic indicator(methylene blue)

실험방법

1. Anaerobic Jar(혐기성 장치)의 뚜껑을 열고 안쪽에 달린 그물 망 속에 촉매(catalyst) 10~20개를 건조시킨 후 넣는다.
2. 혐기성 장치 내에 세균을 접종한 배지를 넣는다.
3. Methylene blue indicator를 봉지에서 꺼내 혐기성 장치 내에 잘 보일 수 있도록 넣는다.
4. Gas 발생봉투의 한쪽 표시부분을 가위로 잘라내고 증류수 10㎖를 넣는다.
5. 즉시 gas발생 봉투를 용기 내에 넣고 뚜껑을 덮고 밀봉한다.
6. Methylene blue 지시약이 무색으로 되는지 확인하고 37℃ 배양기에 24~72시간 배양한다.

결과 및 고찰

1. 매 24시간마다 집락형성 유무를 확인한다.
2. 집락이 형성된 것을 확인하고 Gram 염색과 생화학적 성상검사를 실시한다.

6) 배양온도에 의한 발육영향실험 (Physical effect of temperature)

개 요

미생물은 배양온도에 따라 생존과 발육에 큰 영향을 받기 때문에 미생물의 발육최적온도에 따라 미생물을 분류한다.

자연계에서 세균이 발육 가능한 온도는 −5℃에서 80℃에 이르기까지 다양하다.

그러나 미생물의 효소작용은 높은 온도에 아주 민감하다.

최저발육온도(minimum growth temperature)란 미생물의 발육 가능한 최저온도로써 이 온도 이하에서는 미생물의 효소작용이 억제되고 세포의 대사가 불활성화 되어 세포증식이 거의 없는 상태를 말한다.
최고발육온도(maximum growth temperature)란 미생물의 발육 가능한 최고온도로써 이 온도 이상에서는 대부분의 효소가 파괴되고 세포는 죽는다.
최적발육온도(optimum growth temperature)란 미생물증식 속도가 가장 빠르지만 다른 세포의 활성에는 반드시 이상적인 것은 아닌 상태를 말한다.
모든 세균들은 발육 온도에 따라 아래의 3그룹으로 나뉘어진다.

1. 저온균(psychrophiles) : 발육가능 온도가 −5℃~20℃이고 최적온도가 10℃~15℃인 미생물들은 냉장식품의 부패와 관련이 있다. *Achromobacter*, *Flavobacterium*, *Pseudomonas*, *Micrococcus* 등의 세균 *Penicillium*, *Cladosporium*, *Mucor*, *Candida* 등의 진균류는 0℃ 또는 2℃ 이하에서도 증식한다.
2. 중온균(mesophiles) : 발육가능 온도가 20℃~40℃이고 최적온도가 35℃~40℃인 미생물은 주로 포유동물과 조류 등 온혈동물에 질병을 일으키는 대부분 병원미생물과 그 유연균이 여기에 속한다. 한편 최적온도가 20℃~30℃인 미생물은 식물에 기생하는 부생성균들이 여기에 속한다.
3. 고온균(thermophiles) : 발육가능 온도가 35℃~80℃이고 최적온도가 45℃~60℃인 미생물은 37℃에서도 발육이 가능하기 때문에 통성고온균(facultative thermophiles)이라고 하며 60℃ 이상을 최적온도로 하는 50℃ 이상에서만 발육가능한 미생물을 절대고온균(obligate thermophiles)이라 한다. 고온미생물은 높은 온도를 이용하는 식품가공 과정에서 오염의 문제가 되고 있다.

시약 및 기구

- 균주
  - *E. coli*
  - *Pseudomonas*
  - *Bacillus stearothermophilus*
  - *Candida*
- 배지 : Nutrient agar slant medium
- 기구
  - 분센버너
  - 백금이
  - 4℃ 냉장고
  - 40℃, 60℃ 배양기

실험방법

1. Nutrient agar slant에 균명과 온도를 기록하고 세균을 접종한 후 각각 4℃, 20℃, 40℃, 60℃에 배양한다.

2 24~48시간 배양 후 발육 여부를 관찰한다.
3 발육되었으면 G(growth), 발육되지 않았으면 NG(no growth)로 기록한다.
4 발육 결과에 따라 발육 온도별로 분류한다.

결과 및 고찰

1 저온 발육균 : *Pseudomonas*
2 중온 발육균 : *E. coli*
3 고온 발육균 : *B. stearothermophilus*

3. 미생물 배양

1) 세균수 측정법(평판정량법, Standard plate count method)

개 요

음식물, 음료수나 우유속에 살아 있는 세균의 전체 수를 정량적으로 산출하는 데 목적이 있다. 많은 세균학적 연구에서 주어진 일정한 물질의 양에 따라 그 곳에 함유된 미생물의 수를 계산하는 것을 필요로 한다. 우리는 여러 방법들을 통해 미생물 수를 계산할 수 있는데, 연구목적에 따라 사용되는 방법이 결정된다. 우유의 세균수를 측정하기 위해 slide glass에 우유를 도말하고 현미경하에서 계산하는 방법도 있다(breed 또는 direct count). 이 방법은 간단하고 총균수를 계산하는 데는 어느 정도 정확성은 있으나 생균수 측정에는 한계가 있다. 생균수를 비교적 쉽게 측정할 수 있는 방법으로 표준평판계산법(standard plate count)이 일반적으로 많이 사용된다. 이 방법은 미국보건성에서 우유의 세균수 측정에 이용하도록 법령으로 정하고 있으며, 시료를 계단별로 희석하여 한천배지와 혼합 분주하고, 배양기에서 24~48시간 배양하고 관찰하는 방법이다. 집락 계산에 편리하고 생균수 측정에 정확성을 나타내지만 여러 개의 평판을 희석해야 하기 때문에 경제성이 없는 단점이 있다.

시약 및 기구

- *E. coli*가 배양된 nutrient broth 또는 우유
- 50℃로 식힌 nutrient agar
- 멸균된 배양접시
- 1㎖ pipettes
- 멸균 증류수 99㎖들이 병 3개
- Colony counter
- 혈구 계산기(mechanical hand counter)

실험방법

1. Nutrient agar를 멸균 후 50℃ 전후로 식힌다.
2. 멸균 증류수를 99㎖씩 멸균병 3개에 각각 넣고 A, B, C로 표시한다.
3. Petri dish 4개에 각각 1:10,000, 1:100,000, 1:1,000,000, 1:10,000,000으로 표시한다.
4. E. coli 배양액을 흔들어 1㎖를 pipette로 취하여 A에 넣는다.
5. A를 약 25회 가량 강하게 흔들어 균덩어리를 풀어준다.
6. A에서 1㎖를 취하여 B로 옮긴다.
7. B를 약 25회 가량 흔들고 다른 멸균 pipette으로 1:10,000이라고 표시한 petri dish에 1㎖, 1:100,000 plate에 0.1㎖ 그리고 C에 1㎖를 옮긴다.
8. C를 약 25회 정도 흔들고 다른 멸균 pipette로 1:1,000,000 plate에 1 ㎖를, 1:10,000,000 plate에 0.1㎖를 옮긴다.
9. 멸균된 nutrient agar를 50℃ 항온수조에 식힌다.
10. 4개의 plate에 nutrient agar를 각각 15㎖씩 배지와 균액이 잘 섞이도록 천천히 plate를 돌린다.
11. 배지가 완전히 굳으면 엎어서 35℃에서 48시간 동안 배양한다.

결과 및 고찰

집락수의 계산

1. 배양된 plate를 실험대 위에 놓고 집락을 관찰한다. 집락의 숫자가 30개 이하이거나 300개 이상인 것은 통계적으로 신빙성이 없기 때문에 30~300개의 집락이 있는 것만 고른다.
2. Plate뚜껑을 열고 집락계산기 위에 놓는다. 같은 집락을 두 번 반복하여 세는 것을 방지하기 위해 분획선의 상단부터 세기 시작한다.
3. 1㎖ 당 세균수를 산출한다(예 ; 1:1,000,000으로 희석한 plate에 220개의 집락이 자랐다면 220×1,000,000=220,000,000/㎖당 존재하는 것이다).
4. 실험서에 기록은 22×10^7/㎖ 또는 220,000,000/㎖로 보고한다.

2) 막 여과법 (Membrane filtration)

개 요

세균학적 수질검사에서 막여과를 이용한 대장균(coliform) 군균의 세균수를 측정하는 방법을 익힌다. 복식시험관 발효법(multiple tube fermentation method)에 비해 막여과법(membrane filtration method)은 물에 실제로 존재하는 Coliform 구균의 수를 정확하게 측정하고, 상대적으로 많은 양의 시료를 비교적 빨리 처리할 수 있다는 장점이 있고, 높은 재현성을 나타내 미국보건성에서 세균학적 수질검사에 신뢰할 만한 방법으로 인정하고 있다. 그러나 불순물이 많은 하수의 여과에는 많은 문제점이 있다.

이들 여과막은 두께가 약 10㎛이며 여과지 구멍(pore)의 직경이 0.45㎛이고 80% 이상이 천공되어 있어 0.47㎛ 이상의 세균은 이 막을 통과할 수 없게 되어 있다. 즉 시료를 여과막(membrane filter)으로 여과시키면 모든 미생물은 여과지 표면에 남게 된다. 이 여과지를 액체 영양배지에 적셔 있는 흡수대 위에 놓고 18~24시간 배양 후 여과지 위에 있는 집락을 현미경으로 계산할 수 있다. EMB배지를 사용했을 경우 Coliform bacteria는 금속성광택을 띠게 될 것이다.

시약 및 기구

- 멸균된 여과막 장치와 진공펌프
- Membrane filter(pore size : 0.45㎛)
- 시료 100㎖
- EMB 액체 배지
- 흡수대(absorbent pad)
- 멸균 petri dish
- 핀셋
- Pipettes
- 95% ethyl alcohol

실험방법

1. 멸균된 흡수대를 핀셋으로 집어 멸균 Petri dish에 놓는다.
2. EMB 액체배지를 약 2㎖가량 흡수대에 가한다.
3. 막여과 장치를 맞춘다.
4. 막여과 장치의 여과면에 멸균한 여과막의 눈금이 위로 향하도록 무균적으로 올려놓는다.
5. 진공펌프를 여과장치에 연결하여 시료 100㎖를 여과하고 증류수 20~30㎖를 가해 여과 깔대기 내부를 헹군 후 다시 여과한다.
6. 여과가 끝나면 여과막을 핀셋으로 집어 흡수대 위에 올려 놓는다.
7. 35℃에서 24~48시간 배양한 후 집락수를 조사하고 금속성 광택을 띠는 coliform 세균의 숫자를 세어 시료 100㎖당 세균수를 구한다.

3) 식품내 세균수의 측정

개 요

식품속에 존재하는 미생물을 검출하고 미생물 오염정도를 측정한다.

식품의 발효와 식품제조개발에 유익한 미생물들이 많이 있지만, 포도상구균 살모넬라균 및 콜레라균 등의 일부 미생물 중에는 식품에 오염되어 전염병의 원인이 되는 것도 있고, 독소를 생산하여 식중독을 일으키기도 하며, 식품을 부패시켜 식품의 가치를 감소시키기도 한다.
특히 치즈, 마가린, 햄, 소시지 및 아이스크림 등의 가공식품들은 날로 그 수요가 늘어가고 있으며 그 보관 및 유통과정에서 발생할 수 있는 병원성 미생물의 오염과 식품의 부패로 인해 인간에 끼칠 식품 위생학적 문제가 항상 내재되어 있다. 따라서 본 장에서는 식품내에 오염된 물질을 검출하고 그 균종들의 생리적 특성을 조사 실험한다.

시약 및 기구

- 가공식품(햄, 소시지) 아이스크림
- 분센버너
- 온수조(water bath)
- 집락계산기
- 저울
- Brain heart infusion(BHI) agar 시험관 9개
- Eosin methylene blue(EMB) agar 평판 3개
- 멸균증류수 99mℓ 3개, 180mℓ 3개

실험방법

1 재료의 준비 : 식품으로부터 시료를 채취하여 실험하기까지 기본적으로 지켜야 할 사항은 다음과 같다.

① 시료의 채취는 멸균된 피펫, 핀셋, 스푼, 칼 등을 사용하여 무균적으로 채취한다.

② 시료에 오염된 부분이 많을 경우 부위별로 분리하여 채취한다.

③ 채취량은 식품의 종류와 미생물의 분포에 따라 다를 수 있으므로 식품 전체를 대표할 수 있는 최소량(약 20g)을 취한다.

④ 시료의 운반은 5℃ 이하의 낮은 온도에서 신속히 운반하여 검사할 때까지 미생물이 증식하지 않도록 한다.

⑤ 분말이나 액체는 무균스푼으로 잘 저어 혼합하고 고체 성분은 멸균된 믹서기 또는 가위, 칼 등으로 잘게 부순다.

2 식품의 종류에 따라 각각 3개의 멸균된 배양접시에 10^{-2}, 10^{-3}, 10^{-4}로 표시하고 EMB배지에도 표시를 한다.

3 BHI agar를 15mℓ씩 시험관에 분주하여 멸균 후 50℃ 온수조에 정치한다.

4 각 시료 20 g씩을 무균적으로 저울로 담아 멸균 믹서기에 넣고 180 mℓ의 멸균 증류수를 믹서기에 넣은 후 5분 동안 믹서기로 혼합하고 10^{-1}로 표시한다. 10^{-1}로 혼합한 시료 1mℓ를 99mℓ의 멸균증류수가 들어 있는 병에 넣고 혼합한다 이때 희석배수는 10^{-3}이 된다. 여기에서 1mℓ를 10^{-3}이라고 표시한 멸균 배양접시에 놓고 0.1mℓ를 10^{-4}라고 표시한 멸균 배양접시에 놓는다.

6 10^{-1}로 혼합된 시료를 무균적으로 채취하여 EMB 평판배지에 도말접종(four way streak) 37℃에서 24~48시간 배양한다.

8 주의 : 시료를 옮길 때는 각각 다른 피펫을 사용해야 한다.

결과 및 고찰

집락수의 계산

1. 배양된 평판배지를 집락계산기 위에 놓고 집락을 계산한다.
2. 집락의 숫자가 30개 이하이거나 300개 이상일 경우는 통계적으로 신빙성이 없기 때문에 30개 이상에서 300개 사이의 집락이 있는 것만 고른다. 그러나 병독성이 강한 병원성 세균이 오염되었다고 판단될 때는 아무리 적은 양의 세균이더라도 계속해서 그 세균에 대한 실험을 해야 한다.
3. 검사한 시료 1mℓ당 균의 수를 계산한다.
   예) 10^{-3}으로 희석한 평판배지에 250개의 집락이 자랐다면 250×1,000=250,000의 세균이 시료 1mℓ당 존재하는 셈이다.
4. 각 시료 1mℓ 당 균종별 집락의 수를 계산한다. 균종에 따라 집락의 색, 크기, 질이 다르게 나타난다.
5. *E. coli*는 EMB배지 표면에서 금속성 녹색 광택을 띤다. 장내세균으로 오염된 시료는 EMB배지에서 녹색을 나타낸다. *Salmonella, Shigella, Vibrio* 등 병원성세균은 색을 나타내지 않는다.
6. 식품의 미생물 기준을 참고하여 판단한다. 그러나 병원성 세균은 적은 수 일지라도 참고해야 한다.

4) 젖산균의 분리배양

개 요

젖산(lactic acid)균 발효식품인 김치, 치즈, 생우유 및 요구르트로부터 젖산균을 분리, 동정하는 방법을 익힌다.

젖산균은 포도당을 발효하여 최종 대사산물로 젖산을 생성하는 그람 양성균이다. 구형 젖산균으로는 *Streptococcus lactis, Streptococcus cremoris, Pediococcus* 및 *Leuconostoc*이 있으며, 간상형 젖산균으로는 *Lactobacillus casei, L.bulgaricus, L.acidophilus* 등 *Lactobacillus* 속의 여러 균종이 있다. 이들은 발육온도, 영양 요구성, 내열성, 내염성, 내산성 및 젖산 생산성 등의 성질이 대부분이며, 미호기성균(microaerophilic) 또는 통성혐기성균(facultative anaerobic) 매우 다양하다.

일반적으로 *Lactobacillus* 속이 젖산에 대한 내성이 강하므로 산도(acidity)가 높은 발효제품의 제조에 단일균종 또는 2종 이상을 사용하여 그 균의 독특한 발효 냄새와 산미와 감미를 나타낸다. 발효음료 제조시에는 멸균탈지우유를 원료로 하여 *Lactobacillus bulgaricus*를 접종하면 40~45℃에서 4~5시간 배양하고 *S. lactis*나 *S. cremoris*를 접종할 경우에는 28~30℃에서 14~16시간, *L. bulgaricus*와 *S. lactis*를 병용할 경우 32℃에서 8~10시간 발효할 경우 0.7~0.8 정도의 산도가 된다. 본 실험은 앞에서 배운 모든 지식을 마무리하는 과정으로 시료에서 균을 동정하고 젖산음료의 특성을 분석한다.

시약 및 기구

■ 젖산균 발효식품
- 액상 요구르트
- 소프트 요구르트
- 생우유
- 김칫국

■ 배지
- MRS medium

  Peptone 10.0g, Beef extract 10.0g, Yeast extract 5.0g, Glucose 20.0g, Tween 80 801.0g Dipotassium hydrogen phospate 2.0g, Sodium acetate 5.0g, Triammonium citrate 2.0g, Mg, sulfate, hydrated 0.2g, Mn, sulfate, hydrated 0.05g, Agar 15g, Distilled water 1 ℓ

  pH 6.0~6.5

  상기 배지성분을 녹인후 시험관에 20 mℓ씩 부주한 후 가압멸균하여 50℃ 온수조에 넣어둔다. *Lactobacilli*의 선택배양시에는 sodium azide를 0.02%가 되도록 첨가한다.
- 우유배지

  Skin milk power 60g, Distilled water 540mℓ

  5mℓ씩 나사마개 시험관에 분주하고, 100mℓ 씩 삼각 플라스크 4개에 준비한 후 121℃에서 15분간 가압멸균한다.
- 기타 생화학적 실험배지(불명 검체의 동정 참고)

■ 기구
- 분센버너
- 백금이
- 멸균 피펫
- 뷰렛
- 삼각 플라스크

■ 시약
- 0.1N NaOH
- Phenolphthalein지시약
- 생화학적 실험용 시약(불명 검체의 동정 참고)
- 그람 염색 시약

실험방법

1 젖산균의 분리배양

① 조사하고자 하는 시료 1mℓ를 취하여 멸균생리식염수 9mℓ에 넣어 혼합한 후 3회 연속 계단 희석한다.

② 각각의 희석액 1mℓ씩 취하여 멸균 배양접시에 놓고 멸균 준비된 MRS배지를 잘 넣은 다음 잘

혼합한다.

③ 37℃ 배양기에서 24~48시간 배양하고 집락의 특성을 관찰한다.

④ 잘 분리된 집락을 채취하여 당발효시험 및 생화학적 실험을 실시한다.

2 젖산음료의 관찰 및 산도(acidity)의 측정

① 전배양 : 시험관에 준비된 우유배지에 시료 0.5㎖씩 접종한 다음 37℃에서 24시간 배양한다.

② 본배양 : 삼각플라스크에 준비된 우유배지에 전배양한 균액 2㎖(2%)씩 접종한 후 37℃에서 7일간 배양한다.

③ 매일 소량을 취하여 냄새, 색, 맛, pH, 질감관찰 및 산도(%)를 측정한다.

결과 및 고찰

1 젖산균의 동정 : 앞의 실험에서 얻어진 결과들을 토대로 젖산균의 성질과 비교하여 젖산균의 확인 및 동정을 한다.

2 생균수 계산 : 세균수 측정법 참조

3 젖산음료의 관찰 및 산도 측정

① 냄새 : 산(acid)냄새, 흙(earthy)냄새, 방향성 냄새(spicy), 부패한 냄새(putrid) 20색 : 갈색, 분홍, 볏짚색, 미색 또는 무색

② 맛 : 신맛, 단맛, 쓴맛, 짠맛

③ 질감

- Soft : *Lactobacillus plantarum*으로 발효시켰을 때 나타남
- Slimy : 높은 온도에서 *L. cucumeris*를 신속발육 시켰을 때 끈적끈적한 상태
- Rotted : 세균, 효모, 곰팡이에 의해 부패된 상태

④ pH 측정

⑤ 총산생성도(1% lactic acid)측정

- 삼각 플라스크에 증류수 10㎖ 과 발효음료 10㎖를 넣고 끓여서 CO_2를 제거한다.
- 식힌 다음 1% phenolphthalein 용액을 5방울을 떨어뜨린다.
- 뷰렛을 이용하여 0.1N NaOH로 처음 분홍색이 나타날 때까지 적정한다.
- 총산도를 계산한다.

$$\text{총산도(\% lactic acid)} = \frac{\text{NaOH적정량(㎖)} \times \text{적정액의 규정도(Normality)} \times 9}{\text{시료의 무게(g 또는 ㎖)}}$$

4 현미경적 관찰 : 시료 1~2방울을 slide glass에 도말하고 그람 염색하고 세균의 염색성, 형태 및 배열을 관찰하고 스케치한다.

5) 초산균의 분리배양

개 요

알코올(ethyl alcohol)을 산화발효하여 초산(acetic acid)을 생성하는 초산균의 분리배양 방법을 익힌다.

초산균(acetic acid bacteria)은 그람음성, 호기성간균으로 초산 생성능이 강하고 주모성 편모(peritrichous fragella)를 가지는 *Acetobacter*속과 초산 생성능이 약하고 포도당을 산화하여 gluconic acid를 생성하며 극모성 편모를 가지는 *Gluconobacter*속이 있다.

식초 양조에는 *Acetobacter aceti*와 *A. schutzenbachii* 등이 이용되며 *A. aceti subsp. xylimum*, *Acetobacter suboxydans*는 식초 양조에 유해한 균주이다.

*Acetobacter*는 에탄올을 함유하는 모든 주류(포도주, 맥주 등)를 산화 발효하여 초산을 만든다.

$$C_2H_5OH \xrightarrow{\text{oxidation}} CH_3COOH + H_2$$

한편 *Gluconobacter roseus*는 포도당을 산화하여 gluconic acid를 생성하며, D-sorbitol를 산화하여 L-sorbose를 생성한다.

본 실험에서는 ethyl alcohol이 함유된 포도주, 맥주, 청주 등에서 초산균을 분리 배양한다.

시약 및 기구

- 에탄올을 함유한 주류
  - 포도주
  - 탄산가스를 제거한 맥주
  - 2배 희석한 맥주
- 5% 에탄올이 함유된 코오지즙 또는 맥아즙 용액
- Acetic acid
- 삼각플라스크(250mℓ)
- 초산균 보존용 배지 : Yeast extract 5g, pepton 5g, glucose 5g, potato 200g, D.W 1 ℓ, pH 7.0
  상기 성분을 고압멸균 후 약 50℃로 식힌 다음 에탄올 0.1mℓ를 가한 후 배지를 사멸시킨다. *Acetobacter xylinum* 보존시는 알코올을 넣지 않아도 된다.
- 0.1N NaOH
- 0.2% BTB 또는 0.2% Neutral red 시약

실험방법

1. 250mℓ 들이 삼각플라스크에 에탄올 5%가 되도록 첨가한 맥아즙 또는 코오지즙 50mℓ 넣고 멸균한다.
2. 시료 1mℓ를 취하여 배양액에 접종한다.
3. 25～30℃에서 24～48시간 배양한다.

4. 초산균이 많이 증식하게 되면 배양액 표면이 담청색의 끈끈한 균막을 형성한다(효모에 의한 산막 형성을 막기 위해 2~3% 초산액을 가한다).
5. 균막의 일부를 멸균 백금이로 채취하여 한천평판배지 표면에서 획선배양한다.
6. 잘 분리된 집락의 냄새, 색, 질감을 관찰하고 Gram 염색을 실시한다.
7. 여과한 여액의 pH, 냄새, 색 및 총산도를 측정한다(젖산균 배양실험 참조).

결 과

1. 초산균의 집락은 이슬방울 모양이며 초산의 생성으로 배지중의 탄산칼슘이 녹아서 집락 주변이 투명해진다.
2. 젖산균의 집락은 백색이며 불투명하다.
3. *Gluconobacter*의 집락은 젖산균 집락보다 크다.
4. pH 5.0 이하에서도 발육이 가능하다.
5. 현미경 관찰시 그람음성 간균이 관찰된다.

6) 효모의 분리와 배양

개 요

효모의 배양과 현미경 관찰을 통하여 효모의 형태적 특성과 집락의 특성을 익히기 위함이다.
효모(yeast)란 출아(budding) 또는 이분법(binary fission)에 의해 영양체 증식을 하고 단세포세대(unicellular generation)가 비교적 길며 진핵세포(eucaryotic cell)구조를 갖는 진균류의 하나로 곰팡이(molds)나 버섯(mushrooms)과는 전혀 성상이 다른 효모형의 세포를 갖는 미생물을 의미한다. 특히 단세포상태와 균사체형상태(pseudohyphae)의 생장을 번갈아 하는 효모를 동종이형효모(dimorphic yeast)라 부르며 이러한 종류의 대표적인 예로는 *Cardida albicans*같은 병원성효모도 있다. 효모의 형태관찰은 그 속을 분류하는 데 매우 중요하다. 그러나 같은 종류의 효모일지라도 배양조건이나 시기, 세포의 나이, 영양상태, 공기의 유무 등 생장조건의 변화에 따라 형태가 다양하게 나타나기 때문에 많은 경험과 세심한 관찰을 요구한다.
효모의 대표적인 형태는 다음과 같이 분류할 수 있다.

① 난형(cerevisiae type) : 계란모양의 둥근 난원형 효모로서 빵효모, 청주효모, 맥주효모(*Saccharomyces cervisiae*)가 대표적인 예이다.
② 타원형(ellipsoideus type) : 길쭉한 타원형으로 포도주효모인 *Saccharomyces ellipsoideus*가 대표적인 예이다.
③ 구형(torula type) : 완전한 원형으로 간자의 맛과 향기를 내는 내염성 효모(NaCl tolerance yeast)이며 *Torulopsis versatilis*가 대표적인 예이다.
④ 레몬형(apiculatus type) : 레몬 모양 또는 방추형이라고도 하며 *Saccharomyses apiculatus*, *Hanseniaspora*속 및 *Kleoeckera*속이 대표적인 예이다.

⑤ 소시지형(pastorianus type) : 소시지 또는 오이 모양으로 길쭉한 형태를 나타내며 맥주 양조시 불쾌한 냄새를 나게하는 유해한 야생효모인 *Saccharomyces pastorianus*와 malo-alcohol 발효를 하는 *Schizosaccharolmyces pombe*가 대표적인 예이다.

⑥ 삼각형(trigonopsis type) : 삼각형 모양으로 *Trigonopsis variabilis*가 대표적인 예이다.

⑦ 위균사형 또는 가성균사형(pseudomycelium type) : 출아한 단세포가 길게 신장하여 분리되지않은 균사상처럼 나타나는 것으로 *Candida albicans*가 대표적 예이며 pseudomycelium(위균사)와 true mycelium(진성균사)의 두 가지 형태가 있다.

효모의 집락 또한 그 종류에 따라 냄새와 집락의 길이가 다양하다. 실험실에서 사용되는 Sabourud dextrose agar는 매우 간단한 영양원(glucose와 peptone)으로 조성되었으며 낮은 pH를 나타내기 때문에 세균 등 다른 미생물의 성장을 억제하는 진균의 선택배지로 널리 사용되고 있다.

시약 및 기구

■ 실습재료

- 현미경
- 희석용 멸균 증류수
- Loop
- Slide glass

■ 균주(Sabourous dextrose 배지에 24~48시간 배양한 균주)

- Baker's yeast
- *Rhodotorula rubra*
- *Candida albicans*
- *Saccharomyces cerevisiae*

■ 배지

- Sabourous dextrose agar(SDA)
  Peptone 10g, Dextrose 40g, Agar 15g, D.W 1,000mℓ, pH 5.6
- Sabourous dextrose broth
- Peptone 10g
- Dextrose 40g
- D.W 1,000mℓ
- pH 5.6

■ 시약

- Methylene blue
  Methylene blue 0.3g, D.W 100mℓ
- Crystal violet
  Crystal violet 1g, D.W 100mℓ

실험방법

1 효모의 형태와 크기 관찰

① 깨끗한 slide glass 위에 생리식염수나 증류수를 1~2loop 놓고 집락으로부터 아주 미량의 균을 채취하여 넓게 도말한다. 이때 methylene blue나 crystal violet 시약을 한방울씩 놓고 혼합하면 관찰이 용이하다.

② Cover glass를 덮어 저배율에서 확인하고 400×또는 유침렌즈로 형태를 면밀히 관찰한다.

③ 관찰시간이 길어지면 내용물이 모두 말라붙기 때문에 주의를 요한다.

④ 광원을 약하게 하거나 조리개를 줄여서 관찰하면 관찰이 용이하다.

2 효모집락의 관찰

① Sabourous dextrose broth에 준비된 균주들을 Sabourous dextrose 한천평판배지에 각각 2개씩 획선 배양한다.

② 각 1개씩은 35℃에 배양하고 나머지 각 1개씩은 25℃ 실온에 방치한다.

③ 24시간 내지 48시간 배양된 효모균의 색깔과 냄새, 그리고 집락의 특성 등을 기록한다. 이때 기타 세균이 함께 자랐는지도 확인한다.

7) 곰팡이의 슬라이드 배양

개 요

슬라이드 배양과 현미경 관찰을 통해 사상진균(molds)의 형태의 특성을 이해함으로써 부생성 사상균(saprophytic molds)를 동정하고 분류방법을 익힌다.

사상진균(molds)은 미생물 중 세균, 효모, 방선균을 제외한 진성균사(true hyphae)를 가지는 곰팡이다. 곰팡이는 그 형태가 매우 다양하기 때문에 형태학적으로 곰팡이를 분류하는 것은 실로 매우 중요하며 많은 경험과 지식을 요구한다.

곰팡이의 기본구조는 지름 2~10㎛ 정도의 관상구조를 가진(hyphae)가 있으며, 그 집단을 균사체(mycelium)라 한다. 균체는 기질의 표면이나 내부에 성장하는 영양균사(vegetative hyphae)가 있고 생식균사(reproductive)라 불리는 기중균사 또는 공중균사(aerial hyphae)는 영양균사에서 나와서 무성생식 포자를 다양하게 생성한다.

대부분 곰팡이의 균사는 격막으로 분리된 각각의 세포로 구성되어 있으며 이것들을 격막균사(septate hyphae)라 부른다. 일부 곰팡이는 격막이 없으며, 격막이 없는 다량의 세포질에 다수의 핵이 있는 균사가 있다. 이들을 무격막균사(aseptate coenocytic hyphae)라고 한다.

곰팡이는 집락의 색깔, 크기 등 외관과 균사의 격막유무, 생식포자의 구조와 기관에 의해서 특징지어지며 분류에 이용한다.

접합균문(zygomycota)은 격막균사를 가진 부생성곰팡이(saprophytic molds)로서 *Rhizopus*(거미줄곰팡이) 등이 있다. 이들은 무성생식 생활사와 유성생식 생활사를 가지는데 무성포자는 포자낭(sporangium)안쪽에 형성되며 이것을 포자낭포자(sporangiospore)라고 한다.

접합포자(zygospore)는 유성포자로 두 세포의 융합에 의해 형성된다. 자낭균문(Ascomycota)은 유성포자로 두 세포의 융합에 의해 형성된다. 자낭균문(Ascomycota)은 격막을 가진 곰팡이와 일부 효모가 포함된다. 자낭균류는 자낭(ascus)에서 생성된 자낭포자(ascospore)라 불리는 유성포자를 가진다.

부생성곰팡이들은 보통 무성적으로 분생포자(conidiospore)에서 생성된다.

분생포자의 배열상태는 *Penicillium*과 *Aspergillus*를 동정하는 데 이용된다.

불완전균류(Deuteromycota)는 유성생식 세대가 규명되지 않은 진균류를 fungi imperfect라고 하며, 불완전균류는 대부분 격막균사를 갖고 있으며 다양한 무성포자를 생성한다.

대부분의 병원성균류가 불완전균류에 분류된다. 부생성 곰팡이의 특성에 대한 분류도표는 표 6-3에 나타내었다. 균류 특히 곰팡이는 임상적, 사업적으로 매우 중요하며 공기 중의 포자는 실험실에서 흔히 있는 오염원이다. 일부 병원성균류는 양상진균(Dimorphism)을 나타내며 이 균류들은 37%에서는 효모처럼, 25℃에서는 곰팡이처럼 성장한다.

시약 및 기구

(모든 재료는 멸균된 것을 사용한다)

- Loop, 배양접시
- Slide glass와 Cover glass
- 스패튜라 또는 멸균 메스
- U자 또는 V자 봉
- 증류수, 핀셋, 거즈
- Sabouraus dextrose 한천평판배지
- Lactophenol cotton blue 시약

  Lactic acid 20㎖, Phenol crystals 20g, Glycerin 40㎖, D.W 20㎖

  0.05g의 cotton blue를 첨가하여 혼합한다.
- 균주
  - *Rhizopus*
  - *Aspergillus*
  - *Penicillium*

실험방법

1. 멸균된 Sabouraud dextrose agar(SDA)를 멸균된 배양접시에 두께 약 4mm가 되도록 분주한다.
2. 멸균된 스패튜라나 메스로 길이 1cm의 정사각형 한천블록을 만든다.
3. 메스로 한천블록을 슬라이드 위에 얹어 놓는다.
4. 백금이를 이용해서 한천블록의 네 모퉁이에 곰팡이를 접종한다.
5. 멸균된 cover glass를 한천 블록 위에 얹어 놓는다.
6. 건조를 막기 위해 배양접시 안에 거즈를 놓고 멸균 증류수 약 5㎖를 가한다.

7 멸균 U자 또는 V자 유리봉을 멸균 배양접시에 놓고 그 위에 slide glass를 올려 놓는다.
8 배양접시 뚜껑을 덮고 실온(25℃)에 배양한다.
9 매일 일정한 시간마다 포자형성이 되었는지 관찰한다.
9 포자형성이 확인되면 cover glass를 핀셋으로 취하여 lactophenol cotton blue가 있는 silde glass 위에 놓는다.
10 저배율로 시야전체의 발육상태를 검경하고 고배율로 균사 및 포자를 관찰한다.

4. 동정법

1) Polymerase chain reaction (PCR)

PCR 기술을 이용한 식품에서의 유해 미생물 검출방법

① 시료채취.
② 증균 : PCR 검출가능 균수로 배양한다.
③ 시료와 균의 분리 : 원심분리, filter paper 등을 이용.
④ 100㎕의 2차 증류수로 균을 잘 혼합시킨다.
⑤ 100℃에서 10분간 끓인다.
⑥ 원심분리후 상징액 10㎕를 취한다(DNA이외의 물질은 침전됨).
⑦ 시약혼합 : DNA, 10×reaction buffer(100mM Tris-HCl pH 9.0, 400mMKCl, 15mM $MgCl_2$, 2.5mM dNTP, Taq Polymerase).
⑧ Thermocycle

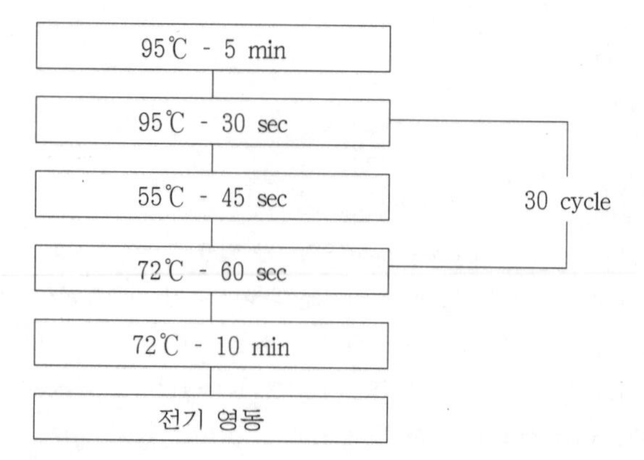

⑨ 전기영동 : 1~2%의 Gel에서 전기영동.

2) MIDI를 이용한 미생물 신속동정

개 요

MIDI의 원리 : 박테리아, 곰팡이, 효모나 방선균 등의 세포막 또는 세포벽에 존재하는 지방산이 종에 따라 다름에 입각하여 GC로 지방산의 조성을 분석한 후 각 peak에 대한 정성·정량데이타를 얻고 database에 저장되어 있는 표준미생물의 지방산을 비교하여 미생물의 균종과 아종을 확률적으로 동정하는 원리를 이용.

시스템 구성

1. 가스크로마토그래프(Hewlette-Packard GC)
   - Carrier Gas-N_2(순도 : 99.999%)
   - Injector－Split Injection Port
   - Column－Capillary Column
   - Detector－Flame Ionization Detector
     → H_2/Air gas에 의하여 형성된 Flame은 시료의 전하를 띤 이온을 생성하는 화합물만 검출
     Autosampler
2. Data System- Computer, Printer
3. MIDI사의 Sherlock System : 2,100여종의 data를 포함한 data library
   - Sherlock software : GC 동작조절과 peak 구별, data저장, data비교에 관계하는 system software
   - Library software : Aerobic · Anaerobic bacteria, Yeast, Fungi, *Actinomycetes* 등의 Library software

실험방법

시약 및 배지조제 → 세포배양 → 시료 전처리 과정(step1～4) → Conditioning & Running Samples → Data Analysis

1. 시약조제

   Reagent 1 (Step 1) : Sodium hydroxide + 증류수 + Methanol

   Reagent 2 (Step 2) : Methanol + 6N-HCl

   Reagent 3 (Step 3) : Hexane + Methyl-tert Butyl Ether

   Reagent 4 (Step 4) : Sodium Hydroxide + 증류수 + Saturated NaCl

2. 배지조제

Method	Library	Media(BBL)	Incubation
Aerobe	TSBA	Trpticase Soy Broth Agar(TSBA)	28℃, 24hr
	CLIN (Clinical Aerobes)	Blood Agar	35℃, 24hr

Method	Library	Media(BBL)	Incubation
Myco	MI7H10	MiddleBrook 7H10	35℃ 5~10% CO_2
Anaerobe	BHIBLA	BHIBLA (Brain Heart Infusion Agar + Hemin chloride soln+vit.K1)	35℃, 48hr oxygen-free CO_2 (Gas paks)
	MOORE	PYG (Peptone-Yeast extract-1% glucose broth)	35℃, 48hr oxygen-free CO_2 or 10% CO_2+90% N_2
Yeast	YST28	Sabouraud Dextrose Agar (SDA)	28℃ 24~48hr
	YSTCLIN	Sabouraud Dextrose Agar (SDA)	28℃ 24~48hr
Fungi	FUNGI	Sabouraud Dextrose Agar (SDA)	28℃, 2~5일 150rpm shaker culture
Actino	ACTINI	Trpticase Soy Broth	28℃, 3~10일 125rpm shaker culture

3 시료 전처리 과정

시료 전처리 과정		목 적
Harvesting		표준배지에서 배양된 미생물의 세포를 채취
Step 1	Saponification	세포막 또는 세포벽의 지질로부터 지방산채취
Step 2	Methylation	지방산에 Methyl ester 형성(지방산 기화 촉진)
Step 3	Extrction	지방산을 수용층에서 유기층으로 전이
Step 4	Base Washing	추출된 유기층의 정제

4 Conditioning & Running Samples

① Conditioning : GC 안정화(→ GC board상의 signal 수치가 일정할 때까지)

② Running Samples

- Sherlock Program의 Sample table을 작성
- Autosampler tray위에 전처리된 시료가 든 Bial 배열
- 시료를 분석하기 앞서 Calibration standard Kit를 이용하여 GC 최적화 점검 및 지방산 Library 점검

5 Data Analysis

① Similarity Index 수치가 0.5 이상일 때 Accept.

② 0.5 이상의 수치가 둘 이상인 경우는 가장 높은 수치와 다음의 수치의 차가 0.1 이상인 경우 높은 수치의 데이터를 획득.

3) MIDI를 이용한 미생물 신속동정방법(호기성 및 통성혐기성 세균 동정)

방 법

1 배지조제 및 세포배양

Tryticase soy broth 30g, Granulated Agar 15g, 증류수 1 ℓ

① 위의 조성으로 평판배지(Plate)를 만든 후 incubator에 Overnight 한다.

② 동정하고자 하는 균을 평판배지(Plate)상에 streaking한 후(3, 4분면 많이) 28℃에서 24시간 배양한다.

2 시료전처리과정

① Harvesting : Plate에 배양된 세포를 loop를 이용하여 40mg 정도(성냥알 4개 정도의 양) 채취(3, 4분면에서 채취) → cap있는 tube의 바닥에 채취한 세포를 옮김

② Step 1 : Saponification

Reagent 1 첨가(1㎖) → Vortex → 100℃ 5분 방치 → Vortex → 100℃ 25분방치 → 찬물에서 냉각(tube가 상온으로 냉각)

③ Step 2 : Methylation

Reagent 2 첨가(2㎖) → Vortex → 80℃ 10분 방치 → 얼음물에서 급속냉각

④ Step 3 : Extration

Reagent 3 첨가(1.25㎖) → rotator (or Orbital shaker) 10분 → 하층액(수용층)제거

⑤ Step 4 : Base Washing

Reagent 4 첨가(3㎖) → rotator(or Orbital shaker) 5분 → 층이 완전히 분리될 때 까지 방치(층분리가 잘 않될 때는 Saturated NaCl첨가) → 상층액을 분리하여 GC bial에 전이

3 Conditioning

① Gas valve를 모두 연 후 Controller, GC, computer, printer 순으로 ON.

② GC condition조건으로 setting한 후 Signal값이 일정할 때까지 방치(30min~2hr)

4 Run Samples

① Sherlock program에서 sample table을 작성 → autosampler trayer위에 시료가 든 bial놓기 → quit → start sequance → GC분석

② GC분석이 시작되면 처음 Calibration standard kit를 먼저 분석(2회 실시) → GC최적화상태 점검 및 표준 미생물의 지방산 예비분석

5 Data Analysis

① Sample이 syringe되기 시작하여 20~21분 정도 후 결과 출력.

② Similarity Index의 수치(Min. 0.5 이상)와 균명칭을 확인

4) ATP bioluminescence 기술을 이용한 미생물 및 위생상태 검사

(1) ATP를 측정하기 위한 Sample 준비

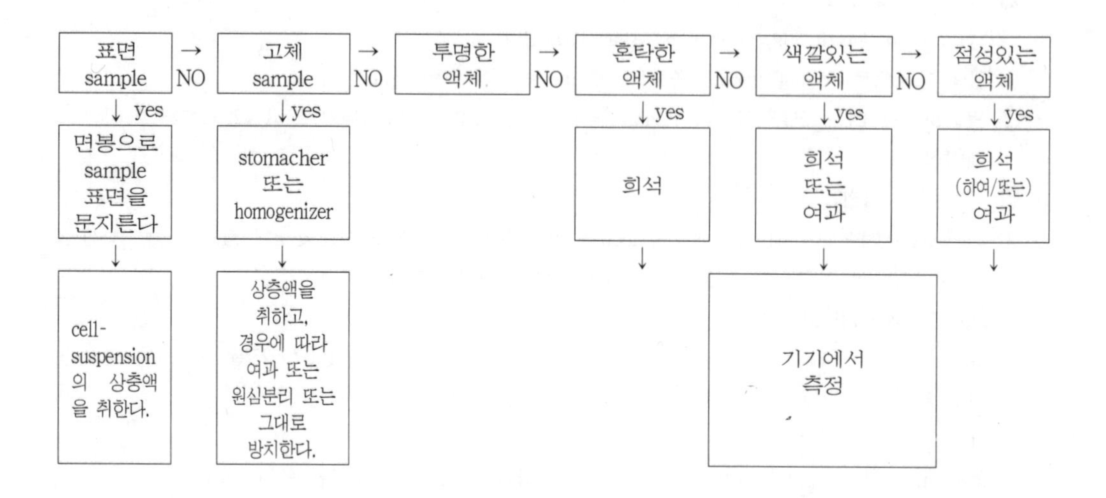

(2) Bioluminescence를 이용한 ATP 측정

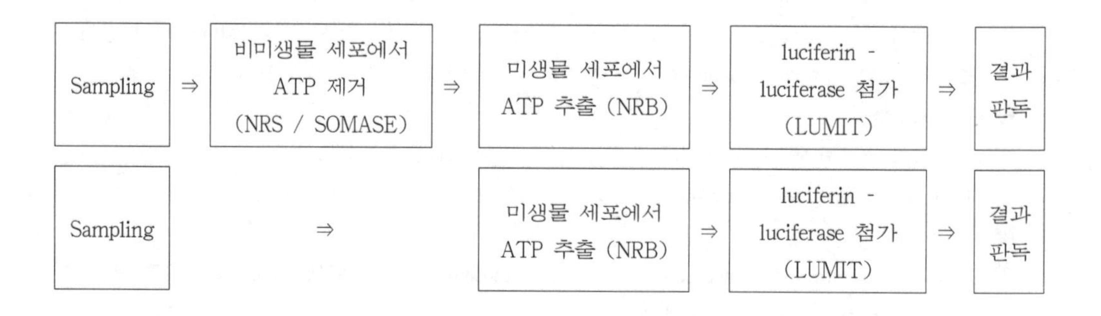

(3) ATP 측정방법 (Lumac Biocounter M1800)

① ATP Bioluminescence 기기에서 1번 펌프에 NRB(or NRM)를, 2번 펌프에 QM(LUMIT)을 넣어 준비한다.

② 원하는 sample을 채취하여 잘 흔들어준다.

③ Sample 100㎕를 취하여 cuvette에 넣는다(Blank로는 증류수 사용).

④ 기기의 assay를 선택

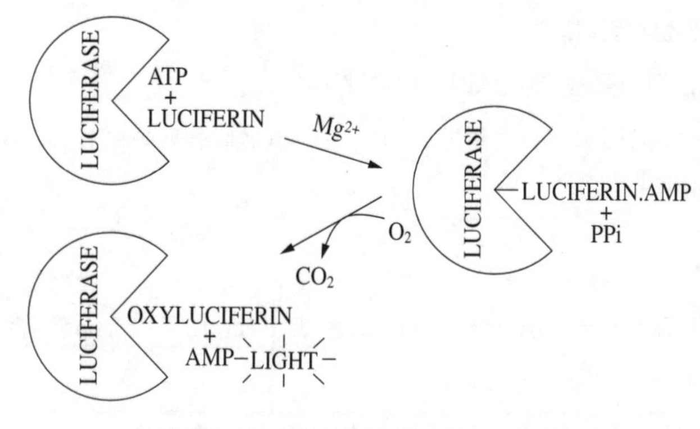

그림 5-5 ATP bioluminescence 반응

⑤ mode 2를 선택

⑥ 범위는 50/100을 선택

⑦ Blank cuvette을 기기의 cuvette 투입구에 올려 놓고, RLU 측정

⑧ Sample cuvette을 기기의 cuvette 투입구에 올려 놓고, RLU 측정

⑨ Blank의 RLU값을 제거한 값으로 분석한다.

RLU : Relative Light Unit

5) 혈청응집반응 검사법 (Serotyping)

(1) 혈청검사를 위한 배양 (Culture)

O 혈청검사 : Nutrient agar에 증균배양하여 검사

H 혈청검사 : Motility Gl broth에서 Flagella를 형성시키기 위해 3대 정도의 계대배양을 시키고 난 후 검사

(2) *E.coli* O157 : H7

① O 혈청검사

■ 슬라이드 글래스를 알코올솜으로 깨끗이 닦고 알코올램프로 한 번 달군 후 식힌다.

■ 멸균 증류수 또는 멸균 생리 식염수를 슬라이드 글래스 위에 한 방울을 떨어뜨린다.

■ 순수 분리된 한 개의 집락을 채취하여 슬라이드 글래스에 떨어뜨린 멸균 증류수나 생리

식염수와 잘 혼합시킨다.

■ O157 antiserum 한방울을 떨어뜨려 혼합시킨다.

■ 슬라이드 글래스를 들고 잘 흔들어 주고 1분 이내에 응집이 형성되었는지를 육안으로 관찰하여 판정한다.

② H 혈청검사

■ 계대된 균을 9.7㎖ veal infusion broth 또는 BHI broth에 1 loop를 접종 한 후 37℃에서 6~8시간 배양

■ 배양된 시험관에 0.3% 포르말린이 되도록 포르말린 첨가(10% 포르말린 0.3㎖ 첨가) 후 37℃에서 약 2시간 배양

■ 혈청(H7 antiserum)을 멸균된 생리식염수를 이용하여 1 : 500이 되도록 희석시킨다.

■ Tube에 희석된 혈청 500㎕와 동량의 시험균액을 넣고 잘 교반시킨다.

■ 50℃의 항온 수조에서 1시간 정도 반응시키고 정치시킨다.

■ 응집여부를 관찰한다.

참고문헌

1. Microbiology, 1998, an introduction, fifth edition, Tortora, Funke, Case, Benzamin cummings
2. 김도영 외 3인 : 식품미생물학. 광문각(1995)
3. 김찬조 : 식품미생물학. 선진문화사(1996)
4. James M Jay : Mordern food microbiology, Chapman Hall, Fourth edition(1992)
5. Singleton and Sainsbury, Dictionary of microbiology, John-Willy(1978)
6. KCTC; catalog of strains, Park youngha, Bae kyungsook, 생명공학연구소, Fourth edition (1999)
7. 민경찬 외 7인 : 식품미생물학실험. 광문각(1996)

제 2 절 식품효소 실험

1. 거대 분자물질의 분해실험

1) 전분 가수분해 실험 (Hydrolsis of starch)

개 요

미생물이 생산하는 체외 효소를 이용하여 전분을 가수분해 할 수 있는 능력이 있는지 실험을 통해 확인한다.

전분은 포도당 분자를 glycosidic bonds로 연결시킨 분자 중합체로 연결된다. 전분과 같이 거대한 중합체들은 세포막을 통과할 수 없기 때문에 세포내에서 에너지로 이용할 수 없다. 따라서 amylase와 maltase 같은 세포의 효소를 분비해서 전분 기질을 작은 glucose 단위로 분해함으로써 세포내에 이용할 수 있다.

저분자로 분해된 포도당 분자들은 세포내에서 해당과정(glycolysis)을 통해 에너지원으로 이용된다. 이러한 체외효소의 전분가수분해능을 관찰하기 위해 starch agar가 사용된다.

전분을 가수분해하는지 조사하기 위해 starch agar배지에 세균을 배양한 후 집락주변에 요오드액을 떨어뜨려 흑청색이 나타나는지 관찰한다. 요오드액은 전분과 결합하면 흑청색이 되고 미생물에 의해 전분이 분해된 곳은 투명해진다.

시약 및 기구

- 균주
  - *E. coli*
  - *Bacillus cereus*
  - 기타 세균
- 배지

  Starch agar 5g, Peptone 3.0g, Beef extract 2.0g, Starch 15g, pH 7.0

  증류수 1.0 L에 상기 성분을 녹인 후 121℃ 15 1b에서 15분간 멸균 후 배양접시에 분주한다.
- 시약 : Gram's Iodine 용액
- 재료
  - 분센버너
  - 백금이

실험방법

1. Starch agar 평판 뒷면에 2~3개의 분획을 긋고 접종할 균명을 기록한다.
2. 백금이로 일직선이 되도록 접종한다.
3. 37℃ 배양기에서 24~48시간 배양한다.
4. Gram's Iodine 용액 3~4방울을 집락위에 떨어뜨린다.
5. 흑청색으로 변하는지 확인한다.

결고 및 고찰

양성 : 무색, *B. cereus*

음성 : 흑청색, *E. coli*

2) 젤라틴 가수분해 실험

개 요

미생물이 생산하는 단백 분해성 체외효소인 젤라틴분해효소(gelatinase)를 이용하여 젤라틴의 액화능을 관찰한다.

젤라틴이 비록 필수 아미노산인 트립토판이 결여된 불완전한 단백질로서 영양원으로의 가치가 약하다 하더라도 이것을 분해하는 미생물의 성질에 따라서 미생물을 동정하고 분류하는 데에는 큰 가치가 있다. 젤라틴은 동물의 인대나 결체조직에서 추출한 collagen의 가수분해 산물로써 25℃ 이상에서서는 고체가 되고 25℃ 이하에서는 액화되는 물리적 성질이 있다.

체외효소인 젤라틴분해효소(gelatinase)를 생산하는 세균은 젤라틴을 분해하여 액화(liquefaction)시킨다. 세균에 의해 일단 액화가 되면 4℃의 냉장고 온도에서도 굳지 않는다.

젤라틴 배지의 조성은 mutrient broth에 12%의 젤라틴을 용해한 후 분주하여 사용한다.

시약 및 기구

■ 균주

- *E. coli*
- *Bacillus cereus*
- *Proteus vulgaris*
- *Staphylococcus aureus*

■ 배지

Nutrient gelatin medium

Peptone 5.0g, Beef extract 3.0g, Gelatin 120g, D.W 1 ℓ, pH 6.8

상기 성분을 녹인 후 나사마개 시험관에 7㎖씩 분주한 후 고압멸균하여 사용한다.

■ 기구
- 분센버너
- 백금선
- 냉장고

실험방법

1. 배지가 들어 있는 시험관에 배정 받은 균주를 각각 백금선으로 깊게 접종한다.
2. 37℃에서 24~48시간 동안 배양한다.
3. 4℃ 냉장고에 30분 정도 둔다.
4. 배지의 상층부가 액화되지 않았으면 7~10일간 계속 관찰한다.
5. 배지가 액화되었으면 젤라틴이 가수분해된 것을 의미하고 액화되지 않았으면 젤라틴 액화반응 음성이다.

결과 및 고찰

양성균 : *Pseudomonas aeruginosa, Staphylococcus aureus, Bacillus cereus*
음성균 : *E. coli, Salmonella*

3) IMVIC 실험

(1) Indole 생성능 시험

개 요

세균이 아미노산인 trytophan을 분해하여 Indole을 생산하는 능력이 있는지 보기 위한 시험이다. Tryptophan은 세균의 효소작용에 의해 산화될 수 있는 필수아미노산이다.
Tryptophan은 세균이 분비하는 tryptophanase에 의해 Indole로 전환된다. 이 효소를 분비하는 균을 tryptophan을 함유한 배지에 접종 후 일정기간 배양한 다음 p-dimethylaminobenzaldehyde, buthanol, hydrochloric acid의 복합물인 Kovac's 시약을 첨가하면 indole은 산성화된 buthanol에 의해 배지로부터 추출이 p-dimethylaminobenzaldehyde와 결합하게 되어 진한 적색으로 된다.

시약 및 기구

■ Trypticase soy broth에 24시간 배양한 아래 균주들
- *Escherichis coli*
- *Proteus vulgaris*
- *Enterobacter aerogenes*

- SIM agar
- Kovac's reagent

  Amyl(isoamyl) 또는 butyl alcohol 150㎖, P-dimethylaminobenzaldehyde 10mg, Conc HCl 50㎖
- 백금선(needle)
- Alcohol lamp

실험방법

1. 각 세균을 백금선으로 취하여 SIM배지의 중앙에 천자접종한다.
2. 37℃에서 18~24시간 배양한다.
3. Kovac's 시약 0.2~0.5㎖를 가해 가볍게 흔든 후 판독한다.

결과 및 고찰

1. 양성 : 배지표면층에 적색 ring이 생긴다.
2. 음성 : 색의 변화가 없다.

   양성균 : *Escherichia coli, Proteus vulgaris*

   음성균 : *Enterobacter aerogenes*

(2) Methyl red test

개 요

세균이 glucose를 산화시켜 높은 농도의 혼합산(mixed acid)을 생성하는지를 보는 것이다.
세균이 배지내에 함유한 glucose를 분해하여 생성되는 acid의 양은 각 세균의 효소작용에 따라 다르다. 생성된 각 혼합산의 농도가 pH 4.4 이하 정도로 되면 pH 지시약인 Methyl red와 반응하여 배지는 적색으로 변한다.

시약 및 기구

- Trypticase soy broth에 24시간 아래 균주들
  - *Escherichia coli*
  - *Enterobacter aerogenes*
  - *Klebsiella pneumoniae*
- MR-VP broth
- Methyl red pH indicator

  Methyl red 0.1g, 95% ethyl alcohol 300㎖, D.W 200㎖
- 백금이
- Alcohol lamp

실험방법

1. MR-VP배지에 각 세균을 접종한다.
2. 37℃에서 24~48시간 배양한다.
3. Methyl red 5방울을 가한다.

결과 및 고찰

1. 양성 : 배지가 적색(pH 4.4)으로 된다.
2. 음성 : 색의 변화가 없다.
3. 양성균 : *Escherichia coli*
   음성균 : *Enterobacter aerogenes, Klebsiella pneumoniae*

(3) Voges-Proskauer test

개 요

세균이 glucose를 발효해서 유기산인 acetylmethylcarbinol(acetoin)을 생성하는지의 여부를 관찰한다.

Voges-Proskauer시험에 사용되는 시약은 alpha-naphthol과 40% KOH용액이다. 만약 배지에 포함된 glucose로부터 acetylmethylcarbinol(acetoin)이 생성되면 acetoin은 강알칼리에서 alpha-naphthol 촉매에 의해 산화되어 diacetyl 화합물이 된다. 또한 이 화합물은 배지에 존재하는 peptone이 알칼리상태에서 전환된 guanidine group과 반응하여 적색의 복합물을 이루게 된다.

시약 및 기구

- Trypticase soy broth에 24시간 배양된 균주들
  - *Escherichia coli*
  - *Enterobacter aerogenes*
  - *Klebsiella pneumoniae*
- MR-VP broth(부록참고)
- Barrit's reagent
  A 용액 Alpha-naphthol(5%) 5g, Absolute ethyl alcohol 100㎖
  B 용액 Potassium hydroxide(KOH)(40%) 40g, Distilled water 100㎖
- 백금이
- Alcohol lamp

실험방법

1. MR-VP 배지에 각 균을 접종한다.

2 37℃에서 24~48시간 배양한다.

3 균배양액에 Barrit's 시약 A용액 0.6㎖(6drop)를 가하고 B용액 0.2㎖(2drop)를 가한 후 30초~1분간 흔들어 대기 중에서 산화시킨다.

4 10~15분 방치한 후 결과를 판정한다.

결과 및 고찰

1 양성 : 배지가 적색으로 된다.

2 음성 : 엷은 pink 또는 황색

3 양성균 : *Enterobacter aerogenes*
Klebsiella pneumoniae

4 음성균 : *Escherichia coli*

(4) Citrate 이용성 실험

개 요

어떤 세균이 탄소원으로 Citrate를 이용하는지 ammonium. phosphate를 질소원으로 이용하는지 여부를 관찰하는 것이다.

citrate를 탄소원으로 이용하는 세균은 세균이 분비하는 효소인 citrase에 의해 citrate가 분비되어 oxalacetic acid와 acetate로 생성되며 oxalacetic acid는 pyruvic acid CO_2로 생성되며 CO_2는 Na^+와 H_2O와 결합되어 Na_2CO_3로 된다. 알칼리성인 Na_2CO_3의 존재는 배지 안에 포함된 BTB지시약에 의해 배지를 진한 청색으로 변하게 한다.

시약 및 기구

- Trypticase soy broth에 24시간 배양한 아래 균주들
  - *Escherichia coli*
  - *Enterobacter aerogenes*
  - *Klebsiella pneumoniae*
- 배지 : Simmon's citrate agar
- alcohol lamp
- 백금선(needle)

실험방법

1 백금선으로 각 세균을 취하여 사면에 접종한다.

2 37℃에서 24~48시간 배양한다.

결과 및 고찰

1. 양성 : 배지가 청색으로 변한다.
2. 음성 : 색의 변화가 없다.

양성균 : *Enterobacter aerogenes, Klebsiella pneumoniae*

음성균 : *Escherichia coli*

4) Catalase, Oxidase 효소실험

(1) Catalase 실험

개 요

대부분의 호기성세균 또는 통성혐기성 세균이 생산하는 과산화수소(H_2O_2)분해효소인 catalase 생산능을 관찰한다.

과산화수소(H_2O_2)는 대부분의 호기성세균과 통성혐기성세균이 산소 호흡에 의해 당이 분해될 때 최종 전자수용체인 산소와 그 농도가 해당세균의 세포에 축적되면 결합하여 그 세균에 유독성을 나타내 죽게 된다. catalase 또는 peroxidase는 이러한 과산화수소를 분해하여 물과 산소를 분해할 수 있는 효소로서 heme protein의 일종이다.

$$2H_2O_2 \xrightarrow{\text{Catalase}} 2H_2O + O_2 \uparrow \text{ (bubble)}$$

따라서 과산화수소를 생산하는 세균들이 생존할 수 있는 것은 catalase를 생산하여 과산화수소를 분해하든지, 과산화수소에 대해 천연적인 내성을 가지기 때문이다. superoxide dismutase는 catalase 음성인 호기성세균이 유독성 과산화수소를 특이하게 분해하는 효소이다.

절대혐기성세균들은 과산화수소를 생산하지 않기 때문에 catalase, peroxidase 또는 superoxide dismutase를 생산하지 않는다. 본 실험의 원리는 위에서 설명한 바와 같이 Trypticase soy agar에 배양된 세균에 과산화수소(H_2O_2)를 떨어뜨리면 화학 반응에 의해 유리산소가스($O_2 \uparrow$)가 발생할 때 거품이 생긴다. catalase를 갖지 않는 세균은 거품이 형성되지 않는다.

시약 및 기구

■ 균주

- *Staphylococcus aureus*
- *Streptococcus lactis*
- *Micrococcus lutes*
- *Escherichia coli*
- *Bacillus subtilis*

■ 배지 : Trypticase soy agar 사면 또는 평판배지
■ 시약 : 3% H_2O_2
■ 기구
 －백금이
 －깨끗한 slide glass
 －분센버너

실험방법

1. 사면배지 또는 평판배지에서 자란 균을 멸균 백금이를 사용하여 무균적으로 한 백금이를 채취하여 slide glass위에 놓는다.
2. 3% H_2O_2 3~4방울을 그 위에 떨어뜨린 다음 백금이로 혼합한다.
3. 배지의 집락위에 H_2O_2를 직접 떨어뜨린다.
4. 거품이 일어나는지 확인한다.
5. 거품이 있으면 catalase 실험 양성
6. 거품이 없으면 catalase 실험 음성이다.

결과 및 고찰

1. 양성 대표균 : *S. aureus*
2. 음성 대표균 : *S. lactis*

* 혈액 성분이 들어있는 배지를 사용하면 위양성(false positive)이 나타난다.

(2) Oxidase 생성 시험

개 요

미생물의 호흡과정에서 환원형의 cytochrome이 전자 전달계의 최종 전자수용체인 산소에 의한 산화를 촉매하는 cytochrome oxidase 효소의 활성 유무를 관찰함으로써 미생물 분류의 방법을 익힌다.

산화효소(oxidase)는 절대호기성세균(strict aerobes)의 유기호흡에서 전자 전달계의 중요한 역할을 한다. Cytochrome oxidase는 산소분자(O_2)에 의해 환원된 cytochrome의 산화를 촉매함으로써 물(H_2O) 또는 과산화수소(H_2O_2)를 형성한다.

호기성세균, 통성혐기성세균 및 미호기성세균은 산화효소 활성을 가지며 특히 neisseria와 pseudomonas는 강한 활성을 나타내지만 장내세균(enterobacteriaceae)은 활성을 나타내지 않는다. 혐기성세균들은 발육에 산소를 필요로 하지 않으며 cytochrome oxidase system에 관여하지 않기 때문에 oxidase반응이 나타나지 않는다.

Tetramethyl-p-phenylendiamine oxidase 시험에 사용하는 시약은 인공전자 수용체와 공여체의 역

할을 함께 함으로써 시약을 세균 집락 위에 떨어드렸을 때 시약이 산화되어 청색으로 변하면 oxidase 양성으로 판정한다. 아무 변화가 없거나 원래 시약색이면 음성으로 판정한다. 시약의 종류에 따라 그 민감도와 결과가 다르게 나타난다.

시약 및 기구

■ 균주
- *Pseudomonas aeruginosa*
- *Escherichia coli*
- *Alcaligenes faecalis*
- 기타 균주

■ 배지 : Trypticase soy agar 사면 또는 평판배지

■ 시약
- 1% tetramethyl-p-phenylenediamine dihydrochloride 수용액(결과 : 청색)
- 1% dimethy1-p-phenylene diamine oxalate 수용액(결과 : 흑색)

■ 기구
- 분센버너
- 백금이 또는 유리봉(니크롬제제를 사용하면 위양성이 나올 수 있다)
- 여과지

실험방법

1. 시약 1~2방울을 여과지 위에 떨어뜨린다.
2. 백금이를 멸균하여 완전히 식은 후 배양된 균주 1 loop를 딴 다음 여과지 위에 문지른다.
3. ① 시약 사용시 10초 이내에 청색이 되면 양성이다. ② 시약 사용시 1분 이내에 분홍 → 적갈색 → 흑색 순으로 나타난다.

결과 및 고찰

1. 양성 대표균 : *Pseudomonas aeruginosa*
2. 음성 대표균 : *Escherichia coli*

2. Transglutaminase

1) Guinea pig (모르모트) liver로부터의 TGase의 정제 (GTGase)

개 요

최근 대두단백질, 소혈청 알부민, 난백, 유단백질 등의 식품단백질을 개선하는 것에 의해 이용성이 높은 식품 단백질 소재를 만들어 내려는 시험이 많이 행해져 왔다. 그 수단으로서 몇몇 효소가 이용되어 왔지만(대개는 가수분해 효소), 그 중에서도 현재 주목을 받고 있는 효소가 트랜스글루타미나아제(transglutaminase, 이하 TGase로 약함)가 있다. 즉, TGase에 의한 가교화 반응을 이용하여 단백질을 중합화하는 것에 의해 다양한 기능특성을 부여하는 것이 가능하다.

TGase(glutaminyl-peptide:amine γ-glutamyltransferase, EC 2.3.2.13)는 단백질의 번역 후 수식(修飾)효소의 하나이고, 포유동물 유래의 것은 칼슘 의존성, 미생물 유래의 것은 칼슘 비의존성의 아실 전이효소이다. 기질로서는 아실 공여체로서 펩타이드사슬 중 글루타민 잔기의 γ-carboxyamide기가, 또한 아실 수용체로서 아민화합물의 제1급 아민기나 펩타이드사슬 중 라이신 잔기의 ε-amine기가 각각 반응한다. 그 결과, 펩타이드사슬 중 글루타민잔기로의 아민화합물의 공유결합적 부가반응이나 펩타이드사슬 사이(혹은 내부)의 ε-(γ-glutamyl)lysine isopeptide 결합에 의한 가교형성 반응이 행해진다(그림 5-6 참조).

시료조제

guinea pig로부터 간장을 적출하여 냉장하여 둔다.

시약 및 기구

■ 시약

－0.25M 설탕용액

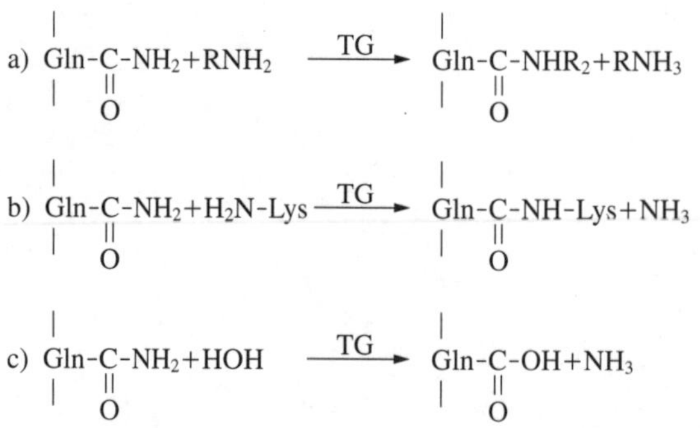

$$\text{a) Gln-}\underset{\underset{\text{O}}{\|}}{\text{C}}\text{-}NH_2+RNH_2 \xrightarrow{\text{TG}} \text{Gln-}\underset{\underset{\text{O}}{\|}}{\text{C}}\text{-}NHR_2+RNH_3$$

$$\text{b) Gln-}\underset{\underset{\text{O}}{\|}}{\text{C}}\text{-}NH_2+H_2N\text{-Lys} \xrightarrow{\text{TG}} \text{Gln-}\underset{\underset{\text{O}}{\|}}{\text{C}}\text{-NH-Lys}+NH_3$$

$$\text{c) Gln-}\underset{\underset{\text{O}}{\|}}{\text{C}}\text{-}NH_2+HOH \xrightarrow{\text{TG}} \text{Gln-}\underset{\underset{\text{O}}{\|}}{\text{C}}\text{-OH}+NH_3$$

a) 아실전이 반응 (acyl-transfer reaction)
b) 단백질의 Gln잔기와 Lys잔기간의 가교화 반응
c) 탈아미드화 (deamidation)

그림 5-6 TGase에 의한 촉매반응

- DEAE-cellulose column
- 1.0M NaCl
- 1.0% protamine sulfate
- 0.2M Tris-acetic acid buffer
- 0.05M ammonium sulfate
- 5mM Tris-HCl buffer(2mM EDTA 함유)
- Ammonium sulfate
- 1.0M EDTA(pH 8.0)
- 10mM Tris-acetic acid buffer(1mM EDTA, 0.16M KCl함유 pH 6.0)
- 10% agarose(Bio-Gel A-0.5M)

■ 기구

- 균질기(homogenizer)
- 초원심분리기(ultracentrifuge)
- 원심분리기(centrifuge)
- 한외여과기(PM-10, Amicon)

실험방법

모르모트로부터 적출한 간장 적당량(약 800g)을 냉장온도로 유지, 신선한 상태의 간장을 4℃의 0.25M 설탕용액 2.0ℓ를 가해 균질기로 균질화 한다. 이 균질화된 용액을 초원심분리기를 이용하여 5℃, 110,000g로 1시간 원심분리를 행한다. 얻어진 상등액을 거즈로 여과후, 4등분하고, 각각을 15mM Tris-HCl 완충액(pH 7.5, 2.5mM EDTA 함유)으로 평형화한 DEAE-cellulose(DE-52, 3.2×30cm)에 의한 column chromatography를 행한다. 평형화에 이용한 완충액으로 각 칼럼을 충분히 세척하고, 여분의 혈액성분을 제거한다. 계속해서 각 칼럼을 평형화완충액을 이용하여 0.01M-1.0M NaCl의 직선농도구배(linear gradient)에 의해 transglutaminase의 용출(elution)을 행한다. CBZ-L-glutaminylglycine(CBZ-L-Gln-Gly)를 이용한 hydroxamate법에 의해 효소활성을 측정하고 활성획분(fraction)을 모은다. 조제 직후의 1%(w/v) protamine sulfate 용액을 얻어진 획분의 액량의 10%에 상당하는 양만 천천히 첨가한다. 발생된 침전물을 15,000g로 15분간 원심분리하여 모은다. 이 침전물을 0.2M Tris-acetic acid 완충액 100mℓ로 세척하고, 계속해서 0.05M ammonium sulfate를 포함한 5mM Tris-HCl 완충액 (pH 7.5, 2mM EDTA함유) 50mℓ를 가해, 균질화시킨 후 2,500g에서 1분간 원심분리하고 상등액을 취한다. 이 조작을 3번 반복하여 얻은 상등액을 5mM Tris-succinic acid 완충액(pH 6.0, 2mM EDTA 함유)으로 평형화한 CM-cellulose (CM-52, 2×10cm)에 의한 column chromatography를 행하여 protamine을 제거한다. 얻어진 용출액에 대해서 9.6mℓ의 1.0M EDTA(pH 8.0)와 189.6g ammonium sulfate를 가해 15,000g에서 10분간 원심분리한다. 얻어진 침전물을 10mM Tris-acetic acid 완충액(pH 6.0, 1mM EDTA, 0.16M KCl 함유) 10mℓ로 용해하여 3,000g에서 30분간 원심분리한다. 상등액을 10mM Tris-acetic acid 완충액(pH 6.0, 1mM EDTA, 0.16M KCl 함유)으로 평형화한 10% agarose(Bio-Gel A-0.5M, 45×

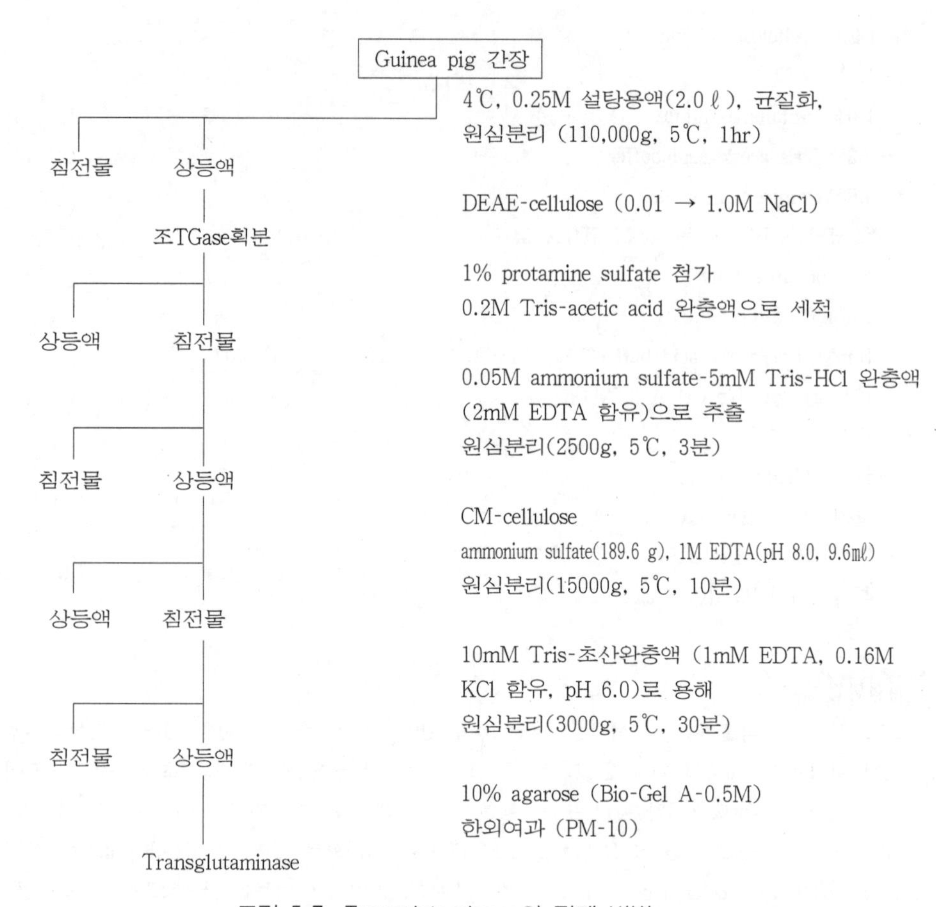

그림 5-7 Transglutaminase의 정제 방법

90cm)를 이용하여 겔여과하여 활성획분을 모은다. 이것을 한외여과장치(PM-10 filter, Amicon)를 이용하여 10 혹은 20mg/㎖의 농도가 되도록 농축한다. 얻어진 TGase는 SDS-PAGE에 의해 단일 밴드를 확인하고, 용액을 약 1㎖씩 분주하여 −80℃에 보관하고 필요시 해동하여 사용한다. 이상의 과정을 간단히 도식화하면 그림 5-7과 같다.

2) 미생물 유래의 TGase 정제방법 (MTGase)

시약 및 기구

■ 시약

−0.05M sodium phosphate buffer(pH 6.5)

−0.05M sodium phosphate buffer(pH 7.0)

- 0.5M sodium phosphate buffer(pH 6.5)
- Amberlite CG-50
- Blue Sepharose
- 1.0M NaCl

■ 기구 : centrifuge, 한외여과장치

실험방법

Streptoverticillium sp. 혹은 그 밖의 미생물이 생산한 TGase를 포함한 배양액(culture fluid)을 원심분리기를 이용하여 3,000g로 15분 원심분리하여 여과한다. 여과액은 10K membrane의 한외여과장치를 이용하여 농축시킨다. 농축액은 이어서 0.05M sodium phosphate buffer(pH 6.5)로 평형화시킨 Amberlite CG-50 column에 응용시킨다. Column은 동일완충액으로 세척하고, 0.05~0.5M sodium phosphate 완충액으로 용출한 후, 활성획분을 모은다. 이들 활성획분은 동일완충액으로 희석한 후, 동일조건으로 column에 반복하여 응용시킨다. 이어서 conductivity를 10ms 이하로 낮추기 위해 동일완충액으로 희석시켜서 Blue sepharose column을 통과시킨다. TGase는 이 조작동안 column에 흡착되고, 이 효소 이외의 불순물은 0.05M sodium phosphate buffer(pH 7.0)로 세척한다. 최종적으로 NaCl 용액 0.01~0.1M의 직선농도구배로 높은 활성의 획분을 모을 수 있다. 이후 효소활성을 측정하고 일정량씩 분주하여 -80℃에 보관한다.

3) TGase 효소활성의 측정

시약조제

■ 기질시약

- 1.0M Tris-acetic acid buffer(pH 7.0) 12.114g/100mℓ
- 0.2M CBZ-L-Gln-Gly(pH 7.0, NaOH로 조정) 0.6746g/10mℓ
- 0.1M $CaCl_2 \cdot 2H_2O$ 0.147g/10mℓ
- 2.0M Hydroxylamine(pH 7.0) 2.7796g/10mℓ
  (4.0M Hydroxylamine 2.7796g/5mℓ을 조제하여, 증류수 3~4mℓ를 가하고 5.0N NaOH를 가지고 pH를 조정하여 최종 10mℓ로 한다)
- 0.02M EDTA · disodium 0.0744g/10mℓ

■ 반응정지 시약

- 15% Trichloroacetic acid
- 5% $FeCl_3$ (0.1N HCl에 용해)
- 2.5N HCl

실험방법

Incubation Mixture (0.25mℓ)
- 0.1mℓ Tris-acetic acid buffer
- 0.075mℓ CBZ-L-Gln-Gly
- 0.025mℓ hydroxylamine
- 0.025mℓ $CaCl_2$
- 0.025mℓ EDTA

TGase 용액 (증류수 포함) 0.5mℓ

↓

37℃, 10min incubation

↓

반응정지제 0.5mℓ를 첨가하여 반응을 정지
(TCA : $FeCl_3$: HCl = 1 : 1 : 1)

↓

OD(525nm) 측정 (1cm cell)

그림 5-8 TGase활성 측정방법

결과 및 고찰

1. OD(525nm) 값을 1.25mℓ로 나눈다. → X/1mℓ
2. ⊿OD(525nm) = 0.29 (incubation mixture 1mℓ당 hydroxamate 1μM을 촉매하는 효소의 OD 값) → X/0.29 = YμM/mℓ
3. 37℃, 10min 반응 → YμM/mℓ/10min
4. 최종적으로 사용된 효소량을 계산해준다. 예를들면 0.5mℓ중에 순수 효소량이 0.1mℓ라면 전체 반응액 1.25mℓ중 효소량은 0.08mℓ이므로

   Activity = YμM/mℓ/10min/0.08 (최종단위는 units)

   Specific activity = units/mg protein

3. 산화효소 (oxidase) 의 실험

시약 및 기구

- phosphate buffer(pH 6) : M/15 KH_2PO_4 : M/15 Na_2HPO_4(9 : 1)의 비율로 혼합
- catechol(catechin)

실험방법

2개의 시험관에 여액 5mℓ를 가한 후, 한 시험관은 끓는 물 속에 약 10분간 담갔다가 꺼내어 식힌다. phosphate buffer(pH 6)를 두 시험관에 0.5mℓ 가한 후 다시 2mℓ의 새로 만든 0.2%의 catechol 용액을 가한다. 두 시험관을 잘 흔든 후 약 30분간 방치한다. catechol의 효소적 산화에 의한 색의 변화를 관찰한다.

4. Sucrase의 실험

시약 및 기구

- 빵효모
- 막자사발
- toluene, starch, sucrose, Na_2CO_3
- acetate buffer(pH 4.4) : 1M sodium acetate 용액 10^9mℓ에 1M 초산 용액 9.1mℓ를 가하고 pH를 pH meter로 측정하여 양액으로 적절히 조절한다.
- litmus paper
- Benedict solution

실험방법

막자사발(motar)에 빵효모 10g을 넣고 모래 5g을 가한 후 toluene 10mℓ를 추가한다. 이 혼합물을 잘 분쇄하고 분쇄물 3mℓ에 대해 물 30mℓ를 가해 15분간 분쇄한 후 원심 분리한다. 피펫으로 상등액을 취하여 다음과 같이 시험관을 1~4까지 준비한 후 시약을 가한다.

위 표 5-1과 같이 시험관을 잘 혼합하고 실온에서 30분간 방치한다. 용액을 litmus에 알칼리가 되도록 1M Na_2CO_3로 만든 후 각 시험관으로 Benedict 시험을 한다.

표 5-1

시험관	효모 상등액	acetate buffer pH 4.4	1% sucrose	1% starch	H_2O
1	3mℓ	1mℓ	—	—	3mℓ
2	3mℓ	1mℓ	3mℓ	—	—
3	3mℓ	1mℓ	—	3mℓ	—
4	3mℓ(1분간 펄펄끓임)	1mℓ	3mℓ	—	—

5. 알코올에 의한 Sucrase의 분리 실험

시약 및 기구

- 95% 알코올
- 효모 추출액

실험방법

효모 추출액 10㎖를 95% 알코올 40㎖에 가하고 침전이 생길 때까지 방치한다. 그리고 원심분리를 하여 상등액은 버리고 원심분리용 시험관 속에 남아 있는 침전물에 물 5㎖를 가하여 불용해물이 있으면 분리하고 상등액을 가지고 sucrase activity를 검사한다.

6. Aldehyde Oxidase (schardinger enzyme) 실험

개 요

우유속에는 여러 aldehyde의 산화를 촉진시키는 효소가 들어 있다.

이 반응은 혐기적으로 methylene blue와 같은 적당한 수소수용체가 있으면 시위할 수 있다. 이 반응은 다음과 같이 중간 산물을 경유하여 일어난다.

반응의 과정은 청색 산화형의 methylene blue가 변하여 무색의 환원형으로 되는 것을 살펴봄으로써 알 수 있다. 이 반응은 진공 상태에서 실시할 수 있는 Thunberg tube의 사용으로 이루어진다.

시약 및 기구

- Thunberg tube 3개
- 0.5% formalin 용액
- grease
- milk

실험방법

5㎖의 우유를 3개의 Thunberg tube에 각각 넣고 1분간 물중탕 속에서 가열한 다음 0.02% methylene blue 1㎖를 각 tube 속에 넣는다. 0.5%의 중성 formaldehyde 용액 1㎖를 2개의 tube에 그 side arm의 stopper 속에 넣고 다른 하나는 formaldehyde 용액 대신 물 1㎖를 넣는다. tube와 stopper에 grease를 칠하고 구멍을 맞춘다. 이때 side arm의 내용물이 혼합되지 않도록 한다. 다음

stopper와 tube의 구멍에 suction pump를 진공으로 하고 suction을 제거하기 전에 구멍을 돌려 tube 속을 진공으로 한다. 그 후 40℃에서 가온한다. 그리고 완전히 탈색되는 시간을 관찰하여라.

7. 사진 Film의 Trypsin에 의한 분리 실험

개 요

사진 현상을 끝낸 film(흑백 film 또는 칼라 film)은 cellulos판에 gelatin(단백질)을 입힌 것이다. 이 film을 0.5×3cm의 크기로 8매 절단한다. 여기에 trypsin과 같은 효소를 작용시키면 gelatin이 분해되어 cellulose판 위에서 환원된 Ag가 떨어져 film은 투명하게 되며 trypsin이 작용하지 않은 곳은 그대로 남게 되는 것이다.

시약 및 기구

- 사진 film(사용후의 것)
- trypsin
- buffer pH 8.0 : 1/15M $NaHPO_4$ 94.5mℓ에 1/15M KH_2PO_4 5.5mℓ 넣어 pH 8.0으로 만든다.
- formalin 용액

실험방법

다음 표 5-2와 같이 8개의 test tube를 준비한다.

위의 8개의 시험관을 37℃의 물중탕 속에 넣고, 시간을 재어 film을 각 시험관에 넣고(이 때 용액 속에 film이 잘 들어간 것을 확인하여야 한다) 잘 흔들어 준다. 잠시 후 처음 1번과 2번의 film이 투명하게 되면 바로 formalin 용액을 각 시험관에 넣고 수조에서 꺼낸다. 그리고 그 formalin 용액은 버린 후 다시 새로운 formalin 용액을 가한 다음 10분 후 버린다. 이어서 몇 번 물로 씻고 film을 꺼내어 그 투명도를 관찰한다. 부식된 film을 실험 노트에 번호 순서대로 테이프로 붙여 보관한다.

표 5-2

tube	1	2	3	4	5	6	7	8
buffer pH 8.0	3mℓ	3mℓ	3mℓ	3mℓ	3mℓ	3mℓ	3mℓ	3mℓ
trypsin*	3	2	1	0.5	0.4	0.3	0.2	0
water	0	1	2	2.5	2.6	2.7	2.8	3.0

*trypsin 0.25g를 50mℓ H_2O에 녹인 것.

8. 효소의 분리 실험

개 요

효소는 일반적으로 수용성 단백질이므로 그 분리에 있어서 먼저 물로 추출하여야 한다. 추출액에서 단백질의 침전 반응, 투석법, 흡착법 등을 응용하여 분리한다. 최근에는 고속원심침전법이나 동결건조법 등이 널리 응용되고 있다.

(1) 분별침전법

보통 쓰이는 침전법은 물에 가용성의 유기용매(아세톤, 메탄올, 에탄올)를 가하여 효소단백질을 불용성으로 하여 침전시키는 방법과 물에 가용성의 무기염류(황산암모늄, 황산나트륨, 황산마그네슘)를 가하여 염석 침전시키는 방법 등이 있다. 이 때 유기용매나 무기염류의 첨가농도는 각 효소 단백질에 따라 특정의 침전조건이 있다. 이것으로 혼재하는 단백질과 다른 효소 단백질을 분리, 침전시킬 수 있다.

(2) 투석법

물 추출물을 cellophane 막이나 visking tube 등으로 투석을 한다. 저분자의 당류, 아미노산, 광물질 등을 용출시켜 효소단백질과 분리한다. 이 때 비효소 단백질도 남게되므로 다시 분별침전을 하여야 한다.

(3) 흡착법

인산칼슘겔, 알루미나겔, 이온교환수지 Sephadex 등 흡착 칼럼에 효소 추출액을 통과시켜 효소를 흡착시켜 적당한 조건으로 탈착을 시켜 불순물과 분리한다.

이상의 방법으로 얻은 효소는 다시 여러 정제방법(이온교환수지, gel 여과, 고정화효소법 등)으로 정제한다.

9. 타액 아밀라제(salivary amylase, α -amylase) 실험

타액(침) 50㎖를 모아 원심분리를 하여 상등액에 아세톤을 소량 가하면서 아세톤의 최종 농도를 50%로 한다. 생성된 침전물을 원심분리하여 제거하고, 상등액에 아세톤 최종 농도가 70%가 되도록 한다. 이때 생긴 침전을 원심분리로 취하여 진공 감압 건조시키면 조제의 타액 아밀라제의 분말이 생긴다.

10. 감자 아밀라제(sweet potato amylase, β -amylase) 실험

감자 1kg을 껍질을 벗기고, 잘게 썰은 후 물 500㎖와 mixer에서 마쇄한 후 원심분리를 하여 상등액을 삼각 플라스크에 옮겨 2-octanol 몇 방울을 가하고 85℃의 물 속에 플라스크를 담가 내용액의 온도가 60℃가 되도록 교반시킨다. 60℃가 되면 7분간 정치시킨 후 흐르는 물로 냉각시킨다. 여기에 toluene 몇 방울을 가하여 4℃에서 4일간 저장하면 침전이 생긴다. 침전이 생기면 원심분리를 하여 제거한다. 이 상등액에 염기성 초산염을 20%의 농도가 되도록 가하여 생긴 침전을 원심분리를 하여 제거한다. 다음에 상등액에 황산암모늄을 가하여 70% 포화로 하면 조제의 β-amylase의 침전이 생기므로 20,000rpm으로 60분간 원심분리를 하여 상등액을 버린다. 침전을 25% 황산암모늄 용액에 녹여 불용부는 원심분리를 하여 제거하고, 상등액에 황산암모늄을 가하여 70% 포화로 하여 생긴 침전을 원심분리를 하여 얻는다. 이 침전을 투석하여 황산암모늄과 기타의 수용성 불순물을 유출시키고 불투석 내용물을 원심분리를 하여 그 침전물에 아세톤을 가하여 수분을 제거하고 진공 감압 건조시키면 β-amylase의 분말이 생긴다.

11. Pepsin의 분리 실험

도살 후 5시간 이내의 신선한 소나 돼지의 위 점막을 냉동한 것 1kg을 잘게 썰고, 0.1N 염산 2ℓ를 가하여 잘 혼합한 후 5℃의 냉장고에 24시간 방치한다. 이 동한 pepsinogen이

pepsin으로 변화하여 염산 중에 용출된다. 이 염산 추출 상등액을 모아서 저어가면서 포화 황산마그네슘 용액을 가하면 침전이 생긴다. 이 침전을 25% 알코올에 용해시키고 1N H_2SO_4를 가하여 pH 1.8로 방치하면 pepsin의 결정이 석출된다. 이 결정을 실온에서 진공 감압 건조시킨다.

12. Trypsin의 분리 실험

pancreatin 50g을 25% 알코올 500㎖에 용해하고, 여액에 96%의 알코올을 가하여 trypsin을 침전시킨다. 이 침전을 다시 25% 알코올에 녹이고 96% 알코올을 가하여 다시 침전시켜 정제한다. 정제 침전물을 실온에서 진공 감압 건조시키면 trypsin의 분말을 얻을 수 있다. 단, 이때는 chymotrypsin 등 다른 효소도 함유하고 있다.

참고문헌

1. Folk, J. E. and Cole, P. W., J. Biol. Chem., 241, p.5518(1966)
2. Folk, J. E., "Methods in Enzymology", Vol 17A, ed. by H.Tabor and C. W. Tabor, Academic Press Inc., New York, N.Y., p.889(1970)
3. Ando, H., Adachi, M., Umeda, K. etc., Agric. Biol. Chem., 53, p.2613(1989)

6

식품첨가물의 분석법

제 1 절 보존료 시험법

1. 데히드로초산, 소르빈산, 안식향산, 파라옥시안식향산 및 그 염류

1) 박층크로마토그래피에 의한 정성

(1) 시험용액의 조제

액체검체는 10~20㎖, 고체검체는 분말로 한 다음 10~20g(알코올을 함유한 검체는 1% 수산화나트륨용액으로 pH 약 7~7.5로 한 다음 가열하여 알코올을 제거하다)을 취하여, 물을 적당량 넣고 이를 15% 주석산용액으로 산성(약 pH 2)으로 한 후 염화나트륨 30g을 가한다. 이를 수증기 증류하여 유액 100㎖를 받는다(유출속도는 1분간 약 10㎖). 유액을 10% 수산화나트륨용액으로 알칼리성으로 하여 에테르 30㎖로써 중성물질을 추출제거하고 물층은 10% 염산으로 산성으로 하여 에테르 30㎖로 추출한다. 다시 에테르층을 물 5㎖씩으로 3회 씻고, 에테르층을 분취해서 무수황산나트륨을 넣어 약 15분간 방치한다. 이를 여과하여 에테르를 감압하에서(20~30°) 농축하고, 잔류물을 에탄올 0.1~0.3mℓ에 녹여 시험용액으로 한다.

(2) 박층의 조제

폴리아마이드 또는 실리카겔G(박층크로마토그래피용)에 이소프로판올 또는 물을 가하여 잘 섞어서 호상(풀모양)으로 하여 일반적인 방법에 따라 0.25mm의 박층을 만들고 이를 바람에 말린 다음 60~70°(실리카겔은 110°)에서 30분간 건조하여 사용한다.

(3) 시험조작

박층에 시험용액 및 각 보존료표준용액을 0.2~1μℓ를 약 10mm 간격으로 찍어서 전개용매 (1)~(3)를 사용하여 전개한다. 바람에 말려 자외선 아래서 확인한 다음 발색시약 (1)~(4)를 선택 분무하여 정색시킨다. 단, 발색시약 (3)은 재차 10% 수산화나트륨용액을 분무하여 정색시킨다.

전개용매

1. 핵산 : 초산(20 : 0.7)
2. 벤젠 : 초산(20 : 0.5)
3. 벤젠 : 메탄올 : 초산(20 : 0.2 : 0.5 또는 20 : 0.5 : 0.3)

발색시약

1. 2% 황산제이철용액
2. 0.1% 브롬크레졸그린·에탄올용액
3. 디아조설파닐산용액 : 설파닐산 1g에 염산 8mℓ를 가하여 가열하여 녹인다. 여기에 물 100mℓ를 넣는다. 이 용액에 동등량의 0.7% 아질산나트륨용액을 가한다.
4. 0.05% 로다민 B 메탄올용액

2) 자외선흡수스펙트럼에 의한 정량

(1) 시험용액의 조제

- 액체검체 : 보존료의 함량에 따라 검체 30~100g을 비이커에 취하여 10% 수산화나트륨용액 또는 10% 염산으로 중화하고 이를 500mℓ~1ℓ의 환저플라스크에 옮기고 이에 15% 주석산용액 5mℓ, 염화나트륨 약 80g 및 실리콘수지 한방울을 가한 후, 전량을 물로 150~200mℓ로 한다. 이를 수증기 증류기에 연결하여 증류하고 유액은 매분 약 10mℓ의 속도로 하여 500mℓ를 취하여 시험용액으로 한다.
- 고체검체 : 검체를 잘게 썰거나 갈아서 보존료의 함량에 따라 30~100g을 취하여 물 50~100mℓ를 가하여 잘 섞은 후 이하 액체검체와 동일하게 처리하여 시험용액으로 한다.

① 안식향산·소르빈산·데히드로초산

시험용액 및 각 보존료의 표준용액 각 50mℓ를 각각 분액깔때기에 취하여 이에 10% 염산 4mℓ, 염화나트륨 10g을 가하여 에테르 40, 30 및 30mℓ로 3회 추출한다. 에테르추출액을 모두 합쳐서 소량의 물로 2회 씻고, 씻은 액은 버린 다음 에테르추출액에 1% 탄산수소나트륨용액 20mℓ를 가하여 흔들어 섞고 물층과 에테르층으로 분리한다. 다시 이 조작을 1회 되풀이하여 물층을 모두 합쳐 이를 에테르 15mℓ로 씻고 에테르층은 먼저 분리한 에테르층에 합친다.

물층은 수욕상에서 에테르를 날려보낸 후, 10% 염산으로 중화하고 물을 가하여 전량을 50mℓ로 한다. 이들의 각 10mℓ를 메스플라스크에 취하고 각각의 완충액(2M 염화칼륨용액 50mℓ와 2N 염산 10.6mℓ를 혼합하고 물을 가하여 200mℓ로 한다. pH 0.6) 2mℓ와 물을 가하여 20mℓ로 하고 잘 흔들어 섞은 후 액층 10mm에서 각 보존료의 측정파장인 230nm, 265nm 또는 308nm 부근의 각 극대파장에서 흡광도를 측정하고 검액에서 얻은 흡광도를 A(230), A(265) 또는 A(308)로 하고 표준용액에서 얻은 흡광도를 As(230), As(265) 또는 As(308)로 한다.

대조액은 완충액 1에 물 9를 혼합한 것을 쓴다. 검체 중 보존료가 단독으로 존재할 때의 각 보존료의 함량(g/kg)은 다음식에 따라 구한다.

$$\text{안식향산(g/kg)} = 10 \times \frac{A(230)}{As(230)} \times \frac{1}{2} \times \frac{1}{\text{검체채취량(g)}}$$

$$\text{소르빈산(g/kg)} = 5 \times \frac{A(265)}{As(265)} \times \frac{1}{2} \times \frac{1}{\text{검체채취량(g)}}$$

$$\text{데히드로초산(g/kg)} = 20 \times \frac{A(308)}{As(308)} \times \frac{1}{2} \times \frac{1}{\text{검체채취량(g)}}$$

② 파라옥시안식향산에스테르류

시험용액 50mℓ에 대하여 전항 (1)과 같이 조작해서 얻은 에테르층을 플라스크에 옮기고, 소량의 에테르로 분액깔때기를 잘 씻고, 씻은 액은 플라스크의 액에 합쳐 수욕상에서 에테르가 약 10mℓ로 될 때까지 증발시키고 이를 50mℓ의 플라스크에 옮겨 증발시에 사용한 플라스크를 수회 소량의 에테르로 잘 씻고, 씻은 액을 먼저의 에테르액과 합쳐 수욕상에서 에테르를 증발시켜 약 5mℓ로 하고 공기를 통하여 에테르를 날려 보내고 잔류물에 10% 수산화나트륨용액 2mℓ, 물 3mℓ 및 비등석 수개를 넣고, 환류냉각기를 붙여 15분간 끓인 후 식힌다. 여기서 얻은 분해액을 분액깔때기에 옮기고 소량의 물로 플라스크를 잘 씻고, 씻은 액을 분액깔때기의 액에 합쳐 물을 가하여 전량을 50mℓ로 한다.

한편, 따로 분액깔때기에 파라옥시안식향산표준액 50mℓ를 취하고 각각 10% 염산 5mℓ 및 염화나트륨 5g을 가하여 에테르 20mℓ로 1회, 다시 각 15mℓ로 2회 흔들어 섞어 추출하고 에테르추출액을 분액깔때기 중에 합쳐서 에테르액을 소량의 물로 씻은 후 1% 탄산수소나트륨용액 각 10mℓ로 2회 흔들어 섞어 씻고, 씻은 액은 먼저의 물층에 합친다. 계속해서 이 물층을 분액깔때기 중에서 에테르 15mℓ를 가하여 흔들어 씻고 물층을 비이커에 취하고 에테르층을 버린다. 물층을 수욕상에서 에테르를 날려 보내고 10% 염산으로 중화하고 물로 전량을 50mℓ로 한다.

이들의 각 10mℓ를 메스플라스크에 취하고 각각에 완충액 2mℓ 및 물을 가하여 20mℓ로 하고 잘 흔들어 섞은 후 액층 10mm에서 측정파장인 255nm 부근의 극대파장에서 흡광도를 측정하고 시험용액에서 얻은 흡광도를 A(255)로 하고 표준용액에서 얻은 흡광도를 As(255)로 한다. 대조액은 완충액 1에 물 9를 혼합한 것을 쓴다. 검체중의 보존료의 함량(g/kg)은 다음 식에 따라 구한다.

$$\text{파라옥시안식향산(g/kg)} = 10 \times \frac{A(255)}{As(255)} \times \frac{1}{2} \times \frac{1}{\text{검체채취량(g)}}$$

③ 안식향산과 기타 보존료가 공존하고 있을 때의 안식향산

시험용액 및 안식향산표준용액 각 100mℓ를 각각 분액깔때기에 취하고 10% 염산 5mℓ 및 에테르 60mℓ를 가하여 흔들어 섞어 추출한다. 다시 에테르 50mℓ씩 2회 동일하게 추출하고 전 에테르 추출액을 합쳐서 에테르를 수거한 후 잔류물을 1N 수산화나트륨액 30mℓ에 녹이고 45°의 수욕중에서 5% 과망간산칼륨용액으로 적자색이 남을 때까지 흔들어 섞으면서 적가하

고 다시 15~20분간 가열한다. 이때 과망간산칼륨의 색이 없어지면 다시 추가한다. 다음에 10% 염산을 가하여 명확히 산성으로 한 후, 포화아황산나트륨용액을 가하여 탈색한다. 이에 염화나트륨 10g 및 에테르 30mℓ를 가하여 흔들어 섞어 추출한다. 다시 에테르 20mℓ씩으로 2회 동일하게 추출하여 에테르추출액을 합치고 소량의 물로 2회 씻어, 씻은 액은 버린다. 다음에 추출액에 1% 탄산수소나트륨용액 10mℓ를 가하여 흔들어 섞어 추출한다. 다시 이 조작을 1회 되풀이 해서 물층은 모두 합쳐 수욕상에서 에테르를 날려 보낸 후 10% 염산으로 중화하고 물을 가하여 전량을 25mℓ로 한다.

이들의 각 10mℓ를 메스플라스크에 취하고 각각 완충액 2mℓ 및 물을 가하여 20mℓ로 하여 잘 흔들어 섞은 후 액층 10mm에서 측정파장인 230nm부근의 극대파장에서의 흡광도를 측정하고 시험용액으로 얻은 흡광도를 A(230)로 하고 표준용액에서 얻은 흡광도를 As(230)로 한다. 대조액은 완충액 1에 물 9를 혼합한 것을 쓴다. 검체 중의 함량(g/kg)은 다음 식에 따라 구한다.

$$\text{안식향산(g/kg)} = 10 \times \frac{A(230)}{As(230)} \times 2 \times \frac{1}{\text{검체채취량(g)}}$$

3) 가스크로마토그래피에 의한 정성 및 정량

(1) 시약

- 내부표준물질용액 : 0.1% 아세트아닐라이드의 아세톤용액
- 보존료표준용액 : 각 보존료 표준품을 내부표준물질 용액에 녹여 0.5~1.0mg/mℓ의 용액을 만든다.
- 고정상담체 : chromosorb W(60~80메쉬)
- 칼럼충전제 : 고정상담체에 ① 디에칠렌글리콜석시네이트폴리에스텔(DEGS)을 2~5% 및 인산을 1% 입힌다(Coating). ② 네오펜틸글리콜석시네이트폴리에스텔(NPGS)을 10% 및 인산을 1% 입힌다.

(2) 장치

■ 수소염이온화 검출기(FID)
■ 구테루나다니쉬 농축기
■ 칼럼 : 길이 1~2m, 안지름 3~4mm 스테인레스스틸관

(3) 시험용액의 조제

시험용액의 조제에 따라 수증기 증류한 유액 일정량(각 보존료 5~10mg 함유량)을 분액깔때기에 넣고 염화나트륨 10g, 10% 염산 5mℓ를 가하여 에테르 40, 30 및 30mℓ씩으로 3회 추출한다. 에테르추출액을 합하여 소량의 물로 씻고 에테르층을 분취한다. 여기에 무수황산나트륨을 넣고 잠시 방치한 다음 구테루나다니쉬 농축기에서 에테르를 유거한다. 잔류물에 내부표준물질이 1mℓ 중에 1.0mg을 함유하도록 첨가하여 아세톤으로 일정량으로 하여 시험용액으로 한다.

가스크로마토그래피의 측정조건의 예
① 주입부온도 : 210~230°
② 칼럼온도 : 140~200°
③ 검출기온도 : 230~250°
④ 캐리어가스 및 유량 : 질소 60mℓ/분

(4) 시험조작

시험용액 및 해당하는 표준용액 각각 1~5μℓ를 앞의 조건에 따라 가스크로마토그래프에 주입한다. 얻어진 피크의 머무름시간(retention time)을 비교해서 정성을 하고 또 얻어진 피크의 높이 또는 면적으로 검량선을 작성하여 시험용액 중의 각 보존료의 함량을 정량한다.

2. 프로피온산 및 그 염류

1) 가스크로마토그래피에 의한 정성 및 정량

(1) 시약

- 강산성 이온교환수지 : 100~200메쉬의 도웩스(dowex) 50×8 또는 암버라이트(amberlite) CG120을 H형으로 하고 물로 씻는다.
- 내부표준물질용액 : 1% 트란스-크로톤산 용액(사용시 조제)
- 프로피온산표준용액 : 프로피온산 0.1g을 달아 내부표준물질용액 10mℓ에 녹이고 물을 가하여 10mℓ로 한다(사용시 조제).

프로피온산표준용액 1mℓ = 1.0mg $C_3H_6O_2$

(2) 장치

- 수소염이온화검출기(FID)
- 이온교환수지칼럼 : 유리관(10mm×10~15cm)에 높이 25~30mm로 충전한다.

(3) 시험용액의 조제

잘게 썰은 검체 30~50g(프로피온산으로서 100~200mg)을 1 ℓ 증류플라스크에 넣고 물 200mℓ, 염화나트륨 80g, 10%인산용액 10mℓ 및 실리콘수지 한 방울을 가한 다음 수증기 증류를 하여 유액 500mℓ를 받는다. 이 때 수기는 1% NaOH 20mℓ를 가해 냉각기 끝이 잠기도록 한다. 유액 25mℓ를 정확히 취하여 감압하에서 농축건조한 다음 잔류물을 물 1mℓ로 녹여 이온교환수지칼럼의 상부에 넣고 유출액은 내부표준물질용액 1.0mℓ를 넣은 10mℓ 메스플라스크에 받는다. 물 1mℓ씩으로 잔류물을 녹여서 이 조작을 되풀이하여 유출액의 전량을 10mℓ로 하여 시험용액으로 한다.

(4) 가스크로마토그라프의 측정조건

① 충전칼럼(packed column)

- 고정상담체 : 가스크로마토그라프용 크로모솔브 101(80~100메쉬) 또는 이와 동등한 것
- 칼럼 : 길이 1~3m, 안지름 3~4mm 유리관 또는 스테인레스스틸관

② 캐필라리칼럼

- 고정상담체 : polythylene glycol-terephthalic acid 또는 이와 동등한 것
- 칼럼 : 0.2~0.32 또는 0.53mm의 안지름을 가지는 30m의 규산질 유리제 캐필라리에 적합한 고정상액을 화학적 결합시키거나 또는 cross link 코팅한 것(HP-FFAP 또는 이와 동등한 것)

③ 시험용액 주입부 및 검출기의 온도 : 각각 200~240°, 200~250°
④ 칼럼온도 : 160~200°
⑤ 캐리어가스 및 유량 : 질소 또는 헬륨을 적절하게 조절한다.
⑥ 검출기의 가스유량 : 수소와 공기를 적절히 조절한다.

(5) 시험조작

시험용액 1~5㎕를 가스크로마토그래프칼럼에 주입하고 얻어진 머무름시간(retention time)과 프로피온산표준용액의 피크와 비교해서 정성을 하고 또 내부표준법에 따라 정량을 한다.

3. 소르빈산, 안식향산 및 그 염류

1) HPLC에 의한 정성 및 정량

(1) 시약

- 이동상 메탄올 : 50mM인산완충액(pH 5.0)[40 : 60]
- 표준용액 : 소르빈산, 안식향산 20mg을 물에 녹여 250㎖로 한다. 사용할때 이 액을 적당량

취하여 메탄올로 희석한다.

- 0.005M CTA용액 : 25% Cetyltrimethylammonium chloride 용액을 희석하여 조제한다.

(2) 장치

- 검출기 : 자외부검출기(UV), 230nm
- 칼럼 : Spheri-5 ODS 또는 그에 상응한 것
- 용매여과기 : Solvent Clarification Kit나 그와 동등한 것

(3) 시험용액의 조제

시료 5g을 취하여 물로 25mℓ가 되게 희석한 후 이 액 5mℓ를 취해 1N 염산 0.5mℓ와 0.005M CTA용액 0.5mℓ를 가하여 섞어준 후 메탄올 10mℓ, 물 10mℓ, 0.005M CTA용액 10mℓ로 차례로 흘려 씻어준 Sep-Pak $C_{18}^{®}$ 카트리지에 시험용액을 2mℓ/분의 속도로 가한다. 이어서 물 10mℓ로 카트리지를 씻고 메탄올 10mℓ로 용출시켜 전량을 메탄올로 10mℓ가 되게 한다. 이 액을 0.45μm의 여지로 여과하여 시험용액으로 한다.

(4) 시험조작(HPLC 측정조건의 예)

- 유속 : 0.8~1.2mℓ/분
- 시험용액 주입량 : 10~20μℓ
- 감도 : 0.05AUFS

시험용액 및 표준용액 10~20μℓ를 앞의 조건에 따라 HPLC 칼럼에 주입하고, 얻어진 피크의 높이 또는 면적으로 다음 식에 따라 검체중의 소르빈산 및 안식향산의 양을 산출한다.

$$\text{보존료(g/kg)} = \text{각 표준용액의 농도(mg/kg)} \times \frac{PA}{PS} \times \frac{50}{SA} \times \frac{1}{1,000}$$

PS : 표준용액의 높이 또는 면적

PA : 시험용액의 높이 또는 면적

SA : 검체의 무게(g)

제 2 절 인공감미료시험법

1. 사카린나트륨

1) 박층크로마토그래피에 의한 정성

(1) 시약

- 폴리아미드 : 박층크로마토그래피용
- 실리카겔 : 박층크로마토그래피용
- 삭카린나트륨표준용액 : 삭카린나트륨 100mg을 물 25mℓ에 녹인 후 에탄올을 가하여 50mℓ로 한다.
- 전개용매
  - ① 벤젠 · 초산에틸 · 개미산(5 : 10 : 5)
  - ② 벤젠 · 초산에틸 · 개미산(10 : 7 : 3)
  - ③ n-부탄올 · 암모니아수(9 : 1)
  - ④ 초산에틸

(2) 시험용액의 조제

- 액상검체 : 검체 20g을 취하고 물을 가하여 30mℓ로 한 다음 분액여두에 옮긴다. 다만, 탄산 또는 알코올을 함유한 것은 수욕상에서 가온하여 날려보내고 분액여두에 옮긴 다음 물을 가하여 약 50mℓ로 한다.

  ★ 이 액에 10% 염산을 가하여 산성으로 한 다음 초센에틸 50mℓ씩으로 2회 추출한다. 추출액을 합하여 포화염화나트륨용액 10mℓ씩으로 2회 씻은 다음 무수황산나트륨을 가해 탈수하고 감압농축하여 잔류물을 에탄올 0.5~1mℓ에 녹여 시험용액으로 한다.
- 반유동상 또는 고체검체 : 검체 20g을 취하여 균질화한 후 물 50mℓ를 가한 다음 삼각플라스크에 옮기고 끓는 수욕상에서 5분간 가하여 진탕혼합한 후 정치하여 하층을 다른 분액여

두에 옮긴다. 이액을 액상검체 ★ 이하의 조작에 따라 추출한다.

- 유지를 함유한 검체 : 검체 20g을 분액여두에 넣고 핵산 50㎖ 및 1% 수산화나트륨용액을 가하여 약알칼리성으로 한 물 100㎖를 가하여 진탕혼합한 후 정치하여 하층을 다른 분액여두에 옮긴다. 이액을 액상검체 ★ 이하의 조작에 따라 추출한다.

(3) 시험조작

폴리아미드 또는 실리카겔 박층의 하단부터 2cm 일직선상에 표준용액 및 시험용액을 1~30㎕씩을 찍고 말린다. 폴리아미드 박층에서는 전개용매 ⅰ)을 이용하여 전개한 후 70°에서 30분간 말리고, 실리카겔 박층에서는 전개용매 ⅱ), ⅲ) 또는 ⅳ)를 이용하여 전개한 후 100°에서 20분간 말린 다음 자외선(253.6nm) 조사하에서 관찰하면 표준용액과 동일한 위치에 형광의 반점이 나타난다.

2) HPLC에 의한 정성 및 정량

(1) 시약 및 시액

- 이동상 : 10% TAP-OH(Tetrapropylammonium hydroxide) 20.3㎖를 메탄올 : 물(30 : 70)의 혼합액 약 900㎖에 녹이고 인산으로 pH를 4.0으로 조정한 다음 메탄올 : 물(30 : 70) 혼합액으로 전량을 1,000㎖로 한다.
- 투석내액 : 염화나트륨 100g 및 인산 7㎖를 물에 녹여 1,000㎖로 한다.
- 투석내액 : 인산 7㎖를 물에 녹여 1,000㎖로 한다.
- 0.1M TPA-Br 용액 : TPA-Br(Tetrapropylammonium bromide) 2.66g을 물에 녹여서 100㎖로 한다.
- 표준용액 : 삭카린나트륨을 120°에서 4시간 건조시킨 후 100mg을 정밀히 달아 물에 녹여 100㎖로 한다. 사용시 이 용액 1~100㎖를 취하고 물을 가하여 100㎖로 한 것을 표준용액으로 한다.

(2) 장치

① 정제용 카트리지

- 역상계 카트르지 : Sep-pak C_{18} 또는 이와 동등한 것(사용전에 메탄올 5㎖ 및 물 5㎖를 차

례로 흘려 보낸 후 사용한다).

■ 강음이온교환형 카트리지 : Sep-pak QMA 또는 이와 동등한 것(사용전에 메탄올 5mℓ 및 물 5mℓ를 차례로 흘려 보낸 후 사용한다).

② 검출기 : 자외부검출기(UV), 210nm

③ 칼럼 : Nova-Pak C_{18} 또는 이와 동등한 것

④ 용매여과기 : Solvent Clarification Kit 또는 이와 동등한 것

(3) 시험용액의 조제

■ 투석 : 액체검체는 10~20g을 취하고, 고체 또는 반고체검체는 균질화하거나 잘게 썰어 잘 섞은 후 10~20g 취한 다음 투석내액 약 20mℓ를 가하여 혼합한다. 이 혼합액을 투석용 튜브(분자량 12,000~14,000)에 넣고 튜브의 끝을 밀봉한다. 미리 투석외액 약 150mℓ를 넣은 눈금이 있는 용기에 튜브를 넣고 투석외액을 가하여 전량을 약 200mℓ로 한다. 때때로 흔들어주면서 실온에서 24~48시간 방치하여 투석한 후 투석용 튜브를 제거하고 투석외액을 가해 200mℓ로 하여 투석액으로 한다.

■ 정제 : 투석액 20mℓ를 25mℓ 메스플라스크에 넣고 0.1M TPA-Br용액 2mℓ를 가한 다음 물을 가하여 25mℓ로 한다. 이 액 5mℓ를 역상계 카트리지에 분당 3~4mℓ의 속도로 뜰어뜨리고 물 10mℓ로 세척한 후 메탄올 : 물(40 : 60) 혼합액 10mℓ로 용출시킨다. 용출액 전량을 강음이온교환형 카트리지에 분당 3~4mℓ의 속도로 떨어뜨리고 0.1% 인산 5mℓ와 물 5mℓ를 사용하여 세척한 후 0.3N 염산 5mℓ로 용출시킨 액을 시험용액으로 한다.

(4) 시험조작(HPCL의 측정조건의 예)

■ 유속 : 1.0mℓ/분

■ 주입량 : 10~20$\mu\ell$

시험용액 및 표준용액을 앞의 조건에 따라 고속액체크로마토그래프 칼럼에 주입한다. 얻어진 피크의 머무름시간(retention time)을 비교해서 정성을 하고 또 얻어진 피크의 높이 또는 면적으로 검량선을 작성하여 시험용액중의 삭카린나트륨의 함량을 정한다.

제 3 절 산화방지제시험법

1. 부틸히드록시아니졸(BHA), 디부틸히드록시톨루엔(BHT)

1) 가스크로마토그래피에 의한 정성 및 정량

(1) 시약

- 내부표준물질용액 : 후루오렌 또는 벤조페논 50mg을 디클로로메탄에 녹여 100mℓ로 한다.
- 표준용액 : BHA, BHT 각 50mg을 디클로로메탄에 녹여 100mℓ로 한다. 사용시 이 액 10mℓ와 내부표준물질용액 10mℓ를 취하여 디클로로메탄으로 50mℓ로 한다.
- 칼럼충전제 : 60～80메쉬의 규조토(크로모솔브 W, 가스크롬 Q등)에 OV 17(5%) 또는 SE-30(5～10%)을 각각 입힌다.

(2) 장치

- 수소염이온화 검출기(FID)
- 칼럼 : 길이 2m, 안지름 3～4mm, 스테인레스스틸관 또는 유리관
- 구데루나다니쉬 농축기

(3) 시험용액의 조제

- 유지(액상식물유) : 검체 5g을 달아 펜탄 20mℓ에 녹인 다음 n-펜탄포화아세트니트릴 100mℓ로 4회 추출한다. 추출액은 합쳐서 구데루나다니쉬 농축기로 용매가 1～2mℓ 남을 때까지 농축한 다음 내부표준물질 1.0mℓ와 디클로로메탄을 가하여 전 량을 5.0mℓ로 하여 시험용액으로 한다.
- 버터・마가린 등 : 검체를 40°에서 가온하여 녹이고 그 5g을 달아 펜탄 15mℓ를 넣어 혼합한 다음 28% 암모니아수 5mℓ를 넣고 10분간 진탕하여 펜탄층을 취한다. 물층은 펜탄 10mℓ로 씻고 펜탄층을 합친다. 다음에 무수황산나트륨 5g을 가하 여 10분간 방치한 다음 여과한

다. 잔사를 펜탄 10mℓ로 씻고 여액을 합친다. 여액을 펜탄포화아세트니트릴 100mℓ로 3회 추출하여 추출액을 합치고 구테루나다니쉬 농축기로 농축한다. 130°에서 15시간(또는 600°에서 4시간, 800°에서 2시간) 활성화한 후로리실 5g을 칼럼관(10mm×30cm)에 넣고 다음 아세트니트릴 약 20mℓ를 유출시켜 씻는다. 이 칼럼에 앞의 농축액을 가하고 농축용수기에 1분간에 2mℓ의 유출속도로 칼럼상부에 용액이 소량 남을 정도까지 유출시키고 다음에 앞의 농축용기를 아세트니트릴 2mℓ로 3회 씻어 칼럼에 넣고 다시 아세트니트릴 10mℓ를 가하여 유출시킨다. 유출액을 감압 농축하고 1~2mℓ로 한 다음 내부표준물질용액 1.0mℓ 및 디클로로메탄으로 전량을 5.0mℓ로 하여 시험용액으로 한다.

■ 어패건제품 · 어패염장품 · 어패냉동품 : 잘게 썰은 검체 5~20g을 달아 브랜더캡(blender cap)에 옮기고 무수황산 나트륨 약 15g, 펜탄 100mℓ를 가하여 약 2분간 균일하게 섞은 다음 여과한다. 잔사에 펜탄 100mℓ를 가하여 추출을 되풀이하고 여액은 앞의 액에 합친다. 여액을 농축하여 약 20mℓ로 한다. 이하 (1) 유지에 따라 조작한다.

가스크로마토그래피 측정조건의 예

주입부온도 : 200°
칼럼온도 : 150~180°
검출기온도 : 180~210°
캐리어가스 및 유량 : N_2 30~60mℓ/min

(4) 시험조작

시험용액 및 표준용액에 대하여 제1절 보존료시험법 2.(4)에 따라 시험한다.

2. 몰식자산프로필

1) 정성시험

검체 약 30g을 비이커에 취해(필요시 약간 가온한다) 석유에테르 약 60mℓ에 녹여 분액깔때기에 옮기고 물 15mℓ를 가하여 1분간 진탕한 후 물층을 다른 분액깔때기에 취한다. 석유에테르층은 물 15mℓ로 2회 같은 조작을 하고 물층을 합한 다음 물층에 에테르 15mℓ를 가한다. 1분간 진탕하고 에테르층을 비이커에 취하여 증발건조시킨 후 잔류물에 50% 알코올용액 4mℓ를 가하여 잘 섞고 암모니아수 1mℓ를 가한다. 이 때 적색을 띠면 몰식자산 프로필이 존재한다(변색이 불안전하므로 수분후에 사라진다).

2) 정량시험

(1) 시약

- 석유에테르 : 증류범위 30～60°의 석유에테르 1용량과 증류범위 60～100°의 석유에테르 3용량을 잘 섞은 후 그 양의 1/10량 만큼의 황산을 가해 5분간 진탕한 후 방치하고, 산층은 버리고 석유에테르층을 취해 물로 여러번 씻어낸 후, 1% 암모니아수로 한번 씻은 다음 알칼리층은 버리고 석유에테르층을 취해 물 로 중성이 나타날 때까지 씻어 증류 정제한다.
- 초산암모늄용액 : 1.25, 1.67 및 10% 초산암모늄수용액을 만들고 필요시 5% 알코올용액으로 1.67% 초산암모늄용액도 만든다.
- 주석산제1철용액 : 황산제1철 0.100g 및 주석산칼륨나트륨 0.500g을 물에 녹여 100mℓ로 한다. 만든 후 3시간 안에 사용해야 한다.
- 몰식자산프로필표준용액 : 50mg의 몰식자산프로필을 물에 녹여 1ℓ로 한다(50μg/mℓ).

(2) 시험용액 조제

검체 약 40g을 정밀히 달아 석유에테르에 녹여 250mℓ가 되게 한·다음 그 중 100mℓ를 분액깔때기에 취하고 1.67% 초산암모늄용액 20mℓ씩으로 3회 추출하여 물층은 100mℓ 메스플라스크에 합한다. 석유에테르층은 물 15mℓ를 가하고 30초간 진탕한 후 물층을 다시 합하여 10% 초산암모늄용액 2.5mℓ를 가하고 물로 100mℓ가 되게 한 다음 여과하여 시험용액으로 한다(유화가 심한 검체는 추출전에 N-옥탄올 2mℓ를 가하여 5% 알코올용액을 사용하여 만든 1.67% 초산암모늄용액으로 추출한다).

(3) 시험조작

시험용액은 20mℓ 이하, 대조액은 1.25% 초산암모늄용액 20mℓ를 각각 25mℓ 메스플라스크에 취하여 주석산 제1철용액 1mℓ를 가하고 물로 채워 잘 흔들어 섞은 후 3분안에 540nm에서 흡광도를 측정하여 검량선으로부터 몰식자산프로필양을 계산한다. 따로 몰식자산프로필 표준용액 1, 2, 4, 6, 8mℓ를 25mℓ메스플라스크에 취해 물로 약 17.5mℓ가 되도록 가하고 검체와 동일하게 처리하여 검량선을 작성한다.

3. 나트륨 EDTA(Disodium ethylene diamine tetra acetate), 칼슘 EDTA(Calcium disodium ethylene diamine tetra acetate)

1) HPLC에 의한 정성 및 정량

(1) 시약 및 시액

- 이동상 : 0.01M TBA-OH용액 : 에탄올(19 : 1)
- 0.01M TBA-OH용액 : 40% TBA-OH(Tetrabutylammonium hydroxide) 용액 6.5mℓ에 물 900mℓ를 가하고 초산으로 pH 3.0로 조정한 다음 물을 가하여 1,000mℓ로 한다.
- 표준원액 : 나트륨 EDTA(2수화물) 약 110.7mg을 정밀히 달아 물을 가하여 100mℓ로 한다.
- 0.01M 염화제이철용액 : 염화제이철($FeCl_3 \cdot 6H_2O$) 0.27g을 0.01N 염산에 녹여 100mℓ로 한다.

(2) 장치

- 검출기 : 자외부검출기(UV), 255nm
- 칼럼 : Zorbax ODS 또는 이와 동등한 것
- 용매여과기 : Solvent Clarification Kit 또는 이와 동등한 것

(3) 시험용액의 조제

액상검체(드레싱, 소스류, 청량음료, 마가린류 등)는 약 20g을 취하고, 고체검체(통・병조림식품, 오이초절임, 양배추초절임 등)는 잘 갈은 후 약 20g을 취하고 물 40mℓ 및 염화메틸렌 40mℓ를 가하여 진탕혼합한 다음 6,000rpm, 15분간 원심분리한다. 물층을 100mℓ 플라스크에 취하고 잔류물에 약 40mℓ를 가하여 진탕혼합한 다음 다시 원심분리한다. 물층을 합하고 물을 가하여 100mℓ로 한 후 여과한다(청량음료의 경우 원심분리과정을 생략하고, 통조림식

품의 경우 물추출액에 10% 황산아연용액 6mℓ와 페놀프탈레인시액 2방울을 가한 다음 엷은 적색이 나타날 때까지 1% 수산화나트륨용액을 가한 후 물로 100mℓ되게 한 후 여과한다). 여액 25mℓ를 취하여 회전농축기를 이용하여 증발농축한 다음 잔류물을 0.01M 염화제이철용액 5mℓ로 녹이고 물을 가하여 10mℓ로 한 후 멤브레인필터로 여과하여 시험용액으로 한다. Ekf 표준원액 0.1~0.5mℓ에 0.01M 염화제이철용액 5mℓ를 넣은 다음 물을 가하여 10mℓ로 하여 멤브레인필터로 여과하여 표준용액으로 한다.

(4) HPLC의 측정조건 예

- 유속 : 1.0mℓ/분
- 주입량 : 10~20$\mu\ell$

시험용액 및 표준용액을 HPLC에 주입한다. 얻어진 피크의 머무름시간(retention time)을 비교해서 정성을 하고, 또한 얻어진 피크의 높이 또는 면적으로 검량선을 작성하여 시험용액 중 나트륨 EDTA의 함량을 정한다.

4. 부틸히드록시아니졸(BHA), 디부틸히드록시톨루엔(BHT), 터셔리부틸히드로퀴논(TBHQ) 및 몰식자산프로필[PG]

1) HPLC에 의한 정성 및 정량

(1) 시약

- 이동상 : 물 : 아세토니트릴 : 초산[35 : 60 : 5]
- 표준용액 : BHA, TBHQ 각 50mg과 PG 25mg, BHT 100mg을 이소프로판올 및 아세토니트릴 혼액(1 : 1)에 녹여 50mℓ로 한다. 사용시 이액 10mℓ를 취하여 위의 혼액으로 100mℓ로 한다.

(2) 장치

- 검출기 : 자외부검출기(UV), 280nm

- 칼럼 : μ－Bondapak C18 또는 Lichrosorb RP-18
- 용매여과기 : Solvent Clarification Kit나 그와 동등한 것.

(3) 시험용액의 조제

- 유지(액상식물유) : 균질화한 검체 5g을 비이커에 달아, 5mℓ 핵산이 들어 있는 125mℓ 분액깔때기에 옮기고, 핵산 15mℓ로 여러번 나누어서 비이커를 씻어 분액깔때기에 합친다. 여기에 핵산포화아세토니트릴 50mℓ 씩으로 3회 추출하고(만약 유탁형태가 일어나면 뜨거운 물에 분액깔때기를 5~10초 동안 담구어서 분리한다), 추출액을 250mℓ 분액깔때기에 합한다. 이 액을 농축수기에 서서히 옮겨 40° 이하의 수욕에서 회전농축기를 사용하여 3~4mℓ로 농축하여 눈금이 있는 용기에 옮기고 씻어 전량을 5mℓ로 한 후, 이소프로판올 5mℓ로 수기를 씻어 전량을 10mℓ로 하여 시험용액으로 한다.
- 버터, 마가린 등 : 검체를 60°에서 가온하여 녹인 후, 그 2.5g을 비이커에 달아 5mℓ핵산이 들어 있는 125mℓ 분액깔때기를 옮기고, 핵산 17.5mℓ로 여러 번 나누어서 비이커를 씻어 분액깔때기에 합친다. 이하 (1) 유지에 따라 조작한다.
- 어패건제품, 어패염장품, 어패냉동품 등 : 잘게 썰은 검체 5~20g을 달아 브랜더캡(blender cap)에 옮기고 무수황산나트륨 약 15g, 핵산 100mℓ를 가하여 약 2분간 균일하게 섞은 다음 여과한다. 잔사에 핵산 100mℓ를 가하여 추출을 되풀이하고, 여액을 합친다. 여액을 농축하여 약 20mℓ로 한다. 이하 (1)유지항에 따라 조작한다.

(4) 시험조작(액체크로마토그래피의 측정조건의 예)

- 유속 : 1.0~1.5mℓ/분
- 시험용액주입량 : 10~20μℓ
- 감도 : 0.05AUFS

시험용액 및 표준용액 10~20μℓ를 앞의 조건에 따라, HPLC에 주입하고, 얻어진 피크의 높이 또는 면적으로 다음 식에 따라 검체 중의 BHA, BHT, TBHQ 및 PG의 양을 산출한다.

$$\text{산화방지제(mg/kg)} = \text{각 표준용액의 농도(mg/kg)} \times \frac{PA}{PS} \times \frac{10}{SA[g]}$$

PS : 표준액의 높이 또는 면적

PA : 시험용용액의 높이 또는 면적

제 4 절 착색료시험법

1. 타르색소(산성색소)

1) 모사염색법에 의한 분리 · 정성법

(1) 시약

① 탈지양모

■ 법 : 백색양모 100g을 강암모니아수 1~4㎖를 적당히 물로 희석한 용액 중에 담그고 가끔 저으면서 45°에서 30~60분간 방치한 다음 건져내어 가볍게 짜고 다음에 희석한 암모니아수(1→100)에 잠시 방치하였다가 건져내어 처음에는 온탕, 다음에는 냉수로 씻고 가볍게 짜서 바람에 말린다.

■ 법 : 속시레추출기에서 석유 에테르로 백색양모를 충분히 탈지한 다음 에테르를 실온에서 증발시켜 물로 충분히 씻고 가볍게 짜서 바람에 말린다.

② 실리카겔(5% 황산칼슘을 함유한 것) 또는 폴리아마이드
제1절 보존료시험법 1.의 1), (2) 박층의 조제에 따라 만든다.

(2) 시험용액의 조제

① 추출 : 다음의 한 방법에 따라 색소추출액을 만든다.

■ 액상검체(알코올음료, 청량음료, 액체조미료 등) : 착색의 정도에 따라 검체 20~200㎖를 취하여 적당히 물을 가하여 시험용액으로 한다. 알코올을 함유한 것은 중화한 다음 수욕상에서 알코올을 증발시키고 물을 보충하여 색소추출액으로 한다.

■ 농산식품 : 착색의 정도에 따라 검체 20~200g을 취하여 가능한 한 작게 부수고 다음의 한 방법에 따라 색소추출액을 만든다.

㉠ 엿, 과자, 사탕류 : 검체에 약 5배량의 온탕을 가하여 잘 저어 녹여 색소추출액으로 한다.

㉡ 잼, 된장, 팥고물 등 : 검체에 약 3~5배량의 온탕을 가하여 잘 저은 다음 잠시 두었다가 유리솜 또는 석면으로 여과하든가 원심분리하여 고형물을 제거하여 색소추출액으로 한다. 이 방법으로 색소가 추출되지 않을 때에는 ㉢에 따라 만든다.

㉢ 저장과실 및 야채(앵두, 완두, 단무지 등) : 검체에 80v/v% 에탄올을 약 4~5배량 가하여 가끔 흔들어 섞으면서 2~3시간 방치하고 상징액을 취하여 약 1% 암모니아수를 함유한 70v/v% 에탄올로 되풀이 하여 추출한다. 상징액은 앞의 상징액에 합치고 6% 초산으로 중화한 다음 끓여 에탄올을 증발시키고 물을 가하여 색소추출액으로 한다. 검체가 아직 현저하게 착색되어 있을 때에는 1% 초산을 함유한 70v/v% 에탄올로 되풀이하여 추출하여 상징액을 취하여 10% 암모니아수로 중화하고 끓여 에탄올을 증발시키고 물을 가하여 색소추출액으로 한다.

㉣ 초콜릿 등 : 검체를 큰 여과지나 비이커에 취하여 에테르로 몇번 씻어 탈지하고 에테르를 실온에서 날려보낸 다음 앞의 ㉡, ㉢에 따른다.

㉤ 곡류 및 곡류제품 : 검체에 80v/v% 에탄올을 약 5배 가량 가하여 가끔 흔들어 섞으면서 24시간 방치하고 상징액을 취하여 수욕상에서 1/5로 농축하고 약 1/4용량의 25% 염화나트륨용액과 약간 과량의 10%암모니아수를 가하여 분액깔때기에 옮겨 같은 양의 석유에테르로 몇번 탈지한 다음 아래층의 알칼리액을 6% 초산으로 중화하여 색소추출액으로 한다.

㉥ 껌 등 : 검체에 약 5배 가량의 물을 가하여 끓이고 물층이 착색하면 식힌 다음 수용액을 취하여 색소추출액으로 한다.

■ 수산 및 축산식품(햄, 소세이지, 연제품 등) : 검체를 착색의 정도에 따라 20~200g을 취하여 앞의 ㉣에 따른다.

② 정제

색소추출액 5mℓ에 1% 초산 1mℓ를 가하고 탈지양모 0.1g을 넣고 잘 흔들어 섞은 다음 수욕중에서 30분간 가온한 다음 양모를 건져내어 물로 잘 씻는다. 이 염색양모를 1% 암모니아용액 5mℓ 중에 넣고 30분간 가온한 다음 양모를 건져내고 초산으로 중화하고 약 1%의 농도로 조제하여 시험용액으로 한다.

(3) 시험조작

■ 여지크로마토그래피 : 크로마토그래피용 여과지의 끝에서 40mm의 곳에 연필로 줄을 긋고 그 위에 시험용액과 색소표준용액을 각각 20mm의 간격으로 미량 피펫 또는 모세관으로

직경 약 5mm의 원이 되게 찍고 말린다. 이 여과지를 규정의 전개용매를 넣은 용기에 여과지가 기벽에 닿지 않도록 주의하여 수직으로 매달고 하단 약 10mm를 전개용매중에 담그어 뚜껑을 닫아 방치한다. 용매가 반점에서 13~25cm의 높이까지 상승하였을 때 여과지를 건져내어 말린 다음, 시험용액과 색소표준용액으로부터 전개된 반점의 위치와 색을 처음에 자연광, 다음에 자외선(약 365nm)에서 비교 관찰한다.

전개용매

1. 아세톤 : 이소아밀알코올 : 물(6 : 5 : 5)
2. n-부탄올 무수에탄올 : 1% 암모니아수(6 : 2 : 3)
3. 25% 에탄올용액 : 5% 암모니아수(1 : 1)

■ 박층크로마토그래피 : 실리카겔 또는 폴리아마이드 박층의 하단에서 2cm의 일직선상에 시험용액 및 색소표준용액을 직경 약 3mm로 1cm의 간격으로 찍고 말린다. 이를 박층의 하단 0.5~1cm를 전개용매에 담그고 8~15cm 전개시킨다. 전개가 끝나면 시험용액과 색소표준용액에서 얻은 반점의 위치와 색을 자연광 및 자외선(약 365nm) 조사하에서 비교관찰한다.

전개용매(실리카겔 박층)

1. 초산에틸 : 메탄올 : 28% 암모니아수(4.5 : 1 : 1 또는 3 : 1 : 1)
2. 아밀알코올 : 에탄올 : 28% 암모니아수(10 : 10 : 1)
3. 메틸에틸케톤 : 에틸렌글리콜노메틸에테르 : 에탄올 : 28% 암모니아수(20 : 15 : 12 : 1)

전개용매(폴리아미드 박층)

1. 메탄올 : 에탄올 : 이소아밀알코올 : 28% 암모니아수(15 : 10 : 5 : 3)
2. 피리딘 : 메탄올 : 28% 암모니아수 : 물(5 : 6 : 1 : 16)

2. 유용성 색소(유용성 타르색소 포함)

1) 시험용액의 조제

(1) 수분이 많은 검체

검체 5~20g(착색의 정도에 따라 채취량을 증감한다)에 약 5배량의 60v/v% 에탄올을 가하여 흔들어 섞으면서 30~60분간 방치하고 상징액은 분액깔때기에 취한다.

검체가 아직 착색이 되어 있을 때에는 점차적으로 에탄올의 농도를 높여 상징액이 착색되지 않을 때까지 앞의 조작을 되풀이 한다. 상징액은 앞의 상징액에 합치고 여기에 같은 양의 물 및 석유에테르 100㎖를 가하여 추출하고 잠시 방치한 다음 석유에테르층을 분취하여 시험용액으로 한다.

(2) 수분이 적은 검체

검체 5~10g(착색의 정도에 따라 채취량을 증감한다)을 200㎖의 공전플라스크에 취하고 석유에테르 100㎖를 가하여 때때로 흔들면서 방치한 다음 색소를 추출하고 이 액을 여과하여 시험용액으로 한다.

2) 시험조작

(1) 용제에 의한 분리법

시험용액 30㎖를 분액깔때기에 취하고 같은 양의 N, N-디메틸포름아마이드를 가하여 추출한 다음 방치한다. 아래층의 N, N-디메틸포름아마이드용액을 분취하여 석유에테르 10㎖씩으로 3회 씻고 석유에테르를 버린다. 다음 물 30㎖를 가하여 혼합하고 잠시 방치하여 식힌 다음 클로로포름 10㎖를 가하여 흔들어 섞고 잠시 방치할 때, 클로로포름층이 황색으로 착색하면 유용성 색소의 존재가 추정되므로 다음의 (2) 여지크로마토그래피에 의한 방법으로 시험한다.

(2) 여지크로마토그래피

(1)항에서 얻어진 클로로포름용액을 물로 씻은 다음 무수황산나트륨으로 탈수하고 저온에서 농축(약 0.1%의 농도)하여 시험용액으로 하고 크로마토그래피용 여과지(5%유동파라핀·석유에테르 중에 30분간 담근 다음 바람에 말린 것 400×60mm) 및 다음의 전개용매를 이용하여 이하 위의 1. 타르색소 (3)시험조작 ① 여지크로마토그래피에 따라 시험한다.

전개용매

1. 메탄올 : 초산 : 물(16 : 1 : 3)
2. 아세톤 : 물(7 : 3)

(3) 박층크로마토그래피

(2)항의 시험용액으로 박층크로마토그래피용 실리카겔(100°에서 60분간 가열하여 활성화시킨 것) 및 다음의 전개용매를 이용하여 1. 타르색소 (3)시험조작 ② 박층크로마토그래피에 따라 시험한다.

전개용매

1. 자일렌
2. 1, 1, 2-트리클로로에탄
3. n-핵산 : 클로로포름(6 : 4)
4. 초산이소아밀 : n-핵산(15 : 100)

제 5 절 아황산, 차아황산 및 그 염류 시험법

1. 정성시험

1) 요오드산칼륨 · 전분지법

(1) 요오드산칼륨·전분지법

액체검체는 1~2g을 100mℓ의 삼각플라스크에 취하고 고체검체는 잘게 썰어 섞은 후 1~2g을 취하여 이에 물 10mℓ를 가하여 흔들어 섞고 25% 인산 5mℓ를 가하여 곧 요오드산칼륨 전분지를 달아 맨 콜크마개를 막는다.

요오드산칼륨 전분지는 미리 하단 1cm를 물에 적시고 검액에서 약 1cm위에 오게 한다. 10분 이내에 그 시험지가 남색으로 변하지 않을 때는(보통 시험지의 젖은 부분과의 경계면이 최초로 남색으로 변한다) 조금 마개를 늦추고 수욕상에서 가온하여 다시 10분 이내에 남색으로 변하지 않으면 재차 마개를 막아 식힌다. 이 때 30분 이내에 시험지가 남색으로 변하지 않으면 아황산, 차아황산 및 그 염류는 없다.

시험지가 남색으로 변하면 다음의 정량시험을 한다.

요오드산칼륨전분지 : 0.2% 요오드산칼륨용액 및 전분시액의 같은 양 혼액에 정량용 여과지를 담근 후 어두운 곳에서 바람에 말린다.

2) 아연분말환원에 의한 법

액체검체는 1~2g을 100mℓ의 삼각플라스크에 취하고 고체검체는 잘게하여 잘 섞은 후 1~2g을 취하여 물 약 100mℓ를 가하여 흔들어 섞는다.

다음 이에 아연분말 1~2g, 염산(1+1) 5~6mℓ를 가하여 초산납지를 달아 맨 콜크마개를 막고 약 10분간 실온에서 방지한다. 아황산, 차아황산 또는 그 염이 있으면 초산납지는 흑갈색으로 변한다. 이 때 동시에 아연분말을 가하지 않은 것에 대하여도 같은 시험을 한다.

초산납지 : 여과지를 0.5N 초산납액에 담근 후 과량의 액을 제거하고 금속에 접촉하지 않도록 하여 100°에서 건조한다.

2. 정량시험

1) 모니어 · 윌리암스변법

(1) 시약

① 메틸레드시약 : 메틸레드 250mg을 에탄올에 녹여 전량을 100mℓ로 한다.

② 3%산화수소용액 : 30% 과산화수소 10mℓ에 증류수를 넣어 전량을 100mℓ로 하고 메칠레드 시액 3방울을 넣은 후 0.01N 수산화나트륨용액을 넣어 엷은 황색이 되도록 한다(쓸 때에 만든다). 0.01N 수산화나트륨용액은 ① 통기증류법의 시약과 같다.

(2) 장치

그림 6-1과 같은 장치를 쓴다(단위 : mm)

(3) 시험조작

플라스크(C)에 물 400mℓ를 넣고 분액깔때기(B)코크를 잠그고 4N 염산용액 90mℓ를 넣어둔다. 냉각기(E)에 물을 공급한 다음, 가스주입관(D)을 통하여 질소가스를 0.211/min속도로 통

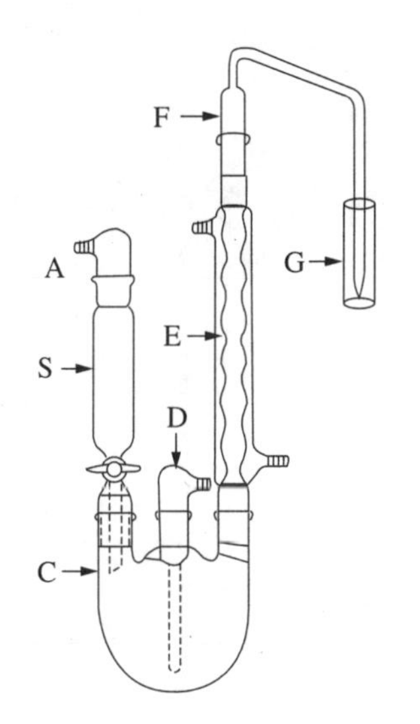

A : 호스연결부
B : 분액깔때기
(100ml 또는 그 이상 용량)
C : 환서플라스크(1.000ml)
D : 가스주입관
E : 아린냉각관(300)
F : 가스유도관(Bubbler)
G : 수기(안지름 25, 깊이 150)

그림 6-1 모니어 · 윌리암스변법 실험장치

과시키고, 이 때 수기(G)에 3% 과산화수소용액 30mℓ를 넣는다.

15분 후 분액깔때기(B)를 떼고 검체 50g(이산화황으로서 500~1,500μg 상당량)을 취해 분쇄기나 브랜더에 넣고 5% 에탄올용액 100mℓ를 넣어 혼합하여 플라스크(C)에 넣은 다음 분액깔때기(B)를 부착한 후 코크를 열어 수 mℓ가 남을 때까지 플라스크(C)에 주입한다. 1시간 45분동안 가열한 후, 수기(G)를 떼고 (F)끝을 소량의 3% 과산화수소용액으로 씻어 수기에 넣고 마이크로뷰렛을 써서 0.01N 수산화나트륨용액으로 20초간 지속하는 황색이 될 때까지 적정하여 아래의 공식에 따라 이산화황의 양을 산출한다(다만, 10ppm미만은 불검출로 한다).

0.01N수산화나트륨액 1mℓ=320μg SO_2

$$\text{이산화황(mg/kg)} = \frac{320 \times V \times f}{S}$$

V : 0.01N 수산화나트륨용액의 소비량(mℓ)

f : 0.01N 수산화나트륨용액의 역가

S : 검체의 양(g)

7

식품용수의 분석

물은 인간이 마시는 것뿐만 아니고, 식품의 제조와 가공과정에서 필연적으로 사용되어지게 되므로 깨끗하고 안전한 용수를 사용하여야만 물을 매개로 일어날 수 있는 건강장애를 사전에 예방할 수 있으며, 건전하고 안전한 식품을 생산할 수 있다. 물을 매개로 하여 일어날 수 있는 건강장애는 다음과 같이 대별될 수 있다. 장티브스(typhoid fever), 이질(bacterial dysentery), 콜레라(cholera)와 같이 소화기계 질환의 원인이 되는 병원성 세균뿐만 아니라 아메바성이질(amoebic dysentery)과 같은 원생동물, 바이러스성 장염(腸炎), 간염(肝炎)이나, 폴리오(polio)와 같은 바이러스 등 미생물에 의한 장애를 꼽을 수 있고, 또한 산업장의 폐수, 오염토양 이나 농경지, 광물채석장에서 유래되는 각종 살충제, 제초제 등의 농약류, 비소나 크롬, 카드뮴, 수은 등 여러 가지 유해중금속을 비롯한 유기 및 무기화학물질에 의한 장애가 있다. 따라서 이러한 유해물질로부터 오염을 방지하고, 깨끗하고 안전한 물을 공급하기 위해 세계각국에서 막대한 경비를 투자하여 자원을 확보하고 법적 규제 장치를 마련하고 있다. 우리나라 '식품위생법'에서도 식품의 제조·가공업소뿐만 아니라 식품첨가물 제조업소, 소분업 및 판매업 등 식품을 취급하는 모든 영업장이나 작업장에는 합당한 급수시설을 설치하게 하고, '먹는물 수질기준'에 적합한 물만을 사용하도록 하고 있다. 특히 수돗물이 아닌 지하수를 사용할 때에는 먹는물관리법 35조에서 정한 먹는물 수질검사기관에서 그 기준에 적합한지 여부를 검사하여, 기준에 적합한 물만을 사용할 수 있게 규제하고 있다. 우리나라의 먹는물 수질기준은 '먹는물 관리법'에 의해 환경부에서 기준을 마련하여 '먹는물 수질기준 및 검사 등에 관한 규칙'으로 관리하고 있으며, 현재 표 7-1과 같이 미생물에 관한 기준은 일반세균수 등 2항목, 건강상 유해영향을 줄 수 있는 물질로는 납 등 10개 항목, 유해 영향 유기물질로는 페놀 등 19개 항목, 심미적(深味的) 영향에 관한 물질로는 경도 등 16항목으로 총 47개 항목에 대한 기준을 설정하여 두고 있으며, 향후에도 여러 가지 새로운 유해물질에 대해 지속적으로 기준을 마련할 것으로 보인다.

제 1 절 시료의 채취와 보존

모든 시험이 완벽하게 이루어지려면 최초단계인 시료의 채취와 보존이 적정하게 이루어져야 한다. 채취 과정에서 오염되거나, 부적절한 용기에 시료를 채취한다면 올바른 결과를 기대할 수 없게 된다. 또한 즉시 시험에 착수하지 못할 경우에는 그 시료의 변화를 최소화하기 위해 냉장 등 여러가지 방법으로 적정하게 보존해야 한다.

1. 일반 이화학 시험용 시료

미리 질산 및 증류수로 씻은 유리병에 시료를 채취하여 신속히 시험한다. 다만, 불소는 폴리에틸렌병에 채취하여 늦어도 1주일 이내에 시험하고, 페놀은 4시간 이내에 시험하지 못할 때에는 시료 1ℓ에 대하여 황산동($CuSO_4 \cdot 5H_2O$) 1g과 인산을 넣어 pH를 약 4로 조정하고 냉암소에 보존하여 24시간 이내에 시험하며, 시료가 잔류염소를 함유한 때에는 아비산나트륨($NaAsO_2$) 0.5g을 물에 녹여 100㎖로 한 액을 넣어 잔류염소를 제거한다.

2. 일반세균 및 대장균군 시험용 시료

일반세균(一般細菌) 및 대장균군(大腸菌群) 시험용 시료는 채수과정에서 오염을 피해야 하므로 화염으로 수도꼭지의 토수구를 소독하고 2~3분간 물을 방출한 다음 채수한다. 채수 후에는 마개를 단단히 막아 시료의 누출이 없도록 해야 하며 마개와 물이 닿는 부분을 손으로 만지지 않도록 하고, 멸균이 되지 않은 마개를 사용하여서는 아니된다. 잔류염소를 함유한 시료를 채취하는 경우에는 미리 시료 100mℓ에 대하여 치오황산나트륨(sodium thiosulfate) 분말 0.02~0.05g을 넣고 121℃에서 고압멸균 한 유리병에 채수하여 신속히 시험한다. 신속히 시험할 수 없는 경우에는 10℃ 이하의 차고 어두운 곳에 보존하고, 늦어도 12시간 이내에 시험한다. 시료를 실험실로 운반 할 때에는 반드시 아이스박스(Ice box)를 이용하여 저온을 유지한 채로 4시간 이내에 도착하도록 하여야 한다.

3. 시안시험용 시료

미리 증류수로 잘 씻은 유리병 또는 폴리에틸렌 병에 시료를 채취하고 곧 입상(粒狀)의 수산화나트륨을 넣어 pH 12 이상의 알칼리성으로 하고, 신속히 시험한다. 다만, 잔류염소를 함유한 경우에는 채취 후 곧 아비산나트륨용액을 넣어 잔류염소(殘留鹽素)를 제거한다.

4. 트리할로메탄(Trihalomethan) 및 휘발성 유기화학물질 시험용 시료

미리 증류수로 잘 씻은 유리병에 기포가 생기지 않도록 조용히 채취하고 pH가 약 2가되도록 묽은 인산(인산 1mℓ에 물을 가하여 10mℓ로 한 것)을 시료 10mℓ당 1방울을 넣고, 물을 추가하여 꽉 채운 후 밀봉한다. 잔류염소가 함유되어 있는 경우에는 아비산나트륨 용액을 넣어 잔류염소를 제거한다.

참고문헌

1 환경부: 먹는물 水質公定試驗方法, 환경부告示 第1999-16號(1999)

제 2 절 식품용수의 미생물 시험

식품용수(食品用水) 중의 미생물시험은 인축(人畜)에 병원성을 지니는 병원성 미생물의 존재를 사전에 차단하여 미생물로 인한 위해(危害)를 사전에 예방하기 위함이다. 그러나 미생물 시험은 특정한 병원성 미생물의 존재 유·무를 직접 시험하는 것이 아니라, 위생학적으로 지표가 되는 미생물을 설정하고 이들 미생물의 존재 유·무를 가려, 먹는물이나 식품용수의 안전성을 가리는 것이다. 먹는물의 미생물은 일반세균수와 대장균군을 설정하여 두고 있다.

1. 일반세균수

개 요

일반세균수는 물 속에 존재하는 한 개체의 세균이 배지에서 발육, 증식하여 각각 독립된 하나의 집락(集落)을 형성하므로, 표준 한천배지 내에서 성장하여 집락을 형성할 수 있는 중온성세균(中溫性細菌)을 말하며, 이는 용수의 미생물학적 오염 정도를 나타낸다.

시료조제

검수를 그대로 또는 물의 오염정도에 따라, 최종 집락의 수가 30~300개의 집락 형성이 추정되는 배율로 인산완충액 또는 펩톤 희석액을 사용하여 10단계 희석법으로 적당한 농도로 희석하고, 각 단계 희석액 1㎖씩 을 각 페트리접시 2매 이상에 넣는다.

시약 및 기구

■ 배지

- 표준한천배지(plate count agar medium)
- 트립톤 포도당 엑스 한천배지(tryptone extract dextrose agar)

■ 희석액

- 인산완충희석액 : 인산2수소칼륨(KH_2PO_4) 34g을 500㎖의 물에 녹인 후 0.5N 수산화나트륨 용액으로 실온에서 pH를 7.2±0.2로 조정한 후 물을 넣어 1ℓ가 되도록 만들어, 이를 보존용 원액(原液)으로 한다. 이 보존용 원액 1.25㎖와 염화마그네슘($MgCl_2 \cdot 6H_2O$) 81.1g을 물 1ℓ에 녹여 만든 염화마그네슘용액 5.0㎖를 넣은 다음 물로 1ℓ가 되도록 하여 인산완충희

석액을 만든다. 인산완충희석액은 99±2㎖ 또는 9±0.2㎖ 되도록 나선식 마개가 있는 희석병이나 시험관에 나누어 121℃에서 15분간 고압증기 멸균한 후 사용한다.

- 펩톤희석액 : 물에 10% 펩톤용액(peptone water)을 넣어 펩톤의 최종 농도가 0.1% 되도록 희석하고, 실온에서 pH가 6.8±0.2가 되도록 조정한 다음 99±2㎖ 또는 9±0.2㎖ 되도록 나선식 마개가 있는 희석병이나 시험관에 나누어 121℃에서 15분간 고압증기 멸균한 후 사용한다.

■ 기구 및 장치

- 피펫 또는 자동피펫 : 용량 1~5㎖의 메스피펫이나 자동피펫(플라스틱팁 포함)으로 멸균된 것을 사용한다.
- 페트리접시(petri dish) : 지름 약 9cm, 높이 1.5cm의 유리제품($65cm^2$) 또는 1회용 플라스틱($57cm^2$)제품으로 멸균된 것을 사용한다.
- 항온 수욕조(water bath) : 수온을 45±0.5℃로 유지할 수 있는 것을 사용한다.
- 배양기(incubator) : 배양온도를 35±0.5℃로 유지할 수 있는 것을 사용한다.
- 집락 계수기(colony counter) : 확대경과 조명장치가 부착되어 있고 집락을 계수하기 좋도록 페트리접시를 놓는 판에 $1cm^2$로 구획이 그려진 것을 사용한다.

방 법

1 검체의 접종 및 배양

① 미리 멸균시켜 45±0.5℃로 유지시킨 표준 한천배지 또는 트립톤 포도당 엑스 한천배지를 적어도 10~12㎖씩을 각각 검액이 들어있는 페트리접시에 무균적으로 나누어 넣고, 배지와 검수가 잘 혼합되도록 좌우로 회전한다. 배지가 굳기 전에 모든 조작을 완료하여야 한다.

② 35±0.5℃에서 48±2시간 배양하여 형성된 집락의 수를 계산한다.

③ 대조군(對照群) 시험으로 멸균된 희석액을 위와 같은 방법과 동일하게 실험하여 대조군으로 한다.

④ 검수의 희석조작부터 평판용 배지를 페트리접시에 나누어 넣을 때까지 조작시간은 20분을 초과하지 않도록 한다.

2 세균 집락수의 계산

① 배양 후 즉시 집락계산기를 이용하여 확산된 집락이 없고, 1평판당 30~300개의 독립된 집락을 형성한 평판을 택하여 집락의 수를 측정하는 것을 원칙으로 한다.

② 평판마다 300개 이상의 집락이 형성되었을 때에는, 가장 대표적인 평판을 택하여 밀집평판측정법(密集平板測定法)에 따라 집락수를 계산한다. 계산방법은 안지름 9cm의 유리페트리접시를 사용한 경우에는 $1cm^2$내의 집락수를 13군데에서 계수(計數)하여 평균한 집락수에 65를 곱하고 1회용 플라스틱 페트리접시를 사용한 경우에는 57을 곱한다.

③ 평판마다 30개 이하의 집락이 형성되었을 때에는 원액을 접종한 평판의 집락을 계수하여, 평균하며 기재는 반드시 ㎖중 몇 CFU(colony formation unit)라고 한다.

④ 30~300개의 집락을 가지는 평판이 없고, 300개 이상의 집락을 가지는 평판이 1개 이상 존재하는 경우 300개에 가장 가까운 평판의 집락수를 계산한다.

결 과

결과의 계산은 해당 희석배수에 사용된 각 평판내의 집락수를 측정하여 합한 다음 사용한 평판수로 나누어 평판 당 평균집락수를 구하고, 여기에 해당 희석배수를 곱한 값을 얻는다. 일반세균수가 100 이상인 경우에는 높은 단위 숫자로부터 3단계 이하는 사사오입하여, 유효숫자를 2단계로 끊어, 그 이하를 0으로 한 수치를 1㎖ 중의 일반세균수로 하고, 100미만일 경우에는 소수점 이하는 버린 수치를 1㎖ 중의 일반세균수로 한다.

2. 대장균군

개 요

대장균군은 Gram음성의 무아포성 간균으로서 유당(lactose)을 분해하여 산(酸)이나 가스를 생성하는 호기성 및 통성혐기성세균으로 사람이나 동물의 장관(腸管)내에 서식하면서, 분변과 함께 배설되는 *Escherichia coli*, *Aerobacter aerogenes*와 *Klebsiella*, *Enterobacter*, *Serratia*, *Citrobacter* 등과 같은 균들로서 분변오염(糞便汚染)의 지표로 중요한 의미를 가진다. 인간이나 동물의 분뇨에는 병원성세균을 함유하는 경우가 있는데, 그 양은 대장균군에 비해 상당히 적다. 따라서 이를 각각 분리하여 검출하기에는 상당한 어려움이 따르게 된다. 이는 일반적으로 용수 중에는 병원미생물이 존재한다 하더라도 그 균수가 극히 적으므로 이를 검출해 내는 것은 많은 시간과 경비가 소요되어 적절하지 않기 때문이다. 일반적으로 대장균군은 사람이나 동물의 장관(腸管)내에서 병원균과 함께 존재하므로 이 균군(菌群)이 물이나 식품에서 검출되면 분변오염의 증거가 될 뿐만 아니라 병원성균도 함께 존재할 가능성이 크므로 위생학적 오염 지표균군(Index organism)으로 설정하고 있다. 이 균군의 특징은 다른 병원성세균보다 세대시간(世代時間)이 짧아 비교적 빠른 시간내에 증식하고 각종 기질(基質)에 잘 발육할 뿐만 아니라 10~46℃의 넓은 온도범위에서 발육이 가능하므로, 검출하기 쉬운 잇점이 있다. 먹는물이나 식품의 제조·가공에 쓰이는 처리수인 정수(淨水)에서 대장균군이 검출되는 의미는 부적절한 정수 처리나 또는 처리 후에 물의 오염을 의미한다.

시료조제

일반세균수의 시료조제와 같이 시료를 그대로 또는 희석하여 접종한다.

시약 및 기구

■ 배지

－2배 농후 젖당(lactose broth)배지(추정시험용 배지)

－젖당(lactose broth) 배지(완전시험용 배지)

- 2배 농후 라우릴 트립토스(Lauryl tryptose broth) 배지(추정시험용 배지)
- 라우릴 트립토스(Lauryl tryptose broth) 배지(완전시험용 배지)
- BGLB(Brilliant green lactose bile) 배지(확정시험용 배지)
- EMB(Eosin methylene blue) 한천 배지(완전시험용 배지)
- 엔도(Endo agar) 배지(완전시험용 배지)
- 보통한천 사면(Nutrient agar slant) 배지(완전시험용 배지)

■ 기구 및 장치

- 피펫 : 용량 5~10㎖의 메스피펫이나 자동피펫(플라스틱 피펫팁 포함)으로서 멸균된 것을 사용한다.
- 페트리접시 : 일반세균 검사방법에서 사용하는 것과 같다.
- 시험관 : 소 시험관(내경 16mm, 높이 150mm), 중 시험관(내경 18mm, 높이 180mm) 및 2종류의 시험관으로 솜(플라스틱이나 금속뚜껑도 사용 가능하다)으로 마개를 할 수 있고 고압증기 멸균할 수 있어야 한다.
- 다람(durham)발효관 : 내경 6mm, 높이 30mm의 발효관으로 멸균된 것을 사용한다.
- 백금이(Loop) : 고리의 안지름이 약 3mm인 백금이를 사용한다.
- 배양기 : 배양온도를 35±0.5℃로 유지할 수 있는 것을 사용한다.

방 법

먹는물에 대한 대장균군 시험은 다음 3단계로 시험한다.

1 추정시험

① 먹는물에 대한 추정시험은 2배 농후의 젖당배지 또는 라우릴트립토스배지가 10㎖씩 들어 있는 중 시험관(다람발효관이 들어있는 시험관) 5개에 검수 10㎖씩을 접종하여 35±0.5℃에서 24±2시간 배양한 다음 가스발생이 관찰되면, 추정시험 양성(陽性)으로 판정하고 확정시험을 실시한다.

② 배양 24±2시간 경과시 어느 시험관에서도 가스발생을 관찰하지 못한 경우, 동일한 조건으로 48±3시간까지 배양하여 여전히 가스발생이 없을 때에는 추정시험 음성(陰性)으로 판정하고, 하나 이상의 시험관에서 가스발생이 관찰되었을 때에는 확정시험을 실시한다.

2 확정시험

① 추정시험에서 가스발생이 관찰되었을 때에는, 즉시 가스가 발생한 시험관으로부터 배양액을 1백금이 씩 취하여 BGLB배지가 10㎖씩 들어있는 시험관(다람발효관이 들어있는 시험관)에 접종시켜 35±0.5℃에서 48±3시간 배양한다.

② 이때 가스발생을 관찰할 수 없으면, 대장균군 확정시험 음성으로 판정하고 가스발생이 관찰되었을 때에는 완전시험을 실시한다.

3 완전시험

① 확정시험에서 가스발생이 관찰되었을 때에는 가스가 발생한 확정시험용배지로부터 배양액을 취하여, 즉시 엔도배지 또는 EMB 한천배지 1매 이상에 획선(劃線) 접종하고, 35±0.5℃에서 24±2시간 배양한다.

② 엔도배지 또는 EMB 한천배지 위에 생성된 대장균군의 적색~암적색의 전형적인 집락 1개 이상을, 비전형적인 집락은 2개 이상을 각각 취하여 젖당배지 또는 라우릴트립토스배지 10㎖씩 들어있는 시험관(다람발효관이 들어있는 시험관)과 보통 한천사면배지에 이식한다.

③ 이식한 액체배지는 35±0.5℃에서 24±2시간 또는 48±3시간 배양하여 가스발생을 확인하고, 가스발생이 없을 때는 다시 24±2시간 배양하여 가스발생을 확인한다. 보통한천사면배지는 35±0.5℃에서 24±2시간 배양한 다음 생성된 집락의 균체를 그람염색하여 현미경으로 관찰한다.

④ 완전시험에서 가스발생을 재확인하고, 현미경 관찰시 그람음성 무아포성간균임이 확인되면 대장균군 양성으로 판정한다.

참고문헌

1. 환경부 : 먹는물水質公定試驗方法, 환경부告示 第1999-16號(1999)
2. Gordon A. McFeters : Drinking Water Microbiology, Springer-Verlag. New York(1995)
3. 환경부 : 먹는물 수질관리 지침서(1998)
4. 社團法人 日本食品衛生協會 : 食品衛生檢査指針 微生物編(1990)

제 3 절 유해 무기물질의 분석

1. 유해금속류

식품이나 물의 유해 중금속은 수확, 저장, 수집, 가공, 포장단계나 원료용수의 오염, 산업폐수나 지질의 특수성에 의한 지각(地角) 내의 금속유입, 정수과정 등에서 우발적으로 오염되어 생체 각 부분의 정상적인 대사(代謝)과정을 급성 또는 만성적으로 억제하거나 저해한다. 유해금속의 존재형태에 따라 무기염(無機鹽)이나 이온의 형태로 존재할 때에는 수용성(水溶性)이므로, 체외로 배설되기 쉬우나, 유기염(有機鹽)의 형태로 존재할 때에는 이들이 지용성(脂溶性)이므로, 지방과의 친화성이 강해 지방에 용해되어 체내에 흡수가 쉬우며, 체내의 수분에 용해되지 않으므로 체외로 배출이 어려워 미량의 중금속이라 하더라도 축적효과(蓄積效果)로 인해 매우 강한 독성을 유발할 수 있다. 주로 인체에 영향을 주는 중금속은 Hg, Pb, Cd, Sn, Sb, As, Cu 등이 강한 독성물질로 인식되고 있다.

1) 납 (Pb, Lead)

개 요

인체에 강한 중독성을 가지는 금속으로서, 안료(顔料), 도료(塗料)나 부식 방지제와 농약 등에 함유되며, 물에서는 배관 고정물, 가정이나 빌딩의 배수 시스템의 땜납에서 수산납{$Pb(OH)_2$} 형태로 용출(溶出)되어 존재하게 된다. 납의 인체에 대한 영향은 급성중독의 경우 구토, 구역질, 위통, 사지마비 등을 유발할 수 있고, 만성중독의 경우 빈혈, 피로감, 체중감소, 지각소실(知覺消失), 소화기 이상, 시력저하 등 중추신경계, 혈액, 소화기 및 신장에 대한 독성을 나타낸다. 현재 먹는물의 허용기준은 0.05mg/ℓ 이하이다.

시료조제

1. 검수(檢水) 500mℓ(0.005～0.25mg의 납을 함유한 것 또는 같은 양의 납을 함유하도록 검수에 물을 넣어 500mℓ로 한 것을 말한다)를 비이커에 넣고, 질산 5mℓ(미리 시료에 넣은 질산을 포함한다)를 넣어 조용히 가열하여 유기물을 분해하고 농축한다.
2. 액량이 약 50mℓ가 되면 곧 가열을 그치고 식힌 후, 이 용액을 분액깔때기에 취한다.

❸ 이에 구연산암모늄용액 2㎖를 넣고 브롬치몰블루용액 수 방울을 지시약으로 하여 액의 색이 황색으로부터 녹색으로 될 때까지 암모니아수를 넣어 중화한다.

❹ 다음 디에칠디치오카바민산 나트륨(diethyldithiocarbamate sodium)용액 10㎖를 넣고 흔들어 섞어 수분간 둔 후, 메칠이소부칠케톤(methyl isobutylketone) 10㎖를 넣어 심하게 흔들어 섞은 다음, 메칠이소부칠케톤층을 취하여 이를 시험용액으로 한다.

시약 및 기구

■ 시약

- 질산(nitric acid, 원자흡광분석용)
- 구연산암모늄(ammonium citrate)용액 : 원자흡광분석용 25g을 물에 녹여 100㎖로 한다.
- 브롬치몰블루(bromothymol blue)용액 : 브롬치몰블루 0.1g을 에탄올 50㎖와 물 50㎖의 혼합액에 녹인다.
- 암모니아수(ammonia water)
- 메칠이소부칠케톤(methyl isobutylketone)
- 디에칠디치오카바민산나트륨(diethyldithiocarbamate sodium) 용액 : 디에칠디치오카바민산나트륨($C_5H_{10}NNaS_2 \cdot 3H_2O$) 5g을 물에 녹여 100㎖로 한다.
- 납 표준원액 : 질산납{$Pb(NO_3)_2$} 1.599g을 묽은 질산(질산 10㎖을 물을 가해 100㎖로 한 것) 100㎖에 녹이고, 물을 넣어 1ℓ로 한다. 이 용액 1㎖는 납 1mg을 함유한다.
- 납 표준용액 : 납 표준원액을 물로 100배 희석하며, 쓸 때에 만든다. 이 용액 1㎖는 납 0.01mg을 함유한다.

■ 기구 및 장치 : 원자흡광광도계(flame atomic absorption spectrometer)

방 법

납의 정량은 원자흡광광도법에 의한 정량법과 디티존(dithizone)에 의한 정량법이 있으나, 현재에는 MIBK(methyl isobutylketone)추출에 의한 원자흡광광도법을 먹는물 수질시험법에서 채택하고 있다.

❶ 원자흡광광도계의 광원램프인 납 중공음극램프를 켜고 적당한 전류치로 조정한다.

❷ 아세칠렌가스 또는 수소가스에 점화한 후 가스 및 압축공기의 유량을 적정하게 조정하여 불꽃을 최적 상태로 한다.

❸ 전처리에서 얻은 시험용액을 불꽃 중에 분무하고, 파장 283.3㎚에서 흡광도를 측정하여, 미리 작성한 검량선으로 부터 시험용액중의 납의 양을 구하여 검수중의 납의 농도를 측정한다.

❹ 검량선의 작성 : 납 표준용액 0~10㎖를 단계적으로 분액깔때기에 넣고, 각각에 물을 넣어 전량을 50㎖로 한다. 이하(다만, 구연산암모늄용액을 넣은 시험 이후의 시험에 한한다)시료조제 및 ❶~❸과 같은 방법으로 시험하여, 납의 양과 흡광도와의 관계를 구하여 검량선(檢量線)을 작성한다.

결 과

검량선으로 부터 시험용액중의 납의 양을 구하여 검수중 납의 농도를 다음식에 따라 계산한다

$$납(mg/\ell) = a\,mg \times \frac{1000}{검수량}$$

a ; 검량선으로부터 구한 시험용액중의 납의 양

2) 비소 (As ; Arsenic)

개 요

비소는 반금속류(metalloid)에 속하는 원소로서 농약이나 공업용도로 쓰인다. 다른 중금속류처럼 식품첨가물이나 해산식품에 혼재(混在)되어 있으며, 자연계에서는 보통 삼산화비소(As_2O_3)나, 5산화비소(As_2O_5)의 형태로 존재한다. 3산화비소는 체내 SH기(基)를 가진 효소와 친화력이 강해 효소의 활성을 억제시켜 세포 호흡효소의 작용을 저해하며, 아비산을 생성하여 인체에 강한 중독성을 가진다. 급성중독의 경우 호흡곤란, 흉통, 현기증, 두통을 유발하며, 만성 중독으로는 피부각질화, 다발성신경염(多發性神經炎), 골수장해에 의한 빈혈을 유발한다. 보통 자연수에는 0.001~0.002mg/ℓ 정도이며, 우리나라 먹는물의 수질기준은 0.05 mg/ℓ 이하이다.

시료조제

검수 200mℓ(0.001~0.02mg의 비소를 함유하거나, 같은 양의 비소를 함유 하도록 검수에 물을 넣어 200mℓ로 한 것)를 비이커에 넣고, 염산 5mℓ를 넣어 검수가 약 30mℓ로 될 때까지 가열·농축하고, 식힌 다음 이를 시험용액으로 한다.

시약 및 기구

■ 시약

- 염산(HCl, 원자흡광분석용)
- 요오드화칼륨(potassiun iodide)용액 : 요오드화칼륨(KI) 15g을 물에 녹여 100mℓ로 하며, 쓸 때에 만든다.
- 염화제1주석(tin chloride dihydrate)용액 : 염화제1주석($SnCl_2 \cdot 2H_2O$) 40g을 염산 100mℓ에 녹이며, 쓸 때에 만든다.
- 무비소 사상아연(無砒素砂狀亞鉛) : 지름이 1~1.4mm로서 비소를 함유하지 않은 것을 사용한다.
- 초산납(Lead acetate)용액 : 초산납($C_4H_6O_4Pb \cdot 3H_2O$) 10g에 초산 1방울을 넣고 물에 녹여 100mℓ로 한다.

－디에칠디치오카바민산은(Silver diethyldithiocarbamate)용액 : 디에칠디치오카바민산은($C_5H_{10}AgNS_2$) 1g을 피리딘(Pyridine) 200mℓ에 녹인다.

－비소표준원액 : 삼산화비소(As_2O_3) 1.320g을 수산화나트륨용액(20w/v%) 5mℓ에 녹이고, 물 약 400mℓ를 넣은다음 황산(물 19mℓ에 황산 1mℓ을 가한 액)으로 중화한 후 물을 넣어 1ℓ로 한다. 이 용액 1mℓ는 비소 1mg을 함유한다.

－비소표준용액 : 비소표준원액을 물로 100배 희석한 용액 100mℓ에 물을 넣어 1ℓ로 하며, 쓸 때에 만든다. 이 용액 1mℓ는 비소 0.001mg을 함유한다.

■ 장치

－비화수소 발생장치(砒化水素發生裝置)

－광전분광광도계 또는 무염원자흡광광도계(Graphite furnace atomic absorption spectrometer)

방 법

1 디에칠디치오카바민산은(silver diethyldithiocarbamate)분광법에 의한 정량

① 시험용액을 비화수소 발생병에 옮겨 넣고, 물을 넣어 약 40mℓ로 한 후, 요오드화칼륨용액 5mℓ를 넣어 2～3분간 둔다.

② 다음 염화제1주석용액($SnCl_2$) 1mℓ를 넣어 섞고, 15분간 둔 후, 사상아연 3g을 넣은 다음 곧 비화수소 발생병과 흡수관(미리 디에칠디치오카바민산은 용액을 넣어둔다)을 연결하여, 상온에서 1시간 수소가스를 발생시킨다. 이때 부수적으로 발생하는 비화수소는 디에칠디치오카바민산은 용액에 흡수시킨다.

③ 이 흡수액의 일부를 흡수셀(10mm)에 넣고 광전분광광도계 또는 광전광도계를 사용하여, 디에칠디치오카바민산은 용액을 대조액으로 하여, 파장 525nm 부근에서 흡광도를 측정하고, 미리 작성한 검량선으로 부터 시험 용액중의 비소의 양을 구하여 검수중의 비소의 농도를 측정한다.

④ 검량선의 작성 : 비소표준액 0～20mℓ를 단계적으로 비화수소 발생병에 넣고, 각각에 염산 5mℓ와 물을 넣어 약 40mℓ로 한 후, 요오드화칼륨용액 5mℓ를 넣어 2분～3분간 둔 다음 ②～③과 같은 방법으로 시험하여, 비소의 양과 흡광도와의 관계를 구하여 검량선을 작성한다.

2 무염 원자흡광광도법에 의한 정량 : 시험용액 및 공시험액을 그대로 혹은 적당한 배율로 희석하여, 무염원자 흡광광도계에 주입하여 비소의 측정파장(193.7 또는 197.2nm)에서 흡광도를 측정하고, 표준용액 및 공시험 용액에 대해서도 같은 조작을 하고 검량선을 작성하여 검액중의 비소농도를 구한다

결 과

검량선으로 부터 시험용액중의 비소의 양을 구하여 검수의 비소농도를 다음 식에 따라 계산한다

$$\text{비소(mg/ℓ)} = (a-b)\text{mg} \times \frac{1000}{\text{검수량}}$$

a ; 검량선으로부터 구한 시험용액중의 비소의 양.

b ; 공시험에 의한 비소의 양

3) 세레늄 (Se ; Selenium)

개 요

세레늄은 자연계에 널리 분포되어 있는 금속이다. 특히 구리광산, 금속제련소 부근의 토양에 많이 함유되어 있으며 원소세레늄, 셀렌산염, 아셀렌산염 등의 형태로 존재한다. 식품에는 곡류나 해산물이 다른 식품에 비해 많으며, 생체내 에서는 글루타치온 퍼옥시다제(glutathion peroxidase) 효소를 구성하는 원소로서 부족시는 대사과정에서 생성된 과산화수소(H_2O_2)를 분해하지 못해 Keshan disease의 원인이 되기도 한다. 그러나 과량의 세레늄은 체내에서 셀렌산염, 아셀렌산염, 셀레노시스틴, 셀레노메치오닌과 같은 화합물을 형성하며, 만성중독 증상으로는 성장감소, 비장증대(脾臟增大), 빈혈, 심한 탈모증상이 초래된다. 먹는물에서는 pH가 높거나 낮으면 불용성(不溶性)인 세레늄이 수용성이 큰 화합물로 변화하여 높게 측정된다. 최대무작용량(NOEL)은 1일 0.9μg/체중kg 정도이며 먹는물의 수질기준은 0.01mg/ℓ 이하이다.

시약 및 기구

■ 시약

- 염산(원자흡광 분석용)
- 아연분말(Zinc powder)의 정제 : 무비소아연(無砒素亞鉛)분말 50g에 접착제 5g을 배합하고 물 7mℓ를 넣어 갠 다음 정제성형기(錠劑成形機)에 가득 채우고 정제를 만든 후 80℃에 10분간 건조한 정제(1개가 약 0.5g 정도)를 사용하거나 무비소아연 분말 1g을 차광지에 싸서 사용한다.
- 세레늄표준원액 : 이산화세레늄(SeO_2) 1.405g을 물에 녹여 1ℓ로 한다. 이 용액 1mℓ는 세레늄 1mg을 함유한다.
- 세레늄표준용액 : 세레늄표준원액을 물로 100배 희석한 용액 10mℓ에 물을 넣어 1ℓ로 하며, 쓸 때에 만든다. 이 용액 1mℓ는 세레늄 0.0001mg을 함유한다.

■ 기구 및 장치

- 원자흡광광도계(flame atomic absorption spectrometer)
- 수소화세레늄 발생장치

방 법

1. 검수 20mℓ(0.0001~0.001mg의 세레늄을 함유하거나 같은 양의 세레늄을 함유하도록 검수에 물을 넣어 20mℓ로 한 것)를 수소화세레늄 발생장치의 반응용기에 취하고 염산 10mℓ를 넣고 약 15분간 방치한다.
2. 이 장치를 원자흡광광도계에 연결하고, 4방향 코크를 조작하여 아 연분말 정제 1개를 신속히 시험용액 중에 넣고 마그네틱스티러로 저어주어 수소화세레늄을 발생시킨다. 발생한 수소화세레늄을 아르곤(또는 질소)－수소불꽃에 도입하여 파장 196.0nm에서 흡광도를 측정하여 검량선에 따라 정량한다.

3 검량선의 작성 : 세레늄 표준용액 0~10㎖를 단계적으로 수소화세레늄의 반응용기에 취하고, 각각에 염산 10㎖ 및 물을 넣어 약 30㎖로 하고, 1~2와 같은 방법으로 시험하여, 세레늄의 양과 흡광도와의 관계를 구한다.

결 과

검량선으로부터 시험용액중의 세레늄의 양을 구하여 검수중 세레늄의 농도를 다음 식에 따라 계산한다

$$세레늄(mg/\ell) = a\,mg \times \frac{1000}{검수량}$$

a ; 검량선으로부터 구한 시험용액중의 세레늄의 양

4) 수은 (Hg ; Mercury)

개 요

수은(水銀)은 자연계에서 금속수은, 1,2가 무기이온형, 저급 알킬수은, 유기수은화합물로 존재하며, 자연수에는 무기수은이 0.5㎍/ℓ, 빗물에는 5~100ng/ℓ정도 존재한다. 무기수은은 물에서 15%정도 식품에서는 7~8% 정도가 소화기계로 흡수되어 대부분 소변을 통해 배설되나, 일부는 뇌, 혈액, 심장근육에 축적되기도 한다. 저급 알킬수은(alkyl mercury)이나 메칠수은(methyl mercury)과 같은 유기수은은 주로 소화기계로 흡수되어 적혈구나 간, 신장에 축적된다. 수은에 의한 급성중독 장애는 드물지만 폐렴, 설사, 신장기능장애를 일으키고, 만성적으로 노출되면 신장 및 신경장애와 뇌손상증후군(腦損傷症候群)이나, Hunter & Russel증후군으로 지각이상(知覺異狀), 운동신경장애, 청력장애를 초래할 수 있다. 일본에서의 미나마타병은 메칠수은에 의한 대표적 사건이었다. 총 수은의 WHO 권장치는 0.001mg/ℓ 이하로 정하고 있으며 우리나라 먹는물의 수질기준 또한 0.001mg/ℓ 이하이다.

시료조제

1 검수 200㎖(0.0001~0.002mg의 수은을 함유하거나 같은 양의 수은을 함유하도록 물을 넣어 200㎖로 한 것)를 환원플라스크에 넣고 황산 10㎖와 질산 5㎖를 넣어 잘 섞는다.
2 다음에 과망간산칼륨용액 20㎖를 넣어 흔들어 섞고, 환류냉각기(還流冷却器)를 부착한 후 약 95℃의 수욕상에 환원플라스크를 담그고 2시간 가열한다.
3 식힌 후 환류냉각기를 제거하고, 염산히드록실아민용액 8㎖를 넣고 흔들어 과잉의 과망간산이온을 환원한 후 250㎖의 표시선 까지 물을 넣어 이를 시험용액으로 한다.

시약 및 기구

■ 시약

－황산(sulfuric acid, 유해금속 측정용)

－질산(nitric acid, 유해금속 측정용)

－과망간산칼륨(potassium permanganate)용액 : 과망간산칼륨(KMnO4) 50g을 물에 녹여 1ℓ로 하고 여과한다.

－염산히드록실아민(hydroxylamine hydrochloride)용액 : 염산히드록실아민($HONH_3Cl$) 10g을 물에 녹여 100㎖로 한다.

－염화제1주석(tin chloride dihydrate)용액 : 염화제1주석($SnCl_2 \cdot 2H_2O$) 10g을 묽은 황산(황산 1㎖을 물을 가해 20㎖로 한 액) 60㎖에 넣고, 저으면서 가열용해 한 후 식힌 다음, 질소가스를 통과시켜 용액중의 수은을 제거하고 물을 넣어 100㎖로 하며, 쓸 때에 만든다.

－수은표준원액 : 염화제2수은($HgCl_2$) 0.135g을 묽은질산(질산 10㎖을 물을 가해 전량을 100㎖로 한 액) 100㎖에 녹이고, 물을 넣어 1ℓ로 한다. 이 용액 1㎖은 수은 1mg을 함유한다.

－수은표준용액 : 수은표준원액을 물로 100배 희석한 용액 100㎖에 질산 1㎖ 및 물을 넣어 1ℓ로 하며, 쓸 때에 만든다. 이 용액 1㎖는 수은 0.001mg을 함유한다.

－첨가제(금아말감법에 의한 정량시에만 소요된다)

a : 산화 알미늄(Al_2O_3)

b : 수산화칼슘{$Ca(OH)_2$}+탄산나트륨(Na_2CO_3) 1:1혼합물을 쓸 때에 950℃에서 30분간 활성화시킨 후 사용한다.

■ 기구 및 장치

－환원플라스크 : 환류냉각기가 부착된 용량 350㎖의 삼각플라스크로 용량 250㎖를 표시하는 선이 그어진 것을 사용한다.

－원자흡광광도계 또는 수은측정장치(금아말감에 의한 정량시에 사용하며, 시료의 연소에서 금 아말감에 의한 포집, 냉원자흡광법에 의한 측정까지를 자동화한 수은분석기)

－흡수셀 : 유리제 또는 염화비닐제의 원통(길이 100mm)의 양끝에 석영유리창을 장치한 것을 사용한다.

방 법

1 환원기화법에 의한 정량

① 원자흡광광도계의 광원램프(수은중공음극램프 또는 수은램프)를 켜고 다이야후람펌프(diaphram pump)의 통기량을 적량으로 조정한다.

② 전처리에서 얻어진 시험용액에 염화제1주석용액 10㎖를 넣고 곧 통기장치에 연결한 후 다이야후람펌프(diaphram pump)를 작동시켜서 발생하는 수은증기를 흡수셀에 보낸다.

③ 파장 253.7㎚에서 흡광도가 일정치가 된 때에 측정하고, 미리 작성한 검량선으로부터 시험용액중의 수은의 양을 구하여 검수중의 수은의 농도를 측정한다. 이때 0.001mg/ℓ이하는 검출되지 아니한 것으로 한다.

④ 검량선의 작성 : 수은표준용액 0~20㎖를 단계적으로 환원플라스크에 넣어 각각 물을 넣어

200㎖로 한다. 시료조제 및 ①~③과 같은 방법으로 시험하여 수은의 양과 흡광도와의 관계를 구한다.

❷ 금 아말감법에 의한 정량

① 첨가제(a) 약 1g을 도가니에 넣어 고르게 편 다음 검체 1~2㎖을 가해 완전히 스며들게 하고 그 위에 첨가제(a) 약 0.5g 및 (b) 약 1g을 차례로 고르게 펴 층을 이루게 한다.

② 도가니를 연소부(燃燒部)에 넣고, 공기 또는 산소를 0.52ℓ/(분)를 통과시키면서 약 900℃로 가열하여 수은을 유지시켜, 포집관에 수은을 포집한다.

③ 포집관을 약 700℃로 가열하여 수은증기를 냉원자흡광분석장치(冷原子吸光分析裝置)에 보내고 흡광도를 측정하여 a로 한다.

④ 따로 도가니에 첨가제만을 취해 같이 조작하여 흡광도를 측정한 공시험 값을 b로 한다.

⑤ 검액에서 얻어진 흡광도에서 공시험 값을 뺀(a−b) 값으로 검량선에 의해 검액중의 수은량을 산출한다.

⑥ 검량선의 작성 : 수은표준용액을 0~5㎖을 단계적으로 가해 전항과 같이 조작하여, 얻어진 흡광도에서 검량선을 작성한다.

결 과

검량선으로 부터 시험용액중의 수은의 양을 구하여 검수중 수은의 농도를 다음 식에 따라 계산한다

$$수은(mg/\ell) = a\,mg \times \frac{1000}{검수량}$$

a ; 검량선으로부터 구한 시험용액중의 수은의 양

5) 6가 크롬 (Cr^{+6} ; Hexachromium)

개 요

크롬은 자연상태에서 지표수에는 총크롬으로 0.5~2㎍/ℓ정도의 농도로, 지하수에는 1㎍/ℓ 이하로 존재한다. 대부분 물속에서는 황색~등적색의 이온상태로서 산소와 결합하여 2가~6가의 산화물로 존재한다. 3가크롬은 주로 $Cr(OH)^3n$ 형태로서 물에는 난용성(難溶性)이며 6가크롬은 CrO_4^2나 $HCrO_4$형태로 수용성이다. 6가의 크롬산염은 소량이 소화기계(消化器系)를 통해 흡수된 이후 생체 내에서는 다시 3가크롬으로 환원되어 포도당이나 지질대사(脂質代謝)과정의 필수 미량원소로 작용하기도 한다. 용수의 크롬 오염원은 도금(鍍金), 피혁공업(皮革工業), 촉매생산(觸媒生産), 안료공업이나 요업, 유리공업 또는 부식방지제의 배수로부터 유입된 경우가 많다. 과량의 크롬에 노출될 경우 소화관으로 흡수된 크롬은 대부분 뇨를 통해 배설되나, 그 일부는 간이나 신장에 주로 축적되지만, 뼈나 비장, 취장에도 축적되어 세포독성을 유발하게 된다. 급성중독현상으로는 장염, 구토, 뇨량감소나 요독증(尿毒症)을 일으키고, 만성중독으로는 황달, 간염,

피부염, 천공성괴양, 비중격천공(鼻中隔穿孔)을 일으킨다. 우리나라 먹는물 수질기준은 6가크롬 0.05mg/ℓ 이하로 정하고 있다.

시약 및 기구

■ 시약

- 디페닐카바지드(Diphenylcarbazide)용액 : 디페닐카바지드($C_{13}H_{14}N_4O$) 0.1g을 에탄올 50mℓ에 녹이고, 다시 묽은황산(물 90mℓ에 황산 10mℓ을 가해 혼합한 것) 200mℓ를 넣는다.
- 6가크롬 표준원액 : 중크롬산칼륨($K_2Cr_2O_7$) 2.829g을 묽은질산(질산 1mℓ을 물을 가해 10mℓ로 한 것) 100mℓ에 녹이고, 다시 물을 넣어 1ℓ로 한다. 이 용액 1mℓ는 6가크롬 1mg을 함유한다.
- 6가크롬 표준용액 : 6가크롬표준 원액을 물로 100배 희석한 용액 100mℓ에 물을 넣어 1ℓ로 하며, 쓸 때에 만든다. 이 용액 1mℓ는 6가크롬 0.001mg을 함유한다.

■ 기구 및 장치 : 광전분광광도계 또는 광전광도계

방 법

총크롬의 분석법에는 원자흡광광도계법, 발광광도계법, 중성자활성분석법이 있으나, 6가크롬을 분석하기 위해서는 광전광도계법에 의한 측정법을 주로 사용한다.

1. 검수 50mℓ(0.001~0.005mg의 6가크롬을 함유하거나 같은 양의 6가크롬을 함유하도록 검수에 물을 넣어 50mℓ로 한 것)를 비색관에 넣고 디페닐카바지드용액 2.5mℓ를 넣어 섞은 후 5분간 둔다.
2. 이 용액 일부를 흡수셀(10㎜)에 넣고, 광전분광광도계 또는 광전광도계를 사용하여, 검수와 같은 방법으로 처리한 공시험액을 대조액으로 하여 파장 540nm 부근에서 흡광도를 측정하고 미리 작성한 검량선으로부터 검수중의 6가크롬 농도를 측정한다.
3. 검량선의 작성 : 6가크롬표준용액 0~5mℓ를 단계적으로 비색관에 넣고 각각에 물을 넣어 50mℓ로 한다. 이하 1, 2와 같은 방법으로 시험하여 6가크롬의 양과 흡광도와의 관계를 구한다.

결 과

검량선으로 부터 시험용액중의 6가크롬의 양을 구하여 검수중 6가크롬의 농도를 다음 식에 따라 계산한다

$$6\text{가크롬}(mg/\ell) = a\,mg \times \frac{1000}{\text{검수량}}$$

a ; 검량선으로부터 구한 시험용액중의 6가크롬의 양

6) 카드뮴 (Cd ; Cadmium)

개 요

카드뮴은 강한 중독작용을 가져오는 독성이 큰 중금속이다. 자연계에는 +2가 형태로 황화물원광석(黃化物原鑛石)에 아연이나 납과 함께 존재한다. 자연수계에는 1μg/ℓ정도 존재한다. 용수로의 오염원은 황화물원광석이나 인산원광석(phosphate ores)에서 생산된 비료가 주된 오염원이다. 자연수에는 강바닥의 퇴적층과 부유입자(浮游粒子)로 존재하며, 공업적으로는 부식방지제, 철도금, 플라스틱색소나 전자부품에 사용되어진 이후 배출수에 의한 수계오염이다. 중독증세는 신장장애, 뼈의 연화를 주로하는 칼슘의 정상적인 신진대사의 실조(失調)를 초래한다. 경구적(經口的)으로 대량의 카드뮴을 섭취하면 구토, 설사, 복통이 일어나며, 또 급성 중독시에는 신장의 근위세요관에 심한 병변이 생기고, 신장의 재흡수 기능장애의 결과로 칼슘의 골염대사(骨鹽代謝) 이상이 일어나고, 장관(腸管)에서 철의 흡수를 방해하여 빈혈 및 정소(精巢)의 출혈과 괴사가 일어난다. 1961년 일본에서 발생한 Iti-itai병이 농작물, 음용수 원수의 오염으로 인한 대표적 오염사건이다. 우리나라 먹는물의 수질기준은 0.01mg/ℓ 이하로 정하고 있다.

시료조제

검수 200mℓ(0.001~0.03mg의 카드뮴을 함유하거나 같은 양의 카드뮴을 함유하도록 검수에 물을 넣어 200mℓ로 한 것)을 취하여 1) 납의 시료조제 방법에 따라 시험용액을 조제한다.

시약 및 기구

■ 시약 : 카드뮴 표준용액은 아래의 방법으로 조제하고 다른 시약류는 1) 납의 시약류 및 조제법에 따른다.

- 카드뮴표준원액 : 금속카드뮴(순도 99.9%이상의 것) 1.0g을 묽은질산(질산 1mℓ을 물을 가해 10mℓ로 한 것) 100mℓ에 가열하여 녹이고 물을 넣어 1ℓ로 한다. 이 용액 1mℓ는 카드뮴 1mg을 함유한다.
- 카드뮴표준용액 : 카드뮴표준원액을 물로 100배 희석하며, 쓸 때에 만든다. 이 용액 1mℓ는 카드뮴 0.01mg을 함유한다.

■ 기구 및 장치 : 원자흡광광도계(atomic absorption spectrometer)

방 법

원자흡광광도계를 이용하여 1) 납의 시험방법에 따라 측정하며, 이때 광원램프는 카드뮴 중공음극램프를 사용하고 파장은 228.8nm에서 흡광도를 측정한다. 카드뮴의 검량선은 카드뮴표준용액 0~3mℓ를 단계적으로 분액깔때기에 넣고 각각에 물을 넣어 50mℓ로 한 후 시료조제와 같은 방법으로 조제하여 시험하고, 카드뮴의 양과 흡광도와의 관계를 구한다.

결 과

검량선으로부터 시험용액중의 카드뮴의 양을 구하여 검수중 카드뮴의 농도를 다음식에 따라 계산한다.

$$카드뮴(mg/\ell) = a\,mg \times \frac{1000}{검수량}$$

a ; 검량선으로부터 구한 시험용액중의 카드뮴의 양

참고문헌

1. 환경부 : 먹는물水質公定試驗方法, 환경부告示 第1999-16號(1999)
2. 日本藥學會 : 衛生試驗法註解(1998)
3. 환경부 : 먹는물 수질관리 지침서(1998)
4. 식품의약품안전청 : 食品公典(1999)
5. World Health Organization: mercury-environmental aspects, Genava(1989)

2. 유해무기이온

용수중의 무기이온들은 대부분 자연계에서 유래되며 Na, K, Ca, Mg, P, Cl과 같은 다량원소(多量元素)와 Fe, Cu, Zn, Co, Mn, F, Se과 같은 미량원소 등으로 생체의 구성성분(構成成分)이나, 전해질(電解質)로서 평형작용을 유지하는 것이 많다. 그러나 불소 등 일부 무기물질들은 지질의 구조에 따라 자연적으로 용출(溶出)되어 먹는물 속에 용해되어 과량의 이온상태로 존재하여 문제를 야기하기도 하며, 시안이나 암모니아성질소, 질산성질소 등과 같은 대부분의 유해 무기이온들은 산업의 발달과 더불어 생산과정에 이용된 이후, 식수의 원수(原水)를 오염시켜 과량 존재하거나, 인간의 생활과정에서 생긴 노폐물로 인한 오염이 대부분이다. 이러한 오염 무기물질은 대부분 정수(淨水)의 가공과정에서 제거되지만, 그 일부가 먹는물에 존재하여 때로 건강상 위해요인이 되기도 한다.

1) 불소 (F ; Fluoride)

개 요

자연계내의 불소는 반응성(反應性)이 높아 원소상태가 아닌 여러 광물질내에 불소염(弗素鹽)의 형태로 존재하고 있는데, 불화나트륨은 수용성이 높으나 불화칼슘, 불화마그네슘 등은 수용성이 낮다. 먹는물에는 보통 0.5mg/ℓ정도 함유되어 있다. 먹는물에 고농도의 불소가 존재하는 경우는 흔히 지하수원에 의하는 경우가 많은데, 이는 불소이온 함유 광석이 풍부한 지역이나 철강가공, 인산비료, 벽돌이나 타일, 도자기공업 배출수의 혼입에서 나타날 수 있다. 불소는 미량 존재시 치아 에나멜층에 존재하는 치아 미생물의 효소작용을 저해하여 충치의 예방에 도움이 되므로 공급수에 불소화합물을 첨가하는 정책을 펴기도 한다. 그러나 경구적(經口的)으로 체중 kg당 1mg 이상이거나, 먹는물을 통해서는 3~6mg/ℓ 이상을 장기간 음용했을 경우 골격불소침착증(骨格弗素沈着症)을 유발할 수 있다. 먹는물의 불소 함유 기준은 1.5mg/ℓ 이하로 정해져 있다.

시료조제

1. 시료의 조제는 검수 1ℓ중에 인산이온 3mg 이상 또는 알루미늄이온 1mg 이상을 함유하거나 색도가 20도 이상인 경우에 한다.
2. 검수 200mℓ를 증발접시에 넣고, 페놀프탈레인용액 수 방울을 지시약으로 하여, 액이 엷은 홍색이 될 때까지 수산화나트륨용액을 넣고 가열 농축한다. 액이 약 50mℓ가된 후, 곧 소량의 물을 사용하여 비등석(沸騰石)을 넣은 증류플라스크에 씻어 넣는다.
3. 이 액에 인산 약 1mℓ와 과염소산 40mℓ를 넣은 후 미리 물 약 250mℓ와 수개의 비등석을 넣은 수증기발생용 플라스크, 연결관 및 냉각기를 연결하고, 수증기발생용 플라스크와 증류플라스크를 가열한다. 이때 연결관의 코크를 열어놓는다.
4. 증류플라스크내의 온도가 140℃가 되면 곧 연결관의 코크를 조작하여 천천히 수증기를 통과시켜 증류한다. 이때 증류온도는 140~150℃로 유지하며, 증류플라스크를 가열하는 불꽃은 플라스크내의 액면 이하의 부분에만 접촉되도록 한다.
5. 유출액이 약 190mℓ가 되면, 곧 증류를 그치고 유출액에 물을 넣어 200mℓ로 하여, 이를 시험용액으로 한다.

시약 및 기구

■ 시약

- 페놀프탈레인(phenolphthalein)용액 : 페놀프탈레인 0.5g을 에탄올 50mℓ에 녹이고, 물을 넣어 100mℓ로 한 후 이 용액이 홍색을 나타낼 때까지 수산화나트륨용액을 가한다.
- 수산화나트륨용액 : 수산화나트륨 40g을 물에 녹여 1ℓ로 한다.
- 인산(phosphoric acid)
- 과염소산(perchloric acid)
- 알리자린컴플렉손용액 : 알리자린컴플렉손(1,2-Dihydroxy anthraquinonyl-3-methylamine-N,N-2acetate, $C_{19}H_{15}NO_8$) 0.385g을 가능한 한 소량의 수산화나트륨용액에 녹이고, 물 1mℓ를 넣은 다음 용액의 색이 자색으로부터 적색이 될 때 까지 묽은염산(물 99mℓ에 염산 1mℓ을 가해 혼합한 것)을 천천히 넣고, 다시 물을 넣어 100mℓ로 한다.
- 질산란탄(lanthanum nitrate)용액 : 질산란탄($LaN_3O_9 \cdot 6H_2O$) 4.33g을 물에 녹여 1ℓ로 한다.
- 초산완충액(sodium acetate buffer) : 초산나트륨($CH_3COONa \cdot 3H_2O$) 100g을 물 약 200mℓ에

녹이고, 초산 약 11mℓ를 넣어 잘 섞은 후 pH 5.2가 되도록 초산을 넣고, 다시 물을 넣어 1ℓ로 한다.

- 아세톤
- 불소표준원액 : 불화나트륨(NaF)을 백금접시 중에서 500~550℃에서 40~50분간 가열하고, 데시케이터 내에서 식힌 다음 2.210g을 물에 녹여 1ℓ로 한 후 폴리에칠렌병에 넣어 보존한다. 이 용액 1mℓ는 불소 1mg을 함유한다.
- 불소표준용액 : 불소표준원액을 물로 100배 희석한 용액 100mℓ에 물을 넣어 1ℓ로 하며, 쓸 때에 만든다. 이 용액 1mℓ는 불소 0.001mg을 함유한다.

■ 기구 및 장치 : 불소증류장치, 광전분광광도계 또는 광전광도계

방 법

이온선택전극(fluoride-selective electrode)법이나, 이온분석기로 수용액상의 유리불소(遊離弗素)이온과 결합불소(結合弗素)이온을 측정 할 수 있으나, 우리나라 먹는물 시험법에는 증류에 의한 분광광도법을 채택하고 있다.

1 조제된 시험용액이나 검수 20mℓ(0.003~0.02mg의 불소를 함유하거나 같은 양의 불소를 함유하도록 검수에 물을 넣어 20mℓ로 한 것)를 비색관에 넣고, 알리자린컴플렉손용액 1mℓ, 초산완충액 5mℓ, 질산란탄용액 1mℓ 및 아세톤 20mℓ를 넣고, 다시 물을 넣어 50mℓ로 하여 잘 흔들어 섞은 후 60분 이상 둔다.

2 이 용액의 일부를 흡수셀(10mm)에 넣고 광전분광광도계 또는 광전광도계를 사용하여, 검수와 같은 방법으로 시험한 공시험액을 대조액으로 하여 파장 620nm 부근에서 흡광도를 측정하고, 작성한 검량선으로부터 시험용액중 불소의 양을 구하여, 검수중의 불소의 농도를 측정한다.

3 검량선의 작성

① 불소표준용액 0~20mℓ를 단계적으로 비색관에 넣고, 각각에 물을 넣어 20mℓ로 하여 이하 **1**, **2**와 같은 방법으로 시험하여 불소의 양과 흡광도와의 관계를 구한다.

② 또한 검수를 전처리한 경우에는 불소표준용액 0~20mℓ를 단계적으로 증발접시에 넣고, 각각에 물을 넣어 200mℓ로 하여 전항의 시료의 조제와 같이 동일하게 조제한 후 이하 q 및 w와 같은 방법으로 시험한다.

결 과

검량선으로 부터 시험용액중의 불소의 양을 구하여 검수중 불소의 농도를 다음식에 따라 계산한다.

$$\text{불소}(mg/\ell) = a\,mg \times \frac{1{,}000}{20} \times \frac{1{,}000}{200}$$

a ; 검량선으로부터 구한 시험용액중의 불소의 양

2) 시안 (CN ; Cyanide)

개 요

시안은 자연적으로는 CN, HCN이나, 각종 금속의 시안 착합물(着合物)의 형태로 존재하며 용수중에는 도금공장, 금.은정련, 사진공업, 코크스, 가스제조업 등의 배출수에 의해 혼입된다. 물속의 시안은 소화기계에서 흡수되어 위산에 의해 HCN을 유리, 급속히 점막 등을 통해 흡수된 이후 rhodanase에 의해 thiocyanate로 전환되어 대부분 뇨(尿)로 배설된다. 과량의 시안을 흡수하게 되면 체내 비타민 B_{12}의 농도를 저하시켜 비타민 B_{12}의 결핍을 초래한다. 또한 시안은 갑상선의 요드 흡수를 저해하여 갑상선종(甲狀腺腫)을 초래할 수도 있으며, 헤모글로빈의 효소작용을 억제하여 호흡작용을 저해한다. WHO에서는 시안의 1일 섭취 허용량을 0.07mg/ℓ이하로 정하고 있으며, 먹는물의 수질기준은 0.01mg/ℓ 이하이다.

시료조제

1. 검수 250mℓ(0.0025~0.05mg의 시안을 함유하거나, 같은 양의 시안을 함유하도록 검수에 물을 넣어 250mℓ로 한 것)를 미리 수개의 비등석(沸騰石)을 넣은 증류플라스크에 넣고, 페놀프탈레인용액 수 방울을 지시약으로 하여 황산용액으로 중화한다.
2. 이 용액에 초산아연용액 20mℓ를 넣은 후, 다시 황산용액 10mℓ를 넣어 유출속도가 매분 2~3mℓ가 되도록 가열 증류한다.
3. 유출액은 미리 수산화나트륨용액 30mℓ를 넣은 용기에 냉각기의 끝이 잠기도록 하여, 유출액이 약 180mℓ가 되면, 곧 증류를 그치고 냉각기를 씻은 다음 용기에 냉각기를 씻은 액을 넣어, 다시 페놀프탈레인용액 수 방울을 지시약으로 하여 초산용액으로 중화한 후 물을 넣어 250mℓ로 하고 이를 시험용액으로 한다.

시약 및 기구

■ 시약

- 아비산나트륨용액 : 아비산나트륨($NaAsO_2$) 0.5g을 물에 녹여 100mℓ로 한다.
- 페놀프탈레인용액 : 페놀프탈레인 0.5g을 에탄올 50mℓ에 녹이고 물을 넣어 100mℓ로 한 후 이 용액이 홍색을 나타낼 때까지 수산화나트륨용액을 가한다.
- 황산용액(1+35) : 물 350mℓ에 황산 10mℓ를 서서히 넣어 혼합한다.
- 초산아연용액 : 초산아연($C_4H_6O_4Zn \cdot 2H_2O$) 100g을 물에 녹여 1ℓ로 한다.
- 수산화나트륨용액 : 수산화나트륨 40g을 물에 녹여 1ℓ로 한다.
- 초산용액(1+9) : 물 90mℓ에 초산 10mℓ를 넣어 혼합한다.
- 인산완충액 : 인산2수소칼륨 3.40g과 무수인산1수소나트륨 3.55g을 물에 녹여 1ℓ로 한다.
- 클로라민 T용액 : 클로라민T($C_7H_7ClNNaO_2S \cdot 3H_2O$) 1.25g을 물에 녹여 100mℓ로 하며, 쓸 때에 만든다.
- 피리딘(pyridine) · 피라졸론(pyrazolone)혼합액 : 1-페닐-3-메칠-5-피라졸론{Bis-(1-phenyl-3-

methyl-5-pyrazolone), $C_{20}H_{18}N_4O_2$} 0.25g을 75℃로 가열한 물 100㎖에 녹이고(완전히 녹지 않아도 좋다), 실온으로 식힌 다음, 비스(1-페닐-3-메칠-5-피라졸론) 0.02g을 피리딘 20㎖에 녹인 용액을 넣어 섞는다. 이 용액은 쓸 때에 만든다.

−0.1N 질산은용액 : 질산은($AgNO_3$) 17.0g을 물에 녹여 1ℓ로 한 후 갈색병에 넣어 보관한다.

표정 : 염화나트륨(500∼600℃에서 1시간 가열하고 데시케이타에서 식힌 것) 약 100mg을 정밀히 달아, 백색 사기접시 또는 삼각플라스크(백색판 위에서 적정)에 넣고 물 약 100㎖를 넣어 녹이고, 크롬산칼륨용액 0.2㎖를 지시약으로 하여, 0.1N 질산은용액으로 엷은 등색이 없어지지 않고 남을 때까지 적정하고 여기에 소비된 0.1N 질산은용액의 ㎖(a)로 부터 다음 식에 따라 0.1N 질산은용액의 역가(f)를 구한다.

$$f = \frac{\text{염화나트륨의 양(mg)}}{(a-b) \times 5.844}$$

b : 공시험할 때 소비된 질산은용액(0.1N)의 ㎖

−파라디메칠아미노벤지리덴로다닌{p-(Dimethylamino)benzylidenerhodanine}용액 : 파라디메칠아미노벤지리덴로다닌($C_{12}H_{12}N_2OS_2$) 0.02g을 아세톤 100㎖에 녹인다.

−시안표준원액

i) 시안화칼륨(KCN) 2.51g을 물에 녹여 1ℓ로 하며 표준원액을 만들 때마다 다음 방법에 따라 이 용액에 함유된 시안의 농도를 측정한다.

ii) 이 용액 100㎖를 비이커에 넣고 수산화나트륨용액 0.5㎖를 넣은 후 파라디메칠아미노벤지리덴로다닌용액 0.5㎖를 지용액으로 하여, 용액의 색이 황색에서 적색으로 될 때까지 0.1N 질산은용액으로 적정하고, 이에 소비된 0.1N 질산은용액의 ㎖수(a)로부터 다음 식에 따라 용액에 함유된 시안의 양(mg/㎖)을 구한다.

$$\text{시안(mg/㎖)} = \frac{a \times f \times 5.20}{100}$$

f : 질산은용액(0.1N)의 역가

−시안표준용액 : 10mg에 상당하는 시안을 함유한 시안표준원액에 물을 넣어 1ℓ로 한 용액 100㎖와 수산화나트륨용액 50㎖의 혼합액에 물을 넣어 1ℓ로 하며, 쓸 때에 만든다. 이 용액 1㎖는 시안 0.001mg을 함유한다.

2 기구 및 장치 : 광전분광광도계 또는 광전광도계

방 법

1 시험용액 20㎖를 비색관에 넣고 인산완충액 10㎖ 및 클로라민T용액 0.25㎖를 넣어 마개를 막고 흔들어 섞는다.

2 2∼3분간 둔 후 피리딘·피라졸론혼합액 15㎖를 넣어 잘 섞고 20∼30℃에서 약 50분간 둔다.

3 이 용액의 일부를 흡수셀(10㎜)에 넣고 광전분광광도계 또는 광전광도계를 사용하여 검수와 같은 방법으로 시험한 공시험액을 대조액으로 하여 파장 620㎚ 부근에서 흡광도를 측정하고,

작성한 검량선으로 부터 시험용액중의 시안의 양을 구하여 검수중의 시안의 농도를 측정한다. 이때 0.01㎎/ℓ미만은 검출되지 아니한 것으로 한다.

4 검량선의 작성 : 시안표준용액 0~4㎖를 단계적으로 비색관에 넣고, 각각에 물을 넣어 20㎖로 한 후, 이하 **1**~**3**과 같은 방법으로 시험하여, 시안의 양과 흡광도와의 관계를 구한다.

결 과

검량선으로부터 시험용액중의 시안의 양을 구하여 검수중 시안의 농도를 다음 식에 따라 계산한다.

$$\text{시안(mg/}\ell\text{)} = a\,\text{mg} \times \frac{250}{20} \times \frac{1{,}000}{250}$$

a : 검량선으로부터 구한 시험용액중의 시안의 양

3) 암모니아성 질소(NH_3-N ; Ammonium nitrogen)

개 요

암모니아성질소는 NH_3-N형태의 암모늄염을 질소성분으로 표현한 것이다. 자연상태의 물속에 존재하는 암모니아는 유기물이 부패될 때 발생되는 CO_2와 결합하여 $(NH_4)_2CO_2$ 형태로 0.2mg/ℓ이하로 존재하며, 이 이상의 암모니아가 물 속에 존재 할 경우는 분변오염의 지표(指標)가 되며, 또한 오염된지 오래되지 않음을 뜻한다. 먹는물에 존재하는 암모니아가 건강상 위해(危害)에 직접적인 중요성은 없지만 위생상의 척도로서 의의는 크다고 할 수 있다. 특히 높은 농도의 암모니아를 함유한 물을 원수(原水)로 사용할 경우에 식수의 소독효과를 떨어지게 할 뿐만 아니라 나쁜 맛과 냄새를 유발한다. 우리나라에서도 1994년 식수의 원수로 사용하는 낙동강물에 과량의 암모니아 오염사건을 겪은바 있다. 산업폐수로 인한 오염은 비료, 가축사료제조, 섬유, 플라스틱, 종이나 고무산업의 배수나 또는 하수(下水) 및 사람이나 가축의 분뇨에 의한 오염이 있을 수 있다. 암모니아의 사람에 대한 영향은 건강인에 독성제거 능력을 초과하는 농도로 섭취하는 경우에 독성효과가 있으며, 암모니아가 암모늄염으로 섭취되면, 산.염기의 평형이동으로 대사작용에 영향을 미치고, 인슈린(insulin)에 의한 조직감응을 감소시키는 작용이 있다. 우리나라 먹는물 수질기준은 0.5㎎/ℓ이하로 정하고 있다.

시약 및 기구

■ 시약

- 페놀(phenol)·니트로페르사이드 나트륨(sodium nitroprusside)용액 : 페놀 5g 및 니트로페르사이드 나트륨($Na_2[Fe(CN)_5NO]\cdot 2H_2O$) 25㎎을 물에 녹여 500㎖로 한다. 차고 어두운 곳에 보존하고 1개월 내에 사용한다.
- 차아염소산나트륨(sodium hypochlorite)용액 : 차아염소산나트륨(ClNaO) 100(con.)㎖ (con.는

유효염소농도 %) 및 수산화나트륨 15g을 물에 녹여 1 ℓ 로 하며, 쓸 때에 만든다.

－암모니아성질소표준원액 : 염화암모늄(NH_4Cl) 0.3819g을 물에 녹여 1 ℓ 로 한다. 이 용액 1mℓ는 암모니아성질소 0.1mg을 함유한다.

－암모니아성질소표준용액 : 암모니아성질소표준원액을 물로 100배 희석하며, 쓸 때에 만든다. 이 용액 1mℓ는 암모니아성질소 0.001mg을 함유한다.

■ 기구 및 장치 : 광전분광광도계 또는 광전광도계

방 법

1 분광광도법에 의한 정량시험

① 검수 10mℓ(0.01mg 이하의 암모니아성 질소를 함유하거나 같은 양의 암모니아성 질소를 함유하도록 검수에 물을 넣어 10mℓ로 한 것)를 마개 있는 시험관에 넣고 페놀니트로프루지트나트륨용액 5mℓ를 넣어, 마개를 한 다음 조용히 흔들어 섞는다.

② 이어서 차아염소산나트륨용액 5mℓ를 넣어 다시 마개를 하고 조용히 흔들어 섞은 후 25～30℃에서 60분간 둔다.

③ 이 용액 일부를 흡수셀(10㎜)에 넣고 광전분광광도계 또는 광전광도계를 사용하여 검수와 같은 방법으로 시험한 공시험액을 대조액으로 하여 파장 640nm 부근에서 흡광도를 측정하고, 미리 작성한 검량선으로부터 시험 용액중의 암모니아성질소의 양을 구하여 검수중 암모니아성질소의 농도를 측정한다.

④ 검량선의 작성 : 암모니아성질소표준용액 0～10mℓ를 단계적으로 마개있는 시험관에 넣고, 물을 넣어 10mℓ로 한다. 이하 ①～③과 같이 시험하여 암모니아성질소의 양과 흡광도와의 관계를 구한다.

2 Nessler법에 의한 간이시험

① 검수 50mℓ를 네슬러관(nessler tube)에 넣고 따로 암모니아성질소 표준 용액 2.5mℓ를 다른 네슬러관에 넣은 후, 물을 넣어 전량을 50mℓ로 한다. 이때, 표준용액의 농도는 0.5mg/ ℓ 가 된다.

② 각각의 시험관에 주석산칼륨나트륨(sodium potassium tartrate)용액 2mℓ 및 네슬러용액 1mℓ를 각각 섞으면서 넣고 10분간 방치한다.

③ 각각의 시험관을 백색을 배경으로 하여, 옆 및 위에서 관찰할 때 검수의 색이 표준용액의 색보다 진하여서는 안된다.

결 과

분광광도법에 의한 정량시험의 결과는 검량선으로 부터 시험용액중의 암모니아성 질소의 양을 구하여 검수중 암모니아성 질소의 농도를 다음식에 따라 계산한다

$$\text{암모니아성 질소}(mg/\ell) = a\,mg \times \frac{1000}{\text{검수량}}$$

a ; 검량선으로부터 구한 시험용액중의 암모니아성 질소의 양

4) 질산성질소 (NO_3-N ; Nitrate Nitrogen)

개 요

질산성 질소는 암모니아성 질소의 최종 산물로서 물 속에서는 암모니아와 같은 질소화합물의 산화(酸化)에 따라 존재한다. 먹는물로의 오염은 암모니아와 같이 사료나 비료공장 등의 산업폐수 및 사람이나 가축의 분뇨가 오염원이 된다. 식품이나 물을 통해 섭취된 질산염은 거의 축적되지 않고, 대부분 소변으로 배설되지만, 과량의 질산염을 음용할 경우 위장관(胃腸管)과 구강(口腔)에서 질산염을 아질산염(亞窒酸鹽)으로 환원시키는 nitrate reductase를 갖는 세균의 작용에 의해 극히 일부만이 아질산염으로 환원된다. 청색증(靑色症, Cyanosis)은 아질산염에 의해 hemoglobin이 methemoglobin으로 산화되어 산소 운반능력을 상실하게 되는 아질산염에 의한 빈혈증상으로 생후 6개월 이하의 유아에만, 주로 발생하는데 이는 유아의 위는 pH 5~7로서 성인(pH 1~2)에 비해 세균의 활동이 활발하여, 질산염이 아질산염으로 환원되기 쉽기 때문이다. FAO/WHO합동전문가회의에서 정한 질산염의 1일섭취허용량은 질산이온으로서 3.7㎎/체중kg이다. 먹는물의 수질기준은 10mg/ℓ 이하로 정하고 있다.

시약 및 기구

■ 시약

- 살리실산나트륨(Sodium salicylate)용액 : 살리실산나트륨($C_7H_5NaO_3$) 1g을 수산화나트륨용액(0.01N)에 녹여 100㎖로 한다.
- 염화나트륨용액 : 염화나트륨 0.2g을 물에 녹여 100㎖로 한다.
- 설파민산암모늄(Ammonium sulfamate)용액 : 설파민산암모늄($H_6N_2O_3S$) 0.1g을 물에 녹여 100㎖로 한다.
- 수산화나트륨용액(2→5) : 수산화나트륨 40g을 물에 녹여 100㎖로 한다.
- 질산성질소표준원액 : 미리 105~110℃에서 4시간 건조하고, 데시케이터에서 식힌 질산칼륨(KNO_3) 0.722g을 물에 녹여 1ℓ로 하고 클로로포름 2방울을 넣은 후 갈색병에 넣어 보존한다. 이 용액 1㎖는 질산성질소 0.1㎎을 함유한다.
- 질산성질소표준용액 : 질산성질소표준원액을 물로 100배 희석하며, 쓸 때에 만든다. 이 용액 1㎖는 질산성질소 0.001mg을 함유한다.

방 법

1 살리실산나트륨법에 의한 정량법

① 검수 적당량(0.001~0.2㎎의 질산성질소를 함유한 것)을 100㎖의 비이크에 넣고 살리실산나트륨용액 1㎖, 염화나트륨용액 1㎖ 및 설파민산암모늄용액 1㎖를 넣어 수욕(水浴)상에서 증발건고(蒸發乾固)한다.

② 이를 식히고 황산 2㎖를 넣어 때때로 저어 섞으면서, 10분간 둔 후(증발잔류물이 다량인 경우에는 수욕상에서 10분간 가열하고 식힌 후) 물 10㎖를 넣어 네슬러관(nessler tube)에 옮긴다.

③ 다시 이를 식히고 천천히 수산화나트륨용액(수산화나트륨 2g을 물을 가해 5mℓ로 한 용액) 10mℓ를 넣은 후 물을 넣어 전량을 25mℓ로 한다.

④ 이 용액 일부를 흡수셀(10mm)에 넣고, 광전분광광도계 또는 광전광도계를 사용하여 검수와 같은 방법으로 시험한 공시험액을 대조액으로 하여, 파장 410nm 부근에서 흡광도를 측정하고, 작성한 검량선으로 부터 시험용액중의 질산성질소의 양을 구하여 검수중 질산성질소의 농도를 측정한다.

⑤ 검량선의 작성 : 질산성질소표준용액 0~20mℓ를 단계적으로 비이커에 넣고, 이하 ①~④와 같이 시험하여, 질산성질소의 양과 흡광도와의 관계를 구한다.

2 비색에 의한 간이시험법

① 검수 2mℓ를 100mℓ의 비이커에 넣고 살리실산나트륨용액 1mℓ, 염화나트륨용액 1mℓ 및 설파민산암모늄용액 1mℓ를 넣어 수욕상에서 증발, 건고한다.

② 식힌 후 황산 2mℓ를 넣어 때때로 저어 섞으면서 10분간 두고(증발잔류물이 다량인 경우에는 수욕상에서 10분간 가열하고 식힌 후) 물 10mℓ를 넣어 네슬러관에 옮긴다.

③ 증발, 건고한 것을 식힌 후 천천히 수산화나트륨용액(2→5) 10mℓ를 넣고, 물을 넣어 25mℓ로 한다. 따로 질산성질소 표준용액 20mℓ를 비이커에 넣고 검수와 같은 방법으로 시험한다.

④ 양관을 백색을 배경으로 하여 옆 및 위에서 관찰할 때 검수의 색이 표준용액의 색보다 진하여서는 안 된다.

결 과

살리실산 나트륨법에 의한 정량시험의 결과는 검량선으로 부터 시험용액중의 질산성 질소의 양을 구하여 검수중 질산성 질소의 농도를 다음식에 따라 계산한다

$$\text{질산성성 질소}(mg/\ell) = a\,mg \times \frac{1000}{\text{검수량}}$$

a ; 검량선으로부터 구한 시험용액중의 질산성 질소의 양

참고문헌

1 환경부 : 먹는물水質公定試驗方法 환경부告示 第1999-16號(1999)

2 韓國藥學大學協議會 : 最新衛生藥學. 서울(1998)

3 환경부 : 먹는물 수질관리 지침서(1998)

4 International Organization for Standardization: Water quality determination of ammonium, Geneva(1986)

5 崔三燮 외 : 豫防醫學과 公衆保健. 癸丑文化社, 서울(1998)

제 4 절 유해 유기물질 분석

1. 휘발성 유기물질

휘발성 유기물질(揮發性 有機物質)로는 1991년 낙동강 페놀오염사건의 주요원인이 되었던 페놀을 비롯하여, 수돗물의 발암물질 파동을 일으켰던 트리할로메탄(THMs), 1994년 발생한 낙동강 수질오염으로 인한 수돗물 악취발생 사고의 원인물질로 밝혀 지기도한 벤젠, 톨루엔 등 다양하다. 휘발성 유기화합물은 각종 화학공업에서 원료 또는 용제로 널리 사용되고 있는 저비점 화합물로서, 유기할로겐 화합물과 방향족탄화수소로 대별할 수 있다.

유기할로겐 화합물은 물에 난용이며, 난분해성이고 물보다 무겁다. 그러나 방향족탄화수소는 물에는 난용성이지만 물보다 가볍다. 용수에 함유되어 있는 휘발성 유기화합물은 크게 두 가지의 유입경로가 있는데, 하나는 트리할로메탄과 같이 물의 염소처리 과정에서 생성되는 것이고, 다른 하나는 1,1,1-트리클로로에탄, 트리클로로에틸렌, 테트라클로로에틸렌, 벤젠, 톨루엔 등의 용제나 세정제와 같이 상수 원수중에 혼입되는 경우이다. 휘발성 유기화합물은 휘발성이 커서 대기에 확산되어 지표수 중에는 비교적 적으나, 이들 물질을 함유한 산업폐수가 처리되지 않은채 방류되면 지하로 유입되어 지하수를 오염시키게 되고, 오염된 지하수내에서 이들 화학물질은 비교적 안정하여 장기간 지하수에 존재할 수 있다. 따라서 안전한 용수를 공급하기 위해서는 오염을 방지할 수 있는 상수원의 확보와 고도 정수처리시설의 설치 등으로 유해 유기화합물로부터의 위해를 방지할 수 있어야 한다.

1) 페놀(Phenol)

개 요

용수중에 존재하는 페놀류는 주로 페놀이나 크레졸(cresol)을 원료로 사용하는 화학공장, 석탄가스공장 등의 배수에서 유입되며, 아스팔트 포장에서도 도로에 흐르는 빗물로 인해 유입될 수도 있다. 페놀은 염료, 페인트, 페놀수지, 농약, 제지, 제약 등의 산업에서 다양한 용도로 이용되고 있다. 페놀을 다량 섭취할 경우에는 피부점막의 부식성이 강하기 때문에 소화기계 점막의 염증 및 복통, 구토, 혈압강하, 과호흡, 마비 등의 급성 중독증상도 나타난다. 인체에 대한 독성뿐만 아니라 0.01~0.1mg/ℓ정도의 미량에서도 물의 소독에 사용된 염소와 반응하여 클로로페놀(chlorophenol)이 생성되어 심한 악취를 낸다. 우리나라 먹는물의 수질기준은 0.005mg/ℓ 이하이다.

시료조제

1. 검수 500mℓ(0.0025~0.01mg의 페놀을 함유하거나 같은 양의 페놀을 함유하도록 검수에 물을 넣어 500mℓ로 한 것)를 미리 수개의 비등석을 넣은 증류플라스크에 넣고, 황산동 0.5g과 인산을 넣어 pH를 약 4로 하고 가열 증류한다.
2. 유출액이 450mℓ가 되면, 곧 증류를 그치고 증류플라스크내의 액이 끓지 않게 된 후 물 50mℓ를 넣어 다시 증류하고, 전 유출량을 500mℓ로 하여 이를 시험용액으로 한다. 다만, 시료 채취시에 황산동과 인산을 넣은 검수의 경우에는 다시 황산동과 인산을 넣을 필요는 없다.

시약 및 기구

■ 시약

- 아비산나트륨(sodium arsenite)용액 : 아비산나트륨($NaAsO_2$) 0.5g을 물에 녹여 100mℓ로 한다. 이때 사용하는 물은 페놀 및 잔류염소를 함유하지 아니한 것을 사용한다(이하 페놀의 검사에서 사용하는 물에 대해서는 같다).
- 황산동($CuSO_4 \cdot 5H_2O$)
- 인산(1+9) : 물 90mℓ에 인산 10mℓ를 넣어 혼합한다.
- 암모니아완충액 : 염화암모늄(NH_4Cl) 67.5g을 암모니아수 570mℓ에 녹이고 물을 넣어 1ℓ로 한다.
- 아미노안티피린(4-aminoantipyrine)용액 : 4-아미노안티피린($C_{11}H_{13}N_3O$) 2g을 물에 녹여 100mℓ로 하며, 쓸 때에 만든다.
- 페리시안화칼륨(potassium ferrocyanide)용액 : 페리시안화칼륨{$K_4Fe(CN)_6$}의 큰 결정 약 2g을 취하여 소량의 물로 표면을 씻은 후 물에 녹여 100mℓ로 한다. 불순물이 있는 경우에는 여과하며, 쓸 때에 만든다.
- 클로로포름(chloroform)
- 브롬산칼륨(potassium bromate)·브롬칼륨(Potassium bromide)용액 : 브롬산칼륨($KBrO_3$) 2.78g과 브롬칼륨(KBr) 10g을 물에 녹여 1ℓ로 한다.
- 전분용액 : 가용성전분 1g을 물 약 10mℓ와 잘 섞으면서 가열한 물 100mℓ중에 넣고, 약 1분간 끓인 후 식힌 다음 위에 뜨는 맑은 액을 쓰며, 쓸 때에 만든다.
- 0.1N 치오황산나트륨(sodium thiosulfate)용액 : 치오황산나트륨($Na_2S_2O_3 \cdot 5H_2O$) 26g과 탄산나트륨(Na_2CO_3) 0.2g을 무탄산수에 녹여 1ℓ로 하고 이소아밀알콜(isoamyl alcohol)약 10mℓ를 넣어 잘 흔들어 섞고 2일간 둔다.

표정 : 요오드산칼륨(KIO_3)을 120~140℃에서 2시간 건조하고, 데시케이터에서 식힌 후 약 80mg을 정밀히 달아, 마개있는 삼각플라스크에 넣고 물 25mℓ, 요오드칼륨(KI) 2g 및 황산

(황산 1㎖에 물을 가해 5㎖로 한 액) 5㎖를 넣어 곧 마개를 막고, 조용히 흔들어 섞은 후 어두운 곳에서 5분간 가만히 둔다. 다시 물 100㎖를 넣고, 0.1N 치오황산나트륨용액으로 적정하여, 액의 황색이 엷어질 때에 전분용액 2~3㎖를 지시약으로 넣은 후 액의 청색이 없어질 때까지 다시 적정을 계속하고, 여기에 소비된 0.1N 치오황산나트륨용액의 ㎖(a)를 구하여 다음 식에 따라 0.1N 치오황산나트륨용액의 역가를 구한다.

$$f = \frac{\text{요드산칼륨의 양(mg)}}{(a-b)\times 3.657}$$

b : 요오드산칼륨을 넣지 않고 위와 같은 방법으로 공시험할 때 소비된 0.1N 치오황산나트륨용액의 ㎖

－페놀(Phenol)표준원액

i) 페놀(C_6H_6O) 1g을 물에 녹여 1ℓ로 하며, 표준원액을 만들 때마다 다음 방법에 따라 이 용액에 함유된 페놀의 농도를 측정한다.

ii) 이 용액 50㎖를 공전삼각플라스크에 넣고, 물 약 100㎖를 넣은 후 브롬산칼륨·브롬칼륨용액 50㎖와 염산 5㎖를 넣어 백색 침전을 생성시킨다.

iii) 마개를 막아 조용히 흔들어 10분간 둔 다음 요오드칼륨 1g을 넣고 0.1N 치오황산나트륨용액으로 적정하여 액의 황색이 엷어질 때에 전분 용액 2~3㎖를 지시약으로 넣은 후 액의 청색이 없어질 때까지 다시 적정하여, 이에 소비된 0.1N 치오황산나트륨용액의 ㎖(a)를 구한다.

iv) 따로 물 100㎖에 브롬산칼륨·브롬칼륨용액 25㎖를 넣은 용액에 대하여 같은 방법으로 시험하고, 이에 소비된 0.1N 치오황산나트륨용액의 ㎖(b)를 구하여, 다음 식에 따라 이 용액중 함유된 페놀의 양(mg/㎖)을 산출한다.

$$\text{페놀(mg/㎖)} = \frac{(2b-a)}{50} \times f \times 1.569$$

f = ⑩에서 구한 0.1N 치오황산나트륨용액의 역가

－페놀표준용액 : 10mg에 상당하는 페놀이 함유된 페놀표준원액을 취하여 물을 넣어 1ℓ로 한 용액을 다시 물로 10배 희석하며, 쓸 때에 만든다. 이 용액 1㎖는 페놀 0.001mg을 함유한다.

■ 기구 및 장치

－광전분광광도계 또는 광전광도계

－증류장치

－분액깔때기 : 용량 1ℓ로서 마개에 그리스가 사용되지 않는 것을 사용한다.

방 법

❶ 시료의 조제에서 얻은 시험용액 500㎖를 분액깔때기에 넣고 암모니아완충액 5㎖를 넣어 흔들어 섞는다.

❷ 이어서 아미노안티피린용액 3㎖와 페리시안화칼륨용액 10㎖를 넣어 섞고 3분간 둔 후 클로로포름 15㎖를 넣어 강하게 흔들어 섞은 다음 가만히 두었다가 클로로포름층을 취한다.

❸ 다시 클로로포름 10㎖를 써서 같은 방법으로 추출하여 클로로포름층을 취하고, 취한 클로로포름층을 합하여 건조여지로 여과한다.

❹ 이 용액의 일부를 흡수셀(50㎜)에 넣고, 광전분광광도계 또는 광전광도계를 사용하여, 검수와 같은 방법으로 시험한 공시험액을 대조액으로 파장 460㎚ 부근에서 흡광도를 측정하고 ❺에 따라 작성한 검량선으로 부터 시험 용액중의 페놀의 양을 구하여 검수중의 페놀의 농도를 측정한다.

❺ 검량선의 작성 : 페놀표준용액 0~10㎖를 단계적으로 증류플라스크에 넣고, 각각에 물을 넣어 500㎖로 한다. 이하 시료 조제 및 ❶~❹와 같은 방법으로 시험하여 페놀의 양과 흡광도와의 관계를 구한다.

결 과

검량선으로부터 시험용액중의 페놀의 양을 구하여 검수중 페놀의 농도를 다음식에 따라 계산한다.

$$\text{페놀}(mg/\ell) = a\ mg \times \frac{1000}{\text{검수량}}$$

a ; 검량선으로부터 구한 시험용액중의 페놀의 양

2) 총 트리할로메탄(THMs), 테트라클로로 에틸렌(PCE; Tetrachloroethylene), 1.1.1-트리클로로에탄(1.1.1-Trichloroethane), 트리클로로에틸렌(TCE; Trichloroethylene)

개 요

트리할로메탄(trihalomethane)은 물 속에 들어있는 유기물질(humic acid, fulvic acid 등)이 먹는물의 소독제로 사용되는 할로겐족 원소인 염소(Cl) 또는 브롬(Br) 등과 반응하여, 생성되는 클로로포름($CHCl_3$), 브로모디클로로메탄($CHBrCl_2$), 디브로모클로로메탄($CHBr_2Cl$), 브로모포름($CHBr_3$)을 말한다. 이들의 총량을 총 트리할로메탄이라 하며 우리나라 먹는물의 수질기준은 0.1㎎/ℓ이하이다. 독성은 중추신경계(中樞神經系)의 작용을 억제하고, 간장과 신장의 작용에 영향을 미치며 발암성도 보고되어 있다. 한편, 유기용제로 사용되는 테트라클로로에틸렌(PCE), 1.1.1-트리클로로에탄, 트리클로로에틸렌(TCE) 등은 주로 지하수에서 발견되며, 동물실험에서 돌연변이와 암을 유발하는 것으로 알려져 규제하고 있는 물질이다. 발암성 외에도 일정수준 이상의 농도에 노출될 경우, 테트라클로로에틸렌은 중추신경계 작용을 억제 하고 신장과 간장에 손상을 입히며,

1,1,1-트리클로로에탄은 신경계, 순환계에 손상을 가져오는 것으로 보고되어 있다. 분석은 n-헥산으로 추출하여 가스크로마토그래피(ECD)로 정량한다.

시료조제

검수 40mℓ를 마개 있는 실린더에 취하고, n-헥산 10mℓ를 넣어 마개를 하고 10~20초간 강하게 흔들어 섞은 다음, 가만히 두었다가 얻어진 n-헥산층을 시험용액으로 한다.

시약 및 기구

■ 시약

- 정제수 : 물 2ℓ를 분액깔때기에 취하고 n-헥산(잔류농약시험용 또는 수질시험용) 100mℓ를 넣어 흔들어 섞은 후 물 층을 2ℓ 삼각플라스크에 옮기고 끓여서 n-헥산을 제거한다. 이것을 증류플라스크에 넣어 2회 증류한다. 사용할 때마다 10분간 끓이고 식힌 다음 사용한다.
- n-헥산(n-hexane) 또는 n-펜탄(n-pentane) : n-헥산 또는 n-펜탄 100mℓ를 약 1~5mℓ로 농축한 것을 1~5μℓ 취하여 가스크로마토그라피에 주입할 때, 표준물질의 피크부근에 불순물 피크가 없는 것으로 잔류농약시험용 또는 수질시험용을 사용한다.
- 인산(1+10) : 물 100mℓ에 인산 10mℓ를 넣어 혼합한다.
- 표준원액 : 100mℓ 메스플라스크에 n-헥산 90mℓ를 넣고 이에 클로로포름 1g, 브로모디클로로메탄 0.25g, 디브로모클로로메탄 0.4g, 브로모포름 2g, 테트라클로로에틸렌 0.4g, 트리클로로에틸렌 1.5g, 1.1.1-트리클로로에탄 0.4g을 넣어 녹이고 n-헥산을 넣어 100mℓ로 한다.
- 표준용액 : 100mℓ 메스플라스크에 n-헥산 90mℓ를 넣고, 이에 표준원액 0.1mℓ를 넣고 n-헥산을 넣어 100mℓ로 한다. 이 용액은 시험할 때마다 만든다. 이 용액 1mℓ는 클로로포름 10μg, 브로모디클로로메탄 2.5μg, 디브로모클로로메탄 4μg, 브로모포름 20μg, 테트라클로로에틸렌 4μg, 트리클로로에틸렌 15μg, 1.1.1-트리클로로에탄 4μg을 함유한다.

■ 기구 및 장치 : 전자포획 검출기가 장착된 가스 크로마토그래피(gas chromatograph, ECD)

방 법

1 전처리에서 얻은 시험용액 2μℓ를 가스 크로마토그래피에 주입하여 가스크로마토그램을 실시하여 **3**에 따라 작성한 검량선으로 부터 시험용액중의 각 성분의 양을 구하여 검수중의 각 성분의 농도를 측정한다. 이때에 총 트리할로메탄의 농도는 클로로포름, 브로모디클로로메탄, 디브로모클로로메탄 및 브로모포름 농도의 합계이다.

2 가스크로마토그래피의 조작조건

■ 칼럼담체 : 가스크로마토그래피용 규조토(149~177μm)를 사용한다.

■ 칼럼충전제 : 칼럼담체에 대하여 가스크로마토그래피용 실리콘 DC-200 또는 실리콘 DC-550을 20% 함유시킨다.

■ 칼럼관 : 내경 3~4mm, 길이 2~3m의 유리관을 사용한다.

■ 칼럼온도 : 60~100℃

- 주입구온도 : 150~250℃
- 검출기 : 전자포획검출기(ECD)를 사용한다.
- 캐리어가스 : 질소가스를 사용한다.

❸ 검량선의 작성 : 표준용액 0.05~1mℓ를 단계적으로 100mℓ 메스플라스크에 취하고 각각에 n-핵산을 넣어 100mℓ로 한 다음, ❶~❷와 같은 방법으로 시험하여 클로로포름, 브로모디클로로메탄, 디브로모클로로메탄, 브로모포름, 테트라클로로에틸렌, 트리클로로에틸렌, 1.1.1-트리클로로에탄의 양과 가스크로마토그램의 피크높이 또는 피크면적과의 관계를 구한다.

결 과

검량선으로 부터 시험용액중의 THMs 등 각각 물질의 양을 구하여 검수중 의 농도를 다음식에 따라 계산한다

$$THM(mg/\ell) = a\,mg \times \frac{1000}{검수량}$$

a ; 검량선으로부터 구한 시험용액중의 THMs의 양

3) 기타 휘발성 유기화합물

디클로로메탄(dichloromethane), 벤젠(benzene), 톨루엔(toluene), 에틸벤젠(ethylb-enzen), 크실렌(xylene), 총트리할로메탄(THMs; 클로로포름, 브로모디클로로메탄, 디브로모클로로메탄, 브로모포름), 1.1.1-트리클로로에탄(1.1.1-trichloroethane), 트리클로로에틸렌(TCE ; trichloroethylene), 테트라클로로에틸렌(PEC ; tetrachloroethylene), 1.1-디클로로에틸렌(1.1-dichloroethylene), 사염화탄소(tetrachlorocarbon)

개 요

디클로로메탄(dichloromethane), 벤젠(benzene), 톨루엔(toluene), 에틸벤젠(ethylbenzene), 크실렌(xylene) 등 휘발성유기물질(Volatile organic compound, VOC)은 주로 유기용제(有機溶劑)를 사용하는 산업장에서 유출되며 사람에 발암성이 있고, 악취를 유발하는 물질이다. 벤젠은 일정수준 이상 농도에 노출될 경우 중추신경계(中樞神經系)의 활동이 저하되며, 실험동물에게 장기간 노출시켰을 때 암을 유발하는 것으로 나타났다. 톨루엔, 에틸벤젠 및 크실렌은 중추신경계의 기능저하를 일으키며, 디클로로메탄은 발암성 및 변이원성이 있는 것으로 보고되고 있다. 1,1-디클로로에틸렌은 일정 수준 이상 장기간 동물에 노출시켰을 경우 간(肝)과 신장(腎臟)에 치명적인 손상을 가져오는 것으로 알려져 있으며, 사염화탄소는 고농도로 장기간 노출시 암을 유발하는 것으로 일려져 있다. 이들 휘발성 유기물질의 분석은 퍼지-드랩(purge & trape)장치를 이용하여

검수 중의 휘발성 물질을 퍼지시킨 후 트랩에 포집하여, 순간적으로 탈착시켜 분석장비인 가스크로마토그래피(FID, ECD, ELCD, PID) 또는 가스크로마토그래피/질량분석계(GC/MS)에 주입하여 정성 및 정량한다. 또한 위 2)에서 설명한 총트리할로메탄(THMs), 테트라클로로에틸렌(PCE), 1.1.1-트리클로로에탄(1.1.1-trichloroethane), 트리클로로에틸렌(TCE)의 분석에도 이 방법을 이용하면 편리하다.

시료조제

검수의 온도를 실온과 같게 한 다음, 검수 25㎖를 메스플라스크에 취하고, 이어서 내부표준용액 25㎕를 넣은 다음, 마개를 하고 3회 세게 흔들어서 섞은 다음(이 용액은 1시간 이내에 사용한다). 이 중 5㎖를 취하여, 시험용액으로 한다.

시약 및 기구

■ 시약

- 정제수 : 시약용 정제수를 사용하거나, 물을 15분간 끓인 후 90℃를 유지하면서 불활성가스로 1시간 퍼지하여, 휘발성 유기물질을 제거하고 병구멍이 작은 유리병에 넣은 다음 마개를 한다. 공시험할 때 표준물질의 피크부근에 불순물피크가 없는 것을 사용한다.
- 묽은염산(1+1) : 염산과 정제수를 같은 양 혼합한다. 공시험할 때 표준물질의 피크부근에 불순물 피크가 없는 것을 사용한다.
- 메탄올(methanol) : 공시험 할 때 표준물질의 피크부근에 불순물피크가 없는 것을 사용한다.
- 아비산나트륨(sodium arsenite)용액 : 아비산나트륨($NaAsO_2$) 0.5g을 정제 수에 녹여 100㎖로 한다.
- 2.6-디페닐렌옥사이드폴리머(2,6-Diphenyleneoxide polymer) : 크로마토그래피용으로 60~80 메쉬의 것(Tenax GC 등)
- 메틸실리콘(methyl silicon)충전제 : 가스크로마토그라피용 규조토(60~80메쉬)에 OV-1을 3% 코팅시킨 것
- 실리카겔(silica gel) : 크로마토그래피용 35~60메쉬의 것(그레이드 15)
- 야자활성탄 : 크로마토그라피용으로서 26메쉬의 체를 통과하는 것
- 표준물질 : 디클로로메탄, 벤젠, 톨루엔, 에틸벤젠, *o*-크실렌, *m*-크실렌, *p*-크실렌, 클로로포름, 브로모디클로로메탄, 디브로모클로로메탄, 브로모포름, 1.1.1-트리클로로에탄, 트리클로로에틸렌, 테트라클로로에틸렌, 1.1-디클로로에틸렌, 사염화탄소는 표준시약 또는 특급이상을 사용하며 표준물질의 순도가 96% 이상이면 농도는 보정하지 않는다.
- 표준원액 : 미리 희석하여 판매되는 표준원액(0.1~1mg/㎖)을 사용하거나 각 물질별표준원액을 다음과 같이 조제한다.
  i) 10㎖용 메스플라스크에 메탄올 9.8㎖를 넣고 마개를 연 상태에서 메스플라스크의 표면에 묻은 알코올이 마를 때까지 약 10분간 방치한 다음 0.1㎎단위까지 무게를 잰다.
  ii) 각각의 메스플라스크에 위의 표준물질을 취하여 플라스크의 내벽에 닿지 아니하도록

조심하면서 알코올에 직접 2~3 방울을 넣는다.

iii) 다시 무게를 잰다. 이어서 메탄올로 표선까지 채운 다음 마개를 하고 플라스크를 흔들어서 혼합한다.

iv) 각각의 표준물질의 첨가량을 구하여 표준원액의 농도(㎍/㎖)를 구한다. 이 용액은 될 수 있는 대로 여러 개의 바이알에 공기층이 남지 아니하도록 나누어 넣은 다음 밀봉하여 냉장고(4℃ 이하)에서 보존하고, 4주일이내에 사용한다.

－표준용액 : 25㎖ 메스플라스크에 디클로로메탄, 벤젠, 톨루엔, 에틸벤젠, *o*-크실렌, *m*-크실렌, *p*-크실렌, 클로로포름, 브로모디클로로메탄, 디브로모클로로메탄, 브로모포름, 1.1.1-트리클로로에탄, 트리클로로에틸렌, 테트라클로로에틸렌, 1.1-디클로로에틸렌 및 사염화탄소가 각각 25㎍에 상당하는 표준원액을 넣고 메탄올로 표선까지 채운 다음 마개를 하고 플라스크를 흔들어서 혼합한다. 이 용액은 될 수 있는 대로 여러 개의 바이알에 공기층이 남지 아니하도록 나누어 넣은 다음 밀봉하여 냉장고에 보존하고, 4주일 이내에 사용한다.

－내부표준용액 : 클로로벤젠과 1.1-디클로로벤젠-d4를 표준원액 및 표준용액의 조제방법과 동일하게 조제한다.

■ 기구 및 장치

－퍼지트랩(Purge & trapes) 장치

i) 퍼지장치 : 5㎖ 또는 25㎖ 용량의 것

ii) 트랩 : 길이 25cm 정도, 직경 2.5mm 이상의 것으로 트랩의 처음에 메틸실리콘을 1cm 정도 채운다. 이어서 2.6-디페닐옥사이드폴리머, 실리카겔 및 야자활성탄을 각각 1/3씩 충전한다. 다만, 디클로로메탄을 검사하지 아니할 경우에는 야자활성탄을 제외하고, 2.6-디페닐옥사이드폴리머를 2/3로 증량한다. 이 트랩은 처음 사용하기 전에 180℃에서 불활성가스로 20㎖/분 이상의 유속으로 역세정한다. 이때 트랩에서 배출되는 가스는 분석칼럼에 들어가지 아니하도록 장치 밖으로 배출시킨다. 또한 매일 사용하기 전에 180℃에서 10분간 불활성가스로 역세정한다.

iii) 탈착장치 : 트랩은 탈착가스가 흐르기 전후에 신속히 180℃까지 가열할 수 있어야 하며, 트랩의 폴리머 부분이 200℃ 이상 가열되어서는 아니된다.

－가스크로마토그래피(검출기 : FID, ECD, ELCD, PID) : 규정된 검사방법에 따라 검사할 때, 모든 표준물질의 검출한계가 1㎍/ℓ 이상이어야 한다.

－가스크로마토그래피 / 질량분석계(GC/MS)

방 법

1 시료주입 및 퍼지 : 퍼지가스를 40㎖/분의 유속으로 조정한다. 퍼지장치에 트랩을 부착하고 퍼지장치의 시린지 밸브를 연다. 시험용액 5㎖를 퍼지용기에 주입하고 퍼지장치의 시린지 밸브를 닫는다. 실온에서 11분 동안 퍼지한다.

2 탈착

① 크리오제닉(caryogenic)이 부착되지 아니한 경우 : 퍼지트랩장치를 탈착모드로 놓고 탈착가스를 통과시키지 아니하면서 트랩을 180℃로 예열한다. 이어서 탈착가스를 15㎖/분의 유속으로

4분 동안 통과시킨다. 이때 가스크로마토그래피의 승온조작을 작동시킨다.

② 크리오제닉(caryogenic)이 부착된 경우 : 퍼지트랩시스템을 탈착모드로 놓고 크리오제닉이 150℃ 이하인지 확인한다. 불활성가스를 4mℓ/분의 유속으로 약 5분 동안 역세정하는 동안 트랩을 180℃로 급속히 가열한다. 이어서 크리오제닉트랩을 250℃로 급속히 가열한다. 동시에 가스크로마토그라피의 승온조작을 작동시킨다.

③ 퍼지용기의 세척 : 퍼지용기중의 검수를 제거하고 정제수로 2회 씻는다. 퍼지용기를 비우고 시린지밸브를 연 상태로 불활성가스를 통과시켜 환기시킨다.

④ 트랩재조정 : 탈착한 후 퍼지트랩 장치를 퍼지모드로 놓는다. 15초동안 기다린 다음 퍼지용기의 시린지밸브를 닫아 불활성가스가 트랩을 통과하도록 하고, 트랩을 180℃로 가열한다. 약 7분 후 트랩의 가열기를 끄고 퍼지용기의 시린지 밸브를 열어 불활성가스가 트랩을 통과하지 아니하도록 한다.

⑤ 확인 및 정량 : 검수의 크로마토그램 피이크와 표준물질 피이크의 검출시간을 비교하거나, 질량분석에서 얻어진 각 물질의 메스스펙트럼을 비교하여 동일물질로 확인되면 ⑦에 따라 작성한 검량선으로 부터 시험용액중의 각 성분의 양을 구하여 검수중 유기화학물질의 농도를 측정하며, 총트리할로메탄은 클로로포름, 브로모디클로로메탄, 디브로모클로로메탄 및 브로모포름의 농도를 합한 것으로 한다.

⑥ 가스크로마토그라피의 조작조건

- 칼럼 : 모세관의 길이가 25m 이상의 것으로 아래 칼럼 또는 이와 유사한 것(Ultra-2, VOCOL, DB-624, DB-5)
- 주입구온도 : 200℃
- 칼럼온도 : 각각의 표준물질이 최적조건으로 분리되도록 승온 조작한다.
- 연결관온도 : 250℃(질량분석계)
- 캐리어가스 : 헬륨 또는 질소
- 검출기 : FID, ECD, ELCD, PID 또는 MSD : 검출기를 MSD로 사용하였을 때의 각 물질별 선택이온(표 7-2 참조).

⑦ 검량선의 작성 : 표준용액 0~0.5mℓ를 단계적으로 물 25mℓ에 넣고, 각각에 내부표준용액 0.25 mℓ를 넣고 3회 세게 흔들어 섞는다(이 용액은 1시간이내에 사용한다). 이 용액 5mℓ를 취하여 ①~⑥과 같은 방법으로 시험하여 휘발성 유기화학물질과 가스크로마토그램의 피이크 높이 또는 넓이와의 관계를 구한다.

결 과

검량선으로부터 시험용액중의 각각의 휘발성물질 양을 구하여 검수중 휘발성물질의 농도를 다음 식에 따라 계산한다

$$\text{각 휘발성 물질(mg/}\ell\text{)} = a\ \text{mg} \times \frac{1000}{\text{검수량}}$$

a : 검량선으로부터 구한 시험용액중의 각각의 휘발성 물질의 양

참고문헌

1 환경부 : 먹는물 水質公定試驗方法, 환경부 告示 第1999-16號(1999)
2 이규성 외 : 수질오염개론, 형설출판사(1998)
3 김준환 외 : 먹는물 수질관리기법 개발에 관한 연구, 國立環境硏究院報(1998)

2. 농약류

인구증가에 따른 식량증산 정책으로 우리나라 뿐만 아니라 세계적으로 많은 농약을 사용하게 되었다. 살충·살균 및 제초제 등 다양한 종류의 농약사용은 토양과 수질을 오염시켜 자연생태계의 균형을 파괴함은 물론 사람에게까지 피해를 주고 있다. 즉 농작물의 생산과정에 살포된 농약은 지하수나 하천으로 유실되어 식수의 오염원인이 되고 있다. 용수중의 농약오염은 주로 농약제조 공장에서의 폐수배출이나 농경지에 살포한 농약이 하천으로 유입되거나, 무단으로 폐기한 농약병이 원인이 되기도 한다. 농약의 종류는 그 화학적 구조에 따라 유기인제, 유기염소제, 카바메이트제 등 다양하다. 우리나라 먹는물 수질기준에는 다이아지논(diazinon), 파라티온(parathion), 말라티온(malathion), 페니트로티온(fenitrothion) 등 유기인제 4종과 카바메이트제인 카바릴의 기준이 설정되어 있다. 그러나 사용되는 사용농약의 종류에 비해 기준이 설정된 농약이 소수이므로 잔류성이 큰 유기염소제 농약을 비롯하여 다양한 종류의 농약에 대한 수질기준을 새로이 설정해 나아가야 할 것이다.

1) 유기인계 농약

다이아지논(diazinon), 파라티온(parathion), 말라티온(malathion), 페니트로티온(fenitrothion)

개 요

다이아지논(diazinon)이나 파라티온(parathion) 등의 유기인계 살충제들은 고독성이나, 잔류성은 비교적 낮은 편이다. 유기인계 농약의 주요 중독증상은 전신 권태, 두통, 오심, 구토 등이며 심한 경우 동공축소, 언어장애, 전신경련 사망에 이르는 경우도 있다. 유기인 중독의 원인은 체내의 콜린에스트라아제(cholinesterase)의 작용을 저해하여 신경세포내에 아세틸콜린(acetyl choline)이 축적되어 일어난나. 우리나라 먹는물 수질기준에는 다이아지논(diazinon) 0.02mg/ℓ, 파라티온

(parathion) 0.06mg/ ℓ, 말라티온(malathion) 0.25mg/ ℓ, 페니트로티온(fenitrothion) 0.04mg/ ℓ 이하이다. 분석은 유기용매로 추출하여 정제한 후, 가스크로마토그래피(NPD)로 정성(定性) 및 정량(定量)한다.

시료조제

1. 검수 500mℓ를 1 ℓ 용량의 분액깔때기(A)에 취하고 염화나트륨 약 5g을 넣어 녹인 다음 염산(1+1)을 넣어 산성으로 한다.
2. 추출용매 30mℓ를 넣어 2분간 강하게 흔들어 섞은 다음 가만히 두었다가 물층을 다른 분액깔때기(B)에 취한다.
3. 분액깔때기(B)에 추출용매 30mℓ를 넣어 같은 방법으로 다시 추출한다.
4. (A)와 (B)의 각 추출액을 합하여 물 10mℓ씩으로 2회 세척한다.
5. 물로 세척한 추출액을 무수황산나트륨 70~100mm를 채운 칼럼관을 통과시켜 여분의 수분을 탈수한다.
6. 탈수한 추출액을 구데루나다니쉬 농축기나 또는 감압농축기로 5mℓ까지 농축하여 시험용액으로 한다.

시약 및 기구

■ 시약

- 염화나트륨(NaCl) : 염화나트륨 50g을 물 500mℓ에 녹이고, 추출용매 10mℓ를 넣고 흔들어 혼합한 다음 추출용매 5μℓ 취하여 가스크로마토그래피에 주입할 때 표준물질의 피크부근에 불순물 피크가 없는 것을 사용한다.
- 염산(HCl) : 염산 50mℓ에 추출용매 5mℓ를 넣고 흔들어 혼합한 다음, 추출용매 5μℓ를 취하여 가스크로마토그래피에 주입할 때, 표준물질의 피크부근에 불순물 피크가 없는 것을 사용한다.
- 염산(1+1) : 염산과 물을 같은 양 혼합한다. 공시험할 때 표준물질의 피크부근에 불순물 피크가 없는 것을 사용한다.
- n-핵산(n-hexane) : n-핵산 100mℓ를 약 1~5mℓ로 농축한 것을 5μℓ 취하여, 가스크로마토그래피에 주입할 때 표준물질의 피크부근에 불순물 피크가 없는 것을 사용한다.
- 아세톤(acetone) : 아세톤 100mℓ를 약 1~5mℓ로 농축한 것을 5μℓ 취하여, 가스크로마토그래피에 주입할 때 표준물질의 피크부근에 불순물 피크가 없는 것을 사용한다.
- 디클로로메탄(dichloromethan) : 디클로로메탄 100mℓ를 약 1~5mℓ로 농축한 것을 5μℓ 취하여, 가스크로마토그래피에 주입할 때 표준물질의 피크부근에 불순물피크가 없는 것을 사용한다.
- 추출용매(디클로로메탄 함유 n-핵산) : 디클로로메탄과 n-핵산을 15:85의 비율로 혼합하여 사용한다.
- 무수황산나트륨(sodium sulfate anhydrous) : 황산나트륨 100g에 추출용매 50mℓ를 넣고 흔들어 섞은 다음 여과하여 황산나트륨을 분리한다. 분리한 황산나트륨에 다시 추출용매 25mℓ를 넣고 흔들어 섞은 다음 여과하여 분리한 황산나트륨을 바람에 말린다. 2번째 분리하여 얻은 추출용매 5μℓ 취하여, 가스크로마토그래피에 주입할 때 표준물질의 피크부근에 불순물 피크

가 없는 것을 사용한다.

- 농약표준원액 : 잔류농약시험용 다이아지논, 페니트로티온, 말라티온, 파라티온 각 50mg을 정확히 취하여 각각 50㎖ 메스플라스크에 넣고 아세톤을 넣어 50㎖로 한다. 이 용액 1㎖는 유기인계농약이 각각 1mg을 함유한다.
- 농약표준용액 : 100㎖ 메스플라스크에 각각의 농약표준원액(다이아지논 0.5㎖, 페니트로티온 1㎖, 말라티온 1㎖ 및 파라티온 1㎖)를 넣고 아세톤을 넣어 100㎖로 한다. 이 용액 1㎖는 다이아지논 5㎍, 페니트로티온 10㎍, 말라티온10㎍ 및 파라티온 10㎍을 함유한다.

■ 기구 및 장치

- 구테루나다니쉬 농축기 또는 감압 농축기
- 가스크로마토그래피(NPD 검출기가 장착된 것)

방 법

1 시험용액 1~5㎕를 가스크로마토그래피에 주입하여, 가스크로마토그래피를 실시하고 **3**에 따라 작성한 검량선으로 부터 시험용액중의 각 성분의 양을 구하여 검수중의 농약의 농도를 측정한다.

2 가스크로마토그래피의 조작조건

- ■ 칼럼담체 : 가스크로마토그래피용 규조토(149~177㎛)를 사용한다.
- ■ 칼럼충진제 : 칼럼담체에 대하여 다음의 가스크로마토그래피용 액상 충진체를 코팅시킨다.
  2% QF-1, 2.5% DC200 + 0.25% 에폰1009, 2% DEGA, 10% DC200, 2% DEGS+0.5% PA, 2% OV-17, 3% OV-1, 4%OV-101
- ■ 칼럼관 : 내경 3~4mm, 길이 2~3m의 유리관을 사용한다.
- ■ 칼럼 온도 : 190~230℃
- ■ 주입구 온도 : 210~250℃
- ■ 검출기 : NPD를 사용한다.
- ■ 캐리어가스 : 질소가스를 사용하고, 유속은 표준물질의 피크가 3~15분 사이에서 유출하도록 조절한다.

3 검량선의 작성 : 농약표준용액 1~10㎖를 단계적으로 10㎖ 플라스크에 넣고 각각 아세톤으로 전량 10㎖로 하여 **1**~**2**와 같은 방법으로 시험하여 농약의 양과 가스크로마토그램의 피이크 높이 또는 피크 면적과의 관계를 구한다.

결 과

검량선으로부터 시험용액중의 각각의 농약의 양을 구하여 검수중 농약의 농도를 다음 식에 따라 계산한다

$$\text{각 농약}(mg/\ell) = a\,mg \times \frac{1000}{\text{검수량}}$$

a ; 검량선으로부터 구한 시험용액중의 각 농약의 양

2) 카바릴 (Carbaryl)

개 요

카바메이트(carbamate)계 살충제로서 보통독성이며 잔류성은 낮다. 나크(NAC)라고도 하며, 유기인제와 마찬가지로 콜린에스트라아제(choline esterase)의 활성을 저해하여 생리작용의 장애를 일으킨다. 중독증상은 구토, 설사, 기관지수축, 경련, 시력감퇴, 호흡곤란 등이다. 우리나라 먹는물 수질기준은 0.07mg/ℓ이하이며, 분석은 유기용매로 추출한 후, 유도체화하여 가스크로마토그래피(ECD)로 정성 및 정량 한다.

시료조제

1. 검수 500mℓ를 1ℓ용량의 분액깔때기에 취하고, 50% 황산을 넣어 pH 3~4로 조정한 다음 황산나트륨 5g을 넣어 잘 녹인다. 여기에 디클로로메탄 50mℓ를 넣어 2분간 강하게 흔들어 섞은 다음 가만히 두었다가 추출액을 300mℓ 용량의 분액깔때기에 취한다.
2. 다시 한번 검수에 디클로로메탄 50mℓ를 넣어 같은 방법으로 다시 한번 추출한다.
3. 각각의 추출액을 모두 합하여 탄산칼륨용액 50mℓ씩으로 2회 세척한다.
4. 탄산칼륨용액으로 세척한 추출액을 무수황산나트륨을 70~100mm 정도 채운 유리 칼럼관을 통과시켜 탈수한다.
5. 통과시킨 여액을 구테루나다니쉬 농축기 또는 감압농축기로 1mℓ까지 농축하고 실온에서 용매를 질소가스로 완전히 날려보낸다.
6. 위의 잔사에 수산화나트륨용액 10mℓ를 넣고 실온에서 30분간 방치한 후 분액깔때기에 옮기고, 다시 물 15mℓ로 용기를 씻어 앞의 액에 합한다.
7. 위의 액에 n-핵산 20mℓ를 넣어 1분간 흔들어 섞은 다음 n-핵산층을 분리한다.
8. 물층을 다른 분액깔때기에 옮긴 후, 무수클로로초산 벤젠용액 10mℓ를 넣어 1분간 흔들어 섞는다.
9. 벤젠층을 벤젠포화물 20mℓ로 씻고 무수황산나트륨 칼럼에 통과시켜 탈수한다.
10. 다시 칼럼을 소량의 벤젠으로 씻은 후 5mℓ로 농축하여, 시험용액으로 한다.

시약 및 기구

■ 시약

- 아세톤(acetone) : 아세톤 100mℓ를 약 1~5mℓ로 농축한 것을 5$\mu\ell$ 취하여 가스크로마토그래피에 주입할 때, 표준물질의 피크부근에 불순물 피크가 없는 것을 사용한다.
- n-핵산(n-hexane) : n-핵산 100mℓ를 약 1~5mℓ로 농축한 것을 5$\mu\ell$ 취하여 가스크로마토그래피에 주입할 때, 표준물질의 피크부근에 불순물 피크가 없는 것을 사용한다.
- 디클로로메탄(dichloromethan) : 디클로로메탄 100mℓ를 약 1~5mℓ로 농축한 것을 5$\mu\ell$ 취하여 가스크로마토그래피에 주입할 때, 표준물질의 피크부근에 불순물피크가 없는 것을 사용한다.

－벤젠(benzene) : 벤젠 100mℓ를 약 1～5mℓ로 농축한 것을 5μℓ 취하여 가스크로마토그래피에 주입할 때, 표준물질의 피크부근에 불순물피크가 없는 것을 사용한다.
－무수황산나트륨(sodium sulfate anhydrous) : 황산나트륨 100g에 추출용매 50mℓ를 넣고 흔들어 섞은 다음 여과하여 황산나트륨을 분리한다. 분리한 황산나트륨에 다시 추출용매 25mℓ를 넣고 흔들어 섞은 다음 여과하여 분리한 황산나트륨을 바람에 말린다. 2번째 분리하여 얻은 추출용매 5μℓ 취하여 가스크로마토그래피에 주입할 때 표준물질의 피크부근에 불순물 피크가 없는 것을 사용한다.
－50% 황산
－0.1m 탄산칼륨(potassium carbonate)용액 : 탄산칼륨 13.8g을 물에 녹여 1ℓ로 한다.
－수산화나트륨용액 : 수산화나트륨 10g을 물에 녹여 1ℓ로 한다.
－무수클로로초산벤젠(chloroacetic acid anhydride-Benzen)용액 : 무수클로로초산$((ClCH_2CO)_2O)$ 2g을 벤젠에 녹여 100mℓ로 한다.
－카바릴표준원액 : 50mℓ 메스플라스크에 카바릴(cabaryl, NAC) 50mg을 정확히 취하여 넣고 아세톤을 넣어 50mℓ로 한다. 이 용액은 갈색병에 넣어 냉암소에 보존한다. 이 용액 1mℓ는 카바릴 1mg을 함유한다.
－카바릴표준용액 : 카바릴표준원액 0.5mℓ를 정확히 취하여 100mℓ 메스플라스크에 넣고 아세톤을 넣어 전량 100mℓ로 한다. 이 용액 1mℓ는 카바릴 0.005mg을 함유한다.

방 법

1 시험용액 1～5μℓ를 가스크로마토그래피에 주입하여 분석하고 가스크로마토그램으로부터 미리 작성한 검량선에서 시험용액 중 각 성분의 양을 구하여 검수중의 카바릴의 농도를 측정한다.

2 가스크로마토그래피의 조작조건

- 칼럼담체 : 가스크로마토 그라피용 규조토(149～177μm)를 사용한다.
- 칼럼충진제 : 칼럼담체에 대하여 다음의 가스크로마토그라피용 액상을 충진제를 코팅시킨다.
  2% QF-1+1% OV-17, 5% XE-60, 5% DC-200, 5% OV-17,
  2% OV-225
- 칼럼관 : 내경 3～4mm, 길이 2～3m의 유리관을 사용한다.
- 칼럼온도 : 150～180℃
- 주입구온도 : 200～250℃
- 검출기 : 전자포획검출기(ECD)를 사용하고 온도는 250～280℃로 한다.
- 캐리어가스 : 질소가스를 사용하고 유속은 30～50 mℓ/min으로 한다.

3 검량선의 작성 : 카바릴표준용액 1～10mℓ를 단계적으로 수개의 10mℓ 메스플라스크에 넣고 각각에 아세톤으로 전량 10mℓ로 한 다음 증발 건고하고, 잔사에 수산화나트륨용액 10mℓ를 넣고 실온에서 30분간 방치한 후 분액깔때기에 옮기고, 다시 물 15mℓ로 용기를 씻어 앞의 액에 합쳐 유도체화한 다음 벤젠으로 최종 10mℓ로 하여, **1**, **2**와 같은 방법으로 시험하여 카바릴의 양과 가스크로마토그램의 피크높이 또는 피크면적과의 관계를 구한다.

결 과

검량선으로부터 시험용액중의 카바릴 양을 구하여 검수중 카바릴의 농도를 다음식에 따라 계산한다

$$카바릴(mg/\ell) = a\,mg \times \frac{1000}{검수량}$$

a ; 검량선으로부터 구한 시험용액중의 카바릴의 양

참고문헌

1. 환경부 : 먹는물 水質公定試驗方法. 환경부告示 第1999-16號(1999)
2. 대한환경공학회 : 최신환경과학. 동화기술, 서울(1997)
3. 기문봉 외 : 환경학개론. 형설출판사, 서울(1998)

제 5 절 심미적 영향물질의 분석

순수한 물은 어떠한 맛이나 냄새 또는 색깔이 없는 상태이다. 그러나 먹는물은 증류수와 같은 순수한 물이라기 보다는 지하수나 지표수, 호소수 등 여러 가지 원수(原水)를 정수처리한 가공수(加工水)이므로 원수의 수원, 처리방법 등에 따라 맛, 냄새, 색깔과 물의 세기 등 여러 심미적으로 영향을 주는 요인들은 달라지게 된다. 따라서 같은 수돗물이나 지하수라 하더라도 그 물의 미세한 성상은 시시각각으로 변화한다고 보는 것이 타당하다. 이러한 맛이나 냄새 등 심미적으로 영향을 줄 수 있는 물질에는 미생물이나 플랑크톤과 같은 생물체와 철이나 구리와 같은 금속류, 염소나 황과 같은 이온류 등 여러 가지 물질들이 있다. 이들 물질들이 비록 인간이나 동물에게 유해한 직·간접적 영향은 없거나 또는 미미하다 하더라도 이들이 과량 존재할 때에는 물의 오염을 의미하게 될 뿐만 아니라 상호간의 화학적 반응이나 작용에 의해 사람의 건강에 유해한 물질을 형성하거나 이미나 이취를 형성하여 물의 질을 악화시켜 먹을 수 없는 물로 되는 경우가 있다. 따라서 이들 물질의 잔류량을 규제하기 위해 구리 등 5개 금속류를 비롯하여 이온류, 색도(色度), 경도(硬度) 등의 물질들에 대한 기준을 설정하여 두고 있다.

1. 금속류

물에 심미적 영향을 끼칠 수 있는 금속류로는 현재 구리, 아연, 철, 알루미늄 등에 대한 먹는물 수질기준을 설정하고 있다. 이들 금속류들은 인체에서 각종 효소의 일부를 구성하거나, 생리작용에 필요로 하는 미량원소(微量元素)로 작용하여 건강상의 위해(危害)는 별로 없는 물질이지만, 과잉의 철과 구리, 아연이나 망간 등의 금속류는 물의 색을 변색시키고, 불쾌한 맛이나 이취를 형성할 수 있다.

1) 동(Cu ; copper)

개 요

자연상태에서 물속의 구리(銅)는 1~2μg/ℓ 정도 함유하고 있으며, 5mg/ℓ 이상 함유할 때에는 불쾌한 맛을 유발하고 물의 색을 띠게 한다. 조류 등 수생생물의 증식억제제로 황산구리를 사용한 호소수(湖沼水)를 원수로 사용하는 경우나 구리광산, 구리정련산업장, 전선공장 등의 산업폐수가 유입 될 때 구리의 함량이 높아질 수 있다. 인체내에서는 산화효소의 구성성분으로 1.7mg/kg 정도 함유되어 있는 금속이다. 먹는물에 30mg/ℓ 이상 함유시는 구토, 설사, 멀미 등의 증상을 유발한다. 1982년 JECFA(Joint FAO/WHO export committee on food additives)가 설정한 구리의 1일 최대 섭취 허용량은 체중 kg당 0.5mg이며, 우리나라 먹는물의 수질기준은 1.0mg/ℓ 이하로 설정하고 있다.

시료조제

검수 200mℓ(0.002~0.08mg의 동을 함유하거나 같은 양의 동을 함유하도록 검수에 물을 넣어 200mℓ로 한 것)를 비이커에 넣고 질산 2mℓ(미리 시료에 넣은 질산을 포함한다)를 넣어 액량이 약 10mℓ가 될 때까지 약하게 가열농축하고, 메스플라스크에 옮긴 후 물을 넣어 20mℓ로 하여 이를 시험용액으로 한다.

시약 및 기구

■ 시약

- 질산(nitric acid)
- 동(銅)표준원액 : 금속동(99.9% 이상의 것) 1.0g을 묽은 질산(1mℓ를 물을 가해 10mℓ로한 것) 100mℓ에 가열하여 녹이고 물을 넣어 1ℓ로 한다. 이 용액 1mℓ는 동 1mg을 함유한다.
- 동(銅)표준용액 : 동 표준원액을 물로 100배 희석하며 쓸 때에 만든다. 이 용액 1mℓ는 동 0.01mg을 함유한다.

■ 기구 및 장치 : 원자흡광광도계(atomic absorption spectrometer)

방 법

동의 검출방법은 원자흡광광도계(flame atomic absorption spectrometer)에 의한 불꽃 검출법이나, 무염 흑연로원자흡광광도계(graphite furnace atomic absorption spectrometer)에 의한 분석이 주로 사용되고 있으며, 그외 광전광도계나 발광광도계를 이용할 수도 있다.

1. 원자흡광광도계에 의한 분석 : 원자흡광광도계를 이용하여 3절 1) 납의 시험방법에 따라 시험하며 이때 광원램프는 동 중공음극램프를 사용하고, 파장은 324.7nm에서 측정한다. 동의 검량선은 동 표준용액 0~8mℓ를 단계적으로 메스플라스크에 넣고 각각에 질산 2mℓ와 물을 넣어 20mℓ로 한 후 시료와 같은 방법으로 시험하여 동의 양과 흡광도와의 관계를 구한다.

결 과

검량선으로 부터 시험용액중의 동의 양을 구하여 검수중 동의 농도를 다음 식에 따라 계산한다

$$동(mg/\ell) = a\,mg \times \frac{1000}{검수량}$$

a : 검량선으로부터 구한 시험용액중의 동의 양

2) 아연(Zn ; zinc)

개 요

지표면의 화성암에 많이 존재하며, 토양에는 1~300mg/kg 정도 존재한다. 물에는 지표수의 경우 10μg/ℓ, 지하수에는 10~40μg/ℓ 정도로 지하수에 많이 함유되어 있다. 특히 수돗물의 공급시 도수관의 부식이나 침출에 의해 수돗물 속의 아연 함량이 높아질 수 있다. 산업적으로는 합금, 청동, 철강제강, 도금이나 살충제 생산에 쓰이며, 이들 산업에 의한 폐수가 오염시는 아연의 함량이 높아진다. 사람은 보통 성인이 하루에 15~22mg 정도를 음식물을 통해 섭취하며, 인체내에서는 카복시펩티다제(carboxy peptidase)나 알코올수소효소 등 많은 탈수소효소를 구성하는 미량원소로 이용되나, 먹는물에 3mg/ℓ 이상 함유시에는 떫은맛을 내고 오팔색의 색깔을 형성하기도 한다. 우리나라 먹는물의 수질기준은 1.0mg/ℓ 이하로 정하고 있다.

시료조제

검수 200mℓ(0.001~0.03mg의 아연을 함유하거나 같은 양의 아연을 함유하도록 검수에 물을 넣어 200mℓ로 한 것)를 비이커에 넣고 질산 2mℓ(미리 시료에 넣은 질산을 포함한다)를 넣어 액량이 약 10mℓ가 될 때까지 약하게 가열농축하고, 메스플라스크에 옮긴 후, 물을 넣어 20mℓ로 하여 이를 시험용액으로 한다.

시약 및 기구

■ 시약

- 질산
- 아연표준원액 : 금속아연(순도 99.9% 이상의 것) 1.0g을 묽은질산(질산 1mℓ을 물을 가해 10mℓ로 한 것) 100mℓ에 가열하여 녹이고, 물을 넣어 1ℓ로 한다. 이 용액 1mℓ는 아연 1mg을 함유한다.
- 아연표준용액 : 아연 표준원액을 물로 100배 희석하며, 쓸 때에 만든다. 이 용액 1mℓ는 아연 0.01mg을 함유한다.

■ 기구 및 장치 : 원자흡광광도계(atomic absorption spectrometer)

방 법

아연의 시험은 암모늄 피로리딘 디치오카바메이트(ammonium pyrrolidine dithiocarbamate)로 킬레이트화하여, 메칠이소부틸케톤(methyl isobutylketone)으로 추출하여 분석하는 방법도 있으나, 원자흡광광도법이 많이 이용된다.

1 원자흡광광도계에 의한 분석 : 원자흡광광도계를 이용하여 3절 1) 납의 시험방법에 따라 측정하며 이때 광원램프는 아연 중공음극램프를 사용하고 파장은 213.8nm에서 측정한다. 아연의 검량선은 아연표준용액 0~3mℓ를 단계적으로 메스플라스크에 넣고 각각에 질산 2mℓ와 물을 넣어 20mℓ로 한 후 시료와 같은 방법으로 시험하여 아연의 양과 흡광도와의 관계를 구한다.

결 과

검량선으로 부터 시험용액중의 아연 양을 구하여 검수중 아연의 농도를 다음 식에 따라 계산한다.

$$\text{아연}(mg/\ell) = a\,mg \times \frac{1000}{\text{검수량}}$$

a ; 검량선으로부터 구한 시험용액중의 아연의 양

3) 철(Fe ; iron)

개 요

철(鐵)은 주로 2가나 3가의 철이온 상태로 산화물, 수산화물, 탄산염, 황화물을 형성하고 있다. 인체 내에서는 혈액중 산소 운반작용을 담당하는 헤모글로빈을 구성하는 물질로서 산소운반작용이 주기능이며, 카타라제(catalase)나 퍼옥시다제(peroxidase)의 구성성분이기도 하다. 성인의 경우 보통 1일 10~50mg 요구되는 원소이지만, 과잉의 철분, 즉 체중 kg당 200~250mg 이상을 섭취할 때에는 출혈성 괴사를 일으키기도 한다. 용수중에 과잉의 철분을 함유할 경우 급수관과 세탁기의 녹을 형성한다. 실제 배수관 부식 스케일(scale) 성분의 80~90%는 산화철(Fe_2O_3)이 주성분이며, 이들 스케일로부터 용출되어 물속의 철 성분을 증가시키는 요인이 되고, 정수장의 응집제로 철염을 사용시에도 철의 함량을 증가시킨다. 물속의 철 함량이 2mg/ℓ 이상 될 때에는 적색~황색 또는 적황색의 착색을 일으키고, 이미나 이취를 발생시킨다. 우리나라 먹는물 수질기준은 0.3mg/ℓ 이하이다.

시료조제

검수 100mℓ(0.005~0.1mg의 철을 함유하거나, 같은 양의 철을 함유하도록 검수에 물을 넣어 100mℓ로 한 것)를 비이커에 넣고, 염산 3mℓ를 넣어 액량이 약 50mℓ가 될 때까지 가열 농축한 다음 실온에서 식히고 이를 시험용액으로 한다. 다만, 침전물이 있는 경우에는 여과한 후 사용한다.

시약 및 기구

■ 시약

- 염산
- 염산히드록실아민(hydroxylamine hydrochloride)용액 : 염산히드록실아민($HONH_3Cl$) 10g을 물에 녹여 100mℓ로 한다.
- 1,10-페난쓰로린(1,10-phenanthroline)용액 : 1,10-페난쓰로린($C_{12}H_8N_2HCl$)염산염 0.12g을 물에 녹여 100mℓ로 한 후 갈색병에 넣어 보존한다.
- 초산완충액 : 초산암모늄 250g을 초산 700mℓ에 녹이고 물을 넣어 1ℓ로 한다.
- 철 표준원액 : 황산제1철암모늄($(NH_4)_2Fe(SO_4)_2 \cdot 6H_2O$) 7.022g을 소량의 물에 녹이고 이에 염산 3mℓ와 물을 넣어 1ℓ로 한다. 이 용액 1mℓ는 철 1mg을 함유한다.
- 철 표준용액 : 철 표준원액을 물로 100배 희석하며, 쓸 때에 만든다. 이 용액 1mℓ는 철 0.01mg을 함유한다.

■ 기구 및 장치 : 광전분광광도계 또는 광전광도계

방 법

철의 분석은 흡광광도법이나 색도 측정법에 의한 분석법이 있으나, 우리나라 먹는물 시험법은 흡광광도법을 이용한다.

1 흡광광도법

① 시료조제에서 얻은 시험용액을 비색관에 넣은 후 염산히드록실아민용액 1mℓ, 1,10-페난쓰로린용액 5mℓ 및 초산완충액 20mℓ를 넣고, 다시 물을 넣어 100mℓ로 하여 30분간 둔다. 이 용액 일부를 흡수셀(10mm)에 넣고, 광전분광광도계 또는 광전광도계를 사용하여 검수와 같은 방법으로 시험한 공시험액을 대조액으로 하여 파장 510nm부근에서 흡광도를 측정하고, ②에 따라 작성한 검량선으로부터 시험용액중의 철의 양을 구하여 검수 중의 철의 농도를 측정한다.

② 검량선의 작성 : 철 표준용액 0~10mℓ를 단계적으로 비색관에 넣고, 각각에 염산 3mℓ와 물을 넣어 약 50mℓ로 한다. 이하 ①과 같은 방법으로 시험하여 철의 양과 흡광도와의 관계를 구한다.

결 과

검량선으로 부터 시험용액중의 철의 양을 구하여 검수중 철의 농도를 다음 식에 따라 계산한다.

$$철(mg/ℓ) = a\,mg \times \frac{1000}{검수량}$$

a : 검량선으로부터 구한 시험용액중의 철의 양

4) 망간 (Mn ; manganese)

개 요

망간은 지표수보다는 주로 지하수에 많이 분포하며, 특히 호소수(湖沼水)나 저수지의 저층(底層)에서 2가의 환원상태로 용출(溶出)된다. 산업적으로는 건전지 제조, 제강, 도자기 제조에 쓰이며, 이들 산업폐수의 오염으로 먹는물에 망간의 농도가 높아질 수 있다. 인체내에서는 포스파타제(phosphatase), 카복시에스테라제(carboxyesterase), 콜린에스테라제(cholinesterase) 등의 효소활성화에 필수 미량원소이다. 인체에 대한 독성은 비교적 낮으나 과량 섭취시에는 간장 및 신장, 신경장해를 일으킬 수 있다. 먹는물에 0.02mg/ℓ 이상 존재시에는 수도배관의 검은 침전물을 형성하여 물의 맛, 냄새, 탁도에 영향을 줄 수 있으며, 0.1mg/ℓ 이상 장기간 유지되면, 불쾌한 물의 맛과 더불어 흑수(黑水)를 발생시켜 세탁물을 얼룩지게 하는 요인이 된다. 우리나라 먹는물의 수질기준은 0.3mg/ℓ 이하이다.

시료조제

검수 200mℓ(0.002~0.1mg의 망간을 함유하거나, 같은 양의 망간을 함유하도록 검수에 물을 넣어 200mℓ로 한 것)를 비이커에 넣고, 질산 2mℓ(미리 시료에 넣은 질산을 포함한다)를 넣어 액량이 약 10mℓ가 될 때까지 약하게 가열농축하고, 메스플라스크에 옮긴 후, 물을 넣어 20mℓ로 하여 이를 시험용액으로 한다.

시약 및 기구

■ 시약
- 질산
- 망간 표준원액 : 금속망간(순도 99.9% 이상의 것) 1.0g을 묽은질산(질산 1mℓ를 물을 가해 10mℓ로 한 것) 100mℓ에 가열하여 녹이고, 물을 넣어 1ℓ로 한다. 이 용액 1mℓ는 망간 1mg을 함유한다.
- 망간 표준용액 : 망간 표준원액을 물로 100배 희석하며, 쓸 때에 만든다. 이 용액 1mℓ는 망간 0.01mg을 함유한다.

■ 기구 및 장치 : 원자흡광광도계(atomic absorption spectrometer)

방 법

망간의 분석은 원자흡광광도계에 의한 분석법이나, 아르곤 플라스마 결합 광학발광분광계(coupled argon-plasma optical emission spectrometry)에 의한 분석법이 있으나, 원자흡광광도계에 의한 분석법이 주로 사용된다.

1 원자흡광광도계에 의한 분석 : 원자흡광광도계를 이용하여 3절 1) 납의 시험방법에 따라 측정하며 이때 광원램프는 망간 중공음극램프를 사용하고 파장은 279.5nm에서 측정한다. 망간의

검량선은 망간표준용액 0~10mℓ를 단계적으로 메스플라스크에 넣고 각각에 질산 2mℓ와 물을 넣어 20mℓ로 한 후 시료와 같은 방법으로 시험하여 망간의 양과 흡광도와의 관계를 구한다.

결 과

검량선으로 부터 시험용액중의 망간 양을 구하여 검수중 망간의 농도를 다음 식에 따라 계산한다.

$$망간(mg/\ell) = a\ mg \times \frac{1000}{검수량}$$

a ; 검량선으로부터 구한 시험용액중의 망간의 양

5) 알루미늄(Al ; aluminium)

개 요

알루미늄은 대부분 토양이나 암석에 함유되어 있으며, 동식물의 미량 필수원소로 이용된다. 용수에서는 수원(水源)의 지질구조에 따라, 또는 정수장의 응집제로 알루미늄 함유제제를 사용시 먹는물의 알루미늄 함량이 높아질 수 있다. 과량의 알루미늄을 함유한 물은 물속에서 재응집을 일으켜 앙금을 형성하거나, 탁도를 증가시켜 염소소독의 효과를 저하시키기도 한다. 알루미늄이 0.1~0.2mg/ℓ 이상 함유할 때에는 물의 변색을 초래하기도 하고, 과다 섭취시에는 신경장애와 더불어 노인성치매을 일으킨다는 견해도 있다. 우리나라의 먹는물 수질기준은 0.2mg/ℓ 이하로 정하고 있다.

시료조제

1 옥신(oxine)법에 따른 시료의 조제 : 검수 200mℓ(0.002~0.04mg의 알루미늄을 함유하거나, 같은 양의 알루미늄을 함유하도록 검수에 물을 넣어 200mℓ로 한 것)를 비이커에 넣고, 묽은염산(물 9mℓ에 염산1mℓ을 가해 혼합한 액) 4mℓ(미리 시료에 넣은 염산을 포함한다)를 넣어 약 5분간 끓인 다음 염산히드록실아민용액 1mℓ를 넣어 실온에서 식히고 이를 시험용액으로 한다.

2 원자흡광광도법에 따른 시료의 조제

① 검수 200mℓ(알루미늄을 0.24~1.0mg정도 함유하거나 같은 양의 알루미늄을 함유하도록 검수에 물을 넣어 200mℓ로 한 것)를 비이커에 넣고 염산 2mℓ 및 지르코늄용액 1mℓ를 넣어 흔들어 섞는다.

② 이 용액을 암모니아수로 pH 9로 조정하여, 수산화지르코늄의 침전을 생성시킨다. 잘 섞어 방치하여 침전을 가라앉힌다.

③ 여지 (5종A)로 여과하여 침전물을 분리한 후 물로 여지의 침전물을 씻는다.

④ 침전물을 뜨거운 2N 염산용액 20~30mℓ로 녹이고 식힌 후, 물로 50mℓ로 하여 시험용액으로 한다.

시약 및 기구

■ 시약

- 염산(옥신법 및 원자흡광광도법)
- 클로로포름(옥신법)
- 무수황산나트륨(ammonium sulfate anhydrous, 옥신법)
- 옥신(oxyquinoline)용액(옥신법) : 옥신(8-Oxyquinoline, C_9H_7NO) 2g을 초산 5mℓ에 녹이고, 물을 넣어 200mℓ로 한다.
- 염산히드록실아민(hydroxylamine hydrochloride)용액(옥신법) : 염산히드록실아민($HONH_3Cl$) 10g을 물에 녹여 100mℓ로 한다.
- 1,10-페난쓰로린(phenanthroline) 용액(옥신법) : 1,10-페난쓰로린($C_{12}H_8N_2Hcl$)염산염 0.12g을 물에 녹여 100mℓ로 한 후 갈색병에 넣어 냉암소에 보존한다.
- 초산나트륨용액(옥신법) : 초산나트륨($CH_3COONa \cdot 3H_2O$) 40g을 물에 녹여 100mℓ로 한다.
- 수산화나트륨(원자흡광광도법)
- 10% 암모니아수(원자흡광광도법)
- 지르코늄(Zirconium)용액(원자흡광광도법) : 옥시염화지르코늄($ZrOCl_2 \cdot 8H_2O$) 3.5g을 물에 녹여 100mℓ로 한다.
- 알루미늄표준용액(옥신법) : 황산알루미늄칼륨{$K_2SO_4Al_2(SO_4) \cdot 24H_2O$} 1.758g을 물에 녹여 1ℓ로 한 것을 표준원액으로 한다. 이 용액 1mℓ는 알루미늄 0.1mg을 함유한다. 알루미늄 표준원액을 10배 희석하며, 쓸 때에 만든다. 이 용액 1mℓ는 알루미늄 0.01mg을 함유한다.
- 알루미늄표준용액(원자흡광광도법) : 알루미늄 금속선(분석용) 1.0g을 물(물 100mℓ와 수산화나트륨 5g의 혼합액)에 녹이고, 물을 넣어 약 800mℓ로 한 후 염산으로 중화하고, 0.1N 염산을 넣어 1ℓ로 한 것을 표준원액으로 한다. 알루미늄표준원액을 물로 10배 희석하며 쓸 때에 만든다. 이 용액 1mℓ는 알루미늄 0.1mg을 함유한다.

■ 기구 및 장치

- 광전분광광도계 또는 광전광도계(옥신법)
- 원자흡광광도계(원자흡광광도법)
- 아산화질소-아세틸렌 불꽃발생장치(원자흡광광도법)

방 법

알루미늄의 분석은 분광광도 측정에 의한 옥신법과 원자흡광광도법, 유도플라스마 발광스펙트럼법 등이 있으나, 옥신법과 원자흡광광도법이 주로 사용된다.

1 옥신(oxine)법

① 시료 조제에서 얻은 시험용액을 분액깔때기에 옮긴 후 1,10-페난쓰로린용액 3mℓ를 넣어 잘 흔들어 섞은 다음 옥신용액 2mℓ, 초산나트륨용액 10mℓ를 넣어 잘 흔들어 섞는다.

② 이어서 클로로포름 15mℓ를 넣고 30초간 강하게 흔들어 섞은 다음 5분간 가만히 두었다가 클로로포름층을 무수황산나트륨 약 2g을 넣은 50mℓ 용량의 마개달린 시험관에 취하고 마개를

한 후 세게 흔들어 탈수한다.

③ 이 용액 일부를 흡수셀(10㎜)에 넣고 광전분광광도계 또는 광전광도계를 사용하여 검수와 같은 방법으로 시험한 공시험액을 대조액으로 하여 파장 390nm부근에서 흡광도를 측정하고 ④에 따라 작성한 검량선으로 부터 시험용액중의 알루미늄의 양을 구하여 검수중의 알루미늄의 농도를 측정한다.

④ 검량선의 작성 : 알루미늄표준용액 0~4.0㎖를 단계적으로 비색관에 넣고 각각에 물을 넣어 200㎖로 한다. 이하 시료조제 및 ①~③과 같은 방법으로 시험하여 알루미늄의 양과 흡광도와의 관계를 구한다.

2 원자흡광광도법 : 원자흡광광도계를 이용하여 3절 1) 납의 시험방법에 따라 측정하며 이때 광원램프는 알루미늄 중공음극램프를 사용하고 파장은 309.3nm에서 측정한다. 알루미늄의 검량선은 알루미늄표준용액 0~10㎖를 단계적으로 메스플라스크에 넣고 각각에 염산 2㎖와 물을 넣어 200㎖로 한 후 시료조제와 같은 방법으로 조제하고, 시험하여 알루미늄의 양과 흡광도와의 관계를 구한다.

결 과

검량선으로부터 시험용액중의 알루미늄 양을 구하여 검수중 알루미늄 농도를 다음식에 따라 계산한다.

$$\text{알루미늄}(mg/\ell) = a\,mg \times \frac{1000}{\text{검수량}}$$

a ; 검량선으로부터 구한 시험용액중의 알루미늄의 양

2. 이온류 및 기타물질

심미적으로 영향을 주는 이온성 물질은 염소이온과 황산이온을 들 수 있다. 이온성 물질은 주로 토양이나 산업폐수를 통하여 염화물이나 황화물의 형태로 오염되며, 물의 맛과 냄새에 영향을 미칠 뿐 아니라 금속관의 부식을 촉진할 수 있다. 그 외에도 심미적으로 영향을 주는 요인으로는 물의 경도(硬度), 탁도(濁度), 색도(色度), 맛, 냄새, pH, 세제, 과망간산칼륨소비량 등이 있다. 맛, 냄새, 색도는 사람의 오감을 통한 관능적으로 느껴질 수 있는 항목이므로 쉽게 판별할 수 있다. 경도, 세제, 탁도, 과망간산칼륨소비량, pH 등도 식품제조 용수로서의 특성과 오염정도를 파악하는 중요한 지표로 이용할 수 있으므로, 식품제조 용수는 검사를 통하여 적합 여부를 판단하여야 한다.

1) 경도 (Hardness)

개 요

물의 경도는 주로 칼슘, 마그네슘 등 물에 용존하는 다가금속(多價金屬)이온 때문이며, 보통 탄산칼슘($CaCO_3$)의 당량으로 표시한다. 칼슘이온의 맛의 역치는 관련된 음이온에 따라 100~300mg/ℓ이고, 마그네슘의 맛 역치는 칼슘보다 약간 낮은 것으로 알려져 있다.

pH 및 알칼리도 등 다른 요인들과의 상호작용에 따라 약 200mg/ℓ 이상의 경도를 가진 물은 공급계통에 물때(scale) 침착을 형성하며, 비누 소비를 증가시키고 그후 찌꺼기(scum)를 형성한다. 열을 가하면 경수는 물때를 형성하는 경향이 있다. 그러나 100mg/ℓ 이하의 경도를 가진 연수는 완충력이 낮고 따라서 수도관에 부식성이 더 높다.

물의 경도는 물속에 존재하는 다가 금속이온들을 EDTA(ethylenediamin tetra acetic acid)와 같은 킬레이트제와 반응시켜 측정한다. 먹는물의 수질기준은 300mg/ℓ 이하이다.

시료조제

탄산칼슘이 10mg 이하로 함유되도록 검수에 물을 넣어 100㎖로 한 것을 시험용액으로 한다

시약 및 기구

■ 시약

- 시안화칼륨(Potassium cyanide)용액 : 시안화칼륨(KCN) 10g을 물에 녹여 100㎖로 한다.
- 0.01M 염화마그네슘(magnesium chloride)용액 : 염화마그네슘($MgCl_2 \cdot 6H_2O$) 약 2.1g을 물에 녹여 1ℓ로 한다.
- 암모니아완충액 : 염화암모늄(NH_4Cl) 67.5g을 암모니아수 570㎖에 녹이고 물을 넣어 1ℓ로 한다.
- EBT(Eriochrome black T)용액 : 에리오크롬블랙 T($C_{20}H_{12}N_3NaO_7S$) 0.5g과 염산히드록실아민($NH_2OH \cdot HCl$) 4.5g을 에탄올에 녹여 100㎖로 한다.
- 0.1M EDTA용액 : 에칠렌디아민4초산2나트륨($C_{10}H_{14}O_8Na_2 \cdot 2H_2O$)을 80℃에서 5시간 건조하고, 데시케이터에서 식힌 다음 3.722g을 물에 녹여 1ℓ로 한 후 갈색병에 넣어 보존한다. 이 용액 1㎖는 탄산칼슘으로서 1mg을 함유하는 양에 상당한다.

방 법

1. 시험용액 100㎖에 시안화칼륨용액 수 방울, 염화마그네슘용액 1㎖ 및 암모니아완충액 2㎖를 넣는다.
2. EBT용액 수방울을 지시약으로 하여 0.01M EDTA용액으로 검액이 적자색으로 부터 청색이 될 때까지 적정한다.

결과

적정에 소비된 0.01M EDTA용액의 mℓ(a)로부터 다음 식에 따라 검수에 함유된 탄산칼슘의 양으로서 경도(mg/ℓ)를 구한다.

$$경도(mg/ℓ) = a\ mg \times \frac{1000}{검수량}$$

2) 색도 (Color)

개 요

용수가 색을 띠게 되는 원인은 물속에 유색유기물질이나 철, 망간 등의 금속물질이 들어 있거나, 조류(藻類)등의 번식 때문이다. 대부분 펄프, 종이, 직물 등 색상을 띤 산업폐수로부터 오염되는 경우가 많다. 먹는물이 색상을 띠게 되었을 때, 가장 문제가 되는 것은 심미적인 것이지만, 건강에도 영향을 미칠 수 있다. 먹는물의 색상에 제한을 두는 것은 휴민물질(humic material)에 흡착되거나 반응되는 불필요한 물질 등의 농도를 제한하는 것이 된다. 물의 색도는 염화백금산칼륨염과 염화코발트의 함유량을 알고 있는 여러개의 표준용액과 물의 시료를 육안으로 비교하여 측정하며, 먹는물의 수질기준은 5도 이하로 설정하고 있다.

시약 및 기구

■ 시약

- 색도표준원액 : 염화백금산칼륨(K_2PtCl_6) 2.49g과 염화코발트($Cl_2Co \cdot 6H_2O$) 2.00g을 염산 200mℓ에 녹이고 물을 넣어 1ℓ로 한다. 이 용액은 색도 1,000도에 상당한다.
- 색도표준용액 : 색도표준원액을 물로 10배 희석한다. 이 용액은 색도 100도에 상당한다.

■ 기구

- 비색관 : 길이 약 37cm의 마개있는 밑면이 평평한 무색 시험관으로서, 밑바닥으로 부터 30cm의 높이에 100mℓ의 표시선이 있는 것을 사용한다.

방 법

1. 시험 : 검수 100mℓ를 비색관에 넣고 미리 만든 표준색도와 비교하여 검수의 색도를 구한다.
2. 표준색도 : 색도표준용액 0~20mℓ를 단계적으로 비색관에 넣고 각각에 물을 넣어 100mℓ로 한다.

3) 탁도 (Turbidity)

개 요

물의 탁도는 점토, 침니(silt), 콜로이드(colloid) 유기입자, 플랑크톤 그리고 미시적(微視的) 유기물질 등과 같은 부유물질들의 존재로 나타난다. 탁도가 높으면 미생물이 보호되어, 소독효과를 저하시켜 세균의 생장을 촉진할 수 있다. 따라서 물을 소독처리 할 때 탁도를 가능한 낮게 하여 소독의 효과를 높여야 한다.

물의 탁도를 측정하는 방법에는 5가지 정도가 있으나, 이 중에서 혼탁법(nephelometry)과 비탁법(turbidimetry)이 많이 사용되고 있다. 여기서는 혼탁법에 의한 탁도측정법을 기재하였다. 혼탁계는 입사된 광선의 경로에 대해 90° 의 각도에서 빛의 산란도를 측정하는 방법이다.

먹는물의 수질기준은 1 NTU(nephelometric turbidity unit) 이하이다.

시료조제

검수를 강하게 흔들어 섞고 공기방울이 없어질 때까지 정치한 것을 시험용액으로 한다.

시약 및 기구

■ 시약

- 물 : 정제수(0.02 NTU 이하)를 사용한다.
- 황산히드라진(hydrazine sulfate)용액 : 황산히드라진{$(NH_2)_2 \cdot H_2SO_4$} 1.000g을 100mℓ 용량의 마개있는 메스플라스크에 넣고 물을 넣어 100mℓ로 한다.
- 헥사메틸렌테트라아민(hexamethylene tetramine)용액 : 헥사메틸렌테트라아민{$(CH_2)_6N_4$} 10.00g을 100mℓ 용량의 마개 있는 메스플라스크에 넣고 물을 넣어 100mℓ로 한다.
- 탁도표준원액 : 황산히드라진용액 5.0mℓ와 헥사메틸렌테트라아민용액 5.0mℓ를 섞어 실온에서 24시간 방치한 다음 물을 넣어 100mℓ로 한다. 이 용액 1mℓ는 탁도 400 NTU에 해당하며 1개월간 사용한다.
- 탁도표준용액 : 탁도표준원액을 잘 섞으면서 10.0mℓ를 정확히 취하여 물로 정확히 10배 희석한다. 이 용액은 탁도 40 NTU에 상당하며, 쓸 때에 만든다. 시판되는 탁도표준용액(조제한 포르마진과 동등한 역가의 스티렌디비닐벤젠비드)을 사용할 수 있다.

■ 기구

- 탁도계 : 광원부와 광전자식 검출기를 갖추고 있으며 검출한계가 0.02 NTU 이상인 NTU탁도계로서 광원인 텅스텐필라멘트는 2,200~3,000K 온도에서 작동하고, 측정튜브 내에서의 투사광과 산란광의 총 통과거리는 10cm를 넘지 않아야 하며, 검출기에 의해 빛을 흡수하는 각도는 투사광에 대하여 90±30°를 넘지 않아야 한다.
- 측정튜브 : 무색투명한 유리재질로서 튜브의 내외부가 긁히거나 부식되지 않아야 한다.

방 법

1. 탁도계의 보정 : 탁도표준용액을 증류수로 희석하여 각각 0.5, 1, 2, 3, 4, 5 NTU용액 100㎖씩을 조제한 다음 각각의 측정튜브에 넣어 탁도계를 보정한다.
2. 측정 : 검수 일정량을 취하여 측정튜브에 넣고 보정된 탁도계로 탁도를 측정한다.

4) 수소이온 농도(pH)

개 요

물의 pH는 용해된 여러 화합물에 의하여 나타나는 산-염기 평형상태(平衡狀態)를 측정하는 것이며, 자연수에서는 이산화탄소-중탄산염-탄산염 평형계에 의해 조절된다. 대부분의 원수는 pH값이 6.5~8.5 범위에 들어간다. 그러나 수처리 과정에서 염소화(鹽素化)하면 pH가 낮아지는 반면, 석회/소다회(Lime/soda ash)공정에 의해 단물로 만들게 되면 pH는 증가하게 된다. pH는 온도에 영향을 받으므로 온도를 보정 할 수 있는 pH미터를 사용하여 측정한다. 먹는물의 수질기준은 5.8~8.5 사이이다.

시약 및 기구

pH미터는 보통 유리전극 및 비교전극으로 된 검출부와 검출된 기전력에 해당하는 pH를 지시하는 지시부로 되어 있으며, 비대칭전위조정용(제로점 조정) 및 온도보정용 꼭지 또는 감도조정용 꼭지가 있는 것도 있다. pH미터는 다음 조작법에 따라 임의의 한 종류 pH 표준용액의 pH를 매회 검출부를 물로 잘 씻은 다음 5회 되풀이하여 측정했을 때, 그 재현성이 ±0.05 이내의 것을 사용한다.

방 법

1. 유리전극을 미리 물에 수 시간 이상 담그어 두며, pH 미터는 전원을 넣어 5분 이상 지난 후에 사용한다.
2. 검출부를 물로 씻은 다음 묻어있는 물은 여과지 등으로 가볍게 닦아낸다.
3. 한 점에서 조정을 하는 경우에는 온도조정용 꼭지를 pH 표준용액의 온도와 일치시켜, 검출부를 검수의 pH값에 가까운 pH 표준용액에 담그고 2분이상 지난 후 pH미터의 지시가 그 온도에서의 pH 표준용액의 pH값이 되도록 비대칭전위 조정용 꼭지를 써서 pH값을 일치시킨다.
4. 다음에 검액의 pH값에 가까운 pH 표준용액에 담그고 감도조정용 꼭지 또는 표준용액의 온도에 관계없이 온도조정용 꼭지를 써서 앞의 조작과 같이 조작한다.
5. 이상의 조작이 끝나면 검출부를 물로 잘 씻은 다음 묻어있는 물을 여과지 등으로 가볍게 닦아낸 후 검액에 담그어 그 측정값을 읽는다.

주의사항

pH의 구조 및 조작법은 pH미터에 따라 다르다. pH 11 이상에서 알칼리성금속이온을 함유하는 액은 오차가 크므로 알칼리오차가 적은 전극을 쓰며 다시 필요한 보정을 한다. 검액의 온도는 pH 표준용액의 온도와 동일한 것이 좋다.

5) 맛 (Taste)

개 요

물의 맛이란 타액과 물에 용해되어 있는 물질들간의 상호작용의 결과로 느껴지는 감각을 말하며, 미각돌기(味覺突起) 내에 있는 감각기관에 의해 감지된다. 물이 맛을 내는 것은 자연적인 원인과 산업활동에서 배출되는 오염물질에 의하여 야기된다. 지하수보다는 지표수가 맛을 가지는 경우가 많으며, 계절적인 영향도 많이 받는다. 계절적인 요인은 생물학적 요인과 밀접한 관련이 있다. 대부분의 유기물질과 무기물질들은 급성독성을 나타내는 양보다 훨씬 낮은 농도로 존재할 때도 불쾌한 맛을 나타내게 된다. 먹는물은 소독으로 인한 염소 맛 이외의 맛이 느껴져서는 안 된다.

방 법

검수 100㎖를 비이커에 넣고 온도를 40~50℃로 높인 후 맛을 볼 때 염소 맛 이외의 맛이 있으면 안된다.

6) 냄새 (Odor)

개 요

물의 냄새란 증기압이 큰 물질들이 존재하여, 사람의 비강(鼻腔)내에 있는 감각기관을 자극하여 느끼게되는 감각을 말한다. 물의 냄새는 흙냄새, 곰팡이냄새, 신냄새와 같은 자연적인 냄새와 석유, 나프탈렌, 염소화벤젠, 페놀 등의 공업적으로 나는 냄새가 있으며, 미생물의 번식도 냄새의 한 요인으로 작용 할 수 있다. 따라서 냄새가 나는 물은 수원(水源)이 오염되었거나, 수처리 공정이나 급수시설에 이상이 있다는 것을 의미한다. 일반적으로 냄새는 물에서 맛을 느낄 수 있을 정도의 농도인 2~3mg/ℓ 보다 훨씬 낮은 농도인 2~3㎍/ℓ 정도 미량의 물질이 들어 있을 때에도 느낄 수 있다.

방 법

검수 100㎖를 용량 300㎖의 마개 있는 삼각플라스크에 넣고 가볍게 마개를 하여 온도를 40~50℃

로 높이고, 심하게 흔들어 섞은 후 뚜껑을 열면서 즉시 냄새를 맡을 때 염소냄새 이외의 냄새가 나서는 안된다.

7) 과망간산칼륨소비량

개 요

물속의 산화되기 쉬운 물질에 의하여 소비된 $KMnO_4$량을 $KMnO_4$ 소비량이라 한다. 산화되기 쉬운 물질은 주로 유기물이며, Fe^{2+}, NO_2^-, S_2^- 등도 $KMnO_4$를 소비한다. $KMnO_4$ 소비량은 수질의 유기물의 오염지표가 된다.

먹는물의 수질기준은 10mg/ℓ 이하이다.

시약 및 기구

■ 시약

- 묽은황산(1+2) : 물 200mℓ에 황산 100mℓ를 저으면서 천천히 넣고 수욕상에서 온도를 높이면서 과망간산칼륨용액으로 과망간산칼륨의 엷은 홍색이 없어지지 아니할 때까지 한 방울씩 넣는다.
- 0.01N 수산나트륨(sodium oxalate)용액 : 150~200℃에서 1~1.5시간 건조시키고 데시케이터에서 식힌 수산나트륨 0.670g을 물에 녹여 1ℓ로 하여 갈색병에 보존하고, 만든 후 1개월 내에 사용한다.
- 0.01N 과망간산칼륨용액 : 과망간산칼륨 0.31g을 물에 녹여 1ℓ로 한 후 갈색병에 보존한다.

  표정 : 제1단계로 물 100mℓ를 수 개의 비등석을 넣은 삼각플라스크에 넣고 이에 묽은황산(1+2) 5mℓ와 0.01N 과망간산칼륨용액 5mℓ를 넣어 5분간 끓인 후 0.01N 수산나트륨용액 10mℓ를 넣어 탈색을 확인한 다음 0.01N 과망간산칼륨용액으로 엷은 홍색이 없어지지 않고 남을 때까지 적정하며, 제2단계로 적정이 끝난 용액에 다시 묽은 황산(1+2) 5mℓ와 0.01N 과망간산칼륨용액 5mℓ를 넣어 5분간 끓인 후 0.01N 수산나트륨용액 10mℓ를 넣고, 0.01N 과망간산칼륨용액으로 엷은 홍색이 없어지지 않고 남을 때까지 적정하고, 제2단계에서 소비된 0.01N 과망간산칼륨용액의 mℓ(a)로 부터 다음 식에 따라 역가(f)를 구한다.

$$f = \frac{10}{a+5}$$

- 비등석 : 비등석은 과망간산칼륨을 소비하지 않는 것을 사용한다.

방 법

검수 100mℓ를 미리 수 개의 비등석을 넣은 삼각플라스크에 넣고 묽은황산(1+2) 5mℓ와 0.01N과망간산칼륨용액 10mℓ를 넣어 5분간 끓인 후 0.01N 수산나트륨용액 10mℓ를 넣어 탈색을 확인한 다음 곧 0.01N 과망간산칼륨용액으로 엷은 홍색이 없어지지 않고 남을 때까지 적정한다.

결 과

소비된 0.01N 과망간산칼륨용액의 mℓ수(a)로부터 다음 식에 따라 과망간산칼륨소비량(mg/ℓ)을 구한다.

$$\text{과망산산칼륨 소비량(mg/ℓ)} = \frac{(a-b)\times f\times 1.316\times 1000}{100}$$

b : 물을 사용하여 검수와 같은 방법으로 시험할 때 소비된 0.01N 과망간산칼륨용액의 mℓ
f : 0.01N 과망간산칼륨용액의 역가

8) 세제 (음이온계면활성제, ABS ; Alkyl benzene sulfonate)

개 요

세척용으로 사용되는 합성세제는 음이온계 합성세제이며 초기에는 주로 경성세제인 ABS(alkyl benzene sulfonate)가 사용되었으나, 1965년 이후에는 연성세제인 LAS (linear alkyl benbzene sulfonate)가 주로 사용되고 있다. 물 속의 세제는 대부분 하수에 의해 오염되며, 물의 합성세제에 의한 오염상태의 파악은 주로 그 주성분인 음이온 계면활성제를 분석한다. 음이온 계면활성제(界面活性劑)의 측정은 음이온 계면활성제가 메틸렌블루(methylene blue)와 반응하여 생성된 청색 복합체를 클로로포름으로 추출하여 클로로포름층의 흡광도를 650nm에서 측정한다. 먹는물의 수질기준은 0.5mg/ℓ 이하이다.

시료조제

1. 검수 100mℓ(0.02～0.14mg의 계면활성제를 함유하거나 같은 양의 계면활성제를 함유하도록 검수에 물을 넣어 100mℓ로 한 것)를 분액깔때기(A)에 넣고, 알칼리성 인산1수소나트륨용액 10mℓ와 중성메칠렌블루용액 5mℓ를 넣는다.
2. 클로로포름 15mℓ를 넣고 1분간 심하게 흔들어 섞은 다음 가만히 두었다가 클로로포름층을 다른 분액깔때기(B)에 취한다.
3. 다시 분액깔때기(B)에 클로로포름 10mℓ씩을 넣어 2회 같은 방법으로 추출하고, 클로로포름층을 분액깔때기(B)에 합한다.
4. 분액깔때기(B)에 물 100mℓ와 산성메칠렌블루용액 5mℓ를 넣고 심하게 흔들어 섞은 다음 가만히 두었다가 클로로포름층을 취하여 유리섬유로 여과한다.
5. 다시 분액깔때기(B)에 클로로포름 5mℓ를 넣어 같은 방법으로 추출하여 유리섬유로 여과한다.
6. 두 액을 합하고 클로로포름을 넣어 전량을 50mℓ로 하여 시험용액으로 한다.

시약 및 기구

■ 시약

- 아황산수소나트륨(sodium sulfate)용액 : 아황산수소나트륨(Na_2SO_3) 1g을 물에 녹여 100mℓ로 한다.
- 알칼리성 인산1수소나트륨(alkaline sodium phosphate)용액 : 인산1수소나트륨(Na_2HPO_4) 10g을 물 약 800mℓ에 녹이고, 수산화나트륨용액으로 pH를 10으로 한 후 물을 넣어 1ℓ로 한다.
- 산성 메칠렌블루(acid methylene blue)용액 : 메칠렌블루 0.35g을 물 약 500mℓ에 녹인 후, 황산 6.5mℓ와 물을 넣어 1ℓ로 한다.
- 중성 메칠렌블루(neutral methylene blue)용액 : 메칠렌블루 0.35g을 물에 녹여 1ℓ로 한다.
- 클로로포름(chloroform) : 증류직후의 것을 사용한다.
- 음이온계면활성제 표준원액 : 도데실벤젠설폰산나트륨(sodium dodecyl benzene sulfonate) 1.0g (순도 100%로 환산하여 계산함)을 물에 녹여 1ℓ로 한 후 찬 곳에 보존한다. 이 용액 1mℓ는 도데실벤젠설폰산나트륨 1mg을 함유한다.
- 음이온계면활성제 표준용액 : 음이온계면활성제표준원액을 물로 100배 희석하여 찬 곳에 보존하고 만든 후 1주일 내에 사용한다. 이 용액 1mℓ는 도데실벤젠설폰산나트륨 0.01mg을 함유한다.

■ 광전분광광도계 또는 광전광도계

방 법

1. 시험용액의 일부를 흡수셀(10mm)에 넣고 광전분광광도계 또는 광전광도계를 사용하여 검수와 같은 방법으로 시험한 공시험액을 대조액으로 하여 파장 654nm 부근에서 흡광도를 측정하고 미리 작성한 검량선으로 부터 시험용액중의 음이온계면활성제의 양을 도데실벤젠설폰산나트륨의 양으로서 구하고 검수중의 음이온계면활성제의 농도를 측정한다.
2. 잔류염소를 함유한 시료의 경우에는 미리 잔류염소 1mg에 대하여 아황산수소나트륨용액 1mℓ를 넣은 것을 검수로 한다.
3. 검량선의 작성 : 음이온계면활성제표준용액 0~14mℓ를 단계적으로 분액깔때기에 넣고 각각에 물을 넣어 100mℓ로 한다. 이하 1, 2와 같은 방법으로 시험하여 도데실벤젠설폰산나트륨의 양과 흡광도와의 관계를 구한다.

결 과

검량선으로부터 시험용액중의 음이온계면활성제 양을 구하여 검수중 음이온계면활성제 농도를 다음 식에 따라 계산한다

$$\text{음이온계면활성제}(mg/\ell) = a\,mg \times \frac{1000}{\text{검수량}}$$

a : 검량선으로부터 구한 시험용액중의 음이온계면활성제의 양

9) 증발잔류물 (Total solids)

개 요

물속의 증발잔류물(蒸發殘留物)은 105~110℃에서 증발시키고 남는 잔류물로서 무기염과 소량의 유기물질이 포함된다. 증발잔류물에 존재하는 주요 이온들에는 탄산염, 중탄산염, 염화물, 황산염, 질산염, 나트륨, 칼륨, 칼슘, 그리고 마그네슘 등이 있다. 물속의 증발잔류물은 자연에서 침출(浸出)되거나 하수 방출물, 도시폐수, 산업폐수 등으로부터 유입될 수 있다. 증발잔류물은 식수의 맛, 세기, 부식성(腐蝕性)과 같은 수질에 영향을 미친다. 먹는물의 수질기준은 500mg/ℓ 이하이다.

시약 및 기구

- 증발접시 : 종류에 따라 200~1000mℓ 정도를 담을 수 있는 석영제 증발접시나 알루미늄 접시를 사용한다.
- 건조기(dry oven) : 105~110℃를 유지시킬 수 있는 건조기를 사용한다.

방 법

검수 100~500mℓ를 미리 105~110℃에서 건조하고 데시게이터에서 식힌 후 무게를 단 증발접시에 넣고 수욕상에서 증발 건조한다.

결 과

증발건조한 증발접시를 105~110℃에서 2시간 건고하고 데시게이터에서 식힌 후 무게를 달아 '시험방법'에서 구한 증발접시의 무게차이(a)를 구하여 다음 식에 따라 검수중의 증발잔류물의 양(mg/ℓ)을 산출한다.

$$\text{증발잔류물(mg/ℓ)} = a\ \text{mg} \times \frac{1000}{\text{검수량}}$$

10) 염소이온 (Cl^-; Chloride)

개 요

물 속에 존재하는 염화물(鹽化物) 중의 염소(鹽素)량을 표시한 것을 염소이온이라 한다. 물 속에 존재하는 염화물로는 염화나트륨, 염화칼륨, 염화칼슘, 염화마그네슘 등이 있으며, 토양이나 공장폐수, 분뇨 등에 의해 염소이온이 증가된다. 염소이온의 독성은 매우 낮으나 물의 전기전도도(電氣傳導度)를 증가시키므로 금속관의 부식성을 높인다. 금속관에서 염소이온은 금속이온과 반응하여 수용성 염류를 형성하므로 먹는물의 금속성분을 증가시킨다.

염소이온의 분석방법으로는 크롬산칼륨용액을 지시약으로 하는 질산은(窒酸銀)적정법과 질산은을 사용하는 전위차 적정법, 디페닐카바존을 지시약으로하는 질산수은적정법, 염소이온 선택전극법, 이온크로마토그라피법 등이 있다. 먹는물의 수질기준은 250㎎/ℓ 이하이다.

시약 및 기구

■ 시약

- 크롬산칼륨(potassium chromate)용액 : 크롬산칼륨(K_2CrO_4) 50g을 물 약 200㎖에 녹이고, 적색침전이 생길 때까지 질산은 용액을 넣어 여과한 후 여과액에 물을 넣어 1ℓ로 한다.
- 0.01n 질산은용액(silver nitrate)용액 : 질산은($AgNO_3$) 1.7g을 물에 녹여 1ℓ로 한 후 갈색병에 보존한다.

표정 : 0.01N 염화나트륨 25㎖를 백색사기접시 또는 삼각플라스크(백색판위에서 적정)에 넣고, 크롬산칼륨용액 0.2㎖를 지시약으로 하여 0.01N 질산은용액으로 엷은 등색이 없어지지 않고 남을 때까지 적정하고 이에 소비된 0.01N 질산은용액의 ㎖(a)로부터 다음 식에 따라 0.01N 질산은용액의 역가(f)를 구한다.

$$f = \frac{25}{(a-b)}$$

b : 염화나트륨용액 대신 물을 사용하여 위와 같은 방법으로 공시험할 때 소비된 0.01N 질산은용액의 ㎖

- 질산은(silver nitrate)용액 : 질산은($AgNO_3$) 5g을 물에 녹여 100㎖로 한다.
- 0.01N 염화나트륨용액 : 염화나트륨(500~600℃에서 1시간 가열하고 데시케이터에서 식힌 것) 0.5844g을 물에 녹여 1ℓ로 한다.

방 법

검수 100㎖를 백색사기접시 또는 삼각플라스크(백색판위에서 적정)에 넣고, 크롬산칼륨용액 0.5㎖를 넣은 후, 액이 엷은등색이 될 때까지 0.01N 질산은용액으로 적정한다.

결 과

적정에 소비된 0.01N 질산은용액의 ㎖(a)로부터 다음 식에 따라 검수에 함유된 염소이온의 양(mg/ℓ)을 구한다.

$$\text{염소이온(mg/ℓ)} = (a - b) \times f \times 0.355 \times \frac{1,000}{50}$$

b : 물을 사용하여 검수와 같은 방법으로 공시험 할 때 소비된 0.01N 질산은용액의 ㎖
f : 0.01N 질산은용액의 역가

11) 황산이온 (SO_4^-; Sulfate)

개 요

물 속에 존재하는 황화물 중의 황산량을 표시한 것을 황산이온이라 한다. 물에는 주로 황산바륨, 황산마그네슘, 황산칼륨, 황산칼슘, 황산나트륨 등과 같은 황화물이 존재하며 비료, 광산, 제련소, 펄프와 종이공장, 직물공장으로부터 물속에 유입된다. 대기중의 이산화황은 지표수의 황산염 함유량을 높이는 원인이 된다. 나트륨, 칼륨, 마그네슘의 황산염은 수용성이고, 칼슘, 바륨 그리고 다른 중금속의 황산염은 수용성이 적다. 황산이온은 독성은 매우 낮은 편이나 과량섭취시 설사, 탈수, 위장관 자극 등을 일으킬 수 있다. 먹는물의 수질기준은 200mg/ℓ 이하이다.

시료조제

검수를 취하여 1분에 5mℓ의 속도로 이온교환수지층을 통과시켜 처음 유출액 20mℓ는 버리고 그 후의 유출액 50~100mℓ를 취하여 시험용액으로 한다.

시약 및 기구

■ 시약

- 황산이온표준용액 : 105℃에서 건조한 황산칼륨(K_2SO_4) 0.9071g을 정확히 달아 물에 녹여 1ℓ로 한다. 이 용액 1mℓ는 황산이온 0.5mg을 함유한다.
- 0.01M 염화마그네슘(magnesium chloride)용액 : 염화마그네슘($MgCl_2 \cdot 6H_2O$) 약 2.1g을 물에 녹여 1ℓ로 한다.
- 0.01M 염화바륨(barium chloride)용액 : 염화바륨($BaCl_2 \cdot 2H_2O$) 약 2g을 물에 녹여 1ℓ로 한다.
- 암모니아완충액 : 염화암모늄(NH_4Cl) 67.5g을 암모니아수 570mℓ에 녹이고 물을 넣어 1ℓ로 한다.
- EBT(eriochrome black T)용액 : 에리오크롬블랙T($C_{20}H_{12}N_3NaO_7S$) 0.5g과 염산히드록실아민($NH_2OH \cdot HCl$) 4.5g을 에탄올에 녹여 100mℓ로 한다.
- 0.01M EDTA용액 : 에칠렌디아민4초산2나트륨($C_{10}H_{14}O_8Na_2 \cdot 2H_2O$)을 80℃에서 5시간 건조하고, 데시케이터에서 식힌 다음 3.722g을 물에 녹여 1ℓ로한 후 갈색병에 넣어 보존한다. 이 용액 1mℓ는 탄산칼슘으로서 1mg을 함유하는 양에 상당한다.

  표정 : 삼각플라스크에 황산이온표준용액 10.0mℓ, 물 40mℓ 및 0.02N 염산용액 5mℓ를 넣고 끓이면서 0.01M 염화바륨용액 10.0mℓ를 넣어 수분간 끓이고 속히 식힌 다음 암모니아완충액 5mℓ 및 EBT용액 3방울을 넣은 후 곧 0.01M EDTA용액으로 적정하고, 종말점 부근에서 0.01M 염화마그네슘용액 2.0mℓ를 넣은 후 계속 적정하여 이에 소비된 0.01M EDTA용액의 mℓ(a)를 구하여 다음 식에 따라 0.01M EDTA의 역가(f) 를 구한다.

$$f = \frac{5}{(b-a)} \times 0.96$$

b : 물을 사용하여 위와 같은 방법으로 공시험 할 때 소비된 0.01M EDTA용액의 mℓ

■ 기구 및 장치

－이온교환수지관 : 원칙적으로 다음과 같이 만든다. 양이온교환수지(Amberite IR-120)를 약 10배 량의 5N 염산용액에 담근다. 이어서 염소이온이 완전히 제거될 때까지 물로 씻는다. 이 수지를 옆의 유리칼럼에 주입하여 약 12cm의 수지층을 만든다. 이때 수지층의 위에는 항상 소량의 물층이 남도록 한다. 이 수지층의 이온교환능력은 검수의 수질에 따라 다르지만 일반 음료수에서는 약 3ℓ를 연속해서 사용할 수 있다.

실험방법

1. 시험용액 50mℓ(1～9mg의 황산이온을 함유하거나 같은 양의 황산이온을 함유하도록 검수에 물을 넣어 50mℓ로 한 것)를 삼각플라스크에 넣고 10% 염산 1～2방울을 넣은 다음 끓이면서 0.01M 염화바륨용액 10.0mℓ를 넣어 수초간 끓인 후 식히고 암모니아완충액 5mℓ 및 EBT용액 3방울을 넣어 곧 0.01M EDTA용액으로 적정한다.
2. 종말점 가까이서(용액의 색이 적자색에서 청색으로 변할 때) 0.01M 염화마그네슘용액을 정확히 2.0mℓ 넣고 다시 용액의 색이 청색으로 변할 때까지 적정한다.

결 과

적정에 소비된 0.01M EDTA용액의 mℓ(c)를 구하여 다음 식에 따라 검수에 함유된 황산이온의 양(mg/ℓ)을 산출한다.

$$\text{황산이온(mg/ℓ)} = 0.96(b-c) \times f \times \frac{1000}{50}$$

b : 물을 사용하여 검수와 같은 방법으로 공시험할 때 소비된 0.01M EDTA용액의 mℓ

f : 0.01M EDTA용액의 역가

12) 잔류염소

개 요

잔류염소란 살균을 목적으로 인공적으로 물속에 주입한 염소가 유기물등과 반응하고 일정 시간 후 잔류하는 염소농도를 표시한 것이다. 먹는물에 잔류염소의 허용기준은 없으나, 과량 존재하면 맛과 냄새에 영향을 미칠 뿐 아니라 유기물질(humic acid, fulvic acid 등)과 반응하여 트리할로메탄 등 유독물질을 생성할 수 있다. 소독을 목적으로 염소를 사용할 때는 잔류염소량이 여름철에는 0.4ppm, 다른 계절에는 0.2ppm 정도가 적당하다.

잔류염소 측정법으로는 OT법과 DPD법 등이 있는데 여기서는 OT법에 대하여 설명하였다.

시약 및 기구

■ 시약

- 올쏘톨리딘(ortho-tolidine) 용액 : 올쏘톨리딘염산염{$(CH_3C_6H_3NH_2)_2 \cdot 2HCl$} 150㎎와 물을 넣어 1ℓ로 한 후 갈색병에 넣어 보존하며, 6개월 이내에 사용한다.
- 완충액 : 미리 110℃에서 건조하고 데시게이터에서 식힌 인산1수소칼륨 22.86g과 인산2수소칼륨 46.14g을 무탄산수에 녹여 1ℓ로 한 후 수일간 두었다가 생성된 침전물을 제거하여 원액으로 하고, 이 원액 400㎖에 무탄산수를 넣어 2ℓ로 한다. 이 용액의 pH는 6.45이다.
- 잔류염소표준용액 : 크롬산칼륨(K_2CrO_4) 4.65g과 중크롬산칼륨($K_2Cr_2O_7$) 1.55g을 완충액에 녹여 1ℓ로 한다.
- 잔류염소표준비색표
  - i) 100㎖의 비색관을 쓸 때에는 잔류염소표준용액 및 완충액을 표 7-3의 비율로 취하여 각각 비색관에 넣고 해당하는 잔류염소의 농도(mg/ℓ)를 기재한다.
  - ii) 100㎖ 이외의 비색관을 쓸 때에는 1mg/ℓ 이하의 잔류염소표준비색표를 표 7-3에 따라 조정하고, 1mg/ℓ를 초과하는 잔류염소표준비색표는 사용하는 용기의 액층에 따라서 표 7-4의 해당하는 난에 따라 잔류염소표준용액을 취하고 완충액을 사용하여 100㎖로 한 후 각각을 소정의 용기에 넣고 해당하는 잔류염소의 mg/ℓ를 기재한 것을 잔류염소표준비색표로 한다.
  - iii) 이 잔류염소 표준비색표는 어두운 곳에 보존하고 침전물이 생성되었을 때에는 다시 만든다.

■ 기구

- 비색관 : 마개 있는 밑이 평평한 무색 시험관으로 일정용량의 높이에 표시선을 그은 것을 사용한다.

방 법

1. 유리잔류염소 : 올쏘톨리딘용액을 비색관용액(V㎖)의 1/20에 상당하는 양을 취하여 비색관에 넣고 이에 검수를 비색관의 표시선까지 넣어 섞은 다음 즉시(약 5초이내) 잔류염소 표준비색표와 비교하여 검수의 유리잔류염소농도(mg/ℓ)를 구한다.
2. 잔류염소 : 1의 액을 약 5분간 둔 후의 정색을 잔류염소 표준비색표와 비교하여 검수의 잔류염소농도(mg/ℓ)를 구한다.
3. 결합잔류염소 : 잔류염소농도와 유리잔류염소농도(mg/ℓ)와의 차이로부터 결합잔류염소농도(mg/ℓ)를 구한다.

참고문헌

1. 환경부: 먹는물水質公定試驗方法, 환경부告示 第1999-16號(1999)
2. International organization for standardization: Water quality-determination of cobalt, nikel, copper, zinc, cadmium and lead-Flame atomic absorption spectronic method, Geneva(1998)
3. 환경부: 먹는물 수질관리 지침서(1998)
4. 崔三燮외: 豫防醫學과 公衆保健, 癸丑文化社, 서울(1998)

표 7-1 먹는물 수질기준의 정량한계 및 결과표시

NO	성 분 명	수질기준	정량한계	결과치의 유효숫자	결과유효 숫자 표기
1	일반세균	100/mℓ이하	0	0	0
2	대장균군	음성/50mℓ	-	-	음성,양성
3	납	0.05mg/ℓ이하	0.04mg/ℓ	0.00	0.00
4	불소	1.5mg/ℓ이하	0.15mg/ℓ	0.00	0.0
5	비소	0.05mg/ℓ이하	0.005mg/ℓ	0.000	0.000
6	세레늄	0.01mg/ℓ이하	0.005mg/ℓ	0.000	0.000
7	수은	0.001mg/ℓ이하	0.001mg/ℓ	0.000	0.000
8	시안	0.01mg/ℓ이하	0.01mg/ℓ	0.00	0.00
9	6가크롬	0.05mg/ℓ이하	0.02mg/ℓ	0.00	0.00
10	암모니아성질소	0.5mg/ℓ이하	0.01mg/ℓ	0.00	0.00
11	질산성질소	10mg/ℓ이하	0.1mg/ℓ	0.0	0.0
12	카드뮴	0.01mg/ℓ이하	0.002mg/ℓ	0.000	0.000
13	페놀	0.005mg/ℓ이하	0.005mg/ℓ	0.000	0.000
14	총트리할로메탄	0.1mg/ℓ이하	0.001mg/ℓ	0.000	0.000
15	다이아지논	0.02mg/ℓ이하	0.0005mg/ℓ	0.0000	0.0000
16	파라티온	0.06mg/ℓ이하	0.0005mg/ℓ	0.0000	0.0000
17	말라티온	0.25mg/ℓ이하	0.0005mg/ℓ	0.0000	0.0000
18	페니트로티온	0.04mg/ℓ이하	0.0005mg/ℓ	0.0000	0.0000
19	카바릴	0.07mg/ℓ이하	0.0005mg/ℓ	0.0000	0.0000
20	1.1.1-트리클로로에탄	0.1mg/ℓ이하	0.001mg/ℓ	0.000	0.000
21	테트라클로로에틸렌	0.01mg/ℓ이하	0.001mg/ℓ	0.000	0.000
22	트리클로로에틸렌	0.03mg/ℓ이하	0.001mg/ℓ	0.000	0.000
23	디클로로메탄	0.02mg/ℓ이하	0.002mg/ℓ	0.000	0.000
24	벤젠	0.01mg/ℓ이하	0.001mg/ℓ	0.000	0.000
25	톨루엔	0.7mg/ℓ이하	0.001mg/ℓ	0.000	0.000
26	에틸벤젠	0.3mg/ℓ이하	0.001mg/ℓ	0.000	0.000
27	크실렌	0.5mg/ℓ이하	0.001mg/ℓ	0.000	0.000
28	1.1디클로로에틸렌	0.03mg/ℓ이하	0.001mg/ℓ	0.000	0.000
29	사염화탄소	0.002mg/ℓ이하	0.001mg/ℓ	0.000	0.000
30	경도	300mg/ℓ이하	1 mg/ℓ	0.0	0
31	과망간산칼륨소비량	10mg/ℓ이하	0.3mg/ℓ	0.0	0.0
32	냄새	이취없을것	-	-	적·부
33	맛	이미없을것	-	-	적·부

표 7-1(계속)

NO	성 분 명	수질기준	정량한계	결과치의 유효숫자	결과유효 숫자 표기
34	동	1.0mg/ℓ이하	0.008mg/ℓ	0.000	0.000
35	색도	5도 이하	1도	0	0
36	세제	0.5mg/ℓ이하	0.1mg/ℓ	0.00	0.00
37	수소이온농도	5.8-8.5	-	0.0	0.0
38	아연	1.0mg/ℓ이하	0.002mg/ℓ	0.000	0.000
39	염소이온	250mg/ℓ이하	0.4mg/ℓ	0.0	0
40	증발잔류물	500mg/ℓ이하	2mg/ℓ	0.0	0
41	철	0.3mg/ℓ이하	0.05mg/ℓ	0.00	0.00
42	망간	0.3mg/ℓ이하	0.005mg/ℓ	0.000	0.000
43	탁도	1 NTU 이하	0.02 NTU	0.00	0.00
44	황산이온	200mg/ℓ이하	2mg/ℓ	0.0	0
45	알루미늄	0.2mg/ℓ이하	0.02mg/ℓ	0.00	0.00
46	클로르포름	0.08mg/ℓ이하			
47	붕소(보론)	0.3mg/ℓ이하			

표 7-2 각 물질별 선택이온

물 질 명	분자량	제1선택이온	제2선택이온
클로로벤젠	96	96	77
1.2-디클로로벤젠-d4	150	152	115, 150
디클로로메탄	84	84	86, 49
벤젠	78	78	77
톨루엔	92	92	91
에틸벤젠	106	91	106
o - 크실렌	106	106	91
m - 크실렌	106	106	91
p - 크실렌	106	106	91
클로로포름	118	83	85, 47, 85
브로모디클로로메탄	162	83	85, 127
디브로모클로로메탄	206	129	127, 131
브로모포름	250	173	175, 252
1.1.1-트리클로로에탄	132	97	99, 61
트리클로로에틸렌	130	95	130, 132
테트라클로로에틸렌	164	166	168, 129
1.1-디클로로에틸렌	96	61	96, 98
사염화탄소	152	117	119, 121

표 7-3 잔류염소 표준비색표(100mℓ 비색관용)

잔류염소 (mg/ℓ)	크롬산칼륨·중크롬산칼륨용액 (mℓ)	완충액 (mℓ)	잔류염소 (mg/ℓ)	크롬산칼륨·중크롬산칼륨용액 (mℓ)	완충액 (mℓ)
0.01	0.1	99.9	0.70	7.0	93.0
0.02	0.2	99.8	0.80	8.0	92.0
0.05	0.5	99.5	0.90	9.0	91.0
0.07	0.7	99.3	1.00	10.0	90.0
0.10	1.0	99.0	1.5	15.0	85.0
0.15	1.5	98.5	2.0	19.7	80.3
0.20	2.0	98.0	3.0	29.0	71.0
0.25	2.5	97.5	4.0	39.0	61.0
0.30	3.0	97.0	5.0	48.0	52.0
0.35	3.5	96.5	6.0	58.0	42.0
0.40	4.0	96.0	7.0	68.0	32.0
0.45	4.5	95.5	8.0	77.5	22.5
0.50	5.0	95.0	9.0	87.0	13.0
0.60	6.0	94.0	10.0	97.0	3.0

표 7-4 잔류염소 표준비색표(100mℓ외의 비색관용)

잔류염소(mg/ℓ) \ 용기의 액층별 크롬산칼륨·중크롬산칼륨액 (mℓ)	2.5~5cm	10cm	20cm	24~30cm
1.0	10.0	10.0	10.0	10.0
1.5	15.0	15.0	15.0	15.0
2.0	19.5	19.5	19.7	20.0
3.0	27.0	27.5	29.0	30.0
4.0	34.5	35.0	39.0	40.0
5.0	42.0	43.0	48.0	50.0
6.0	49.0	51.0	58.0	60.0
7.0	56.5	59.0	68.0	70.0
8.0	64.0	67.0	77.5	80.0
9.0	72.0	75.5	87.0	90.0
10.0	80.0	84.0	97.0	100.0

8

식품의 비파괴분석

제 1 절 비파괴분석법의 원리

식품분석에 있어서 기술상의 개발목표는, 마크로에서 미크로에의 검출한계를 높여, 정확도를 높이는 것에 중점을 두고, 분석에 필요한 시간이나 비용은 2차적인 것으로 여겨져 왔다. 그러나 오늘날과 같이 제조상의 품질관리가 중시되고, 원료에서 제품에 이르기까지 철저한 품질관리가 요구될 때, 품질관리의 정확도를 높이기 위해서는 단시간에 대량의 시료를 신속하게 분석할 수 있는 분석법이 필요하다.

비파괴분석법(이하, 비파괴법이라 한다)은, 대상물에 전처리를 하지 않은 상태로 분석에 제공해 신속성을 최대의 특징으로 하는 방법이다. 비파괴법의 대상물에 입력한 에너지가 대상물에 의해 영향을 받고 출력될 때 영향의 정도 즉, 입력과 출력의 관계로부터 대상물의 이화학적 특성에 관한 정보를 얻는 방법이다. 한편, 에너지의 입력을 필요로 하지 않고 대상물 자신이 발하는 에너지를 이용하는 방법도 있다. 후자의 예로서는 적외방사나 화학발광(chemiluminescence)을 이용하는 방법이 있다.

비파괴법은 사용되는 에너지의 종류에 따라 표 8-1과 같이 분류된다.

표 8-1 비파괴분석법의 에너지에 의한 분류

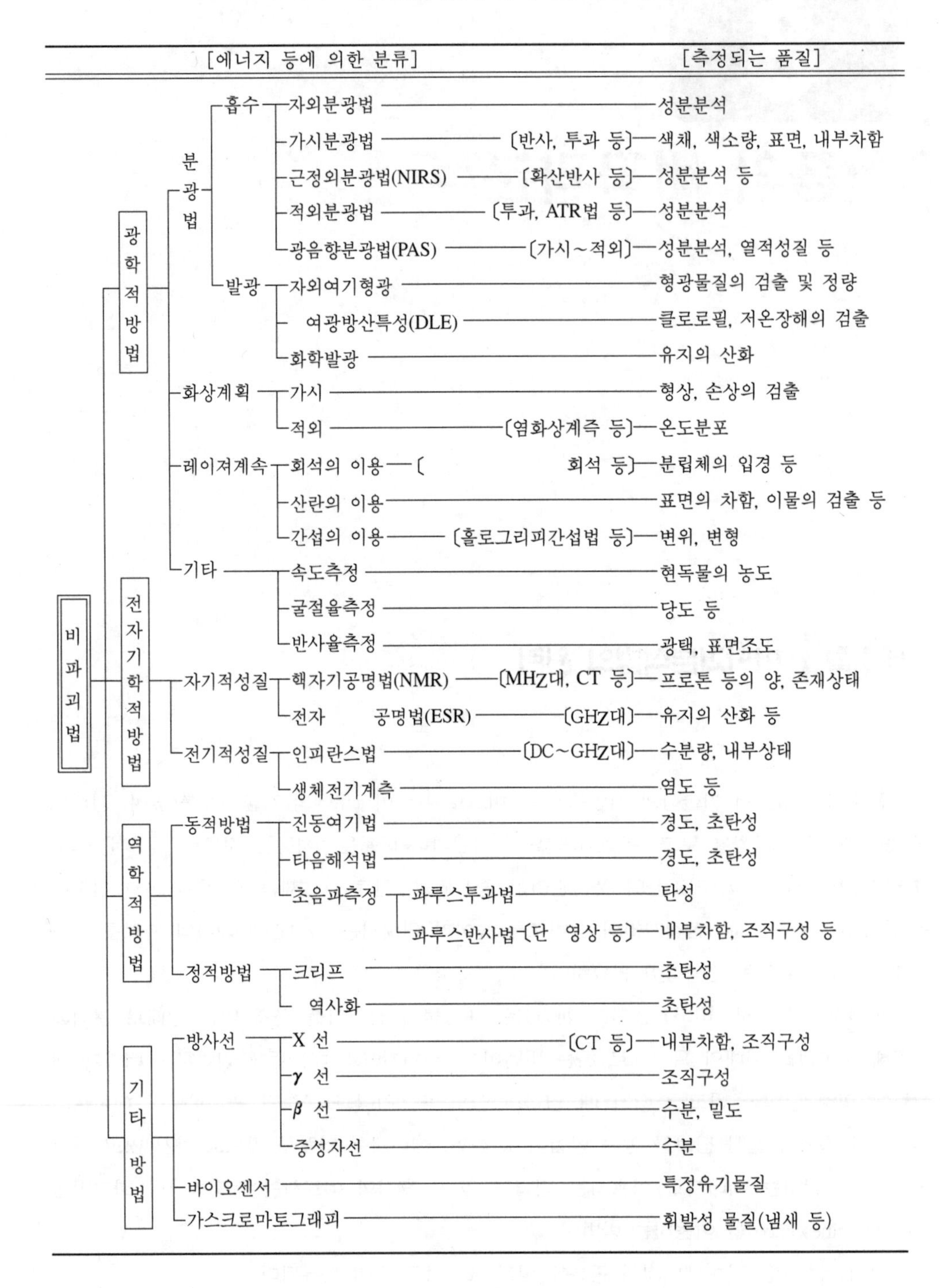

제 2 절 비파괴분석법의 이점

비파괴법의 이점으로는 다음과 같은 것을 들 수 있다.

① 습식화학분석과 같이 대량의 화학약품을 필요로 하지 않으므로 분석경비면에서 경제적이고 화학약품에 의한 실험실의 환경오염의 두려움이 적다.
② 시료에 전처리를 필요로 하지 않기 때문에 신속한 분석이 가능하다. 또, 동일시료를 반복해서 사용할 수 있다.
③ 분석에 특별히 숙련된 기술을 요구하지 않는다.
④ 실시간에서 신속한 분석이 가능하므로 공장에서 품질관리용의 분석법으로 적당하다.
⑤ 온라인 계측에의 응용으로 품질관리의 자동화가 가능하다.
⑥ 분석시 평량할 필요성이 없으므로 선상 등 동요하는 현장에서도 기기 조작상 문제가 없다.
⑦ 방법에 따라서는 동시에 다항목의 정보를 얻을 수 있으므로 복수의 성분이 상호 관련되어 결정되는 종합적인 품질특성을 얻을 수가 있다.

비파괴법중에서 가장 진보된 방법인 근적외법을 예를 들어 이와같은 이점의 구체적인 예와 비파괴법이 가져다주는 효과를 아래에 기술한다.

① 캐나다에서는 소맥의 수출에 연간 60만점 시료의 단백질을 분석하고 있다. 단백질분석법으로서 종래의 켈달법 대신에 근적외법을 도입한 이래, 현재에는 캐나다산 소맥의 약 80~90%가 근적외법으로 검사되어, 검사비용으로 연간 약 50만 달러를 절약하고 있다.
② 일본의 북해도립 임업시험장에서는 북해도산 쌀의 식미향상을 목표로 새로운 품종을 개발하고 있다. 이 과정에서 쌀의 식미에 중요한 성분인 단백질, 지질, 수분, 전분을 반년간에 약 1만점의 시료를 분석할 필요가 있다. 관행의 화학분석법으로는 2000점이 한계이지만, 근적외법을 도입한 이래 이 문제를 해결하였다. 이 시험장에 의하면 근적외법의 능력은 관행법의 약 90배이다.
③ 식품이나 사료의 제조과정에서는 단백질, 수분 등의 성분을 엄밀히 관리할 필요가 있다. 그러나 관행의 화학분석으로는 분석시간이 걸리기 때문에 통계적 품질관리에 있어 검사수를 많이 하지 않는 경향이 있다. 미국의 K사의 대두밀 제조의 경우 단백질의 관리를 위해 1일 6점의 시료를 모아 일시에 분석하고 있다. 그러나 이 방법에서는 24시간마다 제품중의 단백질을 확인하는 것이 가능하다. 근적외법으로는 신속한 분석이 가능함으로

예를 들면 5분마다 제품의 상태를 감시할 수도 있어 규격외품의 발생을 제어하는 것이 가능하다.

④ 쌀의 식미는 쌀의 성분과의 관계에서 결정된다. 예를 들면 "쌀의 식미는 단백질, 수분, 전분 등 성분치의 균형에 의해 결정된다" 혹은, "쌀의 식미는 마그네슘과 칼륨 및 질소 함량에 관계한다"라는 사실에서 식미 관계식을 구하고 있다. 근적외법을 이용한 식미계에서는 동시에 얻을 수 있는 관련성분의 정보와 식미관계식에서 식미를 산출한다.

제 3 절 비파괴분석법의 응용

1. 광학적 방법

광학적 방법은 자외, 가시, 적외등의 광과 대상물과의 상호작용에 의해 생기는 흡수 혹은 방사를 이용하는 방법이다. 물질에 광이 조사되면 물질을 구성하는 원자의 에너지 상태가 저에너지 상태(기저상태)에서 고에너지 상태(여기상태)로 전이하는데 이때 흡수가 생긴다. 자외광이나 가시광처럼 에너지 레벨이 높은 광에서는 원자중의 전자는 다른 궤도 사이로 여기되지만, 적외광처럼 에너지 레벨이 낮은 광에서는 동일 궤도내의 여기에서 멈춘다.

어느 경우에도 에너지의 입력이 중단되면 여기상태에서 기저상태로 역의 전이가 생기며 이때에 흡수된 에너지에 대한 광이 방사된다. 흡수되거나 방사되는 광의 진동수(파장의 역수에 비례)는 원자 혹은 분자의 종류, 구조에 대해서 상당한 선택성을 갖고 있으므로 광의 흡수스펙트럼 혹은 방사스펙트럼을 물질의 동정이나 정량에 이용할 수 있다.

1) 자외광선의 이용

자외광을 이용한 비파괴법의 대부분은 자외광이 조사되어 여기상태에 있는 전자가 기저상태로 돌아올 때 방사되는 형광을 이용하는 방법이다. 그림 8-1에 표시했듯이 감귤류의 유포(油胞)주에 포함된 정유는 자외광 하에서 560nm에 피크를 갖는 강한 형광을 발한다. 형광강도는 손상된 유포의 수에 비례하므로 형광강도를 측정하는 것에 의해 감귤류의 표피 손상을 정량화할 수 있다. 이 원리를 응용한다면 저장 중 부패의 원인이 되는 표피손상 감귤을 사전에 선별해 제거할 수 있다.

이외에 부패한 계란의 검출, 식품을 오염시키는 아플라톡신의 검출 등의 응용예가 있다.

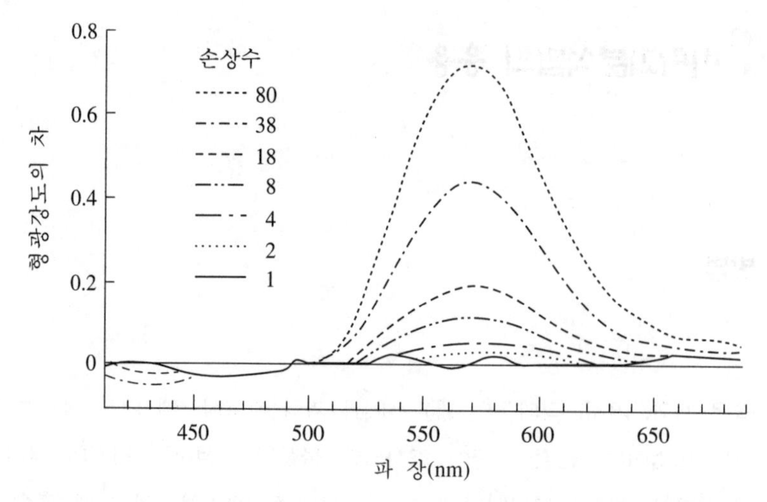

그림 8-1 유포에 손상을 입은 온주밀감의 형광 차 스펙트럼(정상과를 기준)

2) 가시광선의 이용

가시광을 이용한 비파괴법은 가시광의 흡수나 방사를 물질의 정성, 정량분석에 응용하는 것으로 식품의 색채, 손상, 내부상태의 측정을 비롯하여 실용화된 기술도 많이 있다.

흡수의 측정에는 반사스펙트럼 및 투과스펙트럼이 사용된다. 이들의 측정기기의 광학계는 일반 분광광도계도 거의 같은 구조이지만 비파괴 시료를 측정하기 위해서는 특별히 고안된 시료실이 필요하다.

그림 8-2는 과실 등 대형시료의 반사스펙트럼을 측정하기 위해 개발된 장치이다. 이 장치는 기기조작과 데이타 해석 등이 전부 컴퓨터화되어 있고 반사스펙트럼에서 CIE 표색계 등 표색을 위한 각종 파라메타도 순식간에 계산된다. 이 장치로 토마토의 표면색을 측정한 결과를 그림 8-3에 나타냈다. 그림의 색지표 Ⅰ는 660nm, 550nm와 620nm의 각각의 파장에서 토마토의 과경부(果梗部)와 과정부(果頂部)에서 측정된 상대반사율의 평균치 R에서(R660－R550)/R620로서 얻어진다. 클로로필 및 카로티노이드의 색소량도 색지표 Ⅰ과의 사이에 높은 상관을 나타낸다.

이와 같은 반사스펙트럼을 이용한 측정은 손상된 체리의 검출을 비롯해 하등(여름밀감), 오렌지 표피결함의 검출 등에 이용되고 있다. 또, 화상처리 기술을 도입한 방법은 온주밀감의 과피색 및 손상의 판정법으로서 자동선별장치에 실용화되고 있다.

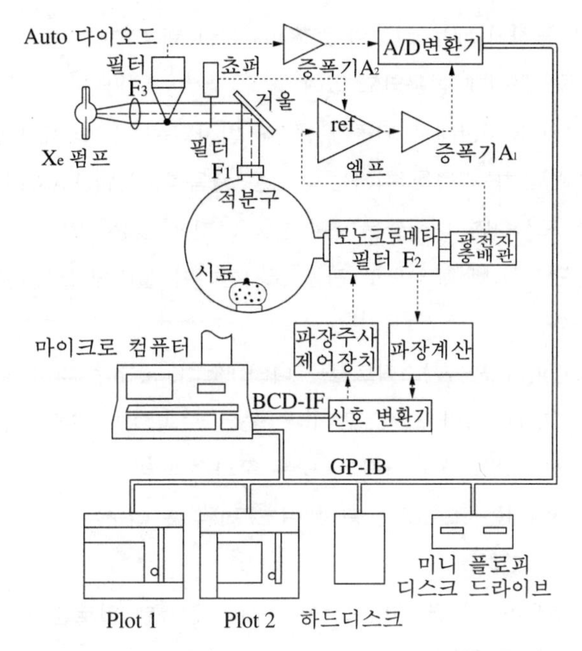

그림 8-2 대형시료의 반사스펙트럼의 측정 장치

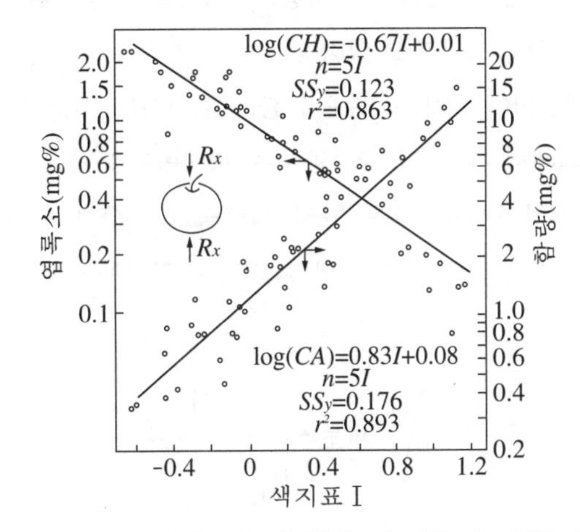

그림 8-3 색지표 I과 클로로필 함량 및 카로티노이드 함량의 관계

기시광을 여기광으로써, 수명이 길고 늦은 형광인 지연광방산(DLE)을 이용하는 방법이 있다. DLE가 이용될 수 있는 것은 클로로필을 갖는 청과물이고 광조사를 받은 클로로필이 광조사를 차단한 후에도 형광을 발하는 성질을 이용한다. 클로로필의 함량이 많은 과실이나 야채일수록 DLE의 강도가 강하고 지연시간도 길다. 과실이나 야채 등의 성숙과정에 있어 색채변화의 정량화나 색채와 상관이 높은 당함량의 추정에 이용된다. 또, DLE는 식물체의 생

리상태를 미묘하게 반응하기 때문에 고차(固茶)와 신차(新茶)의 판별, 오이나 피망의 저온장해의 예측 등 흥미있는 분야에 이용되고 있다.

물질이 여기상태에서 기저상태로 되돌아 올 때 방산되는 열에너지가 밀폐된 시료셀 내의 기체를 팽창시킬 때 발생하는 음을 취하는 방법은 광음향분석법(PAS)라고 한다. 셀내의 밀폐된 대상물에 광을 조사하면 대상물은 흡수한 에너지에 맞는 열을 셀내에 방출해 셀내의 기체를 팽창시킨다. 단속적(斷續的)으로 광을 조사한다면 셀내에 조밀파(粗密波)가 생겨 음파로써 취할 수가 있다.

그림 8-4에 사과 과피의 광음향스펙트럼을 나타내었다. a, b는 각각 33Hz 및 220Hz의 변조주파수의 광을 조사했을 때의 스펙트럼이다. 높은 주파수의 경우(b)는 자외부만 흡수를 갖는 표피의 얇은 부분의 정보가 얻어지고, 낮은 주파수의 경우(a)는 보다 깊은 곳의 정보가 얻어진다. 이처럼 PAS에서는 조사하는 광의 변조주파수를 바꾸는 것에 의해 대상물의 깊이에 따라 정보를 얻을 수 있다.

가시광의 이용에 관해서는 최근 광원으로써 종래의 텅스텐 할로겐 램프에다 단색성, 지향성, 집광성 등의 가간섭성(可干涉性, coherent성)이 풍부한 레이저의 이용이 진전되고 있다. 토마토 페스트 등 토마토 제품의 고형분의 정량, 소맥분의 입경분포 측정, 와인이나 콜라의 품질판정, 떫은감의 검출 등에 이용되고 있다.

이상의 모든 방법은 대상물에 대해 외부에서 광을 조사하는 수동적인 방법이다.

한편, 물질의 산화과정에서 자연적으로 생기는 화학발광량(chemiluminescence)을 광전자펄스로써 계수해 식용유지의 열화도 혹은 유지 식품중의 과산화물량의 추정에 이용하는 능동적인 방법도 개발되고 있다. 표 8-2는 여러 상태의 후라이유에서의 발광량을 표시한 것으

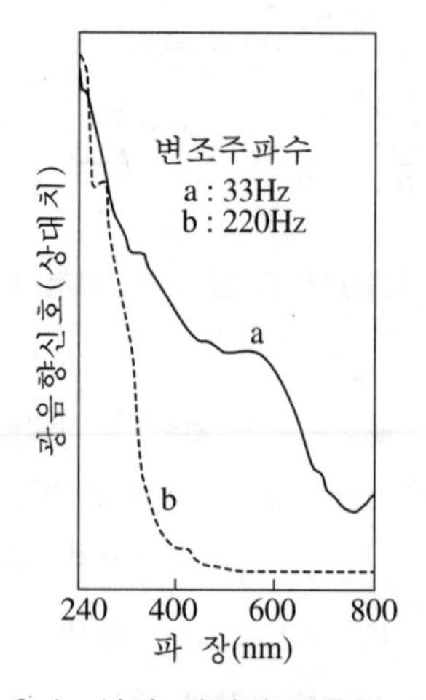

그림 8-4 사과 과피의 광음향 스펙트럼

표 8-2 후라이에 이용한 대두유의 화학특성과 발광량

대두유	POV	AV	COV	IV	발광량*
미사용	1.7	0.09	9	134	500
사용 1일후	3.8	0.86	21	132	1340
중간사용	8.3	1.28	72	128	5170
폐유	15.5	7.65	155	101	7250

* 총카운트수/30초(산소 통풍 조건에서 32℃)

POV : 과산화물가 AV : 산가 COV : 카보닐가 IV : 요오드가

로 유의 열화가 진행됨에 따라 발광량이 증가하는 것을 알 수 있다. 이 방법은 수 십초안에 결과를 얻을 수 있어 식품공장에서의 유지 및 유지식품의 품질관리(특히, 초기 산화의 판정)에 적당하다.

3) 적외광선의 이용

적외영역은 근적외(0.7～2.5㎛), 중적외(2.5～50㎛), 원적외(50～100㎍)로 나눌 수 있는데, 대개 중적외영역의 스펙트럼을 이용하여 유기화합물의 동정과 정량분석을 하고 있다. 특히 7～15㎛ 영역의 적외광은 지문영역으로 불리는데 분자구조에 유래하는 특이적인 흡수밴드가 존재하기 때문에 스펙트럼의 분석에서는 중요한 파장영역이다.

그러나 이 파장영역에서의 적외흡수가 너무 강하기 때문에 비파괴법의 응용면에서는 비교적 이용되기 어렵다. 특히 식품에 포함된 물은 적외영역에서 상당히 강한 흡수를 나타내기 때문에 비파괴적인 시료를 취급하는데는 곤란하다. 이 결점을 보완하기 위해서 다중전반사법(ATR)이라는 것이 있다.

그림 8-5는 탄산음료중의 당과 탄산가스의 ATR 온라인 모니터 장치이다. 당에 관해서는 3.4㎛와 3.8㎛, 탄산가스에 대해서는 4.3㎛과 3.9㎛ 일대의 적외광이 광가이드 중에 유도된다. 이 때에 중요한 것은 광가이드에 들어가는 광의 입사각을 전반사각 보다 크게 하는 것이다. 이것에 의해 광은 광가이드 내에 가두고 광가이드와 탄산가스와의 경계에서 몇번 반사를 반복하고 각각의 물질의 흡수가 측정된다. 광가이드에 이용되는 재료로는 금속게르마늄, ZnSe, 사파이어, 다이아몬드 등 굴절율이 큰 것이 적당하다. 각각의 성분분석에 사용되는 일대의 적외광 중에서 전자는 성분의 흡수파장이고 후자는 베이스라인 보정용의 참조파장이다.

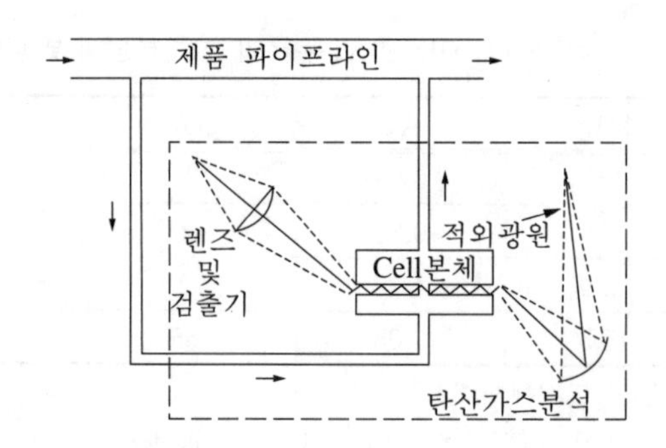

그림 8-5 ATR법에 의한 탄산음료중의 성분분석 시스템

적외흡수를 이용한 우유성분의 비파괴분석은 AOAC(association of official analytical chemists)의 공정법으로 채택되어 지질, 단백질, 유당 및 전고형분의 분석에 넓게 이용되고 있다. 각각의 성분분자의 관능기에 유래하는 흡수는, 지질에서 5.723㎛(지질의 에스테르 결합중의 카르복실기), 단백질에서 6.464㎛(단백질중의 펩티드결합), 유당에서 9.610㎛(유당중의 히드록실기)에 존재하는 원리에, 각 파장의 흡광도에서 각 성분치를 구하는 방법이다. 전고형분은 표준중량법과의 관계에서 실험적으로 구한 팩터에 본법으로 구한 지질, 단백질, 유당의 함량을 더해서 구할 수 있다. 적외광의 방사를 이용한 것에는 적외방사 온도계가 있다. 이것은 절대영도(−273℃) 이상의 물체에서는 적외광이 방사되어 방사의 중심파장이 온도상승과 함께 단파장측으로 이동하는 현상(Wien의 변위측)을 응용한 것으로 물체에서 방사되는 적외광의 파장을 측정하면 물체의 온도를 추정할 수 있다. 이 방법은 화상처리의 기술과 일체시켜 표면 온도분포를 화상으로써 얻을 수 있다. 이 원리를 농산물의 품질평가에 사용한 예에는 사과 등 청과물 손상의 판정, 유정란과 무정란의 판별 등이 있다.

4) 근적외광선의 이용

근적외 광선을 이용한 비파괴법은 상기 다양한 분석법 중 가장 진전된 방법이다. 곡물, 청과물 등을 구성하는 유기물의 원지단(原子團)은 적외영역에 흡수(吸收)를 가지는데 비파괴분석을 위해서는 아래의 두 가지 이유 때문에 중적외영역의 해석정보를 그대로 이용할 수가 없다.

첫째, 측정 대상물이 곡물이나 유량종자인 경우 건조물 또는 반건조물로서 대단히 고농도의 상태이므로 입사광이 거의 흡수되어져 출력이 되지 않으므로 측정때마다 매번 희석하여 측정한다면 비파괴분석법의 의의가 없기 때문이다.

둘째, 곡물의 경우 건조물이면 수분함량이 10~15% 정도이며, 반건조품이라도 약 50%, 청과물이면 약 85% 이상의 수분을 함유하고 있는데 중적외 영역에서는 수분에 의한 흡수가 너무 커 타성분 유래의 정보는 거의 얻어질 수가 없기 때문이다.

(1) 근적외분석법의 특징

근적외영역에서는 수분유래의 흡수가 중적외영역에 비해 아주 미약하며 단백질, 지방, 전분 등에 의한 흡수도 약하므로 시료의 건조 또는 희석조작을 필요로 하지 않는 비파괴측정이 가능하다. 또한 농산물의 성분을 구성하는 O-H, N-H, C-H 등의 관능기는 중적외영역에 기준신축진동 또는 변각진동 등의 형태로 흡수를 가지는데 이들의 결합음은 대체로 1.8~2.5㎛에, 1차 배음은 1.1~1.8㎛에, 2차 배음은 0.7~1.1㎛에 압축되어 나타나므로 근적외영역의 스펙트럼을 한번 측정함으로써 식품중의 수분, 단백질, 전분, 지방 등 복수의 품질성분을 동시에 측정하는 것이 가능하다.

이와 같이 근적외분석법은 각종 농산물을 구성하는 성분의 분자구조에 유래되는 흡수스펙트럼을 이용하는 측정방법이므로 가시광선을 이용하여 청과물의 당, 산 함량을 색소함량과의 상관으로부터 산출하는 간접적 측정방법과는 달리 농산물의 구성성분에 근거한 직접적 측정법이라고 할 수 있다. 다른 예로서, 부패된 계란이나 미생물에 오염된 곡물에 자외선을 조사하면 형광을 발하는 원리를 이용하는 비파괴분석법도 있으나 식용에 적합한지의 불가를 판정하는 경우가 아닌 내용물의 성분함량을 직접 측정하거나 등급을 종합적으로 분류하고자 할 때에는 적합한 방법이 되지 못한다.

(2) 근적외 분석법의 보급

농산물의 비파괴분석을 목적으로 근적외분석법을 응용하기 시작한 것은 USDA의 K. Norris씨가 1963년 곡류나 종자의 수분측정을 위해 특별히 설계한 근적외분석계를 사용하여 0.7~2.4㎛ 파장영역에서 투과스펙트럼을 측정한 것이 처음이다.

근적외분석계는 대별해서 연구용과 일상용으로 분류할 수 있다. 연구용은 회절격자를 사용하여 근적외영역 전체에 걸쳐 연속적으로 스펙트럼을 측정할 수 있는 장치인데, 얻어지는 스펙트럼을 상세히 해석할 수 있는 컴퓨터가 갖추어져 있어서 미지의 측정대상물에 대한 측량법의 연구개발 또는 스펙트럼의 정성적 해석에 적합하다. 일상용은 연구용에 의해 개발된 수분, 단백질, 탄수화물 등 목적성분만을 분석하는데에 필요한 한정된 파장만을 분광하는 장치로서 식품소재 및 가공품 등 빈번한 일상분석에 적합하다. 장치의 제조회사로서는 Dickey-John사, Techicon사(현재, Bran-Luebbe사), Neotec사(현재, NIRS-System사), Trebor사, Per Con사가 있다. 1975년 캐나다의 곡물위원회(CGC)가, 1980년 미국연방 곡물검사소(FGIS)가 근적외분석법을 소맥(小麥)중의 단백질을 측정하는 공정법으로 채용하였다. 그후 광범화하게 사용되어 미국은 10,000대, 유럽은 10,000대, 일본은 2,000대, 한국은 최근 보급되기 시작하여 약 300대에 달하고 있다. 용도별 내역은 제조업 27%, 사료업 26%, 제유업 12%, 양조업 3%, 가공식품 및 섬유, 석유화학, 제약, 필름산업이 32%를 차지하고 있다.

2. 방사선적 방법

X선, β선 등의 방사선도 광과 같이 반사, 투과, 흡수, 산란의 성질을 갖고 있다. 양자의 큰 차이로써는 X선은 파장이 0.1～100Å로 짧고 투과력이 크므로 광에서처럼 글래스면에서 반사시키거나 렌즈를 사용해 초점을 연결하거나 하는 것이 불가능하다. 식품의 비파괴법에서 X선은 주로 내부성상의 결함을 물체의 밀도차에 의해 판정하는데 이용된다. 그림 8-6은 감자의 장축방향에 따라 얻어진 X선의 투과특성으로, 정상부에 비해 공동부는 X선이 투과되기 쉽다는 것을 표시한다. 투과곡선을 축 방향에 미분한 1차미분과 2차미분을 비교하면 공동부 이외에서는 2차미분은 거의 평탄하고, 공동부의 존재와 크기를 알 수 있다. 2차미분치와 감자의 공동용적과의 상관관계는 0.91로 높고, 106개의 감자를 사용한 실험의 결과에서는 14개의 공동과를 완전히 판별할 수 있었다.

이외에 X선을 이용한 오렌지 동결장해과의 자동선별장치가 미국에서, 또 수박 육질의 자

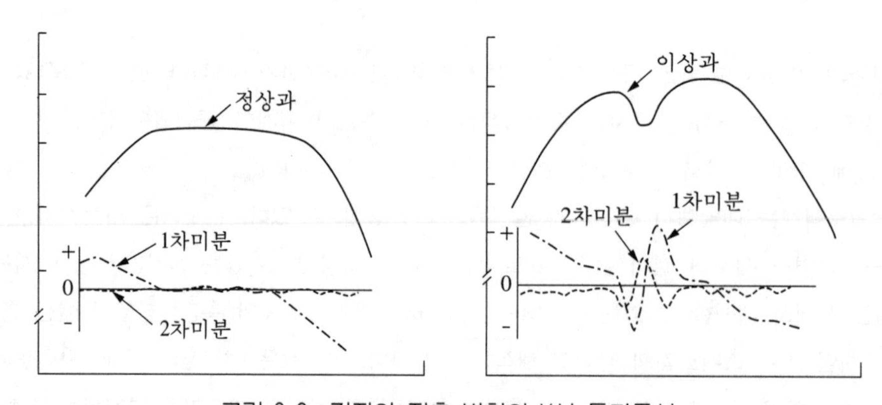

그림 8-6 감자의 장축 방향의 X선 투과특성

동선별기가 일본에서 개발되어 실용화되고 있다.

최근 시료의 내부상태를 관찰하기 위해 CT(computer tomography)기술을 이용한 새로운 계측법의 개발이 추진되어 햄중의 이물질 검출이나 메론의 숙성도 판정등에 관한 보고도 있지만 넓게 보급되어 있지는 않다.

3. 전자기학적 방법

전자기학적 방법에는 대상물이 갖는 전자기학적 특성을 이용한다. 전자기학적 특성에는 능동적 특성과 수동적 특성이 있다. 능동적 특성은 대상물들이 나타내는 에너지를 이용하는 것으로 생체전기가 여기에 해당한다. 수동적 특성은 전자장 내에 놓인 대상물이 외부환경으로부터 영향을 받거나 역으로 외부환경에 영향을 주는 특성이 있는데 전기전도도, 유전율, 임피턴스등 핵자기공명(NMR)이나 전자스핀공명(ESR) 등이 여기에 포함된다. 광학적인 방법에 비해 데이타의 축적은 적은 것으로 식품의 이화학적 특성과 밀접한 관계가 있기 때문에 지금부터 새로운 계측법으로서 기대된다.

1) 생체전위의 이용

생물체에는 생리현상과 밀접하게 관계하는 생체전위가 발생한다. 그러나 생체전위의 측정에는 전극의 접촉상태 및 분극이나 노이즈 등의 영향을 받기 쉬우므로 생체전위를 비파괴법을 위한 계측법으로 이용하는 것에는 이러한 외부의 조건을 제거하는 방법을 생각해야 한다.

2) 전기전도도의 이용

전기전도도는 물질의 전도성을 나타낸다. 전기전도도를 이용한 분석법으로는 감귤과즙의 유기산이나 당 함량 및 토마토과즙의 유기산 함량 등의 신속측정이 있다. 이 방법은 유기산 함량의 증가에 따른 전기전도도의 증가를 이용한다. 그러나 분석시에는 아미노산 등의 유기산 이외의 강전해질 이온의 영향을 제거할 필요가 있어 시료를 미리 탈이온수에 희석한다.

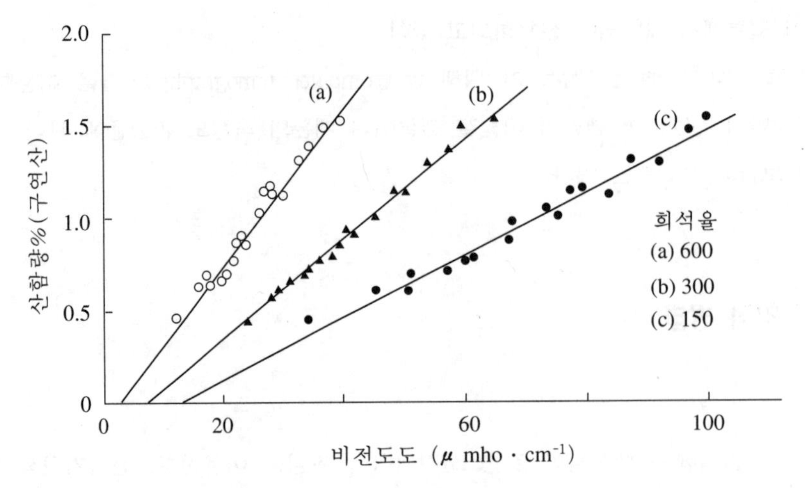

그림 8-7 온주밀감 과즙의 유기산도와 전기전도도의 관계

희석을 하므로써 강전해질에 의한 전기전도도는 직선적으로 작아지는 것에 대해 유기산과 같은 약전해질의 해리도는 급격히 증가하기 때문에 희석한 후의 전기전도도는 거의 유기산만의 것으로 된다. 그림 8-7은 온주밀감과즙의 유기산 함량과 전기전도도와의 관계를 표시한 것으로 희석배율 300배가 가장 정도가 높았다. 이 보다 높은 희석도에서는 전기전도도가 너무 작게 됨으로 측정상의 오차가 문제된다. 같은 방법을 과즙중의 당도 분석에도 응용할 수 있다. 이것은 당이 전기 전도도를 낮추는 것을 이용하는 분석법으로, 시료에 미리 정량의 강전해질을 첨가해 유기산을 비롯한 공존전해질의 영향을 억제하는 것에 의해 정확히 당함량을 측정할 수 있다.

3) 유전율의 이용

도체와 절연체의 중간적인 성질을 표시하는 지표로써 콘덴서와 저항이 병열로 결합된 모델을 하나의 콘덴서로서 생각할 때, 직류에서 얻은 전기용량과 유전율의 관계를 복소수를 이용해 고주파 영역까지 확장해서 얻은 복소유전율의 절대치를 유전율이라고 한다.

유전율의 비파괴법에의 이용은 물의 유전율이 크고 좋은 감도로 측정가능함으로 주로 곡류 등의 수분측정에 사용된다. 이 경우, 일반적으로 이중원통상의 시료용기에 놓여진 곡류에 대해 MHz대역에의 유전율이 측정되어 미리 얻어져 있는 수분과 유전율의 관계에서 수분이 측정된다. 이 외에 사과나 복숭아 등 과실의 숙성도 판정, 계란품질의 측정 등에 응용되고 있다.

4) 임피던스의 이용

도체와 절연체의 중간적인 성질을 표시하는 지표로써 콘덴서와 저항이 직렬로 결합된 모델을 하나의 저항체로써 생각할 때, 직류에서 얻은 전기저항과 전기전도도의 관계를 복소수를 이용해 고주파역까지 확장해서 얻은 복소임피턴스의 절대치를 임피턴스라고 한다. 임피턴스는 생체의 생리활성 상태를 반영하기 때문에 청과물의 숙성도나 저온장해 등을 파악하는데 응용되고 있다.

생체조직과 같이 세포가 규칙적으로 배열하고 있는 경우는 세포막의 전기용량이 크기 때문에 저주파수의 전류는 세포간극(細胞間隙, intercellular space)에만 흐르게 되고 저항치는 크게 된다. 한편, 고주파수의 전류는 세포막의 큰 전기용량을 통해서 세포내에까지 흐르게 되어 저항치는 저하한다. 이와 같은 저항치의 주파수 의존성을 그림 8-8에 나타냈다.

그림 8-8에 표시한 것처럼 세포구조에 유래하는 저항치의 변화에는 α분산, β분산 그리고 γ분산이 있다. 저주파수에 있어서 변화의 α분산은 세포막의 구조를 반영하고, 역으로 고주파수 변화의 γ분산은 세포내액의 구조를 반영한다(고주파수일수록 조직을 투과하는 능력이 크고, 세포의 미세한 성질을 반영한다). β분산은 α와 γ분산의 중간적인 구조를 반영한다.

그림 8-9는 키위(kiwi fruit)의 복소임피턴스를 측정해 실수부와 허수부를 복소평면위에 플롯트해서 얻은 콜콜(cole-cole)의 원이라는 것으로 측정점이 원추상에 배열되는 것이 청과물과 같은 생체시료에서의 특징이다. 흥미있는 것은 원추의 반경이 과실경도와 상관이 높다는 것이다. 이 예에는 전극을 대상물에 찔러 임피턴스를 측정함으로 엄밀하게는 비파괴법이라고는 말할 수 없다. 그래서 평면전극 등을 이용한 무침습적인 측정법이 연구되고 있다.

또 휘핑조작(whipping : 크림을 5~10℃에서 강하게 저으면서 거품을 내는 것)시에 생크림

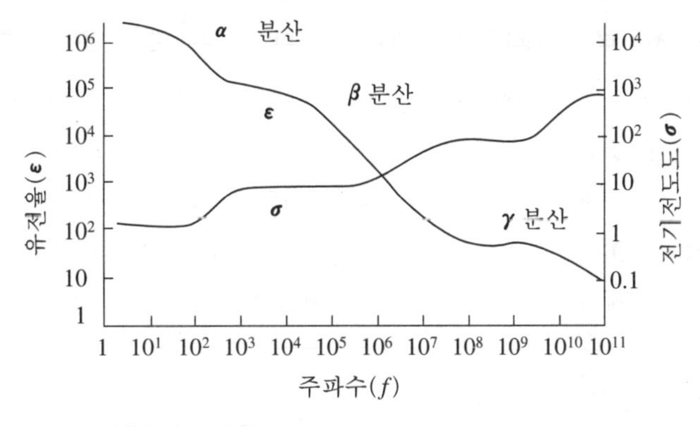

그림 8-8 생체의 전기적 특성의 주파수 의존성

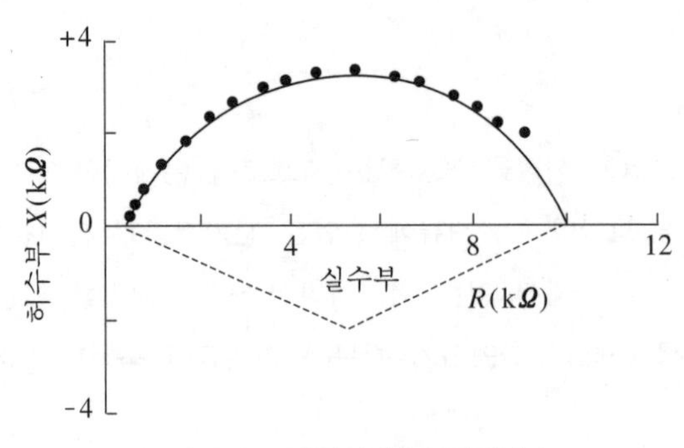

그림 8-9 키위의 복소임피던스

의 임피던스를 100kHz의 주파수에서 측정하면 휩프과정에서 공기가 들어가기 때문에 생크림의 임피던스는 크게되었다가 급격히 저하한다. 그래서 최적의 휩프종점을 임피던스가 급격히 증가하기 바로 직전에서 얻는 것이 바람직하다는 보고가 있다.

더우기 임피던스는 식품중의 미생물균수의 측정에도 이용되고 있다. 이것은 배양중 배지의 임피던스에서 초발균수를 추정하는 방법으로 균수측정에 필요한 시간은 종래의 방법에 비해 10~15시간이나 단축할 수 있다.

5) 이온전극의 이용

용액 중 특정이온의 농도에 대해서 기전력을 발생하는 이온선택성 전극을 이용한 이온센서에는 표 8-3에 표시한 유리전극, 고체막전극, 액막전극 등이 있다. 전극에 효소 등 생체분자 식별소자를 고정화시킨 바이오센서도 여기에 포함시킬 수 있다.

바이오센서는 반응을 담당하는 생체분자 식별소자를 고정화시킨 생체기능성막과 이 부위에서의 반응을 전기신호로 변환하는 변환기로 구성된다. 대부분의 경우 변환기로써 각종 전극이 이용된다. 바이오센서에는 단일성분을 대상으로 한 단기능형과 복수의 성분을 대상으로 한 다기능형 센서가 있다.

다기능형 센서의 대표적인 응용의 예는 어육의 선도계이다. 이것은 어육이 변질해 선도를 저하시키는 과정에서, 히포키산틴(Hx), 이노신(HxR), 이노신5인산(IMP)의 양적인 바란스가 변화해, 다음과 같은 식에 의해 산출되는 K치가 변화하는 것을 이용한다.

$$K = \frac{[HxR]+[Hx]}{[IMP]+[HxR]+[Hx]} \times 100$$

표 8-3 이온센서의 분류

i) 유리(膜) 전극
H^+, Na^+, K^+, NH^+, Ag^+, Li^+ 등
ii) 고체막전극(單結晶膜, 加壓成形膜)
F^-, CI^-, Br^-, I^-, S_2^-, CN^-, SCN^-, Ag^+, Cu^{2+}, Cd^{2+}, Pb^{2+}, Hg^{2+} 등
iii) 액막전극(抗生物質, 이온 交換物質 등의 疎水性溶液을 多孔性膜에 保存한 것)
K^+, Ca^{2+}, NO^{3-}, CIO^{4-}, BF^{4-}, CI^- 등
iv) 효소(膜) 전극(固定化酵素 ~ 下地 센서의 結合)
尿素, 글루코스, 클루타미, 아스파라긴, 페니실린, 아미그다린 등
v) 용존 감응전극(多孔性가스 透過膜 ~ 下地 센서의 結合)
NH_3, CO_2, HCN, H_2S, HF 등

실제의 측정시에는 어육의 추출액에서 음이온 교환수지칼럼을 이용해서 분리한 상기 각성분의 농도를 키산틴옥시다아제, 뉴클레오티드포스포릴라아제, 5-뉴클레오티다아제의 3종류의 효소를 고정화한 효소막을 산소전극에 장착한 다기능형 센서에 의해 측정한다.

바이오센서는 사용하는 생체분자 식별소자의 종류에 의해 특이성이 상당히 높은 분석을 할 수 있다는 것이 특징이다. 그러나 바이오센서는 대상물이 액체라는 한계와 온도나 pH가 비교적 마일드한 범위라는 한계성, 그리고 바이오센서에는 수명이 있어 사용중에 감도가 점차 저하된다는 등의 결점이 있다.

6) 핵자기공명의 이용

NMR은 강자기하에서 수백 MHz의 라디오파를 조사했을 때 생기는 원자의 핵스핀의 자기공명 성질을 이용하는 방법이다. 이 방법에는 조사 여기하는 라디오파의 주파수를 바꿔 측정하는 연속파법(CW법)과 펄스상의 파에 의해 측정하는 펄스법이 있다. CW법에서는 측정에 수십분간을 요하지만 펄스법에서는 수초간밖에 걸리지 않는다.

종래에 NMR분석의 대상으로 된 것은 1H핵을 비롯한 핵스핀 완화가 인정되는 용액상의 물질에 제한되어 있었고 또 5% 이상의 수분을 함유하는 시료에서는 수분 이외의 성분측정이 곤란하다는 결점이 있었다. 그러나 최근에는 강자장이 얻어지는 것에 덧붙여 펄스NMR의 FID신호(자유감쇠신호)중에서 초기의 신호에서 고체성분에 관한 정보를 얻을 수 있는 방법이 개발되었기에 조작시간이 대폭 단축됨과 동시에 수분 20% 이상의 시료에도 적용이 가능하게 되었다. 또 대상으로 하는 핵종도 13C, 31P, 23Na 등이 사용될 수 있도록 되어 CT기술을 이용한 NMR영상법의 개발과 함께 생체중의 생리반응 과정을 추적하기 위한 in vivo 계측법의 개발이 진행되고 있다.

NMR을 이용한 비파괴법의 대부분은 펄스NMR이 이용되어 왔다. 현재에는 성분으로서 수분 이외의 지질, 단백질 등에도 응용되며 대상물도 곡류, 종자, 과실, 우유 등 광범위하다. 또한 FID신호의 감쇠속도는 분자운동의 용이함에 관계한다. 예를들면, 수소결합에 의해 운동이 구속된 결합수에서는 신호가 급격히 감소한다. 이 원리를 응용해 수분정량 외에도 식품이나 생체중의 수분의 존재상태를 분석할 수 있는 방법이 개발되고 있다. 더우기 이 성분간의 상호작용의 측정, 겔형성의 해석 등 식품의 이화학적 특성의 측정에 넓게 이용되고 있다.

최근, NMR을 과실의 식미(당, 산함량)판정에 이용하는 시도가 있다. 현재에는 측정에 시간을 필요로 하기 때문에 실용적이지는 않지만 장래의 기술로써 기대되고 있다.

7) 전자스핀공명의 이용

ESR은 강자장 하에서 마이크로파를 조사할 때 생기는 원자를 구성하는 전자스핀의 자기공명의 성질을 이용하는 방법이다. ESR로 측정 가능한 전자는 유리기(free radical)나 전이금속 이온 등에 포함된 부대전자라고 불리는 것이다. NMR법에 비해 기기의 개발이 늦고 응용에 관한 데이타도 결핍한 상태에 있지만, 최근에 와서 기기의 감도 및 정도가 향상됨에 따라 다양한 응용 예가 보고되고 있다.

유지의 산화과정에서 생기는 유리기는 본래 불안정한 물질로 측정이 곤란하지만 식품중에서는 단백질 등 타 성분에 포착되면 안정화되어 ESR로 측정이 가능하게 됨으로 유지건조식품의 산화, 저장 중 쌀의 산화 등의 측정에 응용되고 있다. 과산화물가, TBA가, 산가 등 다른 산화평가법에 비해 ESR법은 유지의 초기 산화과정에서의 정보를 얻는 것에 적당하다.

그러나 식품중의 자동산화에 의해 생성된 과산화라디칼(ROO・)은 ESR에서의 검출감도가 낮기 때문에, 항산화제(AH)를 식품에 넣어서 얻은 ROO・와의 반응물 A・라디칼량을 측정하거나, 다른 라디칼화합물 A・라디칼을 첨가해 자동산화로 생성된 ROO・와의 반응에서 감소한 A・라디칼량을 측정하는 방법이 이용된다.

4. 역학적 방법

역학적 방법은 음파나 진동에너지를 이용해 식품의 텍스쳐, 조직구조, 점탄성 등 주로 식품의 역학적 특성이 관여되는 품질의 평가법으로서 이용된다. 이 방법에는 초음파에 의한 방법, 진동여기에 의한 방법, 타음에 의한 방법 등이 있다.

1) 초음파에 의한 방법

초음파법의 하나로 펄스투과법이 있다. 이 방법은 대상물의 한 쪽 끝에 입력한 초음파가 다른 쪽 끝에 도달하는데 까지의 시간을 측정해 초음파의 전파속도와 역학적 특성치 사이에 상관을 구하는 방법이 있는데 이는 금속 등의 공업재료의 비파괴법으로써 널리 이용되는 방법과 같은 원리이다.

이 방법에 의해 얻은 대두의 함수율과 탄성율의 관계를 그림 8-10에 나타내었다. 탄성율은 초음파의 전파속도로부터 다음 식에 의해 구해진다.

$E = \rho VL2,$

$G = \rho VT2$

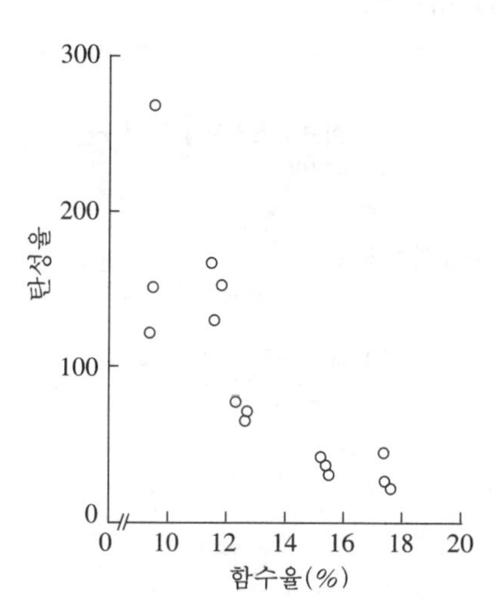

그림 8-10 초음파 펄스법에 의해 얻은 대두 1립의 탄성율과 수분과의 관계

여기에서 VL과 VT는 각각 종파와 횡파의 전파속도, ρ는 밀도, E는 동적탄성계수, G는 동적선 단탄성계수이다. 함수율이 증가함에 따라 탄성율은 작아지고 종자는 부드럽게 된 상태를 나타낸다. 같은 방법은 우유중의 지질함량의 측정에도 이용되고 있다.

한편 펄스반사법은 대상물의 일단에 입력한 초음파가 대상물 중을 전파할 때 밀도차가 있다면 그 경계에서 반사하는 성질을 이용하는 것으로 대상물중의 결함, 조직상태등을 판정하는 것이 가능하다. 이 방법은 소, 돼지 등의 피하지방이나 근육지방(地方交雜)의 축적상태, 로-스심면적의 크기 등의 육질검사에 이용되고, 이를 위한 CT기술을 응용한 기기도 개발되고 있다. 일반적으로 분해능을 좋게 하기 위해서 공업계측의 경우보다도 고주파수(0.5~10 MHz)의 초음파가 이용된다.

2) 진동여기에 의한 방법

진동여기법은 겔상 식품, 육제품(소세지) 등의 식품을 비롯해서 특히 과실의 숙성에 따라 변화하는 과육의 텍스쳐의 측정에 사용되어져 왔다. 이들의 대부분은 대상물을 진동여기 시킬 때 대상물에 생기는 진동의 진동수와 진폭을 관찰해서 공진점을 구하는 방법으로, 여기하기 위한 진동에는 조화진동이나 백색노이즈가 이용된다.

그림 8-11에 측정장치의 한 예를 나타냈다. 가진기상의 시료가 상하로 가진될 때, 시료의 진동은 시료의 상부에 부착된 초소형 가속도계로 측정된다. 가속도계는 얇은 막의 필름에 의해 일정의 압력으로 과실을 억누르고 있다.

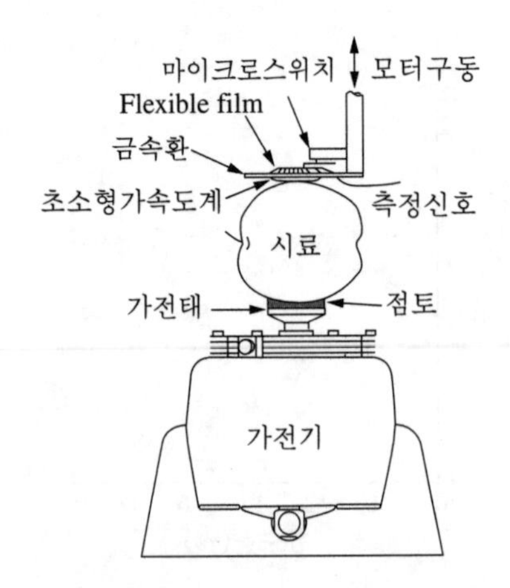

그림 8-11 과실의 텍스쳐 측정용 소형가진 장치

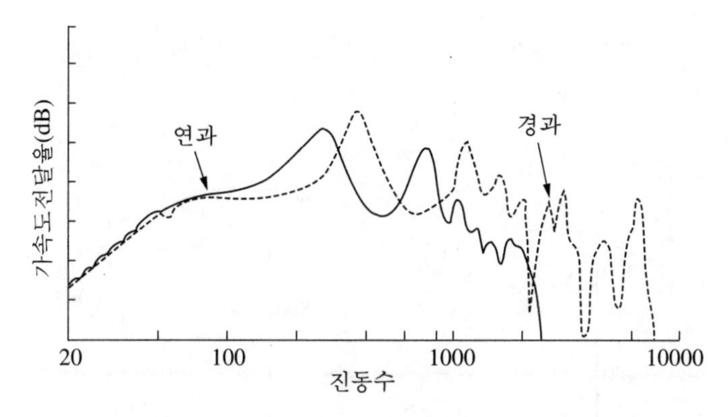

그림 8-12 텍스쳐가 다른 2종의 사과의 진동전달 특성

그림 8-12는 텍스쳐가 다른 사과에 20Hz~10kHz의 진동범위에서 진동특성을 표시한 것이다. 종축은 가진기의 진동가속도에 대한 사과의 가속도비이고, 복수의 피크가 공진점이다. 미숙하고 단단한 사과일수록 공진진동수가 높다. 공진진동수 f, 과실의 질량이나 과실의 밀도 ρ을 이용하고, 강도의 지표로써 f2m, f2m2/3, f2ρ1/3m2/3 등이 고안되어 있다. 재현성이 좋은 2번째의 공진진동수 f2를 이용해, 강도의 지표 f22m와 관능시험에서 얻은 강도와의 상관은 0.84로 높은 값을 나타냈다.

3) 비틀림 진동에 의한 방법

이 방법은 계란이나 통조림 식품에 응용되고 있다. 계란이나 통조림에 비틀림 진동을 가하면 난백이나 통조림 내용물의 점도에 진동의 감쇠(減衰)가 일어나는데, 품질의 열화와 함께 점도가 저하되어 진동의 감쇠가 늦어지는 현상을 이용한다.

4) 타음에 의한 방법

대상물을 때릴 때의 반향음(反響音)을 해석하는 타음법은 가속도계 대신에 마이크로폰을 이용해 비접촉으로 타음진동을 측정하는 것이 가능하다. 타음에 관해서는 타음을 고속 Fourier변환에 의해 주파수를 분석한 파워 스펙트럼으로부터 대상물의 고유진동수 및 감쇠정수(減衰定數)를 구하는 방법이 있다.

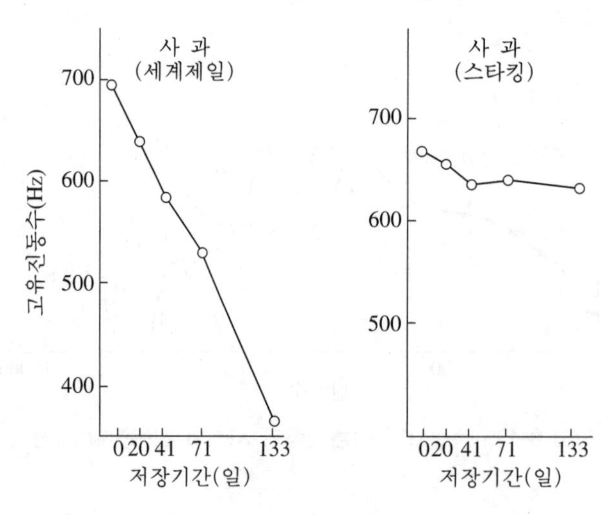

그림 8-13 저장 중 사과의 고유진동수의 경시변화

그림 8-13은 저장 중 사과의 고유진동수의 변화를 나타낸다. 저장 중 사과의 고유진동수는 낮아지는데 이것은 과육의 텍스쳐가 연화되는 것을 나타내고 있다. 이처럼 같은 시료의 측정에는 이상적인 결과를 얻을 수 있으나, 타음법의 경우에도 대상물의 크기의 영향을 보정하기 위해서 진동여기법의 경우와 같은 연산법이 필요하다.

타음법의 원리를 응용해서 수박의 공동과의 자동선별장치가 개발되어 있다. 이 장치에는 타음을 과실 적도부를 3등분 한 3곳에서 검출한다. 정상의 과실에는 어떤 타음도 단순한 감쇠파형을 나타내지만, 동공과에서는 감쇠파형이 복잡하게 나타나는 것을 이용해 동공의 유무를 판정한다. 또 다른 3곳의 부위에서 측정한 타음의 상호관계를 구하는 것에 의해 동공의 정도를 판정할 수 있다. 이 방법은 대상물의 크기에 관계없이 응용할 수 있는 점이 특징이다.

이처럼 크기의 영향을 받지 않는 측정방법으로써 근접한 2곳의 부위에서 측정한 타음으로부터 음속을 구하는 방법이 개발되어 실험단계이지만 메론의 숙성도 판정에 응용되고 있다.

5. 근적외 분광분석법의 응용

1) 인삼의 원산지 판별

개 요

한국산 인삼은 고려 인삼이라는 명칭으로 국제 시장에서 가장 선호도가 높고 약효가 뛰어나다고 알려져 있는데 수입된 중국산 인삼이 한국산 인삼으로 둔갑하여 불법 유통하는 사례가 빈번하게 발생함에도 이를 증명할 만한 객관적 방법이 없어 국제 한국산 인삼의 국제 경쟁력을 저하시키고 있다. 한국산 인삼은 수확 후 박피, 건조하여 판매되고 있고 중국에서는 자체시장에서는 박피를 하지 않고 유통하고 있으나 국내로 밀수되는 것은 박피, 건조하여 한국산 인삼과 유사한 형태로 가공 후 밀반입되고 있다. 근적외광선을 이용하여 박피된 인삼의 원산지를 신속 정확하게 판별할 수 있어 인삼의 불법유통을 단속하는데 활용할 수 있다.

시료조제

박피된 백삼(한국산 1,286점 및 중국산 1341점)을 그대로 사용한다.

시약 및 기구

컴퓨터와 프린터 장착된 연구용(InfraAlyzer 500C, Bran+Luebbe Co., Germany) 및 현장용 근적외분광기(InfraAlyzer 450, Bran+Luebbe Co., Germany)

방법 및 조작

1. 인삼 몸체부분을 근적외분광기의 시료창 위에 놓고 스펙트럼을 측정한다.
2. 시료의 각 스펙트럼에 한국산 혹은 중국산임을 입력한다.
3. 총 시료는 판별식 작성용(1716점) 및 검정용(911점) 시료 그룹으로 나눈다.
4. 판별식 작성용 시료로 판별식을 작성한다.
5. 작성된 판별식에 검정용 시료를 대입하여 원산지 판별 정확도를 계산한다.

결과 및 고찰

한국산 및 중국산 백삼의 판별정확도는 연구용장치를 사용한 경우 95.8%이었고 현장용 장치를 사용한 경우는 92.6%이었다. 현장용 장치의 판별식을 사용하여 한국산 30점과 중국산 30점, 조합 직판장에서 판매하고 있는 포장된 인삼 40점, 그리고 경동시장에서 비포장 상태로 판매하고 있는 인삼중 중국산으로 의심이 가는 두 개 판매점에서 각각 10점씩을 대상으로 원산지를 판별한 결과, 92%의 정확도로 측정되었으며 경동시장에서 시판중인 포장되지 않은 인삼은 모두가 중국산으로 판정되었다. 장차 개발된 장치와 판별식을 활용하여 계도하고 근절시켜 나가야 할 것이다(부록 8-3참조).

참고문헌

1. 조래광 : 인삼의 과학적 유통체계 확립을 위한 품질보증기술 개발. 보건의료 기술개발사업 연구개발 최종보고서(1999)
2. Cho, R. K. and Lee, K. H. : Use of near infrared reflectance spectroscopy for quality evaluation of dried Korean ginseng and its extracts

2) 참깨의 원산지 판별

개 요

국산참깨는 외국산 참깨보다 매우 비싸게 유통되고 있는데 최근 값싼 수입산 참깨의 범람으로 외국산 참깨가 국산 참깨로 둔갑하여 판매되거나 밀수되는 등 농산물의 유통질서를 흐리고 있다. 따라서 이러한 참깨의 원산지 판별을 실제 현장에서 응용할 수 있는 보다 신속하고 정확한 분석법 개발이 시급하다.

시료조제

전국의 각 지역별로 수집한 한국산 참깨 54점과 국립농산물검사소에서 각 수입항구별로 수집한 중국산 참깨 26점 및 일본 농업연구센터로부터 수집한 일본산 참깨 28점을 사용하였다.

시약 및 기구

컴퓨터와 프린터가 장착된 연구용 근적외분광기

방법(조작)

1. 참깨시료를 근적외분석 전용 밀폐형 시료컵(closed cup)에 채운 후 근적외스펙트럼을 측정한다.
2. 시료의 각 스펙트럼에 원산지를 입력한다.
3. 총 시료는 판별식 작성용 및 검정용 그룹으로 배분한다.
4. 판별식 작성용 시료를 사용하여 판별식을 작성한다.
5. 작성된 판별식에 검정용 시료를 대입하여 원산지 판별 정확도를 계산한다.

결과 및 고찰

한국산 및 중국산 참깨의 경우 3파장 또는 4파장으로 구성된 판별식에서 100% 판별이 가능하였으며, 한국산, 중국산 및 일본산의 경우 3파장으로 구성된 판별식에서 97.5%의 정확도로 판별이 가능하였다. 참깨의 원산지 판별 가능성이 높은 원인은 지질관련의 유지성분 보다 단백질 관련 참깨박 성분 때문에 더욱 큰 것으로 사료되었으며 참깨박을 중심으로 근적외 분광분석법에 의한 참깨의 원산지 판별의 원인 물질을 동정하는 연구가 필요할 것으로 판단된다(부록 8-5 참조).

참고문헌

1. 권영길 : 참깨의 원산지 및 참기름의 진위판별을 위한 근적외 분광법의 응용, 경북대학교 박사학위논문(2000)
2. 권영길, 조래광 : 근적외분석법에 의한 참깨의 원산지 판별, 한국농화학회지, 1(3), p.240 (1998)

3) 쌀의 품종 판별

개 요

현재 우리나라에서 주곡으로 생산하고 있는 쌀은 생산지 또는 품종별 품질의 차이가 있는 것으로 알려져 있으며, 소비자들은 재배된 지역과 품종에 따라 쌀을 선택하여 구매한다. 최근 쌀의 불법유통사례가 빈번히 발생하고 있으나 아직까지 생산지별로 쌀을 감별하는 방법과 품종판별법을 위한 적절한 방법이 연구되어 있지 않아 관련 연구기관은 물론 검사소에서 많은 어려움을 겪고 있으며 보다 신속한 측정법이 요구되고 있다.

시료조제

영남 작물 시험장으로부터 분양받은 29품종과 시판되고 있는 백미 중 품종 및 품질인증표가 명시되고 품종 표시가 된 4품종(추청, 동진, 일품 및 화영)을 구입하여 모두 33품종을 시료로 사용하였다.

시약 및 기구

근적외분광기, 광섬유케이블, 근적외 스펙트럼 측정용 1립측정 전용 cell

방법(조작)

1. 쌀알의 스펙트럼을 측정한다. 혼입에 의한 문제를 해결하기 위해 쌀알 한 알씩을 측정하였으며 스펙트럼의 데이터를 명확하게 얻기 위해 근적외 분광기의 광원을 광섬유 케이블로 유도하여 측정하였다.
2. 쌀알 분말의 스펙트럼을 측정한다. 근적외 스펙트럼 데이터의 정보는 곡립채 측정할 경우 매우 적게 나타나기 때문인데 간편하고 손쉽게 내부의 정보를 측정하기 위해 고압을 가할 수 있는 presser를 이용하였으며 쌀알을 알루미늄 포일로 싼 다음 압착시킨 결과, 쌀알이 깨져 내부가 노출되어 측정부가 넓어짐에 따라 한 알의 쌀알 정보를 효과적으로 얻을 수 있었다.
3. 측정된 스펙트럼은 주성분 분석용 프로그램인 ICAP 프로그램으로 전환한다.
4. 스펙트럼을 normalize 처리한다.
5. 주성분분석(PCA)에 의해 각 품종간의 판별분석을 수행한다.

결과 및 고찰

화상처리에 의한 쌀의 외형만으로는 모든 품종에 대해 명확하게 판별할 수 없을 것으로 판단되어 내부 품질성분에 근거한 광학 정보를 취하기 위해 신속하고, 간편한 비파괴 분광법중 근적외 분광분석법을 응용하였다.

화상처리에서 판별이 낮은 품종간의 판별을 시도한 결과, 품종의 형태가 매우 유사하여 시각적으로는 판별이 불가능한 품종간에 명확한 판별이 가능하였다. 또한 형태의 구분없이 여러 품종간의 판별을 수행하였는데, 곡립채 측정한 스펙트럼의 경우보다 분말 상태로 측정한 스펙트럼의 경우 더욱 정확하게 분류가 되었다. 여러 품종을 동시에 판별한 결과, 아직 품종간에 명확한 판별을 되지 않았지만 품종간의 분류가 가능한 전체적인 경향성을 찾아 볼 수 있었다(부록 8-4참조).

참고문헌

1. 조래광 : 쌀 품종별 식별 기술 개발에 관한 연구. 농림수산특정사업 연구 최종보고서(1996)
2. 권영길, 조래광 : 화상처리법에 의한 쌀 품종별 판별기술 개발. 한국농화학회지, 41(3), p.160(1998)

4) 식용유의 과산화물가, 산가, 요오드가, 비누화가 및 지방산 조성 측정

개 요

우리나라 식품위생법에 근거하여 식품의 기준과 규격을 설정하여 수재해 놓은 식품공전에서 식용유지는 22종 42품목이 설정되어 있으며, 이들의 품질을 판단하는 기준·규격검사에서 과산화물가(POV), 산가(AV), 요오드가(IV), 비누화가(SV)는 필수적인 분석항목인데 지금까지는 적정법 등의 화학분석법에 의존하고 있다. 또한 건강보조식품 중 배아유 식품은 linoleic acid가 51% 이상 함유되어야 한다고 규정되어 있는데 이러한 지방산은 유지의 구성단위분자로서 식용유지의 진위를 판별하는 목적으로 식품검사기관에서는 종래부터 가스크로마토그래피(GC)법으로 분석되고있다. 이러한 기존의 화학분석법은 분석소요시간이 길고, 분석자에 의한 개인차가 있으며 유기용매에 의한 위험성이 있어 보다 간편하면서 신속, 정확한 분석법이 필요하다.

시료조제

1. POV 측정용 시료 : 과산화물가 측정을 위한 식용유지는 개방용기에 넣고 60℃에서 경시적으로 산화시켜 함량이 서로 차이나는 105개의 시료를 조제하였는데 일본농림규격품질표시기준에서는 일반식품에 포함된 유지의 POV는 30meq/kg 이하로 되어있으므로, 화학분석에 의한 POV가 30meq/kg 이하가 되도록 하였다.
2. AV, SV, IV 측정용 시료 : 옥배유, 팜유, 돈지를 200℃에서 가열산화처리하여 가열처리하지 않은 유지와 동일종끼리 혼합하여 분석치가 고르게 분포되도록 시료를 조제하였다.

3. 지방산조성 측정용 시료 : 시판의 식용유지 12종 109검체와 서로 다른 2종을 중량비 1:1로 혼합한 32검체, 총 141검체를 공시시료로 사용하였다.

시약 및 기구

근적외분석장치, 적정장치, Gas chromatograph, 질소가스, KI, KOH, NaOH, KIO_3, chloroform, sodium thiosulfate 표준용액, triolein 표준품, 지방산 표준품(palmitic, oleic, linoleic acid), phenolphthalein 용액, ether-ethanol 혼합액, 삼각플라스크, 메스실린더

실험방법

1. 기존의 화학 분석법으로 POV, AV, SV, IV, 지방산 조성을 각각 분석한다.
2. 유지시료의 근적외 스펙트럼은 액체 전용 측정 cell을 사용하여 1100~2500nm까지 2nm 간격으로 측정한다.
3. 시료의 스펙트럼을 검량식 작성용 및 검정용으로 나눈다.
4. 검량식 작성용 시료의 화학분석치와 NIR스펙트럼 데이타 사이에 중회귀분석(MRA)을 행하여 최적의 검량선으로 사용할 수 있는 중회귀식(MRE)을 작성한다.
5. 검량식에 검정용 시료를 대입하여 각 성분치를 측정한다.
6. MRE에 이용된 각 파장에서의 스펙트럼 변화를 조사하기 위해서는 스펙트럼을 2차 미분한다.

결과 및 고찰

1. POV 측정 : triolein 표준품과 대두유의 스펙트럼중 2052nm에서의 변화는 POV의 화학분석치와 부의 상관관계를 나타내었다. 반면, oleic acid 표준품에서는 2052nm에서의 스펙트럼 변화는 거의 인정되지 않았다. 따라서, triolein이 triacylglycerol인 것을 생각할 때 2052nm에서의 스펙트럼변화는 ester결합에서 유래되는 것으로 판단되었다. 대두유의 스펙트럼에서 2076nm에서의 흡광도변화는 POV의 화학분석치가 증가함에 따라 흡수강도도 증가하여 정의 상관관계에 있으며, 이 같은 현상은 triolein 및 oleic acid 표준품에서도 동일하였다. 따라서, 2076nm에서의 스펙트럼 변화는 hydroperoxides 형성에 의한 hydroxy group에서 유래되는 것으로 판단되었다. 이들 파장에서의 흡광도를 이용하여 작성한 MRE의 중상관계수(MCC)는 0.980이었고, 이 MRE를 이용해서 30개의 미지시료의 POV를 측정하여 기존의 화학분석치에 의한 POV와 비교한 결과, 그 측정오차(SEP)는 1.10meq/kg이었다. 이러한 결과로부터 POV가 30meq/kg 이하의 식용유지의 POV측정이 근적외분석법에 의해 가능한 것으로 인정되었다.
2. AV, SV, IV 측정 : 화학분석치와 근적외분석치간의 중상관계수는 AV의 경우 0.936, SV는 0.903, IV는 0.979로 모두 0.9이상의 높은 상관성을 보였다. 각 MRE작성에는 지방산의 탄소사슬을 구성하는 CH_2의 일차배음에 귀속되는 1720, 1758, 1786nm의 파장들이 이용되었으며 이들 MRE로부터 미지시료군의 SEP를 구한 결과, AV의 경우 0.156, SV는 1.713, IV는 1.289이었고, 기존의 적정법과 NIR법 사이의 상관계수는 AV의 경우 0.942, SV는 0.886, IV는 0.980이었다. 상기 결과로부터 결과는 기존의 적정법을 대신하여 근적외분석법의 응용 가능성이 인정되었다.

3 지방산조성 측정 : palmitic acid, oleic acid, linoleic acid의 경우 모두 0.99 이상의 상관계수를 나타내었다. 각 시료의 2차미분 결과 2180, 2140, 1724, 1756nm에서 지방산의 함량 차이에 의한 스펙트럼의 변화가 인정되었으며 이들 파장이 검량식 작성에 실제 사용되었다. 이 파장에서 스펙트럼 변화의 유래를 확인하기 위하여 적외영역에서 각 지방산 표준품의 스펙트럼을 측정하였는데 그 결과 2180nm는 CH와 C=C의 결합음에, 2140nm는 C=H와 C=C의 결합음에 각각 귀속되어, 두 파장 공히 지방산 탄소사슬중 이중결합에서 유래되는 것으로 판단되었다. 1724와 1756nm는 CH의 일차배음에 각각 귀속하여 탄소사슬의 $-CH_2$에서 유래되는 것으로 판단되었다. 이와같은 파장에서의 흡광도를 이용하여 작성한 각 MRE로부터 46개 미지시료의 palmitic acid, oleic acid, linoleic acid를 측정하여 기존의 GC에 의한 분석치와 비교한 결과, 측정오차(SEP)는 각각 0.93, 2.19, 2.01%이었다. 이러한 결과로부터 식용유지의 지방산중 palmitic acid, oleic acid, linoleic acid의 함량을 근적외분석법법으로 측정가능하다는 것이 판명되었다.

참고문헌

1 洪辰煥, 小關(山岡)佐貴代, 安本教傳 : 近赤外分光分析法による食用油の 過酸化物價の測定, 日本食品工業學會誌 41(4), p.277(1994)

2 홍진환, 최재천, 최현철, 강명희, 최장덕, 양창숙, 김광수, 백성열, 김보경, 오해성, 이희식, 조래광 : 근적외분광분석법에 의한 옥배유, 팜유, 돈지의 산가, 비누화가, 요오드가 측정, 식품의약품안전청연보, 1, p.123(1997)

3 Hong, J. H., Koseki, S. and Yasumoto, K. : Determination of fatty acid by near-infrared transflectance spectroscopy in edible oils, *J. Japanese Society for Food Science and Technology*, 2(3), p.146(1996)

5) 식육중의 헴철과 비헴철의 분별정량

개 요

헴철과 비헴철은 체내에서 이용효율이 다르며 식육에서 지질산화의 촉매로서 작용한다. 따라서 철의 영양성 평가를 위해서는 이들의 분별정량을 위한 간편한 분석법이 요구되고 있다.

시료조제

쇠고기, 돼지고기 등 8종의 식육을 부위별로 40종류를 구입해서 절단후 식육분쇄기로 3회 균질화한 것을 공시시료로 사용하였다.

시약 및 기구

근적외분석장치, 식육분쇄기, hemin 표준품

실험방법

1. 화학분석에서 비헴철은 산분해 후 bathophenanthroline disulfonate 발색법으로 정량하였으며, 헴철은 유도결합고주파플라즈마발광분석법으로 분석한 total철과 비헴철의 차로서 구하였다.
2. 검량식 작성용(30점)과 검정용(10) 시료로 나눈다.
3. 검량식 작성용 시료를 사용하여 검량식을 작성한 후 검정용시료를 대입하여 측정오차(SEP)를 조사한다.

결과 및 고찰

30개의 검량선작성용 시료에 대하여 NIR스펙트럼 데이타와 화학분석치 사이에 MRA하여 최적의 MRE를 작성한 결과, 헴철의 경우는 1118nm에서의 흡광도가 이용되었다. hemin 표준품은 1100~1140nm영역에서 강한 흡수를 나타내었다는 것을 생각할 때 1118nm에서의 흡수는 porphyrin구조중의 C−C와 CH의 유래인 것으로 판단되었다. 비헴철의 경우는 1738nm에서의 흡광도가 이용되었는데, 이는 −SH신축진동의 일차배음에 의한 흡수로 철함유단백질의 Fe-S cluster와 관계가 있는 것으로 추측되었다. 이러한 파장에서의 흡광도를 이용하여 작성한 최적의 MRE로부터 10종의 미지시료를 측정하여 기존의 화학분석치와 비교한 결과, 그 측정오차는 헴철의 경우 0.83 μg/g이었고, 비헴철의 경우는 1.24 μg/g이었다. 이러한 결과는 식육중의 헴철과 비헴철의 분별정량이 NIR법에 의해 가능하다는 것을 시사한다.

참고문헌

1. Hong, J. H. and Yasumoto, K. : Near-infrared spectroscopic analysis of heme and nonheme-iron in raw meats, *J. Food Composition and Analysis*, 9, pp.127-134(1996)

6) 단백질과 전분중의 부동수 측정

개 요

근적외영역에서 물의 스펙트럼은 OH 유래의 1450nm과 1950nm부근에서 강한 흡수를 나타낸다. 이들 파장에서의 흡수밴드는 온도에 의해 최대흡수파장이 변화한다는 것이 알려져 있으므로 물분자의 수소결합 상태에 관한 정보가 포함되어 있다고 생각된다. 식품중의 수분 중 저장안정성 등의 물리화학적 특성과 밀접한 관계가 있는 부동수의 검출을 NIR 분석법으로 시도하였다.

시료조제

난백 lysozyme과 가용성전분을 각각 일정 수분함량이 되도록 시료를 조제하였다.

시약 및 기구

근적외분석장치, 분말시료 측정용 cell, incuvator, NaCl 용액, 비이커

실험방법

1. 시료중의 동결수와 부동수의 함량은 시차주사열량계(DSC)를 이용하여 −60℃에서 10℃까지 10℃/min으로 승온하면서 그 흡열량으로부터 정량하였다.
2. 동일시료에 대해 NIR스펙트럼을 측정하여 건조시료의 스펙트럼과의 차스펙트럼을 구한 후 2차 미분한다.

결과 및 고찰

OH 신축진동의 일차배음 유래의 1360~1550nm 영역과 OH 신축과 변각진동의 결합음 유래의 1850~2100nm 영역에서, 각각 2개의 피크가 존재하는 것이 확인되었다. 온도가 상승함에 따라 물분자간의 수소결합이 부분적으로 파괴되어 자유분자로 존재하는 물분자가 증가함으로, 물의 흡수피크의 파장은 고온으로 갈수록 저파장쪽으로 shift하였다. 이 결과로부터 시료의 스펙트럼상에서 각 영역의 물 유래의 두 피크중 저파장측을 동결수, 고파장측을 동결될 수 없는 부동수에 의한 것으로 판단하여, 각 피크에서의 흡광도 변화와 DSC로부터 구한 동결수량과의 사이에 상관을 조사하였다.

결합음 영역에서의 상관이 일차배음 영역보다 높은 상관을 나타내었다. 이것은 전분중의 OH와 lysozyme의 구성 아미노산중의 OH유래의 흡수가 물의 OH 일차배음 유래의 흡수와 중첩되었기 때문이다. 이러한 현상이 없는 결합음 영역에서는 모두 0.9 이상의 상관을 나타내었다. 이상의 결과에서 OH결합음 영역의 흡수밴드로부터 2차미분 차스펙트럼을 구하여 난백 lysozyme과 가용성전분에 결합되어 있는 부동수의 측정이 가능할 것으로 판단되었다.

참고문헌

1. Hong, J. H., Koseki, S., Tsujii, T. and Yasumoto, K : Applicability of near-infrared spectroscopic method to unfreezable water measurements in egg white lysozyme and soluble starch, *Lebensm.-Wiss.u.-Technol.*, (Germany), 30, p.406(1997)

7) 사과의 품질측정

개 요

사과의 품질요인은 크기, 모양, 색깔 등의 외부품질요인과 당도, 수분함량, 산함량, 경도 등의 내부품질요인이 있다. 현재 국내에서는 사과의 수확시기를 결정하거나 수확된 사과의 등급과 품질을 분류하는데 있어 대개 외부요인에 기준을 두고 있는데 내부품질요인을 고려한 보다 정확한 등급표시법의 개발이 시급한 실정이다. 근적외 분석법은 광원을 사과에 조사시킨 후 반사 혹은 투과된 빛의 스펙트럼으로부터 사과내부의 성분함량을 알아낼 수 있는 방법으로서 이 원리를 응용하여 선과장에서 사과를 파쇄하지 않고 상품성을 유지시키면서 신속하게 전수검사를 하여 등급을 판정할 수 있는 비파괴 과실선별기를 제작할 수 있다.

시료조제

사과시료는 씻거나 닦아내지 않고 그대로 근적외스펙트럼을 측정한다. 단, 근적외 스펙트럼은 시료의 온도에 영향을 받으므로 시료온도를 일정하게 유지하는 것이 중요하다. 저온저장한 사과의 경우는 실온에 잠시 방치시켜 과피에 맺힌 이슬이 제거되고 적외선 온도계를 조사하여 과실의 품온이 15℃ 정도로 일정하게 되었을 때 스펙트럼을 측정하는 것이 좋다.

시약 및 기구

근적외분석장치, 굴절당도계, 적정장치, texture analyzer, 동결건조기, deep freezer, 착즙기, NaOH, phenolphthalein 용액

실험방법

1. 사과시료의 근적외스펙트럼을 측정한다. 시료는 근적외 광원과의 거리를 일정하게 조정하기 위하여 위, 아래로 움직일 수 있도록 개조한 시료대 위에 놓고 연구용 분광분석장치를 사용하여 확산반사방식으로 1100~2500nm까지 2nm 간격으로 701개소의 파장에 있어서 스펙트럼을 측정한 후 그 흡광도 데이터를 전용 컴퓨터에 수록한다.
2. 스펙트럼이 측정된 사과 시료 부위를 사용하여 이화학분석을 행하여 당도, 산도, 경도 및 수분함량을 측정한다. 착즙액의 굴절당도계에 의한 당도, 적정법에 의한 산도, texture analyzer에 의한 경도, 동결건조법에 의한 수분함량을 각각 구한다.
3. 검출기(PbS)를 통해 컴퓨터로 전송되어 온 광학데이터는 검량식 작성용 시료군(calibration group)과 검정용 시료군(prediction group)으로 나누는데 이때 분석성분치가 최고값과 최저값을 나타내는 두 시료는 검량식용 시료군에 포함시키고 나머지 시료는 성분순으로 나열한 후 3:2의 비율로 검량식용과 검정용에 배분하여 성분치의 범위가 고루 분포되도록 하는 것이 좋다.
4. 검량식 작성용 시료의 스펙트럼 데이터와 이화학분석 데이터간에는 IDAS 혹은 SESAME 프로그램을 사용하여 중회귀분석을 행하여 검량식을 작성한다.
5. 2파장에서 9파장으로 구성된 검량식에 검정용 시료를 대입한 후 표준오차(SEP)가 가장 낮은 검량식을 상대적으로 정확한 검량식으로 판단하며 이 검량식을 사용하여 사과의 성분치를 예측한다.

결과 및 고찰

이화학분석법과 근적외분석법에 의한 성분치간의 상관계수(R)가 높고 측정오차(SEP)는 낮을수록 검량식의 정확도는 높다고 할 수 있다. 당도, 산도, 수분함량의 경우 모두 R이 0.9 이상이었으며, 경도의 경우 0.84이었다. 작성된 검량식은 정량분석을 위해서는 다소 정확도가 낮으나 성분치를 2~3등급으로 나누는 용도로는 충분히 사용가능한 검량식이라 할 수 있다. 다양한 검토를 통해 검량식의 정확도를 높이는 작업이 필요하다.

산도의 경우 사과내의 산함량이 미량이고 혼존하는 타성분 등에 의해 정확도가 영향을 받을 수 있다. 검량식 작성에 사용하는 시료의 산함량 범위가 넓을수록 검량식의 정확도는 향상되는 경

향을 나타내며 저장중에는 산함량의 감소가 심하므로 수확기용과 저장용 사과를 위한 별도의 검량식이 필요하다. 경도 측정용 검량식의 정확도는 경도계의 종류, 측정방법, 사과과피의 유무, 경도값의 지정기준 등 다양한 변수에 영향을 받는다.

검량식의 정확도를 높이기 위해서는 정확한 이화학분석데이터를 얻는 것이 우선적이라 할 수 있다. 따라서 착즙액의 온도, 색깔, 침전물 유무 등 시료의 상태에 따른 분석데이터를 검토하며 분석법을 표준화하여 재현성을 높이는 작업이 중요하다.

반사광을 사용할 경우 과실 일부분의 정보만 얻을 수 있어 하나의 과실이라도 부위별로 다소 성분차가 있는 점을 고려할 때 정확한 성분치를 얻기가 어렵다. 투과광을 사용하면 과실전체의 정보를 알 수 있어 보다 바람직하기는 하나 사과와 같이 단단하고 조직이 치밀한 과실의 경우 광선이 내부에서 흡수되고 투과광이 약할 수 있으므로 이점을 고려하여 광원의 강도, 조사방향 및 출력광의 포집 등을 검토할 필요가 있다(부록 8-2 참조).

참고문헌

1 손미령 : 사과의 품질평가자동화를 위한 근적외분광분석법의 응용. 경북대학교 박사학위논문 (1999)

2 S손미령, 조래광 : 근적외분광분석법을 응용한 사과의 유리산함량 측정. 한국농화학회지, 41(3), pp.234~239(1998)

3 조래광, 손미령 : 근적외분광분석법을 응용한 사과 당도의 비파괴측정에 있어서 새로운 시도. 한국원예학회지, 39(6), pp.745-750(1998)

4 손미령, 조래광 : 사과 경도의 비파괴측정을 위한 검량식 개발 및 정확도 향상을 위한 연구. 한국농산물저장유통학회지, 6(1), pp.29-36(1999)

8) 고추장의 품질측정

개 요

고추장은 장기간의 발효숙성과정을 거쳐 만들어지는 우리민족의 전통적인 양조식품으로 최근 재래식 고추장의 소비는 줄어드는 반면 과학적이고 위생적이며 품질관리가 잘 된 공장에서 생산되는 고추장은 점차 증가하는 실정이다. 장류의 품질관리를 위해 측정해야 할 항목은 다양하며 기존의 이화학적 분석방법으로는 많은 시간과 인력, 고가의 장비가 필요하며 또한 시약 구입과 폐액처리를 위한 많은 부담이 있다. 특히, 공정관리에 필요한 분석결과를 기다리는 동안에도 공정은 계속 진행되기 때문에 공정한 품질관리가 제대로 안되는 실정이다. 따라서 고추장의 품질측정 자동화를 위해 비파괴분석법 중 신속하고 동시에 다성분 분석이 가능한 근적외분광분석법이 필요하다.

시료조제

고추장을 생산하는 공장에서 시료의 특성별로 다양하게 수집하기 위하여 숙성정도를 달리한 고추장을 수집하여 시료로 사용하였다.

시약조제

근적외분석장치, 측정 cell, 굴절당도계, 적정장치, 켈달분석장치, 적외선 수분측정계, pH meter

실험방법

1. 고추장의 근적외스펙트럼을 측정한다. 고추장은 점성이 높아 측정해야할 시료수가 많으면 매번 측정과 세척을 반복해야 하므로 번거롭다. 따라서 시료의 측정을 보다 효율적이고 간편화하기 위해 셀로판지로 고추장 시료를 싸서 스펙트럼을 측정하면 매번 측정용기를 세척해야 하는 공정을 줄일 수 있다.
2. 고추장의 화학분석데이터를 구한다. 아미노태 질소는 Formaol 적정법으로, 식염은 Mohr법으로, 수분함량은 적외선 수분측정계로, 조단백질은 켈달법으로, pH는 pH meter로 각각 측정하였다. 당도와 산도는 고추장 1g을 10㎖ 증류수에 녹인후 각각 굴절당도계와 적정법으로 측정하였다.
3. 검량식 작성용 시료와 검정용 시료그룹으로 나눈다.
4. 검량식 작성용 시료의 근적외스펙트럼 데이터와 화학분석 데이터간에 다변량 회귀분석(MLR, PLSR)을 행하여 검량식을 작성한 후 검정용시료를 대입하여 정확도를 확인한다.

결과 및 고찰

근적외분석법을 응용하여 고추장의 품질성분 중 수분, 식염, 조단백질, 당도를 매우 정확하게 측정할 수 있었으며 아미노태질소, 산도 및 pH도 측정이 가능하였다.

고추장 측정 전용 근적외분석장치를 개발하고자 시료의 측정이 용이하도록 시료 측정부를 고추장 측정에 적합한 형태로 개조하였다. 또한 저가의 필터형 분광기에 이를 부착시켜 근적외스펙트럼을 측정한 결과 현장용 근적외 분석장치와 유사한 패턴의 스펙트럼을 얻을 수 있었다. 전용측정장치에 의한 고추장의 품질측정결과, 연구용 분석장치나 현장용 분석장치보다 성분의 측정오차가 더 낮아 정확도는 높은 결과를 얻었다. 이는 측정부의 고추장시료를 확산반사와 투과반사가 용이하도록 되어있는 시료 cell의 구조에 기인한 것으로 판단된다(부록 8-6 참조).

참고문헌

1. 하재호, 조래광 : 근적외분광법을 이용한 전통식품의 비파괴품질평가법 개발, 농림부 연구과제 최종보고서 (1998)
2. 식품분석법, 일본식품공업학회, p.17(1984)
3. Kaneko, K., Tsuji, K., Kim, C. H., Otoguro, C., Sumino, T., Aida, K., Sahara, K. and

Kaneda, T. : Contents and compositions of free sugars, organic acid, free amino acid and oligopeptides in soy sauce and soy paste produced in Korea and Japan. *Nippon Shokuhin Kogyo Gakkaishi*, 41(2), p.148(1994)

9) 참기름의 진위판별

개 요

외식산업체 및 가공업체에서는 참기름과 기타 식용유를 혼합 사용하는 경우가 있는데 그 이유는 다른 식용유에 비하여 참기름의 가격이 비싸기 때문이라 할 수 있다. 이러한 가격차이로 인하여 극히 일부 제조업자들은 참기름에 다른 식용유를 혼합한 후 순수 참기름인 것처럼 판매함으로서 소비자들의 참기름 구입에 대한 불신감을 고조시키고 있다. 현재 참기름을 포함한 각종 식용유의 진위 여부를 판정할 수 있는 이화학적인 방법이 연구되고 있지만 이들 방법들은 많은 시간과 전문 검사인력을 필요로 하여 불법으로 제조된 참기름의 제도적인 단속에 제대로 효과를 발휘하지 못하고 있다. 따라서 참기름의 진위판별을 위한 신속 정확한 방법이 요구되고 있다.

시료조제

참기름에 대두유, 옥배유, 면실유, 미강유 및 채종유를 각각 1종류씩 중량비(W/W, %)를 달리하여 0~40%까지 혼합참기름을 조제하였다.

시약 및 기구

근적외분석장치, 액체시료측정용 cell, 피펫

실험방법

1. 혼합참기름 시료의 근적외스펙트럼을 측정한다.
2. 총 시료를 검량식 작성용 시료와 검정용 시료그룹으로 나눈다.
3. 검량식 작성용 시료의 근적외스펙트럼 데이터와 식용유 혼합 비율 데이터간에 다변량 회귀분석(MLR, PLSR)을 행하여 검량식을 작성한 후 검정용시료를 대입하여 혼입율을 측정한다.

결과 및 고찰

식용유 혼합 참기름의 근적외 스펙트럼을 이용하여 중회귀분석을 행한 결과 검량식의 중상관계수는 0.99이상으로 상당히 정확하였다. 단일 식용유를 혼합한 참기름의 진위평가 결과는 전체적으로 2%의 오차수준이었으며 여러종류의 식용유를 혼합한 참기름의 경우 약 3%의 수준에서 진위판별이 가능하였다.

식용유 혼합정도를 알아낼 수 있는 파장은 1710nm 및 1724nm가 유력한데 이 파장은 지방산 조성의 차이에 근거한 파장이다.

참고문헌

1. Tetsuo, S. : Application of principle component analysis in near infrared spectroscopy data of vegetable oils for their classification, JAOCS, 71(3), p.293(1994)
2. Sedman, J., Vad de Voort F. R., and Ismail, A. A. : Upgrading the AOCS infrared trans method for analysis of meat fats and oils by fourier transform infrared spectroscopy, JAOCS, 74(8), p.907(1997)
3. Bewig, K. M., Clarke, D., Robert, C., and Unklesbay, N. : Discriminant analysis of vegetable oils by near-infrared reflectance spectroscopy, JAOCS, 71(2), p.195(1994)

부 록

부록 8-1-1 근적외 분광분석 장치의 단색광 회절격자의 모식도

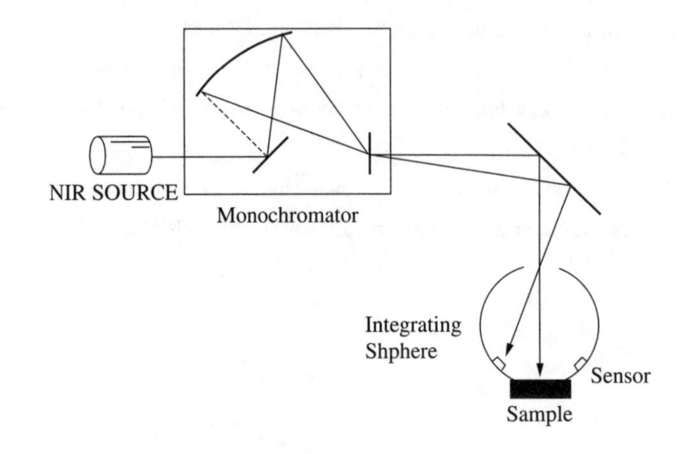

부록 8-1-2 근적외분광기 전용 측정 cell

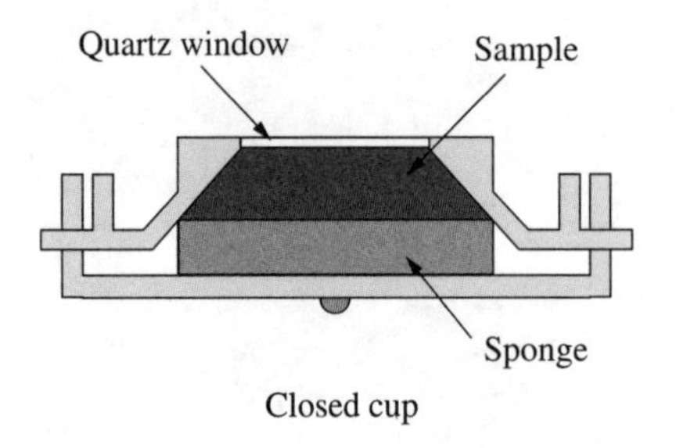

Closed cup

(A) 분말시료용

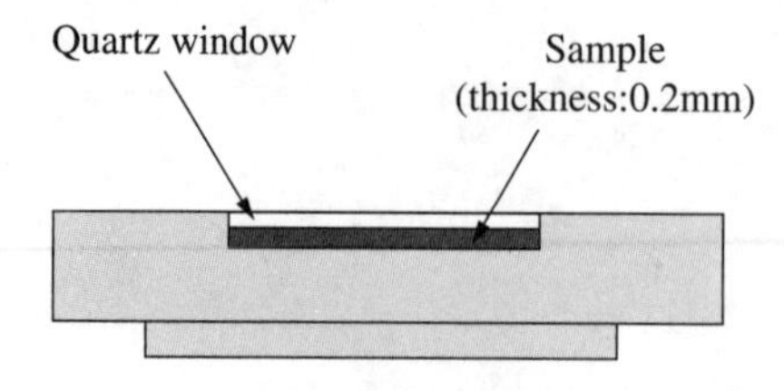

Aluminum Cell

(B) 액체시료용

부록 8-2-1 사과의 근적외 분사스펙트럼 측정광경

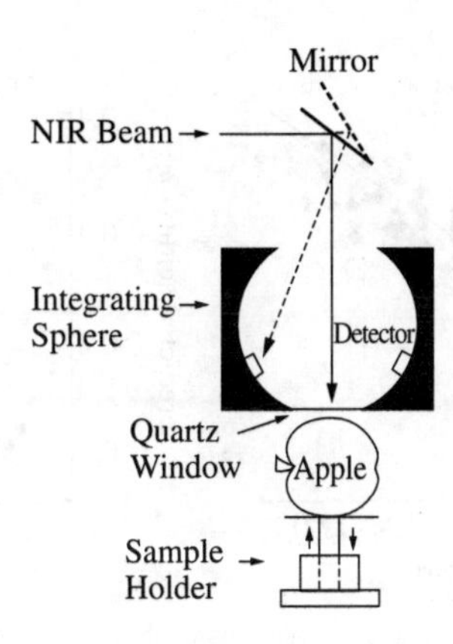

부록 8-2-2 근적외분광기를 이용한 사과 품질인자의 비파괴분석 결과

측정항목	검량식 그룹				검정용 그룹	
	시료수	사용파장수	R	SEE	시료수	SEP
당도(°Birx)	85	7[a]	0.91	0.36	55	0.41
산도(%)	134	9[b]	0.09	0.04	90	0.04
수분함량(%)	295	9[c]	0.92	0.47	194	0.55
경도(kg)	324	8[d]	0.84	0.08	216	0.09

R : multiple correlation coefficient, SEC : standard error of estimate,

SEP : standard error of prediction,

[a]1872, 2144, 1412, 1444, 2128, 2260 and 2264nm

[b]1180, 1128, 2160, 1696, 1940, 2140, 1936, 1400 and 2200nm

[c]1772, 1828, 1152, 2116, 1352, 1316, 1512, 2344 and 1124nm

[d]1868, 1876, 2468, 1728, 1740, 1436 and 2312nm

부록 8-2-3 사과 품질인자의 이화학 분석치의 근적외분석치간의 상관관계

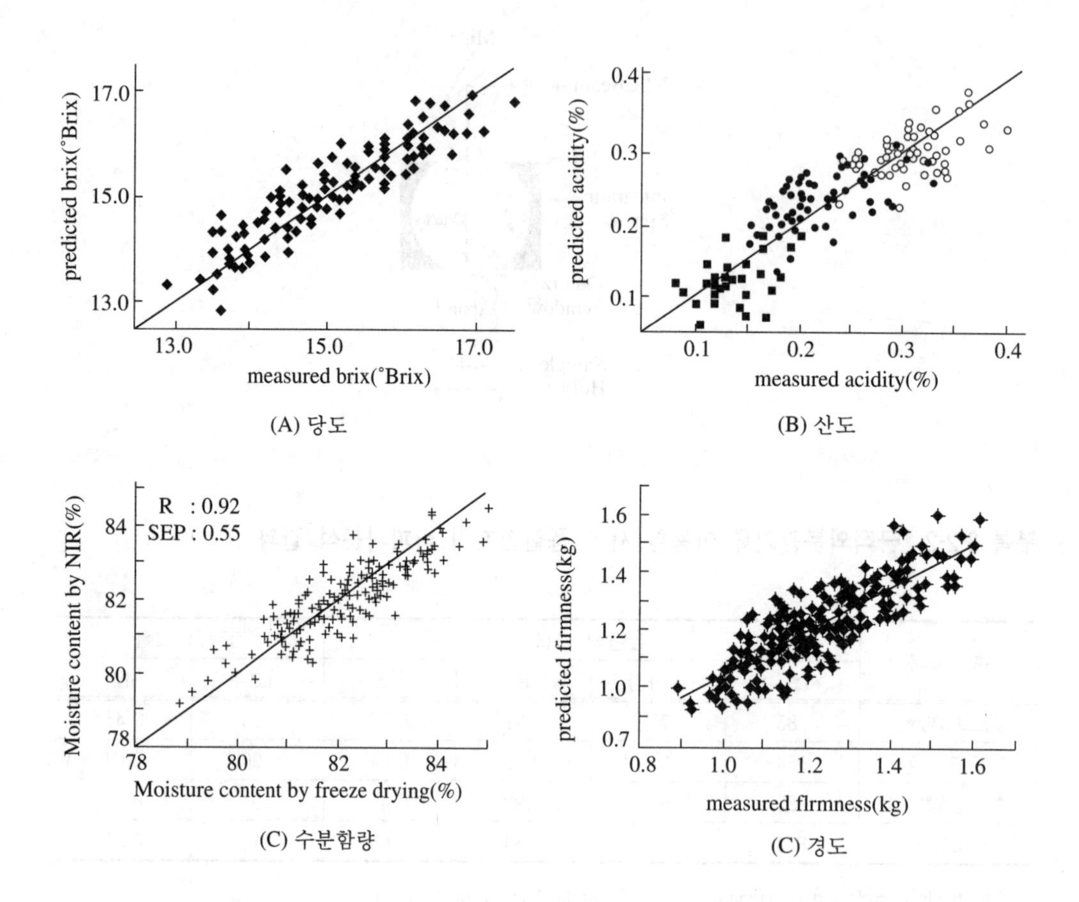

(A) 당도

(B) 산도

(C) 수분함량

(C) 경도

부록 8-3-1 인삼의 근적외 반사스펙트럼 측정광경

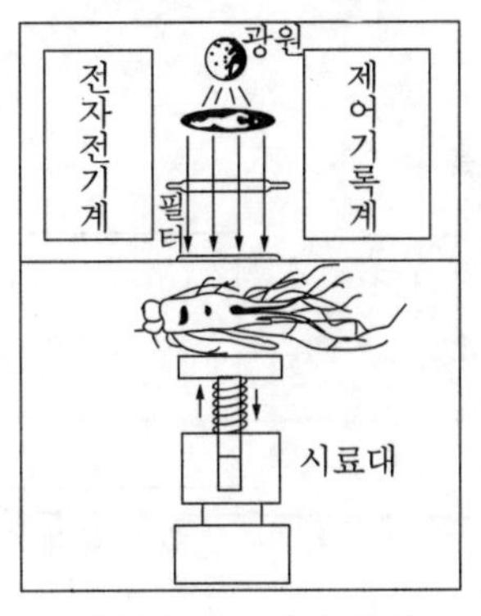

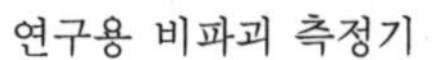
연구용 비파괴 측정기

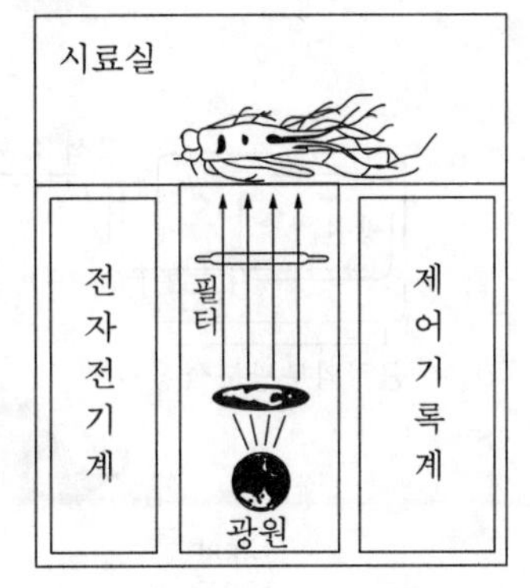

현장용 비파괴 측정기

부록 8-3-2 연구용 근적외 분광분석기에 의한 백삼 동체의 원산지 판별 결과

사용된 파장(nm)	판별시료수	오판시료수	총시료수	정확도(%)
2181, 2133	86	9	95	90.5
1587, 1769, 2146	87	8	95	91.6
1665, 1808, 2016, 2068	91	4	95	95.8

부록 8-3-3 고정필터 방식의 근적외 분석기에 의한 백삼 동체의 원산지 판별 결과

사용된 파장(nm)	판별시료수	오판시료수	총시료수	정확도(%)
2310, 2336	72	24	96	75.0
2100, 2139, 2180	81	15	96	84.4
1445, 2100, 2139, 2180	83	13	96	86.5
1722, 1759, 2100, 2139, 2180	86	10	96	89.6
1722, 1759, 2100, 2139, 2180, 2270	85	11	96	88.5
1722, 1759, 1778, 2100, 2139, 2180, 2270	85	11	96	88.5
1722, 1759, 1778, 2100, 2139, 2180, 2310, 2336	88	8	96	91.7
1680, 1722, 1759, 1818, 2100, 2139, 2180, 2336, 2345	88	8	96	91.7

부록 8-3-4 고정필터방식의 근적외 분석기로 시연한 인삼의 판별결과

군	내 역	총시료수	오판 시료수	판별 시료수	원산지 판별율
I	인삼협동조합중앙회에서 제공한 인삼시료				
II	인삼협동조합중앙회에서 판매하고 있는 국산시료				
III	경동시장에서 판매되고 있는 중국산				

부록 8-4-1 근적외 스펙트럼 측정을 위한 쌀시료 측정 전용 cell

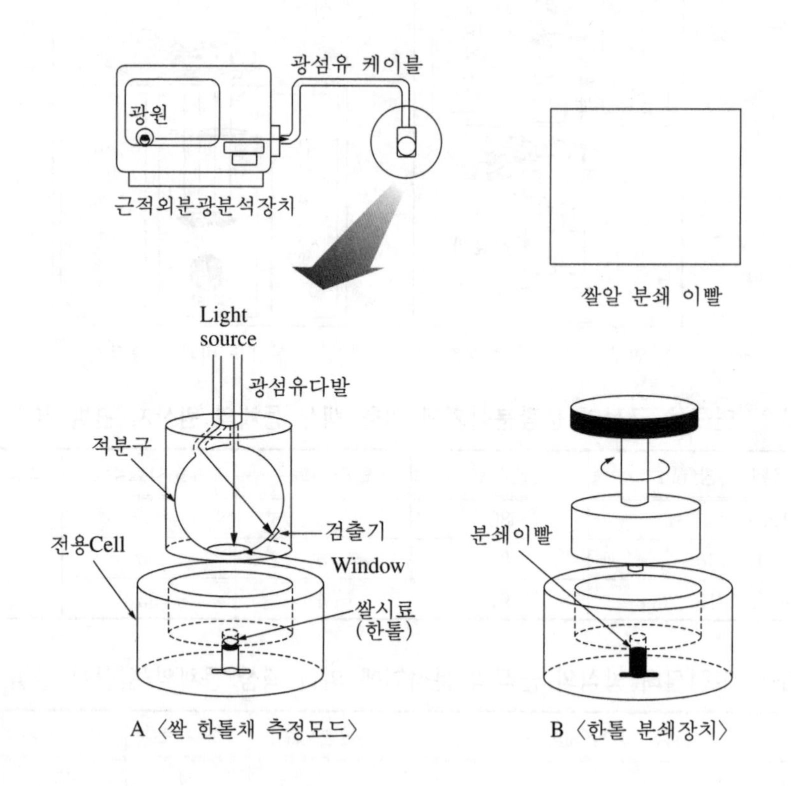

부록 8-4-2 분말상태로 측정한 근적외스펙트럼으로 8종류의 쌀 품종 판별결과

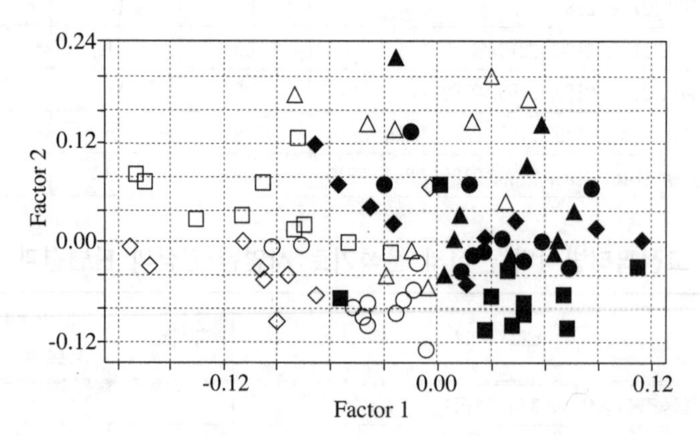

(● : 추정벼, ■ : 동진벼, ▲화영벼, ◆ : 일품벼, ○ : 동해벼, □ : 밀양95호, △태백벼, ◇ : 탐진벼)

부록 8-5-1 근적외 분광기를 이용한 한국산과 중국산 참깨간의 원산지 판별 결과

선택된 파장	원산지	판별결과			정확도 (%)
		시료수	판별시료수	오판시료수	
2010, 2024	한국산	19	18	1	95
	중국산	10	2	8	80
1716, 1730, 2206	한국산	19	19	0	100
	중국산	10	0	10	100
1716, 1730, 2206, 2430	한국산	19	19	0	100
	중국산	10	0	10	100

부록 8-5-2 근적외 분광기를 이용한 한국산, 중국산 및 일본산 참깨간의 원산지 판별 결과

선택된 파장	원산지	판별결과			정확도 (%)
		시료수	판별시료수	오판시료수	
2010, 2024	한국산	19	17	2	85.5
	중국산	10	7	3	
	일본산	11	9	2	
1548, 1702, 1786	한국산	19	19	0	97.5
	중국산	10	9	1	
	일본산	11	11	0	
1702, 1758, 2010, 2024	한국산	19	19	0	95.0
	중국산	10	8	2	
	일본산	11	11	0	

부록 8-6 근적외 분석법에 의한 고추장의 품질성분 측정결과

측정성분	회귀분석법 (사용파장수)	R	SEE (시료갯수)	SEP (시료갯수)	성분함량범위	평균값
수분함량	MLR(7)	0.948	0.963(61)	1.089(38)	34.19~47.42	40.94
식염	MLR(7)	0.953	0.255(61)	0.271(38)	6.84~11.41	8.13
조단백질	MLR(6)	0.959	0.198(52)	0.206(32)	5.66~8.38	7.14
아미노태질소	MLR(7)	0.893	4.474(61)	17.638(38)	152.64~319.16	217.77
pH	MLR(6)	0.816	0.076(59)	0.090(37)	4.43~5.05	4.80
당도	MLR(4)	0.858	0.745(61)	0.755(38)	22.70~30.5	27.42

9

식품위생검사

제 1 절 식품위생검사의 개요

1. 목적 및 분류

1) 식품위생검사의 목적

식품위생검사는 음식물에 의한 위해를 방지하기 위하여 식품, 첨가물, 음식물용 기구, 용기 및 포장에 대하여 실시하며 이러한 검사는 대체로 다음과 같은 목적으로 구분할 수 있다.

첫째, 식품에 의한 위해를 방지하거나 식품의 안전성을 확보하기 위하여 그 안전성을 확인 및 유지시키기 위한 수단으로 행해진다.

둘째, 식품과 관련한 위해, 즉 식중독 등이 발생하였을 때 원인을 규명하기 위하여 식품위생검사가 행해진다. 이 때에는 추정원인식품, 가검물 및 기타 검체 등 다양한 시료가 검사대상이 된다.

셋째, 식품위생관리의 대책 수립과 지도, 규제 등을 위하여 식품위생과 관련된 현황을 파악하고자 식품위생검사가 행해진다.

따라서 식품위생검사의 대상은 식품, 첨가물, 기구 및 용기·포장 등과 더불어 생체시료와 환자의 가검물, 물, 토양 및 각종 검체 등 다양한 시료가 된다. 그러므로 상황에 따라서 검사의 의의가 조금씩 달라질 수 있으며 검사내용도 여러 가지 검사항목 중에서 목적에 따라 취사 선택된다.

이러한 목적으로 행하는 식품위생검사를 보다 구체적으로 이해하기 위해 식품위생검사의 분류와 검사항목, 검체의 채취 및 관리, 미생물학적 검사, 잔류농약, 항생물질, 중금속 등의 이화학적 검사, 식품의 선도 판정 등으로 나누어 설명하고자 한다.

2) 식품위생검사의 분류 및 검사항목

식품위생검사는 목적과 대상에 따라 여러 가지로 구분된다. 일반적으로 검사방법에 따라 구분하면 표 9-1과 같다.

표 9-1 식품위생검사의 종류와 내용

분 류	검 사 항 목	
관능적 검사	관능검사	외관, 색깔, 냄새, 맛, 텍스쳐
물리적 검사	일반시험	온도, 비중, pH, 내용량, 융점, 빙점, 점도 등
	이물시험	체분별법, 여과법, 와일드만 라스크법, 침강법
	방사능	
화학적 검사	일반성분	수분, 회분, 조단백질, 조지방, 조섬유, 당질 등
	특수성분	비타민 및 무기성분 등
	유해성분	중금속, 잔류농약, 잔류항생물질, 다이옥신, 마이코톡신
	첨가물	보존료, 산화방지제, 착색료, 살균제, 감미료, 표백제 등
미생물학적 검사	오염지표균	일반세균수, 대장균군
	식중독균	대장균 O157 : H7, 살모넬라, 리스테리아, 포도상구균, 장염비브리오
독성 검사	일반독성시험	급성 독성시험, 아급성 독성시험, 만성 독성시험
	특수독성시험	생식독성시험, 최기형성시험, 변이원성시험, 발암성시험

2. 검체채취 및 관리

1) 검체채취의 의의

식품 등의 위생 및 품질관리는 일반적으로 식품위생감시원이 시료를 채취하여 식품위생 검사기관에 송부하고 그 결과에 따라 필요한 조치를 취함으로써 이루어진다. 그러나 식품위생 검사기관에서 실시하는 시험은 어디까지나 제분된 시료 자체에 대한 성적을 얻는 것이며 반드시 검사대상의 전체식품 등에 대한 추정평가를 하는 것은 아니다. 실제로는 검사결과에 따라 행정조치가 이루어지는 것이므로 시료의 채취, 취급, 시험 및 행정 조치는 반드시 일관성을 유지하여야 한다.

따라서 시료를 채취하여 검사기관에 검정 의뢰하는 것은 중요한 의의를 가지므로 시료의 채취자는 채취의 목적과 채취 및 취급방법 등에 대하여 충분한 지식을 가지고 이를 정확히 실시하여야 한다.

2) 검체채취의 방법

시료를 채취함에 있어서는 검사목적, 대상식품의 종류, 상태, 전체의 수량, 균질여부, 발췌방법 등을 충분히 고려하여 업무를 처리하여야 한다. 또, 시료의 수량은 검사목적, 검사항목 등을 참작하여 검사대상 전체를 대표할 수 있는 최소한도의 양이어야 한다.

(1) 검사대상식품 등이 불균질할 때

시료가 균질한 때에는 어느 부분을 채취하여도 무방하나 불균질할 때에는 일반적으로 다량의 시료가 필요하다. 그러나 검사의 복잡성, 단위의 대소, 시료채취에 따르는 경제적인 사유 등으로 부득이 소량의 시료를 대치할 수밖에 없다. 이 때에는 외관 및 기타 상황을 판단하여 이상이 있는 것 또는 의심스러운 것을 발췌하여 시료로 한다.

(2) 균질, 불균질과 검사항목

시료의 균질, 불균질은 검사항목에 따라 달라진다. 예를 들면 어떤 검사대상식품의 선도판정에 있어서는 그 식품이 불균질하더라도 이에 함유된 첨가물 등의 성분은 균질하다고 볼 수 있으므로 고려하지 않아도 될 때가 있다.

(3) 미생물적 검사를 요하는 시료

이때의 검사대상식품은 잘 섞어도 특수한 장치를 사용하지 않고는 균질화되지 않으므로 적절하게 시료를 채취하여야 한다. 검사대상 시료는 부득이한 경우를 제외하고는 적절한 방법으로 보관 또는 유통 중에 있는 것을 채취하여야 한다.

(4) 포장된 시료

소형의 깡통, 병, 상자 등의 용기에 넣어진 것은 그 용기 하나 하나를 최저검사 단위로 하되, 대형의 용기에 넣어진 것을 시료로 하고자 하는 때에는 내용물을 충분히 균질화 한 후 그 일부를 채취한다.

(5) 동일한 시료의 채취

제조년월일 또는 제조번호 등의 표시가 동일한 것을 하나의 검사대상으로 하고 이와 같은 표시가 없는 것은 품종, 제조회사, 기호, 수출국, 수출년월일, 도착년월일, 적재선, 화차, 포장형태 및 외관 등의 상태를 잘 파악하여 그 식품의 특성 및 검사목적을 고려하여 가능한 동일시료를 채취한다.

(6) 어패류의 시료채취방법

- 소어류(몸길이 약 20cm 미만의 어류) : 무작위로 10마리를 채취하여 각각의 가식부에서 약 30g씩을 취해 균질화한 후 이를 시료로 한다. 1마리의 가식부가 약 30g미만의 경우 가식부 총량이 약 300g에 상당하는 마리수를 채취한다. 패류는 소어류에 준한다.
- 중어류(몸길이 약 20cm 이상 60cm 미만의 어류) : 무작위로 5마리를 채취하여 각각의 가식부

에서 약 60g씩을 취해 이를 시료로 한다.

■ 8대 어류(몸길이 약 60cm 이상의 어류) : 무작위로 3마리를 채취하여 각각의 가식부에서 약 100g씩을 취해 이를 시료로 한다.

(7) 가검물의 채취

① 분변이나 구토물 등의 가검물을 채취할 때에도 무균상태의 기구류나 도구를 이용하여야 하며, 무균적으로 채취하여야 한다.

② 가검물에 대하여는 수거자의 필요에 따라서 채취방법, 분석의뢰 이유 및 의심되는 미생물 또는 화학약품 기타 관계되는 내용을 기록하여야 한다.

③ 가검물은 반창고 또는 봉인지를 사용하여 적당한 방법으로 가검물 용기를 봉인하여야 한다.

④ 부패하기 쉬운 가검물은 채취하였을 때부터 실험실에 도착할 때까지 냉장되어야 하며, 얼음이나 드라이아이스를 사용할 경우 가검물과 직접 접촉하지 않도록 주의하여야 한다.

⑤ 운송용기에는 "세균학 검사용 식품가검물-급송"이라는 표시를 하고 가장 빠른 방법으로 시험실로 운송하여야 한다.

(8) 기타 시료의 채취

■ 주방기구류(칼, 도마, 식기류) : 멸균한 탈지면 또는 면봉을 멸균 생리식염수를 적셔 검사하고자 하는 기구의 표면의 일정면적(예, 10×10cm)을 완전히 닦아낸 다음 무균용기에 넣어 채취한다.

■ 냉면 육수와 같은 액체식품 : 멸균된 무균병에 300㎖ 이상 무균적으로 채취한다.

3) 채취시료의 취급방법

(1) 표시기재

채취한 시료의 시료명, 채취장소, 채취일시, 채취자 및 수량 등을 기재할 때에는 지워지지 않도록 표시하여야 하며 또 시험에 필요한 참고사항(채취시의 보관상태 등)이 있으면 함께 기재한다.

(2) 운반용 포장

용기 또는 포장에 넣어진 것은 그 용기 및 포장의 채취, 운반 중 파손 또는 오염되지 않도록 주의하고 용기에 담아져 있지 않거나 포장되지 않은 것을 시료의 수송 및 운반에 편리하고, 운반 중에 건조, 흡습, 오염, 변패, 손실 등이 없도록 시료의 종류, 형상 및 검사목적에 따라 용기에 담거나 포장하여야 한다.

(3) 미생물적 검사용 시료의 운반

- 부패, 변질 우려가 있는 것 : 미생물학적인 검사를 요하는 시료는 반드시 무균적으로 채취하여 무균 운반기에 넣어 저온(10℃ 이하)을 유지하면서 즉시(4시간 이내) 식품위생 검사기관에 운반하여야 한다. 부득이한 사정으로 저온을 유지할 수 없거나 즉시 운반하지 못하였을 때에는 재수거하거나 채취일시 및 그 상태를 기록하여 식품위생기관에 검사의뢰 한다.
- 부패, 변질의 우려가 없는 것 : 미생물학적 검사용 시료일지라도 시료가 잘 부패, 변질되지 않은 것(예를 들면 분유, 곡분, 통조림 등)은 반드시 저온에서 운반할 필요는 없으나 2차 오염을 방지하기 위하여 밀봉·밀폐 또는 파손 등에 유의해야 한다.

(4) 얼음 등을 사용할 때의 주의

저온을 유지하기 위하여 얼음 등을 사용할 때에는 2차 오염이 없도록 얼음이나 그 녹은 물이 시료에 직접 접촉되지 않도록 하여야 한다.

참고문헌

1. 식품의약품안전청 : 식품공전. 문영사(1999)
2. 日本藥學會 : 衛生試驗法·注解. 金原出版株式會社(1990)
3. 박종세, 김동술 : 꼭 알아야 할 식품위생. 유림문화사(1998)

제 2 절 미생물학적 검사

1. 검체채취

1) 채취방법

① 검체가 균질일 때에는 어느 일부분을 채취하여도 무방하나 불균질일 때에는 일반적으로 많은 양의 검체를 채취하여야 한다.

② 미생물학적검사시 검체를 잘 섞어도 균질화가 잘 되지 않아 실제와는 다른 검사 결과를 가져올 경우가 많다. 예를들면 우유 한병(180㎖)에서 검체 1㎖를 취하여 대장균군시험을 할 때 이 한 병중에 90개의 대장균군이 있어도 검출되지 않을 확률이 60.7%나 된다. 그러므로 가능한 한 검체를 잘 섞어 균질에 가깝도록 하여 검체를 채취하여야 한다.

③ 미생물학적 검사를 위한 검체의 채취는 반드시 무균적으로 행하여야 하며 멸균한 용기(유리제용기, 페트리접시 등)에 넣어 원칙적으로 저온(5±3℃)을 유지시키면서 빨리(검체 채취 후 4시간 이내) 검사기관에 운반하여야 하며 될 수 있는대로 빨리 시험에 착수하여야 한다. 부득이 저온으로 검체를 유지할 수 없거나, 즉시 운반이 곤란할 경우에는 반드시 채취일시 및 채취 당시의 검체 상태를 상세히 기록하여야 한다. 특히 신선한 어패류와 같이 세균의 증식이 적당한 검체는 채취와 운반에 특히 주의하여야 한다.

④ 검체 채취기구는 미리 핀셋, 스푼, 스패튤라 등을 건열 및 화염멸균을 한 다음 검체 1건마다 바꾸어 가면서 사용하여야 한다.

⑤ 미생물학적 검사용 검체일지라도 검체가 곡분이나 분유와 같이 건조되어 잘 변질 또는 부패되지 않는 검체는 냉장상태에서 운반할 필요는 없으나 2차 오염을 방지하기 위하여 밀봉 또는 밀폐하여야 한다.

⑥ 냉장운반을 위하여 얼음을 사용할 때에는 2차 오염을 방지하기 위하여 얼음이나 그 녹은 물이 검체에 직접 접촉되지 않도록 하여야 한다.

⑦ 시험에 사용되는 검체의 균질화를 위하여 액상검체인 경우에는 강하게 진탕하여 균질화하고 고형 및 반고형인 검체는 균질기(homogenizer 또는 stomacher)를 이용하여 적당량의 희석액과 혼합하여 균질화한 것을 검액으로 사용한다.

⑧ 칼・도마 및 식기류에서 검체를 채취할 때에는 멸균한 탈지면에 멸균생리식염수를 적셔, 검사하고자 하는 기구의 표면의 일정부분을 완전히 닦아낸 탈지면을 무균용기에 넣어 시험용액으로 사용한다.

2) 시험용액의 조제

① 액상검체 : 채취된 검체를 강하게 진탕하여 혼합한 것을 시험용액으로 한다.

② 반유동상검체 : 채취된 검체를 멸균유리봉과 멸균스패튤라 등으로 잘 혼합한 후 그 일정량(10~25mℓ)을 멸균용기에 취해 9배 양의 멸균생리식염수와 혼합한 것을 시험용액으로 한다.

③ 고체검체 : 채취된 검체의 일정량(10~25g)을 멸균된 가위와 칼 등으로 잘게 자른후 멸균생리식염수를 가해 균질기 등을 이용해서 가능한 저온으로 균질화한다. 여기에 멸균생리식염수를 가해서 일정량(100~250mℓ)으로 한 것을 시험용액으로 한다.

④ 고체표면검체 : 검체표면의 일정면적(보통 100cm^2)을 일정량(1~5mℓ)의 멸균생리식염수로 습한 멸균가제와 면봉 등으로 씻어 일정량(10~100mℓ)의 멸균생리식염수를 넣고 세게 진탕하여 부착균의 현탁액을 조제하여 시험용액으로 한다.

⑤ 분말상검체 : 검체를 멸균유리봉과 멸균스패튤라 등으로 잘 혼합한 후 그 일정량(10g)을 멸균용기에 취해 9배 양의 멸균생리식염수와 혼합한 것을 시험용액으로 한다.

⑥ 버터와 아이스크림류 : 버터와 아이스크림류는 40℃ 이하의 온탕에서 15분내에 용해시켜 10mℓ를 취한 후 멸균생리식염수를 가하여 100mℓ로 한 것을 시험용액으로 한다.

⑦ 캅셀제품류 : 캅셀을 포함하여 검체의 일정량(10~25g)을 취한 후 9배 양의 멸균생리식염수를 가해 균질기 등을 이용하여 균질화한 것을 시험용액으로 한다. 이와같이 조제된 시험원액에 대해서는 멸균생리식염수를 이용하여 필요에 따라 10배, 100배, 1000배…… 희석액을 만들어 사용한다. 시험용액의 조제시 검체를 용기 포장한대로 채취할 때에는 그 외부를 물로 씻고 자연건조시킨 다음 마개 및 그 하부 5~10cm의 부근까지 70% 알코올솜으로 닦고, 화염멸균한 후 냉각하고 멸균한 기구로 개봉, 또는 개관하여 2차 오염을 방지하여야 한다. 지방분이 많은 시료의 경우는 Tween 80과 같은 세균에 독성이 없는 계면활성제를 첨가하는 것이 좋다.

⑧ 냉동식품은 냉동상태의 검체를 포장된 상태 그대로 40℃ 이하에서 될 수 있는대로 단시간에 녹여 용기, 포장의 표면을 70% 알코올솜으로 잘 닦은 후 상기방법으로 시험용액을 조제한다.

2. 배지 및 살균

1) 배지

미생물을 분리, 배양하기 위해서는 목적하는 미생물의 생육조건이라든지 실험목적에 따라 적절한 배지가 필요하며 또한 미생물에 따라 적합한 배지조성과 물리적 조건을 갖는 다양한 배지가 필요하게 된다.

(1) 액체배지와 고체배지

배지는 그의 물리적 상태에 따라 액체배지(liquid media)와 고체배지(solid media)가 있으며, 고체배지는 액체배지에 한천(agar, 일반적으로 1.5~2.5%), gelatin 또는 silicagel 등을 넣어 고형시킨 것이고 일반적으로 한천이 가장 많이 사용된다.

(2) 사면배지, 고층배지 및 평판배지

고체배지는 목적에 따라 사면배지(slant media), 고층배지(stab media), 평판배지(plate media)로 나누어진다. 사면배지는 보통 호기성미생물의 배양에, 고층배지는 유산균 등과 같이 미호기성균의 천자배양에 사용되며, 평판배지는 집락을 형성시켜 미생물을 분리하는데 사용된다.

(3) 미생물 검사에 주로 사용되는 배지

식품에 오염되어 있는 각종 미생물의 검사를 위해 사용되고 있는 배지로서 식품공전상에 41가지가 나열되어 있으나 이 장에서는 그 중에서 가장 기본적인 미생물검사 항목인 세균수 및 대장균 검사에 사용되는 몇 가지 배지에 대해서 언급하고자 한다.

① 표준한천배지(균수측정용) : Standard Methods Agar(Plate Count Agar)

Tryptone 5.0g, Yeast Extract 2.5g, Dextrose 1.0g, Agar 15.0g

위의 성분에 증류수를 가하여 1,000㎖로 만들고 멸균한 후 pH가 7.0이 되도록 맞추고 121℃로 15분간 고압증기멸균한다.

② 유당배지(lactose broth)

Peptone 5.0g, Beef extract 3.0g, Lactose 5.0g

위의 성분에 증류수를 가하여 1,000㎖로 만들고 멸균한 후 pH가 6.9가 되도록 맞추고 발효관을 넣은 시험관에 분주하여 121℃로 15분간 고압증기멸균한다.

③ BGLB 배지(brilliant green lactose bile broth)

■ 펩톤 10g 및 유당 10g을 증류수 500㎖에 녹인다.
■ 우담즙 200㎖(또는 건조 우담즙말 20g)을 증류수 200㎖에 녹인 것으로서 pH 7.0~7.5가 되도록 한 것을 가한다.
■ 이에 물을 가하여 전량이 약 975㎖가 되도록 하고 pH 7.4로 수정한다.
■ 0.1% Brilliant Green 수용액 13.3㎖를 가한다.
■ 전량 1,000㎖를 탈지면으로 여과하여 분주할 때 발효관을 넣고 상법에 따라 멸균한다.(멸균후의 pH 7.1~7.4)

④ 배농도 BGLB

펩톤 10g 및 유당 10g을 증류수 250㎖에 녹이고 이에 신선한 우담즙 200㎖ 또는 건조 우담즙말 20g을 물 200㎖에 녹인 것으로서 pH 7.4~7.5의 것을 가하여 약 480㎖로 하여 pH 7.4로 수정하고 여기에 0.2% 브릴리안트그린 수용액 13.3㎖을 가하여 전량을 500㎖로 하고 탈지면으로 여과하여 발효관에 약 10㎖씩 분주한 후 멸균한다.(멸균후의 pH 7.1~7.4로 한다)

⑤ Endo 배지(Endo agar)

Dipotassium phosphate(K_2HPO_4) 3.5g, Peptone 10.0g, Lactose 10.0g
Sodium sulfite 2.5g, Basic fuchsin 0.5g, Agar 15.0g

위의 성분에 증류수를 가하여 1,000㎖로 만들고 pH 7.4가 되도록 맞추고 121℃로 15분간 고압증기멸균한다.

⑥ EMB 배지(EMB agar)

Peptone 10.0g, Lactose 5.0g, Sucrose 5.0g, Dipotassium posphate 2.0
Eosin Y 0.4g, Methylene blue 0.065g, Agar 13.5g

위의 성분에 증류수를 가하여 1,000㎖로 만들고 pH 7.2되도록 맞추고 121℃로 15분간 고압증기멸균한다.

⑦ 액체 배지(nutrient broth)

Peptone 5.0g, Beef extract 3.0g

위의 성분에 증류수를 가하여 1,000mℓ로 만들고 pH 6.9~7.4가 되도록 맞춘다음 시험관에 분주하여 121℃로 15분간 고압증기멸균한다.

⑧ 보통한천배지(nutrient agar)

보통부이온배지 1,000mℓ에 정제한천 15g을 가하여 가열 용해하고 증류수량을 보정한다. pH 7.0~7.4가 되도록 맞춘 다음 121℃로 15분간 고압증기멸균한다.

⑨ 데스옥시콜레이트유당한천배지(desoxycholate lactose agar)

Peptone 10.0g, Lactose 10.0g, Sodium chloride 5.0g, Sodium citrate 2.0g
Sodium desoxycholate 0.5g, Agar 15.0g, Neutral red 0.03g

위의 성분에 증류수를 가하여 1,000mℓ로 만들고 pH 7.3~7.5가 되도록 맞춘 다음 1분간 끓여서 용해시켜 멸균하지 않고 즉시 사용할 수 있다(고압증기멸균하면 배지의 pH가 떨어져 데스옥시콜산나트륨이 침전할 수 있으므로 피하는 것이 좋다).

⑩ 기타배지

이상의 배지외에도 각종 미생물 검사용배지가 있으나 그 구성성분과 사용법은 식품공전을 참고하기 바란다.

2) 멸균

미생물실험에 있어서 특정 미생물을 순수하게 배양하기 위해서는 잡균의 혼입을 막아야 이를 위해서는 미리 사용하는 모든 재료, 기구 등을 완전히 멸균하고 나아가 외부로부터의 잡균의 침입을 차단하는 방법을 마련하여야 한다.

(1) 화염멸균 (Flaming sterilization)

버너나 알코올램프의 화염 속에서 직접 멸균하는 방법이다.

■ 백금선, 백금이, 핀셋의 멸균 : 사용전후에 화염 중에 넣어 달구어서 식힌 후 사용한다.

■ 시험관 입구, 면전시험관, 솜마개의 주위를 태워 부착된 미생물을 멸균하고 솜마개를 뺀 다음이나 이식이 끝난 직후에도 시험관 입구를 화염 중에서 멸균한다.

(2) 자비멸균 (Sterilization by boiling)

가위, 핀셋, 메스, 주사기 등의 기구를 100℃의 끓는 물에서 30분간 가열하여 멸균하는 방법으로 영양 세포는 수초~수분에서 사멸된다.

(3) 건열멸균 (Sterilization by dry heat)

가스나 전기용 건열멸균기에 유리기구, 금속기구, 도자기 등 고온에 견디는 물건을 넣고 150~160℃에서 30~60분 가열하면 미생물이나 포자가 완전히 멸균된다.

(4) 고압증기멸균 (Autoclave)

고압, 고온, 습열 중에서 멸균하는 것으로 보통 121℃에서 15분간 실시한다. 배지에 따라 온도를 조절하기도 한다. 내부온도가 100℃ 이하로 내려가면 배기공을 천천히 열어 수증기와 압력을 배제한 다음 뚜껑을 열어야 한다.

(5) 간헐멸균 (Sterilization by intermittent method)

아포균을 영양세포로 만든 다음 100℃에서 30분씩 3일간 반복하여 멸균한다.

3. 세균검사

1) 일반세균

(1) 원리

시료 중에 존재하는 세균 중 표준한천 배지 내에서 발육할 수 있는 중온균의 수를 말한다. 수질검사시에는 이 균수를 일반세균수라고 부르며 보통 시료와 표준한천배지를 페트리접시 중에서 혼합응고시켜서 배양후 발생한 세균의 집락수로부터 시료중의 생균수를 측정하는 방법으로 보통 CFU(colony forming unit :집락수)로 나타낸다.

(2) 시약 및 기구

멸균증류수, 멸균 페트리접시, 표준한천배지, 배양기, 고압멸균기, 집락계수기, 멸균 피펫, 무균상

(3) 실험방법

시험용액 1㎖와 각 단계 희석액 1㎖씩을 멸균페트리접시 2매 이상씩 무균적으로 취하여 분주하고 페트리접시 뚜껑에 부착하지 않도록 주의하면서 조용히 회전하여 좌우로 기울이면서 시료와 배지를 잘 섞고 냉각응고시킨다,

특히 확산집락의 발생을 억제하기 위해서 다시 표준한천배지 3~5㎖를 가하여 중첩시킨다. 이 경우 시료를 취하여 배지를 가할 때까지의 시간은 20분 이상 경과하여서는 안된다. 응고시킨 페트리접시는 거꾸로 하여 35±1℃에서 24~48시간(시료에 따라서는 34℃에서 72±3시간)배양한다. 이때 대조시험으로 검액을 가하지 아니한 동일 희석액 1㎖를 배지에 가한 것을 대조로 하여 페트리접시, 희석용액, 배지 및 조작이 무균적이였는지의 여부를 확인한다. 또한 배지는 배양중에 그 중량이 15% 이상 감소되어서는 아니된다.

실험에 사용하는 페트리접시는 지름 9~10cm, 높이 1.5cm 것을 사용한다. 배양 후 즉시 집락계수기를 사용하여 생성된 집락수를 계산한다. 부득이할 경우에는 5℃에 보존시켜 24시간 이내에 산정한다. 집락수의 계산은 확산집락이 없고(전면의 1/2 이하일 때에는 지장이 없음) 1평판당 30~300개의 집락을 생성한 평판을 택하여 집락수를 계산하는 것을 원칙으로 한다. 전 평판에 300개 이상 집락이 발생한 경우 300에 가까운 평판에 대하여 밀집평판 측정법에 따라 안지름 9cm의 페트리접시인 경우에는 1cm^2내의 평균집락수에 65를 곱하여 그 평판의 집락수로 계신한다. 집락수의 표기는 인쪽으로부터 2개의 숫자만 사용하고 나머지는 반올림한다.

① Single plate dilution

실제로 single plate dilution의 경우 여러 실험에서의 평판집락수 계산은 표 9-2와 같이 할

수 있다. 먼저 실험 1에서와 같이 30~300 colony를 가진 plate가 하나이거나 실험결과 다른 plate가 30~300 범위밖이거나 spreader이거나 혹은 실수가 있을 때의 계산은 표에서와 같이 30~300의 colony를 포함하는 plate 균수를 사용한다. 그리고 실험 2에서와 같이, 집락수가 30~300개를 가진 plate가 2개 일때는 두 희석의 평균을 사용한다. 한편 실험 3과 같이 집락수가 30~300범위에 포함되지 않는 경우인데 이때는 어느 한쪽도 30~300개의 집락수가 없는 경우는 300에 가까운 희석수의 평균을 사용한다.

또한 실험 4는 집락수가 30개 이하인 경우인데, 이때는 가장 낮은 희석배율의 균수를 사용한다. 실험 5는 집락이 하나도 없을 경우인데 이때는 두 plate 모두에서 집락이 없을 때는 가장 낮은 희석배수보다 작다라고 나타낸다. 그리고 plate colony의 모양이 실험 6과 같이 spreader가 너무 많을 때 이 경우는 그냥 spr이라고 나타낸다. 특히 집락수가 모두 $100/cm^2$ 이상일 때 실험 7과 같이 plate면적×100×희석배수 보다 크다고 나타낸다. 또한 집락수가 $10/cm^2$에서 $100/cm^2$일 때는 실험 8과 같이 높은 희석수준의 것을 선택하면 된다.

② Duplicate plate dilution

Duplicate plate dilution의 경우에 평판의 집락수를 계산하는 방법을 여러 가지 경우로 예를 들어 설명하고자 한다. 먼저 실험 1에서는 한 단계의 희석에서만 30~300의 집락이 있을 경우인데 이 때는 30~300의 수를 보인 희석의 평균을 집락수로 채택한다. 또한 두 희석에

표 9-2 각 실험에 따른 집락수의 계산표

실험순서 \ 희석배수	1 : 100	1 : 1000	CFU
실험 1	252	25	25,000
	310	52	52,000
	spr	37	37,000
	250	28	25,000
실험 2	240	41	33,000
	140	32	14,000
실험 3	311	20	31,000
실험 4	18	2	1800
실험 5	0	0	〈100
실험 6	spr	spr	spr
실험 7	TNTC	6980	〉6,500,000
실험 8	TNTC	585	590,000

표 9-3 각 실험에 따른 집락수의 계산표

희석배수 / 실험순서	1 : 100	1 : 1000	CFU
실 험 1	198	20	
	216	24	21,000
실 험 2	218	31	
	292	42	31,000
실 험 3	301	22	
	316	27	31,000
실 험 4	26	3	
	21	5	2,400
실 험 5	0	0	〈100
	0	0	
실 험 6	311	28	
	292	25	29,000
실 험 7	308	2028	
	259	32	29,000

집락수가 30～300일 때는 실험 2에서와 같이 각 희석의 평균값을 구하여 표시하면 된다. 한편 모두의 집락수가 30～300 범위를 벗어날 때는 실험 3과 같이 300에 가장 가까운 희석수준의 두 plate 평균을 사용한다. 그리고 모두 집락수가 30미만일 때는 실험 4와 같이 가장 낮은 희석의 두 수의 평균을 사용하면 된다.

실험 5에서는 집락이 없을 경우이며 모든 plate 집락이 전혀 없을 때는 가장 낮은 희석배수보다 작다고 표시한다. 그리고 한 개의 plate에서 집락수가 30～300개 범위일 때는 실험 6과 같이 표시할 수 있다. 마지막으로 실험 7에서 각 희석의 한 plate씩 30～300이고 다른 한쪽 plate는 범위를 벗어날 경우는 두 단계 희석의 4plate를 모두 평균하여 표시한다.

2) 대장균군 (Coliform bacteria)

대장균군이라 함은 Gram 음성, 무아포성 간균으로서 유당을 분해하여 가스를 발생하는 모든 통성혐기성세균을 말한다. 대장균군 시험에는 대장균군의 유무를 검사하는 정성시험과 대장균군의 수를 산출하는 정량시험이 있다.

(1) 정성시험

① 유당배지법

대장균군의 정성시험은 추정시험, 확정시험, 완전시험의 3단계로 나눈다.

시료의 채취 및 취급에 따라 처리한 시험용액 10mℓ를 2배 농도의 유당부이온배지에 가하고 시험용액 1mℓ 및 0.1mℓ를 2개 이상의 유당배지에 가한다.

■ 추정시험 : Lactose broth를 가한 발효관에 시료를 넣어 35±1℃에서 48±3시간 동안 배양하여 가스 발생이 있으면 대장균군의 존재가 추정된다.

시험에 사용하는 발효관은 듀람발효관 또는 스미스발효관으로서 희석액을 가하여 적정 유당의 농도가 되도록 한다.

발효관의 수는 각 희석액에 따라 5개씩을 사용한다. 즉, 검액을 10, 1, 0.1mℓ씩 접종하여 35±1℃에서 24±2시간 배양하여 발효관 내에 가스가 발생하면 추정시험 양성이고 만약 24±2시간내에 가스가 발생하지 아니하였을 때에는 배양을 계속하여 48±3시간까지 관찰한다.

이때까지 가스가 발생하지 않았을 때에는 추정시험 음성이고 가스발생이 있을 때에는 추정시험 양성이며 다음의 확정시험을 실시한다.

■ 확정시험 : 추정시험에서 가스발생이 있는 발효관으로부터 BGLB배지에 이식하여 35±1℃에서 48±3시간 동안 배양하였을 때에 가스를 발생한 BGLB배지로부터 Endo배지 또는 EMB 한천평판배지에 획선분리 배양하여 전형적인 대장균군 집락이 확인될 경우에는 확정시험 양성으로하고 비전형적인 집락의 경우에는 완전시험을 하지 않으면 안된다.

평판배양의 경우에는 35±1℃에서 24±2시간 배양 후 전형적인 집락이 발생되면 확정시험 양성으로 한다. BGLB배지에서 35±1℃로 48±3시간 동안 배양하였을 때 배지의 색이 갈색으로 되었을 때에는 완전시험을 하지 않으면 안된다.

■ 완전시험 : 대장균군의 존재를 증명하기 위하여 위의 평판상의 집락이 Gram 음성, 무아포성 간균임을 확인하고, 유당을 분해하여 가스의 발생여부를 재확인한다. 확정시험때 Endo 평판배지나 EMB 평판배지 상에서 전형적인 집락을 인정하였을 때에는 1개 또는 비전형적인 집락일 경우에는 2개 이상을 따서 각각 유당배지 발효관과 보통한천사면배지에 이식하여 35±1℃에서 48±3시간 동안 배양하였을 때에 가스를 발생한 발효관에 해당되는 한천사면배지의 집락에 대하여 Gram 염색을 실시하였을 때에 Gram 음성, 무아포성 간균이 증명되면 완전시험은 양성이며 대장균군 양성으로 판정한다.

② BGLB배지법

시료의 채취 및 취급에 따라 처리된 시험용액 1~0.1㎖를 2개씩 BGLB 발효관에 가한다. 대량의 검체를 가할 필요가 있을 때에는 대량의 배지를 넣은 발효관을 사용한다.

■ 정성시험 : 시료는 필요에 따라 적당한 전처리를 하고 희석시 그 1~0.1㎖를 2개씩 BGLB 발효관에 가한다. 대량의 검체를 가할 필요가 있을 때에는 대량의 배지를 넣은 발효관을 사용한다.

시료를 가한 배지는 35±1℃에서 48±3시간까지 관찰하고 가스의 발생을 인정하였을 때에는 (배지를 흔들 때 거품모양의 가스의 존재를 인정하였을 때에도) EMB 평판배지 또는 Endo 평판배지에 획선 도말하고 분리배양한다.

이하의 조작은 유당배지를 사용한 시험법의 확정시험 또는 완전시험 때와 같이 행하여 대장균군의 유무를 시험한다.

③ 데스옥시콜레이트 유당한천배지법

■ 정성시험 : 검체의 채취 및 취급에 따라 처리한 시험용액 1㎖와 각 단계 희석액 1㎖씩을 2매 이상의 멸균페트리접시에 취하고 미리 가온 용해하여 약 50℃에 보존한 데스옥시콜레이트 유당한천배지 약 15㎖를 무균적으로 분주하고 페트리접시 뚜껑에 부착하지 않도록 주의하면서 조용히 회전하여 좌우로 기울이면서 검체와 배지를 잘 혼합한 후 냉각응고시킨다.

그리고 그 표면에 동일한 배지 또는 보통한천배지를 3~5㎖를 가하여 중첩시킨다(평판상에 배지를 중첩하는 방법을 생략할 수 있다).

이것을 35±1℃에서 20±2시간 배양하여 전형적인 암적색의 집락을 인정하였을 때에는 1개 이상의 집락을, 의심스러운 집락일 경우에는 2개 이상을 EMB 평판배지 또는 Endo 평판배지에서 분리 배양한다.

이것을 35±1℃에서 24±2시간 배양한다. 이하의 조작은 유당배지 확정시험 및 완전시험법에 따라 실시하고 대장균군의 유무를 결정한다.

(2) 정량시험

① 최확수법

최확수법이란 수 단계의 연속한 동일 희석도의 시료를 수 개씩 유당배지 발효관에 접종하여 대장균군의 존재여부를 시험하고 그 결과로부터 확률론적인 대장균군의 수치를 산출하여 이것을 최확수(MPN ; most probable number)로 표시하는 방법이다.

표 9-4 최확수표에 의한 시료 100mℓ중의 MPN은 110으로 된다

시료접종량	10mℓ	1mℓ	0.1mℓ
가스양성관수	5개	3개	1개

최확수는 시료 10, 1, 및 0.1mℓ씩을 각각 5개씩 또는 3개씩의 발효관에 가하여 배양후 얻은 결과에 의하여 시료 100mℓ중 또는 100g중에 존재하는 대장균군수를 표시하는 것이다. 최확수란 이론상 가장 가능한 수치를 말한다.

■ 시험조작 : 대장균군의 정량시험에는 희석시료(0.1mℓ 이하의 경우에는 10배수 희석액 1mℓ씩을 사용한다) 10, 1, 0.1, 0.01mℓ와 같이 연속해서 4단계 이상을 5개 또는 3개씩의 유당배지 발효관에 접종시킨다. 이 때 시료의 최대량을 가한 발효관의 대다수 또는 전부에서 가스를 발생하고 최소량을 접종한 발효관의 전부 또는 대다수가 가스를 발생하지 않도록 적당히 희석하고 사용한다.

가스발생 발효관 각각에 대하여 추정, 확정, 완전시험을 행하고 대장균군의 유무를 확인한 다음 최확수표로부터 시료 100mℓ중의 최확수를 구한다. 예로써 대장균군의 최확수법에 의한 정량시험에 의하여 시료 또는 희석시료의 각각의 발효관을 5개씩 사용하여 다음과 같은 결과를 얻었다면 이때 시료 접종량이 1, 0.1, 0.01mℓ일 때에는 110×10=1,100으로 한다.

시료의 3접종이 3단계 이상으로 행하여졌을 때에는 표 9-5과 같이 취급한다.

이때의 숫자는 양성관 수, ○내의 숫자는 유효숫자이다.

② BGLB 배지에 의한 정량법

시험용액 10, 1 또는 0.1mℓ를 5개씩의 BGLB배지에 접종한다. 0.1mℓ이하를 접종할 필요가 있을 때에는 10배 희석단계액을 각각 1mℓ씩 사용한다. 이때에 시험용액의 최대량을 가한 배지의 전부 또는 대부분에서 가스발생을 인정하고 최소량을 가한 배지의 전부 또는 대부분이 가스를 발생하지 않도록 접종량과 희석도를 고려하여야한다. 이하의 조작은 각 발효관에 대하여 BGLB배지에 의한 정성시험법에 따라하고 대장균군의 유무를 조사하여 최확수표에 따라 시료 100mℓ또는 100g중의 대장균군수를 산출한다.

③ 데스옥시콜레이트 유당한천배지에 의한 정량법

시료의 채취 및 취급에 의한 시험용액 1mℓ와 각 단계 희석액 1mℓ에 대하여 이 배지에 의한 정성시험법과 같은 조작으로 35±1℃에서 20±2시간 배양한 후 생성된 집락중 전형적인 집락 또는 의심스러운 집락에 대하여 정성시험때와 같은 조작으로 대장균군의 유무를 결정한다. 균수 산출은 세균수(일반세균수) 측정법에 따라 한다.

표 9-5 대장균군 시험의 최확수(MPN)표

(1)			(2)	(1)			(2)	(1)			(2)	(1)			(2)	(1)			(2)	(1)			(2)
10	1	0.1		10	1	0.1		10	1	0.1		10	1	0.1		10	1	0.1		10	1	0.1	
0	0	0	0	1	0	0	2	2	0	0	4.5	3	0	0	7.8	4	0	0	13	5	0	0	23
0	0	1	1.8	1	0	1	4	2	0	1	6.8	3	0	1	11	4	0	1	17	5	0	1	31
0	0	2	3.6	1	0	2	6	2	0	2	9.1	3	0	2	13	4	0	2	21	5	0	2	43
0	0	3	5.4	1	0	3	8	2	0	3	12	3	0	3	16	4	0	3	25	5	0	.3	58
0	0	4	7.2	1	0	4	10	2	0	4	14	3	0	4	20	4	0	4	30	5	0	4	76
0	0	5	9	1	0	5	12	2	0	5	16	3	0	5	23	4	0	5	36	5	0	5	95
0	1	0	1.8	1	1	0	4	2	1	0	6.8	3	1	0	11	4	1	0	17	5	1	0	33
0	1	1	3.6	1	1	1	6.1	2	1	1	9.2	3	1	1	14	4	1	1	21	5	1	1	46
0	1	2	5.5	1	1	2	8.1	2	1	2	12	3	1	2	17	4	1	2	26	5	1	2	64
0	1	3	7.3	1	1	3	10	2	1	3	14	3	1	3	20	4	1	3	31	5	1	3	84
0	1	4	9.1	1	1	4	12	2	1	4	17	3	1	4	23	4	1	4	36	5	1	4	110
0	1	5	11	1	1	5	14	2	1	5	19	3	1	5	27	4	1	5	42	5	1	5	130
0	2	0	3.7	1	2	0	6.1	2	2	0	9.3	3	2	0	14	4	2	0	22	5	2	0	49
0	2	1	5.5	1	2	1	8.2	2	2	1	12	3	2	1	17	4	2	1	26	5	2	1	70
0	2	2	7.4	1	2	2	10	2	2	2	14	3	2	2	20	4	2	2	32	5	2	2	95
0	2	3	9.2	1	2	3	12	2	2	3	17	3	2	3	24	4	2	3	38	5	2	3	120
0	2	4	11	1	2	4	15	2	2	4	19	3	2	4	27	4	2	4	44	5	2	4	150
0	2	5	13	1	2	5	17	2	2	5	22	3	2	5	31	4	2	5	50	5	2	5	180
0	3	0	5.6	1	3	0	8.3	2	3	0	12	3	3	0	17	4	3	0	27	5	3	0	79
0	3	1	7.4	1	3	1	10	2	3	1	14	3	3	1	21	4	3	1	33	5	3	1	110
0	3	2	9.3	1	3	2	13	2	3	2	17	3	3	2	24	4	3	2	39	5	3	2	140
0	3	3	11	1	3	3	15	2	3	3	20	3	3	3	28	4	3	3	45	5	3	3	180
0	3	4	13	1	3	4	17	2	3	4	22	3	3	4	31	4	3	4	52	5	3	4	210
0	3	5	15	1	3	5	19	2	3	5	25	3	3	5	35	4	3	5	59	5	3	5	250
0	4	0	7.5	1	4	0	11	2	4	0	15	3	4	0	21	4	4	0	34	5	4	0	130
0	4	1	9.4	1	4	1	13	2	4	1	17	3	4	1	24	4	4	1	40	5	4	1	170
0	4	2	11	1	4	2	15	2	4	2	20	3	4	2	28	4	4	2	47	5	4	2	220
0	4	3	13	1	4	3	17	2	4	3	23	3	4	3	32	4	4	3	54	5	4	3	280
0	4	4	15	1	4	4	19	2	4	4	25	3	4	4	36	4	4	4	62	5	4	4	350
0	4	5	17	1	4	5	22	2	4	5	28	3	4	5	40	4	4	5	69	5	4	5	430
0	5	0	9.4	1	5	0	13	2	5	0	17	3	5	0	25	4	5	0	41	5	5	0	240
0	5	1	11	1	5	1	15	2	5	1	23	3	5	1	29	4	5	1	48	5	5	1	350
0	5	2	13	1	5	2	17	2	5	2	25	3	5	2	32	4	5	2	56	5	5	2	540
0	5	3	15	1	5	3	19	2	5	3	26	3	5	3	37	4	5	3	64	5	5	3	920
0	5	4	17	1	5	4	22	2	5	4	29	3	5	4	41	4	5	4	72	5	5	4	1600
0	5	5	19	1	5	5	24	2	5	5	32	3	5	5	45	4	5	5	81	5	5	5	2400

(1) 검체 접종량에 대한 발효관 양성수

(2) 시료 100㎖ 중의 최확수

표 9-6 양성관 유효숫자

예 \ 접종량	1mℓ	0.1mℓ	0.01mℓ	0.001mℓ
Ⅰ	5	⑤	②	ⓞ
Ⅱ	⑤	④	③	0
Ⅲ	ⓞ	①	ⓞ	0
	(5	3	1	1)
Ⅳ	⑤	③	②	

예 Ⅰ,Ⅱ: 5개 양성을 표시한 최소 접종량으로부터 시작한다.

예 Ⅲ: 양성을 인정한 접종량을 중간으로 한다.

예 Ⅳ: 최소유효 접종량(이 경우는 0.01mℓ) 보다 접종량에 의한 양성관수(이 경우1) 를 상단위에 가한다. 즉 접종량 0.01mℓ 양성관수 1에 접종량 0.001mℓ의 양성관수를 가하여 2로 한다.

3) 대장균 (*Escherichia coli*)

식품의 종류에 따라 대장균의 검출이 대장균군보다 정확한 오염지표가 되는 경우가 있다. 대장균의 시험법에는 최확수법에 의한 정량시험과 일정한 한도까지 균수를 정성으로 측정하는 한도시험법이 있다.

① 최확수법

검체의 채취 및 취급에 의하여 처리한 시험용액 10mℓ, 1mℓ 및 0.1mℓ를 각각 5개의 EC 발효관에 접종한 다음 항온수조 중에서 44.5±0.2℃에서 24±2 시간 배양한다. 다만 시험용액 10mℓ를 첨가할 경우 배농도의 배지 10mℓ을 이용한다. 그때에 가스발생을 인정한 발효관을 EMB 평판배지에서 전형적인 집락을 보인후 시험결과에 따라 대장균(*E. coli*) 양성이라고 판정한다. 이 양성관으로부터 최확수표에 따라 검체 100g 중의 대장균수를 산출한다.

② 한도 시험

검체의 채취 및 취급에 따라 처리된 시험용액 1mℓ를 3개의 EC 발효관에 접종하고 44.5±0.2℃에서 24±2 시간 배양한다. 이 때에 가스발생을 인정한 발효관은 추정시험 양성으로 하고 가스발생이 인정되지 않을 때에는 추정시험 음성으로 한다. 추정시험이 양성일 때에는 해당 EC발효관으로부터 1백금이를 EMB 평판배지에 획선접종하여 35±1℃에서 24±2 시간 배양한 후 전형적 집락을 취하여 유당배지 발효관 및 보통한천사면배지에 각각 이식한다. 유당배지발효관에 접종한 것은 35±1℃에서 48±3 시간 배양하고 보통한천사면배지에 접종한 것은 35±1℃에서 24±2 시간 배양한다. 유당배지발효관에서 가스발생을 인정하였을 때에는 이에 해당하는 보통한천사면배지에서 배양된 집락을 취하여 Gram 염색을 실시하고 검경후 Gram 음성, 무아포성 간균을 인정하였을 때에는 대장균 양성으로 판정한다.

4) 대장균 O157 : H7 (*Escherichia coli* O157 : H7)

① 증균배양

검체 25g 또는 25㎖를 취하여 225㎖의 mEC 배지에 가한 후 35℃에서 24시간 증균배양한다.

② 분리배양

증균배양액을 MacConkey Sorbitol 한천배지에 접종하여 35℃에서 18시간 배양한다. Sorbitol을 분해하지 않는 무색집락을 취하여 EMB 한천배지에 접종하여 35℃에서 24시간 배양하고, 녹색의 금속성 광택이 확인된 집락은 확인시험을 실시한다.

③ 확인시험

EMB 한천배지에서 녹색의 금속성 광택을 보이는 집락을 보통한천배지에 옮겨 35℃에서 24시간 배양후 그람음성간균임을 확인하고 생화학시험을 실시한다.

④ 혈청형 시험

대장균으로 확인동정된 균은 O157 항혈청을 사용하여 혈청형을 결정하고, O157이 확인된 균은 H7의 혈청형시험을 한다.

5) 살모넬라 (*Salmonella spp.*)

① 증균배양

검체 25g 또는 25㎖를 취하여 225㎖의 mEC 배지에 가한 후 35℃에서 24시간 증균배양한다.

② 분리배양

증균배양을 MacConkey 한천배지 또는 Desoxycholate Citrate 한천배지에 접종하여 35℃에서 24시간 배양한 후, 의심되는 집락은 확인시험을 실시한다.

③ 확인시험

■ 생화학적 확인시험 : 분리배양된 평판배지상의 집락을 보통한천배지에 옮겨 35℃에서 18~24시간 배양한 후, TSI 사면배지의 사면과 고층부에 접종하고 35℃에서 18~24시간 배양하여 생물학적 성상을 검사한다. 살모넬라는 유당, 서당 비분해(사면부 적색), 가스생성(균열확인) 양성인 균에 대하여 그람음성 간균임을 확인하고 urease 음성, lysine decarboxylase 양성 등의 특성을 확인하다.

■ 응집시험 : Spicer-Edwards 등과 같은 H 혼합혈청과 O 혼합혈청을 사용하여 응집반응을 확인한다.

6) 리스테리아 (*Listeria monocytogenes*)

(1) 증균 및 분리배양

우유, 유제품, 가공식품 및 수산물의 검체에 대해서는 1차 증균배지로 Listeria enrichment broth를 사용하고, 식육 및 가금류의 검체는 UVM-Modified Listeria enrichment broth를 사용한다. 고형물의 검체는 25g을 세절하거나 분쇄하고, 액상의 검체는 25㎖를 취하여 225㎖의 Listeria enrichment broth 또는 UVM-Modified Listeria enrichment broth에 가한 후 30℃에서 24시간 배양한다. 배양액 100㎕를 취하여 Fraser Listeria broth에 접종하여 30℃에서 24시간 배양하여 2차 증균을 실시한다. 2차 증균액 100㎕를 멸균된 면봉을 이용하여 Oxford agar 또는 Lithium chloride-phenylethanol-moxalactam agar 평판배지에 도말하여 30℃에서 24~48시간 배양한다. 의심집락이 확인되면 이를 0.6% yeast extract가 포함된 tryptic soy agar에 도말하여 30℃에서 24~48시간 배양한다. 이상의 과정을 요약하면 그림 9-1과 같다.

(2) 확인시험

Gram염색 후 Gram양성 간균이 확인되면 hemolysis, motility, catalase, CAMP test와 mamnitol, rhamnose, xylose의 당분해시험을 실시한다. 이 결과 β-hemolysis를 나타내고 catalase양성, motility 양성을 나타내며 CAMP test결과 *Staphylococcus aureus*에서 양성, Rhodococcus equi에서 음성으로 나타나는 동시에 당분해시험 결과 mannitol 비분해, rhamnose 분해, xylose비분해의 결과를 보일 경우 *Listeria monocytogenes* 양성으로 판정한다.

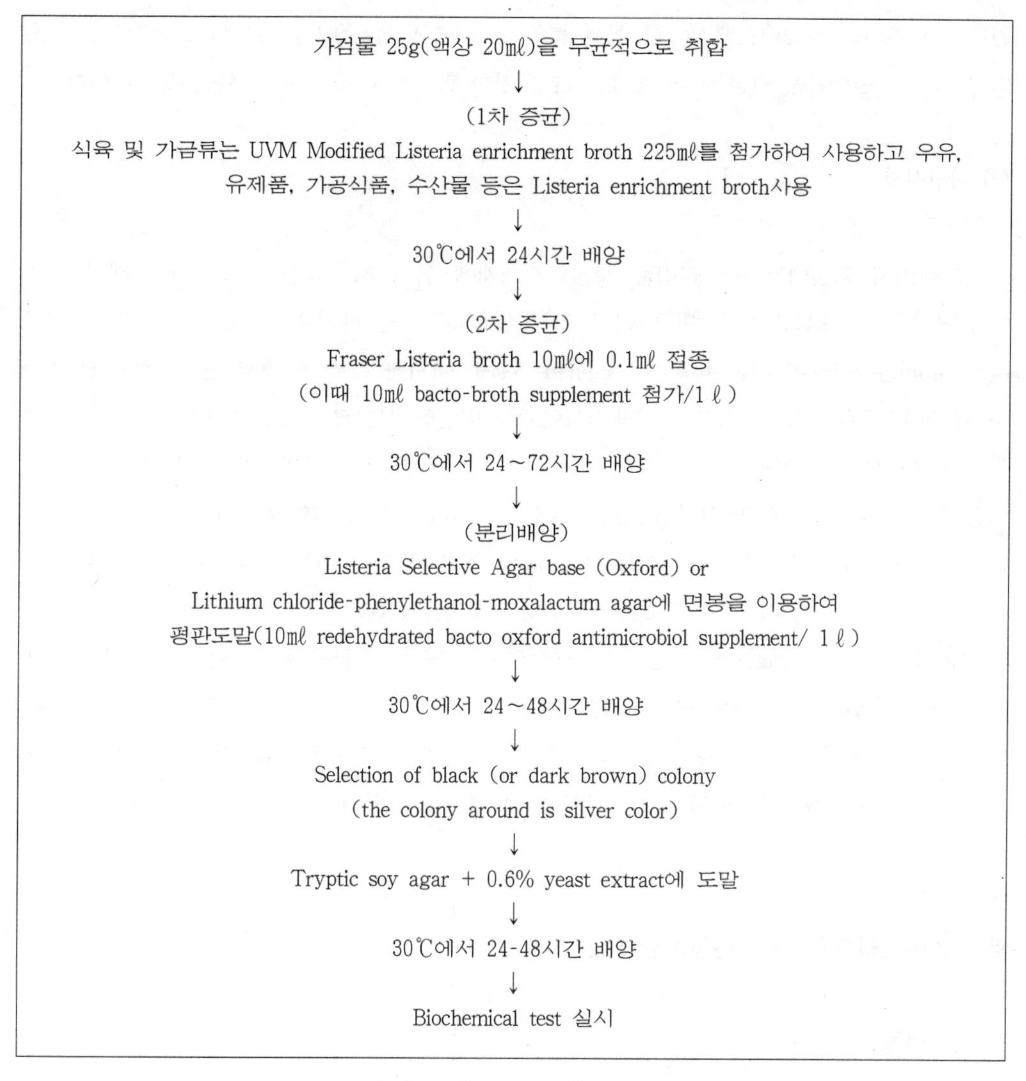

그림 9-1 증균 및 분리배양 과정

7) 황색포도상구균 (*Staphylococcus aureus*)

(1) 증균 및 분리배양

검체의 채취 및 취급에 따라 처리한 시험용액의 조제에 의해 만들어진 검액 1mℓ를 10% NaCl을 첨가한 tryptic soy broth에 접종하여 35~37℃에서 16~24시간 배양한다. 배양결과 난황첨가 만니톨 식염한천배지에서 황색 불투명집락(만니톨분해)을 나타내고 집락주변에 혼탁한 백색환(난황반응 양성)이 있는 집락을 확인한 경우는 다음에 따라 확인시험을 한다.

(2) 확인시험

분리배양된 평판배지상의 집락을 보통한천배지에 옮겨 37℃에서 18~24시간 배양한 후 Gram염색을 실시하여 포도상의 배열을 갖는 Gram양성 구균을 확인한다. 포도상의 배열을 갖는 Gram양성구균이 확인된 것은 coagulase test를 실시한다. 토끼 혈청(신선혈청은 5%, 건조혈청의 용액은 10%)을 가한 멸균생리식염수를 멸균한 시험관에 0.5~1mℓ씩 무균적으로 분주한다. 여기에 분리배지상의 집락에서 직접 또는 보통한천배지에서 순수배양시킨 균 1백금이를 접종하여 37℃에서 배양한다. 배양 후 3, 6, 24시간의 각 시간에 응고의 유무를 판정하여 어느 시간 후에도 응고 또는 섬유소(fibrin)가 석출된 것은 모두 coagulase 양성으로 하며 이상과 같이 확인된 것은 황색포도상구균 양성으로 판정한다.

시험에 있어서는 coagulase 양성균 및 균주접종의 음성대조균을 둔다. 혈장은 건강한 토끼에서 멸균된 5% 구연산나트륨용액 1용량에 혈액 4용량의 비율로 채혈하고, 즉시 1,500rpm에서 10분간 원심분리하여 무균적으로 분리시킨 것 또는 시판 건조혈장을 이용하는 것. 또는 토끼 혈장을 이용하는 것이 좋지만 부득이한 경우는 사람의 혈장을 대용할 수도 있다.

8) 장염비브리오 (*Vibrio parahaemolyticus*)

(1) 증균배양

검체 25g 또는 25mℓ를 취하여 225mℓ의 펩톤수 10mℓ에 가한 후 35℃에서 18~24시간 증균배양한다.

(2) 분리배양

증균배양을 TCBS한천배지에 접종하여 35℃에서 18~24시간 배양한다. 배양결과 직경 2~4mm인 청록색의 서당 비분해 집락에 대하여 확인시험을 실시한다.

(3) 확인시험

분리배양된 평판배지상의 집락을 TSI사면배지의 사면과 고층부, LIM배지, 보통한천배지에 각각 접종한 후 35℃에서 18~24시간 배양한다.

장염비브리오는 TSI사면배지에서 사면부가 적색(유당, 서당 비분해), 고층부는 황색(포도당 발효), 가스 비생성, 유당 및 서당 비분해(사면부 적색), 황화수소 비생성(고층부가 흑색화되지 않음), LIM 배지에서 lysine decarboxylase 양성, indole 생성, 운동성 양성, oxidase 시험 양성이다.

위 시험에서 장염비브리오로 추정된 균은 0, 3, 8 및 10% NaCl을 가한 peptone수에 의한 내염성시험, VP 시험, mannitol 이용성시험, arginine 및 ornithine 분해시험, ONPG시험을 실시한다.

장염비브리오는 0% 및 10% NaCl을 가한 Peptone수에서 발육 음성, 3% 및 8% NaCl을 가한 peptone수에서 발육양성, VP 음성, Mannitol에서 산생성 양성, Ornithine 분해양성, arginine 분해음성, ONPG 시험 음성, 3% NaCl을 가한 nutrient broth, 42℃에서 발육양성이다.

참고문헌

1. 식품의약품안전청 : 식품공전. 문영사(1999)
2. 장동석, 신동화, 정덕화, 김창민, 이인선 : 자세히 쓴 식품위생. 정문각(1999)
3. Doyle, M.P. and Schoeni, J.L. : Isolation of *Escherichia coli* O157 : H7 from retail fresh meats and poultry. Appl. Environ. Microbiol., 57, p.2394(1987)

제 3 절 이화학적 검사

1. 잔류농약

농약은 농작물에 발생하는 병·해충과 잡초를 효율적으로 방제하여 농산물의 품질을 향상시키는데 그 목적이 있으며, 유기인제, 유기염소제, 카바이트계 농약으로 대별할 수 있다. 유기인제 농약[EPN, 다이아지논(diazinon), 디메토에이트(dimethoate), 말라치온(malathion), 파라치온(parathion), 페니트로치온(fenitrothion), 펜토에이트(pentoate), 펜치온(fenthion), 메치다치온(methidathion), 클로로피리포스(chloropyrifos), 디클로보스(dichlorvous), 이진포스메칠(azinphos-methyl), 오메토에이트(omethoate), 피리미포스메칠(pirimiphos-methyl), 크로르펜빈포스(chlofenvinphos), 에치온(ethion), 포살론(phosalone), 포스메트(Phosmet), 카보페노치온(carbofenothion)이 포함된다.

유기염소제 농약은 [BHC (α, β, γ 및 δ-BHC), DDT(DDD 및 DDE), 알드린(aldrin), 디엘드린(dieldrin), 엔드린(endrin), 디코폴(dicofol), 캡탄(captan), 캡타폴(captafol), 클로르벤질레이트(chlorobenzilate), 엔도설판(α, β-endosulfan 및 endosulfan sulfate), 클로로타로닐(chlorothalonil)]이 포함된다.

카바마이트계 농약은 카바릴(carbaryl), 이소프르카브(isoprocarb), 메소밀(methomyl), 베노밀(benomyl), 치오파네이트메칠(thiophanate-methyl), 카보후란(carbofuran), 기타보존제로는 디페놀(diphenol, DP), δ-페닐페놀(ortho-phenyl·phenol, OPP), 치아벤다졸(thiabendazole, TBZ)을 들 수 있다.

1) 유기인제

실험개요

채소류, 과실류 등에 대한 유기인제 잔류 농약의 다성분 분석방법을 제시하고자 한다.

시료조제

시료(약 1kg을 정밀히 달아 필요하면 적당량의 증류수를 넣고 균질화한 것) 20g을 채취한 후, 아세톤 100㎖를 넣어 5분간 균질화한다.

시약 및 기구

- 표준용액 : 유기인제 농약, EPN, 다이아지논 등의 표준용액은 각 농약의 표준원액(100 mg/kg, 100ppm)을 만들어 아세톤으로 희석하여 각각 0.5ppm으로 혼합하여 사용한다.
- 암버라이트 XAD-8 수지(Amberite XAD-8 resin)
- 활성탄(Active carbon) : 칼럼크로마토그라프용 다코(darco) G-60 또는 이와 동등한 것
- 미결정 셀루로우즈 분말 : 칼럼크로마토그래프용
- 여과보조제 : 셀라이트 545(Celite 545) 또는 하이플로슈퍼셀(hyflosuper cell) 또는 이와 동등한 것
- 가스크로마토그래프(gas chromatograph) : 질소・인 검출기(nitrogen phosphorus detector, NPD) 또는 염광광도 검출기(flame photometric detector, FPD)
- 칼럼충전제
  - 고정상담체 : 가스크로마토그래프용 크로모솔브 W(Aw-DMCS),・크로모솔브 G(AW- DMCS) 및 가스크롬 Q(60~80mesh, 80~100mesh) 또는 이와 등등한 것
  - 고정상 액체 : 가스크로마토그라프용 4% OV-101, 10% DC-200, 10%QF-1, 5% OV-210 및 OV-225
- 칼럼 : 안지름 2~3mm, 길이 100~200cm의 유리관
- 시험용액 주입부 및 검출기의 온도 : 칼럼 온도에 따라 180 ~ 270℃
- 칼럼온도
  - 승온온도 : 초기온도 140℃에서 시험용액을 주입한 후 4℃/분의 속도를 온도를 상승시켜 240℃에서 마지막 피크가 나올 때가지 유지한다(140℃~240℃, 3℃/분).
  - 항온조건 : 160~240℃
- 캐리어가스 및 유량 : 질소(N_2), 30~50㎖/분(수소 및 공기의 유량은 가장 적절한 조건으로 측정한다).

실험방법

시료조제물을 여과보조제를 깔은 흡인여과기로 여과한다. 잔류물은 다시 브랜드에 넣고 증류수 30%를 함유한 아세톤 50㎖를 넣어 5분간 균질화한 후 다시 흡인 여과기로 여과하여 여액을 합한다. 5% 염화나트륨용액 400㎖를 분액 깔대기에 준비하고 이에 여액을 옮긴 다음 이에 20% 디클로로메탄 함유 벤젠 100㎖를 넣어 1분간 심하게 진탕하고 정치한다. 디클로로메탄, 벤젠 층을 분액깔대기에 취한다.

물층에 다시 20% 디클로로메탄함유 벤젠 100㎖를 넣어 1분간 진탕하고 정치하여 디클로로메탄, 벤젠 층을 ⑥의 분액깔대기에 합쳐서 증류수 100㎖로 씻는다. 디클로로메탄, 벤젠층은 무수황산

나트륨칼럼에 통과시켜 탈수한다. 다시 칼럼을 벤젠 약 20㎖로 씻은 후 이를 40℃ 이하의 수욕상에서 감압하에 날려보내고 잔류물을 아세톤 일정량(20㎖)으로 녹인다

- 정제 : 이 칼럼에 추출하여 농축한 농축액을 넣고 벤젠 150㎖로 용출한다(안지름 15mm의 칼럼관에 활성탄/미결정셀루로우즈 분말(1 : 10)의 혼합물 5g과 무수황산나트륨 5g을 각각 벤젠에 현탁시켜 차례로 충전하고 상단에 소량의 벤젠이 남을 정도까지 유출시킨다). 용출액을 40℃이하의 수욕상에서 벤젠을 감압하여 날려보내고 다시 실온에서 질소가스 벤젠을 완전히 날려보낸다. 잔류물에 아세톤에 녹여 일정량(5㎖)으로 하여 시험용액으로 한다.

결과 및 고찰

칼럼 충전제 2개 이상을 선정하여 표준용액과 시험용액을 1㎕ 주입하여 크로마토그램을 구하고 표준용액 및 시험용액의 피크와 머무름 시간(retention time)을 비교해서 정성한다.
얻어진 피크의 면적 또는 높이를 측정하여 표준용액으로 작성한 검량선으로부터 유기인제 농약의 함량을 구한다.

2) 유기염소제

실험개요

청과류의 유기염소제 농약 BHC(α, β, γ 및 δ-BHC), DDT(DDD 및 DDE), 알드린, 디엘드린, 엔드린, 디코폴 분석 방법을 제시한다.

시료조제

청과류(상치－바깥 변질 잎 및 심을 제거한 것, 오이－꼭지를 제거한 것, 딸기 및 토마토－받침을 제거한 것) 시료 균질화한 150g을 150㎖ 분액깔대기에 넣은 후 아세톤 100㎖ 및 벤젠 150㎖를 가해 10분간 진탕한다.

시약 및 기구

- 표준용액 : 유기염소제농약의 표준용액은 각 농약의 표준원액(100mg/kg, 100ppm)을 만들어 n-핵산으로 희석(0.1～1.0ppm)하여 사용한다.
- 후로리실(florisil) : 칼럼크로마토그래프용, 후로리실(60～100mesh)을 130℃에서 24시간 가열한 후 데시케이터에서 식힌다.
- 활성탄(active carbon) : 칼럼크로마토그래피용 다코(Darco) G-60 또는 이와 동등한 것
- 미결정셀루로우즈분말 : 칼럼크로마토그래프용
- 가스크로마토그래프(gas chromatograph) : 전자포획검출기(Electron capture detector, ECD)
- 칼럼충전제 : 가-1) 유기염소제 농약 다성분 분석 4) 장치 및 측정조건 (2) 칼럼충전제 참고.

- 칼럼 : 안지름 2~3mm, 길이 100~200cm의 유리관
  - PAS-5 capillary column
  - 2% Sil. DC QF-1
  - DB-5
- 시험용액 주입부 및 검출기 온도 : 220~250℃
- 칼럼온도 : 185~190℃
- 캐리어 가스 및 유량 : 질소(N_2), 50mℓ/분

실험방법

시료조제물을 원심분리 또는 흡인 여과 후 상층액을 1ℓ 분액깔대기에 취한다. 하층은 위의 500mℓ 분액깔대기에 다시 넣어 벤젠 150mℓ를 넣고 10분간 진탕하고 원심 분리 또는 흡인 여과 후 분액깔대기에 합한다. 이에 2% NaCl 용액 300mℓ씩으로 2회 씻은 후 벤젠층을 1ℓ 삼각 플라스크에 옮긴다. 적당량의 무수황산나트륨을 넣고 때때로 흔들어 섞으면서 1시간 방치하여 탈수시킨다. 감압농축기 중 5C 여과지로 여과한다. 여과지 위의 잔류물은 벤젠 20mℓ씩으로 1ℓ 삼각 플라스크를 씩은 후 여지에 부어 잔류물을 2회 되풀이하여 씻는다.

씻은 액은 앞의 여액에 합한다. 감압농축하여 정확히 20mℓ로 한다.

정제 : 칼럼을 준비한다(안지름 22mm, 길이 300mm의 크기 칼럼에 후로리실 10g, 무수황산나트륨 8g을 각각 n-핵산에 현탁시켜서 넣는다. 충전물의 상단에 소량의 n-핵산이 남을 정도까지 유출시킨다). 위의 칼럼에 추출하여 농축한 농축액 5mℓ을 넣고 n-핵산 : 에테르(17 : 3)의 액을 300 mℓ 넣어 유출액을 받는다. 유출액을 감압농축하여 정확히 5 mℓ로 하여 BHC(α, β, γ 및 δ-BHC), 알드린, 디엘드린의 시험용액으로 한다. 위의 칼럼에 초산에틸 : n-핵산(1 : 1)의 액을 150mℓ 넣어 유출액을 받는다. 용출액을 감압농축하여 5mℓ로 한다. 칼럼관을 준비한다(안지름 15mm, 길이 300mm의 칼럼에 활성탄 및 : 미결정 셀룰로우즈 분말(1 : 10)의 혼합물 5g, 무수황산나트륨 약 5g을 각각 n-핵산에 현탁시켜 넣은 후 충전물의 상단에 소량의 n-핵산이 남을 정도까지 유출시킨다). 이 칼럼에 농축액을 넣고 n-핵산 : 에테르(1 : 1)의 액을 200mℓ 넣어 유출액을 받는다. 이 유출액을 감압농축하여 정확히 5mℓ로 한 것을 캡탄 및 캡타폴의 시험용액으로 한다.

결과 및 고찰

1. 칼럼 충전제 2개 이상을 선정하여 표준용액과 시험용액을 1$\mu\ell$ 주입하여 크로마토그램을 구하고 표준용액 및 시험용액의 피크와 머무름 시간(retention time)을 비교해서 정성한다.
2. 얻어진 피크의 면적 또는 높이를 측정하여 표준용액으로 작성한 검량선으로부터 유기인제 농약의 함량을 구한다.

주의사항

1. 동일한 성질을 가진 여러 가지 칼럼을 이용하여 크로마토그램을 구해서 비교 확인하여야함.
2. 필요에 의해 GC/MS를 이용한 최종확인이 필요함.

참고문헌

1 식품공전(1999)
2 일본잔류농약 분석법(소화 55년)

3) 카바마이트계 농약

(1) 베노밀 (Benomyl) 실험

실험개요

베노밀은 많은 종류의 과수 및 야채의 병충해 구제에 효과적이나 독성은 비교적 약한 편이다. 이는 식물체 및 토양 중에서 methy 2-benzimidazole carbamate(MBC)로 되어 잔류하며 강한 살균력을 갖는다. MBC가 가수분해되면 2-Aminqbenzimidazole(2-AB)로 된다. 베노밀은 gas chromatograph를 이용하여 정량하기에는 어려움이 있다. 특히 베노밀은 시료의 추출액을 감압농축하는 동안에 MBC로 변화한다. 따라서 MBC는 강력한 자외부 흡수와 형광을 갖고 있기 때문에 이것을 응용하여 형광 검출기로 이용하여 HPLC로 정량한다.

시료조제

균질화한 시료 100g을 채취한 후, 초산에틸 : 아세톤(3 : 2)의 용액 200㎖로 추출한다

시약 및 기구

- 표준용액 : MBC(Methyl 2-benzimindazole carbamate) 표준물은 일반용매에 녹지 않으므로 메탄올이 녹이고 잘 녹지 않으면 염산(염산 1㎖에 증류수 1㎖ 혼합한 비율의 염산용액)을 첨가하여 등전점(pH 6.4)을 피하면 완전히 녹는다. 표준용액은 MBC 표준원액(100㎖/kg, 100ppm)을 만들어 메탄올로 희석하여 20ppm으로 한다.

※MBC는 등전점이 pH 6.4의 양성물질로 산성, 알칼리성의 물, 클로로포름(chloroform), 디클로로메탄(dichloromethane), 메탄올(methanol) 등에 녹는다. 알칼리성에서 가열하면 2-aminqbenzimidazole(2-AB)로 된다.

- 초산에칠(Ethyl acetate, $CH_3COOC_2H_5$)
- 아세톤(Acetone, CH_3COCH_3)
- 0.1N 염산
- 디클로로메탄(Dichloromethane)
- 메탄올(Methanol)
- 이동상 : 메탄올 : 증류수 : 1/15M 인산완충용액(pH 6.4) = 95 : 3 : 2

- 검출기 : 형광검출기(Fluorescence detector : FL)
- 칼럼 : μ-Bondapak C18, Nova-Pak C18
- 파장 : 여기파장(Excitation) 285nm
  형광파장(Emission) 315nm
- 유속 : 0.5 ml/분
- Attenuation(AT) : 64
- Chart speed(CS) : 0.25
- 주입량 : 10μl

실험방법

시료조제물을 초산에틸층을 약 50ml로 농축하고, 0.1N 염산 30ml로 추출하고 다시 20ml로 재추출한다. 염산층을 초산에틸 50ml로 세정하고 pH 6.0~6.5로 조정한 후 이에 디클로로메탄 50ml로 추출하고 다시 30ml로 재 추출한다. 디클로로메탄층을 실리콘(silicon) 처리 여지(whatmann 1ps)로 여과하고 용매를 감압농축하여 완전히 날려보내고, 농축된 잔류물을 메탄올 1ml에 녹여 시험용액으로 한다.

결과 및 고찰

Methyl 2-benzimidazole carbonate(MBC) 20ppm 메탄올 용액을 표준용액으로 하여 장치 및 측정조건에 의해 10μl 주입하여 크로마토그램을 구하고, 시험용액을 다)의 장치 및 측정조건에 의해 10μl 주입하여 크로마토그램을 구하고 표준용액 및 시험용액의 크로마토그램피크와 머무름 시간(Retention time)을 비교해서 정성한다. 표준용액과 시험용액에서 얻어진 MBC피크의 면적 또는 높이에 보정계수 1.52를 곱하여 표준용액 및 시험용액의 베노밀의 량으로 환산한다.
※동일한 성질을 가진 다른 칼럼을 이용하여 재분석하고 크로마토그램을 비교 확인한다.

(2) 치오파네이트메칠 (Thiophanatemethyl) 분석

실험개요

치오파네이트메칠은 베노밀과 마찬가지로 식물체 및 토양 중에서 methyl 2-benzimidazole carbamate (MBC)로 되어 잔류하며 강한 살균력을 갖는다. MBC가 가수분해되면 2-Aminqbenzimidazole(2-AB)로 된다. 따라서 본 분석은 치오파네이트메칠을 폐환하여 MBC로 한다. MBC는 강력한 자외부흡수와 형광을 갖고 있기 때문에 이것을 응용하여 형광 검출기를 이용하여 HPLC로 정량한다.

시료조제

균질화한 시료 100g을 채취한 후, 메탄올 100ml로 추출한다.

시약 및 기구

- 표준용액 : 치오파네이트메칠 표준물은 일반용매에 녹지 않으므로 메탄올에 녹여 표준원액(100mg/kg, 100 ppm)을 만들고 메탄올로 희석하여 20ppm되게 만든다. 메탄올을 유지하고 50% 초산 10mℓ와 초산동 100mg을 가하여 30분간 환류저비한다. 이에 1N 염산 10mℓ와 증류수 20mℓ를 가하여 디클로로메탄 20mℓ로 세정한다. 수층을 pH 6.0~6.4로 조정(포화 NaOH로 조정)하고 디클로로메탄 100mℓ씩으로 2회 반복 추출한다. 디클로로메탄층을 실리콘처리 여지(Whatmann 1ps)로 여과하고 용매를 감압농축하여 날려 보낸다. 농축된 잔류물을 메탄올 1mℓ에 녹여 표준용액으로 하여 검량선 작성에 이용한다.
- 칼럼 : μ-Bondapak C18, Lichrosorb RP selector B
- 검출기 : 형광검출기(Fluorescence detector : FL)
- 파장 : 여기파장(Excitation) 285nm
  형광파장(Emission) 315nm
- 유속 : 0.3mℓ/분
- Attenuation(AT) : 512
- Chart speed(CS) : 0.25
- 주입량 : 10μℓ

실험방법

시료조제물에 다시 메탄올 60mℓ로 추출하고 추출액을 합한다. 추출액에 2% NaCl 용액 60mℓ를 가하고 석유에테르 100mℓ로 세정한다. 수층을 디클로로메탄 100mℓ씩 2회 반복 추출한다. 2회 추출하여 합한 디클로로메탄층을 실리콘처리한 여지(whatman 1ps)로 여과한다. 용매를 감압농축하여 날려 보낸다. 농축액에 50% 초산 10mℓ와 초산동 100mg을 가하여 30분간 환류저비한다. 이에 1N염산 10mℓ와 증류수 20mℓ을 가하여 디클로로메탄 20mℓ로 세정한다. 수층을 pH 6.0~6.4로 조정(포화 NaOH로 조정)하고 디클로로메탄 100mℓ씩으로 2회 반복 추출한다. 디클로로메탄층을 실리콘처리 여지(Whatman 1ps)로 여과하고 용매를 감압농축하여 날려 보낸다. 농축된 잔류물을 메탄올 1mℓ에 녹여 시험용액으로 한다.

결과 및 고찰

1. 검량선작성은 치오파네이트메칠을 MBC화하여 준비한 표준용액을 다) 장치 및 측정조건에 의하여 10μℓ 주입하여 크로마토그램을 구한다.
2. 또한 시험용액을 다) 장치 및 측정조건에 의해 10μℓ 주입하여 크로마토그램을 구하고 표준용액 및 시험용액의 피크와 머무름 시간을 비교해서 정성한다.
3. 얻어진 피크의 면적 또는 높이를 측정하여 표준용액으로 작성한 검량선으로부터 치오파네이트메칠의 량을 구한다.

주의사항

1. 분석용 칼럼 및 배관은 유리제 및 teflon제를 이용하여야한다. 스테인레스제를 이용하면 MBC가 분해된다.
2. 치오파네이트메틸 분석의 오차를 줄이기 위해 추출로부터 폐환가지의 조작은 1일 이내 빨리 수행한다.
3. 용액의 탈수는 무수황산나트륨을 이용하면 치오파네이트메칠 및 MBC의 일부가 흡착되므로 Silicon 처리여지로 여과하여 물을 제거한다.

4) 보존제 농약분석

(1) 치아벤다졸(Thiabendazole : TBZ) 및 δ-페닐페놀(Ortho-phenylphenol : OPP) 동시분석

시료조제

균질화한 시료 50g에 브렌드 컵에 넣고 초산에칠 100㎖를 넣는다.

시약 및 기구

표준용액 : 표준물 TBZ와 OPP를 메탄올에 녹여 각각 표준원액(100mg/kg, 100ppm)을 만들고 이를 메탄올로 희석하여 정당한 농도로(10ppm) 희석하여 표준용액으로 한다.

- 이동상/메탄올/인산완출용액(pH 8.0) (60 : 40)
- 검출기 : 형광광도계(Fluorescence detector : FL)
- 칼럼 : Nova-Pak C18, μ-Bondapak C18
- 파장 : 여기파장(Excitation) 285nm
  형광파장(Emission) 385nm
- 유속 : 1.0㎖/분
- Attenuation(AT) : 32
- chart speed(CS) : 0.25
- 주입량 : 10μℓ

실험방법

시료조제물을 호모게나이저(homogenize)로 10,000rpm에서 3분간 추출하고 원심분리한다. 상층액은 5C 여과지로 여과한다. 잔류물에 초산에칠 100㎖를 가해 다시 호모게나이저하여 추출하고 원심분리한다. 상층액을 5C여과지로 여과하고 여과액을 합한다. 여액을 감압농축기(rotary evaporator)로 농축하고 용매를 완전히 날려보낸다. 용매를 완전히 날려 보낸 잔류물에 메탄올 10㎖를 가하고, 1.0㎛의 필터로 여과하여 시험용액으로 한다.

결과 및 고찰

1. TBZ 및 OPP의 표준용액과 시험용액을 장치 및 측정조건에 의해 10㎕주입하여 크로마토그램을 구하고 표준용액 및 시험용액의 크로마토그램 피크와 머무름 시간(retention time)을 비교해서 정성한다.
2. 또한 얻어진 피크의 면적 또는 높이를 표준용액으로 작성한 검량선과 비교하여 TBZ 및 OPP의 량을 구한다.

참고문헌

1. 식품공전(1999)
2. 속액체크로마토그래피, 일본분석학회, 관동지부편

2. 항균성 물질

항생물질(antibiotics)은 미생물 대사산물로 항균활성을 가진물질로 페니실린계(penicillins), 아미노글리코시드계(aminoglycosides), 테트라사이클린계(tetracyclines), 마이크로라이드계(microlides), 펩타이드계(peptides) 등이 있다.

합성항균제(synthetic antimicrobial drugs)는 미생물이 생성한 물질이 아니라 인공적으로 합성한 항균활성을 가진 물질로 설파제(sulfadrugs)라고도 하며 설파메타진(sulfametethaziane), 설파메라진(sulfamerazine) 등이 있다.

1) 항생제

(1) TTC 환원시험

시료조제

본 시험법은 원유나 우유 중에 잔류하는 penicilline을 비롯한 항생물질 등의 세균발육 저지물(bacterial inhibitory substance)의 오염여부를 정성적으로 알아보는 방법이다. 우유 중에 세균발육 저지물질(특히 생체로부터 항생물질이 우유에 이행될 때)이 존재할 때에는 시료에 시험균을 가해 배양해도 시험균은 증식하지 않으므로 TTC(2,3,5-triphenyl-2H-tetrazoluim chloride)는 환원되지 않으나 우유 중에 세균 발육저지 물질이 존재하지 않을 때에는 시험균은 증식하여 TTC를 환원시켜 적색의 triphenyl formazon이라고 칭하는 적색색소로 변화하는 것에 기초를 두고 있는 정성확인 시험법이다.

따라서 TTC가 환원되어 적색으로 되면 음성으로 세균발육저지물질이 함유되어 있지 않으며 우유자체의 색을 지니면 양성으로 세균발육저지물질이 함유되어 있다고 판단한다.시험균인 streptococcus thermophilus NO.510주는 penicillin에 대해서 0.025～0.031 IU/㎖ 이상의 감도를 나타낸다.

시약 및 기구

- TTC용액 : 2.3.5-triphenyl-2H-tetrazolium chloride(TTC) 1g을 증류수 25g에 용해한 것(본 시험액은 갈색병에 담아 7℃ 이하 냉암소에서 보관한다. 날짜가 오래된 것, 발색한 것은 사용할 수 없음)
- 시험균 : Streptococcus thermophilus(10% 탈지분유배지에 20일마다 계대 배양할 것)
- 배지 : 10% 탈지분유(skim milk)를 사용할 것(항생물질 또는 세균 발육억제 물질이 없는 것).

실험방법

10% 탈지분유 배지에 시험균주를 이식하여 배양한다(37℃±0.5℃, 12시간 배양)

멸균 10% 탈지분유와 배양균을 1 : 1로 희석하여 준비한다. 시료(우유) 9㎖를 고무마개가 있는 멸균시험관(cap tube)에 취한다. 80℃ 수욕조(water bath)에서 5분간 살균한다(시료의 온도가 80℃되었을 때부터 5분간). 즉시 냉각 수욕조를 이용해서 37℃까지 냉각시킨다. 균액을 1㎖가하여 멸균시험관을 혼합한다(2～3회 invert mixing). 이를 37℃ 수욕조에서 정확히 2시간 배양한다(광선을 차단시키기 위하여 뚜껑이 있는 수욕조 이용할 것). TTC용액 0.3㎖를 가하여 혼화한다(2～3회invert mixing). 37℃ 수욕조에 침적하여 30분 배양 후 발생상태를 관찰한다(시료의 색조는 시시각각 변화하기 때문에 광선 차단 상태에서 즉시 판정한다). 대조로서 세균발육저지 물질이 들어 있지 않은 우유를 넣은 시험관 2개를 준비한다. 1개의 시험관에는 시험균의 배양액을 첨가하고 나머지 1개의 시험관에는 시험균의 배양액을 가하지 않고 위와 동일하게 조작하여 그 결과를 비교한다.

결과 및 고찰

1. 우유 중 발육저지물질(항생물질)이 존재할때 → 우유 고유의 색(양성 판정).
2. 우유 중 발육저지물질(항생물질)이 존재하지 않을 때 → 접한 시험균이 증식하여 TTC를 환원하여 적색으로 됨(음성 판정).
3. TTC 환원시험법은 설파제(합성항균제)의 검출감도가 매우 낮아 종류에 따라 500～5000ppm 이상의 농도일 때 TTC양성으로 검출되기 때문에 설파제 시험법으로는 부적절하다. 따라서 TTC개량법(TTCⅡ)이 개발되어 원유 및 유제품의 검사에 적용될 예정임.

(2) 개량 TTC (TTC-Ⅱ) 시험

실험개요

본 시험법은 원유 및 유제품에 잔류하는 항균성 물질(설파제) 및 페니실린계, 방부제 등의 세균 발육억제 물질의 검출 감도를 높이기 위한 것으로 기존의 환원시험법을 개량한 것이다.

시험균주로는 streptococcus thermophilus ATCC 14485를 이용하여 이 균의 대사과정에서 생성되는 succinate dehydrogenase가 존재할 때 무색의 TTC가 도홍색의 triphenylformazan으로 환원되는 원리를 이용한 것이다. 설파제의 검출감도를 높이기 위해 설파제에 대한 상승효과가 있는 TMP 및 다른 항균성 물질과 감별하기 위해 길항 효과가 있는 PABA를 사용하여 정성 확인하는 시험법이다.

시약 및 기구

- 2.3.5-triphenyl-tetrazolium chloride(TTC)용액 : TTC(2.3.5-triphenyl-tetrazolium chloride)와 멸균증류수 1 : 25의 비율로 용해하여(4% 수용액) 냉장보관 하면서 2주 이내에 사용한다.
- Trimethoprim(TMP)용액 : 50.0mg의 TMP를 100㎖ 용량플라스크에 취해 메탄올 10㎖에 녹이고 멸균 증류수로 눈금 표시선까지 맞추고(500㎍/㎖), 냉장보관하면서 2주 이내에 사용한다. 시험용액으로 사용할 때는 멸균증류수로 1:9의 비율로 희석(50㎍/㎖)한 용액을 사용한다.
- P-Amino Benzoic Acid(PABA)용액 : 500mg의 PABA를 100㎖ 용량플라스크에 취해 멸균증류수 약 50㎖를 가하여 녹인 다음 멸균증류수로 표시선까지 맞추고(5mg/㎖) 실온에서 보관하면서 2주 이내에 사용한다. 시험용액으로 사용할 때는 멸균증류수로 1 : 9의 비율로 희석(500㎍/㎖) 한 용액을 사용한다.
- Penicillinase 용액 : Penicillinase(1,000units, sigma)를 멸균증류수 1㎖로 녹여 시험용액으로 사용한다.
- 공시균주 : Streptococcus thermophilus ATCC 14485
- 배지 : 항균물질이 없는 10% 멸균탈지유배지를 공시균주 배양용 배지로 사용한다.
- 시험용 배양균액 : Streptococcus thermophilus 균주를 10% 멸균탈지유배지에 접종하여 37℃에서 12시간 배양한 후 1% 멸균탈지유 배지와 1 : 1로 혼합하여 즉시 사용한다.
- 항온수조 혹은 항온 배양기(37℃)
- 항온수조(82±2℃)
- 마개 달린 시험관(18×180mm)
- 혼합기(Multi-vortex mixer)
- 마이크로 피펫(100㎕ 및 1,000㎕)
- 피펫(1㎖ 및 10㎖)

실험방법

1 정성시험 : 대조시험으로 사용할 마개달린 멸균시험관 2개를 준비(Zero control 및 TMP control)하고 항균물질이 들어 있지 않은 우유를 8㎖ 넣는다. 준비한 멸균시험관에는 시험시료를 균질화하여 8㎖씩 넣는다. Zero control 시험관에는 멸균증류수 1㎖를 첨가하고, TMP control 및 시험 시료의 시험관에는 TMP용액(50㎍/㎖) 1㎖ 첨가하여 혼합한다. 시료 및 각 대조군 시험관의 내용물을 완전히 혼합(시료틀을 상하로 세게 흔든다)한 후 82±2℃에서 항온수조에서 2분 30초간 가열 살균하고 즉시 37℃이하의 물에서 냉각(내용물이 물에 완전히 잠겨야 함)시킨다. 시험용배양균액(1 : 1 희석균액)을 대조시험관 및 시험시료의 시험관에 무균적으로 각각 1㎖씩 접종하고 시료를 완전히 혼합한 후 37±0.5℃ 수조에서 2시간 배양(내용물이 물에 완전히 잠겨야 함)한다. 대조시험관 및 시험시료 시험관에 각각 4% TTC 용액 0.3㎖씩 첨가하고 완전히 혼합한 후 37±0.5℃에서 30~60분 동안 반응시킨다. TMP control 색상을 기준으로 하여 시험시료의 색상이 TMP control 색상 도홍색보다 현저히 옅을 경우 양성으로 판정하고, 갈거나 진하면 음성으로 판정한다.

2. 설파제 및 페니실린계 항생물질 확인시험 : 양성으로 판정된 시료에 대해서는 마개달린 멸균시험관 3개를 준비(TMP tube, PABA tube 및 Penase tube로 표시)하고 시험시료(우유)를 각 8㎖씩 넣는다. TMP tube와 Penase tube에는 TMP용액(50㎍/㎖) 각 1㎖씩 첨가하고, PABA tube에는 PABA용액(500㎍/㎖) 1㎖를 첨가하여 혼합한다. 대조시험으로 사용할 2개의 멸균시험관에는 항균물질이 들어 있지 않은 우유를 8㎖씩 넣어 Zero control과 TMP control로 하고 Zero control 시험관에는 멸균증류수 1㎖를 첨가하고 TMP control 시험관에는 TMP용액(50㎍/㎖) 각 1㎖ 첨가하여 혼합한다. 앞에서 준비한 시험관을 82±2℃에서 항온수조에서 2분 30초간 가열 살균하고 즉시 37℃ 이하의 물에서 냉각(내용물이 물에 완전히 잠겨야 함)시킨다. Penase tube에는 penicillinase 용액 100㎕를 첨가하여 혼합한다. 시험용배양균액(1 : 1희석균액)을 각각의 시험관에 무균적으로 각각 1㎖씩 접종하고 시료를 완전히 혼합한 후 37±0.5℃ 항온수조에서 2시간 배양(내용물이 물에 완전히 잠겨야 함)한다. 각각의 시험관에 4% TTC 용액 0.3㎖씩을 첨가하고 완전히 혼합한 후 37±0.5℃에서 30~60분 동안 반응시킨다.

결과 및 고찰

1. 양성판정 : 시료의 색상이 TMP control 시료의 도홍색보다 현저히 옅은 경우
2. 음성판정 : 시료의 색상이 TMP comtrol 시료의 도홍색과 같거나 진한 경우
3. 설파제 잔류판정 : TMP 첨가 시험관 양성, Penase 첨가 시험관 양성, PABA 첨가 시험관 음성인 경우

표 9-7 판정 기준표

TMP 첨가 시험관	Penase 첨가 시험관	PABA 첨가 시험관	결과 판정
음성	음성	음성	음성
양성	양성	음성	설파제 양성
양성	음성	양성	페니실리계 양성
양성	양성	양성	설파제 및 폐니실린계 이외의 항균물질 양성

4 페니실린계 잔류판정 : TMP 첨가 시험관 양성, Penase 첨가 시험관 음성, PABA 첨가 시험관 양성인 경우

5 설파제 및 설파제 이외의 항균성물질 잔류판정 : TMP 첨가 시험관, Penase 첨가 시험관 및 PABA 첨가 시험관 모두 양성인 경우

(3) Charm Ⅱ Test

본 시험은 미생물수용체를 이용하여 잔류항균성 물질을 신속하게 검사할 수 있는 최신장비 Charm Test System(chame-Ⅱ Test)을 이용하여 육류, 우유, 계란, 곡물 등에 잔류하는 penicillins, macrolides, sulfa drugs, tetracyclines, streptomycin, chlorampenicol의 항균물질을 계열별로 분리, 분석한다.

[14C] 또는 [3H]로 표식된 항균물질과 수용체 시약(항균물질에 대한 수용력이 있는 미생물 세포)또는 미생물 세포에 결합 할 수 있는 특이 항체 시약을 시료에 첨가하여 반응시킨다. 그러면 시료에 잔류된 항균물질은 세포에 있는 수용체와 결합하는 원리를 이용한 것으로 이 결합된 수치를 Charm-Ⅱ 분석장치에 의해 측정한다. Charm-Ⅱ분석장치에 의한 항균물질의 검출은 신속하게 분석할 수 있으며, 항균물질의 종류에 따라서는 0.01ppm(10ppb)이하 까지도 검출이 가능하다.

2) 합성항균성 물질

(1) 우유 중 잔류 설파제 HPLC 정량시험

실험개요

우유 중에 잔류하고 있는 설파제의 정량분석을 위해 HPLC를 이용하면 설파메라진(sulfamerazine), 설파메타진(sulfametazine), 설파디메톡신(sulfadimethoxine), 설파퀴녹살린(sulfaquinoxaline) 등의 합성항균제를 비교적 간단한 처리로 동시에 정량분석 할 수 있다. 즉 우유 속의 sulffonamides는 chloroform-acetone에 의해 추출하고 용매를 증발 건고 시킨 후 인산2수소칼륨(potassium dihydrogen phosphate, KH_2PO_4) 용액에 녹이고 지방은 핵산으로 추출 제거하고 분리된 층을 여과하여 HPLC로 분석한다.

시약 및 기구

■ 표준용액 : 설파메라진, 설파메타진, 설파디메톡신, 설파퀴녹살린의 표준물질 10.0mg을 메탄올

에 녹여 100㎖로 한 후(100ppm 보존용 표준용액) 냉장보관하고 이동상으로 적절히 희석, 혼합하여 사용한다.

※희석 사용할 때 100ppm 보존용 표준용액을 1.0㎖ 취해 이동상으로 100㎖되게 희석(1ppm 농도가 됨)하고 각각 2㎖, 5㎖, 10㎖ 취하여 이동상으로 100㎖되게 희석하면 측정용 표준용액의 농도는 각각 20ppb, 50ppb, 100ppb가 된다.

■ 0.1M potassium dihydrogen phosphate(인산2수소칼륨, KH_2PO_4, PDP)
(PDP 27.2g을 2 ℓ의 증류수에 용해시켜 0.45㎛ nylon filter통과시켜 사용)

■ 용매 : HPLC용 메탄올(methanol), 핵산(hexane), 아세톤(acetone), 클로로포름(chloroform)

■ 이동상 :

－12% 메탄올 System : 12% 메탄올/0.1M PDP(12 : 88, v/v%)의 용액은 설파디아진(sulfadiazine), 설파티아졸(sulfathiazol), 설파피리딘(sulfapyridine), 설파메라진(sulfamerazine), 설파메타진(sulfametazine) 등의 분석에 이용한다.

－30% 메탄올 System : 30% 메탄올/0.1M PDP(30 : 70, v/v%)의 용액은 설파메타진(Sulfametazine), 설파클로로피리다진(sulfachloropyridazine), 설파디메톡신(sulfadimethoxine), 설파퀴녹살린(sulfaquinoxaline) 등의 분석에 이용한다.

※메탄올은 0.45㎛ nylon filter통과시켜 사용

※이동상 12% 메탄올/0.1M PDP solution(12 : 88, v/v%)의 이동상에서는 설파소미딘과 설파메타진의 분리가 잘되며 30% 메탄올/0.1M PDP solution(30 : 70, v/v%)의 이동상에서는 설파티아졸, 설파클로로피리다진, 설파모노메톡신의 분리가 좋다.

※합성항균제 다성분분석시 이동상은 아세토니트릴/ 0.1% 인산2수소칼륨(KH_2PO_4, 인산으로 pH 3.5되게 조절) 16 : 84, v/v%의 비율로 하고 이동상의 온도를 20℃로 하여도 표준용액 및 시료의 분리가 잘 되므로 확인시험으로 이용해볼 필요가 있다.

■ 추출액 : Chloroform/Acetone(2 : 1)
※두 용액을 충분히 섞은 후 실온에서 10∼15분간 방치후 사용한다.

■ Sulfonamide 표준품 : 10℃ 이하에서 보관한다.

■ 검출기 : 자외부 흡광광도 검출기(UV-Dector)

■ 칼럼 : C18(Novapak C18, μ-Bondapack C18 등), 안지름 3.9mm, 길이 150mm

■ 검출기 파장 : 265nm

■ 유속 : 1.3㎖/분

■ Attenuation(AT) : 16

■ Chart speed(CS) : 0.25

■ 주입량 : 100㎕

실험방법

균질화한 시료(우유) 및 순수한 공시험용 시료(우유) 각 10㎖씩을 separatory funnel에 채취한다(회수율 시험시는 ㎖당 각 sulfonamide 1㎍씩 포함된 강화액을 50, 100, 200㎕를 separatory funnel에 가하여 시료와 동일하게 시험한다). 추출액(chloroform 2 : acetone 1)을 50㎖ 가하여 혼

합하여 추출한다(stopper를 통해 주의해서 gas배출한다). 반복으로 혼화하고 gas배출한다. 잠시 방치하여 층을 분리시키고 추출액을 여과한다. 25㎖의 추출액으로 위 과정을 반복하여 추출하고 여과하여 flask에 모은다(여지는 추출액으로 세척 후 flask에 합한다). 여과액을 32±2℃에서 증발 건고 시킨다(거품이 일지 않도록 vacuum 을 조절한다). 건고물에 0.1M PDP용액 1㎖를 넣어 녹이고 vortex mixer로 혼화한다.

핵산 5㎖를 첨가한 후 vortex mixer로 충분히 혼화한다. 방치하여 층을 분리시키고 1㎖ tip을 이용해서 glass tube 혹은 autoinjector vial에 옮겨 시험 용액으로 한다.

※피펫 tip에는 2 ㎛의 nylon 피펫 tip필터를 사용하여 tube 또는 vial에 옮긴다.

※Injection하여 실험하는 동안은 실온에 방치하지만 실험하지 않을 때는 10℃ 이하에 저장하여 24시간 이내에 사용하여야한다.

- 설파메타진, 설파메라진, 설파디메톡신, 설파퀴녹살린 등의 표준용액을 다)의 장치 및 측정조건에 의해 100㎕ 주입하여 검량선을 구한다.
- 시험용액 및 공시험액 다)의 장치 및 측정조건에 의해 100㎕ 주입한다

결과 및 고찰

크로마토그램을 구하고 표준용액 및 시험용액의 크로마토그램 피크와 머무름 시간을 비교하여 피크의 면적 또는 높이를 표준용액으로 작성한 검량선과 비교하여 합성항균제의 잔류량을 구한다.

주의사항

1. 동일 성질을 가진 다른 칼럼을 이용하여 재분석하고 크로마토그램을 비교 확인한다.
2. 우유 시료의 보관은 10℃ 이하에서 보관되어야 하며, 2일 이내 분석되지 않을 경우(폴리프로필렌계 플라스틱 튜브의 경우 분리가 일어남)는 −80℃에 보관 또는 냉동보관하고, 사용할때 따뜻한 온도의 물에 녹여 Shaking tube에 넣어 충분히 흔들어서 사용하여야 한다.

(2) 식육 중 잔류 설파제 HPLC 정량시험

실험개요

식육의 경우는 칼럼 충진물인 C_{18}을 시료와 직접 혼합하여 식육중의 설파제를 C_{18}의 넓은 표면에 흡착시킨 뒤 10㎖의 주사기에 충진하고 핵산을 흘려 지방성분을 제거하고 디클로로메탄으로 설파제를 용출시켜 감압농축한 다음 이동상으로 희석하여 HPLC로 분석한다.

시료조제

세척한 칼럼충진제 C_{18} 2g을 유발에 담고 균질한 시료 0.5g을 위에 몰려 놓는다(C_{18}의 세척은 유리솜을 채운 유리컬럼에 담고 충진물 2배 가량의 핵산, 메틸렌클로라이드, 메탄올을 차례로 음압으로 흘려 세척하고 메탄올을 완전히 건조시킨 뒤 갈색병에 보관하여 사용).

시약 및 기구

- 표준용액 : 설파다이아진(sulfadiazine), 설파메라진(sulamerazine), 설파메타진(sulfamethazine), 설파모노메톡신(sulfamonomethoxine), 설파클로로피리다진(sulfachloropyridazine), 설피속사졸(sulfasoxazole), 설파메톡사졸(sulfamethoxazole), 설파디메톡신(sulfadimethoxazole), 설파퀴녹살린(sulfaquinoxaline) 등의 표준물질 각각 10.0mg을 메탄올로 용해하여 100㎖ 되게 하여(100ppm 보존용 표준용액) 냉장보관하고 이동상으로 적절히 희석, 혼합하여 측정용 표준용액

※보존용 표준용액은 5℃ 이하 냉암실에 보관하면 1개월까지 사용할 수 있다.

- C18컬럼 충진물(particle size 40㎛, pore size 60Å)
- 초순수(18Me 이상)
- 용매(HPLC용) : 핵산, 아세토니트릴, 메틸렌클로라이드, 메탄올, 디클로로메탄
- 0.1% 인산이수소칼륨용액 : KH_2PO_4 1g을 초순수 1ℓ에 용해한다.
- 인산(phosphoric acid, H_3PO_4)
- 검출기 : 자외부흡광 광도 검출기(UV-Dector)
- 칼럼 : C18(Nova-Pak C18, μ-Bondapack C18 등), 안지름 3.9mm, 길이 150mm
- 검출기파장 : 270nm
- 유속 : 1.0㎖/분
- 이동상 : 아세토니트릴/0.1% 인산이수소칼륨(16 : 84, v/v %)의 혼합액을 인산으로 pH 3.5 되게 조절
- 주입량 : 50㎕

실험방법

시료와 C18이 균질화될 때까지 혼합한다. 준비된 10㎖ 유리주사기에 균질화된 시료를 옮겨 담은 후 그 위에 여과지(Whatman NO.1) 1장을 올려놓고 부피가 약 4.5㎖ 되게 압축한다. 핵산 8㎖를 시료가 담긴 유리주사기에 가한 다음 중력에 의해 흘린다(핵산이 유리주사기에 오래 머물 수 있도록 하기 위해 주사기 끝에 200㎕ 피펫팁을 고정하여 사용한다). 주사기내 충진제에 남아있는 핵산을 완전히 제거한다. 유리주사기 아래 용출물을 받을 유리시험관을 장착한다. 디클로로메탄 8㎖를 유리주사기에 가한 뒤 용출액을 시험관에 받아 질소가스를 통하면서 농축 건조 시킨다. 이의 시험관에 이동상용매 0.5㎖를 가한다. 시험관을 초음파 세척기에 10분간 방치하여 잔류물을 용해시킨 뒤 내용물을 에펜돌프원심관에 옮긴다. 이를 12,000 rpm에서 10분간 원심분리 후 여과용 디스크로 여과한 뒤 여액 50㎕를 취하여 HPLC로 분석한다.

결과 및 고찰

1. 표준용액을 다) 장치 및 측정조건에 의해 50㎕ 주입하여 검량선을 작성한다.
2. 시험용액을 다) 장치 및 측정조건에 의해 50㎕주입하여 크로마토그램을 구하고 표준용액 및 시험용액의 크로마토그램 피크와 머무름 시간을 비교하고, 피크의 면적 또는 높이를 표준용액으로 작성한 검량선과 비교하여 합성항균제의 잔류량을 구한다.

표 9-8 설파제 9종의 최저검출한계

설파제	최저검출한계 (ppb)	설파제	최저검출한계 (ppb)
Sulfadiazine	20	Sulfasoxazole	30
Sulamerazine	20	Sulfamethoxazole	40
Sulfamethazine	20	Sulfadimethoxazole	40
Sulfamonomethoxine	20	Sulfaquinoxaline	40
Sulfachloropyridazine	30		

참고문헌

1 일본위생시험법 주해, 약학회편(1992)
2 식품공전(1999)
3 농림수산부, 축산물의 가공기준 및 성분규격(1998)
4 Official Method of Analysis, AOAC(1990)

3. 중금속

1) 비색법

실험개요

중금속 비색 시험법은 식품 중에 불순물로 들어있는 중금속을 비색으로 측정하는 시험이다. 중금속이란 약산성에서 황화나트륨시액으로 정색하는 금속성 혼재물을 말하며 납 표준액을 대조액으로 하여 그 양은 납(pb)의 양으로 나타낸다.

시약 및 기구

- 질산(nitric acid, HNO_3), 암모니아수(aqueous Ammonia, NH_4OH), 황산(sulphuric acid, H_2SO_4), 염화암모늄(ammonium chloride, NH_4Cl)
- 10% 초산(10% acetic acid, CH_3COOH)
- 염산(hydrochloric acid, HCl)
- 수산암모늄(ammonium oxalate, $(NH_4)_2C_2O_4 \cdot H_2O$)
- 산화마그네슘(magnesium oxide, MgO)

시료조제 및 시험방법

1 습식회화법

① 황산 - 질산법 : 건조물로서 5~20g에 상당하는 검체를 분해플라스크에 취하고, 증류수 50~70㎖, 질산 10~40㎖를 넣고 혼합하여 방치한다. 조성하여 가열하면서 격렬한 반응이 그치면, 식힌 다음 황산 5~20㎖를 넣고 다시 조심하여 가열하고 내용물이 암색이 되기 시작하면 질산 2~3㎖씩을 추가하면서 가열을 계속한다. 내용물이 미황색~무색이 되었을 때 분해가 끝난 것으로 한다. 분해액을 식힌 후 증류수 30~50㎖, 포화수산암모늄용액 10~25㎖를 가해황산의 백색 연기가 발생할 때까지 가열하고 식힌 다음 증류수로 일정량으로 하여 시험용액으로 한다. 증류수를 이용한 공시험용액에 대해서도 같은 조작을 하여 시험용을 보정한다.

※이 방법은 Zn, Cd, Cr, Sn, Cu, As 등의 시험에 적합하다.

2 건식회화법 : 건조물로서 5~20g에 상당하는 검체를 도가니에 취하여 건조하고, 탄화시킨다. 다음 450~550℃에서 회화한다. 회화가 잘되지 않으면 일단 식혀 질산(질산 1㎖에 증류수 1㎖ 혼합액) 또는 50% 질산마그네슘용액 2~5㎖로 적시고 건조한 다음 회화를 계속한다. 회화가 끝나면 증류수로 적시고 염산 2~4㎖ 되풀이하고 필요하면 마지막으로 질산(질산 1㎖에 증류수 1㎖ 혼합액) 또는 50% 질산마그네슘용액 2~5㎖를 가하여 수욕상 또는 건조장치에서 건조한다. 염산 1~2㎖를 가하여 가온해서 녹이고 불용물이 있으면 석면 또는 유리여과기로 여과한 다음 일정량으로 하여 시험용액으로 한다. 증류수를 이용한 공시험 용액에 대해서 동일한 조작을 하여 시험용액을 보정한다.

※회화보조제로서 염산, 산화마그네슘, 탄산나트륨을 사용해도 좋으나 Sn의 시험시에는 질산염 또는 질산을 사용해서는 안된다.

2) 기기분석

(1) 원자흡광광도법

이 방법은 시료를 적당한 방법으로 해리시켜 중성원자 증기화하여 생긴 기저상태(에너지가 낮은 상태)의 원자가 이원자 증기층을 투과하는 특유파장의 빛을 흡수하는 현상을 이용하여 특유파장에 대한 흡광도를 측정하여 시료중의 농도를 정량하는 방법으로 일반적 방법에는 화염방식과 무염방식이 있다. 측정은 원자흡광광도계(atomic absorption spectrophotometer, AAS)를 이용한다.

① 직접법

실험개요

이 방법은 화염원자흡광법(flame법)에 의한 Fe, Cd, Pb, Zn, Cu, Mn, Ni, Co, Sn 등의 측정에 이용되고 무염원자흡광법(flameless법)에 의해서는 화염원자흡광법 원소 및 As, Se, Cr, Bi 등의 측정에 쓰인다.

실험방법

시험용액 및 공시험액을 따로 처리하지 않고 그대로 혹은 희석, 농축하여 원자흡광광도계에 주입하여 흡광도를 구한다. 검량선(standard curve)은 원자흡광분석용으로 시판하고 있는 표준용액을 0~8mℓ를 단계적으로 취하여 일정량으로 하여 측정에 필요한 원자흡광광도계의 광원램프(중공음극 lamp)를 이용하여 작성한다.

② 원자흡광광도법(AAS법)

■ 화염방식(flame법) : 불꽃을 이용한 방법으로 불꽃 점화가 air-acetylene gas를 이용한다.
각 원소별 흡광도는 다음과 같은 파장에서 측정할 수 있다.
동(Cu) 324.7nm, 수은(Hg) 254.7nm, 아연(Zn) 213.8nm,
납(Pb) 283.3nm, 망간(Mn) 279.5nm 등

■ 무염방식(flameless)법 : 이 방법은 불꽃을 이용하지 않고 환원용매를 이용하는 방법으로 VGA(vapozeneration)법과 cold vapor법이 있다.

㉠ VGA(vapozeneration)법 : Hg, As의 측정에 많이 이용된다.

Hg, As측정시 용매 및 Standard 농도

- 0.6% $NaBH_4$, 0.5% NaOH 용액 및 5M HCl용액을 환원용매로 이용한다.
- 원자흡광분석용으로 시판되고 있는 표준용액(standard solution)을 증류수로 희석하여 10, 20, 30ppb 농도로 하여 검량선(standard curve)작성 하고 시험용액의 농도를 구한다.

■ Cold vapor법 : 특히 Hg의 경우 감도가 좋아 많이 이용한다.

㉠ 측정에 사용되는 환원제(혼합용액) 조제

$SnCl_2 \cdot 2H_2O$ 20%
$NH_2OH \cdot HCl$ 10% > + H_2SO_4 5mℓ/100mℓ → Heating → Cooling

ex) $SnCl \cdot 2H_2O$(60g)과 $NH_2OH \cdot HCl$(30g)을 증류수에 녹여 정확히 300mℓ 되게 한다. 이에 황산 10방울을 첨가하여 가열하고 식힌다.

※환원제는 당일 만들어 사용한다(침전이 생기거나 뿌옇게 되면 안됨).

· Hg 표준용액(standard solution) 조제 : 원자흡광분석용으로 시판되고있는 Hg 표준용액(standard solution)을 증류수로 희석하여 10, 20, 30ppb 농도로 하여 검량선(standard curve)을 작성하고 시험용액의 농도를 구한다.

4. 공업약품

1) 메탄올

실험개요

메탄올 시험법은 에탄올 및 에탄올을 함유하는 제재중에 들어 있는 메탄올을 시험하는 방법이다.

시약 및 기구

- 메탄올표준용액 : 메탄올 1.0g을 달아 물을 넣어 정확하게 1ℓ로 한다. 이 액 5㎖를 정확하게 취하여 메탄올을 함유하지 않은 에탄올 2.5㎖ 및 물을 넣어 정확하게 50㎖로 한다.
- A액 : 인산 75㎖에 물을 넣어 500㎖로 하고 여기에 과망간산칼륨 15g을 넣어 녹인다.
- B액 : 황산을 같은 용량의 물에 조심하여 넣고 식힌 다음 그 액 500㎖에 수산 25g을 넣어 녹인다.

실험방법

에탄올, 무수 에탄올 또는 소독용 에탄올은 1㎖를, 에탄올을 함유하는 제재는 알코올 수측정법의 제1법에 따라 최후에 맑게 분리된 적색의 에탄올층 1㎖를 정확히 취한다. 다만 1㎖가 되지 않는 경우에는 같은 조작을 되풀이하여 얻은 적색의 에탄올층을 추가하여 1㎖를 정확하게 취한다. 여기에 물을 넣어 정확하게 20㎖로 하여 검액으로 한다. 검액 및 메탄올표준액 5㎖씩을 각각 다른 시험관에 정확하게 취하고 각 시험관에 A액 2㎖를 넣어 15분간 방치한 다음 B액 2㎖를 넣어 탈색시키고 다시 푹신아황산시액 5㎖를 넣어 섞고 30분간 상온에서 방치할 때 검액이 나타내는 색은 메탄올 표준액이 나타내는 색보다 진하여서는 안된다.

(1) 의약품중 메탄올 잔류시험

시료조제

정제 : 이약 50정을 50㎖ 용량 플라스크에 바로 넣고 LC용증류수 30㎖를 넣고 얼음을 넣은 초음파추출기에서 정제가 녹을 때까지 진탕한다. 여과후 LC용증류수를 넣어 50㎖로 하여 검액으로 한다(10정/100㎖).

시약 및 기구

- 표준용액 : 메탄올(99.8%, GC용 riedel-deHaen) 및 에탄올(99.8%, GC용 riedel-deHaen) 1.0mℓ을 취하여 LC용증류수로 100mℓ로 하고 이액 1.0mℓ을 취하여 LC용증류수를 넣어 100mℓ로 하여 표준액으로 한다(10μℓ/100mℓ).
- 분석조건
  - 칼럼 : HP-20M(Carbowax 20M)(50m×0.2mm×0.2μm)
  - 칼럼 온도 : 45℃
  - 주입부 온도 : 150℃
  - 검출부 온도 : 150℃
  - 이동상 가스 : He(50psi)
  - 검출기 : 수소불꽃이온화검출기
  - 주입량 : 1μℓ
  - 감도 : 2°
  - 기기명 : HP 5890A capillary gas chromatograph

결과 및 고찰

메탄올(또는 에탄올) 함유량(%)

$$= \frac{\text{검액 피크면적} \times \text{표준액농도}(10\mu\ell/100\text{m}\ell) \times \text{메탄올(또는 에탄올)비중}}{\text{표준액피크면적} \times \text{검체채취량}(\text{mg}/100\text{m}\ell)} \times 100$$

5. 아플라톡신 (Aflatoxin)

아플라톡신(aflatoxin)은 곰팡이가 생산해 내는 독소(mycotoxin)로 강한 독성을 지닌 발암물질로 알려져 있다. 이 독소는 *aspergillus flavus, aspergillus parasiticus*에 의해 생산, 분비된다.

아플라톡신은 분자구조에 따라 B_1, B_2, G_1, G_2, M_1, M_2 등으로 구분되어 지는데 B_1, B_2, G_1, G_2는 땅콩 등의 농산물에서 발견되고 M_1, M_2는 우유에서 유래된 곰팡이 독소로 Milk toxin이라고 불리어 진다. 아플라톡신 중에서 B_1은 독성이 가장 강한 것으로 알려져 있다.

1) 박층크로마토그래프(TLC)에 의한 정성 및 정량

시료조제

시료채취는 시험대상식품 전체(lot, batch)를 대표할 수 있어야 한다. 불균질한 식품 중에서 시료를 채취할 때에는 많은 주위를 필요로 하며, 최대한 대상 식품(sampling 대상물)을 많이 혼합하고 무작위로 여러 곳에서 채취해야 한다.

시약 및 기구

- 아플라톡신 표준원액 : 아플라톡신 B_1, B_2, G_1 및 G_2를 각 10mg씩 달아 벤젠/아세토니트릴(98 : 2) 혼합액에 녹여 정확히 각 100mℓ로 한다.
- 아플라톡신 혼합표준용액 : 원액을 1mℓ씩 취하여 혼합하고 벤젠/아세토니트릴(98 : 2) 혼합액으로 정확히 100mℓ로 한다.
- 아플라톡신 혼합표준용액 : 1mℓ = B_1, B_2, G_1, G_2 각 1μg 함유
- 아플라톡신 B_1 표준용액 : 아플라톡신 B_1 원액 1mℓ를 취하고 벤젠/아세토니트릴(98 : 2) 혼합액으로 정확히 200mℓ 되게 한다. 아플라톡신 B_1 표준용액 : 1mℓ=0.5μg 함유

  ※각 표준원액 및 표준용액은 알루미늄박으로 싸서 냉장보관 한다.
- 박층크로마토그라프용 실리카겔 : Silicagel(0.05～0.2mm)
- 칼람크로마토그라프용 실리카겔 : 110℃에서 60분간 가열하여 활성화 한 것
- 전개용매 : 클로로포름/아세톤(9 : 1)
- 추출 등 기타 시약 : 메탄올, 핵산, 에테르, 1% NaCl, 무수황산 나트륨

실험방법

1. 추출 : 채취한 시료를 분쇄하여 50g을 브랜드 컵에 달아 넣는다. 다음 메탄올 200mℓ를 가하여 5분간 교반, 추출한다. 혼합물을 즉시 여과하여 여액 100mℓ를 분액 깔때기에 옮겨 1% NaCl 용액 100mℓ를 가하여 섞고 핵산 100mℓ를 가하여 진탕한 후 핵산층을 버린다. 메탄올, 물층에 클로로포름 50mℓ를 가하여 섞고 격렬하게 진탕한 후 클로로포름 층을 분취한다. 다시 메탄올, 물층에 클로로포름 50 mℓ를 가하여 섞고 격렬하게 진탕한 후 클로로포름층을 분취하고 클로로포름층과 합한다. 무수황산나트륨으로 탈수하고 감압하에서 약 20mℓ까지 농축하여 추출액으로 한다.
2. 정제(clean up) : 크로마토그래프용 칼럼(안지름 22mm, 길이 500mm)에 무수황산나트륨 약 5g을 넣고 클로로포름을 컬럼높이의 약 반까지 채운다. 실리카겔 10g을 천천히 넣고 소량의 클로로포름으로 씻는다. 실리카겔이 충진되면 무수황산나트륨 10g을 넣고 클로로포름층이 황산나트륨의 상층에 약간 남을 때까지 유출시킨다. 충진이 완료된 칼럼에 (2)의 추출액을 넣어 용매를 거의 흘러보낸 후 핵산 150mℓ를 흘러보내고 에테르 150mℓ를 흘러보내 컬럼을 씻는다. 클로로포름/에탄올(97 : 3)혼합액 200mℓ를 약 10～15mℓ/분의 속도로 흘러 보내어 아플라톡신을 용출시킨다. 용출액을 감압하에서 농축 건고한다. 잔류물에 0.5mℓ의 벤젠/아세토니트릴

(98 : 2)혼합액을 가하여 격렬히 혼합하여 완전히 녹여 시험용액으로 한다.

3 시험 : 박층판(20×20cm)의 하단에 2㎝의 곳을 원선으로 하여 (3)에서 정제한 시험용액 5~20㎕와 아플라톡신 B_1 표준용액 10㎕ 및 아플라톡신 혼합표준용액 2~20㎕를 점적한다. 박층판은 전개용매 클로로포름/아세톤(9 : 1)혼액으로 미리 포화한 전개조에서 약 10㎝가 되게 전개시킨다.

결과 및 고찰

전개시킨 박층판의 용매를 휘산시킨 후 자외선(365nm)을 조사하여 박층판 상의 아플라톡신 B_1 표준용액과 아플라톡신 혼합표준용액 및 시험용액의 형광을 R_f치로 비교하여 아플라톡신의 함유 여부를 판단한다.

· 아플라톡신 B_1과 B_2는 박층판의 자외선 조사에서 청색의 형광을 나타낸다.,

· 아플라톡신 G_1과 G_2는 박층판의 자외선 조사에서 황록색의 형광을 나타낸다.

2) 고속액체크로마토그라프(HPLC)에 의한 정성 및 정량분석

시료조제

박층크로마토그래프에 의한 정성 및 정량분석에 의해서 용출액을 감압하에서 농축 건고한다. 트리플루오르아세틸화(Trifluoroacetyl化)과정을 거친다. 농축 건고한 잔류물에 Trifluoroacetic acid (TFA) 0.1㎖를 가하여 Vortex mix로 1분간 섞는다. 아세토니트릴/물(1 : 1)혼합액 4㎖를 가하고 vortex mix로 1분간 섞는다. 아세토니트릴/물(1 : 1) 혼합액을 가하여 일정량(5~10㎖)으로 한 후 여과하여 시험용액으로 한다.

시약 및 기구

- 아플라톡신 혼합표준용액 : 아플라톡신 혼합표준용액을 5 ㎖ 취하여 벤젠/아세토니트릴(98 : 2) 혼합액으로 정확히 100㎖ 되게 한다(아플라톡신 혼합표준용액 1㎖=B_1, B_2, G_1, G_2 각 50ng 함유).
- 아플라톡신 B_1 표준용액 : 아플라톡신 B_1 표준용액을 10㎖ 취하여 벤젠/아세토니트릴(98 : 2) 혼합액으로 정확히 100㎖ 되게 한다(아플라톡신 B_1 표준용액 1㎖=50ng 함유).
- 이동상 : 물/아세토니트릴(3 : 1)
- Trifluoroacetic acid($C_2HF_3O_2$, TFA)
- 형광검출기(Fluorescence Detector, FL)
- 컬럼 : μ-Bondapak C18 또는 이와 동등한 것
- 검출기파장 : 여기파장(excitation) 360nm, 속정파장(emission) 418nm.
- 유속 : 1~1.5㎖/분
- 여과지 : Whatman NO.2(7.0cm) 또는 이와 동등한 것

실험방법

아플라톡신 혼합 표준용액 및 아플라톡신 B_1 표준용액 일정량(5~10mℓ)을 취하고 질소가스로 용매를 완전히 제거시킨다. 잔류물에 Trifluoroacetic acid(TFA) 0.1mℓ을 가하여 vortex mix로 1분간 섞는다. 다음 아세토니트릴/물(1 : 1)혼합액 4 mℓ를 가하고 vortex mix로 1분간 섞는다. 이 혼액에 아세토니트릴/물(1 : 1)혼합액을 가하여 일정량(5~10mℓ)으로 한 후 여과한 용액을 3)장치 및 측정 조건에 의해 5~20$\mu\ell$ 주입하여 검량선을 구한다. 또한 시험용액을 3)의 장치 및 측정조건에 의해 5~20$\mu\ell$ 주입하여 크로마토그램을 구하고 표준용액 및 시험용액의 피크와 머무름 시간(Retention time)을 비교해서 정성한다.

결과 및 고찰

얻어진 피크의 면적 또는 높이를 측정한 표준용액을 작성하고 검량선으로부터 아플라톡신의 함량을 구한다.

3) Kit에 의한 아플라톡신 시험

실험개요

아플라톡신 Kit를 이용한 시험은 옥수수, 땅콩, 콩, 견과류, 사료 등에 오염된 아플라톡신을 신속하게 정성, 반정량적(semi-quantitative)으로 알아 볼 수 있는 방법이다. 아플라톡신 Kit는 monoclonal antibody affinity column을 응용한 것이다.

시료조제

채취한 시료 1kg을 잘게 분쇄한 후 50g을 채취한 후, 염화나트륨 4g을 혼합하고 60% 메탄올 250mℓ를 넣어 섞는다. 그리고 증류수 250mℓ로 추출 희석한다.

시약 및 기구

- 아플라톡신시험 Kit(Aflascan : RHONE poulence Diagnostics Limited) 또는 Aflatest(May & Baker Diagnostics LTD 등)
- 메탄올공업용 : 추출에 사용(HPLC용 : 용출단계에 사용)
- 클로로포름(chloroform, $CHCl_3$)
- 염화나트륨[sodium chloride, (NaCl)]
- 치아염소산소다(sodium hypochlorite, NaClO)
- Whatman NO.1 혹은 4 filter paper
- Cylinder(100~250mℓ)
- Pipetter(1~10mℓ)
- Beaker(500mℓ), Glass test tubes(6mℓ)
- UV light box(파장 : 366nm)

실험방법

50~100mℓ를 filter funnel에 여과한 후 아플라톡신 시험 Kit 10mℓ용 glass syringe barrel에 여과액 10mℓ (또는 20mℓ, 25mℓ, 50mℓ를 여과시킬 수도 있음)를 천천히 통과시킨다(통과시킬 때는 분당 3 mℓ가 되지 않도록 주의한다). 다음 증류수를 10mℓ 통과시키고, 반복 세척을 한다. glass syringe barrel로부터 pump unit를 분리한다. affinity column아래 작은 glass tube를 둔다. glass syringe barrel에 정확히 HPLC용 메탄올 1mℓ를 분주한다. 초당 1방울이 떨어지도록 hand pump를 사용하며 glass tube에 아플라톡신이 함유된 액이 모여진다.

- 방해물 제거 및 판독 : glass tube에 증류수 1mℓ와 클로로포름 1mℓ를 가하고 천천히 섞는다. glass syringe barrel로부터 affinity column을 분리하고 Florisil tip을 glass syringe barrel 끝에 부착한다. 피펫으로 클로로포름층을 주의해서 뽑아 glass syringe barrel 끝에 부착한다. pump unit를 이용해서 천천히 Florisil tip을 통과하도록 한다.

결과 및 고찰

Florisil tip을 분리시켜 UV light Box 366 nm에서 Fluorescent standard range 이용법(표 9-8 참조, 형광 표준범위) 과 비교하여 정성 및 반정량적으로 판독한다.

주의사항

1. 시료로부터 아플라톡신의 함량을 알고 싶은 농도에 의해 Kit의 syringe barrel에 여과액을 달리 통과시킬 수 있다.
2. 아플라톡신의 함량은 통과시킨 량에 따라 Fluorescent standard range card에서 인지할 수 있는 아플라톡신의 농도는 다르다.
3. 아플라톡신 함량의 판독은 UV 366nm에서 Fluorescent standard range card와 최종적으로 얻어지는 Florisil tip에서 나타내는 형광의 농도로 한다

참고문헌

1. 식품공전(1999)
2. 일본위생시험법주해, 약학회편(1990)

표 9-8 Fluorescent standard range 이용법

시료로부터 알고 싶은 농도 (Required level of screening)	10ppb	5ppb	4ppb	2ppb
Column에 추출한 여과액 통과량(mℓ)	10mℓ	20mℓ	25mℓ	50mℓ
Fluorescent standard range를 통과한 아플라톡신 함량을 알 수 있는 농도(total aflatoxin, ppb)	0, 10, 20, 50, 100	0, 5, 10, 25, 50	0, 4, 8, 20, 40	0, 2, 4, 10,

제4절 포장용기 · 기구 검사

1. 재질시험

1) 납 및 카드뮴

시료조제

검체 약 1g을 정확히 달아 백금제 또는 석영제의 도가니에 취한다. 황산 10방울을 가하여 서서히 가열하고 대부분의 황산을 증발시킨 후 직화상에서 건고한다. 이것을 계속 화력을 강하게 하면서 약 450℃에서 가열 회화하여 거의 백색이 될 때까지 이 조작을 반복하고 이를 식힌 후 잔류물에 0.1N 질산 20mℓ를 가하여 녹인 액을 납의 시험용액으로 한다. 다시 이 시험용액 2mℓ를 취하여 0.1N 질산을 가해서 20mℓ로 하여 카드뮴의 시험용액으로 한다.

시약 및 기구

- 카드뮴표준용액 : 금속카드뮴 100mg을 10%질산 50mℓ에 용해하고 수욕상에서 증발건고한다. 잔류물에 0.1N 질산을 가하여 1,000mℓ로 한다. 이 액 10mℓ를 취하여 0.1N 질산을 가해 100mℓ로 하고 다시 이 액 5mℓ를 취하여 0.1N 질산을 가해 100mℓ로 한다(0.5μg/mℓ).
- 납표준용액 : 질산납 159.8mg을 0.1N 질산에 용해하여 1,000mℓ로 한다. 이 액 5mℓ를 취하여 0.1N 질산을 가해 100mℓ로 한다(5μg/mℓ).

실험방법

원자흡광광도계의 광원램프(카드뮴의 시험에 있어서는 카드뮴 중공음극램프를, 납의 시험에 있어서는 납 중공음극램프를 사용한다)를 켜고, 적당한 전류치로 조정한다. 아세틸렌가스 또는 수소가스에 점화한 후 가스 및 압축공기의 유량을 조절한 다음에 시험용액의 일부를 각각 불꽃 중에 분무한다. 카드뮴의 시험에 있어서는 파장 228.8nm에서, 납의 시험에 있어서는 파장 283.5nm에서 흡광도를 측정한다.

카드뮴 및 납 표준용액은 각각 시험용액의 경우와 동일하게 처리한 카드뮴 및 납 표준용액의 흡광도를 측정한다. 다만, 식품과 접촉하지 않는 외면의 인쇄에 함유된 양은 제외한다.

2) 휘발성 물질

시료조제

검체 약 0.5g을 정밀히 달아 20㎖ 메스플라스크에 넣고 디메틸포름아미드를 적당량 가한다. 검체가 용해된 후 싸이클로펜탄올용액 1㎖를 가하고, 이어 디메틸포름아미드를 가해서 20㎖로 한다.

시약 및 기구

■ 조작조건

- 칼럼담체 : 가스크로마토그래피용 규조토(표준망체 175~246㎛)를 사용한다.
- 칼럼충전제 : 칼럼담체에 대해서 가스크로마토그래피용 폴리에틸렌글리콜을 25% 함유시킨다. EH는 이와 동등한 것.
- 칼럼 : 내경 3~4mm, 길이 2~3m의 스테인레스관 또는 유리관을 이용한다. 또는 이와 동동한 것.
- 칼럼온도 : 90~110°
- 주입부온도 : 220°
- 검출기 : 수소염이온화 검출기를 사용한다. 220° 부근에서 조작한다. 검출감도가 최고가 되도록 수소 및 공기량을 조절한다.
- 이동가스 : 질소가스를 사용한다. 싸이클로펜탄올이 15~20분에서 유출하는 유속으로 조절한다.

실험방법

스티렌, 톨루엔, 에틸벤젠, 이소프로필벤젠 및 n-프로필벤젠 각각 약 50mg을 정밀히 달아 100㎖ 메스플라스크에 넣고, 디메틸포름아미드를 가해서 100㎖로 한다. 이 용액 1, 2, 3, 4 및 5㎖를 취하여 각각 20㎖의 메스플라스크에 넣고, 각각 싸이클로펜탄올용액 1㎖를 가한 후 디메틸포름아미드를 가해서 20㎖로 한 것을 표준용액으로 한다. 표준용액을 각각 3㎕씩 취하여, 다음 조작조건에서 가스크로마토그래피를 행하여 얻은 가스크로마토그램으로부터 스티렌, 톨루엔, 에틸벤젠, 이소프로필벤젠 및 n-프로필벤젠의 피크면적과 싸이클로펜탄올의 피크면적과의 비를 구하여 각각의 검량선을 작성한다. 시험용액 3㎕를 취하여 가스크로마토그램으로부터 각 피크 면적과 싸이클로펜탄올의 피크면적과의 비를 구한다.

결과 및 고찰

각각의 검량선을 사용해서 스티렌, 톨루엔, 에틸벤젠, 이소프로필벤젠 및 n-프로필벤젠 각각의 함량을 구하여, 다음식에 준해 각 성분의 농도를 구한다.

$$\text{농도(mg/kg)} = \frac{\text{성분의 함량(mg)}}{\text{검체의 중량(g)}} \times 1{,}000$$

주의사항

1. 디메틸포름아미드 : 디메틸포름아미드(특급)를 사용한다.
2. 스티렌, 톨루엔, 에틸벤젠, 이소프로필벤젠, n-프로필벤젠 : 가스크로마토그래피용을 사용한다.
3. 싸이클로펜탄올용액 : 싸이클로펜탄올(가스크로마토그래피용) 1mℓ에 디메틸포름아미드를 가해서 100mℓ로 하고, 이 액 10mℓ를 취하여, 디메틸포름아미드를 가해서 100mℓ로 한다.

3) 비스페놀 A(페놀 및 p-터셔리부틸페놀 포함)

(1) 정성시험

시료조제

시료 약 1g을 정확히 달아 디클로로메탄 20mℓ를 가하여 용해시킨다. 이때 아세톤 100mℓ를 서서히 떨어뜨려 3,000rpm, 10분간 원심분리한 후 상등액을 감압농축한다. 이어서 아세토니트릴 10mℓ를 가하고 다시 물을 가하여 20mℓ로 한다. 이 용액 1mℓ를 취하여 0.5㎛이하의 필터로 여과한다.

시약 및 기구

■ 조작조건
- 고속액체크로마토그래피 : 자외부흡수검출기가 부착되고 농도기울기(gradient) 용출이 가능한 것.
- 칼럼충전제 : 옥타데실란화학결합 실리카겔 또는 이와 동등한 것.
- 칼럼 : 내경 4.6mm, 길이 250mm의 ODS 스텐레스관을 사용한다. 또는 이와 동등한 것.
- 칼럼온도 : 40°
- 검출파장 : 217nm
- 이동상 : A(아세토니트릴) : B(물) = 3 : 7
- 농도분배 : A : B(3 : 7)에서 A : B(100 : 0)까지 직선농도분배를 35분간 한 후 아세토니트릴을 10분간 흘려준다.
- 유속 : 1.0mℓ/min

(2) 정량시험

실험개요

정성시험에서 시험용액 액체 크로마토그램의 피크검출시간과 비스페놀 A, 페놀 및 p-터셔리부틸페놀의 액체크로마토그램의 검출시간과 일치할 때는 다음의 시험을 행한다.

시약 및 기구

- 비스페놀 A 표준원액 : 비스페놀 A, 페놀 및 p-터셔리부틸페놀(순도 98% 이상) 50mg을 달아 메탄올에 용해하여 5㎖로 한다. 본 액 1㎖는 각 표준품 1mg을 함유한다(각 1mg/㎖).
- 아세토니트릴 : 고속액체크로마토그래피용을 사용한다.

실험방법

비스페놀 A 표준원액을 취해 물·아세토니트릴(7 : 3)로 희석하여, 1~25㎍/㎖의 표준용액으로 하고, 시험용액과 같이 고속액체크로마토그래피를 하여 얻어진 피크 높이 또는 피크면적에 따라 검량선을 작성한다.

결과 및 고찰

정성시험의 조작조건에 의해 얻은 실험결과를 토대로 하여 함량을 구한다.

2. 용출시험

1) 증발잔류물

실험개요

다음표의 식품에 해당하는 용기포장은 제2란에 있는 용매를 침출하는 용액으로 시험을 한다.

<table>
<tr><th colspan="2">제1란</th><th>제2란</th></tr>
<tr><td colspan="2">유지 및 지방성 식품</td><td>n-헵탄</td></tr>
<tr><td colspan="2">주류</td><td>20%알코올</td></tr>
<tr><td rowspan="2">유지, 지방성 식품과 주류 이외의 식품</td><td>pH5이하인 식품</td><td>4%초산</td></tr>
<tr><td>pH5를 초과하는 식품</td><td>물</td></tr>
</table>

실험방법

시험용액 200~300㎖를 105°에서 백금제 또는 석영제의 증발접시에 취하여 수욕상에서 증발건고한다. 이어서 105°에서 2시간 건조시킨 후 데시케이터중에 방냉한다.

결과 및 고찰

$$증발잔류물(mg/\ell) = \frac{(a-b) \times 1,000}{시험용액채취량(m\ell)}$$

b : 시험용액과 같은 양의 침출용액에 대하여 얻은 공시험치(mg)

주의사항

다만 페놀수지, 멜라민수지, 요소수지, 폴리아세탈 및 기구에 대해서는 4% 초산을 사용한다.

2) 과망간산칼륨소비량

실험개요

삼각플라스크에 물 100mℓ, 희석한 황산(1→3) 5mℓ 및 0.01N 과망간산칼륨용액 5mℓ를 넣고 5분간 끓인 후 액을 버리고 물로 씻는다. 이 삼각플라스크에 시험용액 100mℓ를 취하여 희석한 황산(1→3) 5mℓ를 가하고 다시 0.01N 과망간산칼륨용액 10mℓ를 가하여 5분간 끓인 다음 가열을 중지하고 즉시 0.01N 수산나트륨용액 10mℓ를 가하여 탈색시킨 후 0.01N 과망간산칼륨용액으로 엷은 홍색이 없어지지 아니하고 남을 때까지 적정한다. 따로 같은 방법으로 공시험을 행하고 다음 식에 따라 과망간산칼륨소비량을 구한다.

$$과망간산칼륨소비량(mg/\ell) = \frac{(a-b) \times F \times 1,000}{100} \times 0.316$$

a : 본시험의 0.01N 과망간산칼륨액의 적정량(mℓ)
b : 공시험의 0.01N 과망간산칼륨액의 적정량(mℓ)
F : 0.01N 과망간산칼륨액의 역가

3) 중금속

시료조제

침출용액으로 4% 초산을 사용한다.

시약 및 기구

황화나트륨시약 : 황화나트륨 5g을 물 10mℓ 및 글리세린 30mℓ의 혼액에 녹인다.

실험방법

시험용액 20mℓ에 물을 가하여 50mℓ로 한다. 납표준액 2mℓ를 4%초산 20mℓ 및 물을 가하여 50mℓ로 비교 표준액으로 한다. 양액의 황화나트륨시액 2방울을 가하여 5분간 방치한 후 관찰한다.

주의사항

시험용액의 색이 비교 표준용액의 색보다 진하면 안 된다.

4) 비스페놀 A (페놀 및 p-터셔리부틸페놀을 포함한다)

(1) 유지 및 지방성 식품의 용기·포장의 경우

실험방법

시료를 물에 잘 씻은 후, 시료의 표면적 $1cm^2$에 대하여 2mℓ의 비율로 n-헵탄을 침출용액으로 사용하여 25° 유지하면서 1시간 방치한다. 이 액 25mℓ를 분액여두에 옮겨 아세토니트릴 10mℓ를 가하여 5분간 격렬하게 진탕한 후 정치하여 아세토니트릴층을 25mℓ 메스플라스크에 옮긴다. n-헵탄층에 아세토니트릴 10mℓ를 가하여 위와 동일하게 조작하여 아세토니트릴층을 위의 메스플라스크에 합한다. 이어서 아세토니트릴을 가하여 전량을 정확히 25mℓ로 하여 측정한다.

(2) 유지 및 지방성 식품이외 식품의 용기·포장의 경우

다음 표 제1란에 있는 식품의 용기·포장은 각각 제2란에 있는 용매를 추출용액으로 사용하여 측정한다.

제1란		제2란
주류		20%에탄올
유지, 지방성 식품과 주류 이외의 식품	pH5 이하인 식품	4%초산
	pH5를 초과하는 식품	물

참고문헌

1 식품공전(1999)
2 대한약전
3 일본위생시험법주해, 약학회편(1990)

제 5 절 식품의 선도 판정

어패류, 조류, 수·육류, 난류, 우유 등 자연계에 존재하는 대부분의 천연식품은 변질되기 쉽다. 특히, 어패류는 다른 식품보다 대량획득이 가능하여 유통·소비과정에서 비위생적인 취급을 하기 쉽고 선도 저하가 빠르므로 구입시 더욱 세심한 주의를 요한다.

선도 저하에 이어 부패가 진행하게 되면 냄새가 나게 되며 누구나 쉽게 부패되었음을 감별하기 쉬우나, 초기단계의 선도 저하 및 이상은 판별이 쉽지 않으므로 오히려 식품위생상 문제가 되기 쉽다.

1. 어패류 및 가공품

어패류를 그 자체로 또는 가공원료로서 이용하는데 있어 공통적으로 요구되는 품질요건은 첫째가 양호한 선도이다. 어패류는 그 자체가 지니는 원료의 취약성, 즉 선도 저하가 빠르고, 변질, 부패하기가 쉽다는 결점 때문에 선도는 가장 중요한 요인이라고 할 수 있다. 일반적으로 선도를 측정하는 방법은 다음과 같다.

1) 관능적 판정법

관능검사는 그 결과를 수량화하기 어렵고 객관성이 적다는 결점이 있으나, 방법이 신속, 정확하고 기기로써 판별하기 어려운 이미 이취 등 미묘한 변화를 판별할 수 있는 잇점이 있어 실용적인 면에서 가장 많이 이용되는 방법이다.

어패류의 관능검사는 냄새, 빛깔, 경도 등에 대해서 조사한다. 정확한 판정을 위해서는 검사원이나 검사원의 집단을 정확하게 선정 및 구성하여야 하고, 평가기준의 설정에 충분한 검토가 있어야 한다. 한 항목의 결과로 선도를 판정하는 것이 아니고 외관, 냄새, 경도 등을 종합적으로 평가하여 판정하여야 한다.

신선한 어류의 경우 체표, 안구, 아가미, 복부 등의 외관으로 판단하는 방법이 있으며 냄새, 경도, 육질에 의해서 판정하는 일련의 방법이 해당된다. 즉, 그 육질이 긴장되어 단단하고 탄력이 있으며 이취가 나지 않으며 아가미의 색깔은 붉은 색이 강하며 눈알은 투명하고 꺼져 있지 않은 것이 신선한 것으로 인정된다.

또한 용기에 시료와 냉수를 붓고 가열하는 자비시험을 수행하여 냄새와 맛을 조사하여도 된다. 이 경우 심한 이상을 보이지 않던 어패류도 가열하면 휘발성 물질이 휘산되어 이취로서 느껴지게 된다.

2) 세균학적 판정법

어패류 1g 중 세균수로 신선도를 판정하는 방법이다. 예를 들면 10^5 이하이며 신선하고 $10^5 \sim 10^6$이면 초기 부패, 1.5×10^6 이상이면 부패에 달한 것으로 보고 있다. 식품위생학적 측면에서 건강장애를 직접 일으키는 세균을 검사대상으로 해야 한다. 그러나 이와 같은 세균학적 검사에는 많은 시간이 소요되고, 숙련을 요하므로 일반적으로 유통되는 어패류의 선도 판정에는 적용하기가 어렵다.

3) 물리적 판정법

어패류의 물리적 변화를 측정하여 판정하는 방법이다. 원리적으로는 ⓐ 선도저하와 더불어 육질부가 연화되므로 어패육의 경도를 측정하는 방법, ⓑ 선도가 떨어지면 전기저항이 감소하므로 어패육의 전기저항을 측정하는 방법, ⓒ 안구수정체의 혼탁도를 탄산마그네슘을 함유하는 유리제 표준수정체와 비교하는 방법, ⓓ 어패육 압착즙의 점도를 측정하는 방법, ⓔ 안방액을 원심분리하여 상징액의 굴절율을 측정하는 방법 등이 있다. 이와 같은 물리적 판정은 측정 방법으로서는 극히 간단한 방법이지만 어종이나 개체에 따른 차이가 상당히 큰 결점이 있다.

4) pH의 측정

실험개요

식육이나 어육의 pH는 죽은 후 젖산 등이 증가함에 따라 산성으로 변하므로 신선도를 판단하는 데 많이 이용된다. 그러나 시간의 경과에 따라 여러 종류의 효소가 단백질을 분해하여 아미노태, 암모니아태 질소가 점차 증가되므로 육류의 pH는 서서히 높아지므로 다른 시험을 병용하여 판단하는 것이 좋다.

시료조제

시료를 잘게 썰어 혼합하고 5~10g을 취하여 5~10배량의 온수를 가한 다음 균질기로 현탁한다. 이 현탁액을 여과 또는 원심분리하여 여액 또는 상징액을 시험용액으로 한다.

시약 및 기구

pH meter 또는 pH 시험지: pH의 측정법은 비색법, 전기적 측정법이 있는데 비색법은 측정 오차가 비교적 크고 또 착색되어 있는 것은 측정하기 곤란하므로 유리전극 pH meter를 사용하는 것이 정확하고 편리하다.

실험방법

유리전극 pH meter에 의한 측정방법은 유리전극 pH meter를 사용하여 pH 표준용액으로 보정한 다음 시험용액의 pH를 측정한다. 이때 시험용액의 온도와 표준용액의 온도를 같게 유지하는 것이 좋다. pH 시험지에 의한 측정방법은 시료 5g을 잘게 썰어서 으깬 것을 끓였다 식힌 증류수 20㎖를 가하여 잘 혼합한 다음 원심분리하거나 거즈로 여과한다. 이 용액에 pH 시험지 한쪽 끝을 담갔다 꺼낸 후 표준색표와 비교하여 pH를 판정한다.

결과 및 고찰

일반적으로 어육의 pH는 육의 종류에 따라서 약간 다르지만 죽은 후 3~6시간 경과한 육의 pH는 5.0부근이며 신선한 어육은 pH 5.5 부근, 초기부패어육은 pH 6.0~6.2, 부패어육은 pH 6.5 이상을 나타낸다.

5) 휘발성 염기질소 (Volatile bases nitrogens, VBN)

실험개요

어육과 같이 단백질이 풍부한 식품은 부패함에 따라 휘발성 염기질소에 해당되는 아민, 암모니아 등이 생성된다. 이와 같은 휘발성 염기질소량을 측정하는 것은 이들 식품의 신선도를 측정하는데 중요한 지표가 되며, 측정방법에는 통기법(AOAC법), 감압법, 미량확산법(conway법) 등이 있다. 통기법과 감압법의 원리는 식품에서 단백질을 제거한 추출액을 알카리성으로 하고 45℃에서 통기 또는 감압하면서 일정기간 동안 증류하여 휘발성 염기물질을 표준황산용액에 포집하여 정량하는 것이다. 미량확산법은 conway 검측기를 사용하여 증류함이 없이 휘발성 염기의 확산을 이용한 방법이다. 즉, 미량검측기에 시험용액 알카리액, 붕산을 넣고 밀폐하여 시험용액과 알카리액을 혼합시켜서 생성되는 휘발성 염기를 확산현상을 이용하여 붕산에 흡수시키고 적정법으로 정량하는 것으로 다음과 같다.

시료조제

잘게 썰은 시료 10g을 취하여 물 80㎖을 가하고 잘 흔들어 주면서 30분간 방치한다. 여기에 20% $HClO_4$용액 10㎖을 가하고 잘 혼합하여 10분간 방치한 다음 건조된 여과지를 원심분리하여 여액 또는 상징액을 시험용액으로 한다.

시약 및 기구

- 20% 과염소산($HClO_4$) 용액
- 혼합지시약 : 0.066% methyl red(MR)와 0.066% bromocresolgreen(BCG), 에탄올 용액을 동량으로 혼합한다.
- 붕산흡수제 : 붕산(H_3BO_3) 10g을 1000mL 메스플라스크에 취하여 에탄올 200㎖을 가하여 녹이고 혼합지시약 10㎖을 가한 다음 물을 표선까지 채워서 전량을 1000㎖로 만든 다음 갈색병에 넣어 저장한다.
- Potassium carbonate 분해제 : K_2CO_3 50g을 증류수 100㎖에 가열 용해한다.
- 교착제 : 백색 바셀린과 유동파라핀의 적당량을 실온에서 바르기 좋을 정도로 가온 혼합한다.
- 0.02N H_2SO_4 용액 : 표정하여 역가를 구하고 수평뷰렛병에 넣는다.
- Conway 미량검측기
- 수평뷰렛 : 최소눈금 0.002㎖

실험방법

Conway검측기 내실에 붕산 흡수제 1㎖를 넣고 외실에도 시험용액 1㎖를 정확하게 가한 다음 검측기의 마합(磨合) 부분에 교착제를 조금 바르고 뚜껑을 덮는다. 뚜껑을 피펫의 끝부분이 들어갈 정도로 조금 열고 외실에 K_2CO_3 분해제 1㎖을 내실에 들어가지 않도록 주의하면서 빨리 넣는다. 클립을 끼우고 검측기를 기울여 외실 중의 시험액을 잘 혼합한 다음 20℃에서 120분간 또는 37℃에서 80분간 정치함에 의하여 발생하는 휘발성 염기류를 흡수제에 흡수되게 한다. 뚜껑을 열고 내실의 붕산액을 수평뷰렛을 사용하여 0.02N H_2SO_4용액으로 적정한다. 색깔이 녹색→무색→미홍색으로 변하며 미홍색일 때를 종말점으로 하여 뷰렛의 눈금 ㎖수를 적정치로 계산한다. 시험용액 대신에 증류수를 사용하여 바탕시험을 병행한다.

결과 및 고찰

시료중 휘발성 염기질소(VBN)의 농도는 다음 식에 의하여 계산한다.

$$VBN(mg\%) = 0.28 \times (a-b) \times f \times \frac{100}{0.1}$$

a : 시험용액에 대한 0.02N H_2SO_4의 적정치(㎖)

b : 바탕시험의 0.02N H_2SO_4의 적정치(㎖)

f : 0.02N H_2SO_4의 역가

0.1 : 시험용액 1㎖에 상당하는 시료의 양(g)

이상의 결과에 따라서 극히 신선한 어육인 경우에 5~10mg%, 보통 선도의 어육에서는 10~20mg%, 초기 부패의 어육은 30~40mg%, 부패한 어육은 50mg% 이상의 값을 나타내는 것에 의거하여 일반적으로 판정한다.

6) 휘발성아민(Ebel법) 및 암모니아

실험개요

어육이 부패함에 따라 암모니아나 휘발성아민이 생성되는 것을 측정함으로써 간단하게 부패육을 감별하는 방법이다.

시료조제

별도의 시료를 조제할 필요 없이 콩알 크기만한 작은 조각의 시료가 요구된다.

시약 및 기구

- Ebel 시약 : 25% HCl과 에탄올, 에테르의 1:3:1의 혼합용액
- 시험관(2×10㎝)
- 코르크 마개
- 백금선

실험방법

Ebel 시약을 시험관 바닥에서 약 1cm의 높이가 되도록 취하고 코르크 마개로 잘 막은 다음 시험관을 잘 흔들어서 시약의 증기가 시험관 안에 충만하도록 한다. 코르크 마개를 열고 즉시 작은 어육을 백금선 끝에 취한 다음 기벽에 닿지 않도록 주의하면서 시험관에 넣어 시약면에서 약 1cm 거리까지 접근시킨다.

결과 및 고찰

염화암모늄의 백연(白煙)이 발생하면 초기 부패된 것으로 판정한다.

7) 단백질 침전반응 (Walkiewiez 반응)

실험개요

어육은 신선도가 저하됨에 따라 단백질의 상태가 변화하므로 단백질과 금속염과의 침전 정도에 따라 정성적으로 신선도를 판정할 수 있다.

시료조제

어육 5.0g을 잘게 썰어 증류수 50㎖을 가하여 잘 혼합한다. 유리봉으로 몇 번 저어 주면서 30분간 방치하고 여과한 것을 시험용액으로 한다.

시약 및 기구

- A액 : 1% 염화제 2수은(승홍, $HgCl_2$)용액
- B액 : 초산 산성 염화 제2수은용액(A액에 0.05%가 되도록 빙초산을 가한 것)

실험방법

A액과 B액을 각각 2㎖씩 다른 시험관에 취하고 여기에 시험용액 0.1㎖씩을 가한 다음 혼탁 또는 침전이 생기는지를 관찰한다. 혼탁 또는 침전이 생기지 않을 경우 다시 시험용액을 1.0㎖이 될 때까지 추가적으로 가하여 관찰한다. 또한 0.1㎖에서 침전이 생겼을 때는 시험관을 흔들어 용액 전체가 혼탁한 것인지 침전이 너무 미량이어서 용액이 투명하게 된 것인지를 구별하여 조사한다.

결과 및 고찰

－ : 시험용액이 A액과 B액에 의하여 혼탁/침전되지 않는 경우.

표 9-9 단백침전반응에 의한 어육의 신선도 판정

A액	B액	판정
-	-	신선한 어육
+	-	초기부패 직전
+	±	초기부패
++	+ ~ ++	부패한 어육

±: 시험용액 0.1㎖에 의하여 약간의 혼탁이 생기고 흔들어 주면 액이 투명하게되는 경우
+: 혼탁이 생기고 흔들면 액 전체가 혼탁하는 경우,
++: 시험용액을 떨어뜨리는 즉시 혼탁하고 침전되어 시험관 바닥에 가라앉는 경우로 나타내며 판정은 표 9-8과 같이 실시한다.

8) ATP분해생성물(K 또는 K_1 value)

실험개요

화학적 판정법에 속하는 방법으로 하나로 ATP는 사후 급속히 분해하므로 그 분해생성물을 선도 판정의 지표로 삼을 수 있다. ATP의 분해 경로는 어육에 있어서는 ATP→ADP→AMP→IMP→inosine(HxR)→hypoxanthine(Hx)이다.

시료조제

뼈와 내장을 제거하고 어육만을 마쇄한 것을 시료로 한다.

시약 및 기구

- 10% 과염소산 용액(Perchloric acid)
- 원심분리기
- 6N KOH
- pH meter
- 1% Trimethylamine · phosphoric acid(pH 6.5)
- ATP, ADP, AMP, IMP, inosine, hypoxanthine 표준품
- 고속액체크로마토그래프(HPLC)

실험방법

마쇄한 어육 10g을 취하여 냉 10% 과염소산 용액 30㎖을 가하고 빙냉하면서 막자사발(균질기 사용 가능)에서 30분간 마쇄한다. 8,000rpm에서 20분간 원심분리한 후 상징액을 취한 다음 다시 잔사에 10% 과염소산 용액을 가해 마쇄하여 원심분리하여 상징액을 분취하는 재추출 조작을 반복(2회)한다. 모두 합친 상징액을 냉 5N 수산화칼륨 용액으로 pH 6.5로 조절한 후 100㎖로 정용한다. 4℃에서 약 30분 방치시킨 후 12,000rpm에서 20분간 원심분리한 다음 상징액을 고속액체크로마토그래피용 membrane filter(0.22㎛)로 여과하여 분석용 시료로 한다. 이 때의 분석조건은 컬럼 μBondapak C18(3.9mm i.d.×30cm), 이동상 1% Trimethylamine · phosphoric acid(pH 6.5), 유속 2.0㎖/min, 온도 40℃, 검출기 자외선 검출기(245nm)이다.

결과 및 고찰

시료 피크와 표준품 피크의 머무름시간(retention time)을 비교하고 검량선을 이용하여 각 시료용액의 피크 면적으로서 환산하여 ATP 분해생성물을 정량한다. K값은 총 ATP분해생성물에 대한 HxR+Hx 량의 백분율을 말하는 것으로 다음식에 의거하여 산출한다.

$$K(\%) = \frac{HxR+Hx}{ATP+ADP+AMP+IMP+HxR+Hx} \times 100$$

K값이 적을수록 선도가 좋다는 것을 나타낸다. 일반적으로 산 것은 10% 이하 신선어(횟감)은 20% 전후이고, 선어(소매점)은 35% 내외이다. 휘발성 염기질소 또는 트리메틸아민의 측정이 주로 초기부패의 판정법이라고 한다면, 이 방법은 사후 어육의 초기변화의 정도, 즉, 신선도를 조사하는 방법이라고 할 수 있다. 한편, 어류의 사후 변화에 있어 ATP, ADP, AMP 등의 IMP로의 이행이 너무 빠르기 때문에 사실상 K 값의 변화를 지배하는 것은 IMP의 분해속도이다. 따라서 이러한 점을 고려하여 선도지표로서 K_1 값이 제안되고 있다.

$$K_1 = \frac{HxR+Hx}{IMP+HxR+Hx} \times 100$$

참고문헌

1. Ryder, J.M. : Determination of ATP and its breakdown products in fish mussel by HPLC. J. Agric. Food Chem., 33(3), p.678(1985)
2. Lee, E. H, Ohsima, T. and Koizumi, C. : High performance liquid chromatographic determination of K value as an index of freshness of fish. Bull. of the Japanease Society of Scientific Fisheries, 48(2), p.225(1982)

2. 우유

우유의 신선도 검사는 세균학적 검사와 화학적 검사로 분류되며 화학적 검사방법으로는 자비시험, 알코올시험, 산도시험 resazurin시험, 메틸렌 블루 환원시험 등이 있다.

1) 자비시험

실험개요

우유에 존재하는 미생물(젖산균, 장내세균 등)이 증식하면 산의 함량이 증가된다. 즉 산도가 높아지면(약 0.25% 이상) 가열에 의하여 우유단백질인 casein이 응고된다. 또한 초유와 이상유는 산도와는 관계없이 끓이면 응고한다.

시약 및 기구

시험관 또는 비이커

실험방법

우유 10~20㎖를 시험관 또는 비커에 취하여 서서히 끓인(1~2분) 다음 같은 양의 물로 희석하고 응고물의 유무를 조사한다.

결과 및 고찰

신선한 우유는 응고물이 생기지 않으나 산도 0.25% 이상인 오래된 우유는 응고한다.

2) 알코올 시험

실험개요

우유의 신선도를 판정하는 가장 간단한 방법으로 신선한 우유는 70%(v/v) 에탄올을 동량 가하여도 응고하지 않으나 오래되어 젖산발효가 일어나서 산도가 높아지면(산도 0.21% 이상) 알코올의 탈수작용에 의해서 casein이 응고한다. 또한 Ca, Mg가 많은 초유, 유방염에 거린 소에서 짠 우유, 이상유 등은 산도와 관계없이 응고하므로 원료유 검사에도 많이 이용된다.

시약 및 기구

- 페트리접시
- 70% 에탄올

실험방법

우유 1~2㎖를 페트리접시(내경 30~40㎜, 깊이 10㎜)에 취한다. 70% 에탄올을을 동량 가한 다음 여러번 흔들어 잘 혼합한 후 응고물이 생기는가를 관찰한다. 이때 알코올 우유 용기의 온도는 10~15℃를 유지해야 한다.

결과 및 고찰

신선한 우유는 응고물이 생기지 않으나 신선도가 낮은 우유는 응고물이 증가한다. 응고상태는 −, ±, +, ++ 등으로 구분한다.

3) 산도시험 (젖산표시법)

실험개요

착유 직후의 신선한 우유는 양성반응을 나타내는데 이것은 우유 중에 단백질, 아미노산 등의 분자가 산성기와 염기성기를 모두 가지고 있기 때문이다. 시간이 지남에 따라 우유는 젖산균, 효모 등에 의하여 젖산이 생성하며 산도는 높아진다. 신선한 생유 중에 존재하는 산도를 자연산도라 하며, 젖산생성에 의하여 높아진 산도를 발생산도(developed acidity)라 하며, 이 두 가지를 합친 것을 전산도(total acidity)라 한다.
산도란 일정량의 우유를 중화하는 데 필요한 알칼리량을 측정하여 이 알칼리와 결합한 산성물질의 전량을 젖산으로 가정하고 그 무게를 중량 %로 표시한 것이다. 보통 신선한 우유의 산도는 0.14~0.16%이고 초기부패유는 0.19~0.2%, 부패유는 0.25% 이상을 나타내므로 식품위생법에서는 시유의 규격을 산도 0.18% 이하로 정하고 있다.

시약 및 기구

- 100㎖ 삼각플라스크
- 1% phenolphthalein 용액
- 0.1N NaOH 용액

실험방법

우유 10㎖를 100㎖ 삼각플라스크에 정확히 취하고 끓여서 CO_2를 제거시킨 증류수 10㎖를 가하여 희석한다. 1% phenolphthalein 용액 0.5㎖를 가하고 0.1N NaOH 용액으로 적정한다. 종말점은 약 30초간 미홍색이 없어지지 않는 때로 한다.

결과 및 고찰

$$\text{산도(\%)} = \frac{a \times F \times 0.009}{10 \times \text{우유의 비중}} \times 100$$

F : 0.1N NaOH 용액의 역가
a : 0.1N NaOH 용액의 적정치(㎖)
0.1N NaOH 1㎖ = 0.009g 젖산

4) 메틸렌 블루 환원시험

실험개요

우유에 일정량의 메틸렌 블루(methylene blue)용액을 가하여 37℃에서 배양하고 청색이 퇴색될 때까지의 시간을 측정하는 방법으로서 우유 중에 존재하는 세균수를 간접적으로 측정할 수 있다. 일반적으로 신선한 우유는 색소를 탈색하는 환원효소(reductase)의 힘이 극히 약하지만 세균이 증식되면 환원효소가 생성되어 색소의 탈색능력이 증가한다. 이 시험은 보통 유제품공업에서 원료유를 받을 때 우유의 등급을 결정하는 데 많이 이용된다.

시약 및 기구

- 메틸렌 블루 용액 : 멸균된 용기를 이용하여 메틸렌 블루 4.5mg을 멸균한 증류수 100㎖에 녹인다. 갈색병에 넣어 냉암소에 보존하며 제조 후 1주일 이내에 사용하는 것이 좋다.
- 시험관 : 길이 150mm, 안지름 15~18mm이고 마개가 있는 시험관으로 멸균해서 사용한다.
- 항온조 : 37±0.5℃로 조절할 수 있고 시험관 내용물을 5분 이내에 소정온도까지 올릴 수 있는 것으로 전면을 차광할 수 있는 뚜껑이 있어야 한다.

실험방법

우유 10㎖를 멸균피펫을 사용하여 멸균시험관에 취하고 즉시 메틸렌 블루 용액 1㎖를 가한다. 마개를 막고 2~3회 전도(轉倒)하여 잘 혼합한 다음 차광한 37℃의 항온조에 넣는다. 이때 항온조의 수위는 시험관 내의 시료 수위보다 약간 높도록 유지한다. 시료우유의 온도가 37℃에 이르면 다시 3회 전도하여(진탕하는 것이 좋지 않다) 혼합하고 다시 항온조에 넣어 배양을 시작한다. 이때 시료의 온도가 37±0.5℃로 유지되는가를 확인하기 위하여 또 다른 시험관에 시료를 넣고 온도계를 부착하여 항온조에 넣는다. 색소환원(탈색)의 판정은 전체의 4/5까지 탈색될 때까지의 시간을 측정한다. 즉 배양을 시작하여 30분 후에 색소가 환원되었을 때는 환원시간(탈색시간) 30분 이후에는 1시간마다 관찰 기록하여 30분부터 1시간 30분 사이에 환원되었을 때는 환원시간 2시간으로 기록한다.

표 9-10 메틸렌 블루 환원시간과 세균수와의 관계

환원시간	세균수 (㎖중)
8시간 이상	50,000 이하
6시간 이상	200,000 이하
3.5시간 이상	1,000,000 이하

표 9-11 메틸렌 블루 환원시간과 원료유 등급관의 관계

환원시간	등급
8시간 이상	Excellent(1급)
6-8 시간	Good(2급)
2-6 시간	Fair(3급)
2시간 이내	Poor(4급)

결과 및 고찰

메틸렌 블루의 환원시간과 세균수와의 관계는 표 9-10과 같고 원료유의 등급과의 관계는 표 9-11과 같다.

5) Resazurin 환원시험

실험개요

메틸렌 블루 환원시험은 결과 판정에 있어서 오랜 시간이 필요하므로 시간을 단축하는 방법으로 Resazurin 환원시험을 많이 사용하고 있다. Resazurin은 신선유에 대해서는 특유한 청색으로 염색시키고 점차 환원됨에 따라 청색→홍자색→담홍색→무색으로 변화하는 색깔에 의해서 세균수를 간접적으로 측정할 수 있다.

시약 및 기구

- Resazurin 용액 : Resazurin 11mg을 멸균증류수 200㎖에 녹이고 갈색병에 넣어 냉암소(4℃ 이하)에 보존하여 조제 후 1주 이내에 사용한다.
- 기구는 메틸렌 블루법과 동일하다.
- 표준색표

실험방법

시료유 10㎖를 멸균공전시험관에 취하고 Resazurin용액 1㎖를 가한 후 마개를 잘 막는다. 조용히 3회 전도 혼합하고, 즉시 차광한 37℃의 항온조에 넣어 30분간 방치한 후 시험관을 꺼내어 3회 전도 혼합하고 다시 항온조에 넣어서 37℃로 30분간 유지한다(배양시작 후 60분). 시험관을 꺼내어 아래로부터 4/5의 색깔을 직사일광을 피해서 표준색표와 비교한다.

결과 및 고찰

Resazurin의 색깔과 우유의 품질과의 관계는 표 9-12와 같다.

표 9-12 37℃에서 1시간 배양후 Resazurin 색깔과 우유의 품질과의 관계

색깔	우유의 품질
청색(무변화)	우량(상급유)
홍자색	양호 →중급유
홍색	다소양호→중급유
담홍색	불량→불량유
무색	불량→불량유

3. 식육 및 가공품

식육류의 시험은 일반적으로 어육에서와 같은 방법이 그대로 적용된다. 그러므로 여기서는 관능검사와 어육의 신선도시험에서 다루지 않은 일부 간이시험법을 설명한다.

1) 관능검사

(1) 식육류

① 식육류의 신선도를 판정하기 위한 정상육의 상태

■ 쇠고기 : 쇠고기 특유의 냄새가 있으며 특히 숫소의 고기는 고유의 냄새가 있다. 지방질은 크림색 또는 회백색이고 단단하며, 고기 색깔은 담적갈색~적갈색이고 성과 나이에 따라서 차이가 있다. 양질인 것은 광택이 있는 선적갈색이고 부분에 따라 담황백색의 지방이 육섬유 사이 전체에 걸쳐서 대리석 무늬같이 끼어 있다.

■ 돼지고기 : 일반적으로 색깔이 엷고 회적백색~담홍색이다. 고기가 연하고 섬유는 섬세하다. 지방의 순백색으로 세립상이고 절단면은 돼지 특유의 지방광택이 있다. 다른 식육에 비하여 근육 사이나 근육 주위에 지방이 많다.

■ 양고기 : 양고기 특유의 냄새가 있고 적색~암적색이며 근섬유는 섬세하다. 지방은 흰색인데 근육 사이에 끼어 있는 일은 거의 없다.

■ 닭고기 : 육용종은 담홍색이고 난용종은 담홍백색이다. 지방은 황색인 것이 좋은 고기이다.

② 선도판정

- 색깔 : 수육의 종류에 따라 다르지만 고유의 색깔을 지니고 있는가를 검사한다. 오래되면 암갈색~오록색으로 변한다.
- 탄력성 : 탄력성이 크고 섬유가 강인하여야 한다. 오래되면 육질이 약해지고 탄력성이 적어진다.
- 냄새 : 암모니아 냄새가 나면 안 된다. 오래된 것에서는 점액이 생기고 암모니아 냄새가 난다. 육조직 중에서 혈액취가 나는 것은 사혈이 불충분한 것이고 밀도 살육의 의심이 갈수도 있다.

③ 병육의 판정

- 색깔 : 혈액을 많이 함유하고 있다. 또 회색, 녹황색~황갈색이 되어 있는 수가 많다.
- 냄새 : 혈액냄새, 피비린내가 나는 것이 많다.
- 기생충 : 확대경으로 기생충의 유무를 검사한다.

(2) 식육가공품

- 햄 : 절단면에 틈이 없고 부드러운 것이 양품이다. 오래된 것은 검은 기운을 띠거나 끈적거린다.
- 소시지 : 모양이 좋고 윤기가 있으며 탄력이 센 것이 좋다. 끈적거리거나 지나치게 질게 착색된 것, 적당한 탄력이 없고 여린 것은 불량품이다.
- 베이컨 : 육질이 연하고 훈연향이 있는 것이 좋다. 끈적거리거나 암모니아 냄새가 있는 것은 불량품이다.

2) Nitrazine yellow 시험

pH측정으로 식육의 부패를 감별하는 시험방법이다. 식육은 pH 6.2~6.5 이상인 것은 부패육으로 인정할 수 있으나 약간 차이는 있다. 쇠고기의 경우 도살 직후에는 pH 7.0 정도이나 점차 떨어져서 수시간 경과한 후는 pH 5.0 정도로 된다. 다시 pH는 시간경과와 더불어 증가하여 pH 6.8 이상이 되면 부패육으로 되어 식용할 수 없게 된다.

시료조제

작은 고기조각을 넣은 후 칼로 눌러서 육즙을 짜낸 것을 시료로 한다.

시약 및 기구

지시약 : 0.01% nitrazine yellow 수용액

실험방법

지시약 소량을 자제유발에 취한 다음 시료액과 혼합한다.

결과 및 고찰

육즙이 지식약과 혼합되어 짙은 자색이 되면 pH 6.5 이상이고 변화가 없으면 pH 6.5 이하, pH 6.5 부근이면 녹색으로 된다.

3) 메틸렌 블루 환원시험

실험개요

부패균의 색소환원작용을 이용하는 방법이다.

시료조제

식육 5g을 잘 썰어서 으깬 것을 시료로 한다.

시약 및 기구

- 메틸렌 블루용액 : 메틸렌 블루를 에탄올에 포화시킨 용액 5㎖를 취하여 물 195㎖를 가하여 만든다.
- 유동 파라핀
- 항온조 : 45±0.5℃로 조절할 수 있는 것
- 비색관 : 안지름 15~18mm의 60㎖ 용량으로 마개가 있고 멸균된 것
- 피펫 : 10㎖ 및 1㎖의 멸균된 것

실험방법

식육 5g을 잘 썰어서 으깬 후 비색관에 취한다. 미리 45℃로 가온한 멸균 증류수 10㎖와 메틸렌 블루용액 1㎖를 가하고 가볍게 흔들어 준다. 여기에 유동 파라핀의 박층을 상면에 만들어 공기와의 접촉을 피하게 하고 마개를 막는다. 45℃의 항온조에 넣고 청색이 퇴색되는 시간을 관찰한다.

결과 및 고찰

1시간 아내에 퇴색되는 것은 이미 초기 부패인 것을 나타내고 30분 이내에 퇴색되는 것은 심하게 부패된 식육으로 판정한다.

4) 트리메틸아민 (trimethylamine) 의 검사

실험개요

식육 100g 중에 트리메틸아민 4~6mg이 함유되어 있으면 초기부패로 인정된다.

시료조제

식육 10~20g을 잘게 썰어 100㎖의 비커에 취하고 증류수 50㎖를 가하여 때때로 개어주면서 30분간 침출한다. 20% Trichloroacetic acid 용액 10~20㎖를 가하여 저어주고 10분간 방치한 다음 10㎖ 메스플라스크 중에 여과한다. 비이커안의 침전은 2% trichloroacetic acid 10㎖로 여과지상에 옮기고 다시 2% trichloroacetic acid와 소량의 증류수를 사용하여 침전을 씻어준다. 여액과 씻은 액을 합하고 물을 가하여 전량을 100 ㎖로 만든 것을 시료액으로 한다.

시약 및 기구

- 2, 20% trichloroacetic acid 용액
- 중성 formalin 용액 : Formalin에 탄산마그네슘을 과량으로 가하여 흔들어 섞은 다음 방치하여 상징액을 사용한다.
- 건조 toluene 용액
- 포화탄산나트륨용액
- 피크린산 toluene 용액 : Toluene을 무수황산나트륨으로 탈수하여 0.02%의 피크린산용액으로 한다.

실험방법

시료액 5㎖(trimethylamine 2~20μg 함유)를 분액깔때기에 취하고 중성 formalin 용액 1㎖, 건조 toluene 용액 10㎖, 포화탄산나트륨용액 3㎖를 차례로 가한 다음 1분간 강하게 흔들어 준다. 5분간 방치하여 분리된 toluene 용액층을 약 0.5g의 무수 Na_2SO_4이 들어있는 공전시험관에 옮겨 탈수한다. 탈수된 toluene 용액 5㎖를 0.02% 피크린산 toluene 용액 5㎖가 들어있는 공전시험관에 옮겨 탈수한다. 이때 생성된 picrate의 황색도를 파장 420nm에서 흡광도를 측정한다. 또한 트리메틸아민 염산용액을 사용하여 시료와 같은 방법으로 처리하여 표준곡선을 작성한다.

결과 및 고찰

아래 계산식에 의거하여 식육 100g 중에 트리메틸아민 4~6mg이 함유되어 있으면 초기부패로 인정된다.

트리메틸아민(mg) = $0.142 \times (E - E_0)$

E_0 : 대조의 흡광치

E : 본시험의 흡광치

액층의 두께 : 10mm

참고문헌

1. 장현기, 김현오, 한명규, 이성동 : 식품위생학 및 실험. 형성출판사, 서울, p.362(1999)
2. 日本藥學會編 : 衛生試驗法註解, 金原出版
3. 박영호, 장동석, 김선봉 : 수산가공이용학. 형설출판사, 서울(1995)
4. 谷川英一 : 水產物の鮮度保持・管理, 恒星社厚生閣, 東京, p.27(1970)

제 6 절 HACCP

1. HACCP (식품위해요소 중점관리) 제도

HACCP은 HA(hazard analysis : 위해요인분석)와 CCP(critical control point : 중점관리)의 합성어로 안전성에 영향을 미치는 위해요인을 분석하고 부분별로 나누어 중점관리를 하는 것이다. HACCP(hazard analysis critical control point) 시스템의 유래는 40여년전 영국의 화학공업분야에서 비롯되었으며, 식품에 응용되기는 60년대 말로 미국의 유인 우주선 개발과 함께 완전무결한 우주식량개발방법을 모색하게 된 것에서 시작하여 1980년대에는 세계적으로 일반화되었다.

HACCP 제도는 그 적용에 있어 ① 위해분석(위해요소의 분석과 위험평가) ② 중요관리점의 결정 ③ 관리기준의 설정 ④ Monitoring 방법의 설정 ⑤ 개선조치의 설정 ⑥ 기록유지 및 문서작성 규정의 설정 ⑦ 검증방법의 설정의 7가지 기본원리로 구성되어 있으며 이와 함께 생산, 보관, 판매시설의 주변환경과 구조, 설비, 사용하는 물, 원료의 입고와 가공, 보존상태・기계와 기구의 구조 및 유지 관리, 종업원 교육등 식품에 해로운 요소의 개입이 우려되는 점을 식품제조 업체가 과정별로 관리하는 제도이다. 즉 식품의 안전성을 확보하기 위해 특정위해요소를 알아내고 위해요소의 방지 및 관리 기법을 마련하기 위한 제도이다. 그러나 이 제도가 과학적이고 합리적인 장점을 가지고 있다해도 성공적으로 실효를 거두기 위해서는 식품제조를 포함한 종사자들의 수준이 선진화되어야 하며, 온국민이 식품의 중요성을 인식하여 이의 실현을 위한 의지를 보여야 한다.

2. HACCP (Hazard analysis critical control point) 의 실시

HACCP의 실시는 다음의 7단계를 거쳐서 완성된다.

(1) 위해분석 (Hazard analysis, 위해요소의 분석과 위험 평가)

위해요소의 분석과 위험평가는 계획작성의 기본작업이며 제품에 따라 발생할 우려가 있는 모든 식품위생상의 위해에 대해서 당해 위해의 원인이 되는 물질을 명확히 한 다음, 그것의 발생요인 및 방지조치를 명확히 하는 것이다.

위해요소 분석의 실시에는 식품위생에 관한 과학적 지식, 식품사고 발생예의 자료 등을 토대로 위해가 발생할 우려가 있는 공정마다 위해의 원인이 되는 물질을 열거하고, 다음으로 위해의 중요성 및 발생빈도를 고려하여 그 위험을 평가(risk assessment)하는 것이 필요하다. 이와 같은 위해분석을 행함과 함께, 위해의 원인이 되는 물질 및 위해가 발생할 우려가 있는 공정마다, 위해 발생요인을 찾아 방지조치를 결정하는 것이 필요하다. 이 조치에는 식품을 제조 또는 가공의 시점에서 행하는 공정 그 자체의 위생관리와 시설설비, 기계기구의 세정, 보수점검 등의 일반적 위생관리에 의한 조치가 있다.

(2) 중요관리점 (Critical control point, CCP)의 결정

위해분석 결과, 명확해진 위해의 발생을 방지하기 위하여 특히 중점적으로 관리해야 할 공정을 중요관리점으로 정하여야 한다. 즉, HACCP 시스템에 의한 위생관리라 함은 중요관리점을 늘 관리하는 것이 특징이므로 중요관리점은 공정에서 반드시 관리가 필요한 개소에 한정하고, 그 관리를 집중시키는 것이 필요하다.

중요관리점은 확인된 위해요소를 효과적으로 관리하기 위하여 관리방법을 적용할 부분이며, 또한, 관리방법이 효과적으로 모니터되며 기록화되는 부분이기도 하다. 따라서 위해요소 분석에서 확인된 모든 중대한 위해요소에 대해서는 위해요소를 관리할 중요관리점이 최소한 한 개 이상 있어야 한다.

(3) 관리기준 (Critical limit, 허용한계치)의 설정

관리기준이라 함은, 중요관리점에서 준수하여야할 기준이다. HACCP에 의한 식품위생관리의 특징은 중요관리점에서 위해가 적절히 배제되어 있는지 여부를 즉시 판단할 수 있는 것이다. 따라서 관리기준은 기본적으로 온도, 시간, pH, 색조 등 계측기계를 사용하여 상시 또는 적당한 빈도로 측정할 수 있는 기준으로 하는 것이 필요하다.

예를 들면, 최종제품에서 대장균군이 음성임을 달성하기 위하여, 제조공정에서 가열살균을 행하도록 한 경우, 식품을 제조하고 있는 시점에서 당해공정에서 대장균이 음성임을 직접 확인하는 것은 곤란하다. 따라서 미리 당해 가열살균에 의한 미생물 사멸효과를 올바르게 파악함으로써 식품의 제조시에는 가열온도 및 가열시간이 적절히 준수되고 있는지를 확인하면 대장균군이 음성으로 되어 있음이 명백해진다. 또한 가열살균에 의한 미생물의 사멸효과를 증명하는 방법으로는 학술문헌에 의한 확인 및 미생물 접종시험을 실시하는 등의 방법이 있다.

또한 가공과정중 발견될 수 있는 이물질을 관리하기 위해서 여러 가지 방법들이 사용될 수 있다. 예를 들어, 제품속의 금속물질은 체(seives), 제품 및 장비에 대한 육안적 검사, 예방적 정비, 여러 종류의 자석, 라인상의 금속탐지기 등을 통해서 관리될 수 있다. 그러나, 예방적 정비나 육안적 검사 및 자석 등은 최종제품이 근속조각을 함유하지 않고 있다고 보장해줄 수는 없으므로 중요관리점으로 간주되지 않는다. 금소조각을 중대한 위해요소로 파악한 공정에서는 일반적으로 라인상의 금속탐지기가 위해요소를 감소시킬 방법으로 이용된다.

중요관리점에서 위해요소를 관리하는 방법이 효과적이기 위해서는 꼭 만족시켜야 할 허용한계치(critical Limit)가 있다. 제조과정이 이 한계치를 만족시키지 못하면, "허용한계치"를 위반한 것이 되어 제품의 안전성은 관리되고 있지 않음을 의미하게 된다. 허용한계치는 숫자로 표현되거나, 제조과정의 적절성을 판단할 기준에 관한 조건으로 표현된다.

허용한계치는 "운영상 한계치(operating limits)"와 혼동되어서는 않된다. 운영상 한계치는 제조공정이 판매가능한 제품을 생산하도록 기대되는 한계치를 말한다. 운영상 한계치는 안전성 이외의 다른 이유-품질 혹은 경제적 이유-들 때문에 설정된다. 산성식품 가공자는 pH 4.6 이하의 허용항계치를 가질 수 있다. 예를들어, 예냉단계에서 제품온도가 4시간 이내에 50°F(10℃) 이하로 허용한계치가 설정된 중요관리점을 생각해 보자. 이 과정에서의 운영상 한계치는 제품온도가 3시간 이내에 50°F(10℃) 이하일 것을 요구할 수 있다. 제품이 이러한 운영상 한계치를 만족시키지 못할 경우, 운영자는 제품을 더 빨리 예냉시키기 위해 "제조과정을 조정"할 수가 있다. 이러한 과정은 허용한계치 보다 더 엄격하다. 운영상 한계치가 허용한계치보다 더 엄격해야 한다는 것은 논리적인 귀결이다. 운영상 한계치에 만족되지 않더라도, 제품은 "위반"사항이 없으며, 가공자는 제품의 처분에 관한 결정을 자유롭게 내릴 수 있다. 제조공정이 허용한계치 이내에서 운영되고 있는 한, 운영상 한계치는 제품의 안전성에 영향을 주지 않는 범위내에서 위반될 수도 있다.

(4) 모니터링 (감시관리, Monitoring) 방법의 설정

모니터링의 목적은 중요관리점에서 위해발생을 방지하기 위한 조치가 확실히 실시되고 있는지를 확인하는데 있다. 예로서 「온도계를 사용하여 온도를 측정하는 것」이 모니터링 방법이 된다. 모니터링 방법은 기본적으로 중요관리점에서 모니터링의 측정치가 관리 기준을 이탈한 경우, 그것을 눈 등으로 즉시 확인할 수 있는 방법이어야 한다. 제조과정이 허용한계치 이내에서 운영되고 있음을 보증하기 위해서는 실질적인 가공공정의 감시가 이루어 저야 한다. 제품이 허용한계치 이내에서 계속적으로 생산되고 있음을 신뢰하기 위해서는 감시가 자주 이루어지고 결과도 빨리 나와야 한다.

감시는 측정이나 관찰에 의해 이루어진다. 예를 들어 햄버거 조리시, 조리표면의 온도와 조리시간을 측정할 수도 있고, 붉은색이 없어질 때까지 충분히 조리되었음을 관찰할 수도 있다. 중요관리점을 감시하는 방법은 여러 가지가 있으며, HACCP 팀은 허용한계치와 함께 효과적이고, 기록하기 용이하며 작업운영에 적당한 감시방법을 선택해야 한다.

모니터링의 빈도는 허용한계치의 특성에 따라 계속적이거나 혹은 간헐적일 수 있다. 중요관리점이 계속적으로 허용한계치 이내로 운영되어야 할 경우는 계속적인 모니터링을 실시해야 한다. 만약 중요관리점이 뱃치 단위로 혹은 특정시점에서 허용한계를 만족시켜야 하거나, 중요관리점이 허용한계치를 위반할 가능성이 별로 없을 경우에는 간헐적인 모니터링도 수용가능하다. 또한, 모니터링의 빈도는 가공자가 위험을 감수할 수 있는 생산량에 의존할 수도 있다. 말하자면, 모니터링 결과 가공공정이 허용한계치를 벗어났다고 결정되면, 이전의 모니터링 이후에 생산된 모든 제품들은 개선조치의 대상이 된다.

모니터링 장비는 정확해야 한다. 그렇지 않으면, 가공과정이 허용한계치를 벗어난 상태에서 교정되어야 한다. 관찰에 의해 모니터링이 이루어질 경우, 관찰자는 정기적인 "교정"을 요구할 수 있다. 모니터링은 연속적 또는 상당한 빈도로 행하는 것이 필요하며, 그 실시자를 특별히 지정하는 것이 필요하다. 다음으로, 그 실시상황은 바르게 기록되어야 한다. 적절한 모니터링은 중요관리점이 허용한계치 이내에서 운영되고 있음을 보장하는 신뢰할 만한 유일한 방법이다. HACCP 플랜에 명시된 모니터링 활동을 빠트리거나 기록보존을 하지 않을 경우, 중요관리점이 제대로 관리되고 있는지 판단하는 것은 불가능하다. 그럴 경우에는 개선조치가 취해져야 한다. 그리고, HACCP 플랜은 이러한 위반의 재발을 막기 위해 조정될 필요가 있다.

(5) 개선조치 (Corrective action)의 설정

HACCP 시스템에는 중요관리점에서 모니터링의 측정치가 관리기준을 이탈한 것이 판명된 경우, 관리기준의 이탈에 의하여 영향을 받은 제품을 배제하고, 중요관리점에서 관리상태를 신속·정확히 정상으로 원위치 시켜야 한다. 개선조치에는 제조과정을 다시 관리가능한 상태로 되돌리거나, 제조과정이 통제를 벗어났을 때 생산된 제품의 안전성에 대한 평가를 실시하거나, 재위반을 방지하기 위한 방법을 결정하는 것 등이 있다.

첫 번째 단계는 부적합 제품의 양을 최소화하기 위하여 위반사항이 발견되는 즉시 가급적 빨리 개선조치가 이루어져야 한다. 그러므로, 각 허용한계치 마다 개선조치를 미리 마련해 두는 것이 중요하다. 따라서 누가, 어떻게, 제조과정을 조정할 것이며, 제품의 안정성은 어떻게 평가할 것인가에 대하여 미리 마련해 두어야 한다. 허용한계치 의외에 운영상 한계치가 있는 것과 같이, 개선조치 이외에 제조과정에 대한 조정도 있을 수 있다. 제조과정이 운영상 한계치를 벗어날 경우, 제조자는 제조과정을 운영상 한계치에 부합하도록 조정할 수가 있다. 허용한계치를 벗어나지 않은 상태에서 제조과정을 조정했을 경우, 이는 개선조치가 아니다. 이 경우, 운영상 한계치가 허용한계치보다 더 엄격하게 설정되었고, 허용한계치를 벗어나지 않았으며, 제품의 안전성에는 영향이 없었으므로 이러한 제조과정의 조정은 개선조치로 간주되지 않는다.

중요관리점에 설정된 허용한계치를 만족시키지 못한 제품의 안전성에 대한 평가는 ① 제품이 안전하다고 판단되어, 일반유통되거나 다른용도로 전환되거나, ② 위해요소를 제거하는 방식으로 재가공되거나, ③ 위해요소가 중대하게 간주되지 않는 다른 용도로 전환되거나 ④ 파기되는 것으로 귀결될 수 있다. 그리고 이러한 평가가 이루어지는 방법을 미리 마련해 두는 것이 중요하다. 이는 평가자에게 평가지침을 제공해주어 적절한 절차의 활용을 촉진시켜 준다.

이를 위해서는 ① 신속, 정확히 관리상태를 정상으로 돌릴 수 있는 구체적인 개선조치(기계, 기구의 수리, 조정, 유지 및 교체 등)를 정할 것, ② 관리기준을 이탈하고 있는 동안 제조된 제품의 적절한 처분방법을 정할 것, ③ 개선조치를 실시하는 자가 정하여져 있을 것 등이 필요하다. 또한, 그 실시상황은 바르게 기록되어야 한다.

(6) 기록유지 및 문서작성 규정의 설정

"기록되지 않은 것은 발생했던 사실이 없는 것이다."라는 말이 있다. 제조과징이 관리상태하에 있었다는 것을 입증할 수 있는 유일한 길은 모니터링의 결과를 기록하는 것이다. 마찬가지로, 개선조치가 적절하게 취해졌음을 입증할 유일한 방안은 개선조치에 관한 기록을 유지하는 것이다. 실수가 재발하는 것을 방지할 수 있는 방법은 무엇이 왜 발생했는지를 기록하는 것이다. 이는 후에 잠재적인 문제와 관련해서 유용한 정보를 제공해줄 수 있고,

HACCP 플랜을 작성하는 이유에 대한 해답을 제시해 준다.

검증(verification)이라는 목적을 위한 HACCP 기록은 다음의 3가지 중 하나에 귀결된다.

① 특정 제품 롯트에 관한 기록

이 기록들은 특정 롯트가 HACCP 플랜에 부합하여 가공되었음을 입증하는데 중요하다. 중요관리점의 감시 관리 활동에 대한 기록이 실시되고, 통상적인 운영의 일부분으로 검토된다. 또한 개선조치에 대한 기록도 통상적인 운영의 일부분으로써 검토된다.

Calibration 기록, 기타 중요관리점의 검증기록이 HACCP 플랜에 지시된대로 유지되고 검토된다. 이러한 유형의 기록들은 한 생산롯트 이상과 관계되지만 각 로트가 플랜에 따라 생산되었음을 입증하는데 있어서 중요하다.

② HACCP 플랜을 문서화하는 기록

이 기록들은 HACCP 시스템이 HACCP 플랜의 요건을 따르고 있는지 여부를 판단하기 위하여, HACCP 플랜의 이행중과 점검활동 등에서 이용된다. HACCP 플랜, 작업 흐름도, 및 기타 예비단계에서의 기록들이 이런 기록들의 예이다. HACCP 감사에서는 이러한 기록들이 모니터링, 개선조치 및 중요관리점 검증기록 등과 함께 검토된다. HACCP 감사 보고서 자체가 이 범주에 속하는 HACCP 기록이다. 이런 유형의 기록들이 HACCP 플랜 검증에 자동적으로 속하게 되므로, HACCP상의 HACCP기록이라고 명시할 필요는 없다.

③ HACCP의 의도나 이론적 근거를 문서화하는 기록

이러한 기록에는 위해요소 분석(위해요소 분석에 이용된 참고문헌 및 기타 문서), 중요관리점의 선택 및 허용한계점의 설정, HACCP 플랜이 어떻게 왜 개정되었는지에 대한 기록 등을 포함한다. 앞의 두 카테고리에서 선택된 기록들과 더불어, 이런 유형의 기록들은 HACCP 플랜의 타당성 검증과 재평가시에 검토된다.

기록을 정확하게 작성하여 보존함으로써 HACCP 계획을 적절히 실시한 증거로 하는 것이 가능하다. 이 기록은 영업자가 계획이 적절한지의 검증 등에 유효하게 활용할 수 있을 뿐 아니라 정부 당국에 의한 평가나 감시시 유효한 정보가 된다. 또 만약의 경우, 식품의 안전에 관계되는 문제가 생겼을 경우 계획의 실시 상황을 과거로 소급하여 조사함으로써 그 원인을 용이하게 규명 할 수도 있다. 기록에 포함되어야 할 사항으로는 중요관리점에서의 모니터링, 개선조치, 일반적인 위생관리, 및 검증에 관한 사항이 있다. 또 당해 기록의 보존방법 및 기간을 정하는 것도 필요하다.

(7) 검증 (verification) 방법의 설정

HACCP 시스템에서는 검증에 의하여 HACCP에 의한 위생관리의 실시계획이 적절히 기능하고 있는지를 계획의 작성시 및 실시후에 계속적으로 확인, 평가하여야 한다. 검증에는 ① 제품 등의 시험검사, ② 기록의 점검, ③ 중요관리점에서의 모니터링에 사용되는 계측기기의 교정, ④ 불평 또는 회수의 원인분석, ⑤ 실시계획의 정기적인 확인 등이 있으며 이들의 실시상황은 정확하게 기록되어야 한다. 또한, 제품 등의 시험검사를 실시하는 경우 원칙적으로 모든 위해의 원인이 되는 물질이 허용치에 적합한지를 확인할 필요가 있다. 예를 들면 가열살균을 하는 식품에서는 내열성이 제일 높은 균을 지표균으로 하여 당해 지표균이 확실히 제거되어 있는지를 확인함으로써 기타의 미생물에 대해서도 제거되어 있는지가 명확하게 된다. 따라서 식품의 제조방법 등에 따라 적절한 지표균을 이용하면 효율적인 검증이 가능하게 된다.

HACCP 플랜에 대한 검증은 중요관리점에 대한 감시관리의 관계와 같다. 검증은 HACCP 플랜이 의도대로 기능을 하고 있음을 점검하는 것을 말한다. 또한, 검증이란 HACCP 플랜에 의한 요건이 정확하고 적절함을 보증하는 과정이다.

제품설명에서부터 작업흐름도와 검증에 이르기까지 HACCP 플랜에 대한 정기적인 검토 또한 검증과정의 일부분이다. 일반적으로 HACCP 플랜은 유동적이며 계속적인 개선의 과정이다. 시간이 지나고 자료가 축적됨에 따라 불필요한 중요관리점을 제외시키게 되고, 중요관리점을 더욱 효과적으로 감시관리할 방도를 찾게 된다. 검증은 이러한 진보과정을 도와주는 역할을 한다.

참고문헌

1. Pierson, M.D. and Corlett, D.A. Jr(ed): HACCP: Principles and applications, AVI, New York(1992)
2. Stevenson, K.E.(ed): HACCP-establishing hazard analysis critical control point programs. A workshop manual. The Food Processors Institute, Washington, D.C.(1993)

식품의 신 기능성 검정

제 1 절 항산화성 및 유리라디칼 소거능 검정

1. Thiobarbituric acid value (TBA가) 에 의한 항산화성 검정

실험개요

유지산패 과정 중 생성되는 aldehyde류에 의한 과산화 유지류와 2-thiobarbituric acid가 반응하여 생성되는 적색색소를 530nm에서 흡광도를 측정하여 산패의 정도를 예측하는 것으로 유지의 안정성과 항산화제의 항산화 효과를 비교하는데 사용한다. 다른 방법으로 thiobarbituric acid reactive substance(TBARS)로 표시하기도 한다.

시료조제

시험하려는 항산화성 물질을 메탄올에 녹여 일정 농도로 하고 시험대상 유지는 항산화제가 첨가되지 않은 동물성 혹은 식물성 유지를 그대로 사용한다. 식품에 항산화제를 첨가하는 경우는 그 시료를 직접 사용한다.

시약 및 기구

■ 실험 1

- Glacial acetic acid
- Benzene
- TBA용액 : 2-thiobarbituric acid 0.69g을 증류수 100㎖에 녹인다.
- TBA 혼합용액 : Glacial acetic acid와 TBA용액을 1 : 1 비율로 혼합한다.
- UV spectrophotometer

■ 실험 2

- 20% trichloroacetic acid in 2M phosphoric acid
- 0.005M 2-thiobarbituric acid
- Spectrophotometer
- Waring blender

실험방법

1 실험 1 : 유지에 직접시험

시료 유지 3g을 정확히 삼각플라스크에 취한 후 benzene 10㎖을 혼합하여 용해시킨 후 TBA 혼합액 10㎖을 가하고 가끔 흔들어 주면서 4분간 방치한다.

이 액을 분액깔때기에 옮기고 정치하여 2개 층으로 분리시킨다. 아래층을 분리하여 끓는 물에서 30분간 가열한다. 이때 용기의 뚜껑을 막아준다. 가열 후 냉각하고 530nm에서 흡광도를 측정한다. 공시험은 아래층 대신에 증류수를 사용한다.

2 실험 2 : 식품에 시험

항산화제를 첨가했거나 저장시험용 식품을 20g 취하여 4℃로 냉각된 2M phosphoric acid의 20% trichloroacetic acid 용액 50㎖을 waring blender 컵(stainless steel)에 넣고 1.5분간 최고속도로 마쇄한다. 마쇄액을 정량적으로 100㎖ 용량 플라스크에 옮긴 후 증류수 100㎖로 맞춘 후 흔들어 혼합한다. 이 액 50㎖을 Whatman No 1여과지로 여과한 여과액 5㎖을 시험관(15×200mm)에 옮기고 0.005M 2-thiobarbituric acid 용액 5㎖을 넣는다. 관을 마개로 막고 위 아래로 흔들어 혼합한 다음 암소에서 상온으로 15시간 정치한다. 발색된 액을 spectrophotometer로 530nm에서 흡광도를 측정한다.

결과 및 고찰

일반적으로 항산화 활성물질을 넣은 것과 그렇지 않은 시료를 같이 실험하여 TBA가를 비교하므로써 유지의 산화물량이 계산되므로 항산화 활성물질의 활성이 비교된다.

1 실험 1 : TBA가는 다음과 같이 계산한다.

$$\text{TBA가} = \frac{(A - B) \times 3 \times 100}{S}$$

A : 530nm에서의 흡광도　B : 공시험구의 흡광도　S : 시료의 양(g)

❷ 실험 2

TBA가 = 측정된 흡광도 × 5.2

주의사항

TBA가는 보통 유지의 산화과정 중 처음 생성되는 malonaldehyde와 반응하여 적색을 내는 것보다는 광범위한 유지의 과산화물과 반응하여 나타나는 색소이며 〈실험 2〉는 간편하고 〈실험 1〉에 비하여 열처리 과정이 없으므로 가열처리에 의한 변화를 방지할 수 있는 장점이 있으나 감도가 떨어지는 결점이 있다.

참고문헌

❶ Kosugi, H., Kojima, T. and Kikugawa, K.: Thiobarbituric acid-reactive substances from peroxidized lipids. Lipids, 24, p.873(1989)
❷ Witte, V. C., Krause, G. F. and Bailey, M. E.: A new extraction method for determining 2-thiobarbituric acid values of pork and beef during storage. J. of Food Sci., 35, p.582(1970)
❸ 강국희, 노봉수, 서정희, 허우덕: 식품분석학. 성균관대학교 출판부, p.170(1998)

2. Rancimat method에 의한 항산화성 검정

실험개요

유지에 대한 항산화 활성을 비교하기 위하여 100~104℃의 건조공기를 유지에 접촉시켜 산화를 촉진시키면서 산패과정에서 peroxide value를 측정하는 방법을 active oxygen method(A.O.M.)라고 하지만 하나 rancimat method는 AOM method와 비슷한 원리이나 peroxide value를 측정하는 번거로움을 없애고 유지의 산화과정에서 발생되는 휘발성 물질(formic acid)을 증류수에 흡수시킨 다음 이 증류수의 전기전도도를 자동적으로 측정, 기록하여 유도기간을 산정하므로써 산화안정성을 비교한다. 이 방법은 AOM method에 의해서 얻어진 결과와 잘 일치하고 그 조작이 간편하면서 1회에 많은 시료를 처리할 수 있어 항산화성 검정에 널리 쓰이고 있다. 측정기계가 고가인 난점이 있다.

시료조제

항산화성물질을 일정 농도로 메탄올에 녹여 일정 농도(mg/㎖)로 하고 시험대상 유지는 항산화제가 첨가되지 않은 동물성 혹은 식물성 유지를 그대로 사용한다.

시약 및 기구

Rancimat method는 유지에 직접 건조공기를 불어넣기 때문에 추가 시약은 필요치 않고 전기전도도에 의하여 산패정도를 측정하기 때문에 실험기구의 철저한 세척이 필요하다.

다음 절차에 따라 기구를 세척한다. 반응관을 뜨거운 isopropanol에 포화한 KOH용액으로 수시간 처리한 후 수도물로 세척한다. 세척된 반응관은 세제에 넣어 하룻밤 방치한 후 수돗물과 증류수로 세척하며 포말 방지판도 같은 방법으로 세척한다. 전도도 측정 전극과 측정관은 처음 acetone으로 씻고 세제에 하룻밤 방치한 후 수도수와 증류수로 세척한다. 모든 유리기구는 사용 전 완전히 건조시킨다.

재현성 시험

Rancimat 가열부의 온도를 120℃로 조정한 다음 각 반응부를 넣는 부위의 온도를 측정하여 범위가 0.6℃ 정도이어야 한다. 정제, 탈색 및 탈취된 표준 대두유 5g을 넣어 차트 속도 20mm/h 조건에서 측정한다.

실험 반복 시 차이를 알기 위하여 표준 유채유를 함께 120℃에서 정기적으로 시험하여 재현성을 확인한다. 실험기간중 사용 유지는 질소를 분사시킨 후 상온에서 보관한다.

실험방법

반응관에 실험하려는 항산화제를 첨가 수준에 따라 주입하고 선정한 유지 2.5g을 정확히 넣는다. 이때 공기인입관 끝이 유지에 잠기도록 한다. 그렇지 않은 경우 유지량을 조절한다. 고상 유지는 융해온도 보다 10℃ 이상으로 가열하여 취한다. 항산화제와 유지가 잘 혼합되도록 적당시간 동안 초음파 처리하면 항산화제의 혼합에 도움이 된다.

가열부의 가열 스위치를 올리면 설정된 온도에서 ±0.1℃로 조절된다. 보통 120℃까지는 40분, 220℃까지는 60분이 소요된다. 지정된 온도에 도달하면 반응관을 가열부에 설치하여 10분 동안 정치한 후 공기공급관과 전기전도도 측정관을 연결한다. 전기전도도 측정관에는 60㎖의 증류수를 주입하되 24시간 이상 실험하는 경우 증발량을 감안하여 60㎖ 이상을 주입하여 전도도 측정 전극이 항상 물에 잠겨있도록 한다.

모든 설치가 끝난 다음은 공기 공급량을 결정하는데 보통 유지의 항산화력을 시험하는데는 20ℓ/h 수준을 권장한다. 또한 측정 온도도 실험자의 의도에 따라 다르게 설정할 수 있으나 보통 120℃를 많이 사용한다.

기타 자세한 것은 제작회사의 지침서를 참조한다.

결과 및 고찰

Rancimat 측정기는 내장된 program에 의하여 자동으로 측정된 값이 차트로 기록되어 나온다.

이 장치로는 유도기간의 산정, 지정된 전도도 차이에 도달할 때까지의 시간, 지정된 시간동안 전도도의 변화, 즉 ΔK를 측정하는 기능이 있다. 실험의 목적에 따라 기능을 지정하여 결과를 얻을 수 있다.

보통 항산화제 효과를 비교 시험하기 위해서는 항산화제를 넣지 않은 표준구의 유도기간과 항산화제를 넣은 처리구의 유도기간을 비교하여 항산화 효과를 비교하기도 한다.

$$\text{즉, Antioxidant index(AI)} = \frac{\text{처리구의 유도기간}}{\text{표준구의 유도기간}}$$

AI로 표시하면 항산화제의 항산화능을 지정유지에 대하여 쉽게 비교할 수 있다.

참고문헌

1. Läubli, M. W. and Bruttel, P. A.: Determination of the oxidative stability of fats and oils: Comparison between the active oxygen method(AOAC Cd 12-57) and the Rancimat method. JAOCS, 63, p.792(1986)
2. Hasenhuettl, G. L. and Wan, P. J.: Temperature effects on the determination of oxidative stability with the metrohm Rancimat. JAOCS, 69, p.525(1992)
3. Mendez, E., Sanhueza, J., Speisky, H., and Valenzuela, A.: Comparison of Rancimat evaluation modes to assess oxidative stability of fish oil. JAOCS, 74, p.331(1997)
4. Instructions for use 679 Rancimat: Metrohm, Metrohm Ltd. Switzerland

3. DPPH 라디칼 소거능 실험

실험개요

불포화지방산 라디칼의 모델로서 안정한 유리 라디칼인 α, α-diphenyl-β-picrylhydrazyl(DPPH·)을 이용하여 일정량의 시료 용액과의 반응에 의하여 DPPH 라디칼이 감소하는 정도를 분광광도계로 측정하여 간접적으로 시료의 항산화 활성을 측정하는 방법이다. 조작이 간편하고 단시간에 측정이 가능하여 많은 종류의 시료에 대한 항산화 활성의 검색 등의 용도로 널리 이용되고 있는 방법이다.

시료조제

항산화 활성을 측정하고자 하는 시료 일정량을 메탄올 혹은 에탄올 용액에 녹여서 일정 농도(mg/㎖)로 한다.

시약 및 기구

1. DPPH 용액(0.4mM) : DPPH(α, α-diphenyl-β-picrylhydrazyl, $C_{18}H_{2}N_{5}O_{6}$, FW 394.3, 0℃ 이하에 보존) 80mg을 500㎖의 에탄올 용액에 녹인 후 여지(Toyo No. 5A)로 여과하여 사용한다.

이 용액은 불안정하므로 측정 전에 즉시 제조하여 사용할 때까지 냉암소에 보관하여야 한다.

2. 분광광도계 : 미리 에탄올 용액을 blank로 하여 영점을 조정하여 둔다.
3. Voltex mixer : 시험관용

실험방법

조제한 DPPH 용액 0.8㎖에 에탄올 적당량(3~4㎖)을 가하고 10초 동안 강하게 진탕하여 분광광도계의 흡광도 값이 0.95~0.99가 되도록 에탄올의 양을 조정한다. 다음에 시료 용액 0.2㎖를 취하여 앞에서 조절한 적정량의 에탄올과 DPPH용액 0.8㎖를 가하여 10초 동안 강하게 진탕한 후 10분 동안 방치하고 525nm에서 흡광도를 측정한다. 대조구로서 시료 용액대신에 같은 양의 에탄올을 가하여 진탕하고 방치한 후 곧 흡광도를 측정한다.

결과 및 고찰

아래와 같은 식에 의하여 라디칼 소거능을 구하고 항산화 표준품으로 α-tocopherol이나 L-ascorbic acid를 사용하여 시료의 활성과 비교하여 항산화 활성을 나타낸다.

$$\text{DPPH 라디칼 소거능} = \left(1 - \frac{\text{시료의 흡광도}}{\text{대조구 흡광도}}\right) \times 100(\%)$$

주의사항

1. 시료에 DPPH 용액을 가한 후 진탕 및 방치 시간을 정확하게 맞추어야 한다.
2. 흡광도를 517nm에서 측정하기도 하며 DPPH 용액의 농도 및 방치 시간이 다른 방법도 있다(참고문헌 참조).

참고문헌

1. Blois, M. S.: Antioxidant determination by the use of a stable free radical. Nature, 4617, p.1198(1958)
2. 福澤健治, 寺尾純二 : 脂質過酸化實驗法, 廣川書店, p.79(1991)

4. 수퍼옥사이드 라디칼 포촉활성 분석 실험

실험개요

수퍼옥사이드 라디칼 포촉활성은 xanthine-xanthine oxidase를 이용하는 방법 등 여러 가지가 있으나 감도(sensitivity)가 높아 단일 물질의 활성을 분석하기에는 적합하지만 식물체 추출물 같이 여러 가지 물질이 혼합되어 있으면 분석에 간섭(interference)이 많아 새로운 항산화 소재를 발굴하는 방법으로는 부적절하다. 그런데 pyrogallol은 물에 존재하는 수퍼옥사이드 라디칼에 의해 자동산화가 일어나 갈색물질을 형성하는데 이를 분광광도계로 분석하고, 수퍼옥사이드 포촉활성이 있는 물질이 존재시 이 pyrogallol의 산화속도가 낮아지는 원리를 이용하여 수퍼옥사이드 포촉활성을 간접적으로 측정할 수 있다. 이 방법은 감도는 낮지만 천연의 원료로부터 새로운 산화방지제를 발굴할 때 연구 초기단계의 탐색 방법으로 유용하게 사용될 수 있다.

시료조제

수퍼옥사이드 라디칼 포촉활성을 측정하고자 하는 시료 일정량을 Tris-cacodylic acid(50mM, pH 8.2)에 녹여서 일정 농도로 한다. 식물체 등을 원료로 사용할 경우 원료를 절단하고, 1mM의 diethylenetriaminepentaacetic acid(DTPA)를 함유한 Tris-cacodylic acid(50mM, pH 8.2)완충용액과 혼합하여 waring blender로 분쇄한 후 거즈로 걸러낸다. 착즙액을 4℃, 9.000rpm에서 30분간 원심분리하고 상등액을 시료로 사용한다. 이때 상등액의 색이 진하여 분광광도계로 분석이 곤란할 경우 최소량의 활성탄소를 사용하여 색소를 제거하고 시료로 사용한다. 난용성 물질은 우선 용해도 한도 내에서 0.1㎖ 에탄올에 용해시키고, 이를 다시 Tris-cacodylic acid 0.9㎖와 혼합하여 시료로 사용한다. 어느 경우이든 최종 시료의 pH를 8.2로 조절한다.

시약 및 기구

- Tris-cacodylic acid 완충용액(50mM, pH 8.2)
- Pyrogallol
- Diethylenetriaminepentaacetic acid
- HCl
- Waring blender
- Vortex mixer
- 수욕조(water bath)
- 분광광도계(Spectrophotometer)

실험방법

Tris-cacodylic acid 완충용액(50mM, pH 8.2)에 pyrogallol의 농도가 3.6mM이 되도록 용해시킨다. 완충용액, pyrogalloldyddor 용액, 시료용액을 25℃가 유지되는 수욕조에서 온도를 조절한다. 분광광도계 cuvette에 Tris-cacodylic acid 완충용액(50mM, pH 8.2) 1㎖를 첨가하고, 같은 완충용액에 용해되어 있는 시료 1㎖를 첨가한 후 상기한 pyrogallol용액 1㎖를 가하여 잘 혼합하고 25℃가 유지되는 분광광도계 sample compartment에 넣고 420nm에서 흡광도 변화를 기록한다.

결과 및 고찰

Pyrogallol의 자동산화 속도를 반응 초기 1분간 420nm에서 흡광도 변화(기울기)로부터 계산하고,

수퍼옥사이드 포촉활성을 분석하려는 시료 존재하에 pyrogallol의 자동산화를 50% 억제하는데 필요한 시료의 양을 1unit로 정의한다. 식물체 추출물같은 혼합물과 같이 라디칼 포촉작용에 관여하는 물질의 농도를 알 수 없을 때는 자동산화 억제 비율 자체를 수퍼옥사이드 포촉활성으로 표시할 수 있다.

주의사항

1. Pyrogallol은 용액 내에서 수퍼옥사이드에 의한 자동산화 속도가 빠르므로 실험할 때마다 새로 시약을 제조하여 사용하여야 한다. 단, pH가 낮아지면 자동산화 속도가 급격히 감소하므로 연속 실험을 할 경우 편의를 위해 10mM HCl에 용해시켜 보관하면서 사용할 수는 있다.
2. Pyrogallol의 산화는 pH에 의해 크게 영향을 받으므로 추출 과정이나 방법과 관계 없이 시료 용액의 pH를 반드시 분석 혼합물의 pH와 같게 8.2로 조절하여야 한다.
3. 시료에 따라서는 pyrogallol의 자동산화를 촉진시키는 경우도 많음.

참고문헌

1. Marklund, S. and Marklund, G.: Eur. J. Biochem., 47, p.469(1974)
2. Kim, S. J., Han, D., Moon, K. D. and Rhee, J. S.: Measurement of superoxide dismutase-like activity of natural antioxidants. Biosci. Biotech. Biochem., 59, p.822(1995)

5. 하이드록시 라디칼 포촉능 분석 실험

실험개요

하이드록시 라디칼(OH·)의 반응을 분석하는 방법은 pulse radiolysis가 확실한 방법이지만 고가의 장비가 필요하여 쉽게 접근하기가 곤란하다. 그런데 아스코르브산, 과산화수소, Fe^{3+}-EDTA가 공존하면 하이드록시 라디칼이 생성되고 이는 데옥시리보스와 반응하여 이 물질이 분해되면서 생기는 분자와 TBA가 낮은 pH에서 반응하면 분홍색을 나타내게 되는 원리를 이용하면 하이드록시 라디칼을 간접적으로 측정할 수 있다. 즉, 반응 혼합물에 OH·SC가 존재하면 OH·이 데옥시리보스와 SC 간에 경쟁적으로 반응하여 결국 데옥시리보스의 분해속도가 낮아지는 정도를 분광광도계로 측정하여 간접적으로 시료의 OH·포촉활성을 측정하는 방법이다. 조작이 간편하고 단시간에 측정이 가능하여 많은 종류의 시료에 대한 활성의 검색 등의 용도로 널리 이용되고 있는 방법이다.

시료조제

하이드록시 라디칼 포촉활성을 측정하고자 하는 시료 일정량을 인산완충용액에 녹여서 일정 농도(20mM)로 한다.

시약 및 기구

- 리노레산
- 데옥시리보스(deoxyribose)
- 인산완충용액(0.2M, pH 7.4)
- Tween 20
- $FeCl_3$
- EDTA
- Thiobarbituric acid(TBA)
- Trichloroacetic acid(TCA)
- NaOH
- 아스코르브산
- H_2O_2
- 수욕조(water bath)
- 균질기(Homogenizer)
- 분광광도계(Spectrophotometer)

실험방법

리노레산 0.2804g과 계면활성제인 Tween 20 0.2804g 및 인산완충용액(0.2M, pH 7.4) 50㎖를 혼합하고 균질화하여 리놀레산 에멀젼을 제조한다. 리놀레산(0.01M)을 함유한 인산완충용액 1.2㎖에 다음 물질을 주어진 농도가 되도록 첨가한다. ds(2.8mM), $FeCl_3$(25mM), EDTA(100μM)[EDTA와 Fe^{3+} 이온은 ds 첨가 전에 미리 혼합한다.], H_2O_2(2.8mM), 실험에 사용할 산화방지제 20mM, 아스코르브산(100μM). 단, 아스코르브산은 산화반응을 개시하기 직전에 첨가한다. 이 혼합액을 37℃에서 1시간 반응시킨 후, TBA 1%(w/v)가 함유된 50mM 수산화나트륨 용액 1㎖와 TCA 2.8%(w/v) 용액 1㎖를 첨가하고 80℃에서 20분간 가열한다. 반응이 끝나면 냉각시켜 512nm에서 흡광도를 측정한다.

결과 및 고찰

아래와 같은 식에 의하여 하이드록시 라디칼 포촉활성을 계산한다.

$$\text{하이드록시 라디칼 포촉활성(\%)} = \left(1 - \frac{\text{산화방지제 존재하의 흡광도}}{\text{산화방지제 부재하의 흡광도}}\right) \times 100$$

주의사항

반응용액이 혼탁할 경우 같은 부피의 n-부탄올을 첨가하여 혼합한 후 원심분리하여 분홍색 물질을 부탄올층으로 추출하여 흡광도를 측정한다.

이 방법은 물불용성 물질의 하이드록시 라디칼 포촉효과를 측정할 수 없고, 난용성 물질은 알칼리 용액에 용해시킨 후 pH를 7.4로 조절하여 첨가할 수는 있다.

참고문헌

1. Halliwell, B., Aeschbach, R., Löliger, J. and Aruoma, O. I.: The characterization of antioxidants. Fd. Chem. Toxic., 33(7), p.601(1995)
2. Aruoma, O. I.: Deoxyribose assay for detecting hydroxyl radicals. Method. Enzymol., 233, p.57(1994)

6. 퍼록실라디칼(peroxyl radical) 소거능 분석 실험

시 약

일반적으로 지질의 과산화 개시는 불포화지방으로부터 탈수소반응에 의해 일어나고 이로부터 생성된 지질라디칼과 산소가 반응하여 퍼록실라디칼이 생성되고 이 것에 의해 과산화반응이 연속적으로 일어난다. 항산화제가 이 퍼록실라디칼을 소거하여 과산화를 억제하는 효과는 pulse radiolysis에 의해 분석될 수 있으나 특수 장비가 필요한 까닭에, 손쉬운 방법으로 지질막 현탁액에 철 성분을 공급하여 과산화를 유도하고 thiobarbituric acid reactive material의 형성을 분석하는 방법을 이용한다. 그러나 이 방법은 반응 특이성이 없고, 철 킬레이터가 철을 킬레이션(chelation)하거나 라디칼을 소거하여 과산화를 억제할 수 있기 때문에 정확하게 퍼록실라디칼 소거능을 분석하기 어렵다. 본 실험방법에서는 열에 의해 일정한 속도로 분해되면서 지질로부터 탈수소 반응을 일으켜 과산화를 유도할 수 있는 azo 화합물을 사용하였는데, 이 경우에 azo 화합물에 의해 리놀렌산으로부터 퍼록실라디칼이 형성되고 지질의 과산화가 이어진다. 이에 반응용액내에서의 산소가 소모되게 되는데 항산화제의 존재와 부재시에 산소소모속도를 분석, 비교함으로서 항산화제의 퍼록실라디칼소거능을 비교할 수 있다.

시약 및 기구

- 리놀렌산
- 인산완충용액(50mM, pH 7.4)
- 2′, 2′-azobis-2-amidinopropane hydrochloride(ABAP)
- 항온수욕조
- 산소전극이 부착된 용존산소 분석기

실험방법

리놀렌산을 인산완충용액(50mM, pH 7.4)에 52mM의 농도로 현탁시킨다. 여기에 산소전극이 부착되고 37℃로 유지된 cuvette에 ABAP가 11mM이 되도록 첨가하여 지질과산화를 개시한다. 산소소모량을 1분간격으로 5분간 모니터링하고 그 다음 항산화제를 첨가하여 다시 5분간 산소소모량를 분석한다. 완충용액만 존재하는 경우의 산소소모량도 조사하여 이를 리놀렌산 존재구에서 빼준다.

결과 및 고찰

항산화제의 퍼록실라디칼 소거능을 조사하기 위해서 우선 항산화제 첨가 후에 산소소모속도(1분당)를 항산화제를 첨가하지 않았을 때의 초기속도(1분당)로 나누어 그 비율을 계산한다. 그리고 항산화제의 농도에 따라 이 비율의 변화를 조사한다.

$$\text{산소소모속도 비율} = \frac{\text{항산화제 존재시에 산소소모속도}}{\text{항산화제 부재시에 산소소모속도}}$$

산소소모속도비율이 1인 경우는 항산화제의 효과가 없는 물질이며 그 값이 낮을수록 효과가 크다. 그리고 항산화제간의 퍼록실라디칼 소거효과의 정확한 비교하기 위해서는 각 항산화제에 대하여 농도별로 산소소모속도비율을 조사한 후 낮은 농도에서 항산화제 단위 농도증가에 따른 이 비율의 감소폭을 조사하여 이 것이 큰 항산화제일수록 활성이 높은 것으로 인정된다.

주의사항

시료에 철이 존재하는 경우 리놀렌산의 산화를 촉진시켜 항산화제의 정확한 분석에 장애가 되는 바, 철이온의 제거를 위해서 철 결합 단백질인 conalbumin에 대하여 투석을 실시한다.

참고문헌

Darley-Usmar, V. M., Hersey, A. and Garland, L. G. : A method for the comparative assessment of antioxidants as peroxyl radical scavengers, Biochemical Pharmacology, 38(9), p.1465(1989)

7. GSH/GSSG 비율 분석에 의한 산화적손상의 분석

실험개요

Glutathione 상태의 측정은 생체조직과 생체액에서의 산화적손상을 특정하는 중요한 척도중의 하나이다. 그러므로 환원형과 산화형 glutathione의 비율(GSH/GSSG)은 생리학적, 병리학적 조건에서 발생할 수 있는 산화적 손상의 중요한 척도이다. 특히 간, 근육, 뇌 등에서 이를 조사하는 것이 가능하지만 인간의 경우에는 이와 같은 조직은 이용하기가 어렵기 때문에 대부분 혈액을 이용한 분석이 요구된다. 생물시료에서 GSSG를 분석하는데 있어서의 중요한 문제는 동시에 존재하는 GSH가 자발적 또는 촉매반응에 의해 산화시 GSSG가 형성되어 시료내 존재하는 실지양보다 높은 GSSG 함량을 보일 수 있다. 자동산화는 온도, 금속이온, pH에 의해 영향을 받을 수 있으므로 시료의 채취는 낮은 온도에서, EDTA 존재하에, 낮은 pH에서 이루어져야 한다. 낮은 pH 처리에 의한 산성화는 단백질 침전도 일으키기 때문에 원심분리시 불필요한 단백질을 제거할 수 있다. 현재 GSH의 산화를 억제하는 가장 좋은 방법은 thio기를 킬레이트하는 N-ethylmaleimide (NEM)를 사용하는 것이다. 그러나 NEM은 효소를 불활성화시키므로 분석전에 반드시 제거되어야한다.

시료준비

1 세포현탁액 : 세포현탁액을 0℃, 3,000g에서 2분간 원심분리하여 cell을 분리한다. 이 상등액에 50mM NEM과 2mM의 EDTA를 포함하는 1M $HClO_4$ 용액을 같은 양 첨가하고 단백질 침전은 원심분리하여 제거한다. 상등액은 0.3M 3-(N-morpholino)-propanesulfonic acid (MOPS)를 포함하는 2M KOH 용액으로 서서히 중화시킨 후 과량의 NEM은 ether 추출에 의해 시료에서 제거한다.

2 조직 perfusate : 시료를 0℃에서 Eppendorf cup에 모으고 시료 처리없이 즉시 GSSG 분석한다.

3 담즙 : 담즙시료는 2~5분 내에 0℃에서 Eppendorf cup에 모으고 시료처리없이 즉시 GSSG 분석한다. 만일 더 오랜시간동안 채취되거나 저장시에는 GSH의 자동산화가 발생하므로 담즙은 동량의 5% metaphosphoric acid가 들어있는 cup에 모은다. 대개 10㎕ 시료가 GSSG와 glutathione 전체함량의 분석에 충분하다.

4 혈장 : 혈액을 EDTA 함유용기에 모으고(최종 5mM 농도) 즉시 10,000g에서 1.5분간 원심분리하여 얻어진 혈장에 50 mM NEM을 함유하는 1M $HClO_4$ 용액을 동량 첨가하여 빠르게 산성화시키고 이 후 세포현탁액과 같은 처리과정을 거친다.

실험방법

1 GSSG 함량분석

① 원리 : GSSG는 glutathione reductase에 의해 촉매되는 NADPH와의 반응에 의해 분석된다. 낮은 농도의 GSSG에 대해, 분광광도계(340~400nm) 또는 형광분광광도계(366nm exitation, 400~300nm emission)로 분석한다.

② 시약 및 기구

- 1mM EDTA를 함유하는 칼륨인산완충용액(0.1M, pH 7.0)
- 0.5% $NaHCO_3$에 5mM의 NADPH를 녹인 용액
- Glutathione reductase(효모); 시판효소를 50μM NADPH를 함유하는 인산완충용액을 이용하여 20U 농도로 희석시킨다. 이 용액은 매일 새로 준비한다.
- GSSG
- 분광광도계 또는 형광분광광도계

③ 실험방법 : Cuvette에 1㎖ 완충용액, 10㎕ NADPH 용액, 25nmol GSSG정도를 함유하는 시료를 첨가한다. 25℃로 유지된 cuvette에 5㎕ glutathione reductase를 첨가하여 반응을 시작하고 흡광도 변화를 기록한다. 알려진 양의 GSSG를 이용하여 얻어진 표준곡선으로부터 시료중의

GSSG함량을 계산한다.

④ 주의사항 : 효소 blank는 고감도 분석을 방해할 수 있는데 이것은 효소 blank용액에 분석되는 혼합물과 비슷한 농도의 NADPH를 첨가하면 최소화된다.

2 Glutathione (GSSG와 GSH) 총량 분석

① 원리 : NADPH에 의한 5,5′-dithiobis(2-nitrobenzoic acid)(DTNB)의 연속적인 환원은 glutahione (GSH 또는 GSSG) 및 glutathione reductase에 의해 촉진된다. 405 또는 412nm에서 분석시 반응속도는 glutathione 농도가 2μM까지 직선적인 관계를 보인다.

② 시약

- 1mM EDTA를 함유하는 칼륨인산완충용액(0.1M, pH 7.0)
- 0.5% $NaHCO_3$에 5,5'-dithiobis(2-nitrobenzoic acid)(DTNB)를 1.5mg/㎖ 농도로 녹인 용액. 매일 새로 준비한다.
- 0.5% $NaHCO_3$에 NADPH 4mg/㎖ 농도로 녹인 용액
- GSSG 10μM; stock 용액(1mM)으로부터 매일 새로 준비
- Glutathione reductase (효모); 시판효소를 인산완충용액에 6U/㎖ 농도로 희석시킨다. 이 용액은 매일 새로 준비한다.
- 분광광도계

③ 실험방법 : 25℃로 유지된 cuvette에 1㎖ 완충용액, 50μℓ NADPH, 20μℓ DTNB, 20μℓ glutathione reductase, 0.5~2nmol glutathione 함유 시료 100μℓ를 첨가한다. 이를 잘 섞은 후에 405nm나 412nm에서의 흡광도 증가를 측정하여 반응속도를 분석한다. GSSG가 없는 대조구분석과 알려진 양의 GSSG(대개 10μM GSSG 10μℓ)를 가진 표준분석을 따로 실시한다. 알려진 양의 GSSG를 이용하여 얻어진 표준곡선으로부터 총 glutathione 함량을 계산한다.

GSH의 함량은 총함량과 GSSG함량의 차이로부터 구하고 이 두 값으로부터 GSH/GSSG의 비율을 구할 수 있다.

④ 주의사항 : 어떤 경우 반응속도가 시료에 존재하는 생리적인 인자에 의해 영향을 받는데, 표준양의 GSSG를 시료가 있는 cuvette에 첨가시(internal standard) 이 문제를 벗어날 수 있다. 만일 internal standard와 external standard의 값이 다른 속도를 보일 때, internal standard값을 계산에 이용하여야 하고, 대조구 속도는 external 속도에 대한 internal standard 속도비를 곱하여 교정하여야한다. 알려진 양의 disulfide를 가지고 분석결과를 계산한다고 할 지라도 결과는 대개 GSH-equivalents로 표시한다.

참고문헌

1 Sie, H. and Akerboom, T. P. M. : Glutathione disulfide(GSSG) efflux from cells and tissues. In: Methods in Enzymology, vol. 105, Academic Press, New York, N.Y. p.445(1984)

2 Asensi, M., Sastre, J., Pallardo, F. V., Estrela, J. M., and Vina, J.: Determination of oxidizes glutathione in blood: High-Performance Liquid Chromatography, In: Methods in Enzymology, vol. 234, Academic Press, New York, N.Y. p.367(1994)

8. V79 세포를 이용한 항산화성 실험

실험개요

H_2O_2에 의해 야기되는 세포독성을 시료용액의 감소 및 증가의 정도를 측정하는 방법으로, 염색된 Chinese hamster lung fibroblast인 V79 세포의 colony 수를 측정하여 시료의 항산화 활성정도를 알아 볼 수 있다. 배양시간이 5일 정도로 다른 세포독성 실험에 비해 배지 및 세포배양에 경제적인 부담이 있으나, 염색된 세포수를 육안으로 직접 계측하여 항산화 활성정도를 볼 수 있다.

시료조제

항산화 활성을 측정하고자 하는 시료를 용매로 추출하여 일정량을 DMSO(dimethylsulfoxid) 혹은 에탄올에 녹여서 일정 농도(㎍/㎖)로 한다.

시약 및 기구

- H_2O_2, hypoxanthine, xanthine oxidase from bovine milk(EC 1.2.3.2).
- Chinese hamster lung fibroblast V79 cells
- Minimum essential medium(MEM), 10% heat-inactivated fetal bovine serum(FBS), 에탄올 HEPES-buffered saline(HBS, pH 7.3), DMSO(dimethylsulfoxid), 메탄올, Giemsa staining
- CO_2 배양기, 60mm petri dishes

실험방법

60mm petri dish에 10% FBS가 첨가된 5㎖의 MEM배지와 함께 일정량의 V79 세포(200cells/dish)를 주입하고 CO_2 배양기(5% CO_2, 37℃)에서 2시간 배양한다. 배지를 FBS가 첨가되지 않은 MEM배지로 교체하고 DMSO 혹은 에탄올에 녹인 일정량의 시료를 첨가한 후 CO_2 배양기에 4시간 배양한다. 다음에 HBS로 세포를 세척하고 5㎖의 HBS안에서 H_2O_2와 hypoxanthine과 xanthine oxidase의 혼합물로 30분간 각각 처리한 후 10% FBS가 첨가된 MEM배지에 5일간 배양하여 세포를 메탄올로 고정한 후 Giemsa용액을 이용하여 염색한 후 염색된 세포 colony 수를 측정한다. 대조군으로서는 시료와 활성산소종이 처리되지 않은 세포군을 이용한다.

결과 및 고찰

아래의 식과 같이 세포의 생존률을 구하여 각 시료들의 항산화 활성을 비교, 측정하였다.

$$\text{세포의 생존률(\%)} = \frac{\text{시료처리군 세포수}}{\text{대조군의 세포수}} \times 100$$

주의사항

1. Chinese hamster lung fibroblast인 V79 세포는 부착형이여서 trypsin 처리와 세포수거시 주의 (이 단계에서 세포의 손실이 없어야 정확한 결과 산출이 가능)
2. 장시간의 배양시간으로 인한 CO_2 배양기상에서의 오염주의

참고문헌

1. Nakayama, T., Yamada, M., Osawa, T. and Kawakishi S.: Suppression of active oxygen-induced cytotoxicity by flavonoids. Biochemical Pharmacology, 45. p.265(1993)
2. Nakayama, T., Yamada, M., Osawa, T. and Kawakishi, S.: Inhibitory effects of caffeic acid ethyl ester on H2O2-induced cytotoxicity and DNA single-strand breaks in Chinses hamster V79 cells. Biosci. Biotechnol. Biochem., 60(2), p.316(1996)

제 2 절 항고혈압 활성

혈압은 renin-angiotensin system에 의해 조절되며, 이 과정에는 angiotensin I-converting enzyme(ACE)이 중요한 역할을 한다. ACE는 신장의 방사구체 세포에서 분비되는 레닌의 작용에 의해 생성되는 decapeptide인 angiotensin I에 작용하여 carboxy 말단으로 부터 didpeptide가 잘라진 octapeptide인 angiotensin II를 생성한다. 또한, ACE는 혈압강하 작용을 하는 펩타이드인 bradykinin을 불활성화하는 효소이기도 하다. ACE에 의해 생성된 angiotensin II는 혈관 수축을 일으키며, 신장에서의 Na/수분의 재흡수를 증가시키고, 부신에서의 aldosterone 분비를 촉진하여, 결과적으로 혈압을 상승시키는 작용을 한다. 따라서, 항고혈압 활성물질의 검색을 위해서는 첫단계 실험으로서 *in vitro*에서의 angiotensin II의 생성증가를 억제하는 효과를 조사한다. 한편, 동물실험의 경우, 실험식이로 사육하면서 혈압 변화를 관찰하기 위해서는 비관혈식 혈압측정기를 사용하며, 시료를 혈관내로 주입하여 즉각적인 혈압변화를 관찰하기 위해서는 관혈식 혈압측정기를 사용한다. 본 장에서는 ACE전환 효소활성측정법과 동물혈압측정법에 대하여 소개하고자 한다.

1. 안지오텐신 전환 효소(Angiotensin 1-converting enzyme, ACE) 활성 측정

1) 효소반응

① 기질(Hippuryl-His-Leu, Sigma)과 효소(시판용 효소 또는 조효소액)를 ACE buffer(0.1M Sodium borate buffer containing 300mM NaCl, pH 8.3)에 녹인다. 이때 기질은 최종 25mM, 효소는 최종 40mU가 되게 준비하여 다음과 같이 수행한다.

② 모든 시험관에 각각 200㎕의 buffer와 100㎕의 기질을 넣는다.

③ 대조군을 제외한 시료 시험관에 100㎕의 시료를 넣고 대조군 시험관에는 100㎕의 buffer를 넣어 vortex 한 후 37℃ incubator에서 10분간 preincubation을 한다.

④ Blank 시험관을 제외하고 모든 시험관에 30초 간격의 시간(일정간격)을 두고 효소를 100㎕씩 첨가하고 vortex를 한다.

⑤ 이 용액을 37℃에서 30분간 incubation 한 후, 반응정지를 위해 1.0N HCl을 500㎕ 첨가한

다. 이때 blank 시험관은 마지막으로 HCl을 넣고 바로 enzyme 100㎕를 첨가하고 vortex 한다.

⑥ 모든 시료에 3㎖의 ethyl acetate를 첨가하여 vortexing한 후 hyppuryl acid 추출을 위해 10분간 방치한다. 새로운 시험관에 위층의 ethyl acetate를 각각 2.5㎖씩 넣는다.

⑦ ethyl acetate층을 100℃ dry oven에서 4시간 동안 건조시키고, 건조된 시료에 각각 3㎖의 물을 첨가 후 UV 228nm에서 흡광도를 측정한다.

2) 효소 활성 저해율의 계산

$$\text{Inhibition}(\%) = \frac{(\text{A control} - \text{A blank}) - (\text{A sample} - \text{A blank})}{(\text{A control} - \text{A blank})} \times 100$$

3) 조효소액 준비

(1) 신장 조직 시료

① 신장(1g)을 절취하여 0.3mM NaCl을 포함하는 50mM Tris-HCl(pH 7.9)로 homogenize한다.

② 얼음위에서 1분간 방치한 후 상층을 여과한다(No. 20 : Abe Chemi).

③ 여액을 44,000×g에서 90분간 원심분리한다.

④ 상층을 제거한 후, 남은 pellet에 같은 buffer(4㎖/original tissue g)로 분산시킨다.

⑤ 44,000g에서 90분간 원심분리한다.

⑥ 상층은 제거하고, 남은 pellet에 위의 buffer에 0.5% Triton X-100을 함유하는 용액으로 재분산시켜 1시간 방치한다.

⑦ 1,000g에서 10분간 원심분리하고 상층을 ACE 측정용 시료로 사용한다.

(2) 혈관 시료

① Aorta 0.02g에 ACE buffer 400㎕(0.01g당 200㎕)를 첨가하여 homogenate시킨다. Aorta를 세로로 잘라서 혈관을 펼친 후, 가위를 이용하여 가늘게 잘라준다(항상 얼음분말상에서 행한다). Homogenizor에 넣고 bufffer 200㎕ 넣은 후 갈아준다. 나머지 buffer 200λ를 넣

어 다시 한 번 갈아준 후 microtube에 넣는다.

② 1,300rpm에서 3분간 원심분리시킨다.

③ Pellet는 그대로 두고 상징액은 3,500rpm에서 20분간 원심분리시킨다.

④ 상징액만 떠서 3배 희석(예, aorta suspension 50μl+buffer 100μl)한 후 ACE test를 실시한다.

2. 고혈압 동물모델

1) 실험동물

1차성과 2차성 고혈압은 고혈압성 심혈관병이라고도 하며, 실험적으로 동물에게 고혈압을 유도한 경우 실험고혈압증(experimental hypertension)이라고 한다. 항고혈압 활성을 측정하기 위한 동물모델계로는 유전모델과 인공모델로 나눌 수 있다.

유전적으로 고혈압을 나타내는 동물 모델계에는 자발성 고혈압흰쥐(spontaneously hypertensive rats, SHR), 뇌졸중 다발증 고혈압흰쥐(stroke-prone spontaneously hypertensive rats, SHRSP), 유전성 고혈압흰쥐(genetically hypertensive rat, GH), Lyon 고혈압 흰쥐(lyon hypertensive rat, LH), Milan 고혈압 흰쥐(milan hypertensive rat, MHS), Dahl 식염감수성 흰쥐(dahl salt-sensitive rat, DS), Sabra 고혈압 흰쥐(sabra hypertensive rat, SBH) 등이 있다. 이 가운데 자발성 고혈압 흰쥐(SHR)에 대해서 간단히 소개하면, SHR은 일본 Kyoto대학 동물센타에서 사육되던 Wistar계 흰쥐(wistar-Kyoto계, WKY) 가운데 혈압이 정상보다 높은 흰쥐끼리 교배를 되풀이하여 얻어진 고혈압 모델쥐이다. SHR은 100% 자연적으로 고혈압이 되며 본태성 고혈압의 실험모델로 적합하다. Dahl흰쥐는 식염투여에 의해 고혈압이 되기 쉽다.

2차성 고혈압 모델계로는 신성고혈압, 신적출고혈압, 부신성고혈압, 신경성 고혈압모델계 등이 있다. 그밖에도, Long-Evans계의 이유기 흰쥐에게 180~240일간 카드늄($CdCl_2$) 5ppm을 투여하면 고혈압을 일으킬 수 있다. 또한, methylcellulose 또는 poluvinylalchol을 피하/복강주사하여 고혈압성 심질환을 일으킬 수 있다.

2) 실험동물의 혈압측정법

혈압측정에는 직접법(관혈식)과 간접법(비관혈식)이 있다. 직접법은 혈관 내경에 직접 카뉴레이션하여 내경의 압력을 측정하는 방법이다. 관혈적(경부동맥 또는 대퇴부동맥 등) 수술을 필요로 한다. 직접법은 흰쥐의 경우 미동맥(꼬리동맥)의 혈압을 재며 TAIL-CUFF법이라고 불리운다. 이동맥의 혈류를 확보하기 위해서는 가온과정이 필요하다.

참고문헌

Cushman D.W. and Cheung H.S. : Biochemical Pharmacology, 20, p.1939(1971).

제 3 절 항균성

실험목적

최근 급격한 산업발달에 힘입어 제품의 고급화, 편의화 추세에 따라 냉동·냉장식품의 수요가 급격히 증가되고 있으나 이들 냉동, 냉장식품들의 온도가 유통·저장 또는 소비과정에서 적절치 못하게 관리된다면 저온 미생물들의 증식에 의하여 부패 및 심각한 식중독 발생의 우려가 있으므로 이와같은 유해 병원성 미생물의 생육을 억제하고 식품의 저장기간을 연장하고자 각종 보존제를 사용하여 왔다. 그러나 이들 보존제와 식품성분과의 상호작용에 대한 이해부족으로 인하여 효율적인 항균제의 선택이 쉽지 않다. 또한 임상적으로는 항생제의 오남용으로 인하여 많은 내성미생물이 출현하기 때문에 이들의 효과적인 치료를 위한 항생제의 선택이 매우 중요하다. 따라서 본 실험에서는 가장 효율적인 식품보존제와 항생제를 선택할 수 있는 방법으로서 간단하게 *in vitro*상에서 검색할 수 있는 end point방법인 "Disk 확산법"과 "최소저해농도(MIC)"측정법에 대하여 설명하고자 한다.

1. Disk 확산법

실험재료

그람양성균(*listeria monocytogenes, Staphylococcus aureus* 등), 그람음성균(*salmonella typhimurium, E. coli* O157 : H7 등), 유해 효모 및 곰팡이, 고압멸균기, 항온기, 삼각플라스크, Muller-Hinton (MH) agar배지, PDA배지, Trypticase soy agar(TSA)배지, Trypticase soy broth(TSB)배지, 각종 보존제 및 항생제, 페트리디쉬, discs, 백금이, 멸균면봉, 멸균 핀셋

실험방법

1. 평판배지에서 잘 분리된 4~5개의 독립된 콜로니를 백금이로 떼어 TSB배지 5㎖에 접종한 후 35℃ 항온기에서 탁도가 보일때까지 약 4~6시간 또는 하룻밤 배양한다.
2. 배양액을 멸균된 식염수나 TSB배지로 희석하여 McFarland tube No. 0.5에 탁도를 맞춘 후 멸균된 면봉으로 미리 조제한 MH평판배지에 고르게 접종한다(또는 미리 조제한 MH평판배지에 전배양액 1㎖를 함유하는 상층배지 5~10㎖를 만들어 분주하여 함균배지를 만든다).
3. 접종된 plate를 3~5분간 정치한 후 15분 이내에 disk를 핀셋으로 가볍게 눌러 배지 표면에 올려 놓는다. 이때 disc간의 간격은 24mm 이상 떨어져야 하며 plate의 가장자리에서 15mm이상 떨어지게 놓는다.
4. disc를 놓은 후 micro pipette을 사용하여 일정농도를 함유하는 각각의 보존제 또는 항생제를

disc에 접종한 다음 15분 이내에 35℃(대상균에 따라 다름) 배양기에서 18~24시간 배양한다.

5. 배양 후 아래 그림과 같이 생육저지환(clear zone)의 지름을 측정하여 mm단위로 기록한다.

2. MIC 측정법 (시험관 희석법)

실험재료

그람양성균(*listeria monocytogenes, Staphylococcus aureus* 등), 그람음성균(*salmonella typhimurium, E. coli* O157 : H7 등), 유해 효모 및 곰팡이, 고압멸균기, 항온기, 삼각플라스크, 시험관, Muller-Hinton(MH)배지, Potato dextrose배지, Trypticase soy agar(TSA)배지, Trypticase soy broth(TSB)배지, 각종 보존제 및 항생제, 페트리디쉬, 백금이

실험방법

1. 역가가 분명한 항균제와 항생제의 분말 또는 액상을 화학천칭에 칭량하여 적정농도의 표준원액(예 : 1000㎍/㎖)을 조제한다(적정농도의 표준액 제조는 사용하는 항균제 또는 항생제의 특성에 따라 다양하게 조정한다).
2. 1000㎍/㎖ 표준원액을 여과살균(0.45 μ micron, Millipore filter)한 후 멸균된 TSB배지(대상검균에 따라 배지는 다양하게 사용함)에 희석하여 400㎍/㎖로 만든다(예를들면, 표준용액 4㎖에 멸균 TSB 6㎖를 가한다)
3. 여러개의 마개있는 멸균시험관을 순차적으로 배열하여 각각 멸균된 Mueller-Hinton배지 1㎖를 무균적으로 시험관에 분주한다.
4. 처음 시험관에 400㎍/㎖ 희석액 1㎖를 가하고 이하 시험관에 순차적으로 2배 희석하여 최후의 시험관에서 1㎖를 버린다.
5. 적정농도의 항균제 또는 항생제를 함유하고 있는 각각의 시험관에 미리 전배양한 배양액으로부터 최종농도가 10^5~10^7CFU/㎖되게 무균적으로 접종한 후 35℃(대상균에 따라 다름) 배양기에서 18~24시간 동안 배양한다.

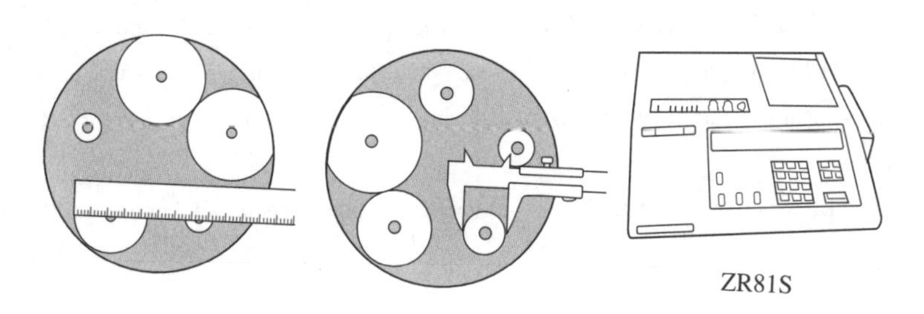

그림 10-1 Disk 확산법

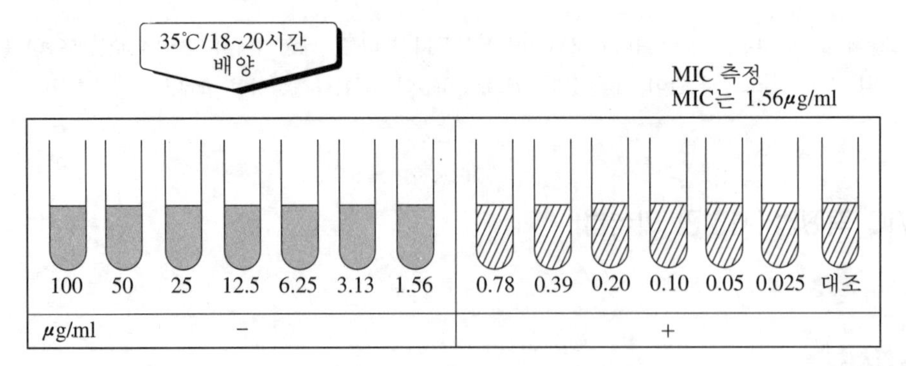

그림 10-2 MIC 희석법(시험관 희석법)

6 배양이 끝난 후 육안으로 혼탁도를 볼 수 없는 시험관의 최저농도를 MIC로 결정한다(한편, 항균제의 MIC농도의 신빙성을 더 확증하기 위하여 pour plate count방법을 사용한다. 이 방법은 MIC로 측정된 시험관으로부터 1㎖를 취하여 페트리디쉬에 넣고 미리 멸균된 MH한천배를 50℃로 냉각하여 약 10~15㎖를 분주하여 잘 섞은 다음 응고시켜 35℃배양기에서 18~24시간 배양한 후 콜로니의 생성유무로 확증한다).

측 정

평판을 45° 각도를 유지 배지의 뒷면에서 자 또는 계측기를 이용하여 억제대를 정확히 잰다.

판 정

MIC : 육안으로 혼탁을 볼 수 없는 시험관의 최저농도를 MIC로 한다.

참고문헌

1 Barry, A. L.: "The Antimicrobic Suceptibility Test: Principles and Practices". Lea& Febiger, Philadelphia(1976)

2 Barry, A. L.: Procedure for testing antimicrobial agents in agar media: Theoretical considerations. In Lorian, p.1(1986)

3 Krogstad, D. J. and Moellering, R. C.: Antimicrobial combinations. In Lorian, p.537(1986)

4 Parish, M. E. and Carroll, D. E.: Minimum inhibitory concentration studies of antimicrobic combinations against *Saccharomyces serevisiae* in a model broth system. J. Food Sci., 53, p.237(1988)

5 Thrupp, L. D. : Susceptibility testing of antibiotics in liquid media. In Lorian. p.93(1986)

제 4 절 니트로소 화합물의 분석과 생성 억제작용

1. 개요

니트로소아민(N-nitrosamine, NA)의 독성이 1937년 최초로 발견되었으나 그 당시 크게 주목받지 못하다가 1950년대 중반에 Barnes와 Magee에 의해 인체에 급성 간독성을 일으킬 뿐만 아니라 설치류의 경우 간암을 유발한다는 보고로 관심의 대상이 되었다. 1960년대 초 노르웨이에서 이 물질에 의해 가축이 집단 폐사함에 따라 본격적인 연구가 이루어지게 되었다. 초기에는 식품내 NA 분포, 생성메카니즘 및 특성 등이 주로 연구의 대상이었으나, 1972년 비타민 C가 니트로소아민의 생성을 크게 억제시킨다는 보고로 인해 억제방안에 대하여 심도있는 연구가 이루어지게 되었다. 최근에는 생체내에서 니트로소화합물이 어떻게 생성되며 그 억제방안은 무엇이며, 또 건강에 대한 위험정도 등을 평가하는 방향으로 연구가 진행되고 있다.

2. 니트로소아민의 생성

니트로소아민은 제 1, 2 및 3급 아민을 포함한 각종 아민류와 아질산이나 산화질소로부터 유도된 니트로화 물질들과의 상호 반응에 의해 생성된다. 제1급 아민은 매우 불안정한 니트로소 유도체를 형성하므로 이들은 쉽게 올레핀이나 알코올로 분해된다. 산성 수용액에서는 제2급 아민의 비공유 전자와 니트로화 물질이 반응함으로써 쉽게 니트로소아민을 형성하고, 제3급 아민은 탈알킬화반응을 통해 디알킬아민을 형성한 후에야 니트로소아민의 형성이 가능하다. 아민류와 반응할 수 있는 대표적인 니트로소화 물질은 N_2O_3로써 위내와 같은 산성 조건하에서는 더 강력한 니트로소화 물질인 H_2ONO^+나 NO^+로 전환되며, 이 반응은 I^-, Br^-, Cl^-, SCN^-, acetate와 같은 친핵성 음이온에 의해 활성화된다. 니트로소아민의 생성속도는 반응계의 pH와 이들 두 전구체의 농도에 의존적인데 최적 pH 범위는 2.5~3.5이며, 생성속도는 아민의 농도에 비례하고 니트로화 물질의 농도의 제곱에 비례한다.

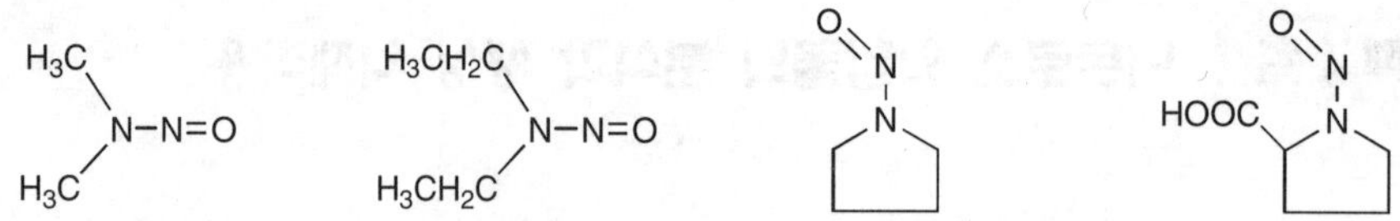

NDMA NDEA NPYR NPRO

NDMA : N-nitrosodimethylamine, NDEA : N-nitrosodiethylamine,
NPYR : N-nitrosopyrrolidine, NPRO : N-nitrosoproline

그림 10-3 식품 중에서 자주 발견되는 니트로소아민의 구조

식품 중 니트로소아민은 가공·조리 과정 중에 생성되는데, 특히 햄, 베이컨, 염지육과 같은 육제품 및 유럽풍 치즈(gouda, edam 등)에 보존료로서 아질산염을 첨가함에 따라 때때로 위험한 정도로 높은 함량의 NA가 검출된다. 보존료를 첨가하지 않은 맥주는 맥아의 건조 중, 낙농제품은 분무건조 중, 그리고 수산건제품은 열풍건조나 천일건조 중에 NA가 생성되는데 어느 것이나 산화질소 유도체에 의한 공기의 오염이 주된 원인이다. 식품에서 발견되기 쉬운 니트로소아민의 구조는 그림 10-3과 같다.

3. 니트로소아민의 생성 억제

니트로소 화합물의 생성에는 수많은 촉매나 저해 인자들이 존재하는데, 이 중 대표적인 니트로소아민의 생성 억제제로써 ascorbic acid와 그 염(sodium ascorbate, sodium isoascorbate), tocopherol, sulphur dioxide 및 polyphenol화합물을 들 수 있다.

Ascorbic acid는 니트로화 시약들을 급속히 환원시켜 산화질소를 생성하고 그 자신은 dehydroascorbic acid로 되어 니트로소화 반응을 차단하며, 토코페롤과 sulphur dioxide도 ascorbic acid와 유사한 환원작용에 의해서 니트로소화 반응을 억제시킨다.

차류, 과채류와 콩과식물 등에 존재하는 polyphenol화합물은 대부분의 경우에 있어서 니트로소아민의 생성을 억제하지만 조건에 따라 오히려 촉매하기도 한다. 니트로소아민의 생성 억제 효과가 있는 polyphenol화합물로는 caffeic acid, ferulic acid, ρ-coumaric acid, hydroquinone, catechol, chlorogenic acid, gallic acid, tannin 등이 있는데, 이들의 저해 효과는 아질산과 phenol 분자의 농도비가 <1일 때 가장 효과적이며 이 비가 낮을수록 효과가 증가된다. 이외에 maillard반응 생성물인 melanoidin도 니트로소아민의 생성 억제에 효과가 있다.

4. 발암성

니트로소아민은 돌연변이성, 발암성 및 기형 발생적 활성을 가지는 것으로 알려져 있는데, 실험 결과에 의하면 323종의 니트로소화합물 중 87%가 약 40여종의 동물에 대해 발암성을 가짐이 보고되어 있다. 이 중 일부는 인체에서도 암을 유발하며, 그 메카니즘은 cytochrome P450-dependent monoxygenase에 의한 산화적 대사 후에 알킬화됨으로써 돌연변이를 일으키는 것으로 밝혀져 있다.

5. 니트로소아민의 분석

휘발성 니트로소아민의 분석은 간단한 일련의 과정을 거쳐 추출한 휘발성 니트로소아민을 가스크로마토그래피(gas chromatography, GC)와 연결된 열에너지 분석기(thermal energy analyzer, TEA)에 주입하므로써 미량까지 분석이 가능하다. 분석원리를 보면 주입된 NA는 GC에 의해 분리되어 TEA의 pyrolyzer(550℃)를 통과하면서 시료 중의 NO기가 유리되고, 유리된 NO기는 TEA내에서 오존에 의해 들뜬상태에서 바닥상태로 전이되는데 이 때 생성된 에너지를 측정함으로서 니트로소 화합물을 정량할 수 있게 된다. 분석과정은 다음과 같다.

① 균질화된 시료 20～25g, 증류수 약 100㎖(액체시료의 경우 약 50㎖), 12% 설퍼민산(2N 황산용액에 대한 w/v%) 20㎖, 내부 표준액 N-nitrosodibuthylamine 1㎖(10㎍/㎖, heptane)를 round bottom flask에 차례대로 가한 후 Graham형 냉각관을 연결하여 증류물이 100～150㎖가 될 때까지 추출한다.

② 상기 추출물을 묽은 염산으로 pH 1.0으로 조절한 후 분획여두를 이용하여 dichloromethane(DCM, 50㎖×3회)층으로 이행시켜 망초로 탈수시킨다.

③ DCM 추출물은 Kuderna-Danish(KD) tube를 연결한 Micro-snyder 칼럼에 옮겨 40℃ 미만에서 약 5㎖까지 농축하고, KD tube를 분리하여 질소가스를 흘리면서 0.5～1㎖로 농축한다. 이것을 GC-TEA에 주입(0.1～0.5㎕)한다.

④ GC-TEA의 분석조건은 10% Carbowax 20M/80～100 Chromosorb WHP을 충진한 10ft×2㎜i. d. 유리칼럼, 운반가스 He(25㎖/min), 오븐온도 140～170℃, 5℃/min., injection 온

도 180℃, pyrolyzer 온도 550℃, interface 온도 200℃, analyzer pressure 1.9 torr, chart speed 0.5cm/min.이며, 이 조건하에서 0.01ppb까지 분석이 가능하다.

참고문헌

1. Douglass, M. L., Kabacoff, B. L., Anderson, G. A., and Cheng, M. C. : The chemistry of nitrosamine formation, inhibition and destruction. *J. Soc. Cosmet. Chem.*, 29, p.581(1978).
2. Leo M. L. nollet.: Handbook of food analysis, Vol. 2. Marcel Dekker, Inc., New Yor k, p.1603(1998)
3. Ender. F., Havre. G., Helgebostad. A., Koppang., N., Madsen., R., and Ceh. L. : Natuwissens-chaften, 51, p.637(1964)
4. Challis B. C. and Chakkus. J. A. : In the chemistry of amino, nitro-compounds and their derivatives(S. Patai, Ed.), Wiley, New York, p.1151(1982)
5. Ressmann, R. P. and Stewart. B. W.: In Chemical Carcinogens, Vol. 2(C.E. Searle, Ed.), ACS Monograph 182, American Chemical Society, Washington, DC, p.643(1984)
6. Hill, M. J.: Nitrosamines. Ellis Horwood Ltd, Chichester, England, p.13(1988)
7. Macrae, R., Robinson, R. K., Sadler M. J. : Encyclopaedia of food science food technology and nutrition. Academic Press, San Diego, p.3245(1993)
8. 이수정, 성낙주: 천연성분의 첨가가 염건 조기의 인공소화시 N-nitrosamine의 생성과 돌연변이원성에 미치는 영향, 경상대학교 박사학위청구논문(1999)
9. Sung N. J., Klausner K. A. and Hotchkiss. J. H.: Influence of nitrate, ascorbic acid and nitrate reductase miceoorganism on N-nitrosamine formation during Korean-style soysauce formation, Food Additives and Contaminants, 8(3), p.291(1991)

제 5 절 항혈소판응집성

1. 개요 및 원리

근년 한국인의 사망원인으로서 동맥경화 등 혈관이나 혈액의 이상에 의하여 발증하는 뇌졸중, 심근경색 등이 압도적으로 많은 부분을 차지하고 있다. 특히, 혈관변화에 따른 혈전형성은 중대한 순환기장애를 일으킨다. 혈전은 주로 혈소판의 과도한 응집에 의하여 유도된다. 그러므로 본 절에서는 혈소판응집 저해활성물질(마늘, 양파, 은행잎 등에 풍부함)의 활성시험법을 소개한다.

혈소판을 포함한 혈장은 통상 탁하며, 혈소판끼리의 응집에 의하여 응집괴를 형성하여 침전함으로써, 혈장의 투명도는 높아지게 된다. 즉, 혈소판을 많이 함유한 혈장에 가시광선을 조사하면 탁도가 높기 때문에 광의 투과도(T%)가 낮지만, 응집이 진행됨에 따라서 T%가 상승한다. 이 원리를 이용하여 응집의 정도를 나타내는 비탁법이 널리 활용되고 있다. 이때 시료 첨가에 의한 응집저해를 조사함으로써 활성을 검정한다.

2. 혈소판응집 저해활성의 측정순서

본 절에서는 사람의 혈액을 이용하는 방법에 대하여 설명한다. 사람이외에도 토끼, 흰쥐, 생쥐, 돼지, 말 등의 혈액도 사용가능하지만, 제조법이 다소 다르다. 사람혈장은 가격이 싸고 간편하지만, 간염 등의 감염이 일어나지 않도록 엄중한 주의를 요한다. 채혈시에는 동일인 및 각 개인간의 차이를 극소화하기 위하여, 1주일전부터 약의 복용과 전날부터의 음주, 흡연을 중지하고 충분한 수면을 취한 다음, 아침식사를 하지 않은 공복상태에서 오전 9시에 채혈을 행한다. 또, 채혈에서부터 측정까지의 시간 차이에 의하여 일어나는 응집능의 변화를 고려하여 매회 채혈후 30분에서 3시간 사이에 측정을 종료한다.

항응혈제인 3.8% 구연산나트륨 용액 3㎖(1배)를 미리 플라스틱 주사기 내에 흡인해 두고, 21G의 주사바늘을 꽂아 정상인의 혈액 27㎖(9배)을 채취한다. 서서히 주사기 뒤집기를 반복하여 혼합 후, polypropylene제 원심관에 10㎖ 가량씩 분주한다(여기까지의 조작은, 의사나 간호사의 협조를 받아도 좋다). 채혈 후, 신속하게 실온에서 120xg, 10분간 원심분리하면, 상층에 혈소판풍부혈장(platelet rich plasma, PRP)이 얻어진다. 잔사를 계속하여 1,090xg, 15분간 원심분리하면, 상층에 혈소판결핍혈장(platelet poor plasma; PPP)이 얻어진다. 다음으로, aggregometer를 37℃에서 유지한 PRP에서 T=0%로, PPP에서 T=100%로 조정해 두고, PRP 200㎕를 소형 전용큐벳에 넣고, magnetic stirrer를 이용하여 교반을 계속하면서 응집 유도제를 가하고, 37℃에서의 PRP의 T%변화를 펜기록계를 사용하여 자동기록하면, 그림 10-4와 같이 응집곡선이 얻어진다. 응집저해를 나타내는 물질은 이 T%의 상승을 억제한다.

측정시료의 첨가방법으로서 수용성의 물질은 0.9%(w/v) NaCl수용액에 녹여서 최대 20㎕까지를, 지용성의 물질은 메탄올 용액이라면 1㎕를 PRP가 들어 있는 큐벳에 직접 첨가하여, 37℃에서 1분간 교반하고서 측정을 행한다. 단지, 클로로포름 용액이나 n-hexane 용액의 경우엔 응집에 미치는 영향이 크기 때문에, 미리 시료용액 1㎕를 큐벳에 넣어두고, 드라이어로 충분히 건조한 뒤에 200㎕의 PRP를 첨가하여 측정을 행한다.

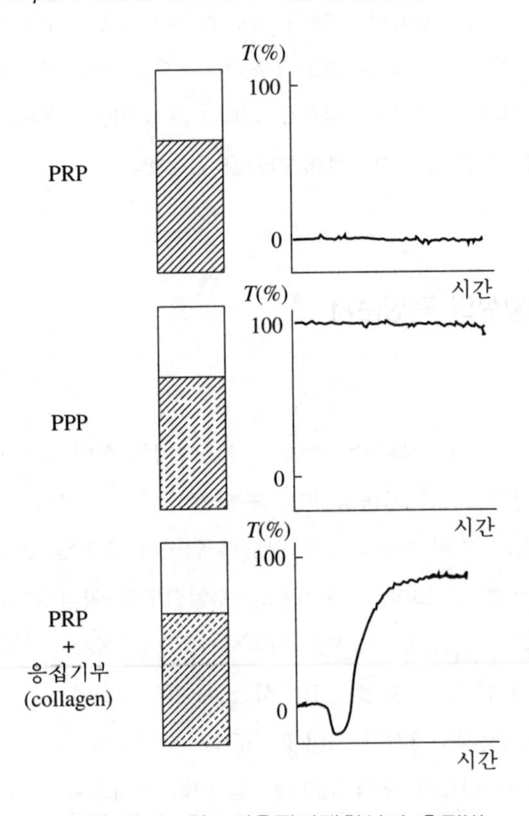

그림 10-4 혈소판응집저해활성의 측정법

3. 혈소판응집의 유도제

활성물질탐색시에 응집유도제로는 collagen, adenosine diphosphate(ADP), arachidonic acid, 혈소판활성화인자(PAF), A23187(calcium ionophore), U46619(TXA2 analog), phorbol 12-myristate 13-acetate(PMA=TPA), 1-oleoil-2-acetyl-sn-glycerol(OAG), thrombin 등이 사용된다. 보통 collagen이나 ADP를 많이 사용한다. 활성이 강한 획분에 대하여는 ADP나 arachidonic acid 등으로 측정해 두면 좋다. 또 개개인의 혈소판을 이용하는 실험에서 처리하게 되는 응집유도제의 농도가 사람에 따라 미묘한 차이를 보이기 때문에, 측정전에 반드시 최대의 응집을 얻기에 필요한 최소한의 농도를 각 유도제에 대하여 미리 한번 검토해 두고, 가능한 동일한 조건에서 매번 측정하도록 한다. 단리 정제한 활성물질을 평가하는 경우에는 몇몇 혈소판응집 유도제 농도에서 검토함이 바람직하다.

4. 저해활성의 평가

응집의 정도를 수치화하는데는, 응집속도(응집곡선의 경사, △T/min), 응집개시에 요구되는 시간(지연시간, lag time), 최대응집율(△Tmax), 최대응집까지의 시간(tmax) 등을 이용한다. 일반적으로 최대응집율이 자주 이용된다. 필자들이 이용한 저해활성의 평가법은 다음과 같다. 우선 시료를 첨가하지 않은 대조 응집곡선에 있어서 최대응집율(최대투과율)을 100%로 하였을 때 시료의 각 농도별 최대응집율을 농도에 대하여 plot한다. 대조에 비하여 응집을 50%저해하는 때의 시료농도(μM)을 IC_{50}치로 하여 구하고 이를 비교한다. 당연히 이 IC_{50}치는 분자량이 명확한 시료의 경우만 수치화가 가능한데, 조추출물이나 활성물질 검색단계의 시료에서는 불가능하기 때문에, 이 경우는, 그 활성의 강도를 대조에 비하여 응집을 50% 저해하는 때의 시료중량 IW_{50}치 등으로 하여 수치화하는 것이 좋다.

제 6 절 항돌연변이원성

1. *Salmonella*균을 이용한 항돌연변원성 시험법

1) 개요

Ames법은 칼리포니아대학교의 B. N. Ames교수가 개발한 *Salmonella*균을 이용한 변이원성 시험법이다. 이 실험에 이용되는 *Salmonella*균(*salmonella typhimurium*) TA98주는 histidine 합성효소계유전자에 frameshift형의 변이가 일어난 균주이고 frameshift형의 변이를 일으키는 돌연변이 물질에 의해 histidine 요구성으로 부터 histidine 비요구성으로 되어 histidine이 들어있지 않은 한천배지 페트리 접시(petri dish)상에 colony를 형성하는 것이 가능하게 된다(엄밀히 말하면 배지중에는 *salmonella*균체가 수회 분열 가능한 낮은 농도의 histidine이 함유되어있고 수회의 분열을 거쳐 복귀변이가 고정된 균수가 계산된다). 이러한 histidine의 비요구성의 복귀변이 빈도를 지표로 하여 피검물질의 변이원성의 유무를 판정한다.

이 방법을 응용하여 이미 알고있는 변이원물질의 작용을 막아주는 물질(항변이원성 물질)의 성질을 검색하는것이 가능하다. 이 실험에서는 변이원 물질로서 Trp-P-1를 이용한 실제적인 기술에 대하여 서술한다.

2) 준비

기 구

진탕기가 부착된 항온조, 항온기, L자 배양관, Ames관(소형시험관)-5㎖용 캡시험관, 건열멸균기, 고압멸균기, 1회용 페트리접시, 시험관 믹서, 자동피펫과 고압멸균을 한 팁(tip)

시 약

아래 "❶"에서 "❻"는 조제후 고압멸균하여 냉장보관한다. "❶"는 장기보존하면 재결정하지만, 가온하면 다시 녹는다.

❶ 50배 농도의 Vogel-Bonner염 용액 : 증류수(335㎖), K_2HPO_4(250㎖), citric acid(50g), $NaHNH_4$

($PO_4 \cdot 4H_2O$)(88g), $MgSO_4 \cdot 7H_2O$(5g)

2 40%의 glucose 수용액

3 Nutrient broth

4 0.1M phosphoric acid 완충액(pH 7.0)

5 증류수

6 Top agar용 biotin-histidine 용액 : D-biotine (30.9mg), L-histidine/HCI(24.6mg), 증류수(250㎖)

6 최소 glucose agar plate : 한천분말(30g), 증류수(1860㎖)

※고압멸균하여 50℃로 냉각시켜 아래의 용액을 넣어 잘 혼합한 후 30㎖씩 직경 10㎝의 페트리 접시에 분주한다. 1~2일간 정치하여 한천표면을 약간 건조시키면 top agar의 중층이 용이하다.

50배 농도 Vogel-Bonner염용액(40㎖), 40%의 glucose 수용액(100㎖)

7 Top agar : 한천분말(0.75g), NaCl(0.54g), 증류수(100㎖),

※autoclave 하여 50℃로 냉각시켜 top agar용 biotin-histidine 용액 10㎖와 혼합하여 사용하기 전까지 45~50℃로 보온한다

S-9 Mix

변이원성 물질의 대사활성화를 위해 첨가한다. 쥐의 간장으로부터 조제한 microsome획분(S-9)과 보조효소용액을 혼합하여 사용한다. Premix된 S-9 Mix가 시판되고 있는데 값이 약간 비싼 것이 흠이지만 이것을 이용하면 편리하다.

실험균주

TA98주는 적당한 균주분양기관으로부터 입수한다. 보존균을 일백금이 취해 L자배양관에 넣은 nutrient broth 10㎖에 접종하여 37℃에서 12~14시간 진탕배양한다. 이 배양액 8㎖에 DMSO (dimethylsulfoxide)를 0.7㎖ 넣고 멸균한 0.5㎖ 플라스틱 원심관에 0.2㎖씩 분주한다. 이것을 dry ice acetone, 혹은 액체질소로 급속냉동시켜 보존균주로서 −80℃에 보존한다. 실험 전날 보존균주를 용해시켜 일백금이를 취해 nutrient broth 10㎖에 접종한다. 37℃에서 12~14시간 진탕배양 후 변이원성 실험에 사용하기전까지 빙냉보존한다.

검 체

여러 가지 추출법으로 조제한 시료를 이 실험법으로 검정하는 것이 가능하다. 물이나 낮은 농도의 염류용액에서 추출한것은 멸균필터로 여과하여 제균한다. 유기용매로 추출한 것은 DMSO에 용해하여 첨가한다. DMSO용액을 고농도로 첨가하면 균주가 사멸된다. 아래의 2번 조작에서 첨가되는 시료의 용량을 증가시킬 경우, 최고로 0.2㎖까지 넣고 반드시 모든 페트리 접시의 DMSO 농도를 동일하게 한다.

3. 방법

실험준비가 모두 되어있는가를 확인한다. Ames관은 멸균해 두고 미리 배양된 균체는 얼음으로 냉각해 둔다. S-9 Mix는 용해하여 얼음으로 냉각시켜 둔다. Top agar에 biotin-histidine 용액을 넣어 45~50℃로 보존해 둔다. 필요한 만큼의 glucose agar 페트리 접시를 준비해 둔다. 진탕항온조는 37℃로 유지해 둔다. pipette류를 준비해 둔다. 실험은 두번 또는 세번 반복한다.

① Ames관에 100㎕의 Trp-P-1 용액(5㎍/㎖ DMSO)을 취한다(contol은 DMSO).

② 항변이원물질을 100㎕ 첨가한다.

③ 600㎕의 인산완충액을 첨가한다.

④ 100㎕의 S-9 Mix를 첨가하여 위의 용액(1,2,3)과 잘 혼합한다.

⑤ TA98 배양액을 100㎕ 첨가하여 잘 혼합한 후, 37℃에서 20분간 진탕배양한다.

⑥ Top agar를 2㎖ 첨가한 후 최소 glucose agar 페트리 접시에 붓는다.

⑦ 37℃에서 48시간 배양한 후 증식된 histidine의 비요구성 colony수를 계산한다.

4. 결과

시료를 첨가하지 않은 control실험에서는 TA98의 경우 10~30개 정도의 colony가 자연복귀 colony로 나타난다. Trp-P-1을 첨가한 것은 수백에서 수천개의 colony가 나타난다. colony의 수가 너무 많아 계산하기 어려운 경우에는 Trp-P-1의 농도를 계수하기 알맞게 낮춘다. 항변이원성(%)은 아래의 방법으로 계산한다.

$$\left(1 - \frac{A-B}{C-D}\right) \times 100$$

A : 시료와 Trp-P-1 첨가 시의 colony수

B : 시료만 첨가시의 colony수,

C : Trp-P-1 첨가시의 colony수

D : 시료 무첨가시의 colony수(자연복귀)

참고문헌

1. Ames, B. N., McCann, J. and Yamasaki, E.: Mutat. Res., 31, p.347(1975)
2. Gasser, C. S. and Fraley, R. T.: Science, 244, p.1293(1989)
3. McCann, J., Choi, E., Yamasaki, E. and Ames, B. N.: Proc. Natl., Acad. Sci., U.S.A., 72, pp.5135~5139(1975)
4. 池田穰衛: 高等植物の情報發現と制御, 日本分子生物學會編(丸善), p.1(1990)
5. 石館基: 毒性實驗講座 12, 變異原性, 遺傳毒性, 石館基編(地人書館), p.1(1991)
6. 篠原和毅: 食料 ―その科學と技術― : 31, p.19(1993)
7. 中村晃忠: 細胞トキシコロジー試驗法, 日本組織培養學會編(朝倉書店), p.59(1991)
8. 本吉總男, 宇恒正志: 現代化學(增刊 20), p.153(1991)
9. 失作多貴江: 環境變異原實驗法, 田島彌太朗, 賀田恒夫, 近藤宗平, 外村晶編(講談社サイエンティフィク, 東京), p.56(1982)

제 7 절 *In vivo* 항암성 실험

1. Sarcoma-180 cell을 이용한 종양형성저지 실험

1) Sarcoma-180 cell의 계대 배양

실험동물의 복강 내에서 1주일간 배양된 sarcoma-180 세포를 복수와 함께 취하고 PBS (phosphate buffered saline)로 현탁하고 원심분리(1,200rpm, 10분)하여 종양세포를 분리한 후 종양세포 부유액(1×10^6cells/mℓ)을 1mℓ씩을 복강주사하여 이식 보존하면서 실험에 사용한다.

2) Viability test

마우스 복강으로부터 sarcoma-180세포를 채취하여 1×10^5cells/mℓ되도록 24well plate에 1mℓ씩 분주한 후, RPMI 1640 medium 1mℓ를 첨가한다. 각 시료를 가한 후 37℃, 5% CO_2 incubator에서 배양한다. 24시간이 지난 후 각 세포를 trypan blue로 염색하고, hemocytometer에서 염색된 세포(non-viable cell)와 염색되지 않은 세포(viable cell)을 계수하여 viability (viability=dead cells/total cells)를 결정한다(1).

3) 종양 성장 저지 실험

마우스 복강으로부터 sarcoma-180세포를 0.2mℓ(6.0×10^6cells/mouse)씩 각 실험동물의 좌측 서혜부에 피하이식한 24시간 후 20일간 시료용액을 복강으로 투여한다. Sarcoma-180세포를 이식한 후 26~35일째 되는 날 마우스를 치사시키고 생성된 종양을 적출하여 그 평균무게를 구한 후 다음 식에 따라 종양 성장저지율(tumor growth inhibition ratio, I.R.:%)을 계산한다 (2).

$$\text{I.R.}(\%) = \frac{\text{Cw} - \text{Tw}}{\text{Cw}} \times 100$$

Cw : 대조군의 평균 종양무게

Tw : 처리군의 평균 종양무게

4) 간조직 중 lipid peroxide (LPO)와 GSH 함량과 GST 활성 측정

(1) 시료조제

마우스를 절식시킨 후 경추탈골로 희생시키고 개복하여 간을 생리식염수로 관류하여 간조직에서 남은 혈액을 제거한 다음 적출한다. 적출한 간 조직 1g당 5배량의 0.1M 인산완충액(pH 7.4)을 가하여 균질기로 마쇄한 후, 4℃ 이하에서 10,000×g, 20분간 원심분리하고, 분리된 상등액을 다시 105,000×g, 1시간동안 초원심분리하여 cytosolic fraction을 얻는다. Homogenate fraction은 GSH와 LPO 함량측정에, cytosolic fraction은 GST 활성측정에 이용한다.

(2) 지질과산화물 (LPO) 의 함량측정

과산화물은 극히 불안정하여 산화, 중합, 분해되어 2차 산물을 만들며 이들은 1차 산물보다 세포방어능력을 더 감소시킨다. 특히 malondialdehyde(MDA)는 지질 과산화반응으로 가장 많이 발생하는 aldehyde이고 반응성도 가장 높으며 *in vitro*에서 protein, DNA, RNA 그리고 많은 다른 생체분자들을 변형시킬 수 있다. 지질과산화물 함량은 homogenate fraction에 동일한 0.1M 인산완충액(pH 7.4)을 동량 가하여 3시간 preincubation 시킨 후 8.1% sodium dodecyl sulfate와 20% acetate buffer(pH 3.5) 및 발색의 목적으로 0.8% thiobarbituric acid를 가한 후 95℃에서 1시간 동안 반응시킨다. 이를 실온에서 냉각한 후에 n-BuOH : pyridine(15 : 1) 층을 취하여 파장 532nm에서 그 흡광도를 측정하여 표준곡선에서 그 함량을 간조직 1g당 MDA nmole로 표시한다(3).

(3) Glutathione (GSH) 함량측정

GSH는 tripeptide로 과산화수소, 유리기와 결합하여 간세포 내에서 해독작용을 한다. GSH

함량이 감소하게 되면 과산화수소가 축적되고 생체막의 구성성분인 고도불포화지방산의 과산화반응이 시작된다. 또한 간조직의 항산화상태뿐만 아니라 산화적 스트레스의 영향을 나타내고, 함량이 낮을 경우 세포손상 및 독성에 대한 민감도가 높아진다. GSH의 함량은 시료 0.25㎖에 4% sulfosalicylic acid 0.25㎖를 넣고 2500rpm에서 10분간 원심분리한다. 상징액 0.3㎖를 옮기고 disulfide reagent 2.7㎖(0.1M sodium phosphate buffer(pH 8) 1ℓ에 5,5′-Dithiobis 39.636㎎을 넣음)을 넣고 20분 방치 후 412nm에서 흡광도를 측정한다(4).

(4) 간조직 중 glutathione S-transferase (GST) 활성측정

GST는 독성물질을 glutathione의 -SH group과 결합시켜 더 배설되기 쉬운 형태로 만들어 줌으로써 지질과산화 반응으로부터 생체를 보호하는 작용을 한다. GST의 활성도는 시료 10㎕와 0.1M phosphate buffer(pH 6.5) 2.89㎖, 0.04M reduced glutathione 75㎕를 넣고 25℃에서 5분간 preincutabion을 한 후, 0.12M 2,4-CNDB (1-chloro-2,4-dinitrobenzene) 25㎕를 혼합하여 25℃에서 10초 간격으로 2분간의 반응을 340nm에서 측정한다. 활성단위는 1분간 mg protein이 생성한 2,4-dinitrobenzene-glutathione의 분자 흡광도계수(mM/340nm=9.6$mM^{-1}cm^{-1}$)를 이용하여 나타낸다(5).

(5) 조직액의 단백질 정량

단백질 정량은 Lowry 등의 방법(6)에 준하여 bovine serum albumin을 표준품으로 하여 측정한다.

2. Colo 320 HSR cell을 이용한 종양형성억제실험

CD1 nude mice(5마리/group) 목부분에 Colo 320 HSR cell을 피하주사한다. 시료를 같은 날부터 10일 동안 매일 복강주사한다. 세포를 접종한 날부터 10일, 20일, 25일, 30일에 종양의 크기를 측정한다(7).

3. Experimental tumor metastasis

시료의 종양전이에 미치는 효과는 폐에 대하여 전이력을 획득한 고전이성 종양세포주인 colon26-M3.1 lung carcinoma를 사용한다. 세포주의 종양전이를 위한 실험동물은 6주령의 Balb/c female 마우스를 사용하며, *in vitro*에서 배양된 종양세포주의 접종은 정맥주사한다. 시험물질에 의한 종양의 전이억제 효과의 조사는 group당 5마리의 마우스에 시료를 종양접종 2일전부터 5일 사이에 정맥, 피하주사, 경구, 경비투여 등의 방법으로 한다. 전이된 종양의 판정은 종양접종 14일 후에 마우스를 희생시켜 종양의 표적기관인 폐를 적출 후 Bouin's 용액(saturated picric acid : formalin : acetic acid = 15 : 5 : 1, v/v/v)에서 전이된 종양을 고정 후 종양의 군집수를 count하여 측정한다(8).

참고문헌

1. Mishell, B. B. and Shiingi, S. M. : Selected methods in cellular immunology. Freeman and W.M. Co., San Francisco, p.16(1980)
2. Suga, T., Shiio, T., Maeda, Y. Y. and Chihara, G. : Antitumor activity of lentinan in Murine syngenetic and autochthonous hosts and its suppressive effect on 3-methyl cholanthrene-induced carcinognensis. Cancer Res., 44, p.5132(1984)
3. Ohkawa, H., Ohishi, N. and Yaki, K. : Assay for lipid peroxides in animal tissues by thiobarbituric acid reaction. Anal. Biochem., 95, p.351(1979)
4. Ellamn, G.L. : Tissue sulfhydryl group. Arch. Biochem. Biophys., 82, p.70(1959)
5. Habig, W.H., Pabist, M.J. and Jakoby, W.B. : Glutathione S-transferase. The first step in mercapturate acid formation. J. Biol. Chem., 249, p.7130(1974)
6. Lowry, O.H., Rosebrough, N.H., Farr, A.L. and Randall, R.J. : Protein measurement with folin phenol reagent. J. Biol. Chem., 193, p.265(1951)
7. Huang, M.T., Ho, C.T., Wang, Z. Y., Ferraro, T., Lou, Y.R., Stauber, K., Ma, W., Georgiadia, C., Laskin, J.D., and Conney, A.H. : Inhibition of skin tumorigenesis by rosemary and its constituents carnosol and ursolic acid. Cancer Res., 54(3), p.701(1994)
8. Iigo, M., Kuhara, T., Ushida, Y., Dekine, K., Moore, M. A. and Tsuda, H. : Inhibitory effects of bovine lactoferrin on colon carcinoma 26 lung metastasis in mice. Clin. Exp. Meta., 17, p.35(1999)

제 8 절 식품의 면역기능성

사람은 항상 외부의 미생물과 암항원, 세포의 파괴에 따른 세포내 물질등과 같은 이질적 자가물질에 노출된채 생존하고 있다. 이러한 조건하에서 사람이 생존할 수 있는 것은 이들에 대한 인체내 방어기구가 있기 때문이다. 방어능력은 개체, 연령, 생리상태에 따라 크게 변동하지만 생체방어능력을 증진시키므로써 각종 질병에 대항하는 것이 가능하다는 연구보고가 수없이 발표되고 있다.

특히 식품성분에 이러한 능력을 갖는 물질이 속속 보고되고 있고 이들의 작용기전을 규명하고 이를 이용한 기능성 식품, 향장품 등어 개발이 전망된다.

또한 이러한 기능성분이 함유된 식품은 사람들이 정기적으로 섭취한다는 것을 고려한다면 식품중의 생체방어 증진물질의 존재는 인류의 건강유지를 위한 커다란 수단이 될 수 있을 것이다.

1. 생체면역의 종류

생체면역기구는 항원비특이적 및 항원특이적인 2개의 기구가 존재하며 각각의 기구는 다시 체표면에 존재하는 점액에 함유된 체액성인 것과 체내방어 관련 세포로 구성된 세포성인 것으로 구별된다.

비특이적 기구에 의한 체액성인자로서 락토훼린(lactoferrin), 트랜스훼린(transferrin), 리신(ricin), 보체(complement), 인터페론 등이 있으며 세포성 인자로는 식세포계와 natural killer(NK)세포를 들 수 있다. 식세포계도 호중구(neutrophil), 호산구(acidophil), macrophage 등 여러 가지 형태로 분화되어 있지만, 이물질을 세포막으로 둘러싸 식작용으로 분해처리하는 식세포로서는 호중구나 macrophage를 들수 있으며 한편 호산구는 기생충표면에 부착하여 활성인자를 매개로 기생충의 활동을 저해하는 것으로 추정된다. 암세포나 바이러스 감염세포를 저해하는 세포성 인자로는 NK세포를 들 수 있는데 식세포계와 달리 세포내로 들어가지 않고 표적세포에게 저해효과를 나타낸다.

외부로부터 침입한 미생물은 체표면 점액에 함유되어 있는 체액성인자인 라이소자임

(lysozyme)과 락토훼린(lactoferrin)에 의해서 그의 증식이 억제되고, 호중구나 macrophage 등 식세포의 작용을 받아 사멸된다. 또한 미생물의 침입 부위에 이들 식세포를 집합시키고 그 작용을 증강시키기 위해서는 보체라고 하는 체액 성분이 필요하다. 보체는 혈청 중에 존재하는 특수한 단백질로 약 20여 종류가 알려져 있다. 이중에서 가장 많이 존재하는 것은 C3라 하는 분자량 약 18만의 성분이다.

항원특이적 기구는 면역기구라고 불리우며 체액성 면역은 B임파구가 생산하는 항체(antibody)가 담당하고 있다. 5kDa 정도 이상의 이 물질이 체내에 침입하면 대응하는 임파구 클론의 분열과 분화가 일어나 특이적 항체가 생성된다. 항원특이적 체액성면역에서 항체분자와 동일한 역할을 항원특이적 세포성 면역에서는 감작(感作)T임파구(effector T cell)가 담당하고 있다. 항원자극을 받기 전의 T임파구도 분열, 분화를 거쳐 출현한 감작 T임파구의 특정 항원과 결합하므로 항원특이적으로 결합할 수 있는 수용체가 세포표면에 존재하게 한다. B임파구의 표면 면역글로블린에는 항체분자의 항상같은 부위(constant region)에 해당하는 구조가 존재하므로 항체분자는 같은 구조로 이루어지게 된다. 반면 T임파구의 표면에는 독자적인 수용체가 존재한다.

미생물이 장시간에 걸쳐 침입하게 되면, 식세포로서 작용하고 있던 마크로파아지의 일부는 항원 제시세포로서 기능하게 되며, 항원 정보를 T임파구에 전달한다. 항원 정보를 받은 T임파구는 B임파구를 자극하여 항체 생산세포로 전환시키고 미생물에 대한 특이 항체를 생산시킨다. 생체내에서는 이러한 기전이 서로 복잡하게 작용하면서 생체를 방어하고 있다.

이러한 모든 생체방어기구를 요약해 보면 다음과 같다.

비특이적 기구

a) 체액성 인자 - lactoferrin, transferrin, ricin, 보체, 인터페론

b) 세포성 인자 - 호중구, 호산구, macrophage, NK세포

항원특이적 기구

a) 체액성 인자 - B임파구가 생산하는 항체

b) 세포성 인자 - 감작 T임파구

2. 면역증강 가능성 식품

천연식품소재로부터 면역증강능력을 갖는 성분을 찾아내어 기능성식품을 만들어낼 때에는 그것이 기능성 식품으로서 갖추어야 할 조건을 만족하지 않으면 안된다.

우선 기능성식품으로 개발하기 전에 사전 실험을 통하여,

① 경구투여로도 면역증강효능이 발휘되는지
② 효능성분의 함유적절한 양은 얼마인지
③ 나이와 성별에는 어떤 영향이 있는지
④ 예방 차원인지 혹은 치료차원인지
⑤ 인체내 작용기전은 무엇인지 등이 확인되어야 한다.

천엽, 황정은 기능성 식품의 조건으로서,

① 명확한 제조목표를 가질 것
② 구조가 밝혀져 있는 기능성 인자를 함유할 것
③ 식품중의 존재형태(결합형 또는 유리형)와 함량이 명확할 것
④ 기능성 인자의 작용기 전이 밝혀져 있을 것
⑤ 안전성이 높을 것(위험량/유효량이 큰 것)
⑥ 식품중에서 기능성 인자가 안정하게 존재할 수 있는 것
⑦ 식품으로 받아들일 수 있는 것

등을 들고 있다.

면역증강물질을 이용한 기능성식품의 개발은 다른 기능성 식품과 마찬가지로 다양한 요구조건을 만족시켜야 하지만 현대인이 겪는 상당수 질환의 원인이 계속적인 스트레스, 음주 등 면역기능을 저하시키는 요인들과 연관이 있음을 볼 때 어떤 기능성식품의 경우보다는 개발의 가치가 높은 것임을 알 수 있다. 식품성분으로 면역증강이 가능할 것이라는 예견은 오래전부터 있어 왔지만 최근에 많은 관련연구가 이루어지고 있음이 매우 고무적이다.

식품의 면역기능성에 관련되는 실험법들은 제27장을 참고하기 바란다.

참고문헌

1. 中村良・川岸舜朗・渡邊乾二・大澤俊彦, 식품기능화학, 지구문화사(1999)
2. Murakamin. H. and Kaminogawa. S. : 식품과 생체방어, 한림원(1997)
3. Mandallaz. M. M., deWeck. A. L., and Dahinden. C. A., : *J. Arch Allergy Appl. Immunol.*, 87, p.143(1988)
4. Mestecky. J., and McGhee. J. R., : *Adv. Immunol*, 40, p.153(1987)
5. Suemura. M., and Kishimoto. T., : *Int. Rev. Immunol.*, 2, p.27(1987)
6. Walsh. B. J., Barnett. D., Burley. R. W., Elliott. C., Hill. D. J., and Howden. M. E. H.,: *Int. Arch. Allergy Appl. Immunol.*, 87, p.81(1988)
7. Matsuda. T., Watanabe. K. and Nakamura. R., : *Agric. Biol. Chem.*, 47, p.1823(1983)
8. Gu. J., Matsuda. T., Nakamura. R., Ishiguro. H., Ohkubo. I., Sasaki. M., and Takahashi. N.,: *Biochem. J.*, 106, p.66(1989)
9. 최면・박재봉・김현숙, 우리밀의 면역증강능 규명, 한국식품영양과학회지 29(2), p.307(2000)
10. 최면・김선률・김종대・이상영・김현숙, 우리밀 Ethanol-Acetic Acid 추출물에 함유된 대식세포의 식작용 활성 증강 물질의 분리・정제, 한국식품영양과학회지, 29(2), p.312(2000)

제 9 절 암세포를 이용한 *in vitro* 항암성 실험

1. 암세포 증식억제, DNA 합성저해, sulforhodamine B (SRB) 및 MTT 실험

1) 암세포 배양

암세포는 100units/㎖의 penicillin-streptomycin과 10%의 FCS가 함유된 DMEM을 사용하여 37℃, 5%CO_2 incubator에서 배양한다. 배양된 각각의 암세포는 일주일에 2~3회 refeeding하다. 세포는 PBS로 세척하고 0.05% trypsin-0.02% EDTA로 부착된 세포를 분리하여 원심분리한 후 집적된 암세포에 배지를 넣고 피펫으로 암세포가 골고루 분산되도록 잘 혼합하여 75㎖ cell culture flask에 5㎖씩 일정 수 분할하여 주입하고 계속 6~7일 마다 계대 배양하면서 실험에 사용한다. 계대 배양시 각각의 passage number를 기록하고 passage number가 10회 이상일 때는 새로운 암세포를 액체질소 탱크로부터 꺼내어 다시 배양하여 실험한다.

2) 암세포 증식억제 실험

암세포배양과 동일한 방법으로 배양하되 암세포는 원심분리한 후 집적된 암세포를 골고루 분산되도록 잘 혼합하여 24well plate에 20,000cells/㎖의 농도로 seeding하여 하룻밤 배양하고, 암세포가 plate에 부착되었음을 확인한 후, 10% FCS가 있는 배지에 시료를 첨가하여 이틀에 한번씩 배양액을 교체하면서 37℃, 5%CO_2 incubator에서 배양한다. 시료는 2일마다 10㎕/㎖ medium씩 농도별로 첨가한 새로운 배지로 교체하고 배양 6일 후에 증식된 세포를 0.05% trypsin-0.02% EDTA 효소로 분리하여 각 세포 수를 hemocytometer로 측정하여 대조군과 비교하여 암세포 증식억제효과를 관찰한다(1).

3) DNA 합성 저해효과

암세포를 24well plate에 well당 40,000cells/㎖가 되도록 seeding하고 24시간 배양한 후 세포가 plate에 부착되면 배양액을 제거하고 10% FCS와 시료 추출물이 함유된 새로운 배양액(DMEM)으로 교체한 후 37℃, 5%CO_2 incubator에서 배양한다. 배양 48시간 후에 3㎕Ci/㎖의 [^{3}H] thymidine이 표시화된 배지로 교체하고 2시간 동안 배양한 후 표시화된 배지를 제거하고 고형성분을 1㎖의 PBS로 2번 씻은 다음 1㎖의 5% cold TCA를 첨가하여 4℃에서 냉장 방치한다. 1시간 후 TCA를 제거하고 250㎕의 1% SDS를 첨가하여 세포를 분리하기 위해 55℃에서 1시간동안 가열한다. Scintillation vial에 옮긴 후 125㎕의 H_2O로 2번 씻어내고 3.5㎖의 scintillation cocktail을 첨가 한 후 vortexing하여 scintillation counter(Beckman LS250)로 radioactivity를 측정한다(2).

4) Sulforhodamine B (SRB) assay

암세포를 96 well plate에 well당 40,000cells/㎖가 되도록 seeding하고 24시간 배양후 세포가 plate에 부착되면 시료 추출물 100㎕를 첨가한 후 37℃ 5%CO_2 incubator에서 배양한다. 이때 blank에는 시료와 10% FCS를 함유한 배지만 넣고 대조군에는 세포와 시료 대신에 DMSO를 첨가한다. 배양 48시간 후에 배지를 제거한 후 PBS로 한번 씻은 후 50% TCA를 첨가하여 4℃에서 냉장 방치한다. 1시간 후 TCA를 제거하고 증류수로 5번 씻은 후 실온에서 건조시킨 후 0.4% sulforhodamine B 100㎕를 첨가해서 30분 동안 염색시킨다. 다음 1% acetic acid로 5번 씻은 후 다시 실온에서 건조시킨 후 0.01M tris base를 150㎕를 첨가 후 510㎚에서 흡광도를 측정한다(3).

5) 3-(4,5-dimethylthiazol-2-yl)-2,5-diphenyltetrazolium bromid (MTT) assay

암세포를 96 well plate에 well당 1×10^3cells/㎖가 되도록 seeding하고 24시간 배양후 시료 추출물을 첨가한 후 37℃ 5%CO_2 incubator에서 배양한다. 배양 4일 후에 MTT 50㎕를 첨가하고 4시간 동안 더 배양한 후 plate mixer로 혼합시킨 후에 540nm에서 흡광도를 측정한다. 각 시료를 농도별로 처리하여 얻어진 평균 세포성장율(%)을 근거로 하여 Lotus data regression program에 따라서 세포성장을 50% 저해하는 각 시료의 농도(IC_{50})을 산출한다(4).

2. Flow cytometry를 이용한 cell cycle analysis

암세포를 1×10^5/㎖이 되도록 seeding하고 시료를 처리한 배지에서 24시간 또는 48시간 동안 배양된 세포를 4℃에서 30분간 70% ethanol로 고정하고 RNase A를 처리한 후 DNA intercatalating dye인 propidium iodide로 DNA를 염색하여 flow cytometer를 이용하여 세포주기를 비교 분석한다.

3. 암세포의 apoptosis 관찰

HL-60 인체혈액암세포를 이용하여 apoptosis를 측정하는 방법은 다음과 같다.

1) DAPI staining을 이용한 apoptosis의 관찰

배양된 암세포를 1×10^6/㎖로 seeding하고 시료를 처리한 배지에서 48hr 동안 배양한다. 원심분리하여 모은 cell을 3.7% formaldehyde로 고정시킨 후 DAPI(4,6-di-amino-2-phenylindole)로 염색하여 형광현미경하에서 apoptotic body를 관찰한다(5).

2) DNA fragmentation assay

배양된 암세포를 1×10^6cells/㎖로 seeding하고 시료를 농도별로 처리한 후 1일간 배양하고 lysis buffer를 처리한다. Ice에서 30분간 shaking하고 4℃에서 15분간 14000g에서 원심분리하여 상등액을 모은 후, 50℃에서 4시간 동안 proteinase K를 처리한다. Phenol extraction 방법으로 DNA를 분리하고 5.0M NaCl과 100% isopropanol을 첨가하여 잘 섞은 다음 −20℃에서

1시간 방치하고 14000g에서 10분간 원심분리한 후, 상등액을 제거하고 pellet을 증류수에 녹여 1.5% agarose gel에서 1×TAE buffer로 3~4시간(50V) 전기영동하여 ethidium bromide로 염색하고 UV transilluminator 하에서 DNA 단편화 현상을 관찰한다(6).

3) Comet assay

배양된 암세포를 1×10^4cells/㎖로 seeding하고 시료를 농도별로 처리한 후 1일간 배양하여 세포를 원심분리하여 모은 후, PBS로 suspension시킨다. 멸균된 증류수에 녹인 1% low melting point agarose(LMPA)를 40℃로 유지시키면서 0.25㎖ cell suspension에 0.75㎖ LMPA를 섞은 후, 0.5㎖를 slide에 분주하고 4℃에서 5분간 방치한다. 4℃, 암실에서 1시간 동안 lysis시키고 alkaline buffer에 옮겨서 5분간 3회 washing으로 unwinding시킨 후 21 Volt로 20분간 전기영동한 다음 증류수로 washing하고 ethidium bromide로 염색한 후 형광 현미경하에 apoptotic body를 정량한다(7).

참고문헌

1. Miller, J. : Experiments in molecular genetics, cold spring harbor laboratory. Cold spring Harbor, New York(1972)
2. Kageyama, K., Onoyama, Y., Nakanishi, M., Matsui-Yuasa, I., Otani, S. and Morisawa, S. : Synergistic inhibition of DNA synthesis in Ehrlich ascites tumor cells by a combination of unsaturated fatty acids and hyperthermia. J. Applied Toxico., 9, p.1(1989)
3. Monks, A., Scudiero, D., Skehan, P., Shoemaker, R., Paull, K., Vistica, D., Hose, C., Langley, J., Cronise, P., Vaigro-Wolff, A., Gray-Goodrich, M., Campbell, H., Mayo, J. and Boyd, M. : Feasibility of a high-flux anticancer drug screen using a diverse panel of cultured human tumor cell lines. J. Natl. Cancer Inst., 83, p.757(1991)
4. Skehan, P., Storeng, R., Monks, S. A., McMahon, J., Vistica, D., Warren, J. T., Bokesch, H., Kenney, S. and Boyd, M. R. : New colorimetric cytotoxicity assay for anticancer-drug screening. J. Natl. Cancer Inst., 82, p.1107(1990)
5. Fisher, D. E. : Apoptosis in cancer therapy: Crossing the threshold. Cell, 76, 539-542 (1994)
6. Joshua, J. F., Mohammad, W. K., Kirk, J. W., Brian, W. L., Daryl, W. F. and Kimm, L. O. : Induction of apoptotic cell DNA fragmentation in human cells after treatment with hyperdermia. Cancer Letters, 89, p.183(1995)
7. Olive, P. L., Banath, J. P. and Fjell, C. D. : DNA strand breakage and DNA structure influence staining with propidium iodide using the comet assay. Cytometry, 16, p.305(1994)

수입식품의 검지 및 안전성 평가

제 1 절 방사선 조사식품 검지방법

1. 물리적 검지방법

1) PSL 검지방법

개 요

식품을 구성하고 있는 뼈나 각질과 식품에 묻어 있는 토양에 함유된 무기질은 방사선조사에 의하여 에너지를 흡수하여 보유하고 있게 되며, 이 에너지는 광자극에 의하여 빛으로 방출된다. PSL(photostimulated luminescence: 광자극발광) 장치는 방사선조사에 의하여 흡수된 에너지를 적외선으로 자극하여 발산되는 빛의 정도를 측정하는 장치이다. 이 장치를 이용하여 식품의 방사선 조사 여부를 검지하는 방법은 시료의 전처리가 필요하지 않으며 비파괴 검사로서 방사선 조사 여부 검지가 필요한 시료를 단시간 내에 수 차례 검사할 수 있으며, 장치 구입에 드는 비용도 비교적 저렴하다. 따라서 PSL을 수입 식품의 통관과정 등 신속한 결과를 요구하는 경우에 활용할 수 있다.

시료조제

시료는 씻거나 닦아내지 않는 그 자체를 사용하되, 다른 시료나 토양이 묻지 않도록 분리하여 측정할 때까지 암소에 보관한다.

시약 및 기구

SURRC Pulsed PSL System(thorn EMI electronics, middlesex, UK) (컴퓨터와 프린터 부착) 또는 유사 PSL 장치, plastic petri dish(지름 4.8cm, 깊이 1.7cm 또는 시료 chamber에 맞는 것), 14C-source, 공기청소장치 등

방법(조작)

1. PSL system은 적색 또는 갈색 등이 설치된 암실에서 조작한다.
2. PSL system(SURRC PSL의 경우)을 다음과 같은 방법으로 set-up한다. PSL system의 cycle time은 1초, cycle 횟수는 60으로 setting한다. 시료 chamber를 비운 상태에서 광자극없이 photon count를 측정하여 dark count라 하고, 시료 chamber에 ^{14}C-source와 같은 reference light source를 넣어 light count를 측정한다. Dark count는 20∼30, ^{14}C-source에 대한 light count는 141,000∼146,000정도이다.
3. 시료에 대하여 측정하기 전 매번 시료 chamber를 비운 상태에서 photon count를 측정하여 오염 상태를 점검하고, 시료 측정 후에는 공기청소장치로 chamber를 청소한다.
4. 측정하고자 하는 시료에 대하여 하위 분계점(lower threshold : T_1)과 상위 분계점(upper threshold : T_2)을 설정한다. T_1은 비조사 시료 중 가장 높은 값을 취하고, T_2는 적용 가능한 조사선량에서 조사한 시료 중 가장 낮은 값을 취한다. 건조 향신료 및 양념류의 경우는 T_1이 700counts, T_2가 5,000counts 정도이었으며, 새우의 경우는 T_1이 1,000counts, T_2가 4,000counts 정도이었다.
5. 시료를 plastic petri dish에 가득 담아 PSL system의 시료 chamber에 넣고 PSL photon counts를 측정한다. 시료당 5회 이상 측정하되, 같은 시료를 계속 반복하여 측정할 경우에 측정치가 떨어지므로 새로운 시료를 사용한다.

결과 및 고찰

측정한 photon counts가 T_1 이하이면 방사선 조사하지 않은 것으로 판단하고, T_2 이상이면 방사선 조사한 것으로 판단한다. T_1과 T_2 사이의 값인 경우에는 판단이 애매하므로 다른 방법으로 방사선 조사 여부를 검지해야 한다.

PSL을 이용한 식품의 방사선 조사 검지방법은 시료의 전처리가 전혀 필요하지 않기 때문에 단시간 내에 간단히 조사 여부를 판별하는데 활용할 수 있는 방법이지만, 측정 변이가 매우 크기 때문에 방사선 조사 정도를 측정하는 방법으로 활용하기는 어렵다고 본다. 또한 이 방법은 뼈나 각질 등을 함유한 것을 제외하고는 농산물 또는 식품 그 자체의 구성성분에 의하여 나타나는 반응을 측정하는 것이라기보다는 여기에 묻은 무기물에 나타내는 반응이기 때문에 어떤 종류의 무

기물이 묻어 있느냐에 따라 다른 반응을 나타내기 때문에 최종 판단을 내릴 때 이 점을 고려하여야 한다.

참고문헌

1. Sanderson, D.C.W.: Photostimulated luminescence (PSL): a new approach to identifying irradiated foods. In *Potential New Methods of Detection of Irradiated Food*, Raffi, J.J. and Belliardo, J.J. (Ed.), Commission of the European Communities, Brussels, Luxembourg, p. 159(1991)
2. Sanderson, D.C.W., Carmichael, L.A., Ni Riain, S., Naylor, J. and Spencer, J.Q.: Luminescence studies to identify irradiated food. *Food Sci. and Technol.* Today, 8, p.93 (1994)
3. 황금택, 엄태붕, U. Wagner, G.A. Schreiber: 광자극발광기의 방사선 조사 식품 검지에의 활용. 한국식품과학회지, 30, p.498(1998)

2) TL 검지방법

개 요

식품이나 식품재료는 수확, 저장, 유통 과정 중에 흙이나 이물질 형태의 미네랄(mineral)이 혼입되어 있으며, 이들 미네랄은 전리방사선에 의해 여기전자(excited electron)를 가지게 된다. 이렇게 여기된 전자는 일정한 열을 받으면 다시 기저상태(ground state)로 돌아오면서 상응하는 빛을 내게되는데, 이렇게 방출되는 빛(light emission)의 양을 측정하여 식품의 방사선 조사 여부를 판별하게 된다. TL(thermoluminescence, 열발광) 측정법은 식품 중에 혼입된 미량의 미네랄에 의해서도 측정이 가능하므로 가장 적용범위가 넓은 검지방법이라 할 수 있다.

시료조제

TL 측정용 검체로는 미네랄을 함유한 식품자체(whole sample)와 검체 식품으로부터 추출된 미네랄이 사용될 수 있다. 그러나 식품자체를 이용할 때 잔존 유기물에 의한 위조(spurious)의 glow curve가 나올 수 있으므로 미네랄을 분리하는 방법이 신뢰성이 높고 보편적으로 사용되고 있다. 시료는 TL 측정에 있어서 수분에 의한 영향은 작으나 빛, 온도, 기간 등에 영향을 받으므로 이에 유의하여야 한다.

시약 및 기구

TL detector(Harshaw 4500, Germany), ultrasonic agitator, voltex mixer, vacuum pump, centrifuge, dry oven, 초고순도 질소가스(99.99%), sodium polytungstate(2.0g/㎖), 1N-HCl,

1N-NH_4OH, 아세톤(95%), 파스퇴르 피펫, test tube, nylon disposable sieves(125㎛), silicone spray, stainless steel(또는 aluminium) disc 등

실험방법

1 미네랄 분리 : 검체 식품으로부터 미네랄을 분리하기 위하여 시료 일정량에 증류수 일정량을 가해 현탁액을 만들고 ultrasonic agitator에서 5분간 처리하여 여과하고 증류수로 잘 세척한 후 정치한다. 분리된 미네랄 잔사를 10~15㎖ test tube에 옮긴후 3분간 원심분리(1000×g)하여 vacuum pump를 이용해 상층액을 버린다. 여기에서 얻어진 잔사에 아직 존재해 있는 유기물을 제거하기 위하여 sodium polytungstate solution(2.0g/㎖) 5㎖를 가해 혼합한 후 ultrasonic agitator에서 1분간 혼합하고 3분간 원심분리한다. 분리된 상층액을 제거한 후 다시 5㎖의 sodium polytungstate solution을 가하고 voltex로 혼합한 후 소량의 물을 가해 잠깐동안 정치시켜 둔다. 상층의 물을 제거하고 sodium polytungstate solution을 제거한다. 이 과정을 유기물이 완전히 제거되었다고 판단될 때까지 반복한다. 또한 TL glow curve peak에 변화를 초래하는 carbonate를 제거하기 위해 1N-HCl 2㎖를 가하고 혼합한 후 암실에서 10분간 보관한다. 이를 중화하기 위해 1N-NH_4OH 2㎖를 가하고 혼합한 후 암실에 10분 동안 보관한다. 중화된 시료에 증류수 약 10㎖를 가한 후 정치하여 상층액을 버리고, 이 과정을 수회 반복하여 세척한다. 수세된 시료는 acetone 10㎖를 가해 침전시키고 acetone을 제거하며 이 과정을 2번 더 반복한다. 분리된 미네랄에 소량의 acetone을 가한 후 파스퇴르 피펫으로 취하여 TL disc에 옮겨 담고 자연건조 후 dry oven(50℃)에서 하루 동안 보관하고 측정직전 silicone spray로 정착시켜 검체로 사용한다.

2 TL 측정 : TL 측정시 외부 noise의 영향을 받게되므로 암실 조건에서 측정하며, 초고순도(99.99%) 질소가스를 흘려 보내 측정기기 자체의 noise 및 외부로부터의 noise를 제거시켜주

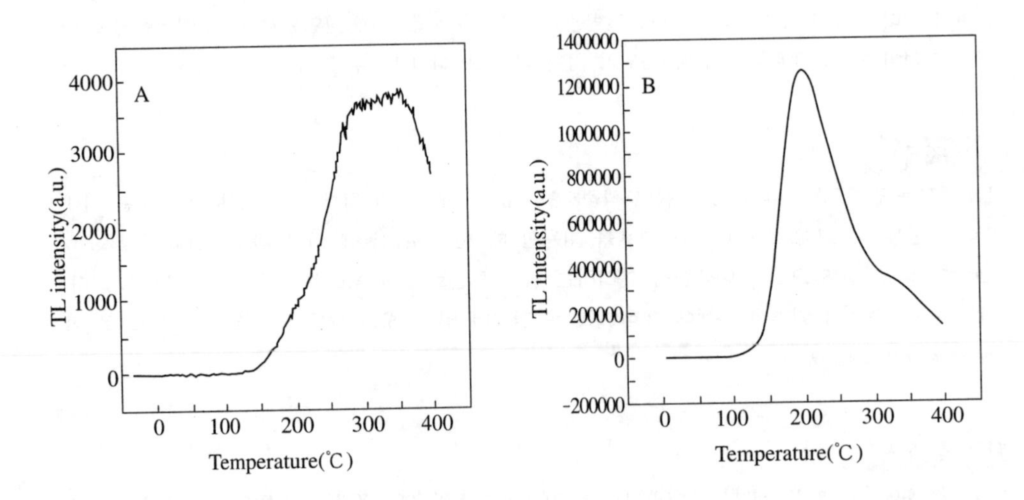

그림 11-1 건 청경채 분말의 전형적인 TL glow curves

어야 한다. 준비된 시료는 최고온도와 가온률(heating rate, ℃/sec)을 설정해 측정한다. 방사선 조사식품 검지시 TL reader의 기종에 따라 최고온도에서 기기 자체가 나타내는 noise가 다를 수 있으나, 일반적으로 최고 온도는 350~500℃, 가온률은 5~10℃로 설정한다. 전형적으로 비조사 처리된 시료의 경우 300℃ 부근에서 낮은 peak가 나타나지만, 방사선 조사된 시료는 150~250℃에서 고유한 peak를 나타내므로 이 구간의 면적을 구하여 이 값을 TL_1이라 한다(그림 11-1).

한 번 측정된 시료는 자체에 TL 특성이 모두 사라지게 된다. 따라서 TL_1의 검증을 위해서는 측정된 검체를 재조사 (re-irradiation)하여 측정 비교함으로써 조사여부의 판정을 보다 정확하게 할 수 있다. 재조사 선량은 보통 1kGy로 하나 시료 허가선량에 따라 유동적으로 설정할 수 있다. 재조사 시료의 TL측정에서 150~250℃의 면적값을 TL_2라 하며, TL_2에 대한 TL_1의 비를 TL ratio라 하여 방사선 조사 여부 판별에 이용하며, 이러한 TL ratio 산출 과정을 normalization이라 한다(그림 11-2).

이때 검체 시료 전처리와 더불어 blank 측정실험도 병행하는데, 검체 시료 없이 전처리 전 과정을 수행하며 3 반복구 이상을 준비해 TL을 측정하고 150~250℃의 온도구간내 glow curve의 면적값을 MDL(minimum detectable integrated TL-intensity Level)이라고 한다. MDL은 TL disc나 기구 등의 오염이 배제된 상태에서 측정하여야 한다. TL 측정법으로 사용 가능한 시료의 양은 0.1~5mg이며 시료의 양이 많을 경우 포화현상(saturation)이 발생해 정확한 측정이 불가능하고, TL_2 값이 최소한 MDL의 10배 이상 되도록 미네랄이 사용되어야 한다. TL_2값이 MDL의 10배 이하일 경우 TL 조사여부 판별에 사용할 수 없다.

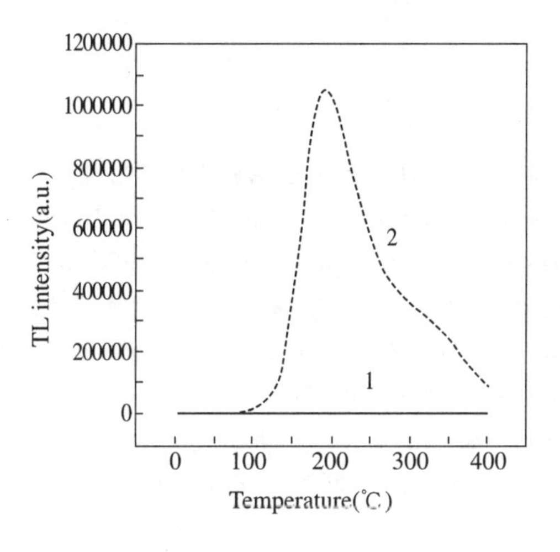

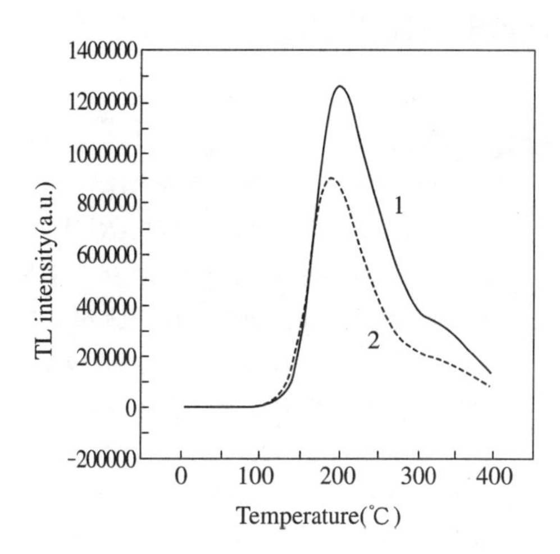

그림 11-2 건청경채 분말의 비조사구(왼쪽)와 2.5 kGy 조사구(오른쪽)의 TL glow curves

결과 및 고찰

TL 측정에 의한 방사선 조사 여부 판별은 TL ratio에 의해서만 결정하는 것이 아니며, glow curve 피크의 모양과 높이 그리고 피크가 나타나는 온도 등이 모두 고려되어야 한다. TL ratio의 경우 0.1 이하이면 비조사구로, 0.5 이상이면 조사구로 판정하며, 0.1과 0.5 사이의 값이 나올 경우 TL glow curve의 모양을 보고 판단한다. TL 측정법으로 식품에 대한 조사여부 판별은 일반적으로 대략 2년까지도 가능하나, 저장기간이 길어질수록 TL glow curve의 피크가 고온부로 이동하여 나타나며, fading effect에 의해 높이가 낮아지므로 시료의 저장온도와 기간을 참고하여 방사선 조사 여부의 판별을 하여야 한다.

참고문헌

1. Schreiber, G.A., Hoffmann, A., Helle, N., Bögl, K.W. : Method for routine control of irradiated food: Determination of the irradiation status of shellfish by thermoluminescence analysis. Radiat. Phys. Chem., 43, p.533(1994)
2. Kwon, J.H., Chung, H.W., Byun, M.W. and Kang I.J. : Thermoluminescence detection of Korean traditional foods exposed to gamma and electron-beam irradiation. Radiat. Phys. Chem., 52(1-6), p.151(1998)
3. 권중호, 정형욱, 정재영, 이은영 : 국내 감마선조사 허가식품에 대한 검지방법 표준화 연구. 한국과학재단 보고서(2000)

3) ESR 검지방법

원 리

식품과 방사선의 상호작용은 분자 결합의 붕괴로 자유라디칼(짝이 없는 전자를 갖는 분자)과 이온을 형성한다. 식품조사에 허용된 상한선 10kGy는 1kg의 식품에서 5×10^{-3}mol의 자유라디칼을 형성한다. 자유라디칼은 일반적으로 물과 같은 다른 물질과 쉽게 결합하여 사라진다. 그러나 이러한 라디칼중 일부는 상대적으로 건조하고 단단한 뼈나 각피 같은 결정 구조 고체 모체에 사라지지 않고 잡혀 그 식품의 수명과 거의 비슷하거나 더 오랜 기간 존재한다. 이 라디칼들을 ESR 기기로 측정하는 것이다. 방사선 조사식품의 검지에 이용되는 식품의 종류는 검지하는 radical의 종류에 따라 크게 3가지로 나눌 수 있다. 즉, Cellulose radical을 함유하는 식품, crystalline sugar 유래의 multicomponent signal을 가지는 radical을 함유하는 식품 그리고 뼈를 구성하는 hydroxyapatite유래의 radical을 함유하는 식품이다.

전자는 보통 화학 결합으로 짝지워진 2가지 스핀 상태를 유지한다. 짝이 없는 전자는 자장하에 줄을 서서 자기모멘트가 자장에 수평이거나 반수평 상태로 된다. 이들 두 상태는 서로 다른 에너지 상태로 있어 단파장 에너지를 흡수하여 낮은 상태에서 높은 상태의 에너지로 여기 된다. 이것이 전자스핀공명의 기초로서 시료를 전자선의 극점사이에 놓고 전자장이 변함에 따라 전자

스펙트럼의 9GHz 대역에서 단파장 흡수를 조사한다. 짝이 없는 전자의 정보는 이 스펙트럼의 위치와 형태로 알 수 있다.

시료조제

1. 뼈를 포함한 시료는 끌 등을 이용하여 살과 결합조직 그리고 골수를 완전히 제거한다. 18시간 동안 동결건조기 또는 40℃의 vaccum oven에서 건조시킨 후 적당한 조각으로 자른다(두께 3.0mm×길이 5.0mm 정도). 약 100mg을 측정하여 ESR tube에 넣는다
2. 과일의 씨나 견과류의 껍질(stones & shells)은 적당한 크기(직경 3.0～3.5mm)로 자른다. 위의 방법으로 건조시킨 후 약 50～100mg을 ESR tube에 넣는다
3. 건조채소류 및 향신료를 분쇄하고 위의 방법으로 건조시켜 약 150～200mg을 ESR tube에 넣는다.

시약 및 기구

- X-band ESR spectrometer, ESR tube : 직경 4mm의 석영 tube
- 저울, vaccum oven 또는 freeze dryer

방법(조작)

시료를 넣은 ESR tube를 ESR spectrometer에 있는 cavity에 넣고 각각의 radical을 잘 측정할 수 있는 아래와 같은 조건으로 측정한다.

1. Hydroxyapatite유래의 radical 측정을 위한 ESR spectrometer 측정조건
   Microwave radiation : 9.5GHz, power 10mW～12.5mW, center fields 342mT, sweep width 20mT, modulation frequency 100kHz, modulation amplitude 0.2mT～0.4mT, time constant 50ms～200ms, sweep rate 2.5mT/min～10mT/min, Gain : 1.0×10^5～1.0×10^6, Temperature : room temperature
2. Cellulose radical 측정을 위한 ESR spectrometer 측정조건
   Microwave power 0.4mW를 이용하여 1의 조건에 준하여 측정한다.
3. Crystalline sugar radical 측정을 위한 ESR spectrometer 측정 조건
   Microwave power 5mW를 이용하여 1의 조건에 준하여 측정한다.

결 과

걸어준 자장(magnetic field)과 microwave frequency 값들의 비인 g-value로 ESR 특성을 나타내는데 비조사된 시료는 대칭적인 signal을 나타낸다(그림 11-3). 반면 방사선 조사된 육류를 포함한 뼈는 g-value가 2.002와 1.998인 전형적인 비대칭 신호를 나타낸다(그림 11-4). 이 신호의 크기는 조사선량이 증가함에 따라 증가된다.

Cellulose를 포함하는 식품의 조사된 시료는 비조사구에 나타나는 대칭적인 unspecific central ESR signal의 왼쪽(at lower field)과 오른쪽(at higher field)에 cellulose radical에 의해서 생성되는 한 쌍의 peak가 약 6.0mT의 공간을 두고 나타나며(그림 11-5), 이 시그널의 크기는 조사선량이 증

가함에 따라 증가된다.

Crystalline sugar를 함유하는 식품의 방사선 조사된 시료는 비조사구에서 보이지 않던 multicomponent signal을 가지는 특이적인 시그널을 나타내고, 이 시그널의 크기는 조사선량이 증가함에 따라 증가한다(그림 11-6).

그림 11-3 비조사구의 전형적인 ESR spectrum

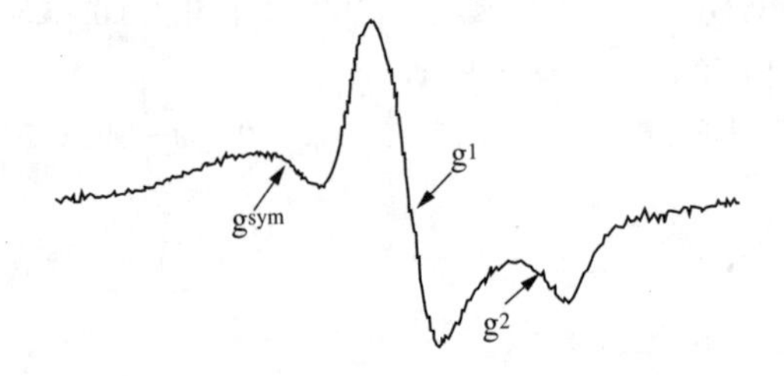

그림 11-4 전형적인 뼈 조사구의 ESR spectrum

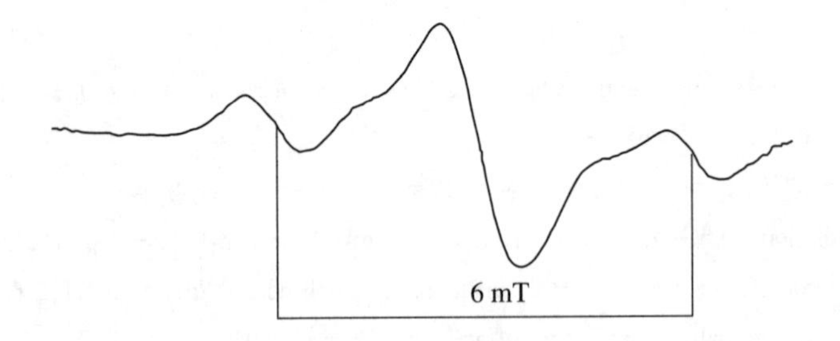

그림 11-5 전형적인 셀룰로오스 함유식품 조사구의 ESR spectrum

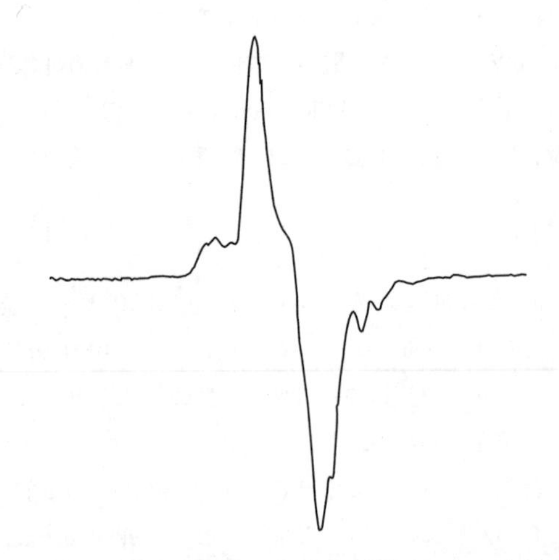

그림 11-6 전형적인 크리스탈린 당 함유식품 조사구의 ESR spectrum

참고문헌

1. Desrosiers, M.F. and Simic, M.G.: Postirradiation dosimetry of meat by electron spin resonance spectroscopy of bones. In: J. Agric. Food Chem., 36, p.601(1988)
2. Raffi, J.: Electron spin resonance intercomparison stuides on irradiated foodstuffs. BCR-information. Luxembourg:Commission of the European Communities, 1992(Report EUR/13630/en)
3. Desrosiers, M.F. and McLaughlin, W.: Examination of gamma-irradiated fruits and vegetables by electron spin resonance spectroscopy. Radiat. Phys. Chem., 34, p.895(1989)
4. Helle, N., Bőgl, K.W.: Methods for identifying irradiated food. Food Tech., 4, p.24(1990)

2. 화학적 검지방법

1) Hydrocarbon류 검지방법

개 요

식품에 함유되어 있는 지방은 고에너지의 방사선에 의해 지방분자 내의 탄소사이의 결합이 끊어짐과 동시에 autoxidation, polymerization 및 rearrangement와 같은 반응을 수반하여 여러 종류의 방사선 분해산물(radiolytic products)이 생성되며, 이 분해생성물은 휘발성의 정도에 따라 volatile 및 nonvolatile로 분류된다.

식품의 방사선 조사 처리 여부는 위의 반응에 의해 생성된 radiolytic products의 종류 및 양을 분석하여 추정할 수 있으며, 생성된 휘발성 분해생성물은 gas chromatography(GC)와 gas chromatography/mass spectrometry(GC/MS)를 이용하여 분석한다.

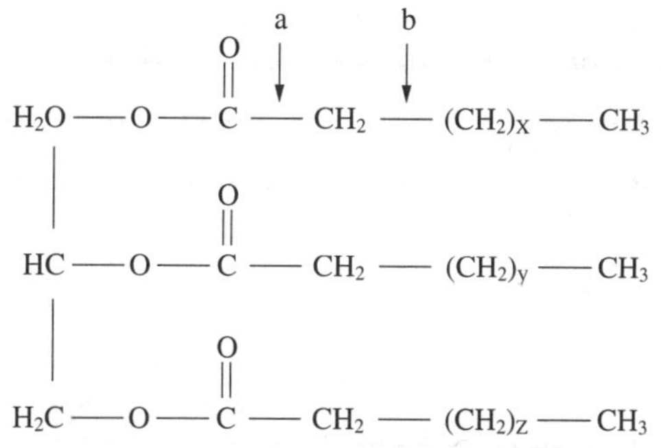

$$\begin{array}{l} H_2O - O - C(=O) \overset{a}{\downarrow} CH_2 \overset{b}{\downarrow} (CH_2)_X - CH_3 \\ \;\;| \\ HC - O - C(=O) - CH_2 - (CH_2)_Y - CH_3 \\ \;\;| \\ H_2C - O - C(=O) - CH_2 - (CH_2)_Z - CH_3 \end{array}$$

a = Cn-1 hydrocarbons   b = Cn-2 hydrocarbons

그림 11-7 방사선 조사된 triacylglycerol로부터 생성된 hydrocarbon류

중성지방의 carbonyl group의 α탄소와 β탄소 위치에서 결합이 끊어져 원래의 지방산보다 탄소수가 1개(C_{n-1}) 적거나, 2개(C_{n-2}) 적으면서 첫 번째 탄소위치에 새로운 이중결합을 가진 hydrocarbon류가 생성되는데, palmitic acid($C_{16:0}$)로부터 pentadecane($C_{15:0}$)과 1-tetradecene($C_{14:1}$), stearic acid로부터 heptadecane ($C_{17:0}$)과 1-hexadecene($C_{16:1}$), oleic acid로부터 8-heptadecene($C_{17:1}$)과 1,7-hexadecadiene($C_{16:2}$), linoleic acid로부터 6,9-heptadecadiene($C_{17:2}$)과 1,7,10-hexadecatriene($C_{16:3}$)이 각각 생성되며, 이들 hydrocarbon류는 식품의 방사선 조사 여부를 검지하는데 marker로 사용된다.

시료조제

지방질 함유식품 일정량을 폴리에틸렌 등으로 포장하여 0~10kGy의 방사선(^{60}Co 감마선 또는 전자선)을 조사시킨 후 −18℃ 이하에 냉동보관하면서 실험에 사용한다.

시약, 기구 및 기기

1. Adsorbent : florisil, 150~250㎛(60~100mesh)
2. Solvent : pentane, n-hexane, isopropanol
3. Standard : 1-dodecene($C_{12:1}$), 1-tetradecene($C_{14:1}$), n-pentadecane($C_{15:0}$),
   1-hexadecene($C_{16:1}$), 1,7-hexadecadiene($C_{16:2}$),
   1,7,10-hexadecatriene($C_{16:3}$), n-heptadecane($C_{17:0}$),
   8-heptadecene($C_{17:1}$), 6,9-heptadecadiene($C_{17:2}$)
4. Internal standard : eicosane($C_{20:0}$, 4 ㎍/㎖ n-hexane), 1-tridecene($C_{13:1}$, 4 ㎍/㎖ n-hexane)
5. Na_2SO_4 · anhydrous
6. N_2 gas, helium gas
7. Saturated KOH/CH_3OH solution, BF3-CH_3OH,
8. Homogenizer, centrifuge, rotary vacuum evaporator, GC-FID(GC/MS) 등

실험절차 및 방법

1 지방추출

① Pentane/isopropanol 혼합용매에 의한 지방 추출 : 정확한 무게의 시료(육류)를 homogenizer에 넣고 재증류된 pentane/isopropanol(3:2, v/v) 용액 50㎖와 함께 5000rpm에서 5분 동안 균질화시킨다. 균질화된 시료는 1500×g로 20분 동안 원심분리시킨 후 상층(유기용매)을 분리한 후 rotary vacuum evaporator를 이용하여 용매를 증발시켜 지방만을 취하여 지방의 양을 측정하고 질소충진 후 냉동지장한다.

② 가열융해에 의한 지방 추출 : 다량의 지방을 함유한 식품(돼지고기, 닭고기) 등의 일정량을 분쇄하여 원심분리용 튜브에 넣는다. 이를 50℃ 수욕상에 30분 정도 방치하여 지방을 융해한 다음 1500×g로 20분 간 원심분리 후 지방만을 취하여 지방의 양을 측정하고 질소 충진 후 냉동저장한다.

③ Soxhlet 방법에 의한 지방 추출 : 일반 Soxhlet 방법에 의한 지방 추출법에 따르며, 지방 추출

용매로는 n-hexane 또는 n-pentane을 사용한다.

2 지방산 조성분석 : 지방 1~2 방울을 5mℓ vial에 넣는다. 여기에 포화 KOH/CH_3OH용액 1mℓ를 넣어 5분간 sonicator에 방치한 후, 80℃ 오븐에서 10분간 가열하여 지방을 완전히 가수분해시킨다. BF_3-CH_3OH 1mℓ를 넣어 80℃ 오븐에서 5분 가열하여 methylation시킨 후 n-hexane과 증류수 각각 1mℓ를 가하여 원심분리시킨다. 상층액에 Na_2SO_4 · anhydrous 약 0.5g을 넣어 탈수한 후 이 용액 약 1μℓ를 GC로 분석한다.

3 Florisil의 불활성화 : Florisil은 550℃ 회화로에 over night시킨 후 밀봉 저장한다. 분리에 사용하기 위하여 저장된 florisil을 5시간 이상 130℃에서 탈수한 다음 3%의 물을 가하여 20분 동안 균질화하고 12시간 저장하여 불활성화시킨 다음 사용한다.

4 Hydrocarbon류의 분리 : 불활성화시킨 florisil 25g을 200mm×20mm chromatography column에 충전한 후, 추출한 지방 1g에 internal standard 1mℓ를 첨가하여 column에 넣은 뒤 60mℓ n-hexane을 용리용매로 하여 3mℓ/min 유속으로 분리한다. 이 용리용매는 rotary vacuum evaporator(40℃, 25kPa)를 이용하여 2mℓ까지 농축한 후 0.5mℓ까지 N_2 gas로 농축하여 GC-FID 및 GC/MS 분석용 시료로 사용한다.

5 GC 및 GC/MS에 의한 분석 : GC분석에 사용한 column은 DB-5 capillary column(30m×0.32mm i.d., 0.25μm film thickness)이고, detector는 FID를 사용한다. 온도 program은 50℃에서 1분간 유지하고 10℃/min 조건으로 130℃까지 승온시킨다. 다시 5℃/min으로 200℃까지 승온시킨다. Injector와 detector 온도는 각각 250℃와 300℃이며, carrier gas는 helium을 사용하며, 유속은 1.0mℓ/min로 한다. 시료는 1μℓ를 주입하고 split ratio는 1:20으로 하며 처음 2분 동안 splitless 한다.

질량분석을 위하여 GC/MS 분석기기를 사용하며 시료의 이온화는 electron impact ionization (EI) 방법으로 한다. GC/MS 분석조건은 ionization voltage를 70eV로 하고 ion source temperature는 270℃로 한다. 분석할 분자량의 범위(m/z)는 40~350으로 설정한다. Capillary column 및 분석온도 등 다른 분석조건들은 GC의 분석조건과 동일하게 분석한다.

결 과

Hydrocarbon류는 total ionization chromatogram에 분리된 각 peak의 성분 분석 결과와 표준물질의 분석에 의한 retention time 및 mass spectrum을 비교하여 확인하고, 첨가된 internal standard를 이용하여 정량한다.

다음의 식에 의하여 방사선 조사에 의해 유도된 hydrocarbon류의 함량을 계산한다.

$$\text{Hydrocarbon}(\mu g/100g\ \text{Fat}) = \frac{\text{Area of hydrocarbon} \times \mu g\ \text{I.S.} \times 100}{\text{Area of I.S.} \times g\ \text{fat}}$$

Hydrocarbon류는 쇠고기, 닭고기 등 육류와 치즈, 버터, 달걀, 일부 과일, 어류 등의 식품의 방사선 조사여부 및 0.5kGy 이상 조사선량의 추정이 가능하다.

참고문헌

1. Amtliche Sammlung von Untersuchungsverfahren nach § 35 LMBG(00.00.40) : Identification of irradiation treatment of food by detection of radiation-induced hydrocarbons, Beuth Verlag, Berlin(1999)
2. Nawar, W.W., Zhu, Z.R. and Yoo, Y.J. : Radiolytic products of lipids as marker for the detection of irradiated meat. In *Food Irradiation and the Chemist*. Johnston, D.E. and Stevenson, M.H. (ed.), The Royal Society of Chemistry, London, p.13(1990)
3. Lesgards, G., Raffi, J., Pouliquen, I., Chaouch, A., Giamarchi, P. and Prost, M. : Use of radiation-induced alkanes and alkenes to detect irradiated food containing lipids. *J. Am. Oil Chem. Soc.*, 70(2), p.179(1993)
4. Yoo, Y.J. : Chemical analysis method for the identification of irradiated meats. 학술진흥재단 연구보고서, p.40(1994)

2) 2-Alkylcyclobutanone류 검지방법

개 요

지방산이나 중성지방의 carbonyl 기에 존재하는 산소로부터 전자 손실이 일어난 뒤, 모지방산과 동일한 탄소수를 가지면서 C2 위치에 alkyl기를 가진 cyclic 화합물인 2-alkylcyclobutanone류가 생성된다. 즉, palmitic acid로부터 2-dodecylcyclobutanone, stearic acid로부터 2-tetradecylcyclobutanone, oleic acid로부터 2-(5'-tetradecenyl)cyclobutanone, linoleic acid로부터 2-(5',8'-tetradecadienyl) cyclobutanone가 각각 생성된다. 이들 2-alkylcyclobutanone류를 GC/MS 기기에 의해 분석하여 식품의 방사선 조사여부를 검지하는데 marker로 사용한다.

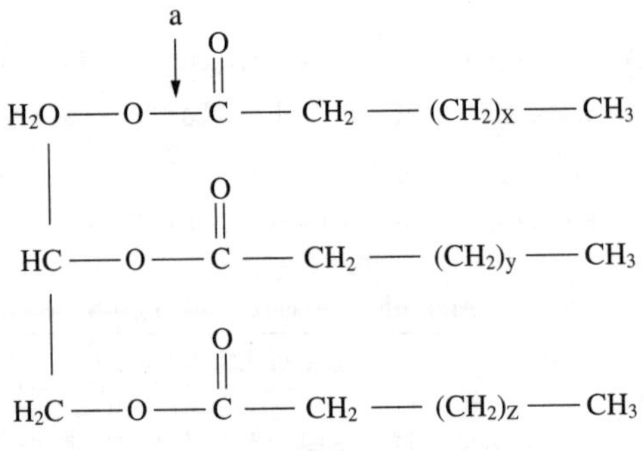

$$\begin{array}{l} H_2O - O \overset{a}{\downarrow} \overset{O}{\overset{\|}{C}} - CH_2 - (CH_2)_X - CH_3 \\ \quad | \\ HC - O - \overset{O}{\overset{\|}{C}} - CH_2 - (CH_2)_y - CH_3 \\ \quad | \\ H_2C - O - \overset{O}{\overset{\|}{C}} - CH_2 - (CH_2)_z - CH_3 \end{array}$$

a = 2-alkylcyclobutanones

그림 11-8 방사선 조사된 triacylglycerol로부터 생성된 2-alkylcyclobutanone류

시료조제

지방질 함유식품 일정량을 폴리에틸렌 등으로 포장하여 0~10kGy의 방사선(^{60}Co 감마선 또는 전자선)을 조사시킨 후 −18℃ 이하에 냉동 보관하면서 실험에 사용한다.

시약, 기구 및 기기

- Adsorbent : florisil, 15~250㎛(60~100mesh)
- Solvent : n-pentane, n-hexane, isopropanol
- Internal standard : 2-cyclohexylcyclohexanone(1㎍/㎖ n-hexane)
- Standard : 2-dodecylcyclobutanone, 2-tetradecylcyclobutanone, 2-(5′-tetradecenyl)cyclobutanone
- Na_2SO_4 · anhydrous
- N_2 gas, helium gas
- Saturated KOH/CH_3OH Solution, BF_3-CH_3OH
- Homogenizer, centrifuge, rotary vacuum evaporator, GC/MS 등

실험절차 및 방법

1. 지방추출 : Hydrocarbon류 검지방법의 지방추출방법과 동일하다.
2. Florisil의 불활성화 : Florisil은 550℃ 회화로에 over night 시킨 후 밀봉저장한다. 분리에 사용하기 위하여 저장된 florisil을 5시간 이상 130℃에서 탈수한 다음 20%의 물을 가하여 20분 동안 균질화하고 12시간 저장하여 불활성화시킨 다음 사용한다.
3. 2-Alkylcyclobutanone류의 분리 : 불활성화시킨 florisil 30g을 200㎜×20㎜ chromatography column에 충전한 후, 추출한 지방 0.2g에 internal standard 1㎖를 첨가하여 column에 넣은 뒤, 150㎖ n-hexane으로 분당 3㎖ 유속으로 용리하여 이를 버린 후, diethylether/n-hexane 혼합용매(1:99, v/v) 120㎖를 용리용매로 하여 분리한다. 이 용리용매는 rotary vacuum evaporator (40℃, 25kPa)을 이용하여 2㎖까지 농축하고 질소가스를 이용하여 0.2㎖까지 농축하여 GC/MS 분석에 시료로 사용한다.
4. GC 및 GC/MS에 의한 분석 : 2-Alkylcyclobutanone류 분석은 GC/MS 분석기기를 사용하며 시료의 이온화는 electron impact ionization(EI) 방법을 사용한다. Ionization voltage를 70eV로 하고 injector와 ion source temperature는 각각 250℃와 280℃로 한다. Column은 DB-5 capillary column(30m×0.32mm i.d., 0.25㎛ film thickness)를 사용한다. 온도 program은 120℃에서 1분 동안 유지하고 15℃/min 속도로 160℃까지, 0.5℃/min 속도로 175℃까지, 30℃/min 속도로 290℃까지 승온시키고 10분간 유지한다. Carrier gas는 helium을 사용하며, 유속은 1.0㎖/min으로 한다. 시료는 2㎕를 주입하고, split ratio는 1:20으로 하여 처음 2분 동안 splitless 시킨다.
   정량분석하기 위하여 GC/MS의 selected ion monitoring(SIM) 방법을 이용한다. Internal standard와 표준물질을 0.25~5ppm(㎍/㎖ n-hexane)으로 조제한 후 florisil column으로 위의 방법과 같이 분리한 후 SIM 방법으로 분석하여 표준 검량선을 작성한다. SIM 방법에 의한 ion m/z 설정은 2-dodecylcyclobutanone과 2-tetradecylcyclobutanone은 ion m/z 98, 112를,

2-(5'-tetradecenyl) cyclobutanone은 ion m/z 67, 81, 98, 109로 한다.

결 과

2-Alkylcyclobutanone류는 SIM 방법에 의해 작성된 검량선 및 분석 표준물질과의 retention time과 ion ratio를 비교, 확인하여 정량한다. 이들 2-alkylcyclobutanone류의 mass spectrum은 GC/MS의 full scan mode로 전환하여 확인한다. 2-Alkylcyclobutanone류는 0.5kGy 이상 선량으로 방사선 조사된 지방 함유식품에서 확인 가능하며, 지방함유식품의 방사선 조사여부 및 0.5kGy 이상 조사 선량별 생성량에 의해 조사선량의 추정도 가능하다.

참고문헌

1. Amtliche Sammlung von Untersuchungsverfahren nach § 35 LMBG(00.00.39) : Identification of irradiation treatment of food by detection of radiation-induced 2-alkylcyclobutanones, Beuth Verlag, Berlin (1999)
2. Crone, A.V.J., Hand, M.V., Hamilton, J.T.G., Sharma, N.D., Boyd, D.R. and Stevenson, M.H.: Synthesis, characterization and use of 2-tetradecenylcyclobutanone together with other cyclobutanones as markers for irradiated liquid whole egg. *J. Sci. Food Agric.*, 62, pp.361-367 (1993).
3. Meier, W., and Stevenson, M.H. : Determination of volatiles and *o*-tyrosine in irradiated chicken. Results of an intercomparison study. Recent Advances on the Detection of Irradiated Food. BCR Information. Leonardi, M., Raffi, J.J. and Belliardo, J.J. (ed.), 1993, Luxembourg: Commission of the European Communities, 1993, pp.211-218(Report EUR/14315/en).
4. Raffi, J., Delincée, H., Marchioni, E., Hasselmann, C., Sjöberg, A.-M., Leonardi, M., Kent, N., Bögl, K.W., Schreiber, G.A., Stevenson, H. and Meier, W. : Concerted Action of the Community Bureau of Reference on Method of Identification on Irradiated Foods. BCR-Information. 1994, Luxembourg: Commission of the European Communities, 1994(Report EUR/15261/en).

3. 생물학적 검지방법

1) DNA Comet assay

개 요

DNA Comet assay의 순서는 크게 시료로부터의 세포 혹은 핵체의 추출, 아가로오스 겔내에서 세포막 혹은 핵막의 분해, 전기영동, 그리고 염색 및 측정분석으로 구분된다. 이는 방사선 조사에 의해 생성된 DNA손상 형태인 가닥 절편(stranded breaks)을 정량화하는 방법으로서 그 원리는 DNA 절편들이 뉴클레오타이드간의 diester phosphate 결합이 끊어짐으로 인해 노출된 phosphate 분자가 negative charge를 띄게됨으로써 전기영동시 +(anode) 방향으로 끌리는 현상을 응용한 것이다. 즉 가닥 절편의 양이 많을수록 핵체로부터 +(anode) 방향으로 끌리는 DNA fragment의 길이가 길어지게 되고 또 저분자량의 절편들은 멀리 끌리게 된다. 이를 염색하여 현미경상으로 관찰하였을 때, 그 모습이 마치 혜성모양과 유사하다고 하여 Comet assay라고 명명되었으며 그 comet의 길이, 머리핵의 상대적인 DNA 강도 등을 분석함으로써 방사선 조사여부를 정량화 할 수 있다.

시료조제

DNA Comet assay에 이용될 시료는 1차 농축산물과 같이 신선한 상태로 유통되는 것들에 한정하며 이는 Comet assay가 시료내 존재하는 핵(DNA)이 손상된 정도를 파악하므로 그 방사선 조사 유무를 판별하기 때문에 시료는 현재 유통되는 상태에 따라 저장보관하며 실험시 산소와 접촉되지 않았던 시료의 내부를 분석에 이용한다.

시약 및 기구

마그네틱 바, 메스, 1회용 메스 나이프, 10mℓ 피펫, 200μℓ 피펫, 50mℓ 비이커, coplin jar, 200 및 75mesh 채, 15mℓ 코니칼 튜브, cover glass(50×24mm), frosted slide glass(75×25mm), immersion oil, 형광염색 시약(ethidium bromide 또는 YOYO-1), 0.5% normal melting point 아가로오스 겔 용액 (NMA), 1% low melting point 아가로오스 겔 용액(LMA), 10mM PBS 완충용액(pH 7.4), 0.4M Tris-HCl 완충용액(pH 7.4), 10mM Tris-acetate 완충용액(pH 8.0), slide box, stirring plate, 전자레인지, 항온수조, chemical balance, 수평형 전기영동판, power supply, Comet assay 분석 프로그램, 형광현미경(광학 현미경)

방법(조작)

방사선이 조사된 일반 조직으로부터 세포를 분리하는 것은 세포내 및 조직내 존재하는 exo- 및 endo-nuclease의 활성을 최소화하는 방향으로 가능한 낮은 온도에서 실시하는 것이 좋다.

1. Pre-coated 아가로오스 겔 슬라이드 준비 : PBS 완충용액에 녹아있는 0.5% NMA 용액을 전자레인지로 완전히 녹인 후, 항온수조 내에서 50°C를 유지한다. Slide glass의 frosted된 면에 0.5% NMA 용액을 cover glass를 균일하게 깐 후 iced bath의 평평한 면에 약 5분 정도 놓아 굳힌다. 이와 같이 만들어진 pre-coated agarose slide는 humidified slide box에 넣어 실험 전까지 4°C에서 보관한다.
2. 세포핵 현탁액의 제조 : 시료로부터 세포핵 현탁액을 얻기 위해서는 우육, 돈육, 계육과 같은 축산물은 매스로 고기의 결방향으로 얇게 슬라이스하며 농산물은 종류에 따라 다소간 차이는 있으나 분쇄나 마쇄하여 세포핵을 분리하는 방법을 사용한다. 이중 시료 약 1.5g에 8mℓ의 PBS 완충용액을 첨가하고 5분 동안 stirring plate에서 약 500 rpm의 속도로 균질화시키고 4℃

에서 5분간 정치하며 이어 200mesh 및 75mesh 표준 채로 걸러 현탁액으로 이용한다.

3 DNA Comet(Single cell gel electrophoresis) assay : DNA Comet assay 법은 그림 11-9에 제시된 순서에 따라서 실시한다.

① 세포핵 embedding : 세포핵 현탁액 0.05㎖을 40℃에 녹아 있는 1.00% LMA 용액 0.1㎖과 같이 혼합하고 커버글라스를 이용하여 이 혼합액(최종 LMA 농도 0.66%)을 즉시 NMA가 coating된 슬라이드 글라스 위에 균일하게 깐 후, iced bath 위에 5분간 놓아 굳힌다. 다음 커버글라스를 벗겨 내고 lysis한다.

② lysis : 본 실험에서는 세포로부터 핵(nucleus)만을 남기기 위해서 neutral lysis법에 따라 pH 8.0의 tris-acetate buffer에 최종농도가 0.1% sodium dodecyl sulfate되게 첨가한 용액에 상온에서 10분간 담가 놓는다.

③ 전기영동 : 앞서의 lysis에 의해서 아가로오스 겔 안에 남겨진 핵체는 그 손상의 정도를 파악하기 위하여 전기영동을 실시한다. 방사선 조사의 경우에는 DNA가 완전히 붕괴되게 되므로 neutral한 조건에도 쉽게 검출될 수 있다. 따라서 본 실험에서는 lysis된 모든 슬라이드를 수평상 전기 영동판 위에 각각의 slide를 서로 밀착되게 깔고, lysis에서와 같은 0.1% sodium dodecyl sulfate가 첨가된 pH 8.0의 tris-acetate 완충용액으로 슬라이드 표면 위까지 충분히 가득 채운 후 2.5분간 4V/㎝로 전기영동을 실시한다.

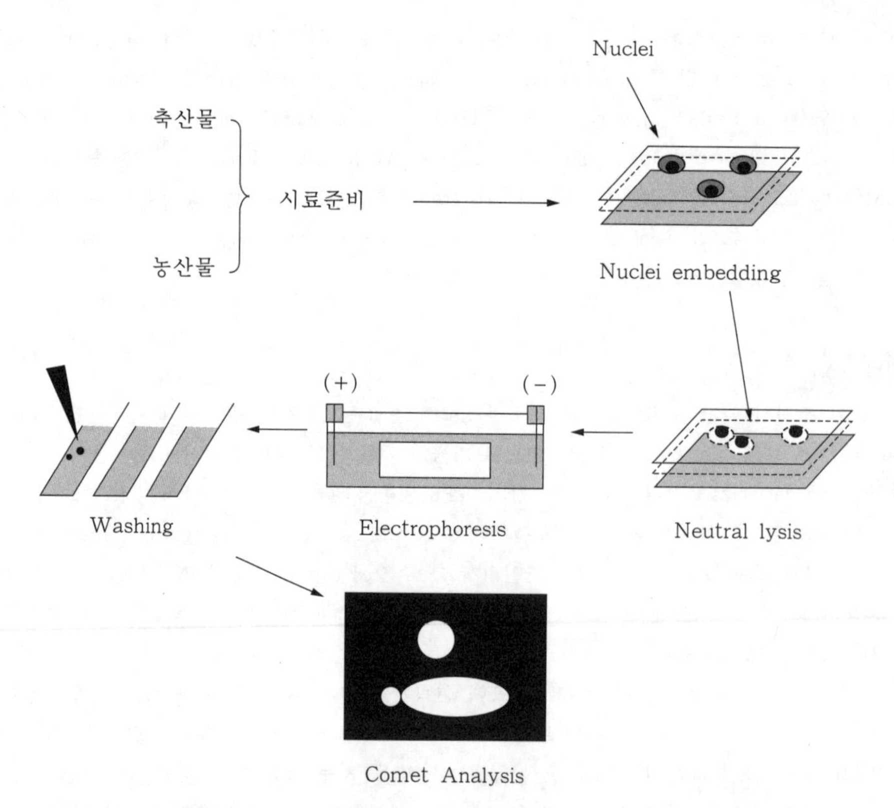

그림 11-9 Comet(single cell gel electrophoresis) assay

④ 겔 형광염색 및 Comet image 분석 : 전기 영동 후, 각각의 슬라이드들은 3차 증류수로 충분히 세척하고 형광 염색 시약 ethidium bromide (20㎎/㎖)나 YOYO-1(10㎍/㎖) 80㎕로 염색하여 cover glass를 덮은 후, 상온의 암실에서 40분간 건조시킨다. 염색된 슬라이드는 200W mercury lamp가 부착된 형광 현미경에서 배율 100배 또는 250 배로 관찰하며, CCD camera를 통해서 보내진 각각의 세포핵의 이미지는 Comet image 분석 프로그램이 장착된 컴퓨터에서 분석한다. 각각의 세포핵에서 방사선 조사에 의한 손상 정도는 slide당 50~100개의 세포핵의 이동거리를 측정하여 정량화하고 한 시료당 2개의 슬라이드를 만들어 실험한다.

형광 현미경이 없는 경우, 광학 현미경을 이용하여 실험을 할 수 있으며 이때에는 슬라이드의 염색은 silver staining 법을 이용하여 DNA를 염색, 방사선 조사여부를 판별한다.

결과 및 고찰

방사선 조사에 의해서 관찰한 개개의 세포핵의 손상의 길이가 비조사된 통제구보다 긴지를 파악한다. 또한 비조사구의 경우, 일부 시료에서 분리된 세포핵 중 comet을 형성하지 않은 손상이 전혀 없는 세포핵이 관찰되는 비율이 상대적으로 높으므로 방사선 처리된 시료의 판별에 응용한다.

참고문헌

1. Banath, J.P., Fushiki, M. and Olive, P.L. : Rejoining of DNA single- and double-strand breaks in human white blood cells exposed to ionizing radiation. Int. J. Radiat. Biol. 73, p.649(1998)
2. Cerda, H. : Detection of irradiated frozen food with the DNA Comet assay: interlaboratory test. J. Sci. Food Agric. 76, p.435(1998)
3. Cerda, H., Delincee, H., Haine, H and Rupp, H. The DNA 'comet assay' as a rapid screening technique to control irradiated food. Mutat. Res. 375, p.167(1997)
4. Delincee, H. : Detection of irradiated food: DNA fragmentation in grafefruits. 10th international meeting on Radiation Processing, p.1(1997)

4. 기타 검지방법

1) Viscosity 측정법

개 요

식품중에 다량 함유된 polysaccharides(starch, pectin, cellulose)는 고분자화합물로서 방사선조사에 의하여 ether결합의 일부가 붕괴되어 저분자의 dextrin, maltose, glucose가 생성되며 더욱더 산화를 받아 glucose의 산화물이나 pentose로 변환되는 것으로 알려져 왔다. 이와 같이 전분류가 방사선의 조사를 받으면 전분이 붕괴되어 단당류로 변환됨과 동시에 물에 대한 용해도가 증가하고 팽윤력과 점도가 감소하므로 점도를 측정함으로써 건조 식품류에 대한 방사선 조사여부와 조사선량을 간접적으로 추정할 수 있다. 묽은 전분 용액은 Newton 유체이므로 점도 측정은 수직유하형의 유리모세관 점도계인 Ostwald 점도계와 Ubbelohde 점도계가 사용된다. 한편, 전분 농도가 높은 전분풀은 비Newton 유체이기 때문에 전분풀의 점도측정에는 Couette형 점도계, MacMichael 점도계, Stormer형 점도계, Brookfield형 점도계, Visco- Amylograph, Rheometer등이 사용된다.

시료조제

감마선 조사 직후의 전분질 건조식품을 일정 크기의 분말(약 500㎛)로 만든 후 일정량의 증류수를 가하여 suspensions를 만들고 균질화시킨 후 33% NaOH를 첨가하여 pH를 12~13으로 조정하고 99℃에서 30분간 가열호화시킨다.

시약 및 기구

33% NaOH, 항온수조, Ostwald 점도계, 초시계, RVDV-Ⅱ+ Brookfield Viscometer, 250㎖ 비이커, Visco-Amylograph, 균질기, 고체분쇄기, 체

방법(조작)

1. Ostwald 점도계 측정법에서 점도는 물에 대한 상대 점도로 표시된다. 우선 일정량의 물을 넣고 그 물을 a의 위선까지 빨아올린 후 물을 자연낙하시켜 수면이 a을 통과할 때부터 a'을 통과하는 시간을 측정하며 이 때 점도계는 a의 위선까지 항온수조에 담근다. 다음에 점도계를 세척, 건조하여 상기와 같은 방법으로 피검액을 넣고 낙하시간을 측정한다. 이 때 기준이 되는 물의 점도를 η, 피검액의 점도를 η'이라 하면 $\frac{\eta}{\eta'} = \frac{\rho t}{\rho' t'}$ 의 관계식이 얻어진다.
   (이때 ρ, t는 물의 밀도와 낙하시간, ρ', t'는 피검액의 밀도와 낙하시간).
   따라서, 피검액의 점도는 $\eta' = \eta\frac{\rho' t'}{\rho t}$ 로 표시된다.
2. RVDV-Ⅱ+ Brookfield Viscometer를 이용하여 가열호화된 시료현탁액을 3시간 동안 항온기에서 보관한 후 현탁액의 viscosity를 RVDV-Ⅱ+ Brookfield Viscometer를 사용하여 실온에서 3회 반복 측정하였다. 시료의 전분함량 측정은 somogyi 변법 등을 이용하여 전당함량을 측정한 다음 전분계수 0.9를 곱하여 구하고 평균값으로 구하였다. 방사선 조사시료의 점도변화를 측정하여 조사여부를 결정함에 있어서 대조시료(nonirradiated control)가 없어도 시료 현탁액을 고온 및 pH 12~13으로 조정하여 점도를 측정하고 아래 식에 의하여 specific parameter(threshold value)를 설정·적용한다면 미지시료에 대한 조사여부의 확인이 가능하게 된다.

$$\text{Specific Parameter} = \frac{\text{Viscosity of 10\% suspension (mPa·s)}}{\text{Starch amount in 1g of sample(g)} \times \text{Viscosity of 5\% starch(mPa·s)}}$$

이 specific parameter value가 일정한 값 이상을 나타내면 방사선 조사되지 않은 시료로 판단하고, 일정한 값 이하를 나타내면 방사선 조사된 것으로 판단하였다.

3. Visco-Amylograph의 bowl에 균질화한 시료 용액 500 mℓ를 넣고 45℃에서 93℃까지 분당 1.5~3℃의 속도로 승온시켜 93℃에서 15분간 유지시킨다.

결 과

Polyethylene bag(10×10㎝)에 시료전분 100g을 넣고 ^{60}Co의 감마선을 0~15kGy로 조사시킨 옥수수전분 55g, 감자전분 45g, 고구마전분 50g을 물 450mℓ와 혼합하여 현탁액으로 만든 후 Visco-Amylograph의 bowl에 넣고 승온가열하였을 때 최고점도를 측정한 결과는 표 11-1과 같다.

표 11-1 감마선 조사전분의 Visco-Amylograph에 의한 최고점도 측정 결과

(단위 : BU)

시 료	조 사 선 량 (kGy)					
	0	1	3	5	10	15
옥수수전분	765	675	575	490	372	140
감자 전분	760	565	465	317	165	95
고구마전분	750	700	595	490	415	105

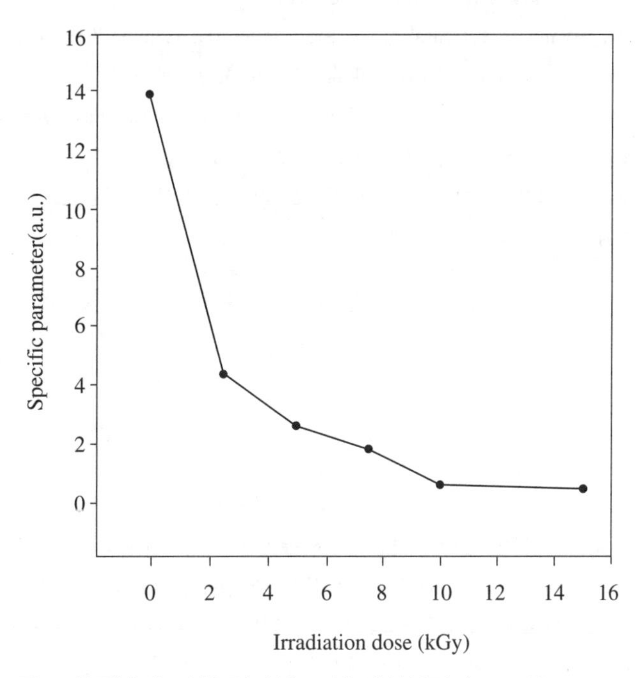

그림 11-10 점도 측정법에 의한 감마선 조사 백삼분말의 specific parameter 특성

또한, RVDV-II+ Brookfield Viscometer를 이용하여 전분질 건조농산품의 점도를 측정하였다. 그 결과 시료의 종류에 따라 비조사구의 점도차이가 크게 남을 알 수 있었다. 전분의 함량이 50.18%인 청경채 비조사구의 점도가 24Cp인데 비하여 전분함량이 상대적으로 낮은 버섯(15.64%)과 고춧가루(18.55%) 비조사구의 점도는 6604Cp, 1133.3Cp로 높게 나타났다. 이 결과를 볼 때 전분함량이 높다고 해서 반드시 점도가 증가하는 것이 아니라는 것을 알 수 있었다. 청경채의 경우 전분함량이 높지만 33% NaOH를 사용하여도 가열호화가 일어나지 않았다. 그래서 비조사구의 점도가 낮았다. 양배추, 당근, 마늘과 양파도 이러한 현상으로 인하여 높은 전분함량에 비하여 낮은 점도를 나타내었다. 대부분의 시료가 감마선 조사선량이 증가하더라도 점도에는 유의적인 차이를 보이지 않거나 오히려 증가하였지만, 생강과 인삼은 감마선 조사선량에 따라 점도가 점차 감소하는 경향을 보여서 점도측정법을 이용해서 방사선 조사여부를 확인할 수 있을 가능성이 있는 시료로 판정하였다.

비조사 대조구가 없어도 방사선 조사여부를 확인하기 위하여 위에서 얻은 점도값을 이용하여 specific parameter를 구하였다. 생강과 인삼에 있어서 비조사구의 specific parameter는 13.31과 13.93이였고, 감마선을 2.5kGy 조사시켰을 때 specific parameter는 4.40을 나타내었다. 이것으로 볼 때 인삼에 방사선이 조사되었을 때 비조사구에 비해서 specific parameter가 급격히 감소하여 방사선 조사여부를 좀더 명확히 알 수 판단할 수 있을 것으로 생각되어졌다.

참고문헌

1. 鈴木繁男 : 澱粉科學實驗法, 朝倉書店 p.156(1979)
2. Watanabe, Y., Ayano, Y., Obara, T. : Studies on the Gamma irradiation of high amylose corn starch. Nippon Shokuhin Kogyo Gakkaishi, 23(1), p.13(1976)
3. Yi S.D., Oh, M.J., Yang, J.S. : Utilization of Brabender Visco-Amylograph to detect irradiated starches. J. Food Sci. Nutr., 5(1), p.20(2000)
4. 정형욱, 정재영, 권중호 : 점도측정법을 이용한 방사선 조사 건조농산품의 검지 가능성. 한국식품영양과학회지. 28(5), p.1082(1999)

2) ELISA법

개 요

식품의 방사선 조사 과정에서 생성되는 일차산물인 유리기는 이차적으로 식품성분에 작용하여 여러 변화를 일으킨다. 저선량 조사시에는 식품 단백질이 유리기에 의해 분해되어 저분자화하며, 고선량 조사시에는 중합하여 고분자화되어 조사전과는 다른 2차구조를 나타낸다.

방사선 조사에 의한 식품 단백질의 구조 변화는 항원항체반응을 이용한 ELISA법을 사용하여 측정할 수 있다. ELISA법은 특정 식품단백질(항원)에 대한 특이성이 높은 항체를 유도하여 항원인 식품 단백질과 특이 항체간의 반응성을 측정하는 것이다. 항체는 식품 단백질의 특정 부위인 항원결정기를 인식하여 반응하게 되는데, 방사선 조사에 의한 식품 단백질의 구조변화는 항원결정기에도 영향을 주어 항체에 대한 반응성에 영향을 미친다. 즉 동일한 항체에 대해 방사선 조사 식품에서 분리한 단백질은 비조사 식품에서 분리된 단백질에 비해 낮은 반응성을 나타내게 되므로 조사 식품의 검출이 가능하다. ELISA법은 반응이 매우 빠르고 특이성이 높으며 감도가 뛰어난 우수한 검출방법으로, 일회에 수백개의 시료를 동시에 분석할 수 있어 시료의 수가 많은 조사식품에 효율적인 분석방법이다.

방사선 조사식품의 검출법으로 competitive ELISA를 사용하면 식품의 방사선 조사 여부를 판별할 수 있으며, 항체와의 반응성 감소 정도를 측정할 수 있어 조사선량의 정량에도 활용될 수 있을 것으로 사료된다.

시료의 조제

식품을 흡수선량이 0~10kGy가 되도록 감마선 조사를 실시한 후, 방사선 조사에 민감한 단백질을 동정·분리한다.

시약 및 기구

■ 시약

- PBS(phosphate-buffered saline, pH 7.2)
- PBS-Tween (PBS 1 ℓ에 500㎕ Tween 20을 혼합)
- Coating용 완충용액 : 0.1M carbonate buffer, pH 9.6
- 항체 : 비조사 식품에서 분리한 단백질을 면역원으로 하여 단클론항체나 다클론항체를 조제하여 사용한다.
- 효소 표식된 2차 항체 : alkaline phosphatase(AP) conjugated anti-rabbit IgG
- 발색용액 : sodium p-nitrophenyl phosphate를 발색용 완충용액 : (diethanolamine buffer, pH9.8)에 0.1%가 되도록 용해시킨다. 발색용액은 발색 반응직전에 만들어 사용한다.
- 발색정지시약 : 5N NaOH

■ 기구 : ELISA reader, ELISA plate washer, ELISA plate(polystyrene microtiter plate, 96well), mutichannel pipette, vortex mixer, pH meter 등

방 법

그림 11-11과 같이 Competitive ELISA를 실시하여 방사선 조사 식품을 검출하며 보든 반응은 실온에서 실시한다.

1. 방사선을 조사하지 않은 식품에서 분리한 단백질을 0.01%가 되도록 coating용 완충용액에 용해시켜 ELISA plate에 100㎕/well 첨가하여 2시간 동안 coating한 다음, PBS-Tween을 200㎕/well 첨가하여 coating되지 않은 단백질을 씻어낸다.
2. 식품에서 분리한 단백질인 경합항원을 PBS-Tween으로 여러 농도로 희석하여 50㎕/well 첨가한다.

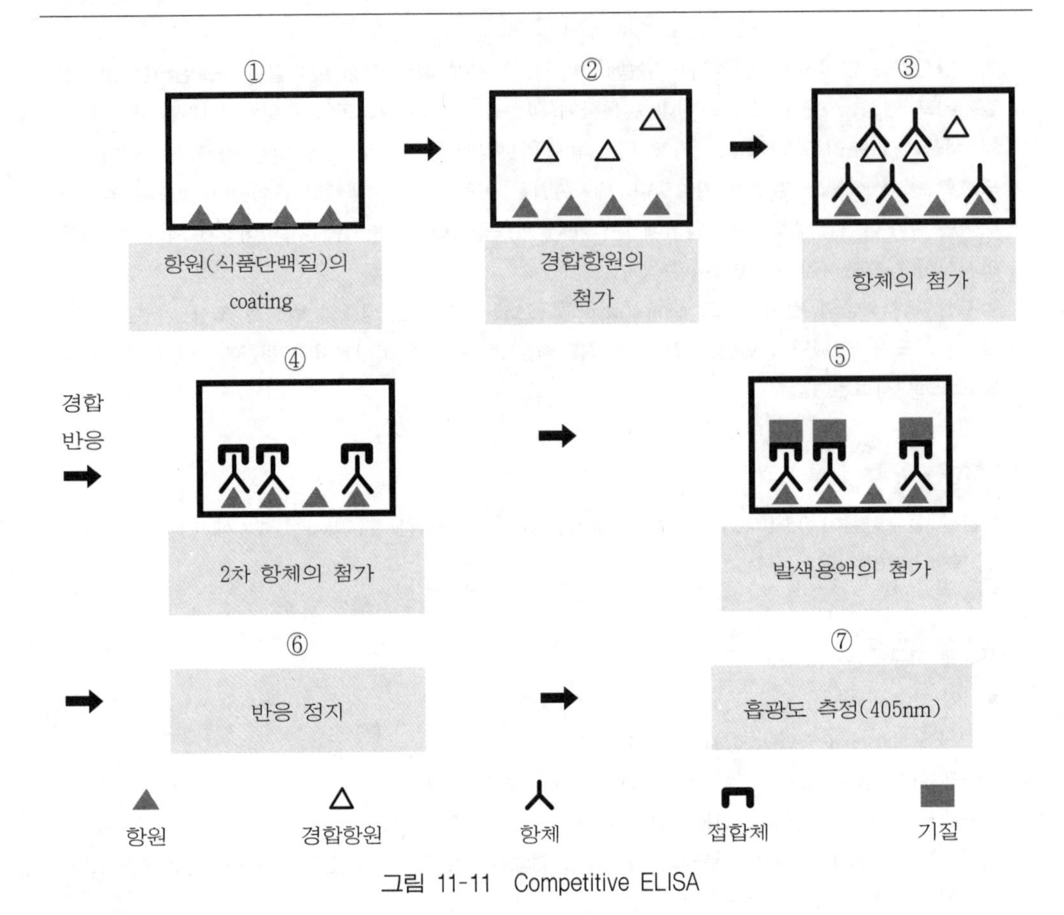

그림 11-11 Competitive ELISA

❸ 항체를 PBS-Tween으로 일정한 농도로 희석하여 50㎕/well 첨가하고 2시간 동안 경합 반응시킨 후, PBS-Tween을 200㎕/well 첨가하여 씻는다.

❹ 2차 항체인 AP conjugated anti-rabbit IgG를 100㎕/well 첨가하여 2시간 반응시키고, PBS-Tween을 200㎕/well 첨가하여 씻는다.

❺ 발색용액을 100㎕/well 첨가하여 30분간 반응시킨다.

❻ 5N NaOH를 20㎕/well 첨가하여 발색을 정지시킨다.

❼ ELISA reader를 이용하여 405nm에서 흡광도를 측정한다.

⓲ 경합 항원이 well에 coating된 단백질(항원)과 항체와의 결합을 저해하는 저해율을 다음과 같이 산출하여 반대수 그래프로 나타내고, 50% 저해율(B/Bo)을 보이는 경합 항원의 농도(IC_{50})를 구한다.

$$\text{저해율(\%)} = 100 \times \frac{\text{경합 항원이 존재할 때의 흡광도}}{\text{경합 항원이 존재하지 않을 때의 흡광도}}$$

❾ IC_{50}을 사용하여 다음과 같이 반응성의 감소 정도를 산출한다.

$$\text{반응성 감소} = \frac{\text{조사 식품에서 분리한 단백질의 } IC_{50}}{\text{비조사 식품에서 분리한 단백질의 } IC_{50}}$$

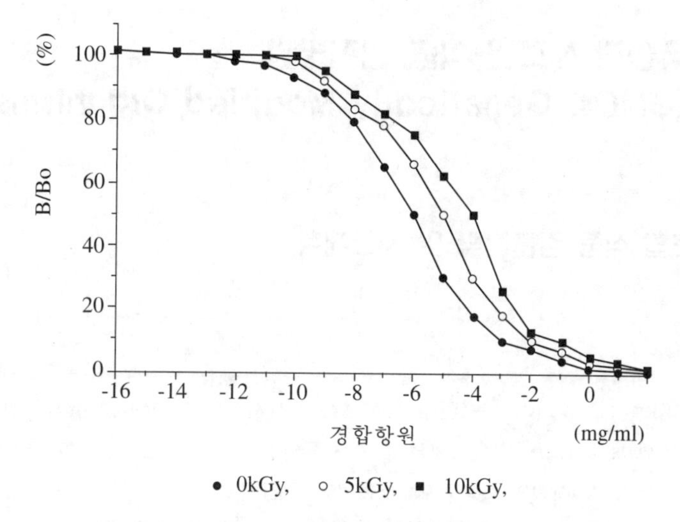

그림 11-12 항체에 대한 식품단백질의 반응성

결과 및 고찰

그림 11-12는 경합 항원이 well에 coating된 단백질(항원)과 항체와의 결합을 저해하는 저해율을 나타낸 것이다. 그래프에서 50% 저해율을 보이는 경합 항원의 농도(IC_{50})를 구하면, 0kGy에서는 10^{-6}mg/㎖, 5kGy에서는 10^{-5}mg/㎖, 10kGy에서는 10^{-4}mg/㎖이다. IC_{50}을 사용하여 반응성의 감소 정도를 산출하면 5kGy, 10kGy를 조사한 식품 단백질의 반응성은 각각 10배, 100배 감소하게 된다. 이와 같이 방사선을 조사하면 식품 단백질의 항체에 대한 반응성이 감소하여 IC_{50}이 고농도로 이동하게 되고 조사선량이 높아짐에 따라 IC_{50}은 점점 고농도로 이동하여 항체와의 반응성이 크게 감소된다.

참고문헌

1. McMurray, C.H., Stewart, E.M., Gray, R., and Pearce, J. : Detection mathods for irradiated foods, current status. The Royal Society for Chemistry, UK(1996)
2. Glidewell, S.M., Deighton, N., Goodman, B.A., and Hillman, J.R. : Detection of irradiated food : A review. *J Sci Food Agric*, 61, p.281(1993)
3. Harlow, E., and Lane, D., Antibodies, Cold Spring Harbor, New York(1988)

제 2 절 유전자 재조합 식품 검지방법 (GMOs, Genetically Modified Organisms)

1. 유전자 재조합 식품 검출전략 및 시료채취

개 요

미국의 Calgene 사에서 개발되어 1994년부터 상품화되어 시판되고 있는 보존성이 향상된 토마토를 비롯하여 제초제 내성 대두, 병충저항성 옥수수 등 상품화 된 유전자재조합 농작물은 2000년 4월 현재 51종에 달하고, 개발이 완료되어 안전성이 평가되어 시판이 예상되고 있는 것도 여러 품목이 있다. 우리나라의 경우 아직 상품화된 것은 없으나, 쌀 등 주요 농산물을 중심으로 개발이 활발히 이루어지고 있다. 식량자급도가 열량 기준으로 50%를 밑도는 우리나라는 쌀을 제외한 주요 농산물을 수입에 의존하고 있으며, 이러한 유전자재조합 농산물을 원료로 사용하여 제조된 가공식품의 형태로 유통되고 있다. 비록 안전성이 평가되었다고는 하여도 소비자들의 이들 유전자재조합식품에 대한 '알권리'를 보장하기 위하여 우리나라, 일본, EU를 비롯하여 세계적으로도 표시를 시행하는 방향으로 합의가 이루어지고 있는 추세이다.

유전자재조합식품의 표시제도를 효율적으로 추진하기 위해서는 이를 사전·사후 관리할 수 있는 방법이 필요한데, GMO에 대한 분석방법의 확보가 필수적이다. GMO의 분석방법으로서, 그 동안 EU, 일본 등을 중심으로 유전자재조합식품에 도입된 외래 DNA를 검출하기 위한 PCR 방법이 개발되고 있다. PCR 장치를 이용한 분석방법은 정성적 수준에서 정량적 분석수준까지 발전하였으며, 이에 힘입어 표시기준에서 최소허용수준(threshold)을 설정하는 것이 가능하게 되었다. PCR에 의한 분석방법의 개발과 함께 외래 DNA에 유래되는 단백질을 효소면역학적 방법으로 정량검사할 수 있는 ELISA 방법도 개발되고 있다. 그러나 가공식품에 있어 가공과정에서 DNA나 단백질이 파괴된 경우에는 상기의 방법으로서는 검출이 불가능하다. 따라서 원료농산물의 검사결과를 가공, 유통단계까지 "Food chain"에 적용하는 이른바 "사회적 검증"이 병용되고 있으며, 검사가 불가능한 품목은 표시대상에서 제외되고 있는 추세이나, 추후 검사방법의 진보에 따라 가공식품에 대한 표시대상 범위가 확대될 수 있을 것으로 예상된다. 이와 함께 시료 채취방법, 전처리 방법, 위양성 및 위음성을 배제하기 위한 실험실의 정도관리가 매우 중요한 요소이며, 분석을 위한 표준시료(Reference material)의 확보도 필수적이다.

GMOs 검출전략

현재 polymerase chain reaction(PCR) 방법은 박테리아 오염 여부 등을 비롯하여 식품의 질과 안전성을 평가하는데 폭넓게 적용하고 있는 검정방법 중의 하나로 GM식품 검정에도 가장 많이 이용된다. 우선 식품으로부터 GMO를 검정하기 위한 1차적인 스크리닝으로 cauliflower mosaic virus(CaMV) 35S promoter, nopaline synthase(NOS) terminator, kanamycin 저항성 마커 유전자(nptII) 등의 프라이머를 이용한 PCR을 실시할 수 있다. 그러나 35S promoter, NOS terminator, 카나마이신 저항성 유전자(nptII)는 식물과 토양 미생물 등 자연계에 존재하고 있으므로 PCR 양성 결과인 경우에는 도입유전자 특이 프라이머를 이용한 PCR 또는 특이항체를 이용한 ELISA 검정에 의한 2차 확인이 필요하다. 따라서 GMO 검출을 위해서 무엇보다 중요한 것이 도입유전자의 유전정보와 표준시료의 확보라 할 수 있다. 이와 함께 GMOs의 검출방법에서 고려해야 하는 요소는 경비, 적용성, 특이성, 감수성, 정량반응성과 자동화에 대한 점이다.

시료채취계획

시료채취에 의해 발생하는 오차가 분석 오차보다 오히려 훨씬 클 수 있다는 것은 일반 정밀미량 분석에서도 잘 알려져 있는 만큼 특히 PCR을 이용한 GMO 분석의 경우에도 시료채취 방법은 무엇보다 중요하다. GMO 분석을 위한 시료채취에서 가장 중요한 것은 과학적이며 통계학적인 개념에서 시료크기, 시료채취과정 및 비용 등 실질적인 시행도 고려하여 대표성있는 표본시료를 어떻게 채취할 것인가 하는 것이다. 또한 GMO의 시료채취 정도도 ① 원재료(raw materials), 원료성분(ingredients) 또는 가공식품(finished processed foods) 등의 시료종류에 따라 달라지거나 ② 분석목적, 즉 생산자 자체검정(public acceptance) 인지규제(regulatory compliance)에 따른 검정목적인지에 따라 다르며 ③ 규제조항에 따라 생산자가 제외할 수 있는 정도를 검출하기 위한 목적인지 소비자가 규제조항에 따르지 않는 시료를 검출하기 위한 목적인지에 따라 다르다. 따라서 GMO 검정을 위한 시료채취 방법의 개발이 요구되며 크게 대량의 시료를 연속적으로 채취하는 방법과 소량의 시료를 다수 채취하는 방법이 있는데 전자의 경우에는 시료채취는 고비용이나 분석은 저비용으로 가능하고 후자는 반대로 저비용의 시료채취와 고비용의 분석이 요구된다. 그리고 sampling에서 중요한 것은 채취한 시료의 균질성이라 할 수 있다. 따라서 시료의 종류에 따라 적절한 sampling 계획을 수립할 필요가 있다. 예를 들면 영국 농수산식품부 산하 중앙연구소(central science laboratory, CSL)에서는 GMO 검정을 위한 시료크기를 식품은 60g, 곡류의 경우는 10,000립 또는 2.5~3kg으로 하고 분석에는 절반을 이용하고 나머지는 보관용으로 하고 있다. 국내의 경우에는 아직 GMO 시료채취방법이 공식적으로 결정되어 있지는 않았으나 원료농산물인 곡류의 경우에는 기존의 수입농산물 검사법과 종자의 경우에 적용하고 있는 국제종자검정협회(international seed testing association, ISTA)에 준하여 고시하고 있는 표본 추출 방법에 따라 대표성 있는 시료를 채취할 수 있다. 이 경우에도 시료채취 집단에 따라 다를 수 있으므로 산물과 포장물로 크게 나누어 실시하되 산물의 경우 모선은 선창별로 상단, 중단, 하단을 구분하여 5개소를 선정하여 색대(sampler)를 이용하여 시료채취가 균일하게 이뤄지도록 하고 적재수량에 따라 시료 채취수를 증감할 수 있으며 싸이로에서는 농산물이 분리대(seperator)를 통과 후 싸이로에 유입되기 직전에 자동채취기 또는 수동채취기를 이용하여 정량적으로 그 흐름의 절단면 각 부위를 균일하게 채취 간격마다 그 양이 같도록 한다. 포장물의 경우에는 원료의 크기, 중량, 개수 등 검사소집단별 크기에 따라 소집단의 품질의 균질성을 감안하여 시료채취의 수량을 다르게 적용하며 대표성을 갖도록 색대를 이용하여 채취한다. 이와 같이 시료채취는 장소 및 유통과정 등에 따라서도 달라질 수 있으며 GMO 검정에서는 경우에 따라 재배, 수확, 수집, 선적, 하적,

저장, 하역, 수송, 가공의 각 단계에서 시료채취가 필요할 수 있으므로 각 단계별로 대표성이 있는 균일한 시료를 채취하는 방법의 개발이 요구된다.

시료종류

GM시료의 종류는 ① 옥수수 또는 콩과 같은 원재료(raw materials)와 ② 원재료로부터 얻어지는 전체 혹은 부분적인 원료성분(ingredients)과 ③ 가공식품(finished processed foods)이 있다. GMO 검정을 위해서는 시료의 균질성 확보가 중요하다. 원재료는 대부분 수확 후 건조, 분류, 수송, 저장의 일련의 과정을 거치면서 혼합되기는 하지만 충분한 균질성이 확보되지 않는다는 점이 고려되어야 한다. 원료성분의 경우에는 원재료로부터 마쇄과정을 통해 분말, lecithin 추출물 등을 얻게되므로 시료의 혼합 및 균질성이 어느 정도는 확보된다. 가공식품의 경우에는 복합재료 중 하나의 원료성분으로 첨가되므로 시료의 균질성은 충분히 확보된다.

시료채취목적

시료채취 및 분석은 목적에 따라 결정되는데 수입자 또는 구매자가 특정 batch나 다량의 재료에 대한 수용(accept)여부 결정을 위한 자체 검정용 시료 채취(acceptance sampling)가 있다. 이러한 자체 검정용 시료채취는 주 대상이 원재료로서 채취에 드는 비용과 시간이 시료채취체제를 결정하는 중요한 요인으로 작용한다. 규제 목적의 시료채취(regulatory sampling)의 경우에는 높은 신뢰성을 보장받기 위하여 무엇보다 다량의 시료로부터 대표성을 띠는 시료채취가 요구된다고 할 수 있다.

1 자체 검정용 시료채취(acceptance sampling) : 수입자가 수입재료에 대하여 수령 기준에 맞는지에 대한 사전 결정을 위하여 적용하게 되므로 분석의 질적 기준(quality parameter)에 따라 수입자는 수용가능 재료에 대하여 부(否), 수용불가능 재료에 대하여 가(可)의 결정을 할 위험성이 있다. 또한 통계적인 계획도 수용가능 재료에 대하여 부(否), 수용불가능 재료에 대하여 가(可)의 결정에 영향을 미친다.

2 규제 목적의 시료채취(regulatory sampling) : 규제목적의 시료채취는 공장수준에서 식품원료 및 가공식품에 대하여 적용할 수 있다. 따라서 GM 원료를 포함여부 즉, GMO 포함(contains GMO)할 목적인지 또는 GM원료를 포함하지 않음 즉, GMO 미검출(GMO-free)이나 허용한계이하(below threshold)에 대한 표시불필요(unlabelled)를 검지하기 위한 목적인가에 따라 시료채취 계획은 달리 적용된다. 또한 식품원료 및 가공품의 경우는 균질성이 예상되므로 GMO 허용한계(threshold) 결정을 위한 정확도와 정량분석에서의 민감성 및 신뢰성이 쟁점이 될 것이다.

표준시료(reference materials)

GMO 검지방법을 개발하는데는 공식적으로 확인된 GMO 표준시료가 필수적이다. 분석법을 공식화 또는 표준화하거나 각 분석실에서의 분석방법을 평가하기 위해서는 기본적으로 표준시료인 양성 및 음성 대조구가 필요하다. 표준시료는 각각의 분석방법과는 직접적인 관련없이 가공이전의 원재료(raw matrieals/base ingredients)상태이어야 한다. 또한 표준시료의 제공자는 장기간 보존 가능성을 보장하고 GMO 함유 및 안정도 수준, 시료의 균질성에 대하여도 제시할 수 있어야 한다. 각각의 GMO에 대한 표준시료의 확보가 필요하며 표준시료임을 보장(validity)하기 위해서는 각각 100% 순도의 GMO 및 GMO-free 시료가 연간 수백 킬로그램 정도의 충분한 양이 공급되어야 한다. 따라서 GMO 개발자에 의한 100% 순도 GMO 시료의 공급 및 도입한 유전자의 유전자운반체 및 염기서열 등의 유전정보도 동시에 제공받는 것이 무엇보다 중요하므로 GMO 표준시료 공급체계를 위한 공식적인 체제마련이 우선되어야 할 것이다. EU에서는 EC(european commission) 관할로 벨기에 표준물질연구소(institute for reference materials and methods, IRMM)에서 몬산토회사에서 개발한 제초제저항성 콩(roundup ready soybean, RRS)와 노바티스회사에서 개발한 해충저항성 옥수수로 Event176 품종에 대한 표준시료를 제공하고 있다. 그러나 현재 상품화되어 수출되고 있는 GM 옥수수 품종은 glyphosate 및 glufosinate 제초제저항성, 해충저항성 등 10종 정도가 되므로 각각의 표준시료 확보가 우선되지 않으면 GMO 검지방법의 표준화 특히, 정량 분석은 곤란하므로 표준시료의 공급체계 마련이 무엇보다 중요하다.

결론 및 향후 개선과제

식품 중 GMOs의 정량화 분석방법에 있어서는 신뢰성이 보다 확보될 필요가 있고, 이는 공인 실험실간의 협력을 통해 평가되어야 한다. GMOs의 스크리닝과 확정판정에 대한 효율성을 기하기 위해서는 위양성 결과의 배제, 마커 유전자의 소멸, 특이조절, sequence의 증대된 사용과 관련된 시험이 보다 보완되어야 할 것이다. 이와 함께 유전자재조합형태에 따라 유연성이 있고, 신속하게 보정할 수 있는 multi-detection 방법의 개발이 가장 중요하다. 또한 시장에 출하된 GM식품에 대한 데이터베이스의 구축과 함께 재조합된 유전자 sequence에 관한 정보가 확보되지 않은 비 인증 GMO식품의 검출문제를 해결 할 새로운 아이디어가 요구된다.

다음은 전기에서 기술한 GMOs 분석과 관련된 현안에 대해 개선방향을 정리한 것이다.

1. 국제적으로 수용되고 과학적이며 통계적인 원리에 기본을 둔 조화된 시료채취계획이 시급히 개발될 필요가 있고, 국제적으로 거래가 확대되고 있는 GMO생산품의 수용도를 확신하기 위해서도 빠르게 수행되어야 한다. 이를 위한 전문성은 CODEX의 분석 및 시료채취분과위원회와 여타 전문가 그룹의 협력을 통해 확보할 수 있다.
2. 분석적 검출방법의 인증과 수행된 분석방법의 평가를 위해 기본이 되는 적절한 표준시료의 생산이 관리되어야만 한다. 표준시료의 생산은 최종식품 보다는 원료물질과 기본적인 식품구성성분과 같은 핵심이 되는 품목에 제한되어야만 한다. 참고로 EU 내에서 표준시료의 제조와 품질관리는 IRMM과 같은 단일의 연구센터에서 체계화하고 협력하여 수행되고 있다. GMOs 제조자 들은 유전자 sequence의 성질에 관한 정보를 제공하고 항원 및 항체와 같은 검사물질을 제공하거나 표준시료를 생산하는 협력센터를 위해 여러 방법들을 제공하여야 한다.
3. DNA와 단백질 김출방법 둘 다 GM식품의 검출에 유용하다. 두 방법 모두 EU에서 법적인 위치를 갖고 있는데, 현행 EU이사회 규칙 1139/98에 의해 DNA와 단백질 분석이 모두 요구되기 때문이다. ELISA 방법은 재조합단백질의 존재가 기대되는 원료성 물질과 기본적인 식품구성성분의 스크리닝을 위한 선택적 방법으로 사용된다. 이 방법은 신속하고, 강력하며, 정기적인 검사에 적합하고 상대적으로 비용이 저렴하나 검출한계는 0.5~1% 정도이다. 그러나 적용 범위는 가공된 정도와 성격에 다라 제한되고 좌우된다. 아직 어떠한 방법도 상업적으로 이용

할 수 없기 때문에 가장 적합한 ELISA 방법이 개발되어야 한다.

4. PCR방법은 정성적 스크리닝과 실제 DNA를 함유하는 모든 식품 메트릭스의 재조합 DNA의 정량분석에 이용될 수 있다. 정량화는 내부 또는 외부 검정 표준물질을 사용하여 얻을 수 있다. 이 방법의 감도는 아주 낮은 수준에서도 정량화가 가능하다(예 : 0.01% 정도). 정교한 실험실적 방법을 위해서 훈련과 경험 및 실험요원의 숙련도가 이 방법의 적절한 수행을 위해서는 필수적이다. 정량적 PCR은 궁극적으로 GMO식품의 분석에 선호되는 방법이 될 것이다.
5. GMO식품의 검출을 위한 다단계적인 접근방식이 행정적인 표시요구사항이나 GMO-free인증과 관련되어 제안되어 왔다. 만약 정성적 PCR방법에서 재조합 DNA가 없는 것으로 나타났다면, 그 생산품은 단백질의 존재여부를 스크리닝 받아야만 한다. 만약 어떤 단백질도 검출되지 않았다면 본 생산품은 표시할 필요가 없다. 만약 정성적 PCR에서 양성결과가 나왔다면 제조업체는 표시를 하던가 또는 검출수준이 설정된 허용기준 이상인지를 평가하는 인증된 정량적 PCR방법을 적용 받을 수 있다.
6. 재조합 DNA나 단백질 검출방법에서 위양성의 결과는 심각한 문제를 야기 할 수 있다. GMO의 검출이 표시 요구사항과 관련이 있고, 안전과는 관련이 없기 때문에 분석방법의 신뢰성과 특이성이 제고되어야만 한다. 위양성 결과는 식품의 불필요한 파괴로 인한 결과이기 때문에 모든 수단을 동원해서 피해야만 한다.
7. 국제적으로 시장에 진입할 수 있는 비인증 GMO식품과 사료와 관련하여서도 관심을 집중 시킬 필요가 있다. 유전자재조합의 유형, target gene과 marker gene sequences, 대상 유기체, traceability와 관련된 데이터가 수집 될 필요가 있다.

참고문헌

1. "유전자재조합식품의 안전성평가 기술의 개발" 연구보고서, 한국보건산업진흥원, 김영찬, 장경원, 엄보영, p.1998(각연도)
2. 김영찬, 박경진, 이홍석, 김동연 : 유전자재조합식품의 안전성에 대한 기본인식 조사. 한국식품위생안전성학회지 14, p.397(1999)
3. Detection Method for Novel Foods Derived from Genetically Modified Organisms, ILSI Europe Report Series(1999)
4. C.A. MacCormick et al., Common DNA sequences with potential for detection of genetically manipulated organisms in food, J. Applied Microbiology 84, p.969(1998)

2. 효소면역학적 검지방법 (Enzyme linked immunosorbent assay, ELISA)

개 요

농작물의 조직이나 기관으로부터 특정한 단백질을 검출하기 위해서는 검지 할 단백질의 항체를

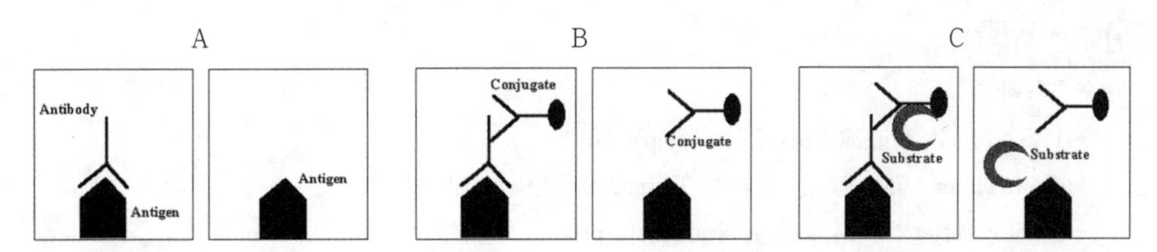

A. 항원-항체 결합. 폴리스틸렌과 같은 ELISA plate의 폴리스틸렌 플라스틱표면을 적당한 완충용액에 녹인 항원으로 코팅 처리하여 항체가 직접 또는 간접적으로 결합할 수 있도록 함.
B. Conjugate 결합. 면역글로부린단백질 conjugate (간접적 방법) 또는 적당한 항원에 대한 특이적인 conjugate (직접적 방법)를 이용하여 항체 단백질의 결합 유무를 알게 됨. 항체는 퍼옥시다아제와 같은 효소와 결합됨.
C. 항체 결합의 확인. 퍼옥시다아제 기질의 첨가에 의한 발색반응을 통해 결합된 conjugate의 양을 검출함.

그림 11-3 효소면역학적 검지법의 원리

이용하는 방법이 있다. 검출대상 항원 단백질과 특이적으로 항체를 직접 또는 퍼옥시다아제(horseradish peroxidase, HRP)나 알칼리포스파타아제 등의 효소를 화학적으로 결합시킨 conjugate를 이용하여 2차 항체로 검출하는 ELISA법(그림 11-13)과 검지시료의 단백질 함유 추출물을 전기영동하여 단백질을 니트로셀루로오즈막으로 전이시킨 후 특정 항체와 반응하는 단백질(항원)을 동정하는 western blotting법이 있다. 일반적으로 western blot 분석법이 ELISA법에 비하여 감도는 높으나 정량성은 ELISA법이 우수하다.

그러나 검출대상 단백질 자체가 고온, 산 등에 의해 변성하여 3, 4차 구조가 변화하면 항체와의 특이성이 없어지므로 가공식품 중의 재조합 단백질을 검출하는 것은 곤란하다. 제초제저항성 대두의 재조합 단백질 검출용 kit가 시판되고 있으나 열처리 시료에 대해서는 검출이 불가능하다. 따라서 효소면역학적 기법에 의한 검지는 원료(raw material)에 대해서만 가능하다.

시료조제

검지시료는 원재료를 대상으로 하며 GM 옥수수나 GM 대두 등의 GM 종자를 blender 등을 이용하여 마쇄한 후 TBS 완충용액으로 추출한 조단백질(crude extract)을 Bradford법 등에 의해 추출된 전체 단백질 양을 측정한 후 50㎍μg을 ELISA 검정에 사용한다. 또는 가공식품 원료인 soy flour, soy meal, corn meal 등의 powder 또는 탈지대두박편(defatted soy flake)등도 TBS 완충용액으로 혼합하여 전체 단백질 양을 측정한다.

GMO 및 non-GMO 표준시료(reference materials)의 경우에도 0%, 0.5%, 1%, 2%, 5% 등 적당한 GMO 함유 시료를 준비하여 조단백질을 추출하거나 또는 시험관내에서 재조합유전자(target gene)로부터 발현시킨 재조합 단백질(target protein)을 표준단백질로 이용한다. 몬산토 회사에서 상품화한 Roundup Ready Soybean(RRS) 및 노바티스 회사에서 상품화한 Event176의 표준시료는 상기의 함유율로 벨기에의IRMM에서 제조하여 Fluka 회사를 통하여 시판하고 있다.

시약 및 기구

- 완충용액
  - TBS : 10mM Tris-HCl(pH 7.5), 150mM NaCl
  - Wash buffer : TBS 50㎖ 당 50% Tween20을 한방울 첨가한 용액
  - Coating buffer : 0.1M sodium bicarbonate pH 9.5
  - Blocking buffer : TBS + 1% (w/v) BSA
  - HRP 발색 buffer : 2㎖ methanol, 8㎖ TBS, 35㎕ H_2O_2 (30% solution)
    50㎍ 4-color-1-naphthol(100mg/㎖ stock in methanol)
  - AP buffer : 100mM Tris-HCl(pH 9.5), 100mM NaCl, 5mM $MgCl_2$
  - AP 발색 시약 : 10㎖ AP buffer,
    66㎕ nitroblue tetrazolium(50mg/㎖ in dimethylformamine)
    33㎕ 5-bromo-4-chloro-3-indolyl phosphate(50mg/㎖ in dimethylformamine)
  - 발색반응 정지액 : 3M sulfuric acid
- 도입유전자단백질의 항체단백질 : 제초제저항성 또는 해충저항성 유전자에 의해 생성되는 재조합 단백질 또는 시험관내에서 발현시킨 재조합 단백질을 항원으로 하여 monoclonal 또는 polyclonal antibody를 제작하여 이용하거나 시판되고 있는 제초제저항성 RRS 및 BT 옥수수 검정 ELISA kit도 이용 가능하다.
- Conjugated secondary antibody(2차 항체) : HRP or alkaline phosphatase(AP) conjugated anti-rabbit IgG
- 기구 : ELISA plate, multichannel pipetter, tip, reservoir 등

방 법

1. 50㎕ coating buffer에 표준 및 검지시료의 조단백질 50㎍을 plate well에 넣고 4℃에서 하룻밤 또는 실온에서 2시간 반응하여 plate well을 코팅한다. 이 때 동일한 시료에 대하여 4개의 well에 반복 적용한다.
2. 상기의 well 안의 coating 반응액을 제거한 후 blocking 용액 50㎕을 첨가하여 37℃에서 1시간 반응시킨다.
3. Blocking 용액을 제거한 후 wash buffer 200㎕를 넣고 3분간 방치 후에 제거하고 이를 3번 반복한다
4. Conjugated secondary antibody를 TBS 완충용액으로 1:1000 비율로 희석한 용액을 50㎕ 넣고 37℃에서 1시간 또는 4℃에서 하룻밤동안 반응시킨다.
5. 4의 반응액을 제거하고 wash buffer 200㎕을 넣고 (3)과 같이 3번 반복한다.
6. Conjugate에 따라 HRP 또는 AP 발색용액 50㎕를 넣고 15분 내지 30분 가량 반응시켜 발색을 확인한다.
7. 반응정지액을 50㎕를 넣고 450 nm에서의 흡광도를 ELISA reader로 측정한다.
8. GM 함량별 표준시료의 측정치로 표준곡선을 작성한 후 검정시료의 측정치로부터 GM 함유율을 구한다.

결과 및 고찰

본 실험서에서는 1998년 벨기에 ILSI GMO 검지 워크샵에서 발표된 실험결과와 고찰을 중심으로 정리하였다.

1. GMO의 검출한계(sensitivity) : 일반적으로 ELISA법은 알레르겐, 호르몬, 독소 단백질, 미생물, 항생제 등 다양한 식품분석에 널리 이용되고 있으며 신뢰성 있는 분석방법 중의 하나로서 AOAC 공식적 방법으로 공인된 바 있다. 일반적으로 의약 진단용 효소면역학적 분석법은 10^{-12} ~10^{-13}M 한계까지 검출이 가능하다. Stave 등의 보고에 의하면 GMO의 재조합 단백질의 ELISA 분석경우에도 약 10^{-12}M의 검출감도를 나타낸다(그림 11-14). 상품화된 GM작물의 조직 g 당 재조합 단백질은 10μg 이상으로 옥수수 종자 1립 약 300mg으로부터 1mℓ의 완충액으로 추출할 때의 재조합 단백질의 농도는 이론적으로 6×10^{-8}M이다. 1% GMO의 경우 재조합 단백질의 농도는 6×10^{-10}M로 ELISA 분석에 의한 검출한계이내에 해당한다.
2. 정확도(precision) : 분석법의 정확도는 분석상의 오차범위를 변이계수(coefficient of variation, CV) 또는 표준편차(standard deviation, SD)로서 나타내며 전형적인 효소면역학적 분석의 변이계수는 방법상의 실질적인 반응성에서 5% 미만, 분석에 의해 산출된 농도에서 10% 미만으로 생각된다. 실제 1% GMO의 경우의 분석결과는 0.8~1.2% 실측치를 나타낼 것이다. 따라서 GMO 허용한계치 분석에서는 분석오차범위에 대한 검토를 하여야 할 것이다.
3. Matrix effect : 시료에 따라 단백질 추출 방법과 효율이 다르므로 시료에 따라 단순히 액상으로 마쇄(grinding)하거나 균질화(homogenization)하던지 아니면 계면활성제나 염, 용매로 가열하는지를 적용해야 할 것이다. 따라서 시료 종류 또는 추출과정에 따라 추출한 조단백질 용액에는 재조합 단백질 이외에 계면활성제 등 분석에 미세한 영향을 미칠 수 있는 요소(성분)가 있으며 이를 "matrix effect"라고 한다. 이러한 matrix effect를 보완하거나 제거할 수 있는 방법을 개발하여야 하고 GMO의 경우 matrix effect를 보정하는 유일한 방법은 알려진 농도를 함유한 표준시료를 검지시료와 동일한 방법으로 단백질을 추출하여 동시에 분석하는 것이다.

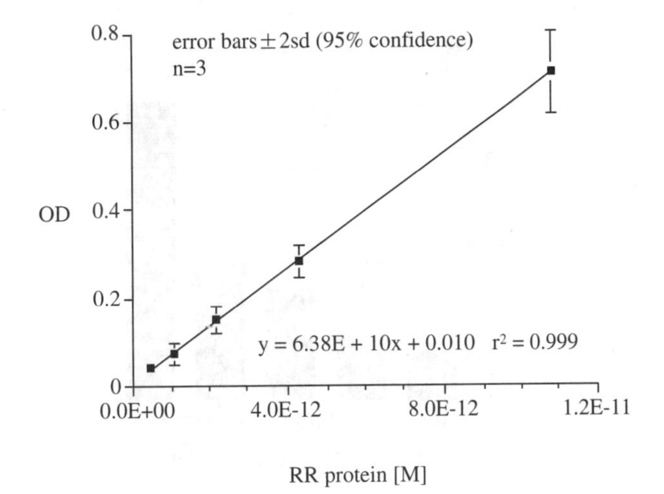

그림 11-14 ELISA법에 의한 GMO의 검출한계

❹ 추출효율 : 추출방법에 따라 추출효율도 달라지므로 추출과정에서의 단백질 손실에 의해 실제 함유량보다 적게 추출될 수 있다. 이를 보정하기 위해서 각각의 가공 식품에 대한 추출효율을 검정하거나 알려져 있는 농도를 함유한 표준시료의 단백질을 동일한 방법으로 추출하여 검지 시료의 측정치를 보정하는 것이 바람직하다.

❺ 표준물질연구소(IRMM)의 RRS 표준시료(certified reference materials, CRM)의 ELISA 검정 : IRMM에서 제조하여 시판하고 있는 RRS(roundup ready soybean) 표준시료 0, 0.1, 0.5, 2%와 0% 및 2%를 절반씩 혼합하여 만든 1% RRS 표준시료에 대하여 RRS의 재조합단백질인 EPSPS 효소단백질의 항체와 HRP conjugate anti-IgG를 이용한 ELISA 분석으로 표 11-2와 같은 결과를 얻었다. GMO 함유율이 0.5% 이상일 때 ELISA 분석에서 유의성을 가짐을 알 수 있다. 따라서 그림 11-15와 같이 ELISA 분석에 의한 GMO 검지의 이론적인 허용한계치는 1% 또는 2% GMO이다.

표 11-15 IRMM RRS 표준시료의 ELISA 검지

검지시료	평균흡광도	표준편차	%변이계수	ANOVA* p-value (0% RRS ≠ X% RRS)
Blank	0.120	0.0074	6.2	N/A
0% RRS	0.186	0.0049	2.6	N/A
0.1% RRS	0.190	0.0029	1.5	0.210
0.5% RRS	0.219	0.0100	4.6	0.001**
1% RRS	0.236	0.0031	1.3	〈0.0001**
2% RRS	0.336	0.0073	2.2	〈0.0001**

* Analysis of Variance로 0%와 X% RRS의 평균흡광도 차이가 분석오차(random error)에 기인함을 나타냄

**통계학적으로 0% 이상임을 나타냄

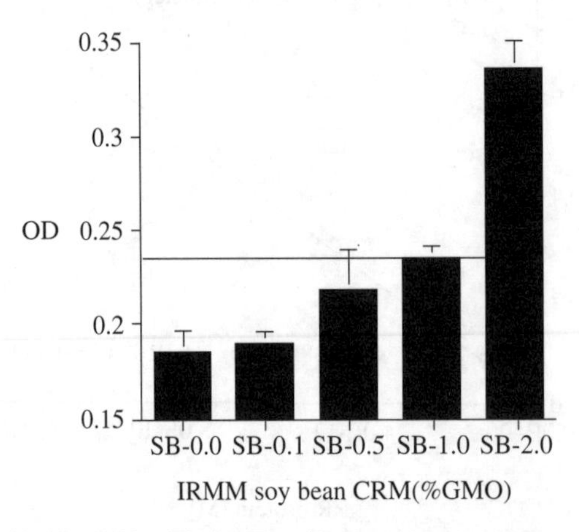

그림 11-15 RRS표준시료를 이용한 GMO의 정량 및 threshold

참고문헌

1. ILSI : Workshop on detection methods for novel foods derived from genetically modified organisms. 3-5 June. Brussels, Belgium(1998)
2. Stave J. Detection of new or modified proteins in novel foods derived from GMO - future needs. Food Control 10, p.367(1999)

3. 정량 PCR 검지방법

개 요

유전자재조합 기술을 이용한 유전자변형농작물의 재배가 급격히 증가되고 있고 환경 및 식품으로서의 안전성이 확인되어 상품화된 GM(genetically modified) 작물은 옥수수 13종, 토마토 10종, 콩 5종, 면화 4종, 유채 3종, 애호박 2종, 사탕무 2종, 해바라기 2종, 벼, 단 옥수수, 땅콩, 파파야, 치커리, 호박 등 총 14작물 51종에 달한다. 이 들 GMO에 도입된 유전자는 개발회사, 농작물, 목적 등에 따라 다양하여 제초제저항성유전자 3종, 해충저항성유전자 3종, 유전자전환체 선발용 마커유전자 및 도입유전자의 발현을 조절하는 조절부위유전자인 프로모터 및 터미네이터, 발현효율증진을 위한 인터론 등이 있다. 따라서 PCR을 이용하여 GMO을 검지하기 위해서는 ① 대상 GMO의 종류와 도입된 유전자에 대한 정보, ② PCR 프라이머 디자인을 위한 도입유전자의 염기서열 정보, ③ 대상 GMO가 100% 함유된 표준시료의 확보가 가장 중요하다.

GMO 표시제를 시행하는데 있어 GMO를 분류(identity preserved handling)하더라도 비의도적으로 혼입되는 비율 즉, 허용한계치(threshold) 이하가 됨을 확인할 필요가 있다. 가열 또는 가공의 과정을 거치지 않는 곡류의 경우에는 ELISA법 등에 의해 GMO의 재조합 단백질의 정량이 가능할 수도 있으나 특히 가공식품 또는 원료성분의 경우에는 가공과정에서 재조합 단백질의 변성이 발생하게 되므로 PCR 방법을 이용하여 재조합 DNA를 정량함으로써 GMO의 혼입율을 측정하게 된다. PCR을 이용한 정량에는 2가지의 방법이 있는데 경쟁적(quantitative competitive, QC) PCR과 TaqMan chemistry 또는 hybridization probe법을 이용하여 PCR 반응의 실측치를 측정하는 real time PCR 법이 있다. 후자의 real time PCR의 경우에는 형광색소를 이용하여 PCR 반응을 측정하게 되므로 특수한 PCR 정량 전용기기가 필요하다.

경쟁적 PCR이란 하나의 튜브 내에서 표준(standard) plasmid DNA와 시료의 genomic DNA(이후 gDNA로 표기함)가 동일한 프라이머를 경쟁적으로 이용하여 생기는 각각의 PCR 산물의 밴드 강도(intensity)를 비교하여 농도를 측정하여 정량하는 방법이다. 다시 말해서 GMO에 도입된 특이 유전자를 검출하는 특이 프라이머를 이용하여 증폭한 target PCR 산물을 플라스미드 벡터내에 삽입한 후 target PCR product 내부에 site-directed mutagenesis를 이용하여 그림과 같이 target DNA의 크기를 줄이거나 늘이되 동일 프라이머에 의해 검지 가능한 표준 plasmid DNA를 제작한다. 이 표준 plasmid와 시료의 gDNA를 동일한 tube에서 같은 프라이머를 이용하여 PCR 하였을 때 검지되는 각각의 PCR 산물은 그 크기가 다르게 된다. 따라서 상기의 plasmid의 copy수를 달리한 각각의 튜브에 일정량의 시료 gDNA 및 동일 프라이머를 첨가하여 PCR을 한 후 agarose 전기영동하여 밴드의 강도를 비교한 후 플라스미드 DNA를 주형으로 한 PCR 산물과 gDNA를 주형으로 한 PCR 산물의 강도가 같은 sample의 plasmid copy 수와 분자량으로부터 gDNA에 포함된 재조합 DNA의 copy수를 환산하여 시료 중의 GMO gDNA를 정량하는 것이 정량적 PCR의 원리이다. 이 방법은 정량분석용 PCR기기가 없을 경우 이용할 수 있다.
본 실험서에서는 정량 PCR 분석기기의 TaqMan chemistry 법을 이용한 real time PCR 원리 및 실험방법을 중심으로 서술하고자 한다.

TaqMan chemistry법을 이용한 real time PCR 원리

TaqMan chemistry에 의한 정량 PCR 분석법은 target DNA에 특이적으로 결합하는 양쪽 프라이머 사이의 염기서열과 상보적인 염기서열을 가지며 양 말단에 형광물질을 결합한 프로브(TaqMan probe)를 이용하여 PCR 효소인 Taq DNA polymerase가 프라이머로부터 DNA 합성을 연장하여 나갈 때 5′-exonuclease의 활성에 의해 프로브의 5′ 말단에 결합된 형광물질이 프로브로부터 해리되도록 설계하여 PCR 증폭과정의 실시간별 발색하는 형광양의 kinetics를 측정하는 방법이다. 프로브의 5′ 말단에는 reporter dye(6-carboxy-fluorescein, FAM), 3′ 말단에는 quencher dye(6-carboxy-tetramethylr-hodamine, TAMRA)의 형광색소를 결합하여 reporter dye의 형광발산은 에너지전이를 통하여 3′의 quencher에 의해 억제되어 있다가 Taq polymerase의 5′-3′ exonuclease 활성에 의하여 프로브의 reporter dye가 분해되어 quencher로의 에너지전이가 줄어들고 reporter dye의 형광을 발산하게된다(그림 11-16). 이렇게 발산된 형광은 PCR 반응 시간에 따라 증폭되는 DNA 양에 비례하여 증가하게 되는데 PCR의 각 반응사이클에서 나오는 형광시그널을 집적하여 동역학적(kinetics)으로 분석함으로써 정량에 효과적으로 이용된다. PCR 과정 중에 시그널의 대수증가를 보이는 지점(geometric, exponential phase)의 해당 cycle 수(Ct, threshold cycle)를 분석하여 kinetic data를 만들어 주고 또한 GMO 함량별 표준 시료의 Ct 값으로 표준곡선(standard curve)을 그릴 수 있다(그림 11-17). 따라서 농도를 달리한 GMO 표준시료의 PCR 증폭과정의 실시간별 표준곡선과 검정시료의 PCR 증폭 과정을 비교하여 검정시료에 함유된 GMO를 정량하게 된다.

시료조제

PCR은 매우 민감한 반응이므로 의사양성(false positive)이 나올 확률이 높으므로 원료농산물 또는 가공식품으로부터 DNA를 분리할 때 시료가 오염되지 않도록 주의하여 DNA를 추출해야 한다. DNA의 추출방법은 grinder, homogenizer 등을 이용하여 마쇄한 후 Promega 회사에서 시판하는 Wizard DNA prep kit를 이용하거나 Qiagen 회사에서 시판하는 plant DNA prep kit 등을 이용하여도 좋다. 또는 EC JRC의 보고서(참고문헌 1)에 소개된 CTAB 법을 참고하기 바란다. 원료농산물의 경우에는 DNA 추출이 용이한 편이나 가공식품의 경우에는 각각의 시료에 따라 전처리가 필요하기도 하므로 적당한 추출방법을 개발할 필요가 있다.

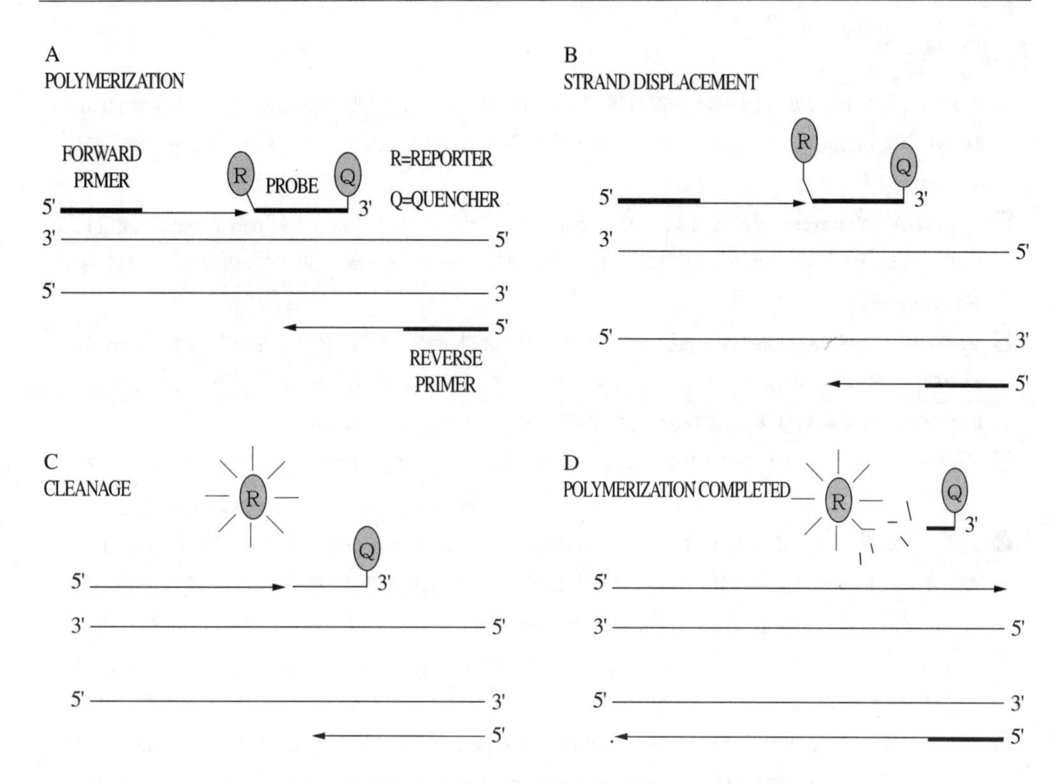

A. TaqMan probe의 5′ 및 3′ 말단에 형광색소가 결합되어 있음.
B. 프로브의 양말단에 형광색소가 결합한 동안에는 reporter dye의 발산이 억제되어 있음.
C. DNA 중합반응 중, Taq DNA polymerase의 5′-exonuclease 활성에 의해 TaqMan probe로부터 reporter dye가 분해됨.
D. Quencher dye가 분리되면 reporter dye의 형광이 발산됨.

그림 11-16 TaqMan chemistry를 이용한 PCR 정량 원리

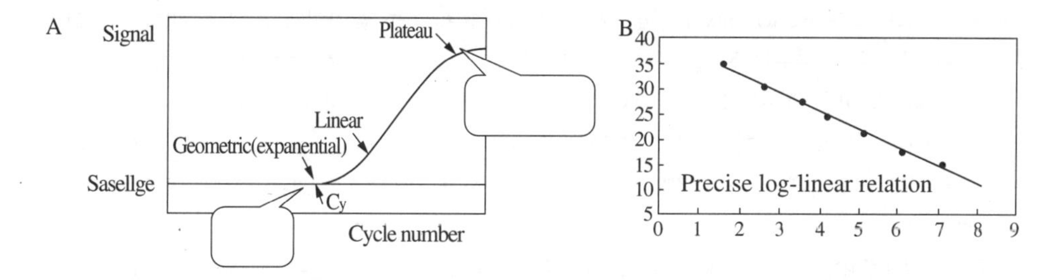

A. Realtime PCR 원리. PCR 증폭에서 대수증가 지점의 cycle수(Ct)를 결정함
B. 농도별 표준시료의 Ct와 copy수와의 관계를 log 그래프로 나타낸 표준곡선

그림 11-17 실시간별 PCR 분석 원리

시약 및 기구

정량 PCR 분석기로 PE Biosystem 회사의 TaqMan ABI Prism 7700 Sequence Detection system, Roche 회사의 LightCycler, BioRad 회사의 iCycler 등이 있으며 모두 TaqMan chemistry법을 적용하여 분석한다.

1. Taq DNA polymerase 반응용액 : 5′→3′ exonuclease 활성을 가진 Taq DNA polymerase와 dNTP, $MgCl_2$ 등의 반응 완충액을 준비한다. PCR 반응액의 master mix를 시판하고 있으므로 이를 활용하여도 좋다.
2. 프라이머 : 내부표준(internal standard) 프라이머, 예를 들면 콩의 경우는 lectin 또는 actin 유전자와 같은 내재성(housekeeping/endogenous) 유전자로 copy수가 single copy인 유전자의 프라이머 및 검지유전자 특이 프라이머를 5μM농도로 400μℓ 를 준비한다
3. TaqMan Probe : 상기의 프라이머 사이의 염기서열과 상보적인 염기서열을 가진 20 염기수 전후의 내부표준용 및 검지유전자용 프로브를 각각 2μM농도로 희석하여 400μℓ를 준비한다
4. 표준 GMO 및 non GMO의 gDNA : 표준시료는 GM 시료와 non GM 시료를 0.1%, 0.5%, 1%, 2%, 3%, 5% 등 적당한 비율로 혼합한 시료로부터 분리한 gDNA 또는 GM 시료와 non GM 시료로부터 각각 분리한 표준시료로부터 분리한 gDNA를 DNA 수준에서 적당한 비율로 희석한 DNA를 260nm에서의 흡광도로 측정하여 A_{260}=1(50ng/μℓ)로 농도를 산출한 후 20ng/μℓ 농도로 희석한 각 DNA를 25μℓ 준비한다.
5. 검지 시료의 gDNA : 검지할 시료(Unknown sample)의 gDNA를 분리하여 표준 GMO 및 non-GMO gDNA와 마찬가지로 20ng/μℓ 농도로 희석하여 준비한다.
6. 기구 : 사용할 기기에 따라 96-well PCR용 plate 또는 capillary tube를 준비하고 오염방지 등을 위하여 10μℓ, 100μℓ, 1000μℓ 용 filter tip를 준비한다.

방법(조작)

1. 시약류 및 시료 gDNA를 녹인 후 얼음 속에 유지하고 사용 직전에 vortex하여 가볍게 spin down해 둔다.
2. 각 시료에 대하여 master mix 반응용액을 다음과 같이 준비한다 : 하나의 well에 대하여 25μℓ 반응용액으로 하여 master mix 22.5μℓ, template DNA 2.5μℓ를 첨가하게 되나 4well를 사용하므로 각 시료에 대하여 22.5×2.5μℓ로 다음과 같이 1.5㎖ E-tube에서 혼합한다. 예를 들어 표준용(standard, 이후 Std로 표기함) DNA 5점, template DNA를 넣지 않는 대조구(no template control, 이후 NTC로 표기함) 1점, 검지할 시료(이후 unknown sample로 표기함)가 6점 일 때 총 12점이므로 분주에 대한 약간의 여유분을 감안하여 12점×4.5well=54점에 대한 master mix를 조제한다.

   또한 내부표준용인 내재성(housekeeping) 유전자의 PCR 증폭단편은 plasmid내 삽입하여 50,000copies에서 20copies에 이르기까지 단계별로 희석하여 내부표준용으로 이용한다.

   검지할 유전자에 대하여도 내부표준용 유전자와 마찬가지로 PCR 증폭단편은 plasmid내 삽입하여 50,000copies부터 20copies에 이르기까지 희석하여 검지 표준용으로 이용한다.

내부표준용 master mix 반응액	volume
Taq DNA polymerase	
Taq DNA polymerase Buffer(x10)	2.5㎕
5 μM 내부표준용 프라이머(forward)	2.5㎕
5 μM 내부표준용 프라이머(reverse)	2.5㎕
2 μM 내부표준용 프로브	2.5㎕
H_2O	× ㎕
	22.5㎕

검지유전자용 master mix 반응액	volume
Taq DNA polymerase	
Taq DNA polymerase Buffer(x10)	2.5㎕
5 μM 검지유전자 특이 프라이머(forward)	2.5㎕
5 μM 검지유전자 특이 프라이머(reverse)	2.5㎕
2 μM 검지유전자 특이 프로브	2.5㎕
H_2O	× ㎕
	22.5㎕

❸ 0.5㎖ 새 tube를 24개 준비한다(Std 5점+Unknown sample 5점+NTC 1점)×2(내부표준용 및 검지유전자용).

❹ 내부표준용 master mix를 101.25㎕씩 12개의 tube에 각각 분주한다.

❺ 검지유전자용 master mix도 101.25㎕씩 또 다른 12개의 tube에 각각 분주한다.

❻ ❹와 ❺에서 분주한 각각의 튜브에 Std 및 unknown sample gDNA(20ng/㎕)를 11.25㎕씩 첨가하고 NTC tube에는 연어정자 DNA(5ng/㎕)를 11.25㎕ 첨가한다.

❼ 96-well reaction plate(또는 capillary tube)에 ❻의 반응액을 잘 혼합한 다음 각각 4well에 22.5㎕씩 분주하여 두껑(8-strips optical caps)을 덮는다.

❽ 정량 PCR 분석기에 넣고 프라이머 및 프로브에 따라 적당한 온도에서 PCR을 수행하여 실시간별 PCR data를 얻어 분석한다.

결과 및 고찰

우선 GMO의 내재성유전자의 프라이머를 이용한 내부표준곡선을 그림 11-18에서와 같이 작성하고 검정시료의 내재성유전자에 대한 copy수를 확인한다. 검정시료 6점의의 내재성유전자의 copy수는 모두 유사함을 알 수 있다.

검정유전자 특이 프라이머를 이용한 표준곡선 작성 및 검정시료의 realtime PCR 결과는 그림 11-19와 같다. 내부표준용 PCR과 마찬가지로 농도별 표준시료 또는 도입유전자 특이 프라이머를 이용한 PCR 단편의 삽입 플라스미드를 이용한 표준곡선을 작성하여 도입유전자의 copy수를 확인한다.

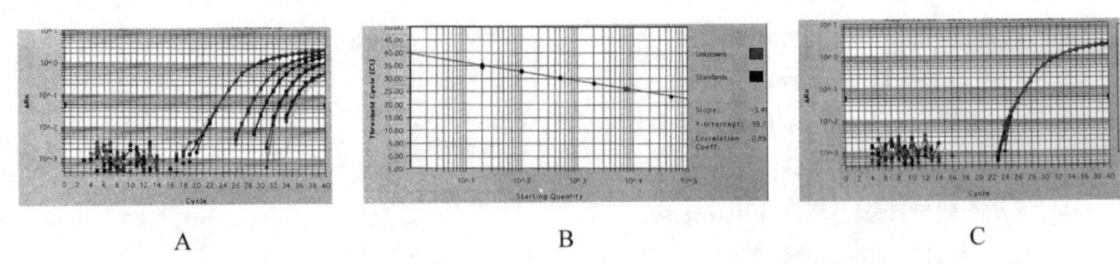

A. 내재성유전자 도입 플라스미드의 50,000, 10,000, 2,000, 500, 100, 20 copies를 이한 내부표준용 실시간별 PCR
B. 내재성유전자의 copy수와 Ct의 상관관계를 이용한 내부표준곡선
C. 검정시료의 내부표준유전자의 실시간별 PCR로 (B)의 표준곡선상의 붉은 점이 검정시료의 내재성유전자의 copy수

그림 11-18 내부표준용 realtime PCR

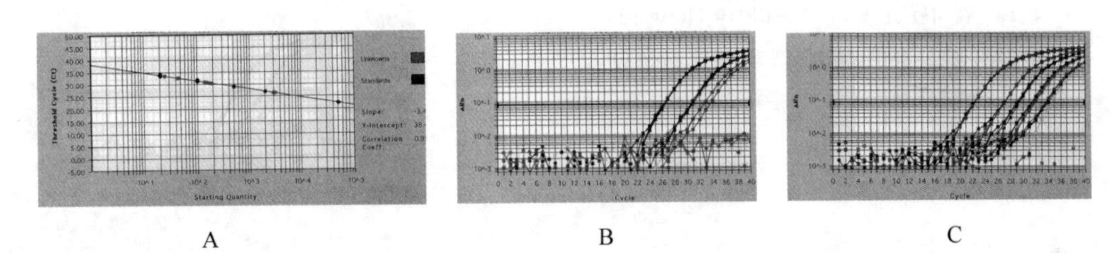

A. GMO 표준시료의 농도별 real time PCR
B. 도입(target) 유전자의 copy수와 Ct의 상관관계를 이용한 내부표준곡선
C. 검정시료의 도입유전자의 실시간별 PCR로 (B)의 표준곡선상의 붉은 점이 검정시료의 내재성 유전자의 copy수 또는 GMO 함유량

그림 11-19 검정시료의 도입유전자(target) 특이 프라이머를 이용한 real time PCR

표 11-3 검지시료의 정량

검지시료	내재성유전자 copy수	도입유전자 copy수	내표비	혼입율(%)
Non GMO	7960.85	0	-	0
100% GMO	7845.19	3126.21	k=0.418	100
검지시료 1	7842.16	39.02	-	1.19
검지시료 2	7870.26	166.18	-	5.05

이와 같이 내부표준 및 검정용 유전자의 실 시간별 PCR 결과 얻어진 copy수의 데이터로부터 GMO의 함유량을 다음의 식에 의해 환산하여 정량하게 되는데 예를 들면 표 11-3과 같다. 100%GMO 표준시료에서 도입유전자와 내부표준유전자의 copy 수가 동일하게 존재하는 것이 아니므로 내부표준유전자를 이용하여 정량하고자 할 때는 100% GMO 표준품종에서의 도입유전자

와 내부표준유전자의 copy 수의 비율과 DNA 추출효율 및 DNA 추출과정에서의 PCR 분석에 어떤 영향을 미칠 수 있는 요소인 matrix effect을 보정할 수 있는 표준시료의 내표비를 구하여 적용한다. 따라서 100% GMO 표준품종에서의 도입유전자와 내부표준 유전자의 copy수로 나눈 값을 내표비(k)로 하여 검지시료의 도입유전자 copy수를 내부표준유전자의 copy수를 나눈 값에 내표비를 적용하여 환산한다.

검지시료의 GMO 함유량 정량(%)

$$\frac{\text{GMO의 도입유전자 copy 수}}{\text{내재성유전자의 copy 수}} \times 1/k^{*} \times 100$$

k는 100% GMO 표준품종에서의 도입유전자와 내재성 유전자의 copy 수의 내표비를 나타냄

이와 같이 내부표준유전자를 이용하여 real time PCR기법으로 GMO 정량하고자 할 때 가장 중요한 것이 표준곡선을 만드는 GMO 표준시료(reference materials)라 할 수 있다. 다시 말해서 이 방법을 적용하여 GMO를 정량하고자 할 때 다음과 같은 제한 사항을 이해할 필요가 있다. ① 검정하고자 하는 유전자가 도입된 100% GMO를 표준시료로 이용하여 표준곡선을 작성하고 있는가 하는 점(현재 다양하게 상품화된 GMO의 개발회사들로부터 각각의 표준시료 확보는 곤란하다)과 ② GMO 검정을 위한 프라이머로 가장 흔히 이용하고 있는 프라이머는 발현조절부위 즉, cauliflower mosaic virus 35S promoter인데 이는 GMO 품종 예컨대, Bt 및 glyphosate 또는 glufosinate 제초제저항성 등의 GM 옥수수 품종에서 각각 copy 수가 다르므로 혼입율이 불분명한 혼합시료의 경우 실제 혼합된 GMO와 PCR에 의한 정량 결과와는 일치하지 않는다. ③ 가공식품의 경우 기계적 파괴, 열 또는 각종 화학처리에 의하여 DNA의 분해가 일어나며 각각의 식품에 따라 그 분해 정도도 다르므로 PCR의 주형으로 이용하는 DNA의 크기가 일정하지 않다. ④ 콩, 옥수수, 밀, 야채 등 다양한 원료성분으로 구성된 복합식품의 경우 GMO 함량을 어떻게 정량할 것인가 원료로부터 환산할 것인가 하는 점이다.

따라서 PCR 정량에서 두 가지의 방법이 있는데 CaMV 35S 프로모터 또는 Nos 터미네이터 등의 공통영역을 이용한 프라이머를 이용하여 정량하는 방법과 GMO 품종별 도입유전자 특이 프라이머를 이용하여 정량하는 방법이 있다. 공통영역을 이용한 정량의 경우 위에서 언급한 바와 같이 GM 품종마다 copy수가 서로 다르다는 점 등으로 인하여 실제의 GMO의 함유량과 PCR 정량분석에 따른 함유량과는 정확하게 일치하지 않는 면이 있으나 비용이 저렴하고 짧은 시간에 분석이 가능한 장점이 있다. 품종별 도입유전자 특이 프라이머를 이용하는 경우 정량의 정확성은 확보되나 분석비용과 소요시간이 많이 든다. 예를 들면 노바티스 회사에서 상품화한 Bt11 품종의 경우 CaMV 35S 프로모터는 도입유전자 및 마커유전자의 프로모터로 각각 도입되어 있고 이 유전자 구조체가 옥수수 염색체에 2copy 존재하는 것으로 알려져 있어 검지시료가 Bt11 품종을 포함한 경우 CaMV35S 프로모터 프라이머를 이용하여 정량 PCR을 할 경우 실제 함유량의 4배까지의 측정값를 나타낼 수도 있다. 실제 의도적으로 여러 품종을 혼합한 GM 옥수수 함유시료에 대하여 CaMV35S 프로모터 특이 프라이머를 이용하여 PCR 정량한 결과, 실제 15% GMO 함유시료의

실측치는 10.1%에서 29.0%까지 유동적인 정량값을 나타내었으나, 품종별 도입 유전자 특이 프라이머를 이용한 경우 실제 GMO 5% 함유시료의 실측치는 4.83%부터 5.02%가 얻어졌고 GMO 1% 함유시료는 1.16%부터 1.19%의 실측치를 나타내었다(자료 미제시). 따라서 GMO 정량분석에서도 공통영역을 이용할 지 또는 품종별 도입유전자 특이 프라이머를 이용할 지는 분석 목적과 시간, 비용 등을 고려하여 적용함이 바람직하며 GMO 표시제를 시행함에 있어 허용한계치(threshold)에 대하여 PCR 정량값에 따른 오차범위에 대한 검토가 우선적으로 이뤄져야 할 것이다.

이상과 같은 PCR법을 이용하여 정확하게 정량하기는 어려우나 현재 과학적으로 신뢰성 있는 또 다른 GMO 정량방법인 효소항체법을 제외하고는 없는 실정이다. 효소항체법의 경우에도 단백질의 변성이 일어나기 쉬운 가공식품의 분석에는 적용할 수 없고 또한 원료 농산물의 경우, 동일한 유전자를 도입한 농작물이라도 도입유전자의 발현부위에 따라 재조합단백질의 발현양이 다르기도 하므로 효소항체법의 적용범위도 제한되어 있다. 따라서 효소항체법과 정량 PCR법을 겸용하여 분석할 필요가 있다.

참고문헌

1. DG JRC. Environment Institute, Consumer Protection & Food Unit. Screening method for the identification of genetically modified organisms(GMO) in food(1998)
2. Gilson U. et al. A novel method for real time Quantitative RT-PCR. Genome Research 6 : p.995(1996)
3. Hübner P. et al. Quantitative competitive PCR for the detection of genetically modified organisms in food 10, p.353(1999)
4. ILSI Workshop on detection methods for novel foods derived from genetically modified organisms. 3-5 June. Brussels, Belgium(1998)

제 3 절 내분비계장애물질(환경호르몬)의 검지방법

1. 생선 및 육류중의 PCBs 분석방법

개 요

최근에 대중들의 관심이 집중되고 있는 내분비계장애물질의 하나인 PCB는 biphenyl이 1~10개의 염소로 치환된 화합물의 총칭명으로 이론상 209종의 이성질체(isomer)가 존재한다. 1881년 Schmidt에 의하여 합성되어 1929년 미국에서, 1930년 유럽에서 공업생산이 시작되었고 일본에서는 1950년대 초기에 수입되어 1954년에 생산을 시작된 PCB제품은 화학적 안정성, 고지용성, 불용성, 고절연성, 점착성 등의 우수한 특성이 있어 공업용으로 트랜스, 콘덴서 등의 전기제품에 광범위하게 사용되었으나, 인체 유해성이 알려짐에 따라 전 세계적으로 PCB의 생산이 중단되었다.
PCB는 다이옥신과 마찬가지로 지방에 용해되어 있는 성분이기 때문에 분석을 위해서는 지방으로부터 추출하여 세척(cleanup)하는 전처리 과정이 중요하다. 지질을 제거하는 방법으로는 실리카, 알루미나, 플로리실(florisil) 등을 충진한 칼럼크로마토그래피가 가장 널리 사용되는 방법이다. 그러나 '80년대 중반에 들어서 겔퍼미에이션(gel permeation) 칼럼을 장착한 HPLC를 이용한 전처리 방법이 도입됨으로써 재현성이 우수해지고 자동화가 가능해 졌다. 그러나 이러한 칼럼 크로마토그래피는 칼럼이 매우 비싸기 때문에 일반 실험실에서 사용하기 어려운 단점이 있다.
식품중 PCBs의 분석원리는 다음 그림과 같다(그림 11-20).

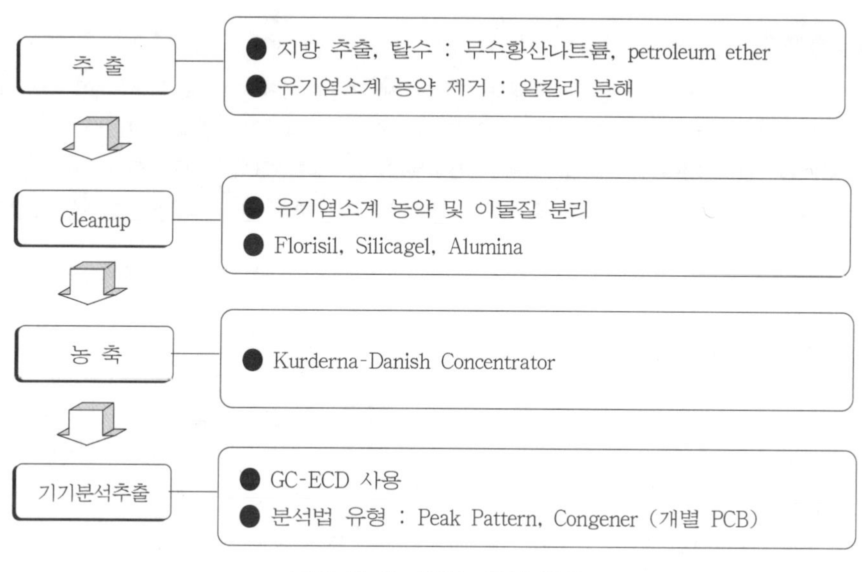

그림 11-20 PCBs 분석 개요

시험용조제를 위한 전처리과정에서 PCBs는 지방중에 용해되어 있으므로 먼저 ① 유지를 추출 ② 추출에 의해 얻은 유지를 알칼리분해 ③ Florisil 칼럼 및 silicagel 칼럼에 의한 clean-up ④ 농축 등의 과정을 거쳐 얻은 시험용액을 GC를 이용하여 분리되는 PCBs를 이들 화합물에 대해 선택적으로 감도가 높은 전자포획검출기(ECD)를 사용하여 분석한다.

정량방법은 충진칼럼을 사용하던 시절에는 피크의 분리가 완벽하지 않았으므로 arochlor 등 생산 판매되었던 여러 다른 PCBs 제품을 혼합하여 인위적으로 만든 혼합 표준물질을 이용하여 유사한 피크패턴을 만들어 농도를 정량하는 방법이 주로 사용되었다(peak pattern법). 그러나 모세관(capillary)칼럼이 도입되면서 각 콘제너별 피크의 분리가 가능해 지게 됨으로써 개별 피크를 확인하여 정량한 후 이를 합산하여 총 PCBs를 구하는 콘제너방법이 보편화 되기 시작하였다(congener법). 특히 90년대 이후 콘제너에 따라 독성이 현격히 차이가 나기 때문에 독성 등가농도(TEQ)가 위해성 분석에 주로 사용되기 시작했고, coplanar PCB의 존재가 더욱 큰 문제가 되면서 피크패턴법 보다는 크로마토그램 상에서 피크들을 완벽하게 분리한 후 개별 콘제너를 분석함으로써 정량하는 방법이 일반화되었다.

현재 총 PCBs를 규제하는 미국, 일본과 같은 나라에서는 다양한 비율로 혼합한 표준물질(Aroclor)을 이용한 peak pattern 법을 사용하고 있고 유럽연합과 같이 개별 PCB를 규제하고 있는 나라에서는 개별 PCB 6개에 대한 함량을 분석하는 Congener방법을 공인 분석방법으로 사용하고 있다.

시료조제

시료는 육류의 경우 지방부위만 절단하고 어류의 경우는 해부를 하여 근육조직을 스테인레스 칼로 채취한다. 패류 시료인 경우 패각을 제거하고 시료를 취한다.

시약 및 기구

실험에 사용되는 모든 초자기구는 세제로 깨끗이 세척하고 증류수로 잘 헹군 후에 건조기에서 건조시키고 알루미늄 호일로 입구를 밀봉한 후에 450℃에서 4시간 태운다. 사용하기 전에 고순도 염화메틸렌으로 닦아서 사용한다. 또는 건조된 초자기구를 염화메틸렌으로 세척한 알루미늄 호일로 입구를 밀봉한 후에 청결한 장소에 보관했다가 사용하기 전에 고순도 염화메틸렌으로 닦아서 사용하여도 된다.

초자 및 기구

- 넓직 바닥 플라스크
- 유리 바이알 : 1, 2mℓ 용량으로 GC로 분석할 시료를 보관하는데 사용한다.
- 유리깔대기
- 유리막대
- 액체 크로마토그래프 칼럼 : Florisil cleanup에 사용되는 칼럼은 하부에 테프론 스톱콕이 달린 길이가 30cm이고 내경이 1cm인 경질 유리 칼럼을 사용한다.

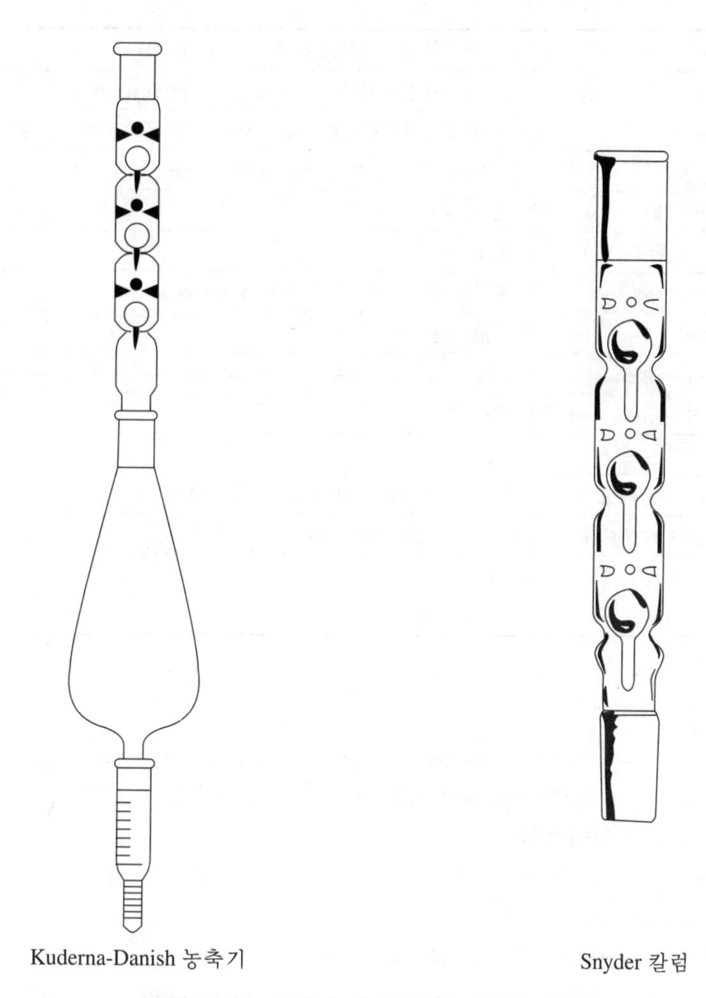

Kuderna-Danish 농축기 Snyder 칼럼

그림 11-21 K-D 농축기 및 스나이더 칼럼

- 구데르나-데니쉬(Kuderna-Danish, K-D) 농축기 : 시료 추출액을 농축하는데 사용한다(그림 11-21 참고) 125㎖ K-D 농축기 및 10㎖ 농축 시험관
- 스나이더(snyder) 칼럼 : 유리구가 3개인 것 사용한다(그림 11-21 참고).
- 원심분리기 : 4000rpm 이상으로 경질 유리제의 원심분리관을 사용할 수 있어야 한다.
- 원심분리관
- 조직분쇄기(tissuemizer) : 시료를 균질화시키는데 사용한다.
- 와류혼합기 또는 Lourdes blender
- 수욕조(water bath) : ±5℃ 이내로 온도조절이 가능해야 하며 반드시 후드안에서 사용해야 한다.
- 유리주사기 : 5, 10㎕ 용량의 주사기로 시료를 GC에 주입하는데 사용한다.
- GC(gas chromatograph) : detector로서 PCBs에 감도가 뛰어난 ECD를 사용한다.

기체크로마토그래프-전자포획검출기(GC-ECD)	
검출기	전자포획검출기(ECD : electron capture detector)
칼럼	유리모세관칼럼(내경 0.25mm, 필름두께 0.25㎛, 길이 30m)
충진제	5% phenyl, 95% methyl polysiloxane
운반기체	헬륨(99.9% 이상)
운반기체 유속	1.5㎖/분
검출기 기체	5% 메탄, 95% 알곤 혼합기체 (99.9% 이상)
유속	30㎖/분
시료주입구 온도	300℃
검출기 온도	320℃
오븐 초기온도	100℃ 1분
오븐 온도 승온속도	5℃/분로 140℃까지 승온 후 1분간 유지
오븐 온도 2차 승온속도	1.5℃/분로 250℃까지 승온 후 1분간 유지
오븐 온도 3차 승온속도	10℃/분
오븐 최종온도	300℃ 5분

시 약

- 유기용매 : 잔류농약 분석용의 Petroleum ether, ethyl ether, hexane, alcohol등
- 유리섬유(glass wool) : ECD detector에 대한 방해물질이 없는 것을 사용한다.
- Florisil－PR grade, 60～80메쉬
- 무수황산나트륨(sodium sulfate) : 450℃에서 5시간 동안 건조시킨 후 120℃에서 보관하고 사용 직전에 상온으로 식혀서 사용한다.
- 표준물질과 첨가시약(standards and spike solutions)
  - 내부 표준용액 : PCB_2O_4, PCB_2O_9(순도 95% 이상)(또는 경우에 따라 표준물질을 바꾸어 사용할 수 있다)를 0.2㎕/㎖ 농도로 노말핵산에 녹여 회수율 검정을 위한 내부 표준물질로 사용한다.
  - 표준용액 : 개별 PCB 표준물질(순도 95%)을 핵산에 5, 20, 40, 80ng/㎖의 농도로 만들어 검정에 사용한다. 현재 유럽에서 기준으로 정하고 있는 개별 PCB 6개는 PCB_28, 52, 101, 118, 153, 138, 180 등이다.

시험방법(조작)

1. 시료를 조직분쇄기로 균질하게 갈아주고 1g을 스텐레스 스파튤라로 믹서용 금속 컵에 옮긴다. 시료에 1종 이상의 내부 표준물질(PCB_20_4, PCB_20_9 또는 경우에 따라 표준물질을 바꾸어 사용할 수 있다)를 넣는다.
2. 무수황산나트륨 40g과 적당량의 petroleum ether를 가하고 막대기로 저은 후 20분간 정치한다. petroleum ether 100㎖를 다시 가하고 와류혼합기 또는 Lourdes blender를 이용하여 1～2분간 혼합한다.
3. 시료를 원심분리기에서 2000rpm으로 1～2분간 돌린 후에 맑은 상등액인 petroleum ether 추출

물을 취한다.

4. 유리섬유와 무수황산나트륨 20g으로 마개를 한 깔대기를 통하여 상등액을 여과하고 여액을 250mℓ 플라스크에 모은다.
5. 시료에 다시 petroleum ether 100mℓ를 가하여 혼합하고 전의 과정을 되풀이 한다.
6. petroleum ether 70mℓ를 넣고 다시 전의 과정을 되풀이 한 후, petroleum ether로 최종 부피가 250mℓ가 되게 한다.
7. 상등액중 25mℓ를 취하여 무게를 잰 바닥이 넓적한 플라스크 100mℓ에 옮기고 수욕상에서 30분간 방치하여 용매를 휘발시키고 냉각시킨다. 플라스크 무게를 잰 후, 시료중의 지방(%) 함량을 계산한다.
8. 어류의 경우 지방함량이 10% 미만일 경우, 125mℓ 구데르나-데니쉬(K-D)농축기에 상등액 25mℓ를 취하고 지방함량이 10%보다 높을 경우, 지방함량이 200mg을 넘지 않을 정도의 상등액을 취한다. 20~30 메쉬의 carborundum을 넣은 구데르나-데니쉬(K-D)농축기를 이용하여 각각의 상등액을 3mℓ로 농축한다. 냉각 한 후, 스나이더 칼럼을 제거하고 농축액을 2번 1mℓ petroleum ether로 씻어주고 Florisil 칼럼에서 세척(cleanup)한다.
9. Florisil 칼럼 : 유리막대로 유리섬유를 300×10mm i.d 크로마토그래프 칼럼에 밀어 넣어 칼럼 충진물이 빠져 나가지 않도록 준비하고 칼럼을 4g의 activated Florisil로 채우고 그 위에 2cm 두께로 무수 황산나트륨으로 채운다. 스톱콕을 완전히 열고 칼럼을 부드럽게 두드려 충진물을 평평하게 하고 무수 황산나트륨층 위의 1cm되는 곳에 마크를 한다.
10. petroleum ether 20~25mℓ로 칼럼을 미리 세척한다. 이때, 용매의 수준이 마크를 한 곳에 이르렀을 때 구데르나-데니쉬(K-D)농축기를 이용하여 용매를 모은다.
11. 일회용 살균 피펫을 이용하여 시료용액 3mℓ를 흘려보낸 후, 1mℓ petroleum ether를 이용하여 칼럼을 세척한다. 이때, 용매는 마크 수준이하로 되어서는 안된다. 필요하다면 일시적으로 마개를 막을 수 있다.
12. petroleum ether-ether 혼합물(94 : 6) 35mℓ를 가하여 PCBs와 DDT 및 그 유사물질을 흘려보낸다. 이때 용매가 마크한 부분에 이르렀을 때 K-D농축기를 바꾸고 35mℓ petroleum ether-ether 혼합물(85 : 15)을 가하여 dieldrin과 endrin과 같은 화합물을 흘려보낸다.
13. 첫번째 농축기에 carborundum을 가하고 스나이더 칼럼을 부착한 후, 수욕상에서 조심스럽게 농축한다. 농축기를 냉각하고 스나이더 칼럼을 제거한 후 공기중에서 용매를 적당하게 휘발시킨다.
14. PCBs와 DDE와 같은 다른 유기염소계 농약을 분리하기 위해서는 알칼리분해 등과 같은 추가적인 분리 기술이 필요할 수 있다.
15. 칼럼을 통하여 모아진 용액은 1mℓ 이하로 농축하여 GC vial로 옮기고 원하는 부피로 정확히 만든다. 10$\mu\ell$ 주사기를 사용하여 정확한 양을 GC에 주입하여 분석한다.

결과 및 고찰

1. 얻어진 크로마토그램에서 각각의 유기염소계 농약에 대하여 검정용 표준용액의 머무름 시간(retention time)을 기록한다. 검정용 표준용액의 머무름 시간과 시료중 각 피크의 머무름 시간을 비교하여 성분을 확인한다. 크로마토그램에서 얻은 각 피크의 면적과 각 성분의 농도별

검정관계식을 이용하여 시료중의 농도를 계산한다.

2. 크로마토그램의 피크 면적과 농도의 검정관계식을 구하기 위하여 표준용액을 기체 크로마토그램을 이용하여 분석한다. 성분별로 주입된 정량에 대해 각 피크의 면적이나 피크 높이를 표로 만든다. 각 성분별로 회귀직선법으로 해석하여 검정관계식을 구한다.
3. 얻어진 검정관계식은 측정 당일에 한 개 이상의 검정용 표준용액을 분석하여 검증해야 한다. 검증의 빈도는 검출기의 종류에 따라 다르다. 만약 검증 결과 분석되는 성분의 결과가 ±15% 이상일 경우 검정관계식을 새로 구해야 한다.
4. 72시간에 걸쳐 검정용 표준용액을 3회 주입한 후 각 성분에 대해 얻어진 3개의 머무름 시간의 표준편차를 계산한다. 이 표준편차에 ±3을 곱하여 각 성분별로 머무름 시간 범위(retention time window)를 구한다. 머무름 시간 범위는 혼합 성분의 확인을 위하여 사용하며 새로운 모세관 칼럼으로 교체할 때마다 다시 구해야 한다.
5. 공시험에서는 각 성분별로 검출한계의 3배 이상의 농도가 검출되어서는 안된다. 만약 공시험에서 이러한 조건을 만족시키지 못할 경우 시료 분석과정에서 오염된 것으로 간주하고 오염의 원인을 찾아내어 문제점을 해결해야 한다.
6. 회수율 검정을 위한 내부 표준용액을 이용하여 추출과정과 시험과정의 회수율을 산출한다. 검정관계식을 이용하여 계산된 각 성분별 농도 계산값을 회수율로 나누어 시료중의 최종 농도를 계산한다. 회수율이 40~130% 이내에 들어오지 않을 경우 계산과정과 분석과정의 문제점을 점검해야 한다. 특히 회수율 검정을 위한 내부 표준물질이 분해되었거나 오염되었는지와 기기의 상태를 점검해 보아야 한다. 문제가 있는 시료에 대해서는 재분석을 실시한다.
7. 한 세트의 시료마다 대상 시료에 검정용 표준용액을 일정량 첨가하여 분석(matrix spike analysis)해야 한다. 분석할 시료중 임의로 선택하여 소분한 후 일정량의 검정용 표준용액을 첨가하고 동일한 방법으로 분석한다. 각 성분별로 회수율이 40-130% 이내에 들어오지 않을 경우 재분석을 실시한다.
8. 공시험 용액과 검정용 표준용액은 각 농도별로 2개 이상 복수로 분석되어야 한다.
9. 검출한계는 바탕용액을 7개 복수 분석하여 농도의 표준편차를 구한 후 3.143을 곱한 값(99% 신뢰구간)에 농도의 평균값을 더하여 유의숫자 첫 자리로 표현한다.
10. 정밀도는 검정범위의 중간 표준용액을 7개 복수 분석하여 농도의 표준편차를 구한 후 3.143을 곱하여(99% 신뢰구간) ±유의숫자 첫 자리로 표현한다.
11. 결과 보고서에는 검정관계식, 상관관계도, 정밀도, 검출한계를 기재하도록 한다.

참고문헌

1. 한국해양연구소, 수입 수산물중 PCBs 및 유기염소계 화합물 검사기술 연구(연구보고서), 한국해양연구소 농림부, p.93(1998)
2. Sawyer, L. D., McMahon, B. M., and Newsome, W. H. : Pesticide and Industrial Chemical Residues, AOAC, Vol. 1 Chapt 10, p.10.1.01(199?)
3. 김복성 외 8인, 식품중의 PCBs에 관한 연구(I), 국립보건원보 30(2), p.392(1993)
4. FDA, Pesticide Analytical Manual, FDA, Vol. 1, p.304(1999)

2. 용기포장재에서 이행되는 프탈레이트 분석법

개 요

프탈레이트는 가소제로 쓰이는 대표적인 화합물이다.

가소제란 폴리염화비닐, 폴리염화비닐리덴, 폴리아세트산비닐 같은 열가소성 플라스틱에 첨가하여 열가소성을 증대시킴으로써 고온에서 성형가공을 용이하게 하며, 탄성·강도를 조절하기 위하여 가해지는 유기화합물을 말한다. 식품용도로는 주로 랩이나 용기 등에 사용되며 신축성과 접착성을 좋게 하기 위해 다량의 가소제를 넣는데 주로 프탈레이트 화합물이 사용된다.

가소제로 사용되는 것으로는 프탈산에스테르, 아조빈산에스테르, 구연산에스테르, 인산에스테르 등 여러 가지가 있지만 일반적으로는 프탈산계의 것이 많이 사용되며, 식품용 포장재에는 구연산계의 것이, 전선의 피복용, 비닐하우스용 등의 일광이나 바람, 비에 견디는 가소제에는 내후성이 있는 인산에스테르계의 것이 많이 사용된다. 이 들 중 대표적인 것으로는 DOP(디옥틸프탈레이트), DOA(디옥틸아디페이트), DBP(디부틸프탈레이트), TCP(트리크레실포스페이트) 등이 있다. 가소제 사용량은 일반적으로 폴리염화비닐제품 파이프는 10~20% 정도, 랩은 20~40% 정도이며, 폴리염화비닐리덴 제품에는 10~15%이다.

식품위생생법에 의하면 PVC에서 트리크레졸린산에스테르에 대해 규제하고 있으며, 기준은 재질중에 1000mg/kg 이하로 되어있다.

프탈산에스테르의 독성은 잔류성이 강하지는 않지만 널리 사용되는 것이므로 LD_{50}으로 나타내어 보면, 프탈산디부칠은 rat에서 경구 8.0g/kg이고 프탈산디옥틸은 rat에서 17.3g/kg, mouse에서는 14.19g/kg이다.

랩필름으로부터의 용출에 대해서는 지방분을 함유한 것에서는 식품으로의 대량이행이 확인되어 있다.

프탈산에스테르류의 정성시험에는 적외흡수스펙트럼법과 박층크로마토그래피법이, 정량시험에는 가스크로마토그래피법이 널리 사용되어지고 있다.

1) 적외흡수스펙트럼에 의한 정성

시험용액의 조제

시료를 잘게 썰어 약 5.0g을 원통여지에 담고, 속실렛 추출기에 장치한다. ether를 가하여 시료를 하룻밤 침지 시킨 후 6시간정도 에테르를 환류시켜 추출을 행한다.[1)]

---

1) 수지를 하룻밤 ehter에 침지하여 프탈산에스테르류의 추출을 쉽게 한다. 이 조작에서 수지의 구성 성분인 고분자는 용출되지 않지만 첨가된 가소제의 대부분은 용출 된다.

추출 후 ether를 제거하고, 잔류물의 무게를 재어[2]잔류물의 농도가 10~20mg/㎖가 되도록 사염화탄소에 녹이고[3], 불용분이 있으면 여과하고 분리하여 시험용액으로 한다.

시험방법(조작)

시험용액 2~3방울을 셀판에 적하하고 용매를 휘발 시킨 후 박막법에 의한 적외흡수 스펙트럼을 측정한다. 얻은 적외흡수스펙트럼을 표준품의 스펙트럼과 비교하여 정성을 한다.

2) 박층크로마토그래피에 의한 정성

시험용액의 조제

적외흡수스펙트럼의 방법에 준하여 준비한다.

시 약

- 박층판 : 형광지시약을 첨가한 박층크로마토그래피용 실리카겔을 사용하여 두께 250㎛의 박층판을 만들어 130도에서, 1시간 활성화 시킨다[4].
- 표준용액 : 프탈산디부칠, 프탈산디옥칠 등의 1.0g을 아세톤에 녹여 100.0㎖로 한다.
- 전개용매
  - 이소옥탄 : 초산에틸(9:1)
  - 벤젠 : 초산에칠(95:5)
  - 디부칠에테르 : n-핵산(4:1)
  - 메칠렌클로르
- 발색제 : 요오드를 유리밀폐 용기에 넣어 실온에 방치한다.

시험방법(조작)

박층판 위에 시험용액 및 프탈산에스테르류의 표준용액의 각각을 5~10㎕을 찍는다.

전개용매를 이용하여 약 10cm 전개한 후 박층판을 꺼내어 바람에 말리고 자외선(254nm)을 조사하여 관찰한 후 위의 ④발색제의 밀봉용기에 넣어 방치하고[5] 시료 및 각 가소제 반점의 R_f를 구

---

2) 미리 항량된 플라스크를 이용하여 에테르를 제거한다.

3) 적외흡수스펙트럼법과 박층크로마토그래피용 시험용액의 농도로는 이 정도의 것이 측정하기 좋다.

4) 박층크로마토그래피용 실리카겔은 $CaSO_4 \cdot 2H_2O$를 함유한 것으로 예를 들면 wako겔 B-5F, 또는 B-5UA, 실리카겔 GF 등이 있다. 또 I_2 가스에서의 반점을 확인하면 형광지시약은 필요치 않다.

5) I_2 가스발색은 박층크로마토그래피용 전개조에 I_2를 넣고 가스형태가 된 뒤에 전개한 박층판을 잠깐 방치하는 것이 좋다.

하여 판정한다. 자외선조사에 의하면 프탈산에스테르는 자색의 반점으로 나타나며, 요오드가스에 의해 갈색을 띄우나 방치하면 색은 없어진다.[6)]

3) 가스크로마토그래피에 의한 정량

시험용액의 조제

시료를 5mm 모양으로 세절하여 그의 약 5g을 정밀하게 취한 후, 원통여지에 넣어 속실렛 추출기에 장치하고 사염화탄소를 가하여 6시간 가열 환류하여 추출한다.[7)]

다음에 사염화탄소를 제거하고 추출물을 105°에서 3시간 건조 후 데시케이터에 방냉한 후 추출물의 중량을 측정하여 둔다.

잔류물을 n-핵산에 녹이고 불순물이 있으면 여과하여 25mℓ로 한다.

미리 실리카겔 10g을 n-핵산과 함께 기포가 들어가지 않게 하여 크로마토칼럼관에 넣고 n-핵산 50mℓ를 흘린다. 그런 다음 n-핵산용액 2mℓ를 가하여 흘린 다음 전개용매 4가지를 각 30mℓ씩 차례로 1mℓ/min의 유속으로 흘리고 각 유출액을 분취한다.

아세톤·사염화탄소의 용리액 및 아세톤 용리액을 농축하여 2mℓ로 하여 시험용액으로 한다.

시 약

■ 실리카겔 : 미리 130° 에서 5시간 건조한 칼럼크로마토그래피용 실리카겔[8)] 100~200mesh의 것.

■ 전개용매

 －n-핵산

 －사염화탄소·n-핵산(1:1),

 －사염화탄소

 －아세톤·사염화탄소(1:9),

 －아세톤

■ 표준용액 : 위 박층크로마토그래피용 표준용액과 같은 것을 희석하여 사용한다.

■ 가스크로마토그래피용 칼럼 충진제 : 10%실리콘 SE-30/크로모솔브 W/AW(60~80mesh) 또는 2~3%실리콘 OV-17/크로모솔브 W/AW(60~80mesh)

---

6) 자외선 조사에 의하면 프탈산에스테르류는 자색의 반점을 만드는 것이 세파딘산이고, 아조빈산계 가소제는 발색되지 않는다. 그러나 I_2 가스에서는 전부 갈색의 반점으로 확인된다. 프탈산에스테르류의 확인 한계는 자외선조사와, I_2 가스에서는 1개 반점이 약 5~10μg이나 $Sbcl_3$에 의한 발색법에서도 감도가 나쁘다.

7) 사염화탄소를 이용 회수율을 검토했을 때 5시간 추출을 행한 경우 100%의 추출율이 얻어졌으나 시료 각각의 특징을 고려하여 안전하게 6시간으로 한다.

8) wako겔 Q-23이 적당하다. 시판품은 약 10%의 수분을 함유하고 있다.

장 치

1 크로마토칼럼관 : 내경 10~20mm, 길이 50cm의 유리관으로 하부에 여과를 할 수 있는 유리면을 채운 것.
2 가스크로마토그래피 : 수소염이온화 검출기(FID 검출기)[9]
3 가스크로마토그래피용칼럼 : 유리제 칼럼(내경 3~4mm, 길이 2~3m)에 칼럼 충진제를 채운 것

시험방법(조작)

1 가스크로마토그래피의 조건

칼럼 : 10% 실리콘 SE-30/크로모솔브 W/AW(60-80mesh) 또는 2~3% 실리콘 OV-17/크로모솔브 W/AW(60-80mesh)

온도 : 칼럼온도 250°

주입구온도[10] 300°

검출기온도 300°

2 정량 : 시험용액의 일부를 이용하여 가스크로마토그래피에 주입한다. 따로 각 표준용액에 대하여 동일조건에서 가스크로마토그래피를 실시하고 농도에 따라 검량선을 작성한 후 시험용액에서 얻어진 피크농도와 비교하여 정량한다.

참고문헌

1 衛生試驗法 注解. 일본약학회편(1995)
2 食品公典. 식품의약품안전청(1999)
3 내분비계 장애물질 연구보고서. 식품의약품안전청 국립독성연구소(1999)
4 프라스틱의 위생성. 塩食品衛生協議會編(1970)

9) 승온장치가 부착된 가스크로마토그래프를 이용하는 것이 각 에스테르류의 분리 및 확인이 쉽다.

10) 주입구 온도가 낮으면 용매피크가 tailing 현상이 생겨 프탈산디에칠(DEP)와 프탈산디부칠(DBP)이 분리되지 않는 경우가 있다.

12 특정식품성분

제 1 절 농산식품

1. 인삼류 식품

인삼은 예로부터 귀한 한방약, 민간약으로서 사용되었으며, 건강음료 등으로 많이 사용되고 있다. 인삼은 제조방법에 따라 백삼, 홍삼, 곡삼, 수삼 등으로 구분하며, 생산지와 부위에 따라 많은 명칭을 가지고 있다. 인삼의 주요성분으로는 사포닌(saponin)인 진세노사이드(ginsenoside) $R_a \sim R_h$, R_o 등이 보고되고 있으며, 그 외에 oleanolic acid와 여러 종류의 파낙사디올(panaxadiol) 등이 보고되었다.

인삼은 가늘고 긴 원두형에서 방추형으로 때때로 중간쯤에는 2~5개의 곁뿌리가 나있고 길이는 12~20cm이며, 큰 뿌리의 지름은 1~3cm이다. 바깥 면은 엷은 황갈색에서 엷은 회갈색으로 세로주름과 가는 뿌리의 자국이 있다. 뿌리의 윗 부뷰에는 줄기의 끝이 붙어있던 뇌두(腦頭)가 있다. 꺾은 면은 거의 평탄하며 엷은 황갈색이고 형성층(形成層) 부근에서는 갈색은 나타낸다. 횡단면(橫斷面)을 현미경으로 보면 녹말입자가 가득 차 있는 엷은 막의 어린 세포로 되어 있고, 껍질 여러 곳에 황색에서 황적색의 분비물이 들어있다. 인삼은 특이한 냄새가 있고, 맛은 처음에는 약간 달다가 나중에는 약간 쓰다.

1) 인삼 진세노사이드의 검출

시약 및 기구

- 환류냉각기가 부착된 후라스크에 인삼가루 2.0g과 메탄올 20mℓ를 넣고 수욕조에서 15분간 끓인 다음 식혀서 여과한 액을 분석용액으로 한다.
- 따로 박층크로마토그래프(TLC)용 진세노사이드 Rg_1 1mg을 메탄올 1mℓ에 녹여 표준용액으로 한다.

실험방법

1. 이들 용액을 가지고 박층크로마토그래프(TLC)법에 따라 실험한다. 분석용액 및 표준용액 10μℓ씩을 박층크로마토그래프용 실리카 겔(silica gel)로 만든 박층판에 점적한다(spotting).
2. 클로로포름 : 메탄올 : 물(13 : 7 : 2) 혼합액을 전개용매로 하여 약 10cm 정도를 전개한 다음 박층판을 바람에 말린다.
3. 묽은 황산을 고르게 뿌리고 110℃에서 5분간 가열하면 분석용액에서 얻은 여러 개의 반점(spot) 중 1개의 반점은 표준용액에서 얻은 적자색의 반점과 색상 및 R_f 값이 같다.

주의사항

분석시료에는 줄기 및 그 밖의 이물질이 2.0% 이상 섞여 있지 않아야 한다. 그리고 묽은 에탄올로 추출한 진액 함량이 14.0 이상이며, 회분이 4.2% 이하이다.

2) 인삼 진세노사이드의 정량

시약 및 기구

- 메탄올
- n-부탄올
- 석유에테르(petroleum ether)
- 아세토니트릴(acetonitrile)
- 진세노사이드(ginsenoside) 표준품
- 수욕조(water bath)
- 환류냉각기가 부착된 추출장치
- 회전감압농축기
- HPLC

시료조제

1. 인삼을 가루로 하여 진세노사이드 R_{b1}(또는 R_{g1})으로서 약 1.0mg에 해당하는 양을 정확하게 잰다.
2. 추출기 용기에 분석시료와 70% 메탄올 100㎖를 넣어 환류냉각기를 달고 수욕조(65~70℃)에서 30분간 환류추출한다.
3. 추출액을 식힌 다음 여과하고 여액을 증발농축한 다음 잔류물에 물 20㎖를 넣어 현탁시키고 석유에테르 100㎖로 추출한다.
4. 석유에테르 층은 버리고 물 층을 n-부탄올 100㎖씩을 사용하여 3회 추출한다.
5. 부탄올 층을 모두 합하여 물 100㎖로 세척한 다음 n-부탄올 층을 감압농축한다.
6. 여기에 메탄올 10㎖를 넣어 녹인 다음 분석용액으로 한다.
7. 따로 정량용 진세노이드 R_{b1}(또는 R_{g1}) 약 10.0mg을 정확하게 달아 메탄올 100㎖을 넣어 녹인 다음 표준용액으로 한다.

실험방법

분석용액 및 표준용액 20㎕를 가지고 다음의 조건으로 액체크로마토그래프법(HPLC)에 따라 시험하여 각 용액의 진세노사이드 R_{b1}(또는 R_{g1}) 피크(peak) 면적 A_r 및 A_s를 측정한다.

HPLC 분석조건

1. 검출기 : 자외부(UV)흡광광도계(측정파장 203nm)
2. 칼럼 : 안지름 4~6mm, 길이 15~25cm인 스테인리스스틸 관에 5~10㎛의 옥타데시릴화한 실리카 겔을 충전한다.
3. 이동상 : 아세토니트릴(acetonitrile) : 물(30 : 70)
4. 유량 : 1.0㎖/분

결과 및 고찰

1. 진세노사이드 $R_{b1}(C_{54}H_{92}O_{23})$의 양(mg) = 정량용 진세노사이드 R_{b1}의 양(mg) $\times \frac{A_r}{A_s} \times \frac{1}{10}$
2. 진세노사이드 $R_{g1}(C_{42}H_{72}O_{14})$의 양(mg) = 정량용 진세노사이드 R_{g1}의 양(mg) $\times \frac{A_r}{A_r} \times \frac{1}{1}$

3) 총 파낙사디올의 정량

시약 및 기구

- 에탄올
- 석유에테르(petroleum ether)

- 5% 탄산수소나트륨 용액
- 황산(H_2SO_4)
- 클로로포름(chloroform)
- 무수황산나트륨(Na_2SO_4)
- 파낙사디올(panaxadiol) 표준품
- N_2 가스(GC용)
- 수욕조(water bath)
- 환류냉각기가 부착된 추출장치
- 회전감압농축기
- GC

시료조제

1. 인삼을 가루로 하여 약 1.0g을 정확하게 달아 70% 에탄올 50㎖를 넣어 수욕조에서 3시간 환류추출하고 식힌 다음 여과하여 정확하게 50㎖로 한다.
2. 이 용액 25㎖를 정확하게 취하여 황산 : 에탄올(14 : 86) 혼합액 25㎖를 넣고 수욕조에서 2시간동안 가수분해시킨 다음 냉각하여 물 50㎖씩 4회 진탕추출하여 에테르 층을 모은다.
3. 에테르 층을 5% 탄산수소나트륨 용액 30㎖로 세척한다.
4. 물 층은 다시 에테르 30㎖로 추출하여 에테르 층에 합하고, 무수황산나트륨으로 탈수 여과하여 저온에서 감압농축한 다음 클로로포름 5㎖를 가하여 분석용액으로 한다.
5. 따로 정량용 파낙사디올 7mg을 정확히 달아 클로로포름을 넣어 정확히 100㎖로 하여 표준용액으로 한다.

실험방법

분석용액 및 표준용액을 가지고 다음의 조건으로 가스크로마토그래프법(GC)에 따라 시험하여 파낙사디올의 피크면적 A_r 및 A_s를 측정한다.

CG의 분석조건

1. 검출기 : 수소불꽃이온화검출기
2. 칼럼 : 안지름 약 3mm, 길이 2.0m인 유리관에 가스크로마토그래프용 100% 디메칠실리콘폴리머를 180~250㎛의 가스크로마토그래프용 규조토에 3%의 비율로 피복한 것을 충진한다.
3. 칼럼온도 : 270℃
4. 캐리어가스(carrier gas) : 질소 또는 헬륨
5. 유량(flow rate) : 50㎖/분

결과 및 고찰

총 파나사디올($C_{30}H_{52}O_3$)의 양(mg) = 정량용 파나사디올의 양(mg) $\times \frac{A_r}{A_s} \times \frac{1}{20}$

참고문헌

1 식품의약품안전청 : 의약품 기준 및 시험방법 제2개정, 약업신문사, p.1334(1998)
2 대한보건공정서협회 : 대한약전 제7개정, 한국메디칼인덱스, p.731(1998)
3 高木敬次郎 等 : 和漢藥物學, 南山堂, p.76(1983)
4 東京生藥研究會 : 漢方藥の評價と開發技術, シーエムシー, p.232(1992)
5 水野卓,川合正允 : キノコの化學, 生化學, 新日本印刷(1991)

2. 버섯류 식품

버섯은 세계적으로 1,500여종이 있으며, 많은 종류가 식용으로 이용되고 있다. 버섯은 항종양 활성, 면역 증강, 항염증 작용, 혈당강하 작용, 강심(强心) 작용, 혈압강하 작용 및 항혈전 작용 등의 생체조절 기능이 연구되면서 건강식품과 의약품으로 사용되고 있다. 이러한 버섯 중 복령, 운지버섯, 상황버섯, 치마버섯 등은 식용이 아닌 생리활성물질을 보완하기 위한 목적으로 주목되고 있으나, 분석법이 개발자에 따라 지표성분과 분석방법이 다르다. 특히 다당체를 중심으로 하는 제품의 분석은 당 분석에서 특정성분이 지표물질로 검토되어야 한다.

1) 복령의 분석

복령은 유백색에서 담갈색의 입상형~가루형이다.

시료조제

1 복령으로서 약 10.0g 해당하는 양을 정확히 달아 아세톤 80mℓ을 넣어 수욕조에서 2시간동안 환류추출하고 여과한다.
2 여액을 수욕조에서 증발건조하여 잔류물을 메탄올 10mℓ에 녹여 여과한 액을 분석용액으로 한다.
3 따로 복령 약전품을 표준품으로 한 다음 약 10.0g을 정확히 달아 시료조제 방법대로 제조하고 분석용액과 같은 방법으로 만들어 표준용액으로 한다.

실험방법

분석용액 및 표준용액을 가지고 다음 조건으로 액체크로마토그래프법에 따라 시험하여 각각의 주 피크면적 A_r 및 A_s를 측정한다.

HPLC의 분석조건

1. 검출기 : 자외부흡광광도계(측정파장 254nm)
2. 칼럼 : 안지름 약 4~6mm, 길이 15~25cm인 스테인리스스틸 관에 5~10㎛의 옥타데시릴화한 실리카 겔을 충전한다.
3. 이동상 : 아세토니트릴 : 0.1mol/L 구연산 완충액(pH = 3.0) (16:84)
4. 유속 : 1.0 mℓ/분

결과 및 고찰

$$복령의 양(g) = 복령 약전품의 양(g) \times \frac{A_r}{A_s}$$

2) 운지버섯

회갈색 분말로서 이 수용액은 비교적 높은 점도를 나타낸다. 물 및 생리식염수에는 녹지만 유기용매에는 녹지 않는다.

(1) 코리올란의 검출

시료조제

1. 운지버섯 분말 약 500mg을 달아 물 30mℓ와 묽은 황산 50mℓ를 넣고 6시간동안 수욕조에서 환류추출한다.
2. 추출액을 여과하고 여액을 수산화바륨 용액으로 중화한 다음 감압농축한다. 이 농축액을 물 3mℓ에 녹여 분석용액으로 한다.
3. 따로 코리올란을 표준용액으로 한다.

시약 및 기구

- 수산화바륨
- 코리올란 표준품
- 흡착제 : 실리카 겔 $60F_{254}$

- 전개용매 : n-부탄올 : 아세톤 : 물(4:5:1)
- 발색제 : *p*-아니스알데히드와 황산의 혼합액
- 환류냉각기가 부착된 추출장치
- 수욕조(water bath)
- 회전감압농축기

실험방법

박층크로마토그래프법(TLC)에 따라 시험할 때 분석용액 및 표준용액은 같은 위치에 같은 색상의 반점을 나타낸다.

주의사항

1. 정량법에 따라 시험할 때 분석용액은 표준용액과 같은 유지시간(retention time)에서 확인한다. 이 수용액(1 → 100)의 pH는 6.4~8.4이다.
2. 중금속을 분석할 때는 시료 약 0.5~1g을 취하여 시험하며, 납은 30ppm 이하, 비소는 1ppm 이하인지를 검정한다.
3. 순도는 단백질 함량이 10.0% 이하, 건조감량이 13.0% 이하(0.5g, 105℃, 5시간), 회분이 12.0% 이하이어야 한다.

(2) 코리올란의 정량

시약 및 기구

- 염산(HCl)
- 코리올란 표준품
- 무수 피리딘(pyridine)
- 핵산메칠디실라잔
- 트리메칠클로로실란
- 회전감압농축기
- N_2 가스(GC 용)
- GC

시료조제

1. 코리올란으로서 약 20mg에 해당하는 양을 정확하게 달아 6mol/L 염산 5mℓ를 넣는다.
2. 반응관을 봉입한 다음 105℃에서 24시간 반응시킨다.
3. 반응액은 상온에서 식히고 여과한 다음 증발농축하여 염산을 제거하고 잔류물에 무수 피리딘 1mℓ을 넣어 녹인 다음 핵산메칠디실라잔 0.2mℓ 및 트리메칠클로로실란 0.1mℓ를 넣어 80℃에

서 1시간 반응시켜 상온에서 식힌 다음 분석용액으로 한다.

4 따로 코리올란 표준품 약 20mg을 정확하게 달아 분석용액과 동일하게 조작하여 표준용액으로 한다.

실험방법

분석용액 및 표준용액을 가지고 다음 조건으로 가스크로마토그래프법에 따라 시험하여 각각의 피크면적 R_u 및 R_s를 구한다.

GC의 분석조건

- 검출기 : 수소염이온화검출기
- 칼럼 : 안지름 약 3mm 길이 2m인 유리관에 OV-1을 60~80mesh의 가스크로마토그래프용 규조토에 2%의 비율로 피복한 것을 충전한다.
- 칼럼온도 : 250℃
- 주입온도 : 300℃
- 검출온도 : 300℃
- 캐리어가스 : 질소
- 유속 : 50㎖/분

결과 및 고찰

$$코리올란의\ 양(mg) = 코리올란의\ 양(mg) \times \frac{R_u}{R_s}$$

참고문헌

1 식품의약품안전청 : 의약품기준 및 시험방법 제2개정, 약업신문사, 1250, p.1283(1998)
2 대한보건공정서협회 : 대한약전 제7개정, 한국메디칼인덱스, p.735(1998)
3 水野卓, 川合正允 : キノコの化學, 生化學, 新日本印刷(1991)

3. 감귤 함유 식품

감귤은 주스와 껍질로 나누어 여러 가지 형태로 식품과 의약품으로 사용되고 있다. 특히 껍질은 진피(陳皮), 귤피(橘皮) 및 등피 등으로 신농본초경에 상품으로 기재되어 방향성 건위(健胃), 구풍, 거담(去痰), 진해 약으로서 식욕부진, 구토, 사하(瀉下), 동통(疼痛) 등에 이용되고 있으며 한방약과 건강식품의 처방에 쓰이는 생약이다.

우리나라 약전에는 진피는 감귤나무(*Citrus unshiu*) 및 근연식물의 열매껍질을 건조한 것으로 기재되고 있으나, 중국에서는 진피는 *Citrus reticulata* 및 재배변종의 성숙한 열매 껍질로 기재되어 있다. 진피는 형태가 일정하지 않은 껍질로 두께 약 2mm이다. 바깥 면은 황적색에서 어두운 황갈색이고, 작은 오목한 자국이 많다. 안쪽은 백색에서 엷은 회갈색이다.

껍질은 특이한 냄새가 있고 맛은 쓰면서 약간 자극성이 있다. 진피의 함유성분으로는 정유와 많은 종류의 플라보노이드, 알칼로이드 및 비타민(B_1과 C) 등이 함유되어 있는 것으로 알려져 있다. 귤이 향긋한 냄새는 정유성분들에 기인되며, 주성분은 d-limonene이고, 그 외 linalool, linalylacetate, terpinol 등이 함유되어 있다.

감귤의 적황색의 색깔은 주로 carotenoid 계통의 물질들이며, 플라보노이드는 귤이 중요한 성분이기도 하며 주로 약효를 발휘하는 것으로 알려져 있다. 플라보노이드의 주성분은 hesperidin이고, 그 외에 rutin, narirutin, naringin, neohespridin, nobiletin, poncirin 등이 함유되어 있다. 알칼로이드는 아주 소량으로 함유되어 있으며, 알려진 것으로는 synephrine과 N-methyltryamine이 있다.

진피의 약리작용으로는 심장혈관에 대한 작용, 항산화 효과, 변이원성 억제작용, 항알러지(allergy) 작용 및 항균작용 등이 보고되어 있다. 진피는 건조한 것으로 정량할 때 헤스페리딘($C_{28}H_{34}O_{15}$, mw 610.55) 4.0% 이상을 함유한다.

(1) 헤스페리딘의 검출

실험방법

1. 껍질을 건조하여 분쇄한 가루 0.5g에 메탄올 10mℓ를 넣고 수욕조에서 2분간 가온하고 여과한다.
2. 여액 5mℓ에 금속마그네슘 0.1g 및 염산 1mℓ를 넣고 방치할 때 액은 적자색을 나타낸다.

주의사항

진피의 순도는 6시간 건조하였을 경우 건조감량이 13.0% 이하이며, 회분 함량이 4.0% 이하이어야 한다.

(2) 헤스페리딘의 정량

시약 및 기구

- 메탄올
- 헤스페리딘(hesperidine) 표준품
- 환류냉각기가 부착된 추출기
- 수욕조(waer bath)
- HPLC

시료조제

1. 껍질을 건조하여 분쇄한 가루 약 0.5g을 정확히 달아 메탄올 60mℓ를 넣고 2시간동안 환류추출한 다음 여과한다.
2. 잔류물에 메탄올 30mℓ를 넣어 같은 방법으로 조작한다.
3. 여액을 모두 합하여 메탄올을 넣어 정확하게 100mℓ로 하여 분석용액으로 한다.
4. 따로 정량용 헤스페리딘 20mg을 정밀하게 달아 메탄올을 넣어 정확하게 100mℓ로 하여 표준용액으로 한다.

실험방법

분석용액 및 표준용액 10μℓ를 가지고 다음 조건으로 액체크로마토그래프법에 따라 시험하여 각각의 용액의 헤스페리딘이 피크면적 A_t 및 A_s를 측정한다.

HPLC의 분석조건

1. 검출기 : 자외부흡광광도계(측정파장 280nm)
2. 칼럼 : 안지름 4~6mm, 길이 15~25cm인 스테인리스스틸 관에 5~10μm의 액체크로마토그래프용 옥타데시릴화한 실리카 겔을 충전한다.
3. 칼럼온도 : 상온
4. 이동상 : 메탄올 : 물혼합액(40 : 60)
5. 유속 : 1.0mℓ/분

결과 및 고찰

헤스페리딘($C_{28}H_{34}O_{15}$)의 양(mg) = 정량용 헤스페리딘의 양(mg) × $\frac{A_t}{A_s}$

참고문헌

1. 식품의약품안전청 : 의약품 기준 및 시험방법 제2개정, 약업신문사, 1298, p.1359(1998)
2. 대한보건공정서협회 : 대한약전 제7개정, 한국메디칼인덱스, p.763(1998)

❸ 高木敬次郎 等：和漢藥物學, 南山堂, p.82(1983)
❹ 東京生藥硏究會：漢方藥の評價と開發技術, シーエムシー, p.237(1992)

4. 감 초

감초는 한방처방 중 약 70%가 쓰여지며 감미료로 식품에 이용되고 있다. 감초의 주요 성분으로는 글리시리진(glycyrrhizin)이 가장 많아 1~12%를 함유하는 것으로 보고되고 있으며, flavonoid 배당체인 liquiritin과 비당체인 liquiritigenin, formononetin 등이 보고되고 있고, akaloid 등도 소량 존재한다.

감초에 함유되어 있는 주요성분은 해독, 진통, 위산분비의 억제, 거담(去痰) 및 항염증 등 많은 약리활성이 있는 것으로 알려지고 있다. 반면 장기복용은 2차성 알토스테론증과 고혈압 등이 부작용도 보고되고 있다.

감초는 유럽에서 자생하는 감초인 *Glycyrrhiza glabra Linne*, 만주에서 자생하는 감초인 *Glycyrrhiza uralensis Fischer* 또는 기타 유사식물(콩과 Leguminosae)의 뿌리와 껍질이 붙어 있는 감초 또는 껍질을 벗긴 감초를 이용한다. 감초는 건조한 것은 정량하여 글리시리진산($C_{42}H_{62}O_{16}$, mw 822.92)이 2.0% 이상을 함유해야 한다.

감초는 거의 원주형이며, 지름 5~30mm이고, 길이는 1m가 넘는 것도 있다. 껍질이 붙어 있는 감초는 바깥 면이 어두운 갈색에서 적갈색이며 세로의 주름이 있고 때때로 싹눈 및 비늘잎이 붙어 있다. 껍질을 벗긴 감초는 바깥 면이 엷은 황색이고 섬유질이다. 감초를 가로로 자른 면은 껍질과 복부의 경계가 거의 분명하고 방사상의 구조를 나타내며, 때로는 방사상으로 찢어진 곳이 있다. 횡단면을 현미경으로 보면 껍질이 붙어 있는 감초에는 황갈색이고, 여러 개의 코르크층과 그 안쪽에는 1~3층의 세포층으로 된 코르크층이 있다. 감초는 특이한 냄새가 나며 맛은 달다.

1) 성분분석

감초의 품질관리 방법으로는 TLC, TLC-D, GLC, HPLC 및 종이전기영동에 의한 지문분석법 등이 보고되고 있으나, 주로 사용되고 있는 정량법으로 HPLC에 의한 glycyrrhizin 분석에 의존하고 있다.

(1) 글리시리진의 검출

시료조제

1. 감초의 가루 2.0g에 에탄올 : 물(7 : 3) 혼합액 10mℓ를 넣고 수욕조에서 5분 동안 흔들어 섞으면서 가열한다. 식힌 다음 여과한 액을 분석용액으로 한다.
2. 따로 박층크로마토그래피용 글리시리진산 5mg을 에탄올 : 물(7 : 3) 혼합액 1mℓ에 녹여 표준용액으로 한다.

실험방법

1. 분석용액을 박층크로마토그래프법에 따라 시험한다. 분석용액 및 표준용액 2μℓ씩을 형광제를 첨가한 박층크로마토그래프용 실리카 겔을 써서 만든 박층판에 점적한다.
2. 다음에 n-부탄올 : 물 : 빙초산(7 : 2 : 1) 혼합액을 전개용매로 하여 약 10cm 전개한 다음 박층판을 바람에 말린다.
3. 여기에 자외선(주파장 254nm)을 쪼일 때 분석용액에서 얻은 여러 개의 반점 중 1개의 반점은 표준용액에서 얻은 암자색의 반점과 색상 및 R_f 값이 같다.

주의사항

6시간 동안 건조하였을 경우 건조감량이 12.0 이하, 회분이 7.0% 이하, 산불용성 회분이 2.0% 이하이어야 한다.

2) 글리시리진의 정량

시약 및 기구

- 에탄올
- 글리시리진(glycyrrhizin) 표준품
- 초산(CH_3COOH)
- 아세토니트릴(acetonitrile)
- HPLC
- 데시케타(감압 0.67kPa 이하)
- 원심분리기

시료조제

1. 감초의 가루 약 0.5g을 정확하게 달아 원심침전관에 넣고 묽은 에탄올 70mℓ를 넣어 15분간

흔들어 섞어 원심분리하여 상징액을 취한다.

2. 잔류물은 다시 묽은 에탄올 25㎖를 넣어 같은 방법으로 처리한다.
3. 전체 추출액을 합하여 묽은 에탄올을 넣어 정확하게 100㎖로 하여 분석용액으로 한다.
4. 따로 정량용 글리시리진산을 데시케이터(감압 0.67kPa 이하, 오산화인, 50℃)에서 12시간 이상 건조한 다음 분석시료 25mg을 정확하게 달아 묽은 에탄올용액으로 정확하게 100㎖로 하여 표준용액으로 한다.

실험방법

분석용액 및 표준용액 20㎕를 가지고 다음 조건으로 액체크로마토그래프법에 따라 시험하여 각각의 액의 글리시리진산의 피크면적 A_t 및 A_s를 측정한다.

HPLC의 분석조건

1. 검출기 : 자외부흡광광도계(측정파장 254nm)
2. 칼럼 : 안지름 약 4~6mm, 길이 15~25cm인 스테인레스관에 5~10㎛의 액체크로마토그래프용 옥타데시릴화한 실리카 겔을 충전한다.
3. 칼럼온도 : 실온
4. 이동상 : 초산액(1→15) : 아세토니트릴 혼합액(3 : 2)
5. 유량 : 글리시리진산의 유지시간이 약 10분이 되도록 조정한다.
6. 칼럼의 선정 : 정량용 글리시리진산 5mg 및 파라옥시안식향산프로필 1mg을 묽은 에탄올에 녹여 20㎖로 한다.

결과 및 고찰

$$\text{글리시리진산}(C_{42}H_{62}O_{16})\text{의 양(mg)} = \text{정량용 글리시리진산의 양(mg)} \times \frac{A_t}{A_s}$$

주의사항

1. 분석용액 20㎕를 가지고 위의 조건으로 조작할 때 글리시리진산, 파라옥시안식향산프로필의 순서로 용출하고, 각각의 피크가 완전하게 분리된 것을 이용한다.
2. 시험의 재현성은 표준용액을 가지고 위의 조건으로 5회 반복하여 주입할 때, 글리시리진산의 피크면적의 상대표준편차는 1.5 이하이어야 한다.

참고문헌

1. 식품의약품안전청 : 의약품 기준 및 시험방법 제2개정, 약업신문사, p.1211(1998)
2. 대한보건공정서협회 : 대한약전 제7개정, 한국메디칼인덱스, p.707(1998)
3. 高木敬次郎等 : 和漢藥物學, 南山堂, p.72(1983)
4. 東京生藥研究會 : 漢方藥の評價と開發技術, シーエムシー, p.208(1992)

5. 오미자

오미자는 신농본초경에 상품으로 기록된 *Schisandra chinensis*의 성숙한 과실을 건조한 것으로 달고, 쓴맛을 갖고 있다. 오미자는 고르지 않은 구형에서 편구형을 이루고 지름 약 6mm로 어두운 적색~흑갈색을 나타내며 바깥 면에는 주름이 있고 때때로 흰 가루가 묻어 있다. 과육을 벗기면 길이 2~5mm의 콩팥 모양의 씨가 1~2개 들어 있고 그 씨의 바깥 면은 빛깔이 있는 황갈색에서 어두운 적갈색이며 등쪽에 명확한 봉선이 있다. 종자의 겉껍질은 벗기기 쉬우나 속껍질은 배유(胚乳)에 밀착되어 있다.

오미자는 진통, 거담, 자발운동 증진 등이 작용이 있어 한방과 차로 많이 사용되어지는 생약이다. 그 함유 성분으로 citral, β-chamigrene, β- chamigrenal 등의 정유성분과 슈잔드린(schizanandrin), deoxyschizanandrin, gomisin A~D, F~H, J 등의 리그난과 33%의 기름 및 protocatechuic acid, citric acid 등의 유기산이다.

(1) 슈잔드린의 정량

시약 및 기구

- 메탄올
- 슈잔드린(schizanandrin) 표준품
- 아세트니트릴(acetonitrile)
- 환류냉각기가 부착된 추출기
- 수욕조(water bath)
- HPLC

시료조제

1. 오미자를 가루로 하여 슈잔드린으로서 약 5.0mg에 해당하는 양을 정확하게 달아 메탄올 70mℓ를 넣어 환류냉각기를 달고 수욕조에서 5시간 환류추출한다.
2. 식힌 다음 여과하고 메탄올을 넣어 정확히 100mℓ로 하여 분석용액으로 한다.
3. 따로 정량용 슈잔드린 약 10.0mg을 정밀히 달아 메탄올 200mℓ를 넣어 표준용액으로 한다.

실험방법

분석용액 및 표준용액 10μℓ를 가지고 다음의 조건으로 HPLC법에 따라 시험하여 각 용액의 슈잔드린 피크면적 A_t 및 A_s를 측정한다.

HPLC의 분석조건

1. 검출기 : 자외부흡광광도계(측정파장 254nm)
2. 칼럼 : 5~10μm의 옥타데시릴화한 실리카겔(ID 4~6mm, 길이 15~20cm)
3. 이동상 : 아세토니트릴 : 물(40:60)
4. 유량 : 1.0mℓ/min

결과 및 고찰

$$\text{슈잔드린의 양(mg)} = \text{정량용 슈잔드린 표준품의 양(mg)} \times \frac{A_t}{A_s}$$

참고문헌

1. 식품의약품안전청 : 의약품 기준 및 시험방법 제2개정, 약업신문사, p.1278(1998)
2. 대한보건공정서협회 : 대한약전 제7개정, 한국메디칼인덱스, p.752(1998)
3. 高木敬次郎 等 : 和漢藥物學, 南山堂, p.212(1983)

6. 갈 근

갈근(葛根)은 신농본초경에 중품으로 기록된 *Pueraria lobata*의 뿌리를 건조하여 얇게 약 5mm로 가로로 잘라 사용한다. 갈근은 해열, 항염증, 진통, 강장(强壯), 발한(發汗) 등에 사용되어 한방에서는 감기 및 회춘(回春) 등에 사용되고 있다. 또한, 갈근의 즙을 내어 차로 많이 사용되는 생약이다. 그 함유 성분으로 daidzenin, daidzin, puerarin, formononetin 등의 플라보노이드 성분과 녹말 10~15% 등이 함유된 것으로 보고되고 있다. 갈근을 정량할 때 갈근은 표시량에 대하여 90.0% 이상을 함유한다.

1) 갈근 푸에라린의 검출

시료조제

갈근의 가루 2.0g에 메탄올 10mℓ를 넣어 3분간 흔들어 섞은 여과한다.

실험방법

1. 여과한 용액을 분석용액으로 하여 박층크로마토그래프법에 따라 시험한다. 분석용액 5μℓ를 박층그로마토그래프용 실리카 겔을 써서 만든 박층판에 점적한다.

2. 클로로포름 : 메탄올 : 물(6 : 4 : 1) 혼합액을 전개용매로 하여 약 10cm 전개한 다음 박층판을 바람에 말린다.
3. 여기에 자외선(주파장 365nm)을 쪼일 때 여러 개의 반점을 나타낸다. 그 반점 중 R_f 값이 0.5 부근인 1개의 반점은 청백색을 나타낸다.

주의사항

분석시료에는 흙, 코르크(cork) 및 그 밖의 이물질이 3.0% 이상 섞여 있지 않아야 한다. 6시간동안 건조하였을 경우 건조감량이 13.0% 이하, 회분이 6.0 이하이어야 한다.

2) 푸에라린의 정량

시료조제

1. 갈근의 가루 약 2.0g을 정확하게 달아 메탄올 60㎖를 넣고 2시간 환류추출한 다음 여과한다.
2. 잔류물에 메탄올 30㎖를 넣어 같은 방법으로 조작한다.
3. 여액을 모두 합하여 메탄올을 넣어 정확하게 100㎖로 한다. 이 액 10㎖로 한 용액을 분석용액으로 한다.
4. 따로 정량용 푸에라린을 데시케이터(실리카 겔)에서 24시간 건조하여 약 10mg을 정밀하게 달아 메탄올을 넣어 정확하게 100㎖로 하여 표준용액으로 한다.

실험방법

분석용액 및 표준용액 10㎕를 가지고 다음 조건으로 액체크로마토그래프법에 따라 시험하여 각각의 액의 푸에라린의 피크면적 A_r 및 A_s를 측정한다.

조작조건

1. 검출기 : 자외부흡광광도계(측정파장 254nm)
2. 칼럼 : 안지름 4~6mm, 길이 15~25cm인 스테인리스스틸 관에 5~10㎛의 액체크로마토그래프용 옥타데시릴화한 실리카 겔을 충전한다.
3. 칼럼온도 : 상온
4. 이동상 : 메탄올 : 물혼합액(25:75)
5. 유속 : 1.0㎖/분

결과 및 고찰

$$\text{푸에라린}(C_{21}H_{20}O_9)\text{의 양(mg)} = \text{정량용 푸에라린의 양(mg)} \times \frac{A_t}{A_s}$$

참고문헌

1. 식품의약품안전청 : 의약품 기준 및 시험방법 제2개정, 약업신문사, p.1207(1998)
2. 대한보건공정서협회 : 대한약전 제7개정, 한국메디칼인덱스, p.707(1998)
3. 高木敬次郎 等 : 和漢薬物學, 南山堂, p.143(1983)
4. 東京生藥研究會 : 漢方藥の評價と開發技術, シーエムシー, p.275(1992)

7. 유채종자로부터 총 glucosinolate 및 phytate 분석

실험개요

Glucosinolate의 분자구조는 thiocyanate분자의 황 원자에 β-glucose가 결합되고, 질소 원자에 아황산과 탄소원자에 여러 종류의 기가 결합된 분자구조를 가지는 물질을 말한다. 십자화과 식물 특히 배추(brassica)속 식물 즉, 배추(brassica pekinensis, chinese cabbage), 양배추(brassica oleracea var. capitata, cabbage), 콜리플라우어(brassica oleracea var. botrytis, canliflower), 브로콜리(broccoli), 겨자(mustard), 순무(brassica rapa, turnip), 케일(kale), 유채(brassica napus, rapeseed), 갓(brassica juncea) 등에서 자극적인 향과 맛을 나타내는 성분이다.

Glucosinolate는 조직이 파쇄 될 때 공존하는 자체효소 myrosinase(thiogloucoside glucohydrolase, EC 3.2.3.1)에 의하여 분해된다. 식물조직이 알맞은 수분의 존재에서 파쇄될 때 myrosinase는 급속히 glucosinolate를 가수분해하여 glucose와 불안정한 비당류 부분으로 된다. 비당류 부분은 재배열에 의하여 황산염과 glucosinolate 측쇄부분의 구조에 따라 여러 가지 분해물을 만든다.

이는 반응 pH, 온도, 기간 등 많은 반응조건에 따라 변화한다. 많은 glucosinolates는 특히 중성 및 알칼리 조건에서 안정한 isothiocyanate로 분해된다. 90종류 이상이 glucosinolate가 주로 십자화과 식물에 존재하는 것으로 알려지고 있으며, 수많은 종류의 glucosinolate가 동정되었음에도 불구하고 대부분의 종류는 식물의 종류에 따라 제한적인 종류만 존재하며 경우에 따라서는 하나 또는 두 종류만이 존재하는 경우도 있다.

식물종류 및 식물부위에 따라 많은 함량 차이를 나타낸다. 동일 식물에서 동일 부위일지라도 시기에 따라 변화하고, 일반적으로 가장 활발한 성장기에 가장 높은 함량을 나타낸다. Glucosinolate의 분석은 효소적 또는 화학적으로 이루어지는 분해산물의 간접적인 분석만이 가능하였다. 즉, glucose, sulphate, isothiocynate, oxazolidinethione, 무기성 thiocyanate ion, nitrile과 thiocyanate 등을 포함하는 모든 myrosinase 가수분해 물들 중 일정 성분을 측정하여 각종의 농산물 및 그 제품의 glucosinolate 함량으로 하는 것이 일반적인 정량법이다.

이들 성분의 분석법으로는 중량법, 분광광도법, GLC, HPLC, TLC, 종이전기영동법, polarography 및 oscillopolarography 등 수많은 방법이 보고되었으며, glucose oxidase를 이용하는 thymol법과 같은 직접적인 측정법 등도 보고되었으나 아직도 모든 시료에 효과적으로 적용 가능한 이상적인 방법은 더 연구되어야 할 것이다.

이러한 방법 중 채소속(brassica 속)에 비교적 쉽게 적용 가능한 방법으로 Wetter와 Youngs (1976)가 제안한 thiourea와 oxazoidine-2-thione의 UV 흡광도 측정법을 들 수 있다. 이 방법은 유채종자에서 얻어진 유채박에는 자체 myrosinase의 작용에 따라 5.4～13.1 μmole/g의 thiocyanate 이온의 유리되는 것으로 알려지고 있으며, 겨자 박에는 5.4～6.9 μmole/g 등이 보고되었다.

Phytate(또는 phytin)는 phytic acid(inositol hexaphosphoric acid)가 K, Mg, Ca 등과 착염을 형성한 화합물을 말하며 식물의 종자, 구근 또는 뿌리 등에 분포하는 물질이다. 유채박에는 약 1% 정도의 인이 함유되어 있는데, 이 인들 중의 70%는 phytate에 결합한 상태로, 나머지는 Ca 및 Mg 등과 복합된 형태로서 존재한다. Phytate는 유채단백질의 용해도를 감소시키며 그것의 정전기적 특성에도 영향을 미치고, phytin성 인은 비반추 동물의 소화장애를 일으킨다. Mg, Cu, Zn, Fe 등의 주요 무기질, 특히 식이성 칼슘의 흡수를 저해시키며, 생체내의 비타민 D 작용에 길항적 이어서 구루병의 원인이 되기도 한다. 다음은 유채단백질의 특수성분인 glucosinolate 및 phytate의 분석방법을 나타내었다.

1) Isothiocyanate의 정량

시료조제

1. 유채종자(brassica napus var. youngsan)를 정선하고 롤러 분쇄기를 사용하여 약 10mesh로 분쇄한 후 체질과 풍선에 의해서 껍질을 제거한다.
2. 실온에서 시료 1kg 에 대하여 n-hexane 2 ℓ 씩 가하여 4일간 탈지를 4회 반복한 후 풍건한다.
3. 건조된 유채 박을 다시 60mesh로 분쇄하여 유채박 분을 만들어 시료로 사용한다.

시약 및 기구

- phosphate citrate 완충액[0.1M citric acid 3.5㎖ + 0.2M NaH_2PO_4(pH 7.0) 16.5㎖]
- methylene chloride
- 20% 암모니아성 에탄올(진한 암모니아 : 무수에탄올 = 1 : 4)
- myrosinase(thioglucoside glucohydrolase, EC 3.2.3.1)
- 3% TCA용액(trichloroacetic acid)
- 염화제2철용액(2㎎ ferric iron ion/㎖)
- 1.5N 수산화나트륨
- 1.5M KSCN
- Spectrophotometer
- 원심분리기
- Water bath

실험방법

1. 시료 중 총 glucosinolate 함량은 총 iso-thiocyanate 양으로 측정한다. 즉, 시료 100mg을 평량하여 뚜껑의 있는 vial에 넣고, thioglucoside glucohydrolase(myrosinase) 6mg/㎖를 함유한 phosphate citrate 완충액(pH 7.0) 1㎖와 methylene chloride 2.5㎖를 가한 다음 상온에서 유리 bead 한 알을 넣고 2시간 동안 진탕하여 가수분해시킨다.
2. 이 혼합액을 1,000xg에서 20분간 원심 분리하여 하층의 맑은 methylene chlolide 층을 분리한다.
3. 총 glucosinolate 함량은 methylene chloride 50㎕를 20% 암모니아성 에탄올(진한 암모니아 : 무수에탄올 = 1 : 4) 3㎖가 들어있는 뚜껑이 있는 시험관(16×125mm)에 넣어 50℃의 물 중탕에서 2시간동안 가열한다.
4. 냉각시킨 다음 각각 235, 245, 255nm에서의 흡광도를 측정한다.
5. 이 때 대조액은 암모니아성 에탄올 3㎖에 methylene chloride 50㎕를 가한 것으로, 총 isothiocyanate 양으로 표시한다

결과 및 고찰

1. 총 isothiocyanate

   O.D245corr = O.D245 − ½(O.D235 + O.D255)

   총 isothiocyanate/g sample = O.D245corr × 28.55
2. 5-vinyl-OZT 함량은 methylene chloride 50㎕를 95% 에탄올 용액 3㎖가 들어있는 시험관에 넣어 총 isothiocyanate 함량 측정법과 같은 방법으로 구한다. 5-vinyl-OZT 함량은 다음과 같이 산출한다.

   5-vinyl-OZTmg/g sample = O.D245corr×22.1

2) phytate의 정량

실험방법

1. 시료 중 phytate 함량은 Wheeler 와 Ferrel(1971)의 방법에 따라 측정한다. 시료 3.0g을 평량하여 3% TCA용액 30㎖에 녹여서 30분동안 진탕한다.
2. 이 현탁액 15㎖를 취하여 6000rpm에서 10분 동안 원심분리하여 얻은 상징액을 40㎖ 원추형 시험관에 넣고, 즉시 염화제2철 용액 6㎖를 가하여 물 중탕에서 45분동안 가열한다.
3. 만일 30분 가열 후에도 이 용액이 맑지 않으면 3% TCA와 3% 황산나트륨 혼합용액을 1~2방울 첨가하여 가열한다.
4. 실온으로 냉각 후 6,000rpm에서 15분간 원심분리하여 얻은 침전물을 3% TCA 용액 10㎖에 현탁시켜 세척한다.

5 다시 6,000rpm에서 15분간 원심 분리하여 얻은 침전물을 2mℓ의 증류수에 현탁시키고, 1.5N 수산화나트륨 3mℓ와 증류수를 가하여 부피가 20mℓ가 되도록 한다.
6 물 중탕에서 30분간 가열한 후 여과지(Whatman No. 2)로 여과하고, 60mℓ의 열수로 여러 번 나누어 씻는다.
7 여과지에 붙은 침전물을 3.2N 의 뜨거운 질산용액으로 녹여서 실온으로 냉각 후 증류수를 가하여 100mℓ가 되도록 정용한다.
8 이 용액 5mℓ를 취하여 정용 플라스크(100mℓ)에 넣고 약 70mℓ의 증류수로 희석한 후 1.5M KSCN 20mℓ를 가하고 증류수로 용액의 부피를 100mℓ로 정용하여 480nm에서 1분내에 흡광도를 측정한다.

결과 및 고찰

1 표준품 염화 제2철용액에 의하여 작성된 표준곡선에 의하여 철이온 양을 구한다.
2 Phytate 함량은 Fe : P의 몰 비율을 4 : 6으로 하여 계산하며, phytic acid는 중량으로 28.20%의 인 함량을 가진다.

참고문헌

1 강동섭, 이장순, 강영주 : 품종별 유채박 단백질의 추출에 관한 연구. 한국영양식량학회지, 19, pp.315-320(1990)
2 이장순 : 유채단백질의 추출, 정제 및 기능성에 관한 연구. 제주대학교대학원 박사학위 논문, pp.17-19(1990)
3 Wetter, L.R. and Youngs, C.G. : A thiourea-UV assay for total glucosinolate content in rapeseed meals. JAOCS., 44. pp.162-164(1976)
4 Wheeler, E.L. and Ferrel, R.E. : A method for phytic acid determination in wheat fraction, Cereal Chem., 48, p.312(1991).

8. 겔화 단백질 중 ε -(γ -glutamyl) lysine

실험개요

단백질의 겔형성능과 점탄성은 여러 가지 단백질 가공품에 중요한 성질이다. 이러한 특성은 단백질 분자 내외의 환경변화에 의한 정전기적 수소결합, 소수성 또는 친수성 기 사이의 상호작용, SS결합 등 여러 가지 요인의 복합적으로 작용하는 결과에 따른다. 특히 강한 겔을 형성하기 위하여 단백질 분자간에 network의 형성 가능한 결합으로는 이온결합보다 공유결합에 의한 단백질 분자간에 교차결합 형성이 필수적이다.

단백질 분자간 교차결합으로 가장 잘 이루어지는 것은 SS결합이지만, 이 외에도 단백질의 glutamic 잔기의 γ-carboxyamide와 각종 1급 아민 사이에 아실전이반응에 의한 ε-(γ-glutamyl) lysine의 교차 결합도 많이 이루어지는 것으로 알려지고 있다. 이 결합은 동물성 단백질뿐만 아니라 식물성 단백질에서도 이루어진다.

가공하지 않은 재료에서의 ε-(γ-glutamyl) lysine 결합은 내재성 TGase(transglutaminase)에 의한 것으로 알려지고 있으나, 가열처리 제품에서 이 결합 함량이 대부분 증가하는 이유는 가열된 단백질에서 TGase와는 독립적으로 열에 의한 단백질 축합반응에 의하여 증가한다. 어육 연제품 중 특히 어묵의 형성은 SS 결합뿐만 아니라 이 ε-(γ-glutamyl) lysine 결합도 중요한 작용을 하는 것으로 알려지고 있다.

이 단백질 분자간 또는 분자내에서 아실전이반응을 촉매하는 TGase의 산업적 생산기술이 확립되어 산업화됨에 따라 겔화가 가능한 단백질의 강한 겔 형성을 위한 이 효소의 이용뿐만 아니라 그 동안 겔화성이 없는 것으로 알려진 식용 단백질의 겔화가 가능하게 되어 겔화 단백질에 대한 ε-(γ-glutamyl) lysine 함량 분석은 중요한 과제가 되었다.

단백질 원료 또는 가공품에서 이 ε-(γ-glutamyl) lysine 교차결합에 대한 정량 분석은 시료단백질을 여러 종류의 protease를 가지고 철저히 가수분해한 다음 HPLC에 의하여 ε-(γ-glutamyl) lysine 교차결합 분획을 분취한 다음, 이 dipeptide와 o-phthalaldehide(OPA)와 혼합하여 유도체를 만들고, HPLC를 이용하여 합성 ε-(γ-glutamyl) lysine 를 내부 표준품으로 정량하는 방법이 일반적이다.

시약 및 기구

- Synthetic ε-(γ-glutamyl) lysine
- Trifluoroacetic acid(TFA)
- Acetonitrile
- Tetrahydrofuran(THF)
- Potassium acetate
- o-phthalaldehyde(OPA)
- Pronase
- Carboxypeptidase A
- Leucine aminopeptidase
- Prolidase
- Potassium borate
- 2-mercaptoethanol-thymol.
- 호모게나이저
- 저온원심분리기
- 동결건조기
- HPLC

실험방법

1. 지방의 많은 시료는 50g에 증류수 100㎖를 가하여 균질화(homogenize)시킨다.
2. 4℃, 3,000×g에서 10분동안 원심분리하여 상층부의 고형 지방을 제거한 후 동결건조 후 분쇄한다.
3. 분쇄된 시료 20mg을 0.1M potassium borate 완충액(pH 8.0) 3㎖에 용해시키고, 세균 번식을 방지하기 위하여 소량의 thymol을 첨가 후 단백질분해효소에 의하여 연속적으로 가수분해한다.
4. 가수분해는 먼저 pronase(0.2unit/mg protein)를 이 혼합용액에 가하여 24시간 반응시킨 후(2회 반복), 100℃, 10분간 가열하여 pronase를 불활성화 시킨다.
5. Leucine aminopeptidase(0.4unit/mg protein)와 prolidase(0.45unit/mg protein)를 이 용액에 첨가하고 24시간동안 반응시킨다.
6. 다시 leucine aminopeptidase(0.4unit/mg protein)를 첨가하여 24시간동안 더 반응시킨다. 마지막으로 carboxypeptidase A(0.4unit/mg protein)를 가한 후 24시간동안 반응시키고, 100℃에서 10분동안 열처리로 효소를 불활성화시킨다.
7. 효소에 의한 가수분해 온도는 모두 37℃에서 이루어진다. 분해된 시료를 0.5㎛ millipore filter로 여과 후 동결건조시킨다.
8. 예비 분획을 위한 HPLC 분석조건 중 칼럼은 inertsil ODS-2 column(150×6.0mm 내경, GL science, Japan)을 사용하여 2℃ 칼럼 온도에서 1㎖/min 유속으로 운용한다. 용리는 0.1% TFA를 함유한 수용액으로 하고 칼럼 세척은 0.1% TFA를 함유한 acetonitrile로 하며, 검출은 210nm에서 흡광도로 하며 표준품의 retention time은 12.5분이다.
9. 동결건조한 가수분해 시료는 증류수 7.5㎖에 녹이고 0.45㎛ filter(columnguard, Millipore)로 여과한 후 이 여액 100㎕를 HPLC에서 분획한다.
10. 획분은 표준품의 retention time(12.5분)을 기준으로 2분동안 용출되는 것으로 한다. 이 예비 분획은 방해 peak가 많지 않거나 비교값 만을 필요로 하는 경우에는 생략할 수도 있다. 분획된 획분은 동결건조하고 정량분석 시료로 사용한다.
11. 건조된 분획 시료의 알맞은 양(1~4mg)을 정확히 칭량하여 증류수 1㎖를 가한 후 50㎕를 취한다. OPA 유도체화 시약[무수 *o*-phthalaldehyde 6mg을 0.4M potassium borate(pH 10.4) 1㎖에 녹인 후 저온(0℃)에 보관된 용액을 반응 직전에 methanol과 2-mercaptoethanol을 1 : 1(v/v) 혼합액으로 희석하여 OPA 용액 그 자체의 최종농도가 2%(v/v)가 되도록 한 것]을 가하여 실온(25℃), 2분 동안 처리한 후, 즉시 이 반응물 100㎕를 역상 HPLC 칼럼(Zorbax BP-C8, 250×4.6mm)에 충진한다.
12. 분획이 생략된 시료인 경우 Zorbax C18(30×4.6mm) guard column을 사용하면 분석능력이 향상되며, 상당수의 시료 분석이 예비 분획 없이 가능하다. 표준품은 합성 ε-(γ-glutamyl) lysine 1mg을 2㎖ 증류수에 녹여 10㎕를 취하고 100㎕의 증류수와 혼합하고 310㎕ 유도체화 시약을 가하여 시료와 같은 조건으로 반응시킨 후 100㎕를 취하여 HPLC에 주입한다.
13. 용리 용매는 2가지 용매로 구성된 용매 시스템을 사용한다. 용매 A(20mM potassium-acetate, pH 5.5)와 용매 B(1% THF in methanol, v/v)이며, 용매비는 용매 B가 20%에서 95%까지 증가하도록 1.5㎖/min 속도로 20~40분(분획된 시료는 약20분, 분획안된 시료는 약 40분) 이상

기울기 용리(gradient elution)를 행한다. 검출은 형광 검출기를 사용하여 interference excitation는 334nm, emission은 440nm에서 측정하고 표준품에 대한 상대값으로 정량한다.

참고문헌

1. Kumazawa, Y., Seguro, K., Takamura, M., and Motoki, M. : Formation of ε-(γ-glutamyl) lysine cross-link in cured horse mackerel meat induced by drying. J. Food Sci., 58. p.1062(1993).
2. Lee, H.G., Lanier, T.C., Hamann, D.D. and Knopp, J.A. : Transglutaminase effects on low temperature gelation of fish protein sols. J. Food Sci., 62, p.20(1997).
3. 현은희, 강영주 : 미생물성 transglutaminase에 의한 겔화. Korean J. Food Sci. Technol., 31, p.1262(1999).

제 2 절 축산식품

1. 질산염과 아질산염

1) 아질산염 (Sulfanilic acid 방법)

실험개요

고기로부터 추출된 액체시료를 Griess 시약(sulfanilic acid와 α-naphthyl-amine-HCl을 함유하고 있는)과 반응시키면 발색이 되는데, 이것을 분광광도계로 측정하고 아질산염의 함량을 알고 있는 용액의 발색 정도를 측정해서 만든 표준곡선에 의해 아질산염을 정량한다.

시약 및 기구

■ 시약

- Sulfanilic 용액[sulfanilic acid 0.5g을 15% 초산(ACS grade, 99.5%) 150mℓ에 녹인다(증류수 128mℓ에 빙초산 22mℓ)].
- α-naphthylamine HCl 용액(α-naphthylamine 0.1g을 물 20mℓ에 넣고 녹을 때까지 끓인다. 아직 뜨거울 때 150mℓ의 15%초산에 가하여 혼합한다).
- Sulfanilic 용액과 α-naphthylamine HCl 용액을 합하여 갈색 유리병에 마개를 꼭 막아 저장한다. 이것이 Griess시약으로서 냉장고에 저장한다.
- 포화 Mercuric chloride 용액(20℃ 물 1ℓ에 약 70g).
- $NaNO_2$ 표준용액[1000mℓ 용적플라스크에 $NaNO_2$ 1.000g이나 97%인 경우에는 1.0300g을 정확하게 취한 다음 증류수를 채우고 잘 혼합한다. 1000mℓ 용적플라스크에 이 용액 50mℓ를 피펫으로 취해서 다시 희석하고 잘 혼합한다. 이 희석된 용액 50mℓ을 500mℓ 용적플라스크에 피펫으로 취하고 용량만큼 물로 채우고 잘 섞는다. 이 용액 1mℓ마다 $NaNO_2$ 0.005mg(5 microgram)을 함유한다.]

■ 기구

- 칭량저울(학생용, 분석용)
- 플라스크(유리마개가 있는 50, 100, 500, 1000mℓ 용적플라스크)
- 피펫(1, 2, 5, 10, 50mℓ 용량)
- 피펫(0.1mℓ까지 구분된 눈금이 있는 10mℓ 피펫)
- 비커(50, 100mℓ)
- 눈금있는 실린더(10, 100, 250mℓ)

－플라스크(파이렉스로 된 222, 250, 500㎖ 삼각플라스크)
－깔때기(75mm이고, 직경 7.5cm)
－여과지(직경이 12.5cm인 Whatman #42나 그와 동등한 것)
－열탕조
－분광광도계(일정한 전압으로 변압시킬 수 있는 변압기가 부착된 Coleman Jr.나 그와 동등한 것)
－520mμ에 투과시키기에 알맞은 큐벳

실험방법

1 표준곡선의 작성

① 측정피펫을 이용해서 희석한 아질산염 용액을 50㎖ 용적플라스크에 0(공시험구), 1.0㎖, 2.0㎖, 3.0㎖, ……… 10㎖를 취하고, 각 플라스크마다 40㎖가 되게 물을 가한 다음 잘 섞는다.

② Griess 시약용액을 2㎖ 가하고, 표시된 곳까지 증류수를 채운다. 잘 섞은 다음 1시간동안 실온에서 정치시킨다.

③ Spectrophotometer를 사용하여 520mμ에서 증류수의 투과율을 100으로 조정한 다음 공시험구(아질산염이 없는 것)의 투과를 측정한다. 만약 공시구의 투과가 93%보다 적을 경우에는 새로 정제된 alphanaphthylamine HCl을 이용해서 새로운 Griess 시약을 준비한다.

④ 520mμ에서 공시험구 용액의 투과가 100% 되게 한다(흡광도, 0).

⑤ 1㎖당 5 microgram이 들어 있는 아질산염용액 1㎖부터 10㎖까지의 각 표준용액의 흡광도를 측정하여 아질산염농도에 대한 흡광도의 그래프를 그린다.

2 분석방법

① 파이렉스 플라스크(225～250㎖)에 준비된 고기시료 4.5～5.0g을 취하고, 약 100㎖의 물을 가한 다음 유리봉으로 시료가 풀어지게 한다.

② 열탕조에 놓고 80℃로 가열한다. 시료를 잘 섞으면서 덩어리가 생기면 풀어지게 한다.

③ 열탕조에서 가열이 끝나면 각 시료마다 포화 $HgCl_2$ 용액 5㎖를 피펫으로 취해 가한다.

④ 냉각시키고 225㎖나 250㎖플라스크에 표시된 용량이 되게 한다.

⑤ 12.5cm 여과지를 통해서 여과한 다음 여과액 10㎖를 취하여 50㎖ 용적플라스크에 넣는다.

⑥ 40㎖ 정도의 물을 가해서 혼합하고, Griess 시약 2㎖를 피펫으로 취해 가한 다음 표시된 부분까지 물로 채우고 잘 혼합한다.

⑦ 실온에서 40～60분 동안 발색시킨다.

⑧ 큐벳에 적당량을 옮겨서 물 50㎖에 시약 2㎖를 함유하고 있는 공시험구의 흡광도를 0으로 맞추고, 시료의 흡광도를 측정한다.

⑨ 표준곡선으로부터 아질산염 농도를 읽고 희석배수를 고려하여 시료중의 함량을 계산한다.

2) 염지제와 염지액중의 아질산염 (Ascorbates가 있는 경우)

실험개요

앞에서 설명한 '고기 중의 아질산염'은 염지제(鹽漬劑)와 염지액(鹽漬液)에 대하여 알맞지 않다. 이는 최대발색을 하는데 1시간 정도가 필요하고, 그 시간이 경과한 후에는 아질산염의 회수가 크게 감소되기 때문이다. 염지제와 염지액을 위한 방법은 고기에 대한 방법과 비슷하지만 방법을 약간 수정하여야 한다.

시약 및 기구

- Sulfanilamide 용액(1 : 1 HCl 용액 100mℓ에 0.5g을 용해시킨다).
- N-(1-naphthyl) ethylenediamine dihydrochloride 용액(증류수 100mℓ에 0.1g을 용해시킨다).

실험방법

1. 예상되는 아질산염 농도에 따라 알맞은 희석용액을 만든다.
2. 100mℓ 용적플라스크에 염지제나 염지액 희석용액 10mℓ를 취한다.
   ① Sulfanilamide 용액(시약 1항) 2.0mℓ를 가하고, 휘저어 주고 3분간 정치시킨다.
   ② N-(1-naphthyl) ethylenediamine dihydrochloride 용액(시약 2) 2.0mℓ 가한다. 증류수로 표시된 곳까지 채우고 잘 혼합한 다음 3분간 정치시킨다.
   ③ 시약-blank(각 용액 2mℓ + 물 96mℓ)를 100% 수준에 맞추고, 540mμ에서 흡광도를 측정한다.
   ④ 표준곡선으로부터 $NaNO_2$ 농도를 알아낸다.

주의사항

염지액은 낮은 농도의 아질산염이 있기 때문에 건조염지제와 다른 희석율을 요구함으로 표준곡선을 분리해서 작성하여도 된다. 염지제용 표준곡선은 1/1000g을 기준으로 만드는 것이 좋다.

① 염지액 : 용액 25g(무게로)을 250mℓ 용적플라스크에 취하고, 증류수로 표시된 곳까지 채워서 희석한다. 1mℓ는 1/10g의 염지약을 함유한다.

② 건조염지제 혼합 : 5g(무게로)을 500mℓ 용적플라스크에 취하고, 표시된 곳까지 증류수로 채워 희석한다. 이 용액 1mℓ는 염지제 1/100g함유하게 되는데 필요하다면 더 희석할 수도 있다. 즉, 이 용액 10mℓ를 취해 100mℓ가 되게 물로 다시 희석하면 1mℓ당 1/1000g이 된다.

3) 질산염 측정 (Xylenol 방법)

실험개요

질산염은 고기시료로부터 뜨거운 물로 추출된다. 아질산염은 질산염으로 산화된다. M-xylenol을 가하고, 발색된 복합물을 증류해서 약알칼리 용액에 수거한다. 분광광도계로 색을 측정하여 표준곡선으로부터 질산염을 계산한다. 아질산염이 있을 경우에는 최종 계산할 때에 알맞게 보정한다.

시약 및 기구

■ 시약

- Bromocresol green 지시약(0.1g의 bromocresol green을 0.1N NaOH 1.5㎖에 용해시킨 다음 증류수를 가해 100㎖를 만든다).
- H_2SO_4 용액(H_2SO_4와 물을 용적비로 1 : 10으로 혼합한다).
- H_2SO_4 용액(H_2SO_4와 물을 용적비로 3 : 1로 혼합한다).
- Silver ammonium hydroxide 용액(Ag_2SO_4 5g을 NH_4OH 용액 60㎖에 용해시키고 끓여서 30㎖로 농축시킨다. 냉각시키고 증류수를 가해 100㎖로 희석시킨다.)
- 0.2N $KMnO_4$ 용액
- Phosphotungstic acid 용액(100㎖당 20g)
- NaOH 용액(1ℓ당 NaOH 10g)
- $NaNO_3$ 용액($NaNO_3$ 0.2g을 물에 녹여 1ℓ가 되게 한다.)
- Meta-Xylenol(1-hydroxy-2,4 dimethyl benzene)

■ 기구

- Jacket 길이 300mm인 west type condenser나 Kjeldahl대
- 증류대에 맞는 플라스크
- 250㎖ 비커
- 100㎖와 50㎖ 용적플라스크
- 500㎖ 파이렉스 삼각플라스크
- 100㎖ 눈금 있는 실린더
- 20㎖와 25㎖ 피펫
- 0.1㎖까지 읽을 수 있는 10㎖ 피펫
- 500㎖ 플라스크에 맞는 고무마개
- 염탐주
- Coleman Jr. 분광광도계
- 위 분광광도계에 알맞은 큐벳(450mμ에서 투과시 알맞은 것)

실험방법

1 표준곡선의 작성

① 측정피펫을 사용해서 표준질산염 용액(1 ℓ 중에 0.2g)을 0, 1.0mℓ, 2.0mℓ, …… 10mℓ를 각각 500mℓ 삼각플라스크에 취하고, 각 플라스크에 10mℓ가 되도록 물을 가한다.

② 각 플라스크에 H_2SO_4(3:1) 30mℓ를 가하고 섞어서 35℃로 냉각시킨다. Meta-xylenol 1~2방울 가하고, 마개를 막고 흔들어준다. 30~40℃에서 30분간 유지한다.

③ 마개를 씻어내면서 150mℓ의 물을 가한다.

④ 각 플라스크로부터 NaOH 5mℓ(용액 7항)를 함유하고 있는 100mℓ 눈금이 있는 실린더에 Kjeldahl 장치 등을 이용해서 40~50mℓ 증류시킨다.

⑤ 증류액을 각각 100mℓ 용적플라스크에 옮기고, 증류수로 표시된 곳까지 채워주고 섞는다.

⑥ 450mμ에서 흡광도를 측정해서 그래프를 만든다.

2 분석방법

① 250mℓ 비이커에 준비된 시료 5~10g을 정확히 취하고, 약 80mℓ의 따뜻한 물로 잘 섞는다. 가끔 저어주면서 1시간 동안 열탕조에서 가열한다.

② 실온으로 냉각시키고 100mℓ 용적이 되게 한다.

③ 잘 혼합하고 여과한 다음 여과액 25mℓ를 50mℓ 용적플라스크에 취한다.

④ Bromocresol green 지시약 3방울을 가한다. 묽은 H_2SO_4(1 : 10)를 노란색으로 변할 때까지 흔들면서 가한다.

⑤ 엷은 핑크색이 1분간 남아있을 정도로 0.2N $KMnO_4$를 흔들면서 가한다.

⑥ 단백질을 침전시키기 위하여 H_2SO_4(3 : 1) 1mℓ와 phosphotungstic acid 용액 1mℓ를 가한다. 용적이 50mℓ가 되게 한 다음 섞어서 여과한다.

⑦ 500mℓ 삼각플라스크에 적당량을 취하여 옮기고($NaNO_3$를 0.2~2.0mg 함유하고 20mℓ 넘지 않게)모든 염화물과 과량의 phosphotungstic acid를 침전시키기 위해 충분한 양의 silver ammonium hydroxide 2mℓ를 가한다.

⑧ 플라스크에 있는 용액의 3배 가량의 H_2SO_4(3 : 1)를 가하고 마개를 막고 섞은 다음 35℃로 냉각시킨다. Meta-xylenol을 1~2방울 가하고 마개를 막은 다음 흔들어준다.

⑨ 30~40℃에서 30분간 정치한다. 150mℓ의 물을 가하고 5mℓ의 NaOH 용액에 증류한다.

⑩ 증류액 50mℓ를 모아서 100mℓ 용적플라스크에 옮기고, 표시된 곳까지 물로 채운 다음 잘 섞는다.

⑪ 분광광도계를 사용하여 450mμ에서 용액과 blank의 흡광도를 측정한다.

⑫ 작성된 표준곡선에 의거하여 용액 속에 들어있는 질산염을 정량한다.

결과 및 고찰

$$NaNO_3\ \% = \frac{20A}{B \times C} - 1.232D$$

A : 읽은 용액 속에 들어 있는 $NaNO_3$ 함량　　B : 시료무게

C : 질화에 사용된 액체시료량(mℓ)(방법 7항)

D : 아질산염 정량법에 의해 측정한 아질산염(%)

2. 인산염

실험개요

전기로에서 육시료(肉試料)를 회화(灰化)시켜서 citro-molybdate 용액으로 반응시킨 다음 수산화나트륨으로 적정한다. 소요된 수산화나트륨은 P_2O_5(phosphate pentoxide)의 함량%로 계산된다.

시약 및 기구

■ 시 약

- Citro-molybdate 용액
  - i) 1360㎖의 증류수에 108g NH_4NO_3, 105g citric acid(분말), 136g ammonium molybdate(결정)을 용해시킨다.
  - ii) 증류수 310㎖에 질산(69~71%) 250㎖를 가한다.
  - iii) i)용액을 ii)용액에 붓고 잘 섞는다.
- 염산용액(1:3) : 진한 염산과 증류수를 용적비 1 : 3으로 섞는다.
- NH_4NO_3
- 정확히 표준화된 1.0N 수산화나트륨용액
- 정확히 표준화된 0.5N 황산용액
- Phenolphthalein 지시약 : 95% 알코올에 녹인 1% 용액

■ 기구

- 전기로(電氣爐)
- 공기 환류장치가 된 오븐
- 가열판, 열탕조
- 직경 80mm, 높이 30mm의 회화용 도가니
- Whatman 여과지 #54, 42 혹은 2V
- 250㎖, 500㎖ 삼각플라스크
- 250㎖, 500㎖ 용적플라스크
- 50, 100, 500, 1,000㎖ 눈금 있는 실린더
- 측정피펫
- 칭량저울

실험방법

1. 준비된 시료 10g을 회화를 위해 도가니에 취한다.
2. 수분이 증발될 때까지 시료를 뜨거운 공기가 환류되는 오븐에서 140℃로 예비회화 시킨다.
3. 전기로에 놓고 525℃로 약 2시간 동안 회화시킨다.
4. 시료를 냉각시키고 묽은 염산(1:3)용액 40㎖를 가한다.

5. 회화된 시료가 용해될 때까지 도가니채로 가열판 위에서 가열한다.
6. Whatman 여과지 #54(541)을 통해서 여과하고, 도가니에 있는 모든 용해되는 성분을 뜨거운 물로 여러 차례 씻어 상기 여과지에 부어 여과한다. 여과액이 약 150~200㎖가 되어야 한다.
7. NH_4NO_3 1g을 가하고 휘저은 다음 80~85℃에 도달될 때까지 플라스크를 뜨거운 열탕조에 놓는다.
8. Citro-molybdate 용액 60㎖를 붓고 열탕조에서 거의 끓는 온도(90~95℃)가 되게 다시 가열해서 적어도 30분간 유지한다.
9. 여과지(Whatman #42나 2V)를 통해서 침전물(노란색)을 여과하고, 뜨거운 물로 여러 차례 플라스크를 씻어내어 여과지로부터 떨어지는 물의 pH가 중성 정도(pH 6.0)가 될 때까지 여과지에 붓는다.
10. 여과지를 250㎖ 삼각플라스크에 넣고 찬 증류수 약 100~125㎖를 가한다.
11. 1.0N 수산화나트륨용액을 일정량 가하여 내용물을 잘 섞고, 유리봉으로 여과지를 분쇄하여 노란색이 없어질 때까지 섞는다.
12. 몇 방울의 phenolphthalein 지시약을 가하고
13. 잘 흔들어준 다음 0.5N 황산용액으로 붉은색이 엷은 핑크색이 될 때까지 역적정(逆滴定)한다.

결과 및 고찰

인산염 함량을 다음과 같이 계산한다.

$$P_2O_5\% = \frac{(\text{소요된 수산화나트륨}) \times 0.309}{\text{시료무게}}$$

$$\text{소요된 수산화나트륨} = \text{1.0N 수산화나트륨의 양(㎖)} - \frac{\text{역적정시 사용된 } H_2SO_4}{2㎖}$$

1. 인산염들의 환산지수(Converting factor) : P_2O_5%는 phosphate pentoxide%를 나타낸다. 0.324N 수산화나트륨 대신 1.0N 수산화나트륨로 적정하였기 때문에 0.31(0.309)을 곱해준다.
   $P_2O_5\% \times 0.436 = P\%$
   $P_2O_5\% \times 2.185$ = bone phosphate of lime(BPL)%
   $P_2O_5\% \times 1.74$ = tripolyphosphate, sodium(ham에 사용된다)%
   $P_2O_5\% \times 1.48$ = hexametaphosphate sodium%
   $P_2O_5\% \times 1.67$ = P_2O_5를 60% 함유한 curafos calgon formula 22-4(bacon pumping pickle에 이용된다.)%
2. 첨가된 인산염을 위한 계산
   예) 분석한 시료의 총단백질 : 16.30%
   고기원료 중에 존재하는 천연인산염(P_2O_5) : (단백질×0.025)=0.41%
   P_2O_5로 분석된 인산염 : 0.69%
   P_2O_5로 첨가된 인산염 : 0.28%
   tripoly로 첨가된 인산염의 계산(0.28×1.74) : 0.49%

고기 중의 천연인산염은 단백질 함량에 따라 제품마다 다양하다. 분석자는 인첨가제를 전연 첨가하지 않고 원료 육시료에 존재하는 천연적인 인 함량을 계산할 수도 있다.

3 염지액 중의 인산염 분석

① 염지액 25g을 용적플라스크에 취해서 증류수로 250mℓ가 되게 희석한다(더러우면 여과한다).

② 염지액 1g에 해당하는 이 희석된 용액 10mℓ를 피펫으로 취한다.

③ 별도의 플라스크에 10mℓ 염지용액을 옮기고, 물 90mℓ를 가하고 진한 질산 5mℓ를 가한다.

④ 끓는 물 열탕조에서 뚜껑을 덮고 2시간 동안 가수분해시킨다.

⑤ 육제품 분석방법의 7항부터 반복한다.

⑥ 분석을 위해 1g의 시료가 사용되었다고 보고, 최종계산은 소비된 수산화나트륨(1.0N)에 0.309F를 곱하면 된다. 결과는 %로 표시하고, 위에서 설명한 바와 같이 알맞은 지수로 전환시킨다.

2. 소시지의 전분질 정량

실험개요

소시지 제조에 첨가되는 전분질의 함량은 소시지 품질을 좌우하는 중요한 요소이기 때문에 이를 정량화 하여 전분질 함량의 기준을 세우고자 한다.

시약 및 기구

- 메스플라스크
- 홀피펫
- 전자저울
- 도마, 칼
- 열탕조
- 적정장치

실험방법

1 시료 약 5g을 100mℓ 삼각 플라스크에 취한다.

2 8% KOH 40mℓ를 가하여 30분간 가열(100℃)시킨다. 가열시 알루미늄 호일로 막은채로 실시한다.

3 냉각 후 95% ethanol로 40mℓ가 되게 맞춘 후 1시간 방치 후에 원심분리 시킨다.

4 원심분리한 후 상층의 액은 버리고 50% ethanol과 4% KOH 용액으로 2번 세정하여 원심분리 한다.

5 상층의 액은 버리고 분리된 녹말을 적당량의 증류수로 세척한 후 원심분리 시킨다.
6 세척된 녹말을 2.5% 염산 용액 200mℓ를 가하여 100℃에서 분해시킨다(환류냉각가를 이용한 산가수분해를 150분간 실시한다).
7 냉각하여 10% NaOH 용액으로 중화시킨다.
8 500mℓ 매스 플라스크로 정용한다.
9 환원당 정량법(일반성분 분석항을 참조)에 의하여 glucose를 측정한다.

3. 근육의 중간대사물 (Metabolic intermediates)의 측정

도살 전후에 근육 중에서 일어나는 에너지 속도와 유형은 근육의 성질에 크게 영향을 주고, 결과적으로 고기의 기능적 특성과 기호성을 좌우하게 된다. 따라서 근육 중에 일어나는 대사과정을 적절히 조절함으로써 우리가 원하는 특성을 가진 고기를 생산할 수 있고, 이러한 대사과정을 조절하기 위해서는 중간대사물의 측정이 필수적이다. 몇 가지 중요한 중간대사물의 측정방법만을 기술하고자 한다.

1) 근육조직의 냉동

중간대사물을 측정하고자 하는 근육조직의 표본을 채취하는 즉시 액체질소(液體窒素)로 냉동시킨다. 일단 냉동된 근육표본은 알루미늄포일로 싸고 그 위에 다시 가제로 싼 다음 고무줄로 매고 표본이름, 채취일자, 시간 등을 기재한 표식을 달고 다시 액체질소통에 넣어 보관한다.

2) 근육조직의 분쇄

근육조직을 미세한 가루로 분쇄하기 위하여 분쇄과정 중에 녹아서는 안되기 때문에 open-to type freezer나 냉동실에서 실시해야 한다. 알루미늄 Waring blendor(Fisher Scientific Co.)를 액체질소로 일단 냉각을 시킨 다음 블랜더에 올려놓고 액체질소 통에 보관되었던 근육표본을 꺼내어 블렌더에 넣고 약간(20mℓ 정도)의 액체질소를 가한 다음 뚜껑을 덮고 높은 속도로 작동시킨다. 표본이 블렌더의 칼날사이에 끼어서 돌아가지 않을 때에는 뚜껑을 열고, 낀 것을 제거하여 칼날이 자유로이 돌아가도록 한다. 일단 작동되면 약 20초간이면 분쇄가 완료되는데, 20초 후에도 큰 덩어리가 있을 때에는 약간의 액체질소를 다시 가하고 분쇄를 완료한다.

분쇄가 완료되면 냉각시킨 플라스틱 병에 넣고 액체질소 통에 넣어 보관하거나, dry-ice에 넣어 보관한다.

주의 : 액체질소가 손에 닿지 않도록 반드시 장갑을 사용하여야 한다.

3) 근육의 추출

시약 및 기구

■ 시약

- 0.6N perchloric acid
- 5M K_2CO_3
- Methyl orange(물 100mℓ에 50mg 용해)

■ 기구

- 50mℓ 원심분리관
- 칭량저울
- 유리막대
- 원심분리기
- 유리솜(glass wool)
- 유리깔때기
- 시험관
- Magnetic stirrer
- Tissue homogenizer

실험방법

1 추출방법

① 50mℓ 원심분리관의 무게를 잰다.

② 원심분리관을 dry-ice가 들어있는 통에 넣어 냉각시킨다.

③ 약 5g의 분쇄된 근육시료를 원심분리관에 넣고, 전체의 무게를 재어 정확한 시료무게를 산출한다.

다음과 같은 방법으로 0.6N perchloric acid의 양을 계산한다.

보기 : 시료무게 : 최종 추출액 비율 = 1 : 3

시료무게 = 5g

총추출액 용적 = 5g×3 = 15mℓ

근육조직 중의 수분 5g×70% = 3.5mℓ

중화하는데 요하는 K_2CO_3량 = 0.5mℓ(실험적으로 결정된 양)

첨가할 0.6N perchloric acid량 = 15－3.5－0.5 = 11.0mℓ

④ 위의 보기와 같은 방법으로 시료무게에 따라 적정량의 0.6N perchloric acid를 계산하여 이를 시료가 들어있는 원심분리관에 가하고, 유리막대로 바로 휘저어준다.

⑤ 냉장실(4℃)에서 5분 간격으로 저어주면서 약 20분간 추출한다. 또는 tissue homogenizer가 있는 경우, 약 30초간 균질화(均質化)한다.

⑥ 0℃로 유지된 원심분리기를 사용하여 12,000×g에서 15분간 원심분리한다.

⑦ 상징액을 유리솜이 들은 깔때기를 통과시켜 시험관에 여과한다. 시험관은 얼음물 속에 유지하여야 한다.

⑧ Methyl orange 1방울을 가하고, 5M K_2CO_3로 salmon pink color(붉은 오렌지색)가 될 때까지 중화시킨다(약 0.5mℓ 소요).

⑨ 분석이 끝날 때까지 0~4℃에 유지한다.

4) 젖산(L-lactate)의 측정

원 리

- L(+)-lactate+NAD^++hydrazine
- pH 9.0→ ↓ ←lactate dehydrogenase
- Pyruvate hydrazone ＋NADH＋H_3O^+
- NADH의 생성을 340nm에서의 흡광도 증가로 측정한다.

시약 및 기구

- 시약(약 2개 시료측정)

① Hydrazine/glycine 완충액(0.4M hydrazine/0.5M glycine, pH 9.0)

Glycine 11.4g과 hydrazine hydrate 25mℓ를 200mℓ물에 용해한 다음 4N NaOH 용액으로 pH 9.0으로 조절한 다음 증류수를 가하여 300mℓ로 만든다.

② 4N NaOH

③ NAD, 30mg, NAD/mℓ 증류수

④ Lactic dehydrogenase[2500 E.U./mℓ(1% albumin 용액에 용해)]

⑤ Albumin(1% 용액)

- 기구

- Spectrophotometer
- Cuvette
- Micro-pipette
- Pipette
- Parafilm

실험방법

1. Cuvette(1㎝, 용적 3㎖)에 다음과 같이 시약을 가한다.
   glycin-hydrazine 완충액 2.50㎖, NAD 0.20㎖
2. 앞에서 설명한 근육수축액(1:3) 1㎖을 25㎖ 용적 플라스크에 옮기고, 증류수 25㎖로 희석한 다음 0.3㎖를 cuvette에 가한다. 공시험 cuvette에는 근육추출액 대신 0.3㎖의 perchloric acid를 가한다.
3. 잘 혼합한 다음 340mμ에서 흡광도를 측정하여 E_1으로 한다.
4. 0.02㎖의 lactic dehydrogenase를 가하여 25℃에서 60분(37℃에서 30분간) 놓아둔 후 흡광도(吸光度)를 다시 측정하여 E_2로 한다.
5. 젖산량(㎛ole/g 근육) = $(E_2 - E_1) \times 121.38$

5) Glucose-6-phosphate (G-6-P), Adenosine triphosphate (ATP) 의 측정

원 리

$$\text{G-6-P+NADP}^+ \xrightleftharpoons{\text{G6PDH}} \text{6-phosphoglucono-}\delta\text{-lactone+NADPH+H}^+$$

$$\text{Glucose+ATP} \xrightleftharpoons{\text{HK}} \text{G-6-P+ADP}$$

$$\text{PC+ADP} \xrightleftharpoons[\text{CPK}]{\text{Mg}^{2+}} \text{Creatine+ATP}$$

시약 및 기구

- Triethanolamine 완충액(0.05M, pH 7.6)(triethanolamine 7.46g을 약 500㎖의 물에 용해하고, pH를 7.6으로 조정한 다음 1 ℓ로 만든다)
- NADP(약 0.01M)(NADP · Na염 7mg을 1㎖의 증류수에 용해)
- $MgCl_2$(0.01M)($MgCl_2$. $6H_2O$ 2.03g을 증류수에 용해하고 100㎖로 만든다)
- 포도당용액(0.5M)(포도당 9.91g을 증류수에 용해하고, 100㎖로 만든다)
- ADP(5mg/㎖)(ADP · Na염 10mg을 2㎖의 증류수에 용해)

- Glucose-6-phosphate dehydrogenase(G6PDH)[50 E.U./mℓ(1% 알부민용액에 용해)]
- Hexokinase(HK)(150E.U./mℓ 증류수)
- Creatine phosphokinase(CPK)(100E.U./mℓ 증류수)
- 기구는 '젖산측정'과 동일

실험방법

1. 340mμ, 투과길이 1cm, 용적 3mℓ의 cuvette을 사용한다.
2. Cuvette에 다음과 같이 시약을 가한다.
   완충액 2.0mℓ, NADP 0.1mℓ 2.275mℓ, $MgCl_2$ 0.175mℓ
3. 근육추출액(1:3)을 0.05mℓ 가한다. 공시(空試)는 0.05mℓ의 증류수를 가한다.
4. 혼합한 다음 흡광도 E_1을 잰다.
5. 0.02mℓ의 G6PDH를 가하여, 4분 후에 흡광도 E_2를 잰다.
6. 0.2mℓ의 포도당액을 가하고 잘 섞은 다음 흡광도 E_3를 잰다.
7. HK 용액 0.025mℓ를 가하고 잘 섞은 다음 5분 후에 흡광도 E_4를 잰다.
8. ADP 0.025mℓ을 가하고 섞은 다음 4분 후에 E_5를 잰다.
9. CPK 0.025mℓ을 가하고 섞은 다음 30분 후에 E_6를 잰다.
10. 시료의 흡광도 측정시마다 공시의 흡광도를 함께 측정하고, 시료의 실측치를 보정한다.

결과 및 고찰

- G-6-P : $(E_2-E_1)\times 22.69$(μmole/g)
- ATP : $(E_4-E_3)\times 24.87$(μmole/g)
- PC : $(E_6-E_5)\times 25.36$(μmole/g)

6) Glycogen의 측정

(1) Phenol 방법

실험개요

근육 중의 단백질을 분해한 다음 에틸알코올로 유리된 glycogen을 침전시켜 분리하고, phenol과 황산의 존재하에 정색반응을 일으켜 측정한다.

시약 및 기구

- 30% KOH
- 95% 에틸알코올

- 5% phenol
- 진한 황산
- 글리코겐(glycogen) 표준액(10mg/100mℓ)
- 분광광도계
- 원심분리관, 원심분리기
- 유리봉
- 열탕조
- 용적플라스크(25mℓ)
- 원추형 시험관(15mℓ)

실험방법

1. 근육시료 1g을 15mℓ 시험관에 넣고, 30% KOH 3mℓ을 가하여 유리봉으로 잘 섞는다.
2. 시험관을 끓는 물에서 20분간 가열한 다음 상온에서 5분간 냉각시킨다.
3. 95% 에틸알코올 5mℓ를 가한 다음 열탕조(熱湯槽)에 넣어 알코올이 끓어오르려고 할 때 꺼내어 냉각시킨다. 이때 glycogen의 하얀 입자들이 나타난다.
4. 상온으로 냉각한 후 300rpm에서 원심분리한 다음 상징액을 버리고 남아있는 알코올을 증발시킨다.
5. 침전된 glycogen에 2mℓ의 증류수를 가해 용해시킨 다음 2.5mℓ의 95% 알코올을 가해 다시 침전시킨 후 원심분리하고, 상징액을 버리고 잔류된 알코올을 완전 증발시킨다.
6. 분리된 glycogen에 약 5mℓ의 증류수를 가해 용해시키고, 정량적으로 25mℓ의 용적플라스크에 이전한다.
7. 희석된 용액 1mℓ을 다시 5～10배 희석한 다음 최종 희석액 1mℓ를 시험관에 옮긴다.
8. 5% phenol 1mℓ을 가하고 섞은 다음 끝을 잘라버린 5mℓ짜리 피펫을 이용하여 5mℓ의 진한 황산을 빠른 속도로 가하고 잘 섞는다.
9. 10분간 상온에서 냉각한 다음 25℃물에서 20분간 놓아둔다.
10. 490mμ에서 흡광도를 측정한다.
11. Glycogen 표준액을 시험관당 0, 20, 40, 60, 100μg을 가하고, 시료와 동일한 방법으로 정색반응(呈色反應)을 일으켜 흡광도를 재고 표준곡선을 그린다.
12. 표준곡선에 의거 시료 중의 glycogen 함량을 계산한다.

(2) Anthrone 방법

실험개요

Glycogen을 분리한 다음 anthrone을 가하여 정색반응을 일으켜 측정한다.

시약 및 기구

- 30% KOH
- 95% 에틸알코올
- 95% 황산
- 0.2% Anthrone 용액(0.2g의 anthrone을 100mℓ의 95% 황산에 용해한다. 불안정하기 때문에 2일에 한번씩 새로 만들고 냉장고에 보관한다).
- 기구는 앞에서 설명한 방법과 같다.

실험방법

1. 앞에서 설명한 페놀방법에 따라 glycogen을 분리하고 희석한다.
2. 희석된 용액을 다시 10배로 희석한 다음 최종 희석액 5mℓ을 시험관에 가한다. 한 시험관에는 5mℓ의 증류수를 넣어 공시험구로 하고, 다른 시험관에는 포도당 표준액 5mℓ을 가한다.
3. 시험관들을 찬물에 넣고, 10mℓ의 anthrone 시약을 빠른 속도로 가한 다음 잘 섞는다.
4. 시험관 위에 유리구슬을 올려놓은 다음 끓는 물에서 10분간 가열한다.
5. 냉각한 다음 620mμ에서 읽는다.

결과 및 고찰

$$\text{Glycogen 함량} = \frac{100 \times \text{시료의 흡광도}}{1.11 \times \text{표준액 흡광도}} \times \text{희석배수}$$

* 1.11은 glucose를 glycogen으로 전환하기 위한 전환계수

4. 원료육의 기능적 특성

1) 보수력(保水力, Water holding capacity)

(1) 압착법(壓搾法, Press method)

실험개요

일정량의 고기를 2개의 판 사이에 넣고 압착함으로써 유리되는 수분을 여과지에 흡수시켜 젖은 면적을 측정한다.

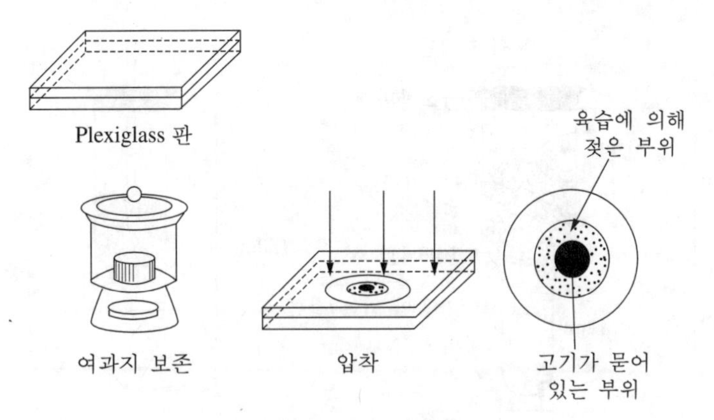

그림 12-1 압착법에 의한 보수력 측정기구

시약 및 기구

- 편평한 플렉시 유리판(plexiglass plate, 그림 12-1을 참조) 2개
- 여과지(데시케이터에 보관하여 건조상태 유지)
- 압착기
- Planimeter

실험방법

1. 플렉시 유리판 위에 여과지를 놓고, 그 위에 고기표본 0.3~0.5g을 놓은 다음 플렉시 유리판을 올려 놓는다.
2. 상하의 플렉시 유리판을 스크류로 조인 다음 압력게이지가 있는 압착기고 35~50kg/㎠의 압력으로 약 2분간 유지한다.
3. 여과지를 제거하여 고기조직이 묻어 있는 부위의 면적과 젖어있는 부위의 면적을 planimeter로 측정하고, 다음과 같이 보수력 지수(保水力指數)를 산출한다.

$$\text{보수력 지수(\%)} = \frac{\text{고기조직이 묻어 있는 면적}}{\text{젖어 있는 부위 면적}} \times 100$$

(2) 원심분리법

실험개요

일정량의 마쇄한 고기를 취하여 일정온도로 가열한 후 원심분리에 의해 유리되는 수분을 측정한다.

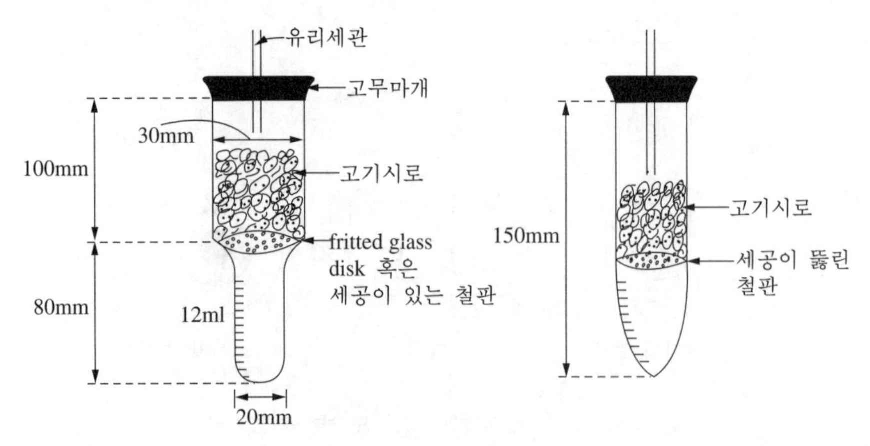

그림 12-2 특별히 고안된 원심분리관 및 50㎖ 플라스틱 원심분리관

시약 및 기구

- 열탕조
- 원심분리기
- 특별히 고안된 원심분리관(그림 12-2 참조)
- 오븐

실험방법

1. 고기를 마쇄하여 잘 혼합한 다음 25g의 시료를 취하여 원심분리관의 상부, 즉 fitted glass disk 혹은 세공(細孔)이 있는 철판 위에 채운다.
2. 고무마개를 한 다음 70℃의 열탕조에서 30분간 가열하고, 25℃에서 10분간 식힌다.
3. 상온에서 170×g(약 1,000rpm)의 속도로 10분간 원심분리한다.
4. 원심분리가 끝난 후 원심분리기관의 하부에 분리된 육즙(肉汁)의 양을 읽는다. 이때 상부에 뜨는 지방층은 무시한다.

결과 및 고찰

총수분량을 측정하기 위하여 동일한 고기시료를 약 5~6g 취하여 100~102℃ 오븐에서 16시간 건조한다.

$$\% \text{ 수분손실} = \frac{\text{분리된 수분량(㎖)} \times 0.951}{\text{시료의 총수분함량(g)}} \times 100$$

* 0.951은 70℃에서의 분리된 육즙중의 순수한 수분함량

보수력 = 100 − % 수분손실

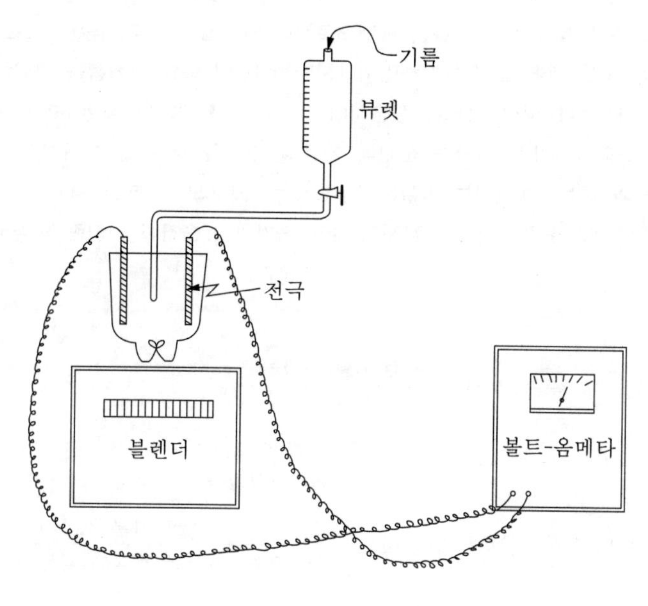

그림 12-3 유화용량측정장치

2) 유화용량(乳化容量, Emulsifying capacity) 측정

실험개요

단백질 용액에 기름을 일정한 속도로 가하여 유화조직(O/W)을 형성하다가 유화조직(乳化組織)이 파괴되는 순간까지 첨가한 기름량을 측정하여 고기 g당 또는 단백질 g당 기름량으로 유화용량을 비교 평가한다. 각 실험실은 실험조건을 일정하게 정하여 여러 가지로 시료에 동일하게 적용함으로써 상대적인 유화용량을 비교 평가하게 된다.

시약 및 기구

- 소금용액 3% 또는 1N NaCl 용액(0~4℃로 냉각)
- 식물성 기름(옥수수 기름)
- 유화용량 측정장치(그림 12-3)

실험방법

1. 고기시료를 잘 마쇄하여 혼합한 다음 5g의 시료(단백질 약 1g)를 블렌더병에 넣는다.
2. 100㎖의 0~4℃로 냉각된 소금용액(3% 또는 1N 농도)를 가하여 약 1분간 높은 속도(hi-speed)로 마쇄한다.

3 마쇄가 끝난 후 식물성 기름 50mℓ을 뷰렛으로부터 일시에 가하고, 높은 속도로 혼합한다.

4 블렌더 혼합속도를 계속 높이 유지하면서 1분당 0.8mℓ의 속도로 기름을 가한다.

5 유화조직이 형성됨에 따라 점도가 상승하다가 갑자기 블렌더의 회전소리가 달라지고 점도가 떨어지면서 유화조직이 깨어지는 순간에 기름의 주입을 멈추고, 그때까지 소요된 기름량을 기록한다. 유화조직이 깨어지는 종점(end-point)은 볼트-오옴메터를 사용하는 경우 더욱 쉽게 측정할 수 있는데, 즉 전기저항이 갑자기 높게 증가하는 순간이 적정종점(滴定終點)의 된다.

결과 및 고찰

$$\text{고기 g당 유화용량(mℓ/g)} = \frac{\text{총 기름 소요량}}{\text{시료 g수}}$$

$$\text{단백질 g당 유화용량(mℓ/g)} = \frac{\text{총 기름 소요량}}{\text{시료중 단백질량}}$$

$$\text{염용성 단백질 g당 유화용량(mℓ/g)} = \frac{\text{총 기름 소요량}}{\text{3\% 또는 1N 소금용액에 용해되는 단백질 g}}$$

3) 유화안정성 (乳化安定性, Emulsion stability) 측정

실험개요

실험실 또는 가공장에서 만든 유화조직을 일정한 온도에서 가열하여 분리되는 지방 및 수분분리 정도를 측정함으로써 유화안정성을 평가한다.

시약 및 기구

- 보수력 측정시 사용한 원심분리관
- 원심분리기
- 열탕조
- 유화조직 형성에 필요한 여러 가지 기구

실험방법

1 소시지 제조과정에서 에멀션 시료를 취하여 정확히 25g을 원심분리관의 상부에 채운다. 이때 가급적 공기의 혼입이 적도록 유의한다.

2 원심분리관을 70℃의 열탕조에서 30분간 가열한다.

3 원심분리관을 꺼내서 40℃의 온수에서 10분간 냉각한다.

4 170×g(약 1,000rpm)에서 10분간 원심분리 한다.

5 분리된 지방층(상부)와 수분층(하부)의 양을 읽는다.

결과 및 고찰

$$\% \text{ 수분분리} = \frac{\text{mℓ 수분} \times 100}{\text{시료 무게}}$$

$$\% \text{ 지방분리} = \frac{\text{mℓ 지방} \times 100}{\text{시료 무게}}$$

$$\% \text{ 총분리} = \frac{(\text{mℓ 수분} + \text{mℓ 지방}) \times 100}{\text{시료 무게}}$$

참고문헌

1. AMI : Laboratory Methods of Meat Industry. American Meat Institute, Arlington, VA(1967)
2. Koniecko, E.S. : Handbook for Meat Chemists. Avery Publishing Inc., Wayne, N.J.(1979)
3. U.S.D.A. : Chemistry Laboratory Guidebook. U.S.D.A. - Technical Services Div., Washington, D.C.(1971)
4. Borchert, L.L. and E.J. Briskey : Protein solubility and associated properties of porcine muscle as influenced by partial freezing with liquid nitrogen. J. Food Sci., 30, p.38(1965)
5. Briskey, E.J. and Fukazawa, T. : Myofibrillar proteins of skeletal muscle. Adv. Food Res. 19, p.279(1971)
5. Fiske, C.H. and Subbarow, Y. : The colorimetric determination of phosphorus. J. Biol. Chem., 66, p.375(1925)
6. A.S.A.S. : Technigues and Procedures in Animal Science Research. Amer. Soc. of Animal Sci., Champaign, IL(1969)
7. Asselbergs, E.A. and J.R. Whitaker : Determination of water holding capacity of ground cooked lean meat. Food Tech., 15, p.392(1961)
8. Rongey, E.H. : A simple objective test for sausage emulsion quality. Proc. Meat Ind. Res. Conf. p 99-106. Amer. Meat Sci. Assn., Chicago, IL(1965)
9. Saffle, R.L., J.A. Christian, J.A. Carpenter, and W.B. Zirkle. : A rapid method to determine stability of sausage emulsions and the effects of processing temperatures and humidities on various characteristics of emulsion. Food Tech., 21(5), p.100(1967)
10. Wierbicki, E., L.E. Kunkle and F. E. Deatherage : Changes in the water holding capacity and cationic shifts during the heating and freezing of meat as revealed by a simple centrifugal method for measuring shrinkage. Food Tech., 11, p.69(1957)
11. 이유방, 성삼경 : 식육과 육제품의 분석실험. 선진문화사(1994)

제 3 절 수산식품

1. 어패류 중의 휘발성 염기질소 (VBN) 의 측정

실험개요

암모니아를 위주로 한 TMA, DMA 등의 휘발성염기질소(volatile basic nitrogen, VBN)는 어획 직후의 어패류에는 극히 적으나 선도의 저하와 더불어 이들의 함량이 증가하므로, 이 휘발성 염기질소의 함량을 측정함으로써 어패류의 선도를 판정할 수 있다. 휘발성 염기질소의 증가는 어패류 사후변화의 초기에는 주로 AMP의 탈아미노반응에 따른 암모니아의 생성에 의한 것이고, 이어서 TMAO의 분해에 의한 TMA나 DMA의 생성과 같은 함질소화합물의 분해에 따른 암모니아 및 각종 아민류의 생성 때문이다.

휘발성 염기질소 함량은 일반적으로 극히 신선한 어류에서는 5~10mg%, 보통 신선한 어육에서는 15~25mg%, 초기부패 어육에서는 30~40mg%, 부패 어육에서는 50mg% 이상 검출된다. 그러나 상어나 가오리 같은 판새류에는 원래 다량의 요소나 TMAO가 다량 함유되어 있기 때문에 이 판정기준을 그대로 적용할 수는 없다. 한편, 어패류를 통조림의 가공원료로 사용하는 경우는 열처리 중 육 성분이 분해되어 휘발성염기질소 함량이 증가하므로 일반적으로 휘발성 염기질소 함량이 20㎎% 이하의 원료어를 사용하여야 품질이 좋은 제품을 얻을 수 있다.

그 외로 어패류의 화학적 선도판정법으로는 TMA 정량법, 휘발성 환원성 물질정량법, K값 및 pH를 측정하는 방법이 있으나, conway unit를 사용하는 미량확산법이 가장 널리 이용된다. 미량확산법의 원리는 conway unit의 외실에 추출액을 넣고, 알칼리성으로 될 때 휘발하는 염기를 내실 중의 지시약을 포함하고 있는 붕산흡수제에 흡수시킨다. 붕산흡수제의 pH는 약 5.0이지만 휘발성염기질소를 흡수하게 되면 7.0~8.0이 된다. 일정온도에서 일정시간 흡수시킨 후 수평뷰렛을 이용하여 표준 산용액으로 붕산흡수제를 적정한다.

시료조제

시료 어육을 2.0g 정평한 다음 막자사발에 옮기고, 증류수 16㎖와 단백질의 침전을 위해 20% 삼염화아세트산(TCA) 용액 2㎖를 넣고 잘 마쇄한 다음, 원심분리 혹은 여과하여 상징액을 취한 후 시료용액으로 한다.

시약 및 기구

■ 시약

－붕산(H_3BO_3) 흡수제 : 붕산 10g에 에틸알코올을 200㎖ 가하여 용해시킨 다음, 혼합지시약

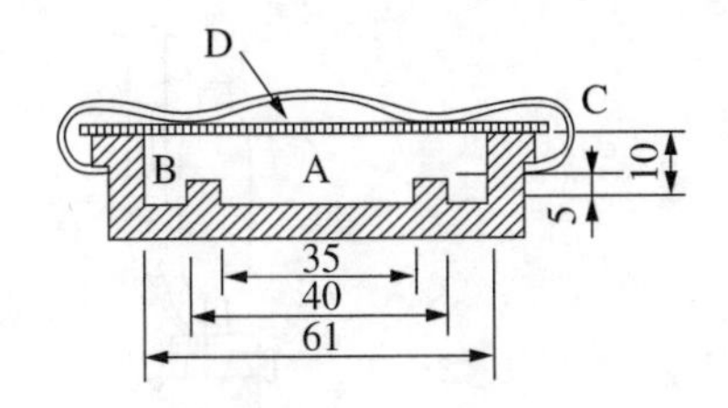

A : 내실 B : 외실 C : 클립 D : 뚜껑 (단위 : mm)

그림 12-4 Conway unit

10mℓ를 가하고 증류수로서 1 ℓ 로 정용한다.

- 혼합지시약은 0.1% Bromocresol green 용액과 0.2% metyl red 용액을 3 : 1의 비율로 가해 조제하며, 약 알칼리용액(0.01N 수산화나트륨 용액)을 조금 가하여 청색으로 만들어 사용한다.
- 포화탄산칼륨 용액 : 증류수 50mℓ에 대하여 약 60g의 탄산칼륨을 가해 10분간 가열하여 방냉한 후 여과하여 사용한다.
- 5% 및 20% 삼염화아세트산
- 표준 산용액 : 0.01N 염산 용액을 사용하며, factor를 미리 구해둔다.

■ 기구

- Conway unit(그림 12-4), 막자사발, 균질기(homogenizer 혹은 ultraturrax), 화학저울, 수평뷰렛 등

실험방법

1. 건조된 Conway unit의 가장자리에 와세린을 도포하여 밀폐가 잘 되도록 한다.
2. 먼저 내실에 붕산흡수제를 1mℓ 넣고, 외실에 시료용액을 1mℓ 넣은 다음 뚜껑을 ⅔ 정도 덮고, 다시 외실에 포화탄산칼륨 용액을 1mℓ 넣은 후 unit의 뚜껑을 재빨리 밀어서 덮는다. 이때 포화탄산칼륨 용액이 내실의 붕산흡수제로 혼입되면 적정할 때 변색이 되지 않으므로 주의를 요한다.
3. 내실과 외실액이 서로 섞이지 않도록 주의하면서 unit를 천천히 회전시켜 외실의 시료용액과 포화탄산칼륨용액을 혼합하고, 37℃의 항온기에서 80분간 방치한 후 0.01N 염산 용액으로 적정한다. 온도에 따른 방치시간의 차이는 표 12-1과 같다.
4. 적정은 수평뷰렛을 사용하고, 뷰렛 끝에 유리봉의 끝을 대어 반방울 정도씩 표준 산용액을 유출시켜 내실의 붕산흡수제에 가하고 잘 섞어주면서, 액의 색조가 녹색에서 미홍색으로 변할 때까지 계속한다.

표 12-1 온도에 따른 방치시간의 차이

온 도	37℃	27℃	20℃	15℃	10℃
방치시간	80분	100분	120분	140분	160분

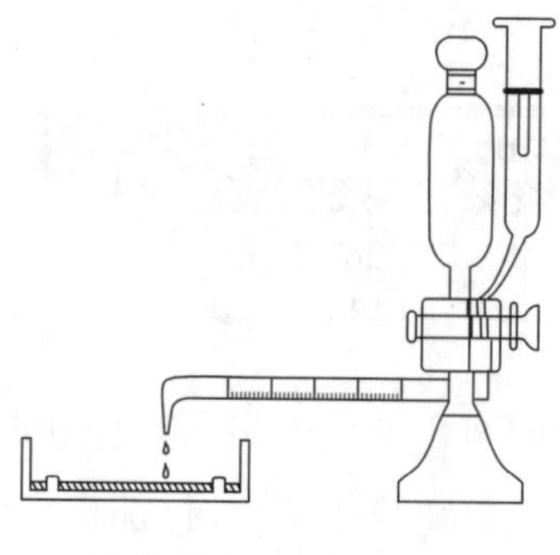

그림 12-5 Conway unit

4 Blank test는 시료 대신에 5% 삼염화아세트산 용액을 외실에 가하고, 그외의 조작은 위와 같은 방법으로 행한다.

결과 및 고찰

1 각종 수산식품별 휘발성염기질소의 초기부패 기준은 아래와 같다.

어 종	어류냉동품	상어, 홍어	명태, 대구류	패류, 갑각류	기타 수산물
기 준	30mg%	50mg%	20mg%	20mg%	30mg%

2 0.01N 염산 용액 1㎖는 0.14mg의 휘발성염기질소에 상당하므로, 시료의 휘발성염기질소 함량은 다음과 같이 구한다.

$$\text{휘발성 염기질소(mg\%)} = 0.14 \times (a - B_1) \times \frac{1}{S} \times 20 \times f \times 100$$

S : 시료채취량

a : 실험에서의 적정값(㎖)

B_1 : Bl에서의 적정값(㎖)

f : 0.01N 염산 용액의 factor

참고문헌

1 Conway, E.J. : Microdiffusion analysis and volumetric error. Crosby Lockwood and Son Ltd, London(1950)

2 日本厚生省 : 食品衛生指針-Ⅰ. 揮發性鹽基窒素. 日本厚生省, 東京, p.30(1960)

2. 어류의 ATP 관련화합물의 정량

실험개요

어류는 사후 변화과정에서 근육의 ATP(adenosine triphosphate)가 재생산되지 않고, 최종산물인 Hx로까지 분해된다. 즉 어류의 ATP는 사후에 ATP → ADP → AMP → IMP(혹은 adenosine) → HxR(inosine) → Hx(hypoxanthine) 등의 경로를 거쳐 분해되고, 반응은 관여하는 여러 가지 효소에 의존한다. ATP → ADP → AMP → IMP까지의 반응은 비교적 사후 초기의 단계에서 진행되나, IMP → HxR → Hx의 반응은 완만하게 진행한다. 이와 같은 어류의 ATP 분해과정 특성으로부터 얻어지는 ATP 관련화합물은 선도판정지표(K값) 또는 정미성분의 지표로서 이용되기도 한다.

ATP 관련화합물의 측정방법으로는 효소센서법, 비색법, 박층크로마토그래피법, 칼럼크로마토그래피법 등이 있고, 최근에는 HPLC를 이용하여 ATP 관련화합물을 개별정량하는 방법이 개발되어 있다.

1) 비색법에 의한 ATP 관련화합물의 총량 및 (HxR + Hx)량의 측정

시료조제

어육 일정량(0.5~1.0g)에 5% 과염소산 용액을 5㎖ 가하여 균질기(ultratrux 또는 homogenizer)로 마쇄한다. 이것을 원심분리(3,000rpm, 15분)하여 상층을 분리한다. 상층 1㎖에 필요량의 중화용액을 가하여 중화한 다음 이것을 시험용액으로 한다.

시약 및 기구

- 5% 과염소산 용액
- 중화용액(구연산나트륨 : $Na_3C_6H_5O_7 \cdot 2H_2O$, 74g과 수산화나트륨 40g을 증류수 500㎖에 용해)
- 50mM 탄산완충액(pH 9.4, Na_2CO_3와 $NaHCO_3$로 조제)
- ATP 관련화합물 분해시약 : 50mM 탄산완충액(pH 9.4) 40㎖와 alkaliphosphatase(140U)-adenosine deaminase(20U)를 사용 전에 혼합하여 사용(조제 후 냉장보관하는 경우 1주일 정도 사용 가능)
- 발색시약 : NaH_2PO_4와 Na_2HPO_4로 조제하는 250mM 인산완충액(pH 7.5) 60㎖, 20mM 4-amino-antipyrine 5㎖, 300mM 페놀 10㎖, nucleoside phosphorylase : 1.5U-xanthine oxidase : 0.3U-peroxidase : 100U와 같은 4 종류의 시약 및 효소를 사용 전에 혼합하여 사용(조제 후 냉장보관하는 경우 1주일 정도 사용 가능)
- 사용효소의 사용가능 여부 판단을 위한 표준용액(0.7mM AMP 및 0.7mM HxR의 동량 혼합물, 효소를 가하여 반응시킨 다음 K값이 50% 전후가 되어야 사용 가능한 효소임)
- 분광광도계, 마쇄기(waring blender, ultraturrax 등), 원심분리기, 항온수조, 피펫 등

실험방법

1 HxR(inosine) + Hx(hypoxanthine) 양의 측정

① 시료 용액 0.1㎖(대조구의 경우 증류수 0.1㎖)를 시험관에 넣고, 여기에 50mM 탄산완충액 (pH 9.4) 1.5㎖ 및 발색시약 1.5㎖를 각각 첨가한 후 혼합한다.

② 이 혼합물을 37℃에서 15분간 incubating 한 다음 분광광도계로부터 시료용액 및 대조구의 흡광도(500nm)를 각각 측정하여 NS(시료용액의 흡광도－대조구의 흡광도)를 계산한다.

2 ATP 관련화합물의 총량 측정

① 시료 용액 0.1㎖(대조구의 경우 증류수 0.1㎖)를 시험관에 넣고, 여기에 ATP 관련 화합물 분해시약 1.5㎖를 첨가한 후 혼합 및 incubating(37℃, 15분간)한다.

② 발색시약 1.5㎖를 첨가 및 혼합한 후 다시 incubating(37℃, 15분간) 한 다음 분광광도계로부터 시료 용액 및 대조구의 흡광도(500nm)를 각각 측정하여 NT(시료용액의 흡광도－대조구의 흡광도)를 계산한다.

결과 및 고찰

비색법에 의한 ATP 관련화합물의 정량은 주로 어류 선도판정을 위한 K값의 측정을 위하여 사용하며, 그 K값의 계산은 다음과 같이 실시한다.

$$\text{K-value}(\%) = \frac{(\text{HxR} + \text{Hx})}{(\text{ATP} + \text{ADP} + \text{AMP} + \text{IMP} + \text{HxR} + \text{Hx})} \times 100$$

주의사항

K값은 초기선도의 지표로서 활용되고 있다. 일반적으로 어류의 K값은 10% 이하인 경우 즉살어, 20% 이하인 경우 대단히 신선한 어류, 35% 전후의 경우 선도가 보통인 어류, 60～80%인 경우 냉동수리미나 어묵의 원료로 사용 가능하다.

참고문헌

1 小泉千秋：魚の低溫貯藏と品質評價法. 恒星社厚生閣, 東京, p.24(1986)

2 河端俊治：水産生物化學・食品學實驗書. 恒星社厚生閣, 東京, p.17(1975)

2) HPLC에 의한 ATP 관련화합물의 개별 정량

시료조제

1 마쇄한 어육 5g을 정평하고 10% 과염소산 용액(10㎖)을 가하여 ultraturrax 또는 homogenizer로 0℃에서 1분간 마쇄한다.

2. 마쇄물을 원심분리(3,000×g, 10분)하여 상층을 분리하고, 침전물에 대하여 5% 과염소산 용액 10㎖로 위와 같은 조작을 2회 반복하여 상층액을 합한다.
3. 추출물 중 10㎖ 정도를 취하여, 즉시 1M 수산화칼륨 용액으로 중화(pH 6.5~6.8) 및 0℃에서 30분간 정치한 다음 glass filter(3G4)로 여과하고, 재증류수 20㎖로 정용하여 ATP 관련화합물의 분석시험 용액으로 한다.

시약 및 기구

- $0.04M\ KH_2PO_4 \cdot 0.06M\ K_2HPO_4$(pH 7.5)
- HPLC용 순수
- 5% 및 10% 과염소산 용액
- 1M 수산화칼륨 용액
- 1mM 표준용액(ATP, ADP, AMP, IMP, HxR: inosine, Hx: hypoxanthine 등 표준품)
- 균질기(waring blender 혹은 ultraturrax), pH meter, 초고속원심분리기, HPLC, millipore filter(0.45㎛) 등

실험방법

1. 검량선 작성 : 표준 용액(ATP, ADP, AMP, IMP, HxR, Hx)의 농도가 각각 1mM이 되게 조제한 다음 3㎕, 5㎕, 7㎕를 주입하여 peak 면적으로 검량선을 작성한다.
2. HPLC 분석 : ATP 관련물질을 분리하기 위하여 two pump system으로 이루어져 있는 HPLC에 μ-Bondapak C_{18}(3.9㎜ i.d.×30.0㎝) 칼럼을 장착하고, 이동상으로 $0.04M\ KH_2PO_4 \cdot 0.06M\ K_2HPO_4$(pH 7.5)을 분당 1.0㎖의 속도로 흘리면서 HPLC에 시료를 주입(3~5㎕)하여 ATP 관련화합물을 분리, 용출시킨다. 용출액은 UV detector(254nm)에서 검출하고, 이를 표준품과 retention time을 비교하여 ATP 관련화합물을 동정한다. 분리, 동정된 ATP 관련화합물은 검량선으로부터 각 시료용액의 peak 면적으로 환산하여, 정량한다. HPLC 분석조건은 표 12-2와 같다.

결과 및 고찰

HPLC로서 분석한 ATP 관련화합물 표준품의 HPLC chromatogram은 다음 그림 12-6과 같다.

표 12-2 ATP 관련화합물을 분석하기 위한 HPLC 분석 조건

칼 럼(column)	μ-Bondapak C_{18}(3.9mm i.d.×30.0cm)
이동상(mobile phase)	$0.04M\ KH_2PO_4 \cdot 0.06M\ K_2HPO_4$ (pH 7.5)
유 속(flow rate)	1.0㎖/min
검출기(detector)	UV detector(254nm)
분석온도(analysis temperature)	30℃

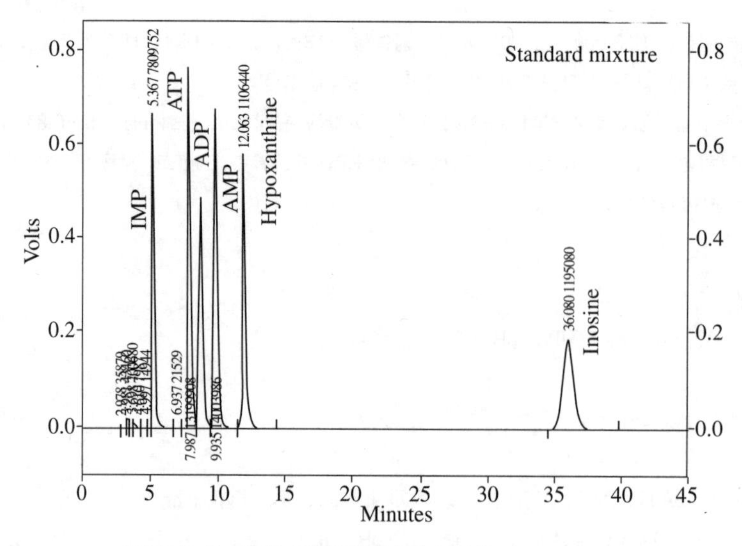

그림 12-6 ATP 관련화합물의 HPLC chromatogram

참고문헌

1. Ryder, J. M. : Determination of ATP and its breakdown products in fish muscle by HPLC. J. Agric. Food Chem., 33, p.678(1985)
2. 이응호, 구재근, 안창범, 차용준, 오광수 : HPLC에 의한 시판 수산건제품의 ATP 분해 생성물의 신속 정량법. 한국수산학회지, 17, p.368(1984)

3. 히스타민의 이온교환크로마토그래피에 의한 정량

실험개요

히스타민은 고등어, 정어리, 멸치, 다랑어 등 적색육 어류에 의해 일어나는 알레르기성 식중독 원인물질중의 하나로 알려져 있으며, 알레르기성 식중독 발생시의 원인구명 혹은 적색육 어류를 원료로 하는 가공식품의 위생검사 입장에서 히스타민의 측정을 필요로 하는 경우가 있다.

히스타민의 생성모체는 히스티딘으로서 탈탄산효소의 활성이 강한 *Proteus morganii* 같은 세균이 알레르기성 식중독의 원인균으로 알려져 있다. 히스티딘은 단백질 구성아미노산의 일종으로 적색육 어류의 엑스분 중에 다량 함유되어 있는데, 이것이 *P. morganii*균에 의해 탈산산되어 유독한 히스타민이 된다. 적색육 어류 중의 히스타민 함량은 신선할 때는 흔적량 정도에 불과하지만 선도저하와 더불어 증가하여 보통 육 100g 중 수십mg 정도에 달하게 되고, 특히 *P. morganii* 균이 증식할 경우에는 300～500mg에 달하게 되어 이 경우 알레르기성 식중독을 일으키게 된다.

히스타민의 정량법에는 생물학적 검정법, 여지크로마토그래피법, 양이온교환수지의 일종인 cotton acid succinate법 및 HPLC를 이용한 정량법 등이 보고되어 있는데, 여기서는 비교적 감도가 좋은 방법으로 알려져 있는 이온교환수지칼럼법에 대하여 살펴본다.

이온교환수지칼럼법은 약양이온형교환수지칼럼을 이용하여 히스타민(Hm)을 선택, 흡착, 용출하고, 디아조시약에 의하여 비색정량하는 방법이다. 이온교환수지로서는 Amberlite CG-50(type-1)을 pH 4.6으로 완충화하고, 여기에 시료 어육의 삼염화아세트산(TCA) 추출액을 미리 수산화나트륨용액으로 pH 4.6으로 조정해 놓은 시험액을 통과시켜 Hm을 흡착시킨다. 다음 pH 4.6 초산완충액을 칼럼에 흘려 아미노산 등을 용출시킨다. 수지 중에 잔류되어 있는 Hm은 0.2N 염산용액으로 용출시키고 탄산나트륨 용액으로 중화한 후 그 일부를 취해 디아조반응을 시켜 Hm을 비색정량한다.

시료조제

세절하고 잘 혼합한 시료 어육 10g을 정평하여 증류수 20㎖ 및 10% TCA 용액 20㎖을 가해 균질기(homogenizer 혹은 ultraturrax)로 균질화한 후 10분간 방치 한 다음 여과하고 여액을 50㎖로 정용하여 TCA 어육추출액으로 한다.

시약 및 기구

■ Hm표준액 : Hm-2HCl(특급) 165.5㎎을 증류수에 녹여 100㎖로 한다. 이 용액은 Hm으로서 1mg/㎖에 상당한다.

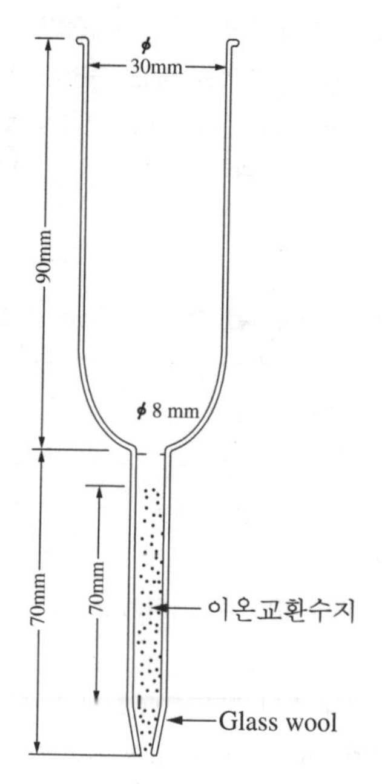

그림 12-7 이온교환수지칼럼

- 2N 초산완충액 : 빙초산(특급) 120g과 수산화나트륨(특급) 40g을 녹여 1 ℓ로 한다. 이 용액의 pH는 4.6이 되는데 필요에 따라 초산나트륨 용액을 첨가하여 pH 4.6으로 조정한다.
- 0.4N 초산완충액(pH 4.6)
- 0.2N 초산완충액(pH 4.6)
- 0.2N 염산용액(특급)
- 1.5N 탄산나트륨 용액(특급)
- 1.1N 탄산나트륨 용액(특급)
- 5% 아질산나트륨 용액(특급)
- 0.9% 술파닐산 용액 : 술파닐산(sulfanilic acid, 특급) 0.9g을 10% 염산에 녹여 100㎖로 한다.
- 10% 삼염화초산(trichloroacetic acid, TCA)용액(특급)
- 10% 수산화나트륨 용액(특급)
- Amberlite CG-50수지(type 1, 100~200 mesh)
- 칼럼, 화학저울, pH meter, 균질기(homogenizer, ultraturrax), 분광광도계 등

실험방법

1 이온교환수지칼럼의 조제

① Amberlite CG-50(type 1, 100~200mesh) 수지를 비이커에 넣고, 약 5배량의 1N 염산을 가해 10~20분간 교반한 후 정치하고 상등액을 기울여 제거한다.

② 이 조작을 2~3회 반복한 후 증류수로서 수회 수세하고 BTB시험지로 중성인지를 확인한다.

③ 사용한 수지는 광구병에 보존하면서, 재생하여 사용한다. 사용 수지를 재생시킬 때에는 비이커에 옮겨 약 5배량의 아세톤을 가해 교반하고, 탈지한다. 이어 2N 염산용액으로 처리하고 충분히 수세하여 사용한다. 증류수로서 수세를 마친 수지는 약 5배량의 0.2N 초산완충액을 가해 5~10분간 교반한 후 상징액을 버리고 여기에 다시 0.2N 초산완충액을 가해 완충화를 반복하고, 냉장고에 보관하면서 사용한다. 보관 중 곰팡이가 발생하는 경우가 있는데 곰팡이가 발생한 수지는 사용할 수 없다.

2 칼럼의 조제

① 칼럼의 하단을 glasswool로 막고, 완충화된 수지를 5.5cm(약 2㎖)의 높이로 채운다.

② 수지를 채울 때에는 피펫을 사용하여 0.2N 초산완충액을 흘리면서 균일하게 침하시키고, 액의 유하속도(流下速度)는 분당 2~3㎖가 되도록 조절한다. 이때 칼럼 중에 기포가 생기지 않도록 하고, 액의 공급이 끊어질 경우 상층부에 공기가 침입할 수 있기 때문에 칼럼 하단부에는 핀치코크를 단 고무관을 부착하여 칼럼 상부에 항상 액이 남아 있는 상태로 한다.

3 이온교환수지칼럼에 의한 Hm의 분리

① 조제한 어육추출액 10㎖을 50㎖ 비이커에 취하고 10% 수산화나트륨 용액을 가하여 pH를 4.5~4.7로 조정한다.

② 여기에 0.4N 초산완충액 10㎖을 가해 칼럼에 주입하고, 이어 80㎖의 0.2N 초산완충액을 칼럼에 통과시킨다. 수지에 흡착된 Hm은 8㎖의 0.2N 염산으로 용출시킨다.

③ 용리액은 1.5N 탄산나트륨용액으로 pH를 7로 맞추고 증류수를 가해 10㎖로 하여 디아조반응

의 시험액으로 한다.

4 디아조시약에 의한 Hm의 비색정량

① 직경 18㎜, 길이 180㎜ 정도의 시험관에 1.1N 탄산나트륨 용액 5㎖을 가해 둔다.

② 빙욕(氷浴) 중에서 소형삼각플라스크에 술파닐산 용액과 아질산나트륨 용액을 같은 양씩 혼합시킨 것을 냉각한 후 20~30분 후에 사용한다.

③ 조제한 디아조시약 2㎖을 1.1N 탄산나트륨용액이 들어있는 시험관 중에 조용히 주입하고 1분 후에 앞에서 조제한 시험액(pH 7로 조제한 칼럼용리액) 2㎖을 가해 격렬하게 흔든 다음 5분 후 510㎚의 파장에서 흡광도를 측정한다. 디아조반응의 정색은 반응 45분 후에 최고에 달하고, 그 후 천천히 감소한다. 따라서 시료수가 많을 때에는 정색 반응시간이 달라져 오차가 커질 우려가 있으므로 몇 개씩 모아서 비색하는 것이 바람직하다.

④ Blank test는 시험용액 대신에 0.2N 염산 용액을 칼럼에 통과시켜 pH를 7로 조정한 다음 그 외의 조작은 위와 같은 방법으로 행한다.

결과 및 고찰

1 Hm 검량선의 작성

① 표준 Hm용액을 5% TCA용액으로 희석하여 1~30㎍/㎖의 희석표준액을 만든다.

② 각 농도의 Hm 희석표준액을 10㎖씩 취해 10% 수산화나트륨 용액으로 pH 4.6으로 조정한 것을 앞에서 서술한 방법으로 Hm을 흡착·용리, 발색시킨 후 510nm에서 흡광도를 측정하여, 표준희석액과 측정흡광도로부터 그림 12-8과 같이 검량선을 작성한다.

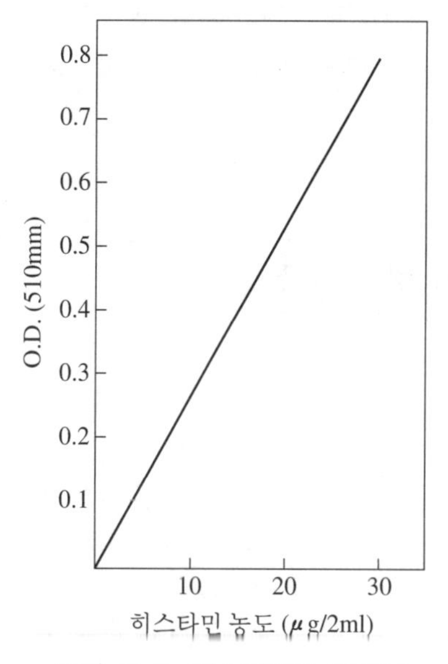

그림 12-8 히스타민의 검량선

표 12-3 신선한 고등어 TCA 추출액에 첨가한 히스타민의 회수율

Hm의 첨가량	Hm의 실측값	회수된 Hm량	Hm의 회수율(%)
0	9.6	–	–
15.2	24.6	15.0	99.0
60.4	70.5	60.9	100.8

③ 시험용액에 대한 측정치는 검량선을 이용하여 Hm의 농도를 계산하고, 여기에 희석배수를 곱하여 원시료 중의 Hm의 농도를 산출한다.

④ 신선한 고등어육을 원료로 TCA 추출액을 조제하고, 여기에 일정량의 Hm을 가하여 본법에 따라 회수율을 측정한 결과, 회수율은 99~101%이었다.

주의사항

검량선의 작성은 앞에서 설명한 방법으로 하지만, 다음과 같은 간이법을 사용하여도 무방하다. 즉, 5% TCA 용액으로 희석하여 1~30μg/mℓ의 희석표준액을 만들고, 10mℓ씩 취해 10% 수산화나트륨 용액으로 pH를 7.0으로 조정한 다음 증류수로서 20mℓ로 정용하여, 이 pH 조정 희석표준액을 직접 디아조시약으로 발색시킨 후 흡광도를 측정, 검량선을 작성한다. 이 경우 칼럼을 통과시키는 단계를 생략하여도 흡광도는 거의 일치한다.

참고문헌

1. 河端俊治 : 水産生物化學・食品學實驗書. 恒星社厚生閣, 東京, p.300(1975)
2. 渡邊悦生 : 魚介類の鮮度と加工・貯藏. 成山堂書店, 東京, p.55(1995)

4. 수산물로부터 콜라겐의 분획 및 정량

실험개요

어패류의 근육, 껍질 및 뼈 등을 이루고 있는 결합조직의 주성분인 콜라겐은 섬유 아세포에서 procollagen의 형태로 생합성되어 세포외로 방출되어 생성되고, 초기에는 가용성 콜라겐이지만 점차 분자간 가교가 형성되어 불용성 콜라겐으로 변화한다. 따라서 콜라겐은 물이나 묽은 알칼리에는 전혀 용해하지 않고, 산에는 미변성의 상태로 일부 용해하며, 열수에는 변성한 상태로 완전 용해하는 여러 가지 용해특성을 갖는다. 콜라겐 함량은 이 원리를 이용하여 산 가용성 콜라겐, 불용성 콜라겐 및 기타 단백질을 분획한 다음, 콜라겐 획분의 단백질을 비색, 정량한다.

시료조제

어패류의 근육은 마쇄하고, 껍질 및 뼈는 일정한 크기로 각각 세절하여 사용한다.

시약 및 기구

- 0.1N 수산화나트륨 용액
- 0.5M 초산용액
- 표준단백질(시판 소껍질 유래 산가용성 콜라겐)
- 알칼리성 탄산나트륨 용액(20g 탄산나트륨 / 0.1N 수산화나트륨)
- 황산동-주석산염 용액(증류수 80㎖에 황산동 0.5g과 주석산나트륨 또는 주석산칼륨 1g을 녹이고 수산화나트륨 용액으로 적정하여 pH 6.3으로 조정한 다음 증류수로 100㎖로 정용)
- 혼합시약(알칼리성 탄산나트륨 용액 50㎖와 황산동－주석산염 용액 1㎖를 혼합, 사용 당일에 조제하여 사용)
- Folin-Ciocalteu 시약(시판 시약을 증류수로 2배 희석하여 사용)
- 마쇄기(waring blender 혹은 ultraturrax), 교반기, 냉동원심분리기, autoclaver, 분광광도계 등

실험방법

1 콜라겐의 분획

① 어패류의 근육은 마쇄하고, 껍질 및 뼈는 일정한 크기로 세절한다.

② 이 중에서 일정량(어육 : 20g, 껍질 및 뼈 : 5g)을 정확히 정평하여 증류수 100㎖를 가하고, 마쇄 및 원심분리(10,000xg, 10분)하여 수용성획분과 침전물을 분리한다.

③ 침전물에 0.1N 수산화나트륨 용액 400㎖를 가하고, stirrer로 하루밤 교반하면서 알칼리 획분을 추출한 다음 원심분리(10,000xg, 10분)하는 조작을 2회 반복한다.

④ 침전물을 소량의 증류수로 수세하고, 원심분리(10,000xg, 10분)한 다음 침전물에 0.5M 초산용액 200㎖를 가하고, stirrer로 3일 동안 교반하면서 산성획분을 추출한 다음 원심분리하는 조작을 1회 반복한다.

⑤ 침전물을 소량의 증류수로 수세하고, 원심분리(10,000xg, 10분)한 다음 수세액과 산추출 상층액과 합하여 산가용성 획분으로 한다.

⑥ 산추출 잔사에 증류수 100㎖를 가하고, 고온가압처리(121℃, 1시간) 및 원심분리(10,000×g, 10분)하여 상층과 잔사를 분리한다.

⑦ 잔사를 소량의 증류수로 수세하고, 원심분리(10,000xg, 10분)를 한 다음 수세액과 고온가압처리한 상층과 합하여 열수가용성 획분으로 하고, 침전물은 잔사획분으로 한다. 여기서 콜라겐의 분획을 위한 전체 공정은 5℃ 전후의 저온에서 실시하여야 한다.

2 콜라겐의 정량

① 산가용성 획분 및 열수가용성 획분을 정용한다.

② 이어서 Lowry법에 따라 소껍질 유래 산가용성 콜라겐을 표준물질로 하여, 산가용성 획분으로부터 산가용성 콜라겐 함량을, 열수가용성 획분으로부터 불용성 콜라겐량을 구하고, 이들 두

콜라겐의 함량을 합하여 총콜라겐 함량으로 한다.

결과 및 고찰

일반적으로 포유동물의 결합조직에서는 불용성 콜라겐이 산가용성 콜라겐 보다 많으나, 어류의 결합조직은 산가용성 콜라겐이 불용성 콜라겐 보다 많다. 하지만 뱀장어 근육, 오징어 껍질 및 기타 어류뼈 등과 같은 조직의 경우 예외적으로 불용성 콜라겐이 산가용성 콜라겐 보다 많은 경우도 있다.

표 12-4 각종 어류의 부위별 콜라겐 함량 (g/100g)

부 위	어 종	평 균 무 게 (g)	시료채취 상 태	수분(%)	단백질(%)	콜라겐 함량		
						가용성	불용성	총함량
근 육	무지개 송어	168	선어	78.2±0.2	21.0±0.2	0.26±0.03	0.20±0.01	0.47±0.02
		168	빙장 5일	78.9±0.9	20.9±0.9	0.23±0.02	0.20±0.02	0.43±0.04
	고등어	655	선어	64.2±6.3	23.7±0.6	0.30±0.09	0.20±0.03	0.50±0.12
		655	빙장 5일	64.2±1.6	23.2±1.1	0.29±0.01	0.23±0.06	0.52±0.06
	잉 어	985	선어	79.7±0.7	18.9±0.9	0.35±0.03	0.25±0.06	0.60±0.09
	뱀장어	145	선어	68.3±3.9	16.1±1.1	0.72±0.07	1.27±0.16	1.99±0.09
껍 질	붕장어	38	선어	58.5	30.3	17.85	6.84	24.69
	말쥐치	28	선어	60.3	24.6	13.50	6.53	20.03
	화살오징어	3	선어	73.4	18.5	3.84	8.78	12.62
	빨강오징어	5	동결어	77.1	16.2	4.92	6.18	11.10
	각시가자미	31	동결어	67.2	28.1	16.16	7.29	23.45
	홍대구	70	동결어	63.5	33.6	19.96	8.40	28.36
	대 구	42	동결어	64.9	29.9	20.73	3.72	24.45
	명 태	17	동결어	67.8	29.6	19.90	5.42	24.42
뼈	대 구	66-69	동결어	56.4	16.9	1.94	18.26	20.20
	명 태	24-28	동결어	54.9	15.1	1.89	13.42	15.31
	각시가자미	11-15	동결어	58.3	15.8	2.04	17.82	19.86
	민 태	22-25	동결어	64.9	14.3	0.38	19.73	20.11
	붕장어	12-14	동결어	50.7	14.2	1.11	11.38	12.49
	고등어	5-7	동결어	51.1	14.8	0.67	13.35	14.02
	가다랑어	32-37	자숙어	34.0	19.2	0.21	8.10	8.31

참고문헌

1. Sato, K., Yoshinaka, R. Sato, M. and Ikeda, S. : A simplified method for determining collagen in fish muscle. Bull. Japan. Soc. Sci. Fish., 52, p.889(1986)
2. 久保田穰 : 魚肉タンパク質, 恒星社厚生閣, p.59(1977)
3. 김진수, 조순영 : 수식 어류껍질 젤라틴의 원료로서 연근해산 수산물껍질의 검색. 한국농화학회지, 39, p.134(1996)

5. 수산식품 중의 N-nitrosamine 정량

개 요

N-nitrosamine은 다른 발암물질에 비해 발암력이 강력하고, 전구물질이 식품중에 널리 분포하고 있으며, 간, 폐, 인후, 식도, 방광, 신장, 위 및 난소 등 신체의 여러 부위에 암을 유발시키는 것으로 알려진 물질이다. 이 물질은 아민류와 아질산염의 상호반응에 의해 생성되는 것으로, 일반적으로 다음과 같이 반응하여 생성되는 것으로 보고되고 있다.

$$R_2NH + N_2O_3 = R_2N-N=O = HNO_3$$

1956년 Magee와 Barnes가 설치류에서 N-nitrosodimethylamine(NDMA)이 강력한 발암물질이라는 것을 최초로 보고한 이래로, 병리학적 및 생화학적인 측면에서 니트로소 화합물에 관한 연구가 활발히 진행되어 현재까지 많은 연구결과가 보고되어 있다.

시료조제

세절하고 잘 혼합한 시료를 균질기 또는 분쇄기로써 마쇄하여 NDMA 추출용 시료로 한다.

시약 및 기구

■ 시약

- 디클로로메탄(Dichloromethane, CH_2Cl_2, 시약특급)
- 12% 암모니움술파민산(Ammonium sulfamate, $NH_4OSO_2NH_2$) 용액 : 2N 황산 용액을 용매로 하여 조제한다
- 망초(무수 Na_2SO_4, 시약특급)
- 모세관(돌비방지용)
- 비등석

■ 기구

균질기(homogenizer 혹은 ultraturrax), 수증기증류장치, heating mantle, heater, 분액여두, glass filter, Kuderna-Danish 농축장치, 질소농축장치, water bath

방 법

1 수증기 증류

① 마쇄한 시료 약 25g을 정확히 정평한 후 증류수 약 150㎖와 12% 암모니움술파민산 용액 20㎖를 넣은 후 수증기 증류장치에서 증류물이 150㎖ 될 때까지 추출한다. 이 때 돌비를 막기 위해 모세관을 넣어두며, 또한 증류물의 재휘발을 막기 위해 쇄빙 중에 담구어 증류물을 받도록 한다.

② 이 증류물을 분액깔대기에 넣고 dichloromethane (DCM) 20㎖를 넣어 격렬히 흔든 후 방치하여 N-nitrosamine이 녹아 있는 DCM층(하층액)을 취한다.

③ 이 조작을 3회 반복한 다음 glass filter를 사용하여 여과하고, 망초를 이용하여 추출액을 탈수시킨다.

2 농 축

① 망초로 탈수시킨 DCM 추출액은 모두 합해서 60℃의 water bath에서 Kuderna-Danish 장치(그림 12-9)를 이용하여 약 3㎖까지 농축시킨다. 이 때 비등석을 넣어 농축이 잘 되도록 한다.

② 농축이 완료되면 Kuderna-Danish 장치를 분리한 후 KD tube에 들어있는 용액을 다시 질소농축장치를 이용하여 1㎖가 될 때까지 농축한다. 이 때 질소는 용액이 잔잔하게 흔들릴 정도로 약하게 흘려 휘발성 N-nitrosamine이 증발되는 것을 최소화 시켜야 한다.

③ 1㎖로 농축되면 기밀이 유지되는 바이알병에 넣어 GC 및 GC-TEA 분석용 시료로 한다.

3 GC-TEA를 이용한 N-nitrosamine의 분석 : N-nitrosamine의 분석은 GC와 Thermal Energy Analyzer (TEA)를 이용하여 분석한다. 이 TEA는 N-nitrosamine을 ppb 단위까지 분석할 수 있는 유일한 검출기로 알려져 있다.

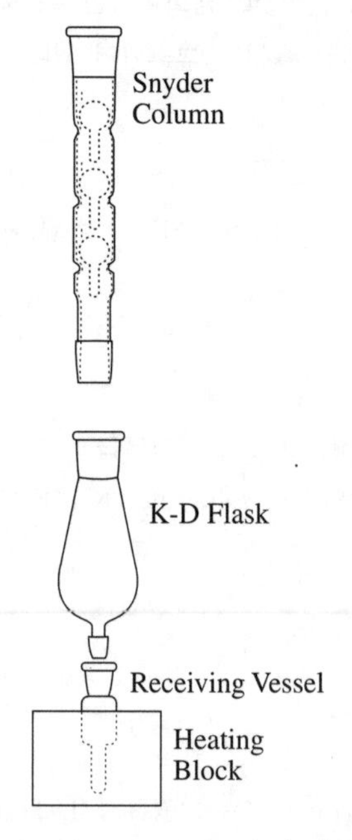

그림 12-9 Kuderna-Danish 농축장치

표 12-5 N-nitrosamine 분석을 위한 GC-TEA의 분석 조건

GC-TEA	분석 조건
기 기(instrument)	GC(Hewlett-Packard, 5890A) TEA(Thermo Electron Corp., 543)
칼 럼(column)	10ft(길이)×2mm(직경), 유리칼럼
충진제(packing material)	10% Carbowax 20M/80~100 Chromosorb WHP
이동상 가스 및 유량	헬륨, 25mℓ/분
Oven temp.	110~170℃ (5℃/분 승온)
Injection temp.	180℃
Pyrolizer temp.	550℃
Interface temp.	200℃
Cold trap temp.	−160℃
Analyzer pressure	1.9 torr

결과 및 고찰

1 GC-TEA로 분리 및 검출된 피크는 혼합표준물질(7종류의 N-nitrosamine 표준품 혼합물)의 retention time과 비교하여 해당 N-nitrosamine의 종류를 인지할 수 있다. 때로는 여러 개의 피크가 얻어져 혼합표준물질의 피크와 비교하기 힘든 경우가 있는데 이 때는 예상되는 표준물질을 co-injection하여 해당물질을 확인한다. 7종류의 N-nitrosamine 표준품 혼합물의 GC chromatogram은 그림 12-10과 같다

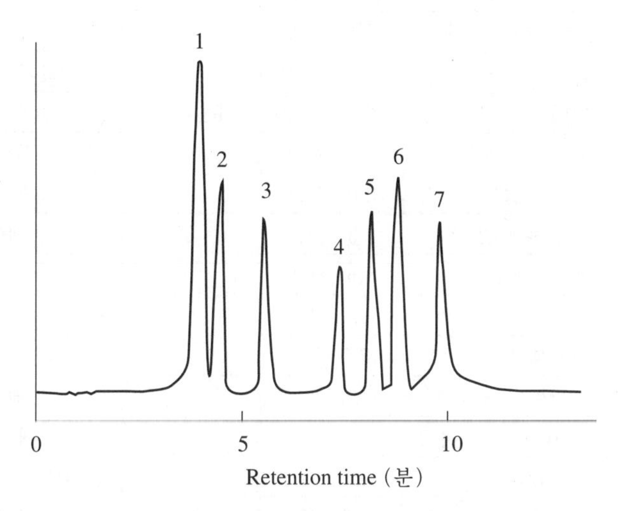

1. nitrosodimethylamine, 2. nitrosodiethylamine, 3. nitrosodipropylamine, 4. nitrosodibutylamine, 5. nitrosopiperidine, 6. nitrosopyrolidine, 7. nitrosomopholine

그림 12-10 N-nitrosamine 혼합표준물질의 GC chromgatogram

2 계산

$$\text{N-nitrosamine의 함량}(\mu g/kg) = \frac{V}{S} \times Sa \times C \times \frac{I}{A} \times 1000$$

V : KD tube에서의 농축된 양(mℓ)
Sa : 시료의 GC상의 피크 면적
C : 표준물질의 농도
I : 표준물질 주입량(μℓ)
A : 표준물질의 GC상의 피크 면적
S : 시료의 무게(g)

3 본방법에 따라 GC-TEA로써 분석한 각종 수산식품의 N-nitrosamine 중 NDMA 함량은 표 12-6과 같다.

표 12-6 수산건제품의 조리방법에 따른 N-nitrosodimethylamine(NDMA)의 함량

(μg/kg)

시 료	조리방법	함 량	시 료	조리방법	함 량
마른 오징어	건제품	3.3~41,2	마른 명태	건제품	7.7~28.9
	연탄불에 구운 것	8.7~256.3		연탄불에 구운 것	60.4~630.5
	가스불에 구운 것	8.3~318.6		가스불에 구운 것	58.7~615.8
	전자렌지에 구운것	5.5~109.4		전자렌지에 구운것	42.9~103.4
	스팀에 찐 것	3.6~111.2		스팀에 찐 것	35.6~77.2
	전기히터에 구운것	15.4~258.7	마른 쥐치	건제품	1.8~10.5
마른 가오리	건제품	3.9~35.4		연탄불에 구운 것	3.9~29.8
	연탄불에 구운 것	8.4~126.8		가스불에 구운 것	4.1~32.4
	가스불에 구운 것	6.7~97.3		전자렌지에 구운것	2.9~18.5
	전자렌지에 구운것	3.0~57.5		스팀에 찐 것	2.0~17.2
	스팀에 찐 것	3.8~67.2	마른 멸치	건제품	1.0~1.5
	전기히터에 구운것	5.6~86.0		가스불에 구운 것	1.8~3.2
마른 문어	건제품	4.8~7.3		전자렌지에 구운것	1.4~2.6
	연탄불에 구운 것	16.5~29.6		스팀에 찐 것	1.1~2.9
	가스불에 구운 것	11.3~29.5	마른 새우	건제품	1.9~15.5
	전자렌지에 구운것	8.8~12.4		가스불에 구운 것	3.7~28.7
	스팀에 찐 것	10.5~11.7		전자렌지에 구운것	2.4~20.3
	전기히터에 구운것	18.3~28.2		스팀에 찐 것	2.5~19.2

참고문헌

1. Hotchkiss, J.H., Barbour, J.F. and Scanlan, R.A. : Analysis of malted barley for N-nitrosodimethylamine. J. *Agric. Food Chem.*, 28, p.678(1980)
2. Sung, N.J., Klausner, K.A. and Hotchkiss, J.H. : Influence of nitrate, ascorbic acid and nitrate reductase microorganisms on N-nitrosamine formation during Korean-style soysauce fermentation. *Food Additives and Contaminants*, 8, p.291(1991)
3. 河端俊治 : 水產生物化學・食品學實驗書. 恒星社厚生閣, 東京, p.320(1975)

제 4 절 발효식품성분

1. 에탄올

실험개요

주류는 물보다 낮은 비중을 가진 에탄올(비중 : 0.7947)을 함유하고 있는데 에탄올과 물의 혼합물 상태로 되어 있는 주류를 증류하여 그 증류액의 비중 차이를 주정계로 부평 정도를 측정함으로써 시료에 함유되어 있는 에탄올의 농도를 측정할 수 있다.

시료조제

일반 포도주 등 보통 주류는 그대로 증류하나 특수한 포도주와 같이 초산의 함량이 많은 경우에는 100㎖의 시료를 취하여 페놀프탈레인을 지시약으로 사용하여 1N NaOH로 중화한 후 증류에 사용한다.

시약 및 기구

증류장치, 메스플라스크, 메스실린더, 주정계, 온도계

실험방법

1. 주류는 종류에 따라 에탄올 이외에도 당, dextrin, 단백질 등이 함유되어 있으므로 이 것을 일단 증류하여 시료를 조제한다.
2. 메스실린더로 15℃의 시료액 100㎖를 취하여 300㎖용 플라스크에 넣은 후 각각 약 15㎖의 물로 메스실린더를 2회 세척하여 플라스크에 넣는다.
3. 여기에 2~3개의 비등석을 넣고 Liebig 냉각기를 장치하여 100㎖용 메스플라스크를 수기로 하여 약 80㎖의 유출액을 받을 때까지 증류를 행한다.
4. 증류액을 15℃로 냉각하고 15℃의 물을 가하여 100㎖가 되게 한 후 잘 혼합한다. 이 것을 메스실린더로 옮긴 후 주정계를 사용하여 눈금을 읽어 측정 에탄올 농도로 한다.

결과 및 고찰

주정계의 부평 정도는 시료의 온도에 따라 차이가 있기 때문에 증류액의 온도를 정확하게 측정하고 그 온도와 측정 에탄올 농도로부터 표 12-7의 주정도수 온도 보정표에 의하여 실제 에탄올 농도를 보정한다.

표 12-7 주정도수 온도 보정표의 예

측정 에탄올 농도 (%, v/v)	실제 에탄올 농도 (%, v/v)				
	5℃	10℃	15℃	20℃	25℃
1.0	1.4	1.4	1.0	0.5	-
2.0	2.5	2.4	2.0	1.5	0.8
3.0	3.5	3.4	3.0	2.4	1.7
4.0	4.5	4.5	4.0	3.4	2.7
5.0	5.5	5.5	5.0	4.4	3.6
6.0	6.6	6.5	6.0	5.4	4.6
7.0	7.7	7.5	7.0	6.4	5.5
8.0	8.7	8.5	8.0	7.3	6.5
9.0	9.8	9.5	9.0	8.3	7.4
10.0	10.9	10.6	10.0	9.3	8.3
11.0	12.1	11.7	11.0	10.3	9.3
12.0	13.2	12.7	12.0	11.2	10.2
13.0	14.4	13.8	13.0	12.2	11.1
14.0	15.7	14.9	14.0	13.1	12.0
15.0	16.8	16.0	15.0	14.0	12.8
16.0	18.0	17.0	16.0	14.9	13.6
17.0	19.2	18.1	17.0	15.8	14.5
18.0	20.4	19.2	18.0	16.7	15.4
19.0	21.5	20.2	19.0	17.6	16.2
20.0	22.7	21.3	20.0	18.5	17.1

참고문헌

1 한국 국세청 기술 연구소 : 주류분석 규정(1996)
2 AOAC : Official methods of analysis(1995)

2. 메탄올

실험개요

메탄올은 주류 중의 유해물질로서 검사의 대상이 되는 중요한 성분의 하나이다. 시료를 증류한 증류액을 희석하여 $KMnO_4$ 용액을 가하고 수산용액으로 탈색시킨 후 fuchsin 아황산용액에 의한 메탄올의 발색정도를 비색정량한다.

시료조제

시료 100mℓ를 메스실린더로 취하고 메스실린더를 세척한 물 20mℓ와 혼합한 후 증류하여 증류액 약 100mℓ를 받고 물을 가하여 100mℓ가 되게 한다. 다음 이 액 10mℓ를 취하고 물 40mℓ와 혼합하여 시험용액으로 한다.

시약 및 기구

- $KMnO_4$ 용액 : $KMnO_4$ 3g과 H_3PO_4 15mℓ를 물에 녹여 100mℓ로 한다.
- 수산 용액 : 진한 H_2SO_4와 물의 1:1 혼합액 100mℓ에 수산(oxalic acid) 5g을 녹인다.
- Fuchsin 아황산 용액 : 염기성 fuchsin 0.5g을 유발에 갈아서 약 300mℓ의 열수에 용해하여 방냉한다. 무수 Na_2SO_3 5g을 약 50mℓ의 물에 녹인 용액에 상기 염기성 fushin 용액을 잘 교반하면서 가하고 진한 HCl 5mℓ를 가하여 물로 500mℓ로 한다. 본 액에 0.1N H_2SO_4 40mℓ를 가하여 5시간 이상 방치한 후 사용한다. 단 이 용액은 홍색을 나타내어서는 안 된다.
- 메탄올 표준용액 : 0.1% 메탄올과 95% 에탄올 및 물을 사용하여 5%의 에탄올을 함유하며 메탄올의 농도가 1mℓ당 0에서 0.2mg이 되게 메탄올 비색표준용액 계열을 만든다.
- 분광광도계

실험방법

1. 먼저 에탄올의 농도가 5% 되게 조정한 시료 5mℓ를 시험관에 취하고 $KMnO_4$ 용액 2mℓ를 가하여 30℃에서 15분간 방치한다.
2. 여기에 수산용액 2mℓ를 가하여 탈색시킨 후 fuchsin 아황산 용액 5mℓ를 가하고 잘 혼합하여 30℃에서 30분간 방치한 후 570~610nm에서 흡광도를 측정한다.

결과 및 고찰

위의 조작과 동일한 방법으로 처리한 메탄올 표준용액계열과 비색하여 그 수치에 희석배수를 곱하여 메탄올 함유량(mg/mℓ)으로 한다.

참고문헌

1. 한국 국세청 기술 연구소 : 주류분석 규정(1996)
2. AOAC : Official methods of analysis(1995)

3. 총산

실험개요

시료 중에 함유된 초산 등 유기산을 중화하는데 필요한 0.1N NaOH 용액 소비 mℓ수로부터 초산 w/v, %를 환산한다.

시약 및 기구

- 페놀프탈레인 지시약 : 페놀프탈레인(phenophthalein) 0.5g을 95% 에탄올 50mℓ에 용해시킨다.
- 0.1N NaOH 용액 : 폴리에틸렌 병에 NaOH 포화용액을 만들어 수일간 방치한 후 상등액을 온도 20℃인 때는 5mℓ, 15℃인 때는 6mℓ를 1ℓ용 메스플라스크에 취하여 끓여서 식힌 물을 가하여 전량을 1ℓ로 한다. 0.1N NaOH 용액은 프탈산수소칼륨[$KHC_6H_4(COOH)_2$]으로 표정한 후 사용한다.

실험방법

식초 시료 10mℓ를 취하고 여기에 끓여서 식힌 물을 가하여 100mℓ로 희석한 다음 이 희석액 20mℓ를 삼각 플라스크에 취하여 페놀프탈레인 지시약 수적을 가하고 0.1N NaOH 용액으로 담홍색이 될 때까지 적정하여 그 적정 mℓ수를 구한다. 공시험은 물 20mℓ를 사용하여 동일한 조작으로 행한다.

결과 및 고찰

시료 중의 총산 함량은 다음 식에 의하여 초산 %로 표시한다.

$$총산(w/v, \%) = \frac{(b-a) \times f \times 0.006 \times 100 \times 희석배수}{s}$$

a : 공시험에서 중화에 소요된 0.1N NaOH의 mℓ수
b : 희석한 시료 20mℓ를 중화하는데 소요된 0.1N NaOH의 mℓ수
f : 0.1N NaOH의 역가
s : 희석한 시료의 채취량(mℓ)

참고문헌

1 한국 식품공업협회 : 식품공전(1999)
2 AOAC : Official methods of analysis(1995)

4. 총질소 및 조단백

실험개요

시료에 들어 있는 단백질을 진한 H_2SO_4으로 가열분해하여 암모니아를 발생시키면 암모니아는 H_2SO_4와 결합하여 $(NH_4)_2SO_4$ 형태로 분해액 중에 포집된다. 이 분해액에 과잉의 NaOH를 가하여 수증기 증류하면 다시 암모니아가 유리되는데, 이 것을 일정량의 H_2SO_4로 포집하고 잔존하는 H_2SO_4를 NaOH로 중화적정하여 암모니아의 포집에 소비된 H_2SO_4의 양으로부터 시료의 질소량을 구한다.

시약 및 기구

- 진한 H_2SO_4
- 혼합촉매 : K_2SO_4 9g과 $CuSO_4 \cdot 5H_2O$ 1g을 유발로 분쇄·혼합하여 사용한다.
- 0.05N H_2SO_4 : 정확히 표정하여 사용한다.
- 0.05N NaOH : 정확히 표정하여 사용한다.
- NaOH 포화용액 : 폴리에틸렌 병에 NaOH 포화 수용액을 만들어 약 하룻밤 정도 방치시킨 후 상징액만을 사용한다.
- 혼합지시약 : 0.1% methyl red 에탄올 용액과 0.1% methylene blue 에탄올 용액을 1:1로 혼합하여 사용한다.
- 마이크로 Kjeldahl 증류장치 : Kjeldahl 증류장치는 여러 종류가 있으나 그림 13-5와 같은 마이크로 Kjeldahl 증류장치가 일반적으로 널리 사용된다.

실험방법

1. 간장 시료 10mℓ에 물을 가하여 100mℓ로 하고 그 20mℓ를 취하여 플라스크에 넣고 혼합촉매 약 0.5g과 몇 조각의 비등석을 넣은 후 플라스크 내벽을 따라 진한 H_2SO_4 4mℓ를 가한 후 플라스크를 흔들어주면서 30% H_2O_2 1mℓ를 가한다.
2. 플라스크를 약한 불로 가열하고 분해액이 점차 흑갈색으로 되면서 점조상으로 되면 온도를 높여 가열한다. 분해액이 투명한 담청색이 되면 다시 1~2시간 가열을 계속한 다음 분해액을 방냉시킨 후 물 20mℓ를 흔들면서 가하고 완전히 냉각한다.
3. 그림 12-11의 마이크로 Kjeldahl 증류장치에 연결한다. 증류장치의 수기플라스크에 0.05N H_2SO_4 10mℓ를 취하고 이에 혼합지시약 수적을 가하여 냉각기 끝 부분을 액면 밑에 담그고 작은 깔대기로부터 NaOH 포화용액 20mℓ를 가한다.
4. 수증기 발생기로부터 수증기증류를 행하여 증류액 약 100mℓ를 받은 후 냉각기의 끝을 액면에서 조금 떼어 다시 유액수 mℓ를 유취하고 냉각기의 끝을 소량의 물로 수기내에 씻어 넣는다. 수기내에 들어 있는 유액을 0.05N NaOH로 녹색이 될 때까지 적정한다. 따로 같은 방법으로 공시험을 행한다.

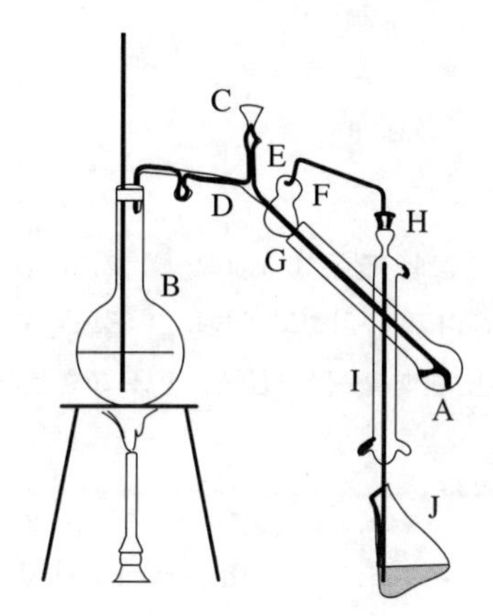

A : Kjeldahl 플라스크, B : 수증기 발생장치, C : 깔대기, D : 수증기 유도관,
E : 내용물 튀어오름 방지장치, F : 작은 구멍 G · H : 접속부위, I : 냉각기, J : 수기 플라스크

그림 12-11 마이크로 Kjeldahl 증류장치

결과 및 고찰

시료의 총 질소 함량은 다음 식에 의하여 환산한다.

$$\text{총 질소(\%, w/v)} = \frac{0.7003 \times (a-b) \times 100 \times \text{희석배수}}{s}$$

a : 공시험에서 중화에 소요된 0.05N NaOH의 mℓ수
b : 본 시험에서 중화에 소요된 0.05N NaOH의 mℓ수
s : 희석한 시료의 채취량(mℓ)

시료의 총 질소 함량을 조단백질로 나타낼 경우에는 총 질소의 함량(%, w/v)에 콩 및 콩제품의 질소계수 5.71을 곱하여 조단백질의 함량(%, w/v)으로 표시한다.

참고문헌

1. 한국식품공업협회 : 식품공전(1999)
2. AOAC : Official methods of analysis(1995)

5. 순추출물 (extracts)

실험개요

우리나라 식품공전에는 한식 간장의 경우 6.0%(w/v), 기타 간장의 경우는 9.0%(w/v) 이상의 순추출물을 함유하고 있어야 한다고 규정하고 있다. 이 것은 수분, 에탄올 및 기타 휘발성 성분을 증발시킨 후 당분, 덱스트린, 단백질, 무기질 등 잔류 고형분의 양을 측정하는 것이다.

시약 및 기구

증발접시, 정제 해사, 유리봉, 항온수조, 건조기(dry oven), 데시케이터, 천평

실험방법

1. 먼저 깨끗이 세척한 증발접시에 정제 해사 약 5g을 취하고 작은 유리봉을 넣어 항량이 될 때까지 100℃에서 건조하고 방냉한다.
2. 시료 5㎖를 피펫으로 증발접시에 취한 다음 항온수조에서 때때로 저으면서 증발 건조한 다음 이 것을 100℃의 건조기에 넣고 1~2시간 건조하고 데시케이터 안에서 1시간 방냉한 다음 칭량하는 조작을 반복하여 항량을 얻는다.
3. 별도로 시료 10㎖를 취하고 물을 가하여 100㎖로 한 후 10㎖를 취하여 10% K_2CrO_4 용액 수적을 가하고 특급 NaCl로 표정한 0.02N $AgNO_3$ 용액으로 적갈색 침전이 생길 때까지 적정한 후 다음 식에 의하여 식염의 농도(%, w/v)를 구한다.

$$\text{식염(\%, w/v)} = \frac{a \times f \times 1.169 \times \text{희석배수}}{s}$$

a : 적정에 소비된 0.02N $AgNO_3$의 ㎖수
f : 0.02N $AgNO_3$의 역가
s : 희석 시료의 채취량(㎖)

결과 및 고찰

시료 중의 순추출물의 양은 다음 식에 의하여 계산한다.

$$\text{순추출물(\%, w/v)} = \frac{(w - w_0)}{s} \times 100 - \text{식염(\%, w/v)}$$

w_0 : 증발접시의 항량(g)
w : 시료 증발건조 후의 항량(g)
s : 시료의 채취량(㎖)

참고문헌

1. 한국식품공업협회 : 식품공전(1999)
2. AOAC : Official methods of analysis(1995)

6. 아미노산성 질소

실험개요

된장의 경우 아미노산성 질소의 함량이 그 품질의 평가에 있어서 중요한 기준이 된다. 된장을 물로 추출하여 단백질을 제거하고 일정량으로 한 다음 NaOH로 적정하여 유기산을 중화한 다음 formaldehyde를 가하여 유리 아미노산과 반응시키면 아미노기와 formaldehyde를 반응하여 염기성이 없어지고 carboxyl 기만 남아 표준 NaOH 용액으로 적정하여 아미노산성 질소를 구할 수 있다.

시료조제

된장 일정량을 취하여 약 10배 량의 물을 가하고 1시간 방치한 후 흡인 여과하는 침출 조작을 2회 행하고 잔류물은 다시 일회 처음과 같은 양의 물과 함께 끓인 후 여과하고 여액과 침출액을 합친 후 다시 끓여 단백질을 응고시킨다. 이 것을 여과 세척하고 여액과 세액을 합한 후 물로써 100㎖로 하여 시험용액으로 한다.

시약 및 기구

- 페놀프탈레인 지시약 : 페놀프탈레인(phenophthalein) 0.5g을 95% 에탄올 50㎖에 용해시킨다.
- 0.1N NaOH 용액 : 폴리에틸렌 병에 NaOH 포화용액을 만들어 수일간 방치한 후 상등액을 온도 20℃인 때는 5㎖, 15℃인 때는 6㎖를 1ℓ용 메스플라스크에 취하여 끓여서 식힌 물을 가하여 전량을 1ℓ로 한다. 0.1N NaOH 용액은 프탈산수소칼륨[$KHC_6H_4(COOH)_2$]으로 표정한 후 사용한다.
- 중성 formalin 용액 : Formalin(30~40%의 formaldehyde 함유) 50㎖에 페놀프탈레인 지시약 수적을 가하고 0.1N NaOH 용액으로 담홍색이 될 때까지 중화하고 여기에 물을 가하여 100㎖로 한다. 이 용액은 시험할 때마다 새로이 조제하여 사용한다.

실험방법

1. 시료 20㎖를 삼각 플라스크에 취하여 페놀프탈레인 지시약 수적을 가하고 0.1N NaOH 용액으로 담홍색이 될 때까지 중화한다.
2. 여기에 중성 포르말린 5㎖를 가하여 유리된 산을 0.1N NaOH 용액으로 담홍색이 될 때까지

적정하여 시료 20㎖를 중화하는데 필요한 0.1N NaOH의 ㎖수를 구한다.

3. 공시험은 물 20㎖를 사용하여 동일한 조작으로 행한다

결과 및 고찰

시료 중의 아미노산성 질소 함량은 다음 식에 의하여 환산한다.

$$\text{아미노산성 질소(mg/g)} = \frac{(b-a) \times f \times 1.4 \times 100}{s \times 20}$$

a : 공시험에서 소요된 0.1N NaOH의 ㎖수

b : 희석 시료 20㎖를 중화하는데 소요된 0.1N NaOH의 ㎖수

f : 0.1N NaOH의 역가

s : 시료의 무게(g)

참고문헌

1. 한국식품공업협회 : 식품공전(1999)
2. AOAC : Official methods of analysis(1995)

특수식품성분

제 1 절 특수식품성분의 추출 및 분리

1. 식품식물재료

천연물은 당, 지방산, 아미노산과 같이 모든 생물에 존재하며, 생활하는데 필요한 기본대사에 관여하는 물질(1차 대사산물)과 alkaloid, flavonoid, terpenoid와 같이 어느 특정생물에만 분포되어 있는 성분(2차 대사산물)으로 크게 나눌 수 있다.

식물성분을 연구하려면 식물재료의 채취지역, 채취시기를 기록해 두어야 하고 또 기원식물의 학명을 확인하기 위하여 식물표본을 만들어야 되고 그 식물중 연구에 사용된 부위를 기록하여야 한다. 원칙적으로 신선한 식물조직을 사용하여야 하며, 체집 즉시 뜨거운 알코올에 집어넣는 방법이 가장 이상적이다. 성분을 추출하기 전에 식물을 건조시키는 수도 있다. 이 경우에는 건조과정에서는 재료의 성분이 화학변화를 받지 않도록 주의를 기울여야 한다. 일단 건조된 식물재료는 장기간 두어도 성분연구에 지장이 없다.

2. 식품성분의 추출

건조된 식물의 경우 일반적으로 70% MeOH을 쓰고 건조되지 아니한 신선한 식물의 경우 95% 이상되는 MeOH을 쓰는 경우가 많다. 검체가 종자의 경우에는 hexane으로 먼저 탈지를 시킨 다음 MeOH로 추출한다. MeOH로 모든 가용성 성분을 추출한 다음 완전 농축하여 extract를 만든 다음 되도록 소량의 물에 현탁시킨후 순차적으로 극성이 낮은 용매부터 시작하여 분획을 하면 비교적 일을 간단하게 할 수 있다. 즉 ether 또는 CH_3Cl로 분획하면 극성이 적은 페놀성 물질, 알칼로이드 및 terpenoid 같은 물질이 이행되고, 수층을 n-BuOH 또는 EtOAc로 충분히 분획하면 극성이 큰 flavonoid, 배당체 또는 saponin이 이행된다.

그리고 흔히 사용하는 계통적 추출법은 석유ether, ether, $CHCl_3$, MeOH 또는 EtOH, H_2O의 순으로 추출한다.

3. 분리

물질분리정제의 방법을 사용할 수 있으며 정제한 다음에는 고정상과 이동상간의 흡착 또는 분배를 이용한 분리법인 column chromatography법을 사용한다. 분리하여야 할 시료가 대량인 경우 흔히 열린 칼럼크로마토그래피(open column chromatography)법을 사용한다. 고속액체크로마토그래피(HPLC)는 이동상으로 액체를 사용하고 압력을 가하여 강제로 고정상을 통과시키는 방법이다. 모든 비휘발성 물질을 분석할 수 있고 극미량의 불순물에도 예민하므로 용매는 초특급 시약을 사용한다. Chromatography에 대한 종류와 설명은 "제5절 탄닌 성분의 분석" 편에 소개되어 있다. 어느 정도 정제를 하면 Thin Layer Chromatography(TLC)를 할 때 분명한 spot를 얻을 수 있게 된다. 일반적으로 실험실에서 분리된 물질의 확인에 많이 사용하는 방법은 TLC이다. 이는 분해능이 좋고 분석소요시간이 짧아서 여러 종류의 물질분석에 이용할 수 있다. 특수성분에 대한 각각의 분리방법은 3절의 사포닌, 4절의 플라보노이드, 5절의 탄닌, 그리고 6절의 알칼로이드 성분 분리법을 참고바란다. 이와 같이 순수하게 분리된 성분들은 "제3절 특수 식품성분의 화학구조 분석법" 편에 소개된 방법에 의해 구조를 결정할 수 있다.

제2절 성분의 화학구조 분석에 대한 고찰

1. 개요

순수하게 정제된 화합물은 각종 물리·이화학적인 성질을 검토하므로서 어떠한 화합물인지를 同定(Identification : 기지의 화합물과 동일 여부를 결정)하거나 새로운 미지의 화합물인 경우는 그 화학구조를 결정한다. 먼저 결정화된 순수한 화합물의 경우 TLC 또는 HPLC 등으로서 순수한 단일성분인지를 확인하고 융점과 광학활성화합물의 경우에는 선광도를 측정하고 원소분석, 분자량, 수화물을 측정해서 분자식을 구한다. 그리고 정색 및 분해반응 또는 유도체를 만들므로서 화학적 성질을 검토하고 UV, IR, NMR, MS 등의 스펙트럼을 얻는다. 동시에 문헌조사를 하여 화합물의 구조를 결정한다. 기지화합물이면 표품과 Rf치, IR, 혼융시험 등을 비교검토하여 동일여부를 판정한다. 문헌에 기재되어있지 않은 신규화합물이면 그 화합물을 합성하여 비교검토하거나 합성불가능한 경우는 여러 가지 spectral data를 얻어서 추정구조식을 결정한다.

2. 물리·이화학적인 성질 조사

(1) 외관

색깔, 향기, 맛, 결정상태를 조사한다.

(2) 용해도 (solubility)

극성 또는 비극성용매에 대한 용해성여부를 조사한다.

(3) 융점 (melting point)

기지 화합물의 융점과 비교한다. 표준품이 있으면 혼융시험(mixed melting point determination)을 하여 융점강하가 일어나는지 또는 융점상승이 일어나는지 여부를 조사한다.

(4) 비선광도 (specific rotation)

선광계(polarimeter)로서 측정한 선광도 α, 측정한 cell의 길이 ldm, 측정시의 온도 t에서 액체 또는 용액의 비중 d, 농도 P% (또는 용액 100㎖ 속에 녹아있는 시료의 gram 수)일 경우

$$\text{비선광도 } [\alpha]_D^t = \pm \frac{100 \cdot \alpha}{1 \cdot d \cdot P} \quad \text{또는} \quad \frac{100 \cdot \alpha}{1 \cdot G}$$

(5) 원소분석

먼저 화합물의 구성원소 C, H, N, halogen, S, P 등을 정성적으로 검출하고 구성원소를 정량적으로 검출한다. 천연 유기 화합물은 대부분이 탄소, 수소, 질소, 산소를 함유하고 있다. 질소, 염소, 유황, 불소, 요오드와 같은 원소가 들어있는 것이 있기는 하나 보통 원소분석은 탄소, 수소, 질소에 대하여 행하면 충분하다. 원소분석은 적당한 촉매(CuO, 600~800℃)로서 검체분자를 산화해서 탄소는 CO_2, 수소는 H_2O, 질소는 NO_2로 한다. NO_2는 다시 환원해서 N_2로 하여 각각을 중량법 또는 열 전도차를 이용해서 정량하고 그 상대적인 함량을 구한다. 원소분석은 물질의 순도검정에도 응용되며 실험오차는 0.3% 이내가 인정된다. 원소분석에서 실험식을 산출할 수 있다. 얻어진 실험식이 $C_7H_{14}O_2$이고 MS 측정에 의하여 분자량이 130이라면 이 화합물의 분자식은 $C_7H_{14}O_2$가 되고 분자량이 260이라면 분자식은 $C_{14}H_{28}O_4$가 된다.

(6) 분자량측정

여러 가지 기기를 이용하기에 앞서서 화합물의 분자식을 손쉽게 구할 수 있다. 화합물의 분자식을 결정하는데에는 일반적으로 다음과 같은 3단계로 행하여 진다.

① 정성적인 원소분석(qualitative elemental analysis) : 어떤 종류의 원자들로 구성되어 있는지를 조사

② 정량적인 원소분석(quantitative elemental analysis) : 각 원자들의 상대적인 함량을 조사

③ 분자량 결정(molecular weight determination) : 분자량에 의하여 분자식을 결정한다. 얻어진 분자식이 CcHhOoNn인 경우 다음과 같은 식으로 불포화도(unsaturation degree, μ)를 구하여 2중결합의 수 또는 환의 수를 알 수 있다.

$$\mu = c + 1 - \frac{h}{2}$$

3중결합은 불포화도 2로 계산하고 halogen 원소가 있을 경우에는 h+halogen의 수로 한다. O, S의 수는 μ치에 무관하다.

3. 각종 spectral data에 의한 구조분석

1) 적외선 흡수 스펙트럼 (Infrared absorption spectrum)

분자(分子)는 고정적(rigid)이 아니고, ① 분자를 구성하고 있는 골격, 관능기들이 각각 특유의 진동, 변형, 회전운동으로서 하나의 정상 상태를 유지하고 있거나, ② 각 원소의 전자가 진동운동을 행하고 있다. 지금 여기에 여러 가지 파장의 전자파를 파장을 변화시키면서 차례로 조사(照射)하면 그때 그때의 에너지에 의해서 변화를 일으키는 진동만이 여기(勵起)되어서 함께 진동(공명)되어 에너지의 흡수가 일어난다. ①에 의한 흡수는 적외부에서, ②에 의한 흡수는 가시부 또는 자외부에서 나타나서 특유의 흡수 스펙트럼이 생긴다. 따라서 어떤 화합물의 결정 또는 용액에 파장을 변화하면서 연속적으로 여러 가지 파장의 전자파를 조사(照射)했을 때 투과광의 입사광에 대한 흡수의 강약정도를 파장에 대해서 흡수곡선을 그릴 수 있다. 분자를 구성하고 있는 골격, 관능기들은 여러 가지 진동운동을 행하고 있지만, 무거운 원자에 가벼운 원자가 결합하고 있는 관능기(C−H, N−H, O−H) 또는 다중결합(예: C=C, C≡C, C=O)의 경우는 그 진동은 분자의 다른 부분의 영향을 그다지 받지 않기 때문에 일정한 위치, 강도를 가지고 흡수가 일어난다. 따라서 특정한 파동수(파장의 역수)에 있어서 흡수의 유무를 기지화합물의 흡수에서 정해진 도표나 많은 화합물의 IR guide를 참고해서 그 관능기의 유무를 판단할수 있다. 전자파 영역에서 적외선 부위는 가시부 영역보다 다소 파장이 긴 400~800nm(1nm=10^{-9}) 파장영역에 놓여 있지만 주로 적외선 부위중 2.5μ~15μ 파장인 진동 에너지의 변화를 측정하게 된다. 여러 가지 형태의 서로 다른 bond들은 각각 다른 진동 주파수를 가지며 또 두개의 다른 화합물에서 같은 형태의 bond일지라도 다소 서로 다른 환경에 있게 되므로 완전히 같은 스펙트럼을 나타내지는 않는다. 그러나 같은 주파수 영역에서 흡수하는 스펙트럼은 두 화합물이 같다고 여길 수 있다(fingerprint). 따라서 두 종류의 화합물을 비교해서 보면 동일한 형태의 화합물인지 아닌지의 여부를 알 수 있다. 적외선 흡수 스펙트럼은 분자들의 구조에 대한 정보를 제공해 준다. N−H, C−H, O−H, C−X, C=O, C−O, C−C, C=C, C≡C, C≡N 등과 같은 bond의 존재를 예측할 수 있다. 예를 들면, 3,000±150cm^{-1} 부근에서 흡수가 나타나면 거의 대부분 분자내 CH bond가 있으며 1,700±100cm^{-1} 부근에서 흡수가 나타나면 분자내 C=O bond의 존재를 예측할 수 있다. 이에 반하여 1,400cm^{-1} 이하의 저에너지 영역(fingerprint region)에서는 분자구조의 차에 따라 미세한 변화가 있어 대단히 복잡하여 미지물질의 구조결정에는 도움이 되지 못하나 기지물질의 확인에는 절대적이다.

2) 자외선 흡수 스펙트럼 (Ultra-violet absorption spectrum)

물질에 전자파(電磁波)를 통과시킬 때 흡수가 일어난다. 자외선(200∼380nm)과 가시광선(380∼800nm)의 흡수는 전자의 여기에 의해서 생기므로 여기되기 쉬운 전자(π전자 또는 n전자)를 가진 물질에서 일어난다. 분자들의 자외선 에너지 흡수는 전자 에너지에 의하며 대략 30∼150kcal/mole 정도의 에너지 차가 생긴다.

3) 핵자기 공명 스펙트럼 (Nuclear magnetic resonance spectrometry)

^{1}H 또는 ^{13}C는 균일한 자장에 두면 양자화하여 두개의 energy준위를 취한다. 라디오파는 에너지가 작은 전자파(진동수 10^{7}∼10^{8}Hz)이지만 핵 spin(각운동량)에 영향을 줄 수 있고 원자핵은 라디오파를 흡수하여 핵 spin의 방향을 바꾼다. 에너지의 흡수는 양자화과정이며 따라서 흡수된 에너지는 두 spin상태의 에너지 차와 같다. 에너지 차 △E는 적용된 자장의 강도에 비례한다. 적용자장의 강도가 크면 클수록 두 spin상태의 에너지 차는 훨씬 커진다. 양성자의 경우 10,000Gauss 자장이 적용되면 42.6MHz의 진동수의 에너지를 흡수하게 된다. 비록 모든 핵들이 자기공명을 일으킬 수 있지만 주로 수소핵과 탄소핵을 응용한다. 양성자의 경우, 14,100Gauss의 자장이 적용되면 두 spin상태의 에너지 차이는 5.72×10^{-6}Kcal/mole이

다. 60MHz의 주파수 에너지는 전자파중 라디오파에 속한다. 핵자기 공명분광기는 자장을 14,100Gauss 근처에서 변화시키고 60MHz의 라디오파 에너지는 일정하게 적용한다. 이는 분자들 중에서 단지 양성자 spin상태만을 천이시킬 수 있으므로 쉽게 수소핵 또는 탄소핵을 찾아낼 수 있다.

핵 spin의 방향이 바뀌는 현상(천이)은 적용된 자장에서 핵이 세차운동(precess)을 하기 때문에 에너지가 흡수된다(팽이가 지구의 중력장때문에 그 축을 따라 세차운동하는 것과 같다). 자장이 적용되면 핵은 그 축을 따라서 각 주파수(angular frequency, ω)만큼 세차운동한다. 각진동수(각주파수)는 자장의 강도에 비례한다. 자장의 크기가 증대하면 할수록 세차속도(각진동수)는 빨라진다. 수소핵의 경우 14,100Gauss자장이면 세차진동수는 대략 60MHz이다. 자전운동을 하고 있는 원자핵 spin(각운동량)을 Ho의 강도인 자장에 놓아두면 그 핵은 자력의 방향을 축으로 하여 세차운동한다(이 때의 진동수는 ω). 핵은 전하를 띠므로 세차운동할 때 동일한 진동수만큼의 진동 전자장(oscillating electric field)을 발생하게 된다. 세차운동하는 핵에게 동일한 진동수만큼의 라디오 주파수를 주면 에너지는 흡수된다. 즉, 라디오 주파수가 세차하는 핵에서 발생하는 전자장의 주파수와 일치하면 이 두 자장은 서로 연결되어 라디오 주파수 에너지가 핵으로 옮겨진다. 이 때 spin의 방향이 바뀐다(공명, resonance). 자장을 변화시켜가면 원자핵에 작용하는 진동자장의 진동수 ν_o가 ω과 일치할 때에 공명이 일어나서 에너지가 흡수된다. 23,500Gauss의 자장에서는 ^{1}H는 100MHz, ^{13}C는 25MHz에서 흡수가 나타난다.

핵자기 공명 분석기가 유용하게 사용되는 이유는 분자내의 모든 원자핵이 같은 주파수에서 동일하게 공명하지 않기 때문이다. 분자내의 원자핵들은 전자들로 둘러싸여 있고 서로 조금씩 다른 전자환경에 놓여있다. 즉 원자핵은 주위의 전자에 의해서 차폐(shield)되어 있다. 자장이 적용되면 원자핵을 돌고있는 가전자들은 그 자장에 대한 반자장(反磁長 : counter magnetic field)을 발생한다. 모든 원자핵들은 둘러싸고 있는 전자밀도에 따라서 핵에 적용되는 자장의 강도가 달라지게 된다. 핵주위의 전자밀도가 크면 클수록 반자장도 커지게 된다. 핵에게 적용되는 자장은 반자장에 의해서 줄어들고 따라서 낮은 주파수에서 세차운동한다. 또한 낮은 주파수에서 라디오파 에너지를 흡수하게 된다. 분자내 모든 핵들은 조금씩 다른 화학적인 환경에 놓여 있으므로 전자 차폐 정도도 다르며 그 결과 공명주파수도 달라진다. 즉, 분자중의 ^{1}H 또는 ^{13}C는 분자구조에 따라서, 주위의 환경에 따라 전자밀도가 다르고 그로 인한 국부자장이 다르므로 분자를 균일한 자장에 둘 경우 각 원자핵이 받는 자장의 크기는 각각 조금씩 달라진다. 그러므로 원자핵이 흡수하는 전자파의 진동수는 그 환경에 따라 조금씩 다르고 이러한 변화를 화학 이동치(chemical shift)라고 한다. 그러나 이들 진동수의 차이는 아주 작다. 예를 들어 chloromethane과 fluoromethane사이에서 수소들의 공명 주파수 차이는 14,100Gauss의 자장을 적용하였을 때 단지 72Hz이다. 이 수치는 14,100Gauss에서 수소 원자핵 spin transition(에너지 흡수)을 일으키는데 약 60MHz의 주파수가 필요하므로 백만분의 일(ppm)정도에 지나지 않는다.

화학 이동치는 그 절대치를 측정하는 것이 아니고 표준물질(tetramethylsilane : TMS)로부터의 상대치를 측정한다. 예를 들어 CH_3Br을 60MHz 기기로 측정하여 TMS치로부터 162Hz 떨어져 공명하였다면

$$\delta = \frac{162\text{Hz}}{60\text{MHz}} = 2.70\text{ppm}$$

4) 현대 NMR 분석기법을 응용한 천연물화학적 연구

일반적으로 천연물의 화학성분에 관한 전통적 연구접근방식은 분리한 화합물에 대한 물리・화학적 데이터를 얻고 이들 물리・화학적 특성들이 기지화합물의 구조와 일치하는지를 문헌적으로 조사하는 것이다. 연구대상이 되는 재료가 식물화학적으로 정확히 분류할 수 있다면 단리한 화합물의 구조는 손쉽게 예상할 수도 있다. 충분한 문헌적 조사를 거쳤음에도 불구하고 화합물의 구조를 밝히지 못하였을 때는 더욱 더 식물화학적 분류의 중요성을 인식하게된다. 여러 가지 기기분석학적인 기술들이 이용됨으로써 비교 분석할 수 있는 물리・화학적 특징들이 많아졌지만 근본적으로는 위에서 언급한 전통적 접근방식이 달라진 것은 아니다. 그러나 현재 응용되고 있는 현대 NMR 분석기법은 근본적으로 다른 접근방식으로서 천연물 화학성분 구조연구에 응용되고 있다. 심지어 분자식과 같은 어떠한 구조적 정보를 가지고 있지 않아도 복잡한 유기화합물에 대해서조차 유도체를 만들지 않고 신속하면서도 정확하게 화학구조를 결정할 수 있다. 또, 전통적인 분석방법에 의하여 분자식이 결정되어도 같은 분자식을 지닌 화합물들의 수가 방대한 경우는 일일이 비교검토할 수는 없다. 즉, 화합물의 구조를 손쉽게 동정할 수 없다면 현대 NMR 분석기법을 응용함으로써 구조를 결정하고 문헌조사를 통하여 기지 또는 미지화합물인지를 빠른 시간 내에 해결할 수 있다. 특히, 유사한 종이 없는 식물재료인 경우는 분리한 화합물들을 현대 NMR 분석기법을 응용하므로서 식물화학적 분류에 도움이 될뿐만 아니라 다른 유사화합물의 구조를 결정하는데 큰 도움이 될 수 있다.

5) 질량분석 (Mass spectrometry)

통상분자의 이온화 전위는 8~15eV이며 이보다 큰 에너지인 50~70eV를 갖는 전자속(electron beam=high energy electrons : 가열된 filament에서 방사된다)을 가속시켜 고도의 감압(10^{-7}mmHg 이상) 하에서 기화한 화합물에 충격을 주면 그 분자는 하나의 전자가 방출되면서 +이온이 생성된다([M] → $[M]^{+}$). 이 이온은 고여기상태이므로 불안정하여 여기저기가 개열해서 여러개의 fragment ion이 되며(그 중 +이온이 질량분석기에 기록된다) 이들 이온들이 analyzer를 통과하면서 질량 대 전하의 비(m/z)로 분리되므로 이를 검출기에서 분리하면 질량분석 스펙트럼을 얻을 수 있다. 모든 이온들이 질량단위가 1단위씩 차이가 나도록 분석하기 위해서는 강한 자장속에 넣고 이들 이온들이 다소 편향(偏向)되도록 하면된다. 큰 질량을 가진 이온은 작은 질량을 가진 이온보다도 적게 편향되므로 분석 가능하다. 질량분석에서 가장 주된 목적은 어느 분자의 분자이온을 찾아 그 물질의 분자량을 아는 것에 있으며 또한 기지물질의 동정, 정량분석, 미지물질의 구조 결정에도 응용된다. 시료의 양은 μg 정도로도 측정이 가능하며 단시간에 측정할 수 있으므로 천연물화학 연구에 유용하다. 분자이온 peak는 질량분석 스펙트럼에서 가장 높은 질량이온으로서 홀수의 전자를 가지고 있고, 이들 분자이온에서 물, 초산과 같은 중성분자를 잃어서 생성되는 fragment ion peak를 나타내어야 한다. C, H, O만으로 구성된 분자의 경우 분자이온은 짝수이며 질소가 함유된 분자의 분자량은 질소법칙(nitrogen rule)에 따라 질소의 수가 홀수일 때는 분자이온도, 홀수이고 짝수일 때는 분자이온도 짝수이어야 한다. 따라서 분자이온을 확인하기 위해서 통상적인 측정조건인 70eV의 전자충격 질량분석(electron impact mass spectrometry; EI-MS)만 행하지 않고 eV를 낮추어서 측정하거나, 또는 다른 이온화방법, 예를 들면 화학이온화 질량분석(chemical ionization mass spectrometry, CI-MS), 전계탈리 질량분석(field desorption mass spectrometry, FD-MS), 고속원자포격 질량분석(fast atom bombardment mass spectrometry, FAB-MS) 등으로 이를 확인하거나 동위원소 peak인 (M+1), (M+2) 등으로서 확인하여야 한다.

6) 천연물 입체화학

(1) 입체배위 (configuration) 와 입체배좌 (conformation)

화합물을 구성하는 원자 또는 원자단이 공간적으로 어떤 순서로서 결합하고 있는지만을

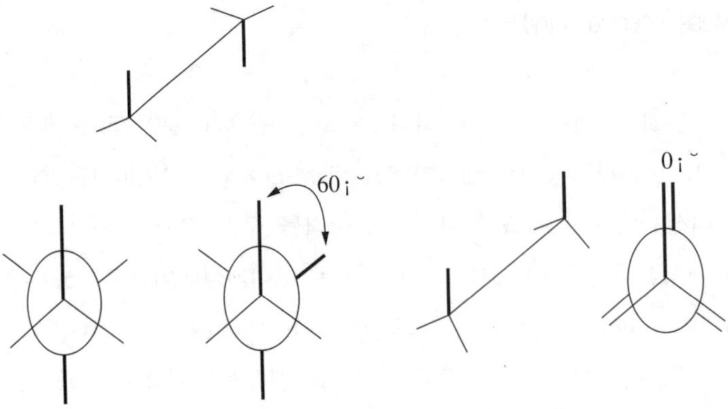

60¡˘ 0¡˘

trans skew or gauche Eclipsed

Staggered

표시한 경우를 입체배위라고 한다. 그러나 화합물을 구성하는 원자 또는 원자단은 반드시 고정적(rigid)이지 않기 때문에 회전, 진동, 신축 또는 각도가 바뀌는 여러 가지 서로 다른 입체구조를 가진 형태를 입체배좌라고 한다. 예를 들면 n-butane $CH_3-CH_2(_2)-CH_2(_3)-CH_3$에는 한 개의 입체배위밖에 없지만 $C(_2)-C(_3)$을 축으로해서 회전시키면 무한개의 입체배좌를 만들 수 있다.

여러 가지 입체배좌중에서 trans형이 반발력이 적기 때문에 가장 안정한 배좌가 된다.

(2) 의자형 (chair form) 과 보트형 (boat form)

Cyclohexane과 같은 포화육원환화합물은 n-butane에서와 같은 회전은 없고 환의 각도가 바뀌는 환역전(ring conversion)이 생긴다. 따라서 많은 입체배좌가 생길수 있지만 수소의 반발을 고려하면 의자형과 보트형이 가장 안정한 형태로서 존재한다.

6개의 skew 배좌만으로 이루어진 의자형이 4개의 skew와 2개의 eclips형으로 이루어진 보트형보다 훨씬 안정하다. 포화육원환화합물에 원자 또는 원자단이 결합한 경우 2종류의 결합방식이 있다. 환에 대한 하나의 축에 평형인 결합을 axial, 여기에 109° 28′ 각도 결합을 equatorial이라고 부른다.

지환족화합물의 수소가 다른 원자 또는 원자단으로 치환된 경우는 일반적으로 equatorial 위치에 있으므로서 안정된 형태를 취한다.

두 종류의 치환체가 cis 또는 trans체로 결합한 지환족화합물의 경우 원자량의 합이 큰 치환체는 equatorial, 원자량의 합이 작은 치환체는 axial 결합한다(Hassel의 법칙). Decalin과

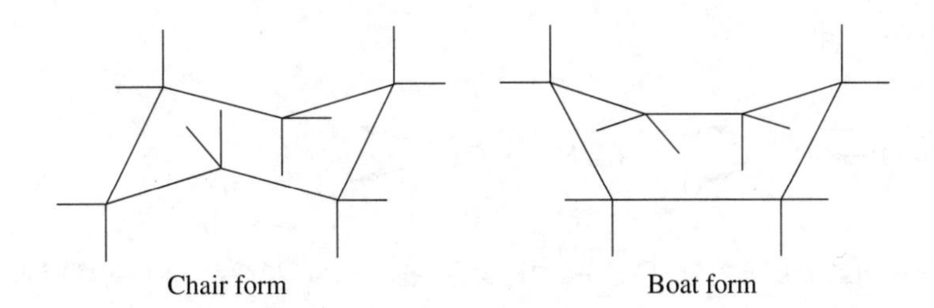

같은 쌍포화육원환으로 이루어진 경우는 cis-, trans- 2종의 배위가 있지만 trans체가 가장 안정하다. 다환화합물에서 환의 결합은 trans형이 많다. 그러나 생리활성을 나타내는 것은 cis형이 훨씬 강하다. Sterol은 모두 trans형이지만 강심배당체 genin인 digitoxigenin에서 A-B환과 C-D환은 대체적으로 cis형이다. A-B환이 trans형인 uzarin은 생리작용이 약하다. Steroid, diterpenoid, triterpenoid와같은 포화다환성화합물은 의자형이 안정하다. 단환성화합물은 의자형과 보트형이 바뀔수 있기 때문에 입체배위가 정해져도 equarorial과 axial의 배좌는 바뀔수 있지만 다환성화합물은 구조가 고정되어 ring conversion이 일어날 수 없으므로 입체배위가 정해지면 equatorial, axial의 입체배좌가 결정된다. 입체배위를 기호 또는 선으로 표시할때는 원자 또는 원자단이 axial 또는 equatorial로 있더라도 지면의 이면방향으로 돌출한 것을 α(점선표시), 지면의 전면방향으로 돌출한 것을 β(실선표시)라고 한다.

HO, HO, COOH

2-hydroxy ursolic acid

(3) R-, S- 방식에의 입체배위표시법 (Sequence rule, 順位법)

부제탄소에 결합하고있는 원자나 원자단의 절대배치를 R(rectus, 右)과 S(sinister, 左)의 기호로서 표시하는 방법으로서 Chan, R. S., Ingold, C. K.와 Prelog, V.에 의해서 제창되었다. 부제탄소에 결합한 서로 다른 원자나 원자단을 우선순위법칙이라 한다(부제탄소에 직접 결합한 원자의 원자번호가 크면 클수록 우선순위가 높고 부제탄소에 직접 결합한 원자들이 같을 경우에는 그 다음 원자들을 비교한다. 2중결합, 3중결합은 같은 원자가 2개 또는 3개

붙어있는 것으로 여긴다).

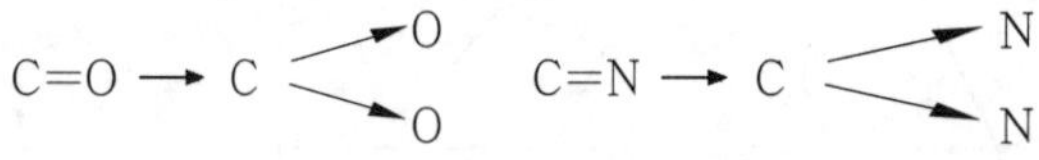

$$C{=}O \rightarrow C \begin{smallmatrix} \nearrow O \\ \searrow O \end{smallmatrix} \qquad C{=}N \rightarrow C \begin{smallmatrix} \nearrow N \\ \searrow N \end{smallmatrix}$$

a→b→c→d로 하고 가장 우선순위가 낮은 원자 d를 부제탄소와 반대방향으로 배열한 후 이것을 위에서 보고 만약 중심의 부제탄소에 직접 결합한 원자 또는 원자번호의 우선순위 a→b→c가 오른쪽으로 돌아가면 (R)−, 왼쪽으로 돌아가면 (S)−를 붙인다. 또, cis형 치환기는 trans형 치환기보다도 우선순위가 된다.

(4) Erythro-와 threo-표시법

Fischer 방법으로 입체배위를 그려놓을 때 같은 종류의 원자 또는 원자단이 같은 위치에 있으면 erythro-, 서로 다른 위치에 있으면 threo-라고 한다.

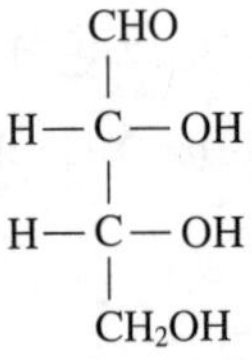

```
       CHO                  CHO
        |                    |
   H — C — OH          HO — C — H
        |                    |
   H — C — OH           H — C — O
        |                    |
       CH2OH                CH2OH

    D-erythro            D-threo
```

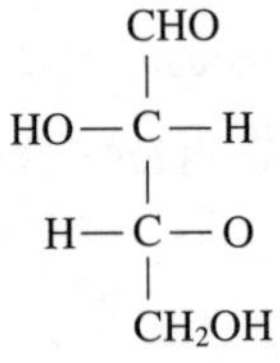

(5) ORD와 CD

천연 유기화합물의 대부분은 부제탄소가 있으며 광학활성을 나타낸다. 따라서, 구조결정을 할 때에는 절대배치를 포함해서 연구를 하지 않으면 안된다.

절대배치를 결정할 때는 X선 crystallography를 이용하는 방법이 가장 절대적이지만 절대배치가 알려진 기지화합물과 비교할 수만 있다면 ORD, CD에 의해서도 결정할 수 있다. 선광도는 나트륨 D선(λ=589.3nm)으로서 측정하지만 xenon 램프를 이용해서 200~700nm 파장 영역에서 측정하면 광학활성물질의 선광도가 파장에 따라서 변화게 된다. 이것을 선광분산(optical rotatory dispersion)이라고 한다. 선광도를 장파장쪽에서 단파장으로 이동시키면서 측정하면 선광도의 절대치는 증가하지만(단순곡선) 화합물의 흡수대가 200~700nm 부근에서 측정하면 선광도의 절대치가 현저하게 증대되며 다시 감소하는 현상이 관찰된다. 이것을 선광분산 또는 Cotton 효과라고 한다. Cotton 효과는 자외선영역에서 흡수를 가진 radical(예를 들면 280nm에서 흡수를 가진 C=O기)이 여기에 근접한 부제탄소의 영향, 즉 입체배위에 따라서 일어나고 C=O 부근이 유사한 입체배위를 가진 물질은 서로 유사한 Cotton 효과를 나타낸다. 따라서, 곡선의 형태로부터 그 화합물의 입체구조를 추정할 수 있다. 현재 사용되는 기계에는 210nm 이하의 단파장에서의 선광도 측정은 불가능하고 C=O, C=S, C−NO_2, C−phenyl, C−SS-C기 등을 가지지 않는 화합물에서는 Cotton 효과가 없다. 단, C=O를 가지지 않는 화합물에서는 >CH−OH를 산화하거나 이중결합을 절단하여 C=O를 만들면 측정할 수 있다. ORD 곡선에서 단파장이 낮은 계곡이고 장파장이 높은 산의 형태를 positive(+) Cotton 효과라고 부르고 그 반대를 negative(−) Cotton 효과라고 부른다. 즉, 구조식은 동일하지만 절대배치만이 다른 경우 서로 반대의 ORD곡선을 나타낸다. ORD와 CD는 모두 Cotton effect의 합을 나타내는 곡선이지만 ORD는 C=O 이외 부분의 골격의 전자천이에 의한 단순곡선(배경곡선)이 중첩(여러개의 발색단에 의한 결과)되기 때문에 그 곡선의 성격이 명확하지 않는 경우가 많다. 그러나, CD는 배경곡선이 없고 물질이 광을 흡수하는 파장부근에서 명확한 +(극대) 또는 −(극소)의 곡선이 나타난다. 따라서, CD의 + 또는 −부호가, 즉 ORD의 Cotton 효과를 나타내는 부호이다.

제 3 절 사포닌 성분의 분석

개 요

1 사포닌의 특징 : 사포닌은 수용액에서 기포성, 적혈구 파괴작용(용혈작용)으로, 콜레스테롤과 복합체 형성능 등을 특성으로 하는 배당체 화합물 군(표 13-1)으로서 화학구조에 기인하여 분류하면 스테로이드 사포닌, 트리테르페노이드 사포닌과 스테로이드 알카로이드 사포닌(그림 13-1)으로 나눈다.[1,2]

사포닌은 천연유기 화합물 중에서 비교적 분자량과 극성이 커서 분리정제가 힘든 화합물로서 산이나 알칼리 또는 효소분해시켜 얻은 구성성분 중의 하나인 사포게닌의 구조분석에 한정되었다. 그러나 많은 사포게닌의 구조가 산가수 분해과정에서 생성된 2차 생성물(artifact)로 밝혀짐에 따라 순도가 높은 사포닌의 분리뿐만 아니라 효소 또는 토양미생물을 이용한 가수분해 방법을 개발한 진정사포게닌의 구조연구가 진행되고 있다. 또한, 고차원 분해기술을 응용한 분석기법이 최근에 개발되어 가수분해과정을 거치지 않고서도 진정사포닌의 구조를 손쉽게 분석할 수 있다.

2 사포닌의 분리와 정제 : 식물속의 사포닌 함량은 현저하게 차이가 있지만 성분분석을 할 수 없을 정도는 아니다. 페놀성 화합물과 착색공존화합물 또는 구조가 유사한 여러 가지 종류의

표 13-1 사포닌의 특성과 생리작용 반응

특성	· 중성 또는 산성으로서 대부분 쓴맛이 있다. · 흡습성이 크고, 물, 희석 알코올에 잘 녹고 무수 알코올에는 난용이며 에테르, 벤젠, 클로로포름 등에는 불용이다. · 수용액을 진탕하면 비누거품같은 지속성 기포를 발생한다. 따라서 세정작용, 기름의 유화작용, 기타 다른 물질의 반투막 통과를 촉진하는 작용이 있다. · 정색반응으로서 Liebermann-Burchard 반응(시료에 무수초산과 피리딘을 가하면 홍색→자색→청색→오록색 반응을 일으킨다)과 Salkowski 반응(시료의 클로로포름액에 황산을 가하면 클로로포름층은 적색, 황산층은 녹색 형광을 띈다)이 있다.
생리작용	· 강력한 용혈작용으로(hemolysis)이 있다. 따라서 사포닌 함유제제는 주사하면 안된다. 내복하면 소화기에서 흡수되지않아 독성은 없다. 용혈작용은 콜레스테롤로서 억제되며 용혈작용이 대단히 낮은 화합물도 있다(예: 감초에서 분리한 glycyrrhizin) · 어류에 대한 독성이 있다(어독작용). · 스테로이드계 사포닌은 콜레스테롤과 결합하고 물, 알코올, 에테르, 아세톤 등에 난용성 화합물을 생성한다. · 분말은 점막을 자극하고 대량섭취하면 구토작용이 있다. 소량에서는 반사적으로 기관지 분비를 촉진하고 객담을 배출한다(거담작용).

사포닌이 섞여있기 때문에 분리 정제하기가 다소 복잡하지만 대부분의 경우 먼저 비사포닌성 성분을 함유하지 않는 조사포닌을 분획하고 다시 이 조사포닌 혼합물을 각각의 사포닌으로 순수하게 분리하는 방법이 가장 많이 이용되고 있다.

실험방법

1. 추출 및 분획 : 먼저 사포닌은 사포게닌, 당, 아실기 등이 추출과정에서 변화할 수 있으므로 주의하여야 한다. 예를들면 알코올에 의해서 산성사포닌이 에스테르화, 에스테르기의 검화 및 아실기의 전이 등이 일어날 가능성이 있다. 사포닌은 식물로부터 추출할 때는 희석된 알코올을 사용하고 종자 또는 과실의 경우와 시료중에 함유된 비극성 물질을 제거하기 위하여 우선 탈지하는 것이 좋다. 추출한 엑스는 농축하여 물 또는 10% MeOH과 물을 1 : 9의 비율로 가한 후 물층을 계속하여 디클로로메탄, 에틸아세테이트 및 부탄올로 분획하여 조사포닌 함유분획을 얻는다. 그러나 조사포닌 함유분획에는 사포닌 성분 이외에 극성물질인 당류, 아미노산 또는 고분자 화합물이 함유되어 있으므로 Sephadex LH-20과 MCI-gel 등을 사용하여 부분정제하는 것이 좋다. 각 분획속에 사포닌의 함유여부는 TLC또는 Liebermann-Burchard 반응을 시행하여 확인한다. 비극성 용매분획에는 주로 극성이 낮은 사포닌이 극성용매분획에는 극성이 큰 사포닌이 존재한다.
2. 분리 : 조사포닌 함유분획은 일반적으로 silica gel chromatography를 실시하여 순수분리한다. 그외 HPLC, LPLC, MPLC 등을 사용하기도 하여 순수분리하지만 다량의 검체를 분리히기에는 곤란하다. 실리카겔을 담체로 해서 산성사포닌을 분리하는 경우 결정성이 큰 염을 형성할 수 있기 때문에 이 때에는 유리 형태의 산성사포닌으로 하여 메틸화시킨 후 분리를 시도하는 것이 바람직하다.

결과 및 고찰

1. 구조결정 : 사포닌의 구조결정은 사포닌을 가수분해하여 얻은 사포게닌의 구조를 먼저 결정하고 여기에 결합된 당의 종류 및 결합방식, 결합위치 등을 결정하는 화학적 방법이 사용되어 왔으나 최근에는 가수분해하지 않고 NMR이나 Mass만을 이용하여 구조결정을 할 수 있는 분광학적인 방법이 널리 이용되고 있다. 사포닌의 구조결정에는 ① 사포닌의 화학구조 결정 ② 당의 종류 및 각 당의 몰수 결정 ③ 당과 사포게닌과의 결합위치 및 결합방식 결정 ④ 당과 당 사이의 결합위치 및 결합방식을 결정하는 단계를 거쳐서 시행한다. 이와 같은 목적을 달성할 수 있는 빠르고 가장 널리 이용되는 것은 NMR spectroscopy로서 일차원뿐만 아니라 이차원 스펙트럼을 얻어 소량(mg)의 시료로 구조를 결정할 수 있다.
2. NMR spectroscopy : 사포닌은 결합되어 있는 당의 종류나 수에 관계없이 탄소에 결합되어 있는 수소와 수산기 등에 의하여 저분해능 ^{1}H-NMR 스펙트럼은 대부분의 signal이 겹쳐서 나타나고 있으므로 매우 복잡하다. 그러나 고분해능 ^{1}H-NMR 스펙트럼은 어느 정도 이런 문제점이 해결되어 중요한 정보를 제공해 주고 있다. 사포닌의 경우 대부분 pyridine-d_5용매로 측정하는데 이는 사포게닌과 당부에 기인한 수소들의 화학이동치가 δ0.5~3.5ppm과 δ3.0~

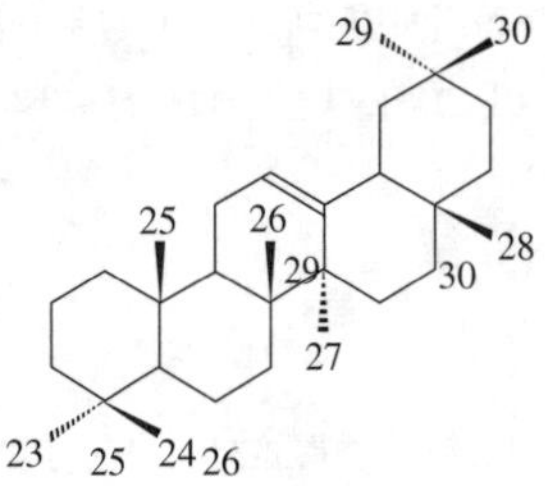

oleanane

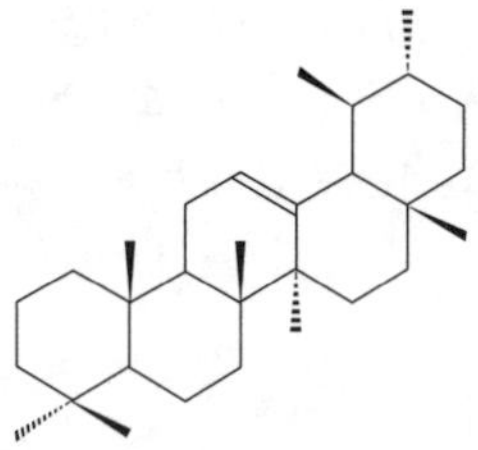

ursane

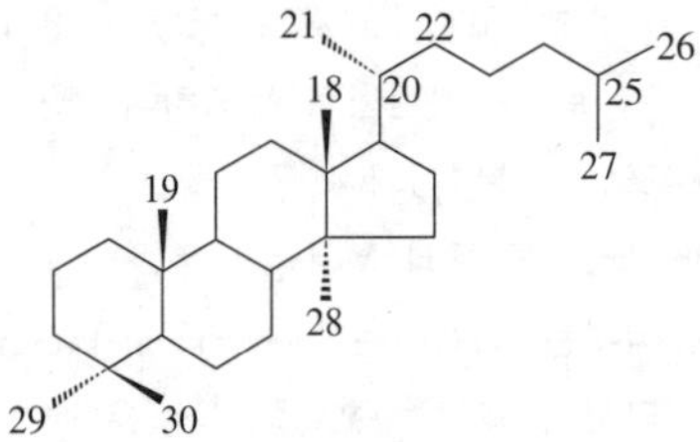

lanostane

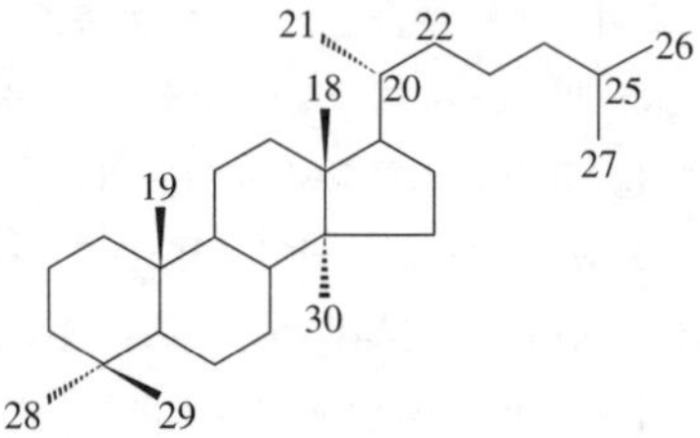

dammarane

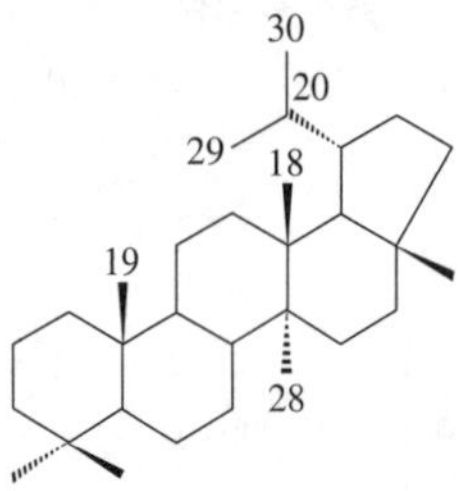

lupane

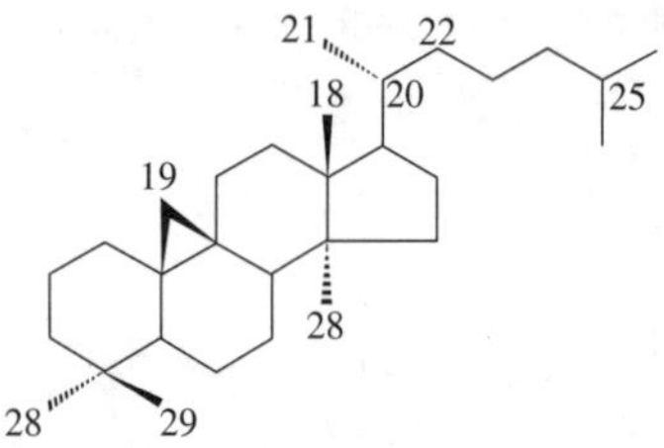

cycloartane

그림 13-1 주요 사포게닌의 구조

4.5ppm사이에서 각각 나타나기 때문이다. 이 경우 당의 anomeric 수소는 그 입체 배위가 axial 일때는 δ4.3~4.8ppm, equatorial일때는 δ5.1~5.8ppm에서 나타나고 α-배당체의 anomeric수소는 β-배당체보다 δ0.3~0.5ppm 저자장 이동하여 나타난다. 그 경우 α-배당체의 결합상수는 1-4Hz, β-배당체는 4-8Hz로 나타난다.

에스테르 결합한 당의 anomeric 수소는 δ6.2~6.5ppm에서 나타난다. 그러나 사포게닌의 수소와 당의 수소들은 대부분 겹쳐져서 나타나므로 모든 수소들의 완전한 assignment는 NOE법이나, spin decoupling, ^{1}H-^{1}H COSY, TOCSY, NOESY와 같은 2D 스펙트럼을 이용하거나, 또는 HMQC 및 HMBC와 같이 탄소 signal과의 연계하여 종합적으로 assignment하고 있다.

3 MS spectroscopy : 사포닌은 대부분이 비휘발성이고 극성이 크기때문에 일반적인 전자충격질량분석(electron impact mass spectroscopy)법으로서는 그 분자량을 얻기가 매우 힘들다. 유도체를 만들어 측정할 수도 있지만 현재는 전계탈리질량분석(field desorption MS), 고속원자충격질량분석(fast atom bombandment MS)과 이차이온질량분석(secondary ion MS)방법을 이용하면 손쉽게 분자량 뿐만이 아니라 당과 사포게닌의 결합위치, 심지어 당과 당사이의 결합위치까지 정확히 알아낼 수 있다. 이때 나타나는 분자이온은 대부분 $[M+H]^+$, $[M+Na]^+$, $[M+K]^+$ 등과 같은 cluster ion, pseudomolecular ion 또는 quasimolecular ion으로서 나타난다.

참고문헌

1 강삼식 : 트리테르페노이드 사포닌. 서울대학교 출판부(1996)

2 Hostettmann, K. and Marston, A. : Saponins. Cambridge University Press(1995)

제 4 절 플라보노이드 성분의 분석

개 요

■ 플라보노이드 특징 : 2개의 방향족환과 3개의 탄소로 이루어진 탄소 15개로 된 일련의 $C_6-C_3-C_6$ 화합물을 플라보노이드라 한다. 여러 가지 기본골격이 있으며, 각각 특유의 명칭이 있다. 플라보노이드는 shikimic acid 경로를 거쳐 생성된 C_6-C_3 화합물에 C_3단위가 3개축합하여 생성된 것이다. 플라보노이드는 알코올에 잘 녹는다. 배당체의 경우 물에 비교적 잘 녹으나 유리형은 난용인 것이 많다.
플라보노이드는 식물계에 널리 분포되어 있으며 곡물, 야채, 과일 등 일상식품에 상당량 들어있으므로 현저한 생리활성을 기대할 수는 없으나 몇몇은 포유동물에 독작용이 있는 것이 있다.

■ 식품식물중의 플라보노이드 분포 : 한국산 식품식물중에서 분리된 플라보노이드 성분들은 비파잎(예 : afzelin, quercetin-3-O-sambubioside), 참죽나무 잎(예; isoquercitrin, quercitrin, rutin), 서양고추냉이(예 : kaempferol-3-O-xyloside, kaempferol-3-O-galactoside), 갓(예 : isorhamnetin-3-O-glucoside)에서 flavonol 배당체, 고들빼기(예 : luteolin, apigenin-7-O-glucuronide), 신선초(예 : cynaroside, luteolin-7-O-rutinoside), 엉겅퀴 잎(예 : linarin, cirsimarin, hispidulin-7-O-neohesperidoside)에서는 flavone 배당체, 콩잎(예 : genistin, wistin)에서 isoflavone 배당체 그리고 미나리(예 : persicarin)에서 flavonol sulphate 등이 보고되어져 있다. 그리고 플라보노이드를 다량 함유하는 생약으로는 영실(찔레나무 열매), 등피, 진피(귤 껍질), 산사자, 홍화, 괴화, 황금, 갈근(칡뿌리), 음양곽(삼지구엽초 지상부), 맥문동 등이 있다.

■ 플라보노이드의 확인시험 : 플라보노이드를 검출하기 위하여 시료의 알코올 용액에 금속 Mg를 소량 가하고 HCl을 몇방울 가하면 H_2가 발생하면서 적색 내지는 자색을 나타낸다. Isoflavonoid, dihydrochalcone, flavan, flavanol 등은 음성이다.

■ 플라보노이드의 생리활성 : 항혈관삼투작용(예 : rutin), 어독작용(예 : rotenone), 사하작용(예 : multiflorin A), estrogen작용(예 : genistein, formononetin, coumesterol), 진경작용(예 : isoliquiritigenin), 살균작용(예 : pisatin), 진정작용(예 : spinosin), monoamine oxidase저해작용(예 : acacetin), 항간장독작용(예 : silybin), 항allegy작용(예 : baicalin) 등이 알려져 있다.

시료조제

참죽나무 잎을 채집하여 음건 세절, 사용하여 플라보노이드 분리용으로 사용하며, 계절별 플라보노이드 함량을 측정하기 위하여 동일한 식물에서 월별로 잎을 채집한다.
즉, 음건세절한 참죽나무 잎에 메타놀(MeOH)을 가하여 수욕상에서 3시간동안 환류 냉각하면서 추출하여 rotary evaporator로 용매를 제거하여 MeOH 추출물을 얻는다. MeOH 추출물은 10% MeOH 로 녹여 잔사를 제거한 후 용매의 극성을 증가시킨 계통 분획법에 의해 크로로포름($CHCl_3$), 초산에틸(EtOAc), 부타놀(n-BuOH) 및 물(H_2O) 분획분을 얻어 시료로 사용한다.

시약 및 기구

추출 및 분리용매는 특급 및 1급 시약을, column chromatography용 silicagel은 Kiesel gel 60 (70 ~230mesh, Merck, Art 7734), Sephadex LH-20(Farumasia)을, thin layer chromatography는 precoated kieselgel 60 F_{254}(Merck, No.5735)를 사용한다. 기기는 IR, UV, NMR spectrometer와 HPLC가 필요하다.

실험방법

EtOAc분획분을 silica gel에 흡착시키고 $CHCl_3$으로 충진한 silica gel column의 상층에 넣은 후 $CHCl_3-MeOH-H_2O$(5:1:1, 하층), $CHCl_3-MeOH-H_2O$(25:8:5, 하층) 및 $CHCl_3$-MeOH-H_2O (7:3:1, 하층) 의 용매로 용출시켜 화합물 A, B, C, D 및 E를 각각 분리한다. 화합물 B는 spectral data에 의해 혼합물로 확인되며 Sephadex LH-20 column으로 10% MeOH 용매를 이용하여 다시 chromatography를 실시하여 화합물 B-1, 화합물 B-2를 분리한다. 그리고 *n*-BuOH 분획분에서는 $CHCl_3-MeOH-H_2O$(65:35:10, 하층)을 용출용매로 silica gel column chromatography를 실시하여 화합물 E 및 F를 분리한다(그림 13-2)

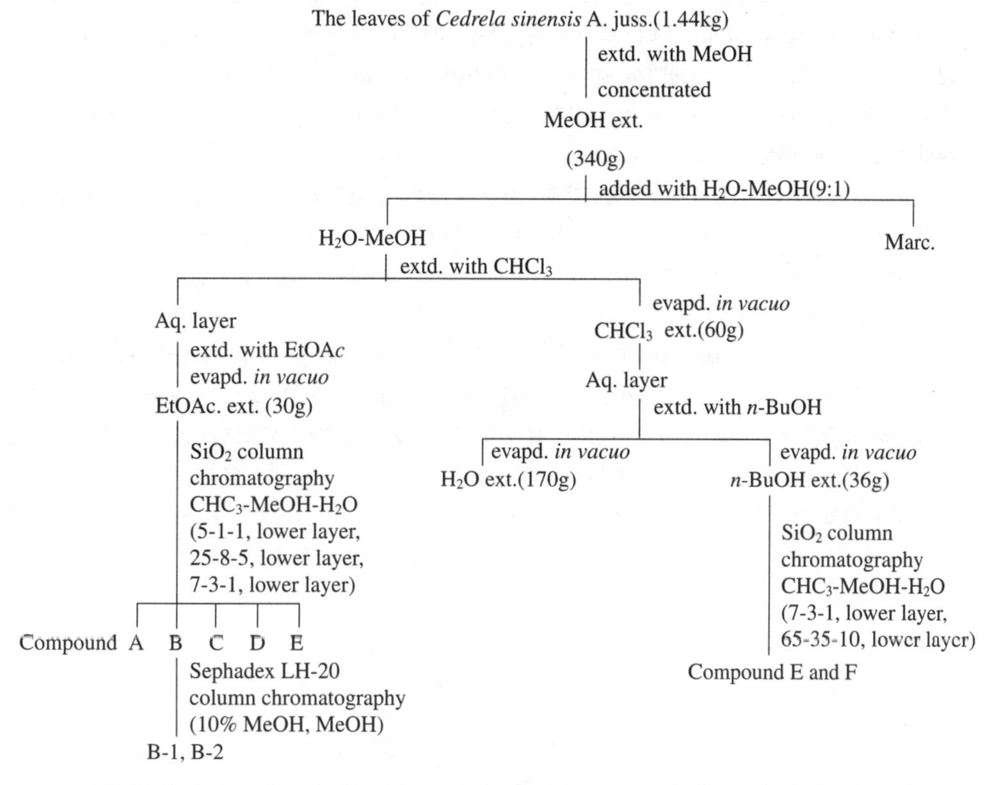

그림 13-2 Extraction and isolation of flavonoid compounds from *Cedrela sinensis*

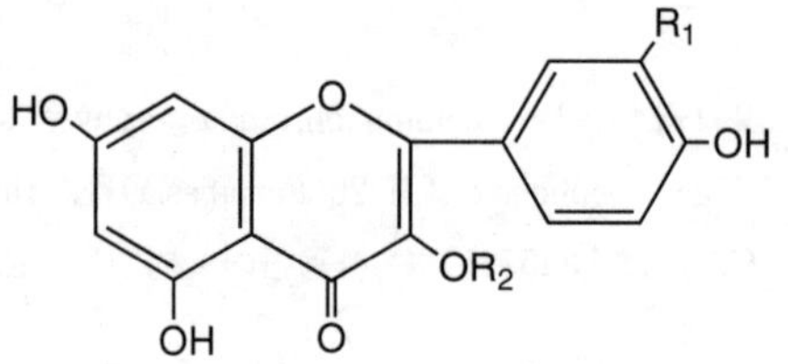

		R_1	R_2
Compound A	(kaempferol)	H	H
Compound B-2	(quercetin)	OH	H
Compound C	(afzelin)	H	rhamnopyranose
Compound D	(quercitrin)	OH	rhamnopyranose
Compound E	(isoquercitrin)	OH	glucopyranose
Compound F	(rutin)	OH	glucopyranosyl(6-1)rhamnopyranose

그림 13-3 Flavonoid structures isolated from *Cedrela sinensis*

결과 및 고찰

민간에서 가죽나무로 불리우는 식용식물인 참죽나무 잎에서 분리한 플라보노이드 성분중 화합물 B-2의 화학구조를 동정하여 본다. 즉 화학구조는 제2절 특수식품성분의 화학구조분석법에서 서술한 IR, UV, NMR 등의 분광학적 분석에 의해 결정할 수 있다. 즉 IR spectrum의 3310 cm^{-1}의 hydroxyl기, 1662cm^{-1}의 carbonyl기, 1617, 1518cm^{-1}의 이중결합 관측으로 OH기와 C=O기가 존재하는 aromatic 화합물임을 알 수 있다.

UV spectra에서 여러 이동시약에 의한 검토에서 flavonol화합물임을 암시하고 있다. 즉 MeOH에서 전형적인 flavonol의 흡수를 나타내며, NaOAc용매에서 15nm 장파장이동으로 C-7위치의 유리 hydroxy기, $AlCl_3$와 $AlCl_3$/HCl 용매 비교에서 30nm 단파장 이동은 B-ring에서 ortho위치의 dihydroxyl존재를 암시한다.

^{1}H-NMR spectrum에서 meta coupling을 하고 있는 두 aromatic proton의 signal [6.40(1H, d, J=2.0Hz, H-8), 6.18(1H, d, J=2.0Hz, H-6)]과 ortho coupling을 하고 있는 두 aromatic proton유래의 signal[7.56(1H, dd, J=2.2&8.6Hz, H-6'), 7.55(1H, d, J=2.2Hz, H-2'), 6.88(1H, d, J=8.6Hz, H-5')]에서 A와 B-ring의 hydroxyl기 위치를 위의 구조로 추정할 수 있다. 이와 같은 데이터의 종합으로 이의 화학구조는 상기 구조를 가지는 flavonol화합물인 quercetin으로 결정할 수 있으며, 이같은 결정은 ^{13}C-NMR spectrum이 문헌치와 일치함으로서 뒷받침할 수 있다.

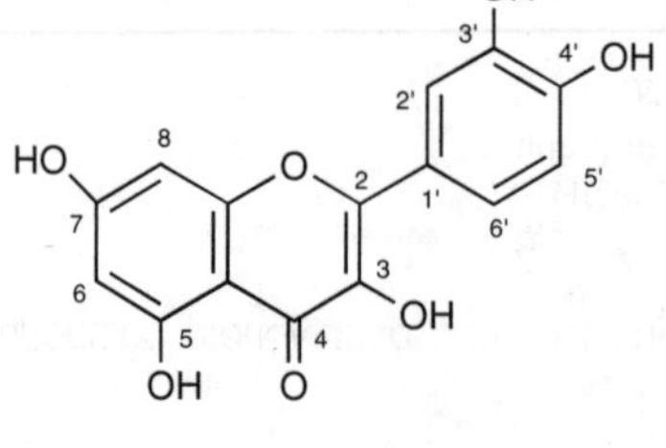

표 13-2 Spectral data of compound B-2 isolated from *Cedrela sinensis*

Items	Spectral data
IR νmax (cm^{-1})	3310, 1662, 1617, 1518, 1365, 1323
UV λmax nm	MeOH: 274, 370,; NaOMe 318, 410; $AlCl_3$ 293, 456; $AlCl_3$+ HCl 274, 426; NaOAc 291, 383; NaOAc+ H_3BO_3 298, 386
^{1}H-NMR(DMSO-d_6, 200MHz,) δ	7.56(1H, dd, J=2.2&8.6Hz, H-6'), 7.55(1H, d, J=2.2Hz, H-2'), 6.88(1H, d, J=8.6Hz, H-5'), 6.40(1H, d, J=2.0Hz, H-8), 6.18(1H, d, J=2.0Hz, H-6)
^{13}C-NMR(DMSO-d_6, 50.3MHz) δ	175.8(C-4), 163.9(C-7), 160.7(C-5), 156.1(C-9), 147.7(C-4'), 146.9(C-2), 145.0(C-3'), 135.7(C-3), 121.9(C-1'), 120.0(C-6'), 115.6(C-5'), 115.1(C-2'), 100.3(C-10), 98.2(C-6), 93.3(C-8)

또한 HPLC를 이용하여 참죽나무 잎에 함유되어 있는 플라보노이드를 분석할 수 있다. 즉 참죽나무 잎에서 분리한 flavonoid화합물을 HPLC를 이용하여 분석하고 이들의 함량을 월별로 채집한 이 식물로부터 정량한다. 이동상 : THF-dioxane-MeOH-HOAc-5%H_3PO_4-H_2O(145:125:50:20:2:658), 유속 : 1.2mℓ/min, UV detector : 365nm, 감도 : 0.1Auf, chart speed : 0.25cm/min의 분석조건으로 5종의 flavonoid 화합물을 분리·분석하며(그림 13-4), 이중 주성분인 quercitrin의 함량은 MeOH 추출물 100mg 중에 5월부터 11월까지 5.81, 6.65, 8.89, 7:94, 5.45, 4.99 및 5.65mg 각각 함유되어 있음을 알 수 있다. 즉 7, 8월달에 주성분 flavonoid인 quercitrin이 가장 많음을 관찰할 수 있다.

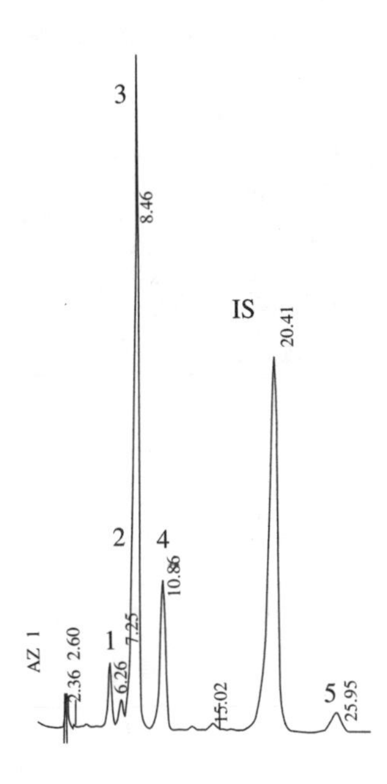

그림 13-4 HPLC chromatogram for EtOAc fraction from Cedrela sinensis

참고문헌

1 우원식 : 천연물화학연구법, 서울대 출판부(1996)

2 한대석 : 생약학, 동명사(1999)

3 Park, J.C., Chun, S.S., Young, H.S. and Kim, S.H.: Studies on the chemical components and biological activities of edible plants in Korea(Ⅱ) -isolation and quantitative analysis of flavonoids from the leaves of *Cedrela sinensis* by HPLC. *J. Korean Soc. Food Nutr.*, 22, p.581(1993)

4. Park, J.C. and Kim, S.H.: Seasonal variation of flavonoid contents in the leaves of *Cedrela sinensis*. *J. Korean Soc. Food Nutr.*, 24, p.578(1995)

제5절 탄닌 성분의 분석

개요

탄닌은 단백질과 결합하는 특성을 가진 폴리페놀의 총칭으로서 그 분자량은 약 500이상이고 탄닌 분류에 관해서는 Freudenberg은 이미 1920년에 그 성질에 따라 가수분해되어지는 것과 가수분해되어지지 않는 것이 있다고 서술하였다. 그 후 몇 개의 탄닌 구조가 명확히 알려지므로 1966년 Haslam은 [Chemistry of Vegitable Tannins]에서 가수분해형 탄닌과 축합형(비가수분해형) 탄닌으로 분류하고 있다. 저자 등도 이 분류를 따르고 있으며 이 분류에 포함되지 않는 형의 탄닌도 있는데 이런 형은 신형탄닌으로서 분류되고 있다. 탄닌의 분류표는 표 13-3과 같다.

가수분해형탄닌은 산, 알칼리 및 효소(tannase)에 의해 가수분해되어지는 다가알콜과 페놀칼본산을 생산한다. 이형의 탄닌은 생성하는 페놀칼본산(또는 그 변화물)에 의한 몰식자산(gallic acid)을 생산하는 갈로탄닌, 엘라지산(ellagic acid)을 생성하는 엘라지지탄닌과 또 다른 몰식자산을 생성하는 기타 탄닌으로 분류되고 있다. 구성 알코올류로서 가장 많이 함유되어 있는 것은 D-glucose이며 그 밖의 당으로서 D-hamamelose, D-xylose이고 다가알코올서는 1,5-anhydroglucitol, protoquercitol, quinic acid, shikimic acid가 있다. 또한 methyl-β-D- glucopyranoside, saligroside, triterpenoid glucoside 등의 배당체도 있다. 갈로탄닌(gallotannin)은 五倍子, 沒食子 등의 중요한 탄닌자원이며 芍藥, 牧丹皮, 大黃, 川骨, 地楡등 많은 생약류에 함유되어 있고 식물계에 널리 분포하고 있다. 갈로탄닌의 갈로일(galloyl)기 대사는 주로 산화적 커플링(coupling)에 의한 것으로 매우 다양하다. 이 갈로일기의 대사중에 갈로일기 2개가 산화적으로 커플링한 헥사히드록시디페노일(HHDP)기 대사가 주가된다. 이 HHDP기를 가진 탄닌은 엘라지탄닌으로서 분류되어 지고 있다. 가수분해에 의해 생성된 엘라지산은 H_2O 알코올 등에 난용이기 때문에 이러한 종류의 탄닌은 예로부터 잘 알려져 왔다. 엘라지탄닌은 HHDP기의 다른 갈로일기, DHHDP기, valoneayl기, chebuloyl기 등의 대사가 보다 더 진행된 페놀칼본산잔기를 가진 것이 많고 구성 칼본산의 종류, 결합위치의 상이, 입체 이성체의 존재등에 의해 그 구조도 매우 복잡해서 여러 종류의 엘라지탄닌이 알려지고 있다. 예로서 chebulagic acid, geraniin, eugeniin, punicacortein, sanguiin등이 여기

표 13-3 탄닌의 분류

분 류	종 류
가수분해형탄닌	갈로탄닌
	엘라지탄닌
	기타
축합형탄닌	단순축합형탄닌
	복합형축합형탄닌
신형탄닌	

에 속해있다. 그밖에 가수분해형탄닌은 갈로일기의 대사에 의해 생성하는 HHDP기 이외에 페놀칼본산잔기를 갖는 탄닌군으로서 여기에는 trapain, terchbin, punicalin등이 있다. 축합형탄닌은 그 기본골격이 가수분해되어지지 않는 탄닌으로서 플라본-3-올(flavan-3-ol) 유도체 구성단위를 하는 단순축합형탄닌 및 플라본-3-올 유도체에 다른 찰칸 베타-올(chalcan β-ol) 즉 커피산을 구성단위로하는 복합축합형탄닌으로 분류되어지고 있다. 축합형탄닌의 구성단위가 되는 플라본-3-올 유도체로서는 (-)-에피카테킨, (+)-카테킨, (-)에피갈로카테킨등이 가장 많고 이것이 4번위치와 8번위치, 4번위치와 6번위치에서 C-C로 결합하거나, 2번위치와 5번위치, 7번위치에 OH가 에테르 결합한 이량체, 삼량체, 사량체가 있다. 단순축합형탄닌으로서는 아레카탄닌(arecatannins), 시나머탄닌(cinnamatannin) 등이 있고 현재 육량체까지 구조가 알려져 있다. 복합축합형탄닌으로서는 찰칸 베타 올을 구성단위로 하는 감비린류(gambiriins), 디히드로커피산이 플라본골격의 A환에 결합한 신코나인류(chinchonains), 칸델린류(kandelins)등이 있다. 신형탄닌은 축합형단위인 플라본-3-올 유도체와 가수분해형탄닌과의 축합된 새로운 탄닌군으로서 축합형탄닌과 가수분해형탄닌의 양쪽 구성요소를 구비한 탄닌이다. 이 형의 탄닌으로서 stenophyllanins류, acutissimins류, stenophynins류 등이 있다.

시료조제, 시약 · 기구 및 실험방법

■ 정색반응

- 염화제2철시약 : 탄닌은 페놀류의 정색시약에서는 항상 양성이지만 그중에서도 $FeCl_3$시약이 가장 민감하게 반응한다. 축합형탄닌중 (+)-카테킨, (-)-에피카테킨 등의 카테골계를 구성단위로 하는 것은 오록색(汚綠色) 반응을, (+)-갈로카테킨, (-)-에피갈로카테킨 등의 피로갈롤계 및 몰식자산이 에스테르결합하고 있는 것은 청색(靑色)반응을 한다. 가수분해형탄닌은 청색반응을 한다.
- 아니스알데히드유산시약 : 축합형탄닌과 플라보노이드 및 다른페놀류와의 구별에 유효하고 축합형탄닌은 등적색(橙赤色)의 정색반응한다.
- 기타 : 엘라진탄닌과 갈로탄닌의 구별에는 엘라지탄닌만 아소산시약, Na_2SO_3-Na_2CO_3(NSSC)에 양성반응을 한다.

■ 분리

- 종이크로마토그래피 : 탄닌 분류에는 일반적으로 2%초산과 부탄올-초산-증류수계를 전개용매로하는 2차원으로 종이크로마토그래피(PPC)를 이용하고 있지만 이 방법은 전개시간이 장시간 요하고 또 전개정도가 불명확하다.
- 박층크로마토그래피 : 박층크래마토그래피(TLC)는 가장 간편한 분리 방법으로서 빈번하게 사용한다. 그렇지만 탄닌은 강한 극성을 함유하고 또 식물중의 탄닌 구성도 복잡하기 때문에 추출물을 그대로 스포팅(spotting)해서 각각의 탄닌을 분리 정성하는 것이 곤란할 경우가 많다. 분리된 분획 프랙션(fraction)의 순도의 확인방법으로서 우수한 방법이나 이것도 한계가 있다.
- 실리카겔박층크로마토래피 : 최근에 가장 많이 이용되는 TLC로서 전개용매로서는 벤젠:개미산에틸:개미산 용매계가 가장 많이 이용되고 있다. 축합형탄닌은 이 용매계의 다양한 비율, 예를들면 2 : 7 : 1, 1 : 7 : 1, 1 : 5 : 2로 전개하는 것이 보다 단량체로부터 오량체의 분리가

가능하다. 그렇지만 이 용매계도 구조의 이성체분리는 불가능하기 때문에 이를 위해서는 다음에 서술한 고속액체크로마토그래피를 병용하는 것이 보다 분리, 정성 효과가 좋다. 가수분해형탄닌은 이 용매에서 다소 테일링(tailing)이 있지만 분리는 양호하다.

- 셀룰로즈박층크로마토그래피 : 가수분해형탄닌에 유효하고 전개용매로서는 2%초산, *n*-부탄올 : 초산 : 증류수(4:1:5, 상층)이 이용되고 있고 실리카겔 TLC와 병용하면 효과가 좋다.
- 고속액체크로마토그래피 : 고속액체크로마토그래피(HPLC)은 탄닌류의 정성 및 정량으로서 우수한 방법이다.
- 순상고속액체크로마토그래피 : 순상크로마토그래피의 칼럼은 현재 많은 것이 시판되고 있지만 본연구실에서는 주로 구형전다공형의 Nucleosil 50-10(Nagel Co.), Zorbax SIL(Dupont Co.)를 이용하고 있다. 용출용매로서는 *n*-헥산:메탄올:테트라히드라프란:개미산계에 수산을 가하여 사용하면 분리가 용이하다.
- 역상고속액체크로마토그래피 : 역상HPLC에는 옥타데실실란계의 담체[(Nucleosil 5C18(Nagel Co.)], TSK-gel ODS-120T(東洋曹達社製)와 용출용매로서는 물:아세트니트릴에 수산 혹은 NaH_2PO_4를 첨가하는 것을 사용하고 있다.

결과 및 고찰

1 추출 : 탄닌은 극성용매인 물, 알코올, 아세톤 등에 쉽게 용출되기 때문에 탄닌류의 추출에는 이런 용매를 사용하고 있다. 저의 연구실에서는 이런 용매를 이용하여 작약에 포함되어 있는 펜타갈오일글루코스의 추출효율을 조사한 결과 증류수가 첨가된 아세톤용액에서 최고의 추출효과가 확인되었다. 또 아세톤은 탄닌과 단백질과의 결합 일부를 분리한다는 보고도 있기 때문에 이러한 점 때문에 증류수가 첨가된 아세톤은 탄닌의 추출용매로서 가장 우수하다고 생각되어진다. 종래 알코올류도 사용되어왔지만 가수분해형탄닌, 특히 뎁시트결합을 갖는 탄닌의 경우에는 에스테르결합 일부가 알콜리시스을 받아 변화가 일어날 수 있다. 또 추출에서 주의점은 탄닌은 금속이온 및 열에 대해 불안전하므로 추출용기로서는 유리용기나 스테인레스 용기를 이용하고 실온하에서 추출하는 것이 바람직하다.

2 분획 : 탄닌류의 분획에는 종래 주로 물과 초산에테르로서 분배하는 방법을 많이 이용하여왔다. 이 방법은 갈로탄닌류 및 저분자탄닌류의 분획을 목적으로 한다면 유용하지만 탄닌류는 식물중에 통상 저분자에서 고분자에 이르기까지 복잡한 혼합물로 존재하기 때문에 용매간 분배로서는 명확한 분획은 곤란할 경우가 많다. 탄닌은 Sephadex LH-20 혹은 역상계크로마토 담체에 흡착되어지고 물을 함유한 아세톤 등의 용매로서 추출하면 시료의 완전한 회수가 가능하므로 탄닌의 분획에 이 방법이 많이 이용되고 있다.

3 단리 : 일반적으로 탄닌 구성은 매우 복잡하고 탄닌의 극성이 지극히 강하기 때문에 이러한 단리가 곤란할 경우가 많다. 탄닌의 순수단리에는 크로마토그래피가 가장 적절하지만 탄닌은 여러 종류 크로마토담체에 대해서 약한 흡착을 가지므로 단리가 곤란하기 때문에 담체의 선택이 매우 중요하다. 현재 유기화합물의 분리에 빈번히 사용되고 있는 실리카겔, 알루미늄, 폴리아미드 등의 극성기를 갖는 크로마토담체에는 현저하게 흡착되어진다. 이런 칼럼크로마토그래피에서는 변화를 동반하는 것도 있다. 수율이 나쁜 탄닌의 분획, 분리에는 부적합하다.

본 연구실에서는 탄닌류의 단리에는 다음과 같은 크로마토그래피를 사용하고 있다.

① Sephadex LH-20 dextran gel(Pharmacia Co.): Sephadex LH-20은 원래 겔투과성용 그로마토 담체이지만 탄닌류는 여기에 대해서 비교적 강하게 흡착되어지고 용출 용매의 선택에 보다 용이하고 회수가 우수하여 정량적 분획이 우수하다. 그래서 흡착크로마토그래피의 일반적인 응용에 이용이 가능하다. 이 겔은 각종 유기용매의 사용이 가능하고 용매의 종류에 의해 흡착력의 차이가 있다. 여러 용출 용매중 본 실험실에서 가장 많이 사용하고 있는 것으로는 증류수, 메탄올, 에탄올, *n*-프로파놀, 아세톤, 클로로포름 등이 사용되고 있다. 이러한 용매의 용출능력은 탄닌의 구성등에 의해 다르지만 일반적으로 클로로포름〈*n*-부탄올〈아세톤〈에탄올〈메탄올의 순으로 용출 속도가 빠른 경향이 있다. 또 이러한 용매에 물을 첨가하면 보다 탄닌이 Sephadex LH-20에 대해 흡착력이 현저히 증가하고 또 다른 용출 형태를 보여준다.

최근 가장 많이 사용하는 용매계는 다음과 같다.

클로로포름:메탄올(4:1 - 1:1), 클로로포름:에탄올(4:1 - 1:1), *n*-부탄올:에탄올(2:1 - 1:1), 에탄올:물(4:1 - 1:1), 에탄올:물:아세톤(1:0:0 - 3:2:5), 메탄올:물:아세톤(1:0:0 - 1:1:1), 물:메탄올:아세톤(1:0:0 - 0:1:0 - 1:0:1)이 있다. 이런 용매계를 이용하는 그레디언트(gradient)용출에서는 첨가하고 있는 용매의 순서에 의해 매우 특이한 용출 형태를 시사할 경우가 많다. 또 여러 종류의 알코올류(메탄올, 에탄올, *n*-프로파놀)을 선택에 의한 것이 탄닌류의 용출 속도가 현저히 다르고 이것을 적절히 이용하는 것이야말로 보다 분리를 효율적으로 높이는데 많은 의미가 있다. 이런 용매계의 선택에 관해서는 실리카겔에 의한 것처럼 사전에 박층크로마토그래피(TLC)에서 분리능력을 조사하는 것이 불가능하기 때문에 모던 경험을 바탕으로 하는 기초하에서 시행할 수밖에 없는 것이 현실이다. 그러나 Sephadex LH-20에 의한 크로마토그래피에서 물:아세톤(1:1)로 용출하는 것은 시료가 완전히 회수되는 때문에 이러한 점에서 Sephadex LH-20은 매우 우수한 담체이다. 위에서와 같이 여러 종류의 용매계의 사용에 의해 다른 페놀류 혹은 극성기를 함유하는 유기화합물의 분리도 가능하다는 것이 입증되었다. 그후 각종 천연유기화합물의 분리에도 널리 응용되어질 것으로 생각되어진다.

② MCI-gel CHP 20P(Diaion HP-20 : 三菱化成工業株式會社): MCI-gel CHP 20P는 미세구멍을 함유하는 폴리스칠렌계의 수지로서 최근에 역상크로마토그래피용의 담체로서 천연유기화합물의 분리에 이용되고 있다. 많은 탄닌류는 겔에 대해 수용액 중에 현저히 흡착한다는 것을 알았다. 이러한 용출에는 통상, 물에 메탄올을 순차적으로 가해 그래디언트법으로 이용되고 있으며 약 50%의 메탄올 용액의 농도에서 거의 모던 탄닌이 완전한 용출이 가능하다. 여러 종류의 탄닌분리에 가능하지만 특히 다음에 설명할 Bondapak C18 Porasil B, Fuji gel과 같이 구조 이성체의 분리에 매우 유효한 수지이다.

③ Bondapak C18 Porasil B(Water Co.), Fuji gel ODSG3(水戶化學技術硏究所製): 위의 두 담체는 향상 옥타데실실란계의 역상용의 크로마토담체로서 양담체의 용출형태는 매우 유사하다. 그러나 Bondapak C18 Porasil B은 Fuji gel에 비교해서 시료의 보지력이 많고 보지시간도 길기 때문에 비교적 빨리 용출하는 탄닌류(모노 혹은 디갈레트류)의 분리에 적합하다. 용매계는 MCI-gel과 거의 동일하나 용출순서의 역전 등 탄닌류의 용출형태는 약간의 차이가 있기 때문에 양자를 병용하여 사용하면 분리가 곤란한 탄닌류의 분리도 가능하다.

④ Avicel cellulose: 탄닌류는 셀룰로즈에 대해 흡착이 비교적 약하고 특히 축합형탄닌은 대부분 고분자이기 때문에 흡착이 거의 불가능하므로 셀룰로즈에 의한 분리는 곤란하다. 그러나 일부 가수분해형탄닌은 2% 초산용액에서 용출되므로 매우 유용하게 사용할 수도 있다. 셀룰로즈에 의한 크로마토그래피의 최대 장점은 셀룰로즈 TLC를 시험해 보면 보다 용이한 분리, 용매계의 선택이 가능하다. 이러한 점에서 Sephadex LH-20, MCI-gel CHP 20P, Bondapak C18 등이 보다 효과가 있다. 크로마토그래피용매로서는 2%의 초산을 많이 사용하고 있지만 용출액으로부터 직접 감압증발기로 증류하면 가수분해 등의 반응이 많이 일어날 수 있다. 이 때문에 Sephadex LH-20, MCI-gel등의 칼럼을 통해서 초산을 용출 후 적당한 용매에서 시료를 용출하는 것이 시료를 안정하게 함으로 초산에 의한 시료의 가수분해 등 2차변화를 방지할 수 있다.

참고문헌

1. Partington, J.R: "A History of Chemistry," vol.3, Macmillan, London, p.233(1962)
2. Schmidt, O.T., Schmidt, D.M.,: Justus Liebigs Ann. Chem., 578, 25, p.31(1952)
3. Freudenberg, K.: "Die chemie der Naturlichen Gerbstoff," Springer-Verlag, Berlin(1920)
4. Haslam, E: "Chemistry of Vegetable Tannins," Academic Press, London and New York(1966)
5. Hashimoto, F., Nonaka G. and Nishioka I. 8-C-ascorbyl (-)-epigallocatechin-3-O-gallate and novel dimeric flavan-3-ols, Oolong homo bisflavans A and B, from Oolong Tea. Chem. Pharm. Bull. 37, p.3255(1989)
6. Nonaka, G.H. Isolation and structure elucidation of tannins. Pure & Appl. Chem. 61, p.347(1992)
7. Morimoto, S., Nonaka G.H. and Nishioka, I. Isolation and structure of novel bi-and triflavonoids from the leaves of Cassia fistula L. Chem. Pharm. Bull. 36, p.39
8. Hashimoto, F., Nonaka G.H. and Nishioka I. Isolation of four new acylate flavan-3-ols from Oolong Tea. Chem. Pharm. Bull. 359, p.611(1987)
9. 11. An, B.J., Bae, M.J., Choi, C.: Chemical structures and isolation of glucosyltransferase inhibitor from the leaves of Korean Persimmon, Food Science and Biotechnology, 7, p.23(1998)
10. An, B.J. and Lee, J.T.: Isolation and Characterization of angiotensin converting enzyme inhibitors from Camellia sinensis L. and their chemical structure determination, Food Science and Biotechnology, 8, p.285(1999)

제 6 절 알칼로이드 성분의 분석

개 요

1 알칼로이드의 특징 : 알칼로이드는 의약품과 화학분야에서 매우 중요하게 취급되고 있는 화합물이며, 1805년 Serturner에 의해 morphine을 순수히 분리함으로서 알칼로이드 분리 역사가 시작되었다. 알칼로이드는 식물의 2차 대사산물 중에서 가장 종류가 많은 화합물로서 16,000예가 알려져 있다. 알칼로이드라는 단어에 완전히 만족할 만한 정의는 없지만 일반적으로 식물체에서 1개 이상의 질소원자가 포함된 고리를 가진 염기성 물질로서 미량에서 강력한 생리활성이 있는 물질의 총칭이다. 그러나 colchicine처럼 염기성이 없거나 bufotenine처럼 식물 이외에 균류 및 동물에 존재하는 예외도 있다. 알칼로이드는 인간에게 유독한 것이 많으며, 또한 여러 가지 강력한 생리활성을 갖고 있으므로 의약품으로 사용되는 것이 많다.

2 알칼로이드의 확인시험 : Dragendorff시약, Iodoplatinate시약, Marquis시약 등의 확인시약으로 알칼로이드의 존재를 확인한다. 이중 TLC에서 황적색의 발색으로 간단히 알칼로이드를 확인할 수 있는 Dragendorff시약이 많이 이용된다. 신선한 잎과 과일에서 알칼로이드 존재 유무를 시험하는 데 간단하고 정확한 방법은 혀에 주는 쓴맛으로 판단할 수 있다. 예를 들어 quinine은 알려진 가장 쓴 물질의 하나인데 1×10^{-5}M농도에서도 아주 쓴 맛을 느낀다.

시료조제

식물재료를 음건세절하여 70% EtOH로 추출하여 얻은 추출물을 알칼로이드의 분리를 위한 시료로 사용한다.

시약 및 기구

추출 및 분리용매는 특급 및 1급 시약, 알칼로이드의 분리를 위해선 vacuum-liquid chromatography와 chromatotron을 사용한다. 구조분석은 IR, MS, NMR spectrometer 등을 이용한다.

실험방법

알칼로이드 성분이 풍부한 *Delphinium elatum* var. *black night*의 70% EtOH 추출물을 실험방법을 이용하여 알칼로이드 성분을 분리한다.

결과 및 고찰

알칼로이드는 화학구조가 대단히 다양하고 그 수가 많기 때문에 그들을 식물 추출물에서 단순한 chromatography만으로 확인할 수는 없다. 알칼로이드는 용해도나 기타 성질이 서로 아주 다르기 때문에 일반적인 검색과정으로 특정 알칼로이드를 확인하기가 어렵다. 알칼로이드는 염기이므로

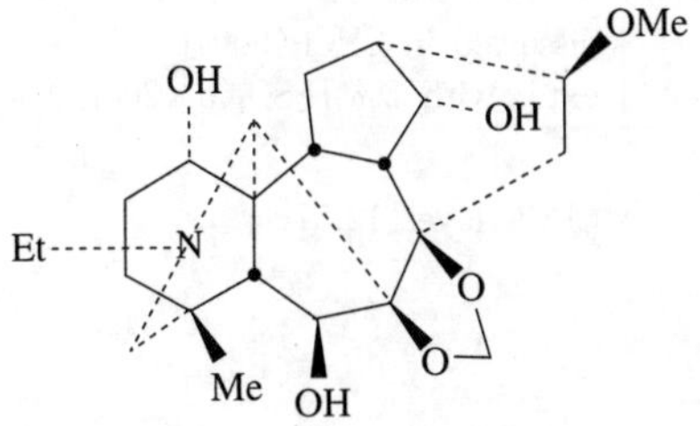

blacknine 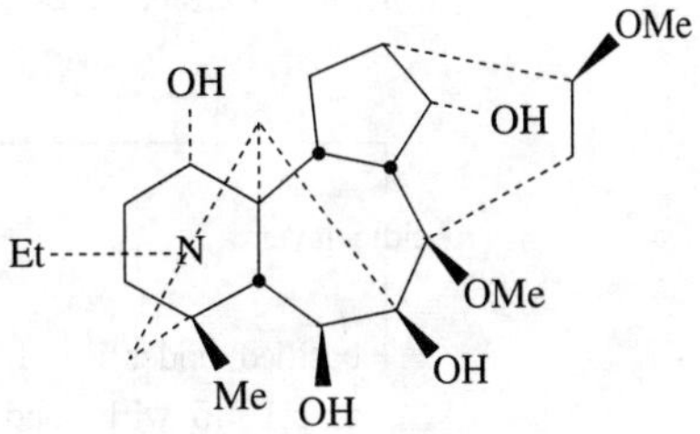 blacknine

그림 13-5 Alkaloid structures isolated from *Delphinium elatum var. black night*

식물을 약산성(1M HCl 혹은 1% HAc) 알코올로 추출한 후 NH_4OH로 침전시킬 수 있다. 이 조작을 반복함으로써 다른 구성성분을 제거한다. 특히 산, 알칼리로 반복 추출하여 얻은 알칼로이드 혼합물은 vacuum-liquid chromatography와 Chromatotron을 이용하면 순수하게 잘 분리할 수 있다. 이에 대한 자세한 내용은 문헌에 소개된 Pelletier 등의 논문을 참고바란다.

Delphinium속 식물에는 Aconitum속 식물과 함께 풍부한 알칼로이드가 함유되어 있으며, 주로 독성이 강한 탄소 20개의 골격을 갖는 diterpenoid alkaloid와 탄소 19개의 골격을 가지는 norditerpenoid alkaloid가 대부분이다. 그중 *Delphinium elatum* var. *black night*에서 분리한 새로운 norditerpenoid alkaloid인 blacknine과 blacknidine의 분리과정과 화학구조를 소개한다(그림 13-5)

참고문헌

1. 우원식 : 천연물화학연구법, 서울대출판부(1996)
2. 한대석 : 생약학, 동명사(1999)
3. Park, J.C., Desai, H.K. and Pelletier, S.W : Two new norditerpenoid alkaloids from *Delphinium elatum* var. *black night*. *J. Natural Product*, 58, p.291(1995)
4. Pelletier S.W., Joshi, B.S. and Desai, H.K: Technique for isolation of alkaloids. In "Advances in medicinal plant research" Vlietinck, A.J. and Dommisse, R.A.(eds.), WVS p.153(1985)

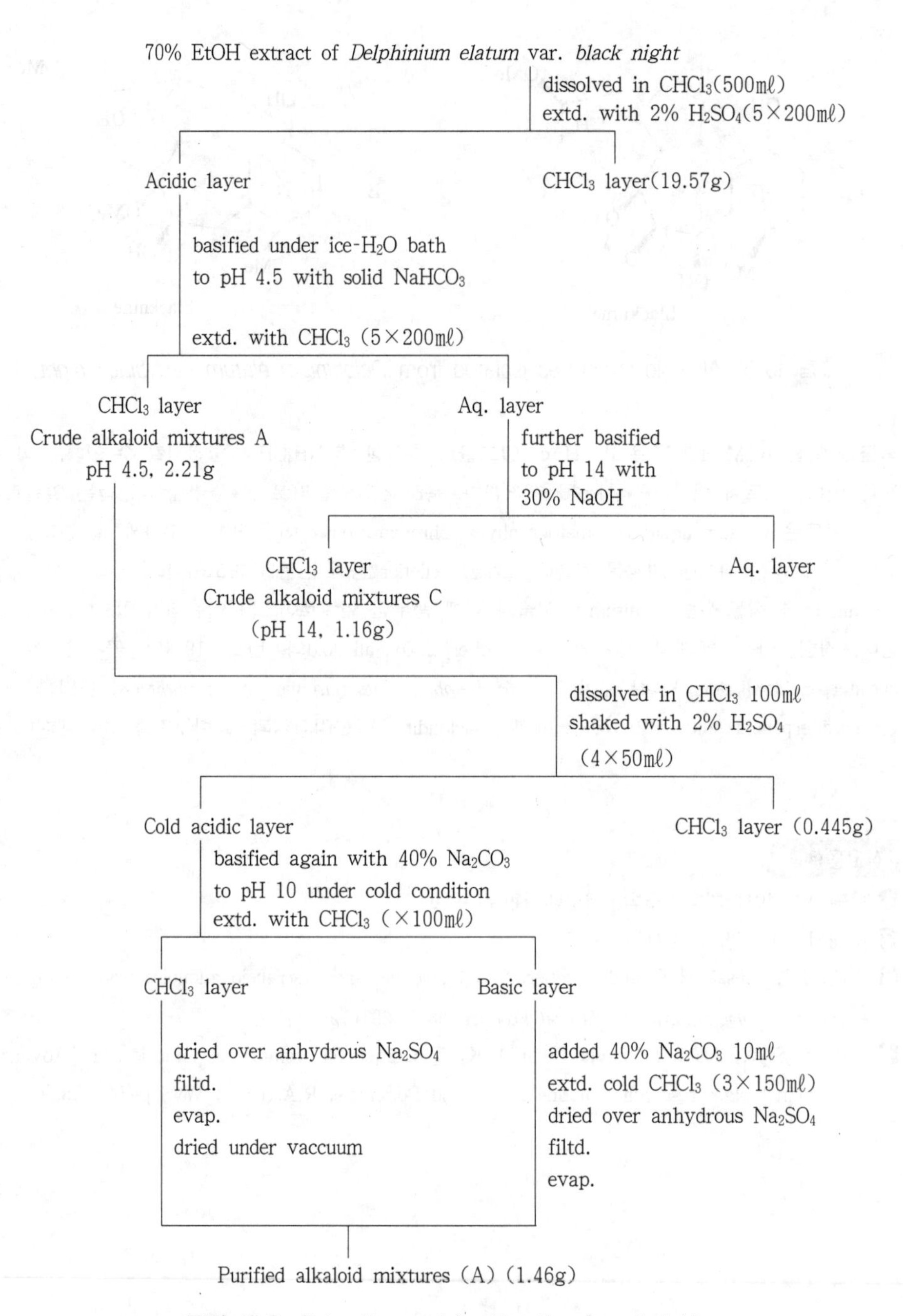

그림 13-6 Extraction and fractionation for alkaloid

부 록

부록 Ⅰ. 국제 단위법(SI단위)

부록 Ⅰ-1 SI 계 기본 단위

양	단 위	기 호
길 이	미 터	m
질 량	킬로그램	kg
시 간	초	s
온 도	켈 빈	K
물질의 양	몰	mol
전 류	암 페 어	A
광 도	칸 델 라	cd

부록 Ⅰ-2 SI 계 접두어

배 수	접두어	기 호
10^{18}	exa	E
10^{15}	peta	P
10^{12}	tera	T
10^{9}	giga	G
10^{6}	mega	M
10^{3}	kilo	k
10^{2}	hecto	h
10	deka	da
10^{-1}	deci	d
10^{-2}	centi	c
10^{-3}	milli	m
10^{-6}	micro	μ
10^{-9}	nano	n
10^{-12}	pico	p
10^{-15}	femto	f
10^{-18}	atto	a

부록 Ⅱ. 그리스 문자

대문자	소문자	영어
Α	α	Alpha
Β	β	Beta
Γ	γ	Gamma
Δ	δ	Delta
Ε	ε	Epsilon
Ζ	ζ	Zeta
Η	η	Eta
Θ	θ	Theta
Ι	ι	Iota
Κ	κ	Kappa
Λ	λ	Lambda
Μ	μ	Mu
Ν	ν	Nu
Ξ	ξ	Xi
Ο	ο	Omicron
Π	π	Pi
Ρ	ρ	Rho
Σ	σ	Sigma
Τ	τ	Tau
Υ	υ	Upsilon
Φ	ψ	Phi
Χ	χ	Chi
Ψ	φ	Psi
Ω	ω	Omega

부록 Ⅲ. 단위환산표

길 이	무 게
1 m = 39.37 in = 3.281 ft = 1.0936 yd 1 in = 0.0254 m = 2.54 cm 1 km = 0.6214 mile 1 angstrom(Å) = 10^{-10} m = 0.1 nm 1 micron(㎛) = 10^{-6} m 1 mile = 1.609 km	1 g = 0.03527 oz 1 kg = 2.205 lb = 35.27 oz 1 ton = 10^6g = 1000 kg 1 lb = 453.6 g 1 oz(ounce) = 28.35 g
부 피	**압 력**
1 *l* = 1000 m *l* = 1000.028 cm^3 1 ft3 = 28.3 *l* = 7.48 gal 1 gal = 0.785 *l* 1 oz(US liguid) = 29.6 m *l* 1 pint = 473.170 m *l* 1 guart = 946 m *l* 1 *l* = 1.06 quarts 1 barrel(석유) = 42 gla (USA) = 158.99 *l*	1 기압 (atm) = 101,325Pa = 760mmHg = 14.70 lb/in^2 = 1.013×10^6 dyn/cm^2 = 760 torr **온 도** 0°K = -273.18℃ K = ℃ + 273 ℉ = 9/5℃ + 32 ℃ = 5/9°(F-32)
에너지	**여러 가지 상수와 다른 환산자료**
1 J = 10^7 erg 1 cal = 4.184 J 1 Btu = 252.0 cal = 1054 J = 3.93×10^{-4} hp·hr = 2.93×10^{-4} kw·hr 1 L·atm = 24.2cal = 101.325J 1 eV = 1.602×10^{-19} J	빛의 속도 (c) = 2.998×10^8 m/sec = 186,272 mile/sec 기체 상수 (R) = 0.08205 L·atm/mol·K = 8.314 J/mol·K = 1986 cal/mol·K = 62.36 L·torr/mol·K 플랑크 상수 (h) = 6.625×10^{-34} J·sec 아보가드로 수 (N) = 6.023×10^{23}

전 기
1 A(Ampere) = 매초 1 Coulomb의 흐름
1 Volt = 1 A의 정상전류를 통할 때의 저항 1Ω의 도선의 양쪽 끝의 전위 차와 같다.
1 F(Faraday) = 96,500 Coulombs
1 Coulomb - 진기분해로 0.001118g의 Ag를 석출시키는데 필요한 전기량

부록 Ⅳ. 원소의 원자량 일람표

원자번호	기호	원소명( )는 영어명	원자량	원자번호	기호	원소명( )는 영어명	원자량
1	H	수 소(Hydrogen)	1.00797, ±0.00001*	56	Ba	바 륨(Barium)	137.34
2	He	헬 륨(Helium)	4.0026	57	La	란 타 늄(Lanthanium)	138.91
3	Li	리 튬(Lithium)	6.939	58	Ce	세 륨(Cerium)	140.12
4	Be	베 릴 륨(Beryllium)	9.0122	59	Pr	프라세오디뮴(Praseodymium)	140.907
5	B	붕 소(Boron)	10.811, ±0.003*	60	Nd	네오디뮴(Neodymium)	144.24
6	C	탄 소(Carbon)	12.01115, ±0.00005*	61	Pm	프로메튬(Promethium)	[147]
7	N	질 소(Nitrogen)	14.0067	62	Sm	사 마 륨(Samarium)	150.35
8	O	산 소(Oxygen)	15.9994, ±0.0001*	63	Eu	유 로 퓸(Europium)	151.96
9	Fe	불 소(Fluorine)	18.9984	64	Gd	가돌리늄(Gadolinium)	157.25
10	N	네 온(Neon)	20.183	65	Tb	테 르 븀(Terbium)	158.924
11	Na	나 트 륨(Sodium)	22.9898	66	Dy	디스프로슘(Dysprosium)	162.50
12	Mg	마그네슘(Magnecium)	24.312	67	Ho	홀 뮴(Holmium)	164.930
13	Al	알루미늄(Aluminium)	26.9815	68	Er	에 르 븀(erbium)	167.26
14	Si	규 소(Silicon)	28.086, ±0.001*	69	Tm	툴 륨(Thulium)	168.934
15	P	인 (Phosphorus)	30.9738	70	Yb	이테르븀(Ytterbium)	173.04
16	S	황 (Sulfer)	32.064, ±0.003	71	Lu	류 테 튬(Lutetium)	174.97
17	Cl	염 소(Chlorine)	35.453**	72	Hf	하 프 늄(Hafnium)	178.49
18	Ar	아 르 곤(Argon)	39.948	73	Ta	탄 탈 륨(Tantalum)	180.948
19	K	칼 륨(Potassium)	39.102	74	W	텅 스 텐(Tungsten)	183.85
20	Ca	칼 슘(Calcium)	40.08	75	Re	레 늄(Rhenium)	186.2
21	Sc	스 칸 듐(Scandium)	44.956	76	Os	오 스 뮴(Osmium)	190.2
22	Ti	티 타 늄(Titanium)	47.90	77	Ir	이 리 듐(Iridium)	192.2
23	V	바 나 듐(Vanadium)	50.942	78	Pt	백 금(Platinum)	195.09
24	Cr	크 롬(Chromium)	51.996**	79	Au	금 (Gold)	196.967
25	Mn	망 간(Manganese)	54.9381	80	Hg	수 은(Mercury)	200.59
26	Fe	철 (Iron)	55.847**	81	Tl	탈 륨(Thallium)	204.37
27	Co	코 발 트(Cobalt)	58.9332	82	Pb	납 (Lead)	207.19
28	Ni	니 켈(Nickel)	58.71	83	Bi	비스머스(Bismuth)	208.980
29	Cu	구 리(Copper)	63.54	84	Po	폴 로 늄(Polonium)	[210]
30	Zn	아 연(Zinc)	65.37	85	At	아스타틴(Astatine)	[210]
31	Ga	갈 륨(Gallium)	69.72	86	Rn	라 돈(Radon)	[222]
32	Ge	게르마늄(Germanium)	72.59	87	Fr	프 랑 슘(Francium)	[223]
33	As	비 소(Arsenic)	74.9216	88	Ra	라 듐(Radium)	[226.05]
34	Se	셀 렌(Selen)	78.96	89	Ac	악 티 늄(Actinium)	[227]
35	Br	브 롬(Bromine)	79.96	90	Th	토 륨(Thorium)	232.05
36	Kr	크 립 톤(Krypton)	83.80	91	Pa	프로트악티늄(Protactinium)	[231]
37	Rb	루 비 듐(Rubidium)	85.47	92	U	우 라 늄(Uranium)	238.07
38	Sr	스트론튬(Strontium)	87.62	93	Np	넵 투 늄(Neptunium)	[237]
39	Y	이 트 륨(Yttrium)	88.905	94	Pu	플루토늄(Plutonium)	[242]
40	Zr	지르코늄(Zirconium)	91.22	95	Am	아메리슘(Americium)	[243]
41	Nb	니 오 븀(Niobium)	92.906	96	Cm	퀴 륨(Curium)	[247]
42	Mo	몰리브덴(Molybdenum)	95.94	97	Bk	버 클 륨(Berkelium)	[249]
43	Tc	테크네튬(Technetium)	[99]	98	Cf	칼리포르늄(Californium)	[251]
44	Ru	루 테 늄(Ruthenium)	101.07	99	Es	아인시타이늄(Einsteinium)	[254]
45	Rh	로 듐(Rhodium)	102.905	100	Fm	페 르 뮴(Femium)	[253]
46	pd	팔 라 듐(Palladium)	106.4	101	Md	멘델레븀(Mendelvium)	[256]
47	Ag	은 (Silver)	107.870**	102	No	노 벨 륨(Nobelium)	[254]
48	Cd	카 드 뮴(Cadmium)	112.40	103	Lw	로 렌 슘(Lawrencium)	[257]
49	In	인 듐(Indium)	114.82				
50	Sn	주 석(Tin)	118.69				
51	Sb	안 티 몬(antimony)	121.75				
52	Te	텔 루 륨(Tellurium)	127.60				
53	O	요 오 드(Iodine)	126.904				
54	Xe	크 세 논(Xenon)	131.304				
55	Cs	세 슘(Cesium)	132.905				

* 이들 원소의 원자량은 동위체 조성의 자연계에 있어서의 변동 때문에 이 정도로 변한다.
** 이들 원소의 원자량에는 다음과 같은 실험상의 오차가 동반된다고 생각된다.
Cl±0.001 Cr±0.001 Ee±0.003 Br±0.002 Ag±0.003
기타 원소에서는 최후의 숫자는 ±05의 오차로 신뢰가 된다고 생각된다. [ ]내의 수치는 가장 대표적인 동위원소의 질량수이다.

부록 V. 분자량표

화합물	분자량
$AgBr$	187.80
$AgCl$	143.34
$AgCN$	133.90
$AgSCN$	165.97
Ag_2CrO_4	331.77
$Ag_2Cr_2O_7$	431.78
AgI	234.80
$AgNO_3$	169.89
Ag_2O	231.76
Ag_3PO_4	418.68
Ag_2S	247.83
Ag_2SO_4	311.83
$AlCl_3$	133.35
$AlCl_3 \cdot 6H_2O$	241.45
$AlK(SO_4)_2 \cdot 12H_2O$	474.45
$AlNa(SO_4)_2 \cdot 12H_2O$	458.35
$AlNH_4(SO_4)_2 \cdot 12H_2O$	453.40
Al_2O_3	101.94
$Al(OH)_3$	77.99
$Al_2(SO_4)_3$	342.15
$Al_2(SO_4)_3 \cdot 18H_2O$	666.42
As_2O_3	197.82
As_2O_5	229.82
As_2S_3	246.06
As_2S_5	310.17
$AuCl_3$	303.58
$BaBr_2 \cdot 2H_2O$	333.3
$BaCl_2$	208.27
$BaCl_2 \cdot 2H_2O$	244.4
$BaCO_3$	197.37
$BaCrO_4$	253.4
$Ba(NO_3)_2$	261.4
BaO	153.4
$Ba(OH)_2$	171.38
$Ba(OH)_2 \cdot 8H_2O$	315.5
$BaSO_4$	233.5
$Bi(NO_3)_3 \cdot 5H_2O$	485.1
Bi_2O_3	466.0
$Bi(OH)_3$	260.02
$BiO(NO_3) \cdot H_2O$	305.02
Bi_2S_3	514.18
B_2O_3	69.64
$CaBr_2$	199.92
CaC_2	64.09
$CaCl_2$	110.99
$CaCl_2 \cdot 6H_2O$	219.05
$CaCO_3$	100.08
CaF_2	78.07
$CaHPO_4 \cdot 2H_2O$	172.14
$Ca(H_2PO4)_2 \cdot H_2O$	252.20
$Ca(NO_3)_2$	164.10
$Ca(NO_3)_2 \cdot 4H_2O$	236.13
CaO	56.07
$Ca(OH)_2$	74.09
$Ca3(PO_4)_2$	310.29
CaS	72.14
$CaSO_4$	136.14
$CaSO_4 \cdot 2H_2O$	172.16
$CaSO_4 \cdot 1/2H_2O$	145.15
$CdCl_2$	183.3
CDI_2	366.2
$Cd(NO_3)_2$	308.5
CdS	144.5
$CdSO_4$	208.5
CeO_2	172.13
$Ce(SO_4)_2 \cdot 2(NH_4)SO_4 \cdot 2H_2O$	632.56
CCl_4	153.85
$(CH_3CO)_2O$	102.09
CO	28.01
CO_2	44.01
CS_2	76.15
$CoCl_2$	129.89
$CoCl_2 \cdot 6H_2O$	237.99
$CoCO_3$	118.98
$CoNa_3(NO_2)_6 \cdot 1/2H_2O$	404.02
$Co(No_3)_2 \cdot 6H_2O$	291.08
CoO	74.97
CoO_3	165.94
$Co(OH)_3$	109.99
CoS	91.04
$CoSO_4 \cdot 7H_2O$	281.15
$CrCl_3$	158.4
$CrK(SO_4)_2 \cdot 12H_2O$	499.4
$CrK(SO_4)(SO_4)_2 \cdot 12H_2O$	478.3
$Cr(NO_3)_3 \cdot 9H_2O$	400.12
Cr_2O_3	152.0
$Cr(OH)_3$	103.04
$Cr2(SO_4)_3 \cdot 18H_2O$	716.4
$Cr(SO_4)_3$	389.20
$CuCl_2$	134.49
$CuCl_2 \cdot 2H_2O$	170.52
$CuSCN$	121.66
$CuCO_3 \cdot Cu(OH)_2$	221.17
CuI	190.49
$Cu(NO_3)_2 \cdot 3H_2O$	241.63
Cu_2O	143.14
CuO	79.57
$Cu(OH)_2$	97.59
Cu_2S	159.21
CuS	95.64
$CuSO_4$	159.64
$CuSO_4 \cdot 5H_2O$	249.72
$FeCl_3$	162.22
$FeCl_3 \cdot 6H_2O$	270.27
$FeCo_3$	115.85
$Fe(NH_4)_2(SO_4)_2 \cdot 6H_2O$	392.16
$Fe(NH_4)(SO_4)_3 \cdot 12H_2O$	482.21
$Fe(NO_3)_3 \cdot 9H_2O$	404.01
FeO	71.84
Fe_2O_3	159.68
Fe_3O_4	231.52
$Fe(OH)_3$	106.86
$FePO_4 \cdot 2H_2O$	186.91
FeS	87.91
$FeSO_4 \cdot 7H_2O$	278.02
$Fe_2(SO_4)_3$	399.89
$Fe(SO4)3 \cdot 9H2O$	562.02
$H_3AsO_4 \cdot 1/2H_2O$	151.0
H_3BO_3	61.84
HBr	80.92
$HCHO_2$(formic acid)	46.03
$HC_2H_3O_2$(acetic acid)	60.05
$HC_7H_5O_2$(tartaric acid)	122.12
$H_2C_4H_4O_6$(tartaric acid)	150.09
$H_3C_6H_5O_7$(citric acid)	192.12
HCl	36.47
$HClO_3$	84.47
$HClO_4$	100.47
HCN	27.03
$H_2C_2O_4 \cdot 2H_2O$	126.07
HF	20.10
HI	127.93
HIO_3	175.93
HNO_3	63.02
H_2O	18.016
H_2O_2	34.016
H_3PO_2	66.06
H_3PO_3	82.06
H_3PO	98.02
H_2S	34.08
H_2SO_3	82.06
H_2SO_4	98.08

부록 V. (계속)

화합물	분자량	화합물	분자량	화합물	분자량
Hg_2Br_2	516.04	$MgCl_2$	95.23	$NaIO_4 \cdot 3H_2O$	267.97
$HgBr_2$	360.44	$MgCl_2 \cdot 6H_2O$	203.34	Na_2MoO_4	206.00
Hg_2Cl_2	472.12	$MgCo_3$	84.33		
$HgCl_2$	271.52	$MgNH_4AsO_4$	181.27	$NaNO_2$	69.01
Hg_2I_2	655.06	$MgNH_4AsO_4 \cdot 6H_2O$	289.42	$NaNO_3$	85.01
				Na_2O	62.00
HgI_2	454.44	$MgMH_4PO_4$	137.33	Na_2O_2	78.00
$HgNO_3 \cdot H_2O$	280.62	$MgMH_4PO_4 \cdot 6H_2O$	245.50	$NaOH$	40.01
$Hg(NO_3) \cdot 1/2H_2O$	333.62	$Mg(NO_3)_2 \cdot 6H_2O$	256.43		
HgO	216.6	MgO	40.35	Na3PO4	163.97
HgS	632.67	$Mg(OH)_2$	58.34	$Na_3PO_4 \cdot 12H_2O$	380.16
				Na_2S	78.05
IBr	206.84	$Mg_2P_2O_7$	222.73	Na_2SO_3	126.05
ICl	162.38	$MgSO_4$	120.39	$Na_2So_3 \cdot 7H_2O$	252.18
		$MgSO_4 \cdot 7H_2O$	246.50		
K_2AsO_3	240.26			Na_2SO_4	142.07
KBr	119.02	$MnNO_3 \cdot 6H_2O$	287.04	$Na_2So_4 \cdot 10H_2O$	322.23
$KBrO_3$	167.02	MnO	70.93	$Na_2S_2O_3$	158.11
KCl	74.56	MnO_2	86.93	$Na_2S_2O_3 \cdot 5H_2O$	248.19
$KClO_3$	122.56	Mn_3O_4	228.79	$Na_2WO_4 \cdot 2H_2O$	330.03
		$Mn_2P_2O_7$	283.82		
$KCiO_4$	138.56	$MnSO_4 \cdot 7H_2O$	277.11	NH_3	17.03
KCN	65.12			NH_4Br	97.96
$KCNS$	97.19	MoO_2	127.95	NH_4Cl	53.50
K_2CO_3	138.21	MoO_3	143.95	NH_4ClO_3	101.50
K_2CrO_4	194.21	MoS_2	160.09	NH_4ClO_4	117.50
K_2Cr2O_7	294.22	Na_3AsO_3	191.91	NH_4SCn	76.13
$K_3[Fe(CN)_6]$	329.25	$Na_2B_4O_7$	201.27	$(NH_4)_2CO_3$	114.1
$K_4[Fe(CN)_6]$	368.34	$Na_2B_4O_7 \cdot 10H_2O$	381.43	$(NH_4)_2C_2O_4 \cdot H_2O$	142.12
$K_4[Fe(CN)_6] \cdot 2H_2O$	422.40	$NaBO_2 \cdot 4H_2O$	137.88	$(NH_4)_2CrO_4$	152.1
$KHCO_3$	100.11	$NaBr$	138.95	$(NH_4)_2Cr_2O_7$	252.1
KHC_2O_4	128.12	$NaBrO_3$	150.92	$(NH_4)_4[Fe(CN)_6] \cdot 3H_2O$	338.2
$KHC_2O_4 \cdot H2O$	146.14	$NaC_4H_4O_9 \cdot 2H_2O$	230.09	$(NH_4)_3[Fe(CN)_6] \cdot 3H_2O$	350.10
KH_2PO_4	136.16	$Na_2C_2O_4$	134.01	$NH_4H_2PO_4$	115.10
K_2HPO_4	174.25	$NaC_2H_3O_2$	82.04	$(NHY_4)_2HPO_4$	132.07
$KHSO_4$	136.17	$NaCl$	58.46	NII_4I	144.96
KI	166.02	$NaClO_3$	106.46	NH_4NO_3	80.05
KIO_3	214.02	$NaClO_4 \cdot H_2O$	140.48	NH_4OH	35.05
KIO_4	230.02	$NaCN$	49.02	$(NH_4)_3PO_4 \cdot 3H_2O$	203.22
$KMnO_4$	158.03	Na_2Co_3	106.00	$(NH_4)_3PO_4 \cdot 12MoO_3$	1876.53
$KNaCO_3$	122.11	$Na_2CO_3 \cdot 10H_2O$	286.17	$(NH_4)_2PtCl_6$	444.05
$KNaC_4H_4O_6 \cdot 4H_2O$	282.23	$Na_2CrO_4 \cdot 10H_2O$	342.17	$(NH4)_2SO_4$	132.15
KNO_2	85.10	NaF	42.00	NH_2-NH_2(hydrazine)	32.05
KNO_3	101.10	Na_2HAsO_3	169.91	NH_2OH(hydrozylamine)	33.03
K_2O	94.193	$NaH_2AsO_4 \cdot H_2O$	182.0	$NH_2OH \cdot HCl$	69.50
KOH	56.11	$Na_2HAsO_4 \cdot 12H_2O$	402.16	NO	30.01
				NO_2	46.01
K_3PO_4	212.28	$NaHC_2O_4$	112.03	$N2O_3$	76.02
K_2SO_4	174.27	$NaHCO_3$	84.01		
$K_2S_2O_7$	254.34	Na_2HPO_4	141.98	$NiCl_2$	129.60
$K_2S_2O_8$	270.34	$Na_2HPO_4 \cdot 12H_2O$	358.16	$NiCl_2 \cdot 6H_2O$	237.70
		NaH_2PO_4	119.99	$NiCo_3$	118.69
LiC_l	42.40			$Ni[(Ch_3)_2 \cdot (CNO)2H]_2$	288.9
Li_2Co_3	73.89	$NaH_2PO_4 \cdot H_2O$	138.01	$Ni(NH_4)_2(SO_4)_2 \cdot 6H_2O$	394.99
$LiNO_3$	68.95	NaI	149.81		
$LIOH$	23.95	$NaIO_3 \cdot 5H_2O$	288.00		

부록 V. (계속)

화합물	분자량
$Ni(NO_3)_2 \cdot 6H_2O$	290.79
NiO	74.68
Ni_2O_3	165.36
$NiSO_4 \cdot 7H_2O$	280.86
$PbCl_2$	278.0
$PbClF$	261.67
$PbCO_3$	267.2
$2PbCO_3 \cdot Pb(OH)_2$	775.6
$PbCrO_4$	323.6
$Pb(NO_3)_2$	331.2
PbO	223.2
PbO_2	239.2
Pb_2O_3	462.42
Pb_3O_4	685.6
PbS	239.3
$PbSO_4$	303.2
$PdCl_2 \cdot 2H_2O$	213.65
P_2O_5	142.0
P_2O_4	126.0

화합물	분자량
$[PtCl_6]H_2 \cdot 6H_2O$	518.07
$[PtCl_6]K_2$	486.16
$[PtCl_6]Na_2$	562.06
$[PtCl_6](NH_4)_2$	444.04
$[PtCl_4]K_2$	415.24
$SbCl_3$	228.2
$SbCl_5$	299.1
Sb_2O_3	291.6
Sb_2O_4	307.6
Sb_2O_5	323.6
$SbO(C_4H_4O_6K) \cdot 1/2H_2O$	333.8
Sb_2S_3	339.72
Sb_2S_5	404.0
SeO_4H_2	145.00
SiC	40.07
SiF_4	104.06
SiO_2	60.06
	225.64
$SnCl_2 \cdot 2H_2O$	260.54
$SnCl_4$	

화합물	분자량
SnO	134.7
SnO_2	150.7
SO_2	64.07
SO_3	80.07
TiO_2	79.90
UO_3	286.10
WO_3	231.92
$ZnCl_2$	136.29
$ZnCO_3$	125.38
ZnI_2	319.21
$ZnNH_4PO_4$	178.40
$Zn(NO_3)_2 \cdot 6H_2O$	297.48
ZnO	81.37
$Zn(OH)_2$	99.39
ZnS	304.72
$ZnSO_4 \cdot 7H_2O$	97.44
ZrO_2	287.56
	123.2

부록 Ⅵ. 규정액

	원자량	분자량	수소(H)1원자에 대한 가(價)	수소 1원자량에 해당하는 양(당량)	1g-당량	1g-분자
H	1.00792		1			
K	39.102		1	39.10	39.102g	
Ba	137.34		2	$\frac{137.34}{2}$	68.67	
Ca	40.08		2	$\frac{40.08}{2}$	20.040	
Ag	108.870		1	107.87	107870	
N	14.0067		(NH_3 → N에 대한)		14.0067	
Na	22.9898		1	22.99	22.99	
H_2SO4		98.08	2	$\frac{98.08}{2}$	49.03	98.08g
CH_3COOH		60.05	1	60.05	60.05	60.05
COOH │ · $2H_2O$ COOH		126.07	2	$\frac{126.07}{2}$	63.035	126.07
NH_3		17.03	1	17.03	17.03	17.03
NaOH		40.00	1	40.00	40.00	40.00
KOH		56.11	1	56.11	56.11	56.11
$Ba(OH)_2 8H_2O$		315.48	2	$\frac{315.50}{2}$	157.75	157.75
Na_2CO_3		105.99	2	$\frac{105.59}{2}$	53.00	53.00
$AgNO_3$		169.87	1	169.87	169.87	169.87
NaCl		58.44	1	58.44	58.44	58.44
HCl		36.46	1	36.46	36.46	36.46
NH_4CNS		76.12	1	76.12	76.12	76.12
$KMnO_4$		158.04	5(산 성) (알칼리성) 3 (중 성)	156.04/5 158.04/3	531.608 52.646	158.04 158.04

부록 Ⅶ. 산의 해리상수(Ka)

산	분자식	공역염기	K_a	pK_a
Acetic acid	$HC_2H_3O_2$	$C_2H_3O_2^-$	1.8×10^{-5}	4.76
Arsenic acid	H_3AsO_4	$H_2AsO_4^-$	6.0×10^{-3}	2.22
Dihydrogen arsenate ion	$H_2AsO_4^-$	$HAsO_4^{2-}$	1.0×10^{-7}	6.98
Monohydrogen arsenate ion	$HAsO_4^{2-}$	AsO_4^{2-}	4×10^{-12}	11.4
Benzoic acid	$HC_7H_5O_2$	$C_7H_5O_2^-$	6.3×10^{-5}	4.20
Boric acid	H_3BO_3	$B(OH)_4^-$	5.8×10^{-10}	9.24
Carbonic acid	H_2CO_3 + CO_2	HCO_3^-	4.4×10^{-7}	6.35
Hydrogen carbonate ion	HCO_3^-	CO_3^{2-}	4.7×10^{-11}	10.33
Hydrogen chromate ion	$HCrO_4^-$	Cro_4^{2-}	3.0×10^{-7}	6.52
Citric acid	$H_3C_6H_5O_7$	$H_2C_6H_5O_7^-$	7.4×10^{-4}	3.13
Dihydrogen citrate ion	$H_2C_6H_5O_7^-$	$HC_5H_5O_7^{2-}$	1.7×10^{-5}	4.76
Monohydrogen citrate ion	$HC_6H_5O_7^{2-}$	$C_6H_5O_7^{3-}$	4.0×10^{-7}	6.40
Formic acid	$HCHO_2$	CHO_2^-	1.8×10^{-4}	3.76
Glycine	$^+NH_3CH_2CO_2^-$	$NH_2CH_2CO_2^-$	1.7×10^{-10}	9.78
Hydrocyanic acid	HCN	CN^-	4×10^{-10}	9.4
Hydrofluoric acid	HF	F^-	6.7×10^{-4}	3.17
Hydrosulfuric acid	H_2S	HS^-	1.0×10^{-7}	7.0
Hydrogen sulfide ion	HS^-	S^{2-}	1.3×10^{-14}	12.9
Lactic acid	$HC_3H_5O_3$	$C_3H_5O_3^-$	1.4×10^{-4}	3.86
Monchloroacetic acid	$HC_2H_2ClO_2$	$C_2H_2ClO_2^-$	1.4×10^{-3}	2.86
Nitrous acid	HNO_2	NO_2^-	5.1×10^{-3}	3.3
Oxalic acid	$H_2C_2O_4$	$HC_2O_4^-$	5.4×10^{-2}	1.3
Hydrogen oxalate ion	$HC_2O_4^-$	$C_2O_4^{2-}$	5.4×10^{-5}	4.27
Phosphoric acid	H_3PO_4	$H_2PO_4^-$	7.1×10^{-3}	2.15
Dihyhrogen phosphate ion	$H_2PO_4^-$	HPO_4^{2-}	6.3×10^{-8}	7.20
Monohydrogen phosphate ion	HPO_4^{2-}	PO_4^{3-}	4.4×10^{-13}	12.4
Propionic acid	$HC_3H_5O_2$	$C_2H_5O_2^-$	1.3×10^{-5}	4.87
Succinic acid	$H_2C_4H_4O_4$	$HC_4H_4O_4^-$	6.2×10^{-5}	4.21
Hydrogen succinate ion	$HC_4H_4O_4^-$	$C_4H_4O_4^{2-}$	2.3×10^{-6}	5.64
Sulfamic acid	HNH_2SO_3	$NH_2SO_3^-$	1.0×10^{-1}	1.0
Hydrogen sulfate ion	HSO_4^-	SO_4^{2-}	1.0×10^{-2}	1.99
Sulfurous acid	$H_2SO_3+SO_2$	HSO_3^-	1.7×10^{-2}	1.8
Hydrogen sulfite ion	HSO_3^-	SO_3^{2-}	6.2×10^{-8}	7.20
Tararic acid	$H_2C_4H_4O_6$	$HC_4H_4O_6^-$	1.1×10^{-3}	2.96
Hydrogen tartrate ion	$HC_4H_4O_6^-$	$C_4H_4O_6^{2-}$	4.3×10^{-5}	4.37

부록 Ⅷ. 착이온의 평형상수

평 형	K_d
$Ag(NH_3)_2^{+} \Longleftrightarrow Ag^{+} + 2\ NH_3$	6.3 × 10-8
$Co(NH_3)_6^{2+} \Longleftrightarrow Co^{2+} + 6\ NH_3$	2.9 × 10-5
$Ni(NH_3)_6^{2+} \Longleftrightarrow Ni^{2+} + 6\ NH_3$	5.7 × 10-9
$Cu(NH_3)_4^{2+} \Longleftrightarrow Cu^{2+} + 4\ NH_3$	8.5 × 10-13
$Zn(NH_3)_4^{2+} \Longleftrightarrow Zn^{2+} + 4\ NH_3$	1.4 × 10-9
$Cd(NH_3)_4^{2+} \Longleftrightarrow Cd^{2+} + 4\ NH_3$	1.9 × 10-7
$HgCl_4^{2-} \Longleftrightarrow Hg^{2+} + 4\ Cl^{-}$	8.3 × 10-16
$Ag(CN)_2^{-} \Longleftrightarrow Ag^{+} + 2\ CN^{-}$	1 × 10-20
$Ni(Cn)_4^{2-} \Longleftrightarrow Ni^{2+} + 4\ CN^{-}$	1 × 10-22
$Cu(CN)_3^{2-} \Longleftrightarrow Cu^{+} + 3\ CN^{-}$	2.6 × 10-29
$Cu(CN)_4^{3-} \Longleftrightarrow Cu^{+} + 4\ CN^{-}$	5 × 10-31
$Zn(CN)_4^{2-} \Longleftrightarrow Zn^{2+} + 4\ CN^{-}$	1 × 10-19
$Cd(CN)_4^{2-} \Longleftrightarrow Cd^{2+} + 4\ CN^{-}$	7.8 × 10-19
$Hg(CN)_4^{2-} \Longleftrightarrow Hg^{2+} + 4\ CN^{-}$	3 × 10-42
$Zn(OH)_4^{2-} \Longleftrightarrow Zn^{2+} + 4\ OH^{-}$	3.3 × 10-16
$Zn(OH)_4^{2-} \Longleftrightarrow Zn(OH)_2(s) + 2\ OH^{-}$	4.54
$Al(OH)_4^{-} \Longleftrightarrow Al^{3+} + 4\ OH^{-}$	1 × 10-34
$Al(OH)_4^{-} \Longleftrightarrow Al(OH)_3(s) + OH^{-}$	6.2 × 10-2
$Sn(OH)_3^{-} \Longleftrightarrow Sn^{2+} + 3\ OH^{-}$	4.1 × 10-26
$Sn(OH)_3^{-} \Longleftrightarrow Sn(OH)_2(s)^{+} + OH^{-}$	2.63
$Pb(OH)_3^{-} \Longleftrightarrow Pb^{2+} + 3\ OH^{-}$	9.1 × 10-15
$Pb(OH)_3^{-} \Longleftrightarrow Pb(OH)_2(s) + OH^{-}$	21.74
$2\ Sb(OH)_4^{-} \Longleftrightarrow Sb_2O_3(s) + 3H_2O + 2\ OH^{-}$	1.3 × 104
$HgI_4^{2-} \Longleftrightarrow Hg^{2+} + 4\ I^{-}$	5.3 × 10-31
$FeSCN^{2+} \Longleftrightarrow Fe^{3+} + SCN^{-}$	9.4 × 10-4
$Hg(SCN)_4^{2-} \Longleftrightarrow Hg^{2+} + 4\ SCN^{-}$	1.3 × 10-22
$Ag(S_2O_3)_2^{3-} \Longleftrightarrow Ag^{+} + 2\ S_2O_3^{2-}$	3.5 × 10-14

부록 Ⅸ. 양이온산 및 짝염기의 Ka와 Kb

양이온산 및 짝염기	분자식	K_a	pK_a	K_b	pK_b
Ammonium ion	NH_4^+	5.7×10^{-10}	9.24		
Ammonia	NH_3			1.8×10^{-5}	4.76
Anilinium	$C_6H_5NH_3^+$	2.6×10^{-5}	4.59		
Aniline	$C_6H_5NH_2$			3.9×10^{-10}	9.41
Glycinium ion	$^+NH_3CH_2CO_2H$	4.5×10^{-3}	2.35		
Glycine	$^+NH_3CH_2CO_2^-$			2.2×10^{-12}	11.65
Methylammonium ion	$CH_3CH_3^+$	2.4×10^{-11}	10.62		
Methylamine	CH_3NH_2			4.2×10^{-4}	3.38
Pyridinum ion	$C_5H_5NH^+$	5.0×10^{-6}	5.30		
Pyridine	C_5H_5N			2.0×10^{-9}	8.70
Triethanolammonium ion	$(C_2H_4OH)_3NH^+$	1.7×10^{-8}	7.77		
Triethanolamine	$(C_2H_4OH)_3N$			5.9×10^{-7}	6.23
Trimethylammonium ion	$(CH_3)_3NH^+$	1.6×10^{-10}	9.80		
Trimethylamine	$(CH_3)_3N$			6.3×10^{-5}	4.20

부록 X. 용해도곱 상수(K_{sp})(18~25℃)

화합물	분자식	K_{sp}
Aluminum hydroxide	$Al(OH)_3$	1.1×10^{-15}
Barium carbonate	$BaCO_3$	8.1×10^{-9}
Barium chromate	$BaCrO_4$	1.6×10^{-10}
Barium fluoride	BaF_2	1.7×10^{-6}
Barium oxalate	$BaC_2O_4\cdot2H_2O$	1.2×10^{-17}
Barium sulfate	$BaSO_4$	1.1×10^{-10}
Barium sulfide	Bi_2S_3	1.6×10^{-82}
Calcium carbonate	$CaCO_3$	9.9×10^{-9}
Calcium chromate	$CaCrO_4$	3.6×10^{-6}
Calcium fluoride	CaF_2	3.4×10^{-11}
Calcium oxalate	$CaC_2O_4\cdot H_2O$	1.8×10^{-9}
Calcium sulfate	$CaCSO_4\cdot2H_2O$	2.5×10^{-5}
Calcium hydroxide	$Cd(OH)_2$	1.7×10^{-12}
Calcium oxalate	$CdC_2O_4\cdot3H_2O$	1.5×10^{-8}
Calcium sulfide	CdS	3.6×10^{-29}
Chromium(Ⅲ) hydroxide	$Cr(OH)_3$	7×10^{-31}
Cobalt (Ⅱ) hydroxide (pink)	$Co(OH)_2$	1.6×10^{-13}
Cobalt (Ⅲ) hydroxide	$Co(OH)_3$	1×10^{-42}
Cobalt (Ⅱ) sulfide	CoS	3×10^{-26}
Copper (Ⅰ) chloride	$CuCl$	1.0×10^{-6}
Copper (Ⅱ) chromate	$CuCrO_4$	3.6×10^{-6}
Copper (Ⅱ) hydroxide	$Cu(OH)_2$	4.5×10^{-19}
Copper(Ⅰ) iodide	CuI	5.1×10^{-12}
Copper(Ⅱ) sulfide	Cu_2S	2×10^{-47}
Copper(Ⅱ) sulfide	CuS	2.8×10^{-45}
Iron(Ⅱ) hydroxide	$Fe(OH)_2$	1.6×10^{-14}
Iron(Ⅲ) hydroxide	$Fe(OH)_3$	1.1×10^{-36}
Iron(Ⅱ) sulfide	FeS	3.7×10^{-19}
Lead bromide	$PbBr_2$	4.6×10^{-6}
Lead carbonate	$PbCO_3$	3.3×10^{-14}
Lead chloride	$PbCl_2$	2.4×10^{-4}
Lead chromate	$PbCrO_4$	1.8×10^{-14}
Lead fluoride	PbF_2	3.2×10^{-3}
Lead hydroxide	$Pb(OH)_2$	2.8×10^{-16}
Lead iodide	PbI_2	1.4×10^{-3}
Lead oxalate	PbC_2O_4	2.7×10^{-12}
Lead sulfate	$PbSO_4$	1.1×10^{-3}
Lead sulfide	PbS	3.4×10^{-22}
Magnesium ammonium phosphate	$MgNH_4PO_4\cdot6H_2O$	2.5×10^{-12}
Magnesium carbonate	$MgCO_3$	2.1×10^{-5}

부록 X. (계속)

화합물	분자식	K_{sp}
Magnesium fluoride	MgF_2	7.1×10^{-9}
Magnesium hydroxide	$Mg(OH)_2$	1.2×10^{-11}
Magnesium oxalate	MgC_2O_4	8.6×10^{-5}
Magnesie(Ⅱ) carbonate	$MnCO_3$	8.8×10^{-14}
Magnesie(Ⅱ) hydroxide	$Mn(OH)_2$	4×10^{-14}
Magnesie(Ⅱ) sulfide	MnS	1.4×10^{-15}
Mercury(Ⅰ) chloride	Hg_2Cl_2	2.0×10^{-13}
Mercury(Ⅰ) chromate	Hg_2CrO_4	1.6×10^{-9}
Mercury(Ⅰ) iodide	Hg_2I_2	1.2×10^{-22}
Mercury(Ⅱ) oxide	HgO	7.8×10^{-34}
Mercury(Ⅰ) sulfate	Hg_2SO_4	4.8×10^{-7}
Mercury(Ⅱ) sulfide(black)	HgS	4×10^{-33}
Nickel hydroxide	Ni(OH)	8.7×10^{-19}
Nickel sulfide	NiS	1.4×10^{-34}
Sliver acetate	AgC_2H_3O	3.8×10^{-4}
Sliver arsenate	Ag_3AsO	1×10^{-22}
Sliver bromide	AgBr	4.1×10^{-12}
Sliver carbonate	Ag_2CO_3	6.2×10^{-12}
Sliver chloride	AgCl	1.56×10^{-10}
Sliver chromate	Ag_2CrO_4	2.4×10^{-12}
Sliver cyanide	AgCN	2.2×10^{-12}
Sliver iodide	AgI	1.5×10^{-16}
Sliver oxide	Ag_2O	1.5×10^{-3}
Sliver phosphate	Ag_3PO_4	1.3×10^{-20}
Sliver sulfate	Ag_2SO_4	1.7×10^{-5}
Sliver sulfide	Ag_2S	1.6×10^{-19}
Strontium carbonate	$SrCO_3$	1.6×10^{-9}
Strontium chromate	$SrCrO_4$	3.6×10^{-6}
Strontium fluride	SrF_2	2.8×10^{-3}
Strontium oxalate	$SrC_2O_4\cdot H_2O$	5.6×10^{-2}
Strontium sulfate	$SrSO_4$	3.8×10^{-7}

부록 XI. 산 및 알카리의 비중과 농도

부록 XI-I. 황산의 비중과 농도

비중(진공) 15°/4°	H_2SO_4 %	H_2SO_4 g/*l*	비중(전공) 15°/4°	H_2SO_4 %	H_2SO_4 g/*l*
1.000	0.09	1	1.500	59.70	896
1.020	3.03	3	1.520	61.59	936
1.040	5.96	62	1.540	63.43	977
1.060	8.77	93	1.560	65.08	1015
1.080	11.60	125	1.580	66.71	1054
1.100	14.35	158	1.600	68.51	1096
1.120	17.01	191	1.620	70.32	1139
1.140	19.61	223	1.640	71.99	1181
1.160	22.19	257	1.660	73.64	1222
1.180	24.76	292	1.680	75.42	1267
1.200	27.32	328	1.700	77.17	1312
1.220	29.84	364	1.720	78.92	1357
1.240	32.28	400	1.740	80.68	1404
1.260	34.57	435	1.760	82.44	1451
1.280	36.87	472	1.780	84.50	1504
1.300	39.19	510	1.800	86.90	1564
1.320	41.50	548	1.820	90.05	1639
1.340	43.74	586	1.840	95.60	1759
1.360	45.88	624	1.8410	97.00	1786
1.380	48.00	662	1.8415	97.00	1799
1.400	50.11	702	1.8410	98.20	1808
1.420	52.15	740	1.8400	99.20	1825
1.440	54.07	779	1.8395	99.45	1830
1.460	55.97	817	1.8390	99.70	1834
1.480	57.83	856	1.8385	99.95	1838

부록 XI-II. 염산의 비중과 농도

비중(진공) 15°/4°	HCl %	HCl g/l	비중(전공) 15°/4°	HCl %	HCl g/l
1.000	0.16	1.6	1.105	20.97	232
1.005	1.15	12	1.110	21.92	234
1.010	2.14	22	1.115	22.86	255
1.015	3.12	32	1.120	23.82	267
1.020	4.13	42	1.125	24.78	278
1.025	5.15	53	1.130	25.75	291
1.30	6.15	64	1.135	26.70	303
1.035	7.15	74	1.140	27.66	315
1.040	8.16	85	1.145	28.61	328
1.045	9.16	96	1.150	29.57	340
1.050	10.17	107	1.155	30.55	353
1.055	11.18	118	1.160	31.52	366
1.060	12.19	129	1.165	32.49	379
1.065	13.19	141	1.170	33.46	392
1.070	14.17	152	1.175	34.42	404
1.075	15.16	163	1.180	35.39	418
1.080	16.15	174	1.185	36.31	430
1.085	17.13	186	1.190	37.23	443
1.090	18.11	197	1.195	38.16	456
1.095	10.06	209	1.200	39.11	469
1.100	20.01	220			

부록 XI-III. 질산의 비중과 농도

비중(진공) 15°/4°	HNO_3 %	HNO_3 g/l	비중(전공) 15°/4°	HNO_3 %	HNO_3 g/l
1.000	0.10	1	1.270	42.87	544
1.010	1.90	19	1.280	44.41	568
1.020	3.70	38	1.290	45.95	593
1.030	5.50	57	1.300	47.49	617
1.040	7.26	75	1.310	49.07	643
1.050	8.99	94	1.320	50.71	669
1.060	10.68	113	1.330	52.37	697
1.070	12.33	132	1.340	54.07	725
1.080	13.95	151	1.350	55.79	753
1.090	15.53	169	1.360	57.57	783
1.100	17.11	188	1.370	59.39	814
1.110	18.67	207	1.380	61.27	846
1.120	20.23	227	1.390	63.23	879
1.130	21.77	246	1.400	65.30	914
1.140	23.31	266	1.410	67.50	952
1.150	24.84	286	1.420	69.80	991
1.160	26.36	306	1.430	72.17	1032
1.170	27.88	326	1.44	74.68	1075
1.180	29.38	347	1.450	77.28	1121
1.190	30.88	367	1.460	79.98	1168
1.200	32.36	388	1.470	82.90	1219
1.210	33.82	409	1.480	86.05	1274
1.220	35.28	430	1.490	89.60	1335
1.230	36.78	452	1.500	94.09	1411
1.240	38.29	475	1.510	98.10	1481
1.250	39.82	498	1.520	99.67	1515
1.260	41.34	521			

부록 XI-IV. 암모니아수와 수산화칼륨용액의 비중과 농도

암모니아수의 비중과 농도			수산화칼륨 용액의 비중과 농도		
비중 15°/4°	NH_3 %	NH_3 g/l	비중 15°/4°	KOH %	KOH g/1
1.000	0.00	0.0	1.007	0.9	9
0.996	0.91	9.1	1.022	2.6	26
0.992	1.84	18.2	1.037	4.5	46
0.990	2.31	22.9	1.052	6.4	67
0.986	3.30	32.5	1.067	8.2	83
0.982	4.30	42.2	1.083	10.1	409
0.980	4.80	47.0	1.100	12.0	132
0.974	6.30	61.4	1.116	13.8	153
0.970	7.31	70.9	1.134	15.7	178
0.966	8.38	80.5	1.152	17.6	203
0.962	9.35	89.9	1.171	19.5	228
0.958	10.47	100.3	1.190	21.4	255
0.954	11.60	110.7	1.210	23.3	282
0.950	12.74	121.0	1.231	25.1	309
0.946	13.88	131.3	1.252	27.0	338
0.942	15.04	141.7	1.274	28.9	368
0.938	16.22	152.1	1.297	30.7	398
0.934	17.42	162.7	1.320	32.7	432
0.930	18.64	173.4	1.345	34.9	469
0.926	19.87	184.2	1.370	36.9	506
0.922	21.12	194.7	1.397	38.9	543
0.14	23.68	216.3	1.424	40.9	582
0.910	24.99	227.4	1.453	43.4	631
0.906	26.31	238.3	1.483	45.8	679
0.902	27.65	249.4	1.514	48.3	731
0.890	29.01	260.5	1.546	50.6	779
0.894	30.37	271.5	1.580	53.2	840
0.890	31.75	282.6	1.615	55.9	905
0.886	33.25	294.6	1.634	57.5	940
0.882	34.95	308.3			

부록 XI-V. 수산화나트륨과 탄산나트륨용액의 비중과 농도

수산화나트륨 용액의 비중과 농도			탄산나트륨 용액의 비중과 농도		
비중 15°/4°	HaOH %	NaOH g/l	비중 15°/4°	Na_2CO_3 %	Na_2CO_3 g/l
1.007	0.61	6	1.007	0.67	6.8
1.022	2.00	21	1.014	1.33	13.5
1.036	3.35	35	1.022	2.09	21.4
1.052	4.64	49	1.029	2.76	28.4
1.067	5.87	63	1.036	3.43	35.5
1.083	7.31	79	1.045	4.29	44.8
1.100	8.68	95	1.052	4.94	52.0
1.116	10.06	112	1.060	5.71	60.0
1.134	11.84	134	1.067	6.37	68.0
1.152	13.55	156	1.075	7.12	76.5
1.171	15.13	177	1.083	7.88	85.3
1.190	16.77	200	1.091	8.62	94.0
1.210	18.58	225	1.100	9.43	103.7
1.231	20.59	253	1.108	10.19	112.9
1.252	22.64	283	1.116	10.95	122.22
1.274	24.81	316	1.125	11.81	132.9
1.297	26.83	348	1.134	12.61	143.0
1.320	28.83	381	1.142	13.61	150.3
1.345	31.22	420	1.152	14.24	164.1
1.370	33.69	462			
1.397	36.25	506			
1.424	38.80	553			
1.453	41.41	602			
1.483	44.38	658			
1.514	47.60	721			
1.530	49.02	750			

부록 XI-VI. 산 · 알칼리의 비중과 규정

비중(진공)	용 액 의 규 정 도						비중(진공)	규정도
15°/4°	H_2SO_4	HCl	HNO_3	KOH	NaOH	Na_2CO_3	15°/4°	NH_3
1.010	0.324	0.593	0.305	0.213	0.239	0.198	0.995	0.666
1.020	0.634	1.155	0.599	0.413	0.464	0.383	0.990	1.224
1.030	0.951	1.337	0.899	0.616	0.700	0.571	0.985	1.934
1.040	0.264	2.328	1.197	0.822	0.939	0.762	0.980	2.637
1.050	1.578	2.929	1.497	1.032	1.182	0.956	0.975	3.343
1.060	1.896	6.544	1.796	1.246	1.431	1.153	0.970	4.043
1.070	2.223	4.158	2.092	1.462	1.684	1.353	0.965	4.740
1.080	2.555	4.784	2.389	1.682	1.942	1.556	0.960	5.453
1.090	2.887	5.414	2.685	1.0903	2.205	1.762	0.955	6.208
1.100	3.219	6.037	2.985	2.128	2.472	1.971	0.950	6.966
1.110	3.556	6.673	3.287	2.356	2.744	2.183	0.945	7.722
1.120	3.885	7.317	3.594	2.586	3.021	2.408	0.940	8.480
1.130	4.219	7.981	3.902	2.819	3.302	2.626	0.935	9.251
1.140	4.559	8.648	4.245	3.046	3.588	2.847	0.930	10.03
1.150	4.903	9.327	4.531	3.292	3.878	3.071	0.925	10.81
1.160	5.249	10.03	4.850	3.532	4.173		0.920	11.59
1.170	5.600	10.74	5.174	3.778	4.472		0.915	12.39
1.180	5.958	12.15	5.499	4.023	4.776		0.910	13.19
1.190	6.319	12.87	5.828	4.272	5.084		0.905	13.99
1.200	6.685		6.159	4.523	5.397		0.900	14.80
1.210	7.052		6.490	4.776	5.714		0.895	15.61
1.220	7.424		6.827	5.030	6.039		0.890	16.42
1.230	7.803		7.175	5.288	6.365		0.885	17.30
1.240	8.162		7.531	5.550	6.693		0.880	18.26
1.250	8.521		7.894	5.811	7.032			
1.260	8.882		8.261	6.075	7.375			
1.270	9.248		8.635	6.341	7.722			
1.280	9.623		9.016	6.609	8.078			
1.290	10.00		9.401	6.882	8.432			
1.300	10.39		9.792	7.152	8.795			
1.310	10.78		10.20	7.423	9.166			
1.320	11.17		10.62	7.704	9.542			
1.330	11.57		11.05	7.981	9.921			
1.340	11.95		11.49	8.264	10.309			
1.350	12.34		44.95	8.547	10.704			

부록 XII. 지시약

부록 XII-I. 산-염기 지시약

종류	pH 범위	산성색	알칼리성색	pKIn	만드는 법
cresol red(산)	0.2～1.8	빨강	노랑	-	0.02M-NaOH 13.3ml에 0.01g을 녹이고 250 ml가 되도록 물로 묽힘.
Thymol blue(산)	1.2～2.8	빨강	노랑	1.7	0.02M-NaOH 10.75ml에 0.1g을 녹이고 250ml이 되도록 물을 묽힘.
Bromophenol blue	2.8～4.6	노랑	청	4.0	0.02M-NaOH 7.5ml에 0.1g을 녹이고 250ml가 되도록 물로 묽힘.
Methyl orange	3.1～4.4	빨강	노랑	3.7	0.1% 수용액
Congo red	3.0～5.0	보라	빨강	-	0.1%수용액
Bromocresol green	3.8～5.4	노랑	청	4.7	0.02M-NaOH 7.25ml에 0.1g을 녹이고 250ml가 되도록 물로 묽힘.
Methyl red	4.2～6.3	빨강	노랑	5.1	0.02M-NaOH 18.6ml에 0.1g을 녹이고 250ml가 되도록 물로 묽힘.
Bromocresol purple	5.2～6.8	노랑	자주	6.3	0.02M-NaOH 9.25ml에 0.1g을 녹이고 250ml가 되도록 물로 묽힘.
Bromothymol blue	6.0～7.6	노랑	청	7.0	0.02M-NaOH 8ml, 0.1g을 녹이고 250ml가 되도록 물로 묽힘.
Phenol red	6.8～8.4	노랑	빨강	7.9	0.02M-NaOH 14.3ml에 0.1g을 녹이고 250ml가 되도록 물로 묽힘.
Cresol red(염기)	7.2～8.8	노랑	빨강	8.3	산성 지시약과 같음
Thymol blue(염기)	8.0～9.6	노랑	청	8.9	0.02M-NaOH 10.75ml에 0.1g을 녹이고 250ml가 되도록 물로 묽힘.
Phenolphthalein	8.3～10.0	무색	빨강	9.6	50% 메탄올의 0.1% 액
Thymolphthalein	8.3～10.5	무색	청	9.2	80% 메탄올의 0.1%액
Alizarine yellow R	10.1～12.0	노랑	빨강～오렌지	-	0.1% 수용액

부록 XII-II. 혼합 지시약

지시약 용액	혼합비	변색점 pH	산성 색깔	염기성 색깔	
Dimethyl yellow(0.1% alc)	1	3.28	청자	녹	
Methylene blue(0.1% alc)	1				
Methyl orange(0.1% aq)	1	4.1	자	녹	pH=4.0 청자색
Indigocarmine(0.25% aq)	1				
Hexamethoxytriphenyl carbinol(0.1% alc)	1	4.0	자	녹	
Methyl green(0.1% alc)	1				
Methyl orange(0.1% aq)	1	4.3	자	녹	
Aniline blue(0.1% aq)	1				
Bromcresol green(0.1% alc)	3	5.1	적	녹	변색이 극히 예민
Methyl red(0.2% alc)	1				
Methyl red(0.2% alc)	1	5.4	적자	녹	pH=5.4 어두운 청색
Methylene blue(0.1% alc)	1				pH=5.6 어두운 녹색
Bromcresol green(0.1% aq)	1	5.6	자	황록	pH=5.6 적갈색
Sodium alizarine sulfonate(0.1% aq)	1				
Chlorophenol red(0.1% aq)	1	5.8	녹	자	pH=5.8 담자색
Aniline blue(0.1% aq)	1				pH=5.4 청록색
Bromcresol green(0.1% aq)	1	6.1	황록	청자	pH=5.8 자청색
Chlorophenol red(0.1% aq)	1				pH=6.2 청자색
					pH=6.2 황자색
Bromcresol purple(0.1% alc)	1	6.7	청	자청	pH=6.6 자색
Bromthymol blue((0.1% aq)	1				pH=6.8 청자색
Bromthymol blue(0.1% aq)	2	6.9	자	청	
Azolitmin(0.1% aq)	1				
Neutral red(0.1% alc)	1	7.0	자청	녹	pH=7.0 자청색
Methylene blue(0.1% alc)	1				pH 〉7.2 어두운 녹색
Neutral red(0.1% alc)	1	7.2	홍	녹	pH=7.2 담홍색
Bromthymol blue(0.1% alc)	1				pH=7.0 홍색
Cyanine(0.1% in 50% alc)	2	7.3			pH=7.2 등색
Phenol red(0.1% in 50% alc)	1		황	자	pH=7.4 자색
					pH=7.2 어두운 녹색
Bromthymol blue(0.1% aq)	1	7.5	황	자	pH=7.4 담자색
Phenol red(0.1% aq)	1				pH=7.6 농자색

부록 XII-II. (계속)

지시약 용액	혼합비	변색점 pH	산성 색깔	염기성 색깔	
Cresol red(0.1% aq)	1	8.3	황	자	pH=8.2 홍색
Thymol blue(0.1% aq)	3				pH=8.4 농자색
α-Na phenolphthalein (0.1% alc)	2	8.3	담홍	홍	pH=8.2 담자색
Cresol red(0.1% alc)	1				pH=8.4 농자색
α-Na phenolphthalein (0.1% alc)	1	8.9	담홍	홍	pH=8.6 담록색
Phenophtalein(0.1% alc)	3				pH=9.0 농자색
Phenolphthalein(0.1% alc)	1	8.9	녹	홍	pH=8.8 담황청색
Methyl green(0.1% alc)	2				pH=9.0 자색
Thymol blue(0.1% aq)	1	9.0	황	황	황→녹→자색
Phenolphthalein (0.1% 50% aq)	3				
Phenolphthalein (0.1% in 50% aq)	2	9.6	담홍	홍	담홍→녹→자색
α-Naphthaleine (0.1% in 50% aq)	1				
Phenolphthalein(0.1% aq)	1	9.9	무	홍	pH=9.6 홍색
Thymolphthalein (0.1% aq)	1				pH=10.0 자색
Phenolphthalein(0.1% aq)	1	10.0	청	적	pH=10.0 자색
Nile blue(0.1% aq)	2				
Thymolphthalein(0.1% aq)	2	10.2	황	자	
Alizarine yellow(0.1% aq)	1				
Nile blue(0.1% aq)	2	10.8	녹	적갈	
Alizarine yellow(0.1% aq)	1				

부록 XIII. 완충용액

1 Hydrochioric Acid-Potassium Chloride Buffer

50mℓ의 0.2M KCl용액(14.91g/1000mℓ)에 다음에 적은 0.2M KClmℓ를 가하고 증류수로 200mℓ까지 희석한다.

pH	1.0	1.1	1.2	1.3	1.4	1.5	1.6	1.7	1.8	1.9	2.0	2.1	2.2
HCI(ml)	97.0	78.0	64.5	51.0	41.5	33.3	26.3	20.6	16.6	13.2	10.6	8.4	6.7

2 Glycine-HCI Buffer

50mℓ의 0.2M glycine 용액(15.01g/100mℓ)에 다음에 적은 0.2M HCImℓ를 가하고 증류수로 200mℓ까지 희석한다.

pH	2.2	2.4	2.6	2.8	3.0	3.2	3.4	3.6
HCI(ml)	44.0	32.4	24.2	16.8	11.4	8.2	6.4	5.0

3 Aconitate Buffer

20mℓ의 0.5N aconitic acid용액(87.05g/1000mℓ)에 다음에 적은 0.2M NaOHmℓ를 가하고 증류수로 200mℓ까지 희석한다.

pH	NaOH(ml)	pH	NaOH(ml)	pH	NaOH(ml)
2.5	15.0	3.7	60.0	4.9	103.0
2.7	21.0	3.9	68.0	5.1	108.0
2.9	28.0	4.1	76.0	5.3	113.0
3.1	36.0	4.3	83.0	5.5	119.0
3.3	44.0	4.5	90.0	5.7	126.0
3.5	52.0	4.7	97.0		

4 Citrate Buffer

0.1M 구연산(citric acid)용액(21.01g/100mℓ)과 0.1M 구연산소다용액(29.4g $C_3H_5O_7Na_3 \cdot 2H_2O$/1000mℓ)을 다음과 같이 섞고 100mℓ까지 희석한다.

pH	Citric acid (ml)	Sod. citrate (ml)	pH	Citric acid (ml)	Sod. citrate (ml)	pH	Citric acid (ml)	Sod. citrate (ml)
3.0	46.5	3.5	4.2	31.5	18.5	5.4	16.0	34.0
3.2	43.7	6.3	4.4	28.0	22.0	5.6	13.7	36.3
3.4	40.0	10.0	4.6	25.5	24.5	5.8	11.8	38.2
3.6	37.0	13.0	4.8	23.0	27.0	6.6	9.5	41.5
3.8	35.0	15.0	5.0	20.5	29.5	6.2	7.2	42.8
4.0	33.0	17.0	5.2	18.0	32.0			

5 Acetate Buffer(walpole)

0.1N 초산(acetic acid)용액과 0.1N 초산소다(sod. acetate)용액을 다음 표와 같은 비율로 섞는다.

pH	0.1N acetic acid (ml)	0.1N sod. acetate (ml)
3.6	185	15
3.8	176	24
4.0	164	36
4.2	147	53
4.4	126	74
4.6	102	98
4.8	80	120
5.0	59	141
5.2	42	158
5.4	29	171
5.6	19	181

6 Citrate-phosphate Buffer

0.1M 구연산용액(citric acid 19.21g/1000mℓ)과 0.2M 인산제 2소다용액($Na_2HPO_4 \cdot 7H_2O$ 53. 65g 혹은 $Na_2HPO_4 \cdot 12H_2O$ 71.7g/1000mℓ)을 다음과 같이 섞고 100mℓ까지 희석한다.

pH	Citic acid (ml)	Sod. phosphate (ml)
2.6	44.6	5.4
2.8	44.2	7.8
3.0	39.8	10.2
3.2	37.7	12.3
3.4	35.9	14.1
3.6	33.9	16.1
3.8	32.3	17.7
4.0	30.7	19.3
4.2	29.4	20.6
4.4	27.8	22.2
4.6	26.7	23.3
4.8	25.2	24.8
5.0	24.3	25.7
5.2	23.3	26.7
5.4	22.2	27.8
5.6	21.0	29.0
5.8	19.7	30.3
6.0	17.9	32.1
6.2	16.9	33.1
6.4	15.4	34.6
6.6	13.6	36.4
6.8	9.1	40.9
7.0	6.5	43.6

7 Succinate Buffer

25mℓ의 0.2M의 호박산(succinic acid 23.6g/1000mℓ)용액을 다음에 적은 0.2M NaOHmℓ를 가하고 100mℓ까지 희석한다.

pH	3.8	4.0	4.2	4.4	4.6	4.8	5.0	5.2	5.4	5.6	5.8	6.0
NaOH(ml)	7.5	10.0	13.3	16.7	20.0	23.5	26.7	30.3	34.2	37.5	40.7	43.5

8 Phthalate-NaOH Buffer

50mℓ의 0.2M potassium acid phthalate(40.84g/100mℓ) 용액에 다음에 적은 0.2M NaOHmℓ를 가하고 증류수로 20mℓ까지 희석한다.

pH	4.2	4.4	4.6	4.8	5.0	5.2	5.4	5.6	5.8	6.0
NaOH(ml)	3.7	7.5	12.2	17.7	23.9	30.0	35.5	39.8	43.0	45.5

9 Maleate Buffer

50mℓ의 0.0M acid sod. maleate(NaOH 8.0g+maleic acid 23.2g 또는 maleic anhydride 19.6g/1000mℓ)용액에 다음에 적은 0.2M NaOH를 가하고 200mℓ까지 희석한다.

pH	5.2	5.4	5.6	5.8	6.0	6.2	6.4	6.6	6.8
NaOH(ml)	7.2	10.5	15.3	20.8	26.9	33.0	38.0	41.6	44.4

10 Cacodylate Buffer

50mℓ의 0.2M sod. cacodylate($Na(CH_3)2AsO_2 \cdot 3H2O$ 42.8g/1000mℓ)용액에 다음에 적은 0.2M HCI mℓ를 가하고 200mℓ까지 희석한다.

pH	5.0	5.2	5.4	5.6	5.8	6.0	6.2	6.4	6.6	6.8	7.0	7.2	7.4
HCl(ml)	47.0	45.0	43.0	39.2	34.8	29.6	23.8	18.3	13.3	9.3	6.3	4.2	2.7

11 Phosphate Buffer Ⅰ

0.2M 인산제1소다(monobasic sodium phosphate 27.8g/1000mℓ)의 용액과 0.2M 인산제2소다(dibasic sodium phosphate $Na_2HPO_4 \cdot 7H_2O$ 53.5g 또는 $Na_2HPO_4 \cdot 12H_2O$ 71.7g/1000mℓ)용액을 다음과 같이 섞고 200mℓ까지 희석한다.

pH	Phosphate monobasic(ml)	Phosphate dibasic(ml)
5.7	93.5	6.5
5.8	92.0	8.0
5.9	90.0	10.0
6.0	87.7	12.3
6.1	85.0	15.0
6.2	81.5	18.5
6.3	77.5	22.5
6.4	73.5	26.5
6.5	68.5	31.5
6.6	62.5	37.5
6.7	56.5	43.5
6.8	51.0	49.0

pH	Phosphate monobasic(ml)	Phosphate dibasic(ml)
6.9	45.0	55.0
7.0	39.0	61.0
7.1	33.0	67.0
7.2	28.0	72.0
7.3	23.0	77.0
7.4	19.0	81.0
7.5	16.0	84.0
7.6	13.0	87.0
7.7	10.5	90.5
7.8	8.5	91.5
7.9	7.0	93.0
8.0	5.8	94.7

⑫ Phoshate Buffer Ⅱ

1/15M 인산제2소다($Na_2HPO_4 \cdot 2H_2O$ 11.876g/1000㎖) 용액과 1/15M 인산제1칼륨(KH_2PO_4 9.07g/1000㎖)용액을 다음 표와 같이 섞는다.

pH	m/15 Na_2HPO_4 (ml)	M/15KH_2PO_4 (ml)
5.4	3.0	97.9
5.6	5.0	95.0
5.8	7.8	92.2
6.0	12.0	88.0
6.2	18.5	81.5
6.4	26.5	73.5
6.6	37.5	62.5

pH	m/15 Na_2HPO_4 (ml)	M/15KH_2PO_4 (ml)
6.8	50.0	50.0
7.0	61.1	38.9
7.2	71.5	28.5
7.4	80.4	19.6
7.6	86.8	13.2
7.8	91.4	8.6
8.0	94.5	5.5

⑬ Tris-(hydroxymethyl) aminomethane-maleate(Tris maleate) Buffer

50㎖의 0.2M tris acid maleate(Trishydroxy methyl aminomethane 24.2g+maleic acid 23.2g 또는 maleic anhydride 19.6g/1000㎖)용액에 다음에 적은 0.2M NaOH㎖를 가하고 200㎖까지 희석한다.

pH	NaOH(ml)
5.2	7.0
5.4	10.8
5.6	15.5
5.8	20.5
6.0	56.0
6.2	31.5
6.4	37.0
6.6	42.5
6.8	45.0

pH	NaOH(ml)
7.0	48.0
7.2	51.0
7.4	54.0
7.6	58.0
7.8	63.5
8.0	69.0
8.2	75.0
8.4	81.0
8.6	86.5

⑭ Barbital Buffer

50㎖의 0.2M sodium barbital(Veronal 41.2g/1000㎖)에 다음에 적은 0.2M HCl㎖를 가하고 200㎖까지 희석한다.

pH	6.8	7.0	7.2	7.4	7.6	7.8	8.0	8.2	8.4	8.6	8.8	9.0	9.2
HCl(ml)	45.0	43.0	39.0	32.5	27.5	22.5	17.5	12.7	9.0	6.0	4.0	2.5	1.5

⑮ Tris-(hudroxynethyl) aminomehane(Tris) Buffer

50㎖의 tris(hydroxymethyl) amino, ethane(24.2g/1000㎖)에 다음에 적은 0.2M HCl㎖ 가하고 200㎖까지 희석한다.

pH	7.2	7.4	7.6	7.8	8.0	8.2	8.4	8.6	8.8	9.0
HCl(ml)	44.2	41.4	38.4	32.5	26.8	21.9	16.5	12.2	8.1	5.0

⑯ Boric acid-Borax Buffer

50mℓ 0.2M의 붕산(boric acid 12.4g/1000mℓ) 용액에 다음에 적은 0.05M 붕사(borex 19.05g 1000 mℓ : 0.2M 붕산소다용액에 해당)용액 mℓ를 가하고 200mℓ까지 희석한다.

pH	7.6	7.8	8.0	8.2	8.4	8.6	8.7	8.8	8.9	9.0	9.1	9.2
Borax(ml)	2.0	3.1	4.9	7.3	11.5	17.5	22.5	30.0	42.5	59.0	83.0	115.0

⑰ 2-Amino-2methyl propanediol(Ammediol) Buffer

50mℓ 2-amino-2-methyl-1, 3-propandiol(21.03g/1000mℓ)용액에 다음에 적은 0.2M HCImℓ를 가하고 200mℓ까지 희석한다.

pH	7.8	8.0	8.2	8.4	8.6	8.8	9.0	9.2	9.4	9.6	9.8	10.0
HCl(ml)	43.5	41.0	37.7	34.0	29.5	22.0	16.7	12.5	8.5	5.7	3.7	2.0

⑱ Glycine-NaOH Buffer

50mℓ의 glycine(15.01g/1000mℓ) 용액에 다음에 적은 0.2M NaOH를 가하고 200mℓ까지 희석한다.

pH	8.6	8.8	9.0	9.2	9.4	9.6	9.8	10.0	10.4	10.6
NaOH(ml)	4.0	6.0	8.8	12.0	16.8	22.4	27.2	32.0	38.6	45.5

⑲ Borax-NaOH Buffer

50mℓ의 붕사(borax 19.05g/1000mℓ : 0.2M sod. borate에 해당)에 다음에 적은 0.2M NaOHmℓ를 가하고 200mℓ까지 희석한다.

pH	9.28	9.35	9.4	9.5	9.6	9.7	9.8	9.9	10.0	10.1
NaOH(ml)	0.0	7.0	11.0	17.6	23.0	29.0	34.0	38.6	43.0	46.0

⑳ Carbonate-Bicarbonate Buffer

0.2M 무수탄산나트륨(Na_2CO_3 21.2g/1000mℓ)용액과 0.2M 중탄산나트륨($NaHCO_3$ 16.8g/1000mℓ)용액에 다음과 같이 섞고 200mℓ까지 희석한다.

pH	Sod. carb(ml)	Sod. bicarb(ml)
9.2	4.0	46.0
9.3	7.5	42.5
9.4	9.5	40.5
9.5	13.0	37.0
9.6	16.0	34.0
9.7	19.5	30.5
9.8	22.0	28.0
9.9	25.0	25.0

pH	Sod. carb(ml)	Sod. bicarb(ml)
10.0	27.5	22.5
10.1	30.0	20.0
10.2	33.0	17.0
10.3	35.5	14.5
10.4	38.5	11.5
10.5	40.5	9.5
10.6	42.5	7.5
10.7	45.0	5.0

부록 XIV. 식품의 알칼리도, 산도

(+ : 알칼리성 식품, - : 산성식품)

식품명	식품 100g의 알칼리도, 산도	식품명	식품 100g의 알칼리도, 산도	식품명	식품 100g의 알칼리도, 산도
동물성식품		쌀겨	-85.20	오이	2.16
닭고기	-10.4	밀기울	-36.41	고비	+1.61
말고기	-6.60	메밀가루	-7.72	**버섯류**	+6.40
돼지고기	-6.10	빵	-0.59	송이버섯	+17.45
쇠고기	-5.00	**두루 및 가공류**		표고버섯	
모유	+0.43	콩	+10.21	**해초류**	
우유	+0.22	완두	-2.49	다시마	+308.16
치즈	-4.30	잠두	+4.35	미역	+287.04
난백	+3.22	팥	+7.34	김	-5.25
난황	-18.80	강낭콩	+18.82	**절임류**	
청어알	-5.40	땅콩	-5.40	야채절임	+1.25
가다랭이	-39.05	된장	0	단무지절임	+4.98
굴	-8.01	두부	+0.13	**과실류**	
다랑어	-15.29	간장	0	밀감	+3.60
연어	-7.90	**야채류**		수박	+2.07
뱀장어	-7.52	시금치	+5.60	포도	+2.60
도미	-8.56	양배추	+4.86	딸기	+5.62
마른오징어	-29.61	반디나물	+5.81	사과	+3.44
낙지	-12.79	아스파라거스	-0.13	밤	+8.30
대합	-7.52	무	+4.95	감	+2.67
미꾸라지	-5.30	당근	+6.41	배	+2.61
전복	-3.58	우엉	+5.05	바나나	+8.82
새우	-3.19	토란	+7.72	건포도	+20.90
멸치	-8.44	감자	+5.37	**기호품**	
잉어	-8.77	고구마	+4.28	청주	-0.48
문어	-12.79	백합	+6.21	술지게미	-12.00
곡류		연근	+3.84	맥주	-1.10
현미	-15.48	죽순	+4.29	차	+1.60
백미	-4.32	양파	+1.68	커피	+1.85
보리	-3.53	쇠귀나물	-1.93	포도주	+2.49
밀가루	-3.45	호박	+4.35		
오우트밀	-17.32	가지	+1.93		

부록 XV. 물의 끓는점

압력(mmHg)	끓는점(℃)	압력(mmHg)	끓는점(℃)
700	97.714	740	99.255
705	97.910	745	99.443
710	98.106	750	99.630
715	98.300	755	99.815
720	98.493	760	100.000
725	98.686	765	100.184
730	98.877	770	100.366
735	99.067		

부록 XVI. 물의 밀도

온도(℃)	밀도(g/m*l*)	온도(℃)	밀도(g/m*l*)
0	0.99984	21	0.99800
1	0.99990	22	0.99777
2	0.99994	23	0.99754
3	0.99997	24	0.99730
4	0.99998	25	0.99705
5	0.99997	26	0.99679
6	0.99994	27	0.99652
7	0.99990	28	0.99624
8	0.99985	29	0.99575
9	0.99978	30	0.99565
10	0.99970	31	0.99534
11	0.99961	32	0.99503
12	0.99950	33	0.99471
13	0.99938	34	0.99437
14	0.99925	35	0.99403
15	0.99910	36	0.99369
16	0.99895	37	0.99333
17	0.99878	38	0.99297
18	0.99860	39	0.99260
19	0.99841	40	0.99222
20	0.99821	41	0.99183

부록 XVII. 물의 증기압

온도(℃)	증기압(g/mmHg)	온도(℃)	증기압(g/mmHg)
-10(얼음)	1.0	27	26.7
-5(얼음)	3.0	28	28.3
0	4.6	29	30.0
5	6.5	30	31.8
10	9.2	35	42.2
15	12.8	40	55.3
16	13.6	45	71.9
17	14.5	50	92.5
18	15.5	60	149.4
19	16.5	70	233.7
20	17.5	80	355.1
21	18.6	90	525.8
22	19.8	100	760.0
23	21.1	110	1,074.6
24	22.4	150	3,570.5
25	23.8	200	11,659.2
26	25.2	300	64,432.8

기압계의 압력에 대한 온도보정치

온도(℃)	기압계의 압력(mmHg)						
	640	660	680	700	720	740	760
16	1.7	1.7	1.8	1.8	1.9	1.9	2.0
18	1.9	1.9	2.0	2.1	2.1	2.2	2.2
20	2.1	2.2	2.2	2.3	2.3	2.4	2.5
22	2.3	2.4	2.4	2.5	2.6	2.7	2.7
24	2.5	2.6	2.7	2.7	2.8	2.9	3.0
26	2.7	2.8	2.9	3.0	3.0	3.1	3.2
28	2.9	3.0	3.1	3.2	3.3	3.4	3.5
30	3.1	3.2	3.3	3.4	3.5	3.6	3.7

※ 기압계의 압력은 0℃에서 수은주의 높이임.

부록 XVIII. 유해 폐기물 처리법

유해물질은 환경보전법에서 정하는 기준 이하로 처리하여 배출해야 한다. 유해 폐기물은 위탁업자에게 처리시킬 수도 있고 자체적으로 처리할 수도 있다. 그러나 위탁업자에게 처리시킬 경우도 다음과 같이 양을 줄여서 처리시키면 비용 지출을 줄일 수 있다.

I. 시약

다음 1-5의 화합물을 함유한 폐기물은 각 항목별로 나누어 고형물은 그대로, 폐액은 폐액통에 넣어 보관하고, 각 단과대학, 학과 등의 실정에 따라 다음과 같이 정기적으로 처리한다. 단, 폐액의 농도가 낮고 소량이며, 환경보전법의 허용한도 이하이면서 후처리로 오히려 다른 유해물질을 증가시킬 때는 그대로 배출한다.

1) 수은, 카드뮴, 연(납), 크롬(III), 동(구리), 아연, 철, 및 망간의 염류

(1) 폐액을 중화한다.

(2) 폐액 10리터당 5g의 황화나트륨을 조금씩 가해 녹인다. 시험관에 깔때기를 놓고 여과하여 여과액이 연당(鉛糖) 시험지를 검게 변화시킬 때까지 황화나트륨을 더 가한다.

(3) pH를 7-9로 조절한 후 여과하여 침전을 보존한다.

(4) 여과액은 5에 따라 처리한다.

2) 비소, 비산, 아비산의 염류

(1) 필요량의 철(III)염을 가해 중화한다.

(2) 생긴 침전을 보존한다.

(3) 여과액은 1그룹의 폐액과 합친다.

3) 크롬산, 중크롬산 염류, 크롬산 혼합액 등

(1) 폐알코올, 기타 환원제(시판 품으로 일제 톱캐치 06-961-7781(興野製藥))로 크롬(III)(녹색)까지 환원시키고 나서 1,2 그룹의 폐액과 합친다.

(2) 액이 다량의 규산 등을 함유하고 있을 때는 (1)의 처리 후 석회유 등으로 중화하고 나서 1그룹에 가한다.

4) 불화물

(1) 석회유를 가해 젓는다.

(2) 여과하여 침전을 보관한다.

5) 시안화물, 이소니트릴, 메르캅탄, 포르말린, 페놀, 유기인 화합물, 유기붕소 화합물, 수용성 규화물 등 차아염소산나트륨 수용액(상품명 앤티포르민)으로 산화분해하고 나서 배출한다.

이상 1-5의 처리로 나온 침전은 보관한다. 이들 방법 외에 가열 농축하여 고형물로 만드는 방법이 있다. 고형폐기물 중, 불용성은 2년에 한번 정도 콘크리트에 넣어 양생시킨다. 물에 녹거나 적게 녹는 것은 적당한 양의 물에 녹이거나 현탁시켜 상기 1-5에 준하여 처리한다. 그러나 처리하기 어려우면 폐기물 처리업자에게 위탁한다.

Ⅱ. 유기용매, 광물유 등

1. 가능한 한 회수하여 재사용한다. 할로겐이 들어 있는 용매는 반드시 회수한다.

2. 회수하려는 물질이 소각 가능하고, 소각하여도 유해물질이 생기지 않는 용매는 처리업자에게 위탁하기 전에 단과대학 별로 소정의 장소에 정기적으로 모아 보관한다.

3. 회수하기 어렵거나 소각되지 않아도 독성이 적고 수용성인 용매는 다량의 물과 함께 배출한다.

4. 1-3의 어느 항목에도 해당되지 않는 용매는 각 단과대학의 소정 장소에 모아 보관한다.

Ⅲ. 특수 유해물질

연구실별, 실험자별로 사용자가 무해화법을 적용한다.

찾아보기

가

바

사

아

자

차

카

타

파

하

A

B

C

D

E

N

Q

R

S

T

X

기타

식품영양실험핸드북 **–식품편–**

2000년 10월 23일 초판 인쇄
2000년 10월 30일 초판 발행

지 은 이 • 한국식품영양과학회
발 행 인 • 김 홍 용
펴 낸 곳 • **도서출판 효 일**
주　　소 • 130 - 823 서울특별시 동대문구 용두2동 238 - 7
전　　화 • 02) 928 - 6643~5
팩　　스 • 02) 927 - 7703
홈페이지 • www.hyoilco.co.kr
등　　록 • 1987년 11월 18일 제 6－0045 호

값 55,000 원 (전2권)

ISBN 89 - 8489 - 006 - 5